| 200 | 100 | 0 | 100 | 200 |

HELLENISMUS 330 – E. 1. Jh. v. Chr.

Römerherrschaft seit 150   Nachwirkungen des Hellenismus bis ins 2. Jh. n. Chr.

VÖLKERWANDERUNG 2. – 8. JH.

Hunneneinfall
375

HELLENISMUS bis E. 1. Jh. v. Chr. | **KUNST D. KAISERREICHS 27 v. – 476 · FRÜHCHRISTL. BYZANTINISCH**

Nachwirkungen des Hellenismus bis ins 2. Jh. n. Chr.

Reichsteilung 395   Ende Westroms 476

| 800 | 850 | 900 | 950 | 1000 | 1050 |

VORROMANIK 900 – 1060

KAROLINGISCH 750 – 1000 | **VORROMANIK** | **ROMANIK**

Premier art

Capetingerkunst seit 987

ASTURISCH-WESTGOTISCH · ARTE PREROMANICO 700 – 1000 | **ROMANIK**

711 – 1492   Mozarabisch 800 – A.11. Jh.   Mudéjar 900 – 16. Jh.

KAROLINGISCH 750 – 930 | **OTTONISCH 919 – 1040** | **ROMANIK**

Karling. | Karlisch 768 – 815 | Karolingisch 815 – 875 | Spätkarolingisch 875 – 930

ANGELSÄCHSISCH (SAXON) 450 – 1066

Italien: Trecento   Quattrocento   Cinquecento

| 1300 | 1350 | 1400 | 1450 | 1500 | 1550 |

GOTIK 1205 – 1420 | **RENAISSANCE**

GOTIK 1135 – 1520 | **RENAISSANCE**

Spätgotik

Style rayonnant 1270 – 1380   Style flamboyant 1380 – 1520

GOTIK 1200 – 1510 | **RENAISSANCE**

Isabell-Stil 1480 – 1510

noch: Mudéjar bis 16. Jh.   Spätgotik 1420 – 1510   Platero

GOTIK 1235 – 1520 | **RENAISSANCE**

Hochgotik 1250 – 1350   Spätgotik 1350 – 1520 (Deutsche Sondergotik)

GOTIK 1175 – 1550 | **ELIZA-BETHAN**

Decorated 1275 – 1377   Perpendicular 1327 – 1500   Tudor 1485 – 1550

| 1700 | 1750 | 1800 | 1850 | 1900 | 1950 |

1570 – 1780 | **KLASSIZISMUS 1780 – 1830** | **HISTORISMUS 1830 – 1910/1940** | **MODERNE**

Spätbarock 1700 – 1780

Stile Liberty 1890 – 1910

BAROCK 1610 – 1770 | **KLASSIZ. 1770 – 1830** | **HISTORISMUS 1830 – 1920** | **MODERNE**

Regence 1715 – 23 | Louis XV (Rokoko) 1723 – 74 | Louis XVI 1760 – 1800 | Directoire 95 – 99 | Empire 1804 – 30

Art Nouveau 1890 – 1910

Gründerstil 1870 – 1920

1600 – 1800 | **KLASSIZ. 1780 – 1830** | **HISTORISMUS 1830 – 1930** | **MODERNE**

Churriguerismus 1690 – 1750

Modernismo 1880 – 1925

KLASSIZISMUS 1755 – 1830 | **HISTORISMUS 1820–1910/40** | **MODERNE**

CK 1660 – 1780 | Rokoko 1735 – 1780

Jugendstil 1890 – 1910

Gründerstil 1870 – 1920

· BAROCK 1670 – 1730 · GEORGIAN 1710 – 1830 | **KLASS 1820/40** | **VICTORIAN 1840 – 1910 · NEUGOTIK seit 1820**

Queen Anne St. 1690 – 1720 | Rokoko 1730 – 60 | Adam Style 1760 – 90 | Regency 1790 – 1830 | Second Pointed 1840 – 70 | Gründerst. 1870 – 88 | Arts a. Crafts 1888 – 1910

MODERNE

Für meine Frau Hilde

WILFRIED KOCH

Baustilkunde

Das große Standardwerk
zur europäischen Baukunst
von der Antike bis zur Gegenwart

Orbis Verlag

Layout und Zeichnungen: Wilfried Koch
Montage: Wilfried Koch, Hellmut Berger, Reinhard Vogt
Montage der Karten: Mechthild Feldhans-Berkenheide

Übersetzungen der Lexikon-Begriffe:
Englisch: Johannes und Patricia Goehl, München
Französisch: A. Federico Caiola, Venedig, Claudia Schinkievicz, München
Spanisch: Santiago Planas und Timo Schulze, Venedig; Mercedes Valdivieso, Köln
Italienisch: Dr. Rosina Callegari, Venedig; Michelina Russo, Köln

Redaktion der Übersetzungen, Koordination nach dem Polyglott-Verfahren,
Register: Hilde Koch

Sonderausgabe 1994 Orbis Verlag
für Publizistik GmbH, München

© Mosaik Verlag GmbH, München
Erweitert und völlig neubearbeitet
Alle Rechte, insbesondere am Ordnungsverfahren des Polyglott-Teils, vorbehalten
Gesamtherstellung: Mohndruck Graphische Betriebe GmbH, Gütersloh
ISBN 3-572-00689-9 · Printed in Germany

INHALT

SAKRALBAU

DANKSAGUNG

An den Anfang möchte ich meinen Dank an meine Frau stellen. Ihre jahrelange kluge Mitarbeit, ihre förderliche Kritik und ihr ordnender Geist haben an der Entstehung dieses Buches wesentlichen Anteil. Und wenn es ein gutes Buch geworden ist, dann nicht zuletzt, weil meine eigene Begeisterung am Stoff in ihr Gleichklang und Zuspruch gefunden hat.

Meinem Sohn Wilfried Maria danke ich für manche Recherchierarbeit und für die Freude, daß er – in seinen sehr eigenen Fußstapfen – seinen Vater auf dem Weg zur Geschichte der Kunst begleitet.

Besonderen Dank sage ich aber auch
allen, von denen ich lernen durfte, gleichgültig ob ich sie persönlich oder nur aus ihren Werken kenne;
den Übersetzern für ihre engagierte Mitarbeit;
Herrn Friedrich Wilhelm Weitershaus für die sorgfältige Korrekturlesung;
Herrn H. Lothar Goral für zahlreiche Anregungen zur vorliegenden Neubearbeitung;
Herrn Wolf Schmoll gen. Eisenwerth für seine kritische Durchsicht der neugestalteten Kapitel zur Antike;
den Freunden, die uns trotz unserer jahrelangen Isolation ihre Zuneigung bewahrt haben.

QUELLEN DER ZEICHNUNGEN

Die Zeichnungen basieren zu einem Teil auf eigenen Aufnahmen und Fotos. Für die freundliche Überlassung zahlreicher Unterlagen bin ich Wissenschaftlern, Kirchen-, Schloß- und Stadtverwaltungen sowie staatlichen Institutionen in West- und Osteuropa sehr zu Dank verbunden. Unter den neueren Quellen zolle ich meine besondere Hochachtung dem graphischen Werk von Professor Doreen Yarwood und Professor Sergio Coradeschi. Herrn Dr. Herbert de Caboga † bin ich dankbar für die freundliche Genehmigung zu Umzeichnungen aus seinen Arbeiten zur Burgenkunde. Einige Umzeichnungen zum Kapitel „Stadtentwicklung" habe ich aus Werken oder nach Graphiken folgender Autoren erstellt und mit Kürzeln gekennzeichnet: E. Bacon (Bc), A. Böhrend (Bö), W. Braunfels (Bs), F. Choay (Ch), H. Coubier (Co), E. Egli (Eg), P. Favole (Fa), H. Gebhard (Ge), K. Gruber (Gr), F. J. Himly (Hi), F. R. Hiorns (Hs), H. Luckenbach (Lu), M. Morini (Mo), H. Muthesius (Mu), H. Planitz (Pl), A. Pletsch (Pt), H. Rosenau (Ro), Fr. Scholl (Sc), J. Stübben (St), U. Thiersch (Th), E. Viollet-le-Duc (Vi). Reproduktionen von Originalzeichnungen sind durch den Buchstaben O hinter dem Kürzel kenntlich gemacht. Die restlichen Illustrationen sind Umzeichnungen aus dem Fundus, der sich seit Generationen in der kunstgeschichtlichen Literatur angesammelt hat, vielfältig neu verarbeitet wurde und dessen Quellen zumeist im urheberschaftlichen Halbdunkel des 19. Jahrhunderts liegen.

QUELLEN DER VERBREITUNGSKARTEN

Die Verbreitungskarten „Vorkarolingische Großbauten" und „Karolingische Großbauten" habe ich mit freundlicher Genehmigung ihres Urhebers, Professor Albrecht Mann, vereinfacht umgezeichnet. Die Vorlage für die Karte „Verbreitung der Franziskanerklöster" stammt von P. Arsenius Crass OSF †. Die Karte „Romanik in Großbritannien und Irland" basiert auf „Britannia romanica" von Robert Th. Stoll. Die Karten über englische Gotik sind Neuredaktionen auf der Grundlage der Arbeiten von Jean Boney „The English Decorated Style" und John Harvey „The Perpendicular Style". Dr. Roar Hauglid hat mir dankenswerterweise gestattet, aus „Norske stavkirker" die Verbreitung norwegischer Stabkirchen in die Karte „Romanik in Skandinavien" einzuarbeiten. Herrn Professor Walther Buchowiecki † verdanke ich wertvolle Hinweise zur Verbreitung der Architektur in Österreich und Ungarn. Die kartographische Einteilung des romanischen Frankreichs in kunstgeschichtliche Regionen wurde im wesentlichen übernommen aus Marcel Aubert „Cathédrales et abbatiales romanes de France". Ihre inhaltliche Zusammenstellung stammt wie die aller übrigen Karten vom Verfasser.

VORWORT ZUR BENUTZUNG DES BUCHES

Zu den Intentionen des Buches gehören die monographischen Darstellungen von Sakralbau, Burg- und Palastbau sowie Bürger- und Kommunalbauten als homogene Gruppen. Für die 11. Auflage, 1991, wurde das Buch durch das Kapitel „Stadtentwicklung" um 32 Seiten und um mehr als 300 Zeichnungen erweitert. Der bisherige Inhalt wurde neu bearbeitet und erfuhr zahlreiche Zusätze. Die Verbreitungskarten sind aktualisiert, z. T. völlig erneuert.

Verweisungen erlauben die nötigen Querverbindungen. Abbildungen auf derselben Seite sind durch *, auf anderen Seiten durch entsprechende Seitenziffer und *, Verweisungen ins Bildlexikon durch → gekennzeichnet. Der Überschaubarkeit des vielfältig verzweigten Stoffes dient eine Typographie, die ohne Starrheit Gleichartiges möglichst auch an gleicher Stelle erscheinen läßt, z. B. findet man eine Formenkunde jeweils nach dem Einführungstext in eine Stilepoche; Grundrisse stehen gewöhnlich in der mittleren Querspalte. Die stichworthafte Behandlung der Stilmerkmale erleichtert das Erfassen und Einprägen. Dabei ist jeder Abschnitt für sich verstehbar, ohne alles Vorherige lesen zu müssen. Wo es nötig ist, kommen deshalb auch Wiederholungen vor.

Die zeitliche Abgrenzung von Stilepochen ist nur ein rasterartiges Hilfsmittel zur Schaffung von Übersicht. Sie setzt das Wissen vom Wandel durch Übergänge voraus.

Die kunstgeschichtliche Entwicklung Englands hat deutlich andere Wege genommen als im übrigen Europa. Deshalb werden englische Gotik, S. 188 ff., sowie Burg- und Palastbau, S. 329 ff., in eigenen Kapiteln behandelt.

Das Bildlexikon ist zugleich Sachregister. Es umfaßt auch Gegenstände der Einrichtung, die nicht direkt zur Architektur gehören.

Dringendem Bedarf kommt der Polyglott-Anhang entgegen. Der Widerstreit mancher Übersetzer-Meinungen hat gezeigt, daß in einigen Fällen eine völlige Äquivalenz der Begriffe nicht zu erreichen ist.

Wilfried Koch

FOTONACHWEIS

Athen, Akropolis. Rekonstruktion

SAKRALBAU

GRIECHISCHE ANTIKE

Verbreitungsgebiet

Megaron
13,1*; 291*; 342*

Antentempel

Grundrisse

Von Nordgriechenland her dringen seit dem 12. Jahrhundert v. Chr. dorische Völker nach Süden in die Peloponnes, nach Osten auf die zahlreichen Inseln des Ägäischen Meeres bis nach Kreta und in die Küstengebiete Kleinasiens. Sie zerstören, was sie überrollen: die Denkmäler der mykenischen Kultur, die Kunstwerke der Achäer.

Aber indem sie die Form des hier vorgefundenen Megaron-Hauses (13,1*) übernehmen, treffen sie auch eine Entscheidung, die für Jahrtausende von Bedeutung bleiben wird. Denn aus ihr werden sich in mannigfachen Abwandlungen die Tempel Griechenlands und Roms entwickeln.

Das Megaron war der zentrale Raum des mykenischen Palastes. Eine Votivgabe des 8. Jahrhunderts aus Terrakotta (13,2*) gibt eine gewisse Vorstellung dieses Typs mit seinem steilen Dach über einer Cella, deren Seitenwände nach vorn vorgezogen sind (= Anten) und einen einseitig offenen Vorraum, den Pronaos, bilden. In den Schatzhäusern der archaischen, aber auch in kleinen Tempeln späterer Zeit finden wir diese Grundform als Antentempel – jedoch mit einem Säulenpaar zwischen den Anten – wieder (13,3* und Eleusis, 18*). Beim Doppelantentempel tritt eine gleichartige Rückhalle (Opisthodomos) dazu, aber ohne eigenen Zugang zur Cella (13,4*). Durch eine Säulenreihe, die der Eingangsseite des Antentempels vorgestellt wird, entsteht der Prostylos (13,5*). Wird auch die Rückseite des Doppelantentempels mit solchen Säulen versehen, spricht man vom Amphiprostylos (13,6*). Aber nicht diese, sondern die großen Tempel: Peripteros (13,7* und 13,8*) und hellenistischer Dipteros (13,10* und 13,11*), von Säulenkränzen umstellte Heiligtümer mit einer zweiten Tempelfront, haben unsere Vorstellung von griechischer Baukunst am eindrücklichsten geprägt.

Als im 8. und 7. Jahrhundert einige Städte Griechenlands sich zu Staaten entwickelt haben, schicken sie ihre Kolonisten bis an die Ufer des Schwarzen Meeres, um dort neue Städte zu bauen. Im Westen besiedeln sie die Gebiete Unteritaliens und Siziliens, welche die Römer unter dem Namen Magna graecia, Großgriechenland, zusammenfassen. Auch hierhin bringen sie ihre Tempelformen und entwickeln sie zu riesenhaften Dimensionen mit 8–9 Frontsäulen, einer Freitreppe gegenüber dem Altar und dem Adyton, einem für das Volk unzugänglichen heiligen Raum hinter der Cella (13,9*).

Das Gebiet des östlichen Mittelmeerraumes, in dem griechische Kunst sich entfaltet, ist groß, durch Meere getrennt, auf Inseln zersplittert. Bis zu den Zeiten Alexanders und der Römer können die Griechen nie zur Einheit einer Nation finden. Ihre Stadtstaaten sind oft blutig zerstritten. Aber sie sprechen alle griechisch, und die künstlerische Entwicklung geht immer einheitliche Wege. Und wenn auch die zweite Tempelfront in Korinth erfunden wurde, wenn auch die ionische Säulenordnung eine Zeitlang eine Art Markenzeichen der Inselbewohner und der kleinasiatischen Stämme ist: das Grundschema des Tempelbaus ist überall dasselbe. Und die Akropolis von Athen zeigt deutlich, wie zwanglos sich im 5. Jahrhundert der »ortsansässige« dorische Stil mit dem ionischen mischen läßt.

Gemeinsam ist aller griechischen Kunst auch, daß sie vom Tempel bis zum Gebrauchsgegenstand fast immer als Auftragsarbeit vor einem religiösen Hintergrund entsteht. Selbst das Theater (36*) ist ein religiöser Bezirk, das feierliche Theaterspiel Gottesdienst. Und vor dem hellenistischen Buleuterion von Milet, dem städtischen Versammlungsraum, steht im Vorhof der Altar (344*).

Einzelne Elemente der griechischen Architektur sind in ihrer Entwicklung verfolgbar. So wird der breit ausladende archaische Echinus des dorischen Kapitells in klassischer Zeit schmaler, die stämmige archaische Säule erhält elegantere Schlankheit, ihre früher stark schwellende Entasis geht fast bis zur Geradlinigkeit zurück. Die komplizierte ionische Säulenbasis kleinasiatischer Prägung wird zur dreiteiligen »attischen« Basis reduziert. In dieser Form wird sie noch in der Romanik bedeutungsvoll bleiben. Der ursprünglich langgestreckte Innenraum der Cella wird gegen die klassische Zeit hin kürzer. Entsprechend verändert sich das Verhältnis der Anzahlen von Säulen an Schmal- und Langseite.

620, Thermos, Apollo-Tempel: 5/15   archaisch
590, Olympia, Hera-Tempel: 6/16
560, Syrakus, Apollo-Tempel: 6/17

nach 471 Olympia, Zeus-Tempel: 6/13   klassisch
449, Athen, Parthenon: 8/17

um 300, Didyma, Apollo-Tempel: 10/21   hellenistisch
(Länge = 2 × Breite + 1)

Bauten des 4. Jahrhunderts haben gewöhnlich noch breitere Formen (Priene: 6/11).

Dorische und ionische Ordnung haben sich in der Archaik stammesgebunden in verschiedenen Kunstlandschaften entwickelt. Nur das

Kolonisation

Großgriechenland

Politische Divergenz – künstlerische Einheit

Entwicklung der Einzelformen
15*

Kultbezirke (Temenoi, Einz.: Temenos)
Heilig sind u. a.:
- Berggipfel: meist Zeus
- Vorgebirge: Poseidon, z. B. Sunion
- felsige Anhöhen: oft Athena
- Quellen in fruchtbaren Ebenen:
  Demeter. Andere Quellen z. B. in
  Delphi, Didyma
- Höhlen: Zeus, z. B. auf Kreta; Pan
  und Nymphen in Attika
- Bäume: in Dodona, beim Ere-
  chtheion in Athen, im Heraion
  (= Hera-Heiligtum) von Samos
- mykenische Ruinen: Athen, Mykene,
  Heraia von Argos und Samos, Ther-
  mos
- mykenische Gräber: Olympia,
  Nemea, Isthmia
Besondere überregionale Bedeutung
haben
- die panhellenischen = allgriechi-
  schen Festspiele in Olympia, Delphi,
  Nemea und am Isthmos
- Orakel: Dodona, Delphi, Olympia,
  Didyma, Klaros, Ephyra, Amphia-
  reion, Trophonion, Ptoion, Abai,
  Sura, Cumae
- Heilkultstätten: Asklepieion = Hei-
  ligtum des Heilgottes Asklepios in
  Epidauros, Kos, Pergamon; Amphia-
  reion
- Mysterienkulte in kommunalen
  Landschaftsheiligtümern: Eleusis,
  Samothrake
Die Temenoi liegen überwiegend oder
ursprünglich in freier Landschaft.

Städtische Heiligtümer liegen zumeist
auf einem die Polis = Stadt überragen-
den Hügel, der Akropolis: Athen, Ko-
rinth, Lindos, Kameiros, Ialysos, Milet,
Pergamon, Priene, Syrakus, Selinunt,
Akragas, andere in bzw. nahe einer
Stadt: in Athen das Hephaisteion und
das Olympieion; Tegea, Sardes, Meta-
pont, Segesta, Paestum.
Geopfert wird auf Altären oder in Op-
fergruben. Für die Götterbilder werden
oft Tempel (Naoi, Einz.: Naos) gebaut.
Weihgeschenke stehen frei oder werden
in Schatzhäusern (Thesauroi, Einz.:
Thesauros) aufbewahrt. An manchen
Orten dienen Theater und Stadien den
Festspielen.
Hierzu auch 390 f.*

korinthische Kapitell ist eine Erfindung der Klassik. Als sein Entwerfer wird Kallimachos genannt. Seit der Klassik werden die Ordnungen auch gemischt. In den Propyläen der Akropolis, 437–431 v. Chr.,
stehen z. B. dorische und ionische Säulen nebeneinander. Die korinthische Ordnung wird überhaupt zunächst nur im Tempelinnern angewandt, zum ersten Mal um 420 in der Cella des dorischen Apollon-
tempels von Bassai, 15*, und zwar neben ionischen Säulen! (Vgl. auch
Tegea, 13*; Epidauros, 20* und die ionische Tholos von Olympia,
20*.) Sie tritt erst in frühhellenistischer Zeit auch am Außenbau auf
(Athen, 20*).

Übersicht
Geometrische Zeit 1100–700 v. Chr.
Von der Architektur dieser Zeit ist wenig erhalten. Ihr Name charakterisiert die Schmuckformen der zeitgenössischen Keramik (Votivgabe,
13*).

Archaische Zeit 700–500 v. Chr.
Das mykenische Megaron wird im 8. Jahrhundert Vorbild für frühe
Antentempel aus luftgetrockneten Ziegeln und Holz. Im 7. Jahrhundert vollzieht sich der Übergang zur ausschließlichen Verwendung
des Steins beim Tempelbau. Gleichzeitig entsteht durch eine zweite
Tempelfront und umgestellte Säulen der Peripteros. Die Cella wird
dreischiffig, sie erhält einen Pronaos (offene Vorhalle) im Osten, einen Opisthodomos (offene Halle) im Westen (in Großgriechenland
meist als geschlossene Halle = Adyton). In den Jahrzehnten vor und
nach 700 entstehen auf der Peloponnes (Argos, Korinth) die dorische
und im ionischen Osten die ionische Ordnung. Die dünne Holzsäule
wird durch eine massive Steinsäule ersetzt. Der Steinbau gewinnt monumentale Formen.

Klassische Zeit 500–330 v. Chr.
Die etwa 30 Jahre zwischen dem Beginn der Perserangriffe und der
Berufung des Perikles, 459, gelten als Übergangszeit. Mit dem Zeus-
Tempel von Olympia, beg. nach 471, ist der exemplarische frühklassi-
sche Tempel geschaffen, 18*. – Die in Athen seit 449 errichteten Bau-
ten stellen den Höhepunkt der klassischen Architektur dar. Überlie-
ferte und neue Bauelemente und -prinzipien werden in klassischer
Zeit z. T. frei angewandt:
- Achsenbindung der Antenstirnen mit der 3. Langseitensäule, 13,8*
  (zuerst Selinus/Sizilien, Tempel G, um 520 v. Chr., jedoch in klassi-
  scher Zeit nicht immer, so z. B. nicht: Olympia, Zeus-Tempel, 18*;
  Apollon-Tempel auf Delos und in Delphi)
- Mischung von dorischer und ionischer Ordnung (Bassai, 15*;
  Athen, Propyläen der Akropolis)
- Kurvatur = leichte Aufwölbung der Stylobates (zuerst Korinth,
  Apollon-Tempel, M. 6. Jh. v. Chr.) und des Gebälks, leichte Nei-
  gung von Säulen und Cellawänden nach innen (Athen, Parthenon)
- Abhängigkeit aller Maße (zuerst Korinth, Apollon-Tempel)
- schlankere dorische Säulen
- Entstehung der attischen Basis für die ionische Ordnung
- Erfindung des korinthischen Kapitells
- Rundbauten (Tholos, Mz.: Tholoi, seit 8. Jh. v. Chr. bekannt)
- Beginn des Bogen- und Gewölbebaus aus Keilsteinen in frühhelleni-
  stischer Zeit (Vergina, sog. Grab Philipps II., 336 v. Chr. gest.)

Hellenistische Zeit 330–30 v. Chr. (Siehe SS. 25–29)

TEMPELFORMEN

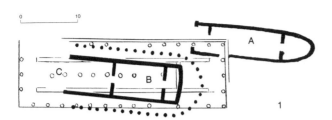

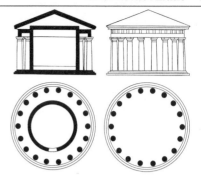

Thermos/Aitolien, Megaron und Tempel
A mykenisch: Megaron mit Rundapsis
B geometrische Zeit: Megaron mit (späterem) Holzsäulenring, um 10. Jh. v. Chr.
C archaisch, 7. Jh.: Apollo-Tempel 5/15 mit einstufiger Krepis, langer Cella, Säulenreihe in der Mittelachse; vermutlich abgewalmtes Satteldach an der Rückhallenseite.

Li: Tholos = autonomer gedeckter Rundbau mit Säulenkranz und Innenraum. – Re: Monopteros = runder Säulenbau ohne Innenraum.

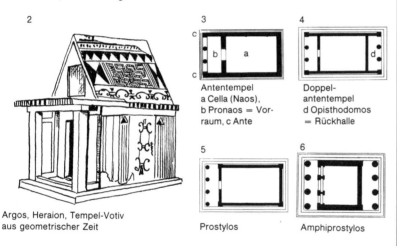

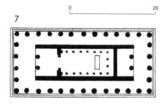

Antentempel
a Cella (Naos),
b Pronaos = Vor-
raum, c Ante

Doppel-
antentempel
d Opisthodomos
= Rückhalle

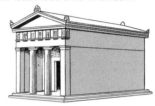

Zu 3: Olympia, Schatzhaus von Megara, 6. Jh.v.Chr., nach dem Schema eines Antentempels

Argos, Heraion, Tempel-Votiv aus geometrischer Zeit

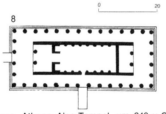

Prostylos

Amphiprostylos

Zu 6: Amphiprostylos.
Athen, Niketempel, um 430 v. Chr.; 19*

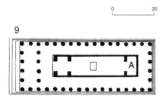

Athen, Hephaisteion, 440 v. Chr. Klassischer dorischer Peripteros 6/13. 3stufige Krepis, 3schiffige Cella mit 2geschossigen Säulen. Keine Achsenbindung der Anten.

Tegea, Athena Alea-Tempel, um 340 v. Chr. Nachklassisch dor. Peripteros 6/14. Achsenbindung der Anten mit den 3. Langseitensäulen. Cella mit korinth. Halbsäulenvorlagen.

Zu 7: Dorischer Peripteros. System nach Ägina, Aphaia-Tempel, um 500 v. Chr. beg. C Cella durch 2 doppelgeschossige Säulenreihen in 3 Schiffe geteilt. Hier: durch Emporen in den Seitenschiffen entstehen »Galerien«. Ps Peristasis = Säulenkranz; Pt Pteron = Umgangshalle über dem Pd Peridromos = Bodenfläche des Umgangs.

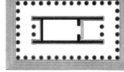

Selinus/Sizilien, Tempel C 6/17, 550 v. Chr. Großgriechische Sonderform mit 4stufiger Krepis, Freitreppe, doppelter Säulenvorhalle, A Adyton = Rückhalle. Die reichen Kolonialstädte verwenden die dor. Elemente unorthodox.

Didyma bei Milet, Jüngerer Apollo-Tempel, 313 v. Chr. beg. Frühhellenist. ion. Großtempel mit 2 Säulenkränzen = Dipteros 10/21. Rastersystem von Säulen und (hier hypäthraler = nicht überdachter) Cella 26*

Chryse/Troas, Apollo-Tempel (Smintheion), 3. oder 2. Jh. v. Chr., hellenistisch-ionischer Pseudodipteros: die 8/14 Säulen begrenzen einen doppelt breiten Cella-Umgang = Pteron, dem jedoch die innere Säulenreihe fehlt.

ORNAMENT

Mäander

Palmettenfries

Dorisches Kymation
Blattwelle

Hakenkreuzmäander
(»doppelter« Mäander)

Mäander

Anthemion: Palmetten
mit Lotosblumen

Ion. Kymation, Eierstab
Blattwelle

Wellenband, Laufender Hund

Astragal, Perlstab

Lesbisches Kymation
Blattwelle

AKROTERION

Giebel-Akroterion

Distel-Akroterion

Palmetten-Akroterion

DACH- UND STIRNZIEGEL

Stirnziegel = Antefix. Li: archaisch (Tiryns). –
M: vorklassisch (Ägina). – Re: klassisch

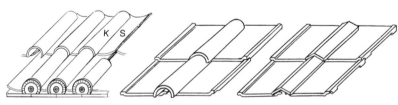
Dachziegel. Li: lakonisch, S Strotere (Flachziegel) leicht gebogen, K Kalyptere (Deckziegel)
halbrund. – Mi: sizilisch, Strotere flach, Kalyptere gebogen. – Re: korinthisch, Strotere flach,
Kalyptere gewinkelt

SIMA, WASSERSPEIER KASSETTE

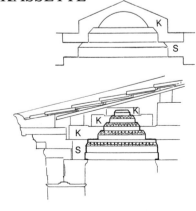

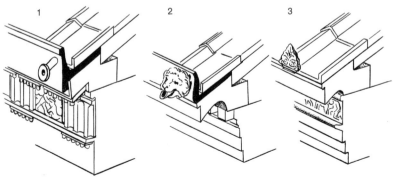

Li: Dorische und ionische Kassette. S Strotere, rasterbildender, überbrückender Steinbalken;
K Kalymatie, abgetrepptes Füllelement, das oberste napfförmig.
O: Sima, 1 mit archaischem Wasserspeier (Olympia, Heraion, um 600 v. Chr.), 2 mit klassi-
schem (Löwenkopf-)Wasserspeier, 3 mit Stirnziegel ohne Plattenverkleidung

KAPITELL

Dorisch	Ionisch	Korinthisch	Äolisch

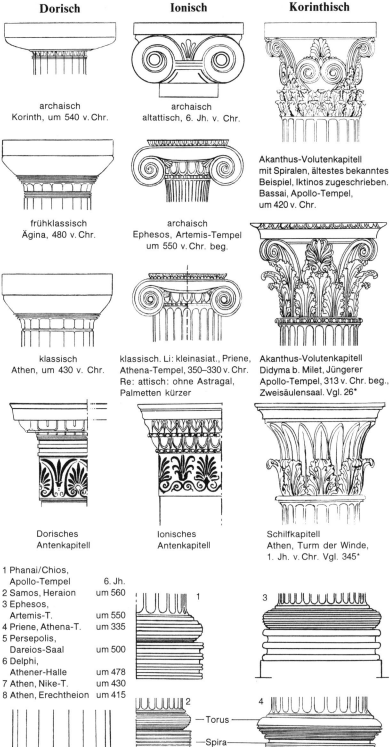

Dorisch

archaisch
Korinth, um 540 v. Chr.

frühklassisch
Ägina, 480 v. Chr.

klassisch
Athen, um 430 v. Chr.

Dorisches
Antenkapitell

Ionisch

archaisch
altattisch, 6. Jh. v. Chr.

archaisch
Ephesos, Artemis-Tempel
um 550 v. Chr. beg.

klassisch. Li: kleinasiat., Priene,
Athena-Tempel, 350–330 v. Chr.
Re: attisch: ohne Astragal,
Palmetten kürzer

Ionisches
Antenkapitell

Korinthisch

Akanthus-Volutenkapitell
mit Spiralen, ältestes bekanntes
Beispiel, Iktinos zugeschrieben.
Bassai, Apollo-Tempel,
um 420 v. Chr.

Akanthus-Volutenkapitell
Didyma b. Milet, Jüngerer
Apollo-Tempel, 313 v. Chr. beg.,
Zweisäulensaal. Vgl. 26*

Schilfkapitell
Athen, Turm der Winde,
1. Jh. v. Chr. Vgl. 345*

Äolisch

Äolisches Kapitell, archaischer Tempel von Neandreia in Äolis/NW-Kleinasien, um 600 v. Chr.,
Sonder- oder Vorform des ionischen Kapitells:
über herabhängenden Blättern 2 Voluten und Palmette

STEREOBAT
eines griechisch-dorischen Tempels

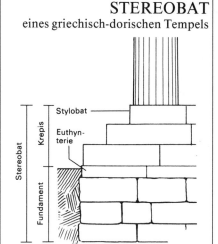

Stereobat
Krepis
Fundament
Stylobat
Euthyn-
terie

SÄULENBASIS

1 Phanai/Chios,
  Apollo-Tempel   6. Jh.
2 Samos, Heraion   um 560
3 Ephesos,
  Artemis-T.   um 550
4 Priene, Athena-T.   um 335
5 Persepolis,
  Dareios-Saal   um 500
6 Delphi,
  Athener-Halle   um 478
7 Athen, Nike-T.   um 430
8 Athen, Erechtheion um 415

Torus
Spira
Plinthe

Dorischer Säulenfuß, steht
ohne Plinthe auf dem Stylobat

1, 2: Inselionische Basen mit
Spira und Torus, ohne
Plinthe; 1 mit Doppeltrochilus

3, 4: Kleinasiatisch-ionische
Basen mit Plinthe, Spira mit
Doppel-Trochilus, Torus

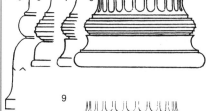

Torus
Trochilus
Torus

Attische Basis. 5–8: Entwicklung von der Glok-
ken- zur späten Torus-Trochilus-Torus-Form (9)

DORISCHE ORDNUNG

Säule = Stylos
- Skapos = Schaft steht ohne Basis und Plinthe auf dem Stylobat, -es (Säulenunterlage) = oberste Stufe der 3stufigen Krepis (Schuh)
- Stereobat (feste Unterlage) = Krepis + Fundament, 15*
- Entasis = Schwellung der unteren Schafthälfte, darüber starke Verjüngung bis um ¼ des unteren Ø
- Kanneluren (Röhrchen) = 16–20, selten 24 flache, senkrechte Auskehlungen zwischen Graten
- Scamillus (kleiner Graben) = 1–3 waagerechte Kerben unterhalb des
- Hypotrachelion (unteres Halsgebilde) = Säulenhals
- Anuli (Einz.: Anulus) = schmale Ringe am Beginn des
- Echinus = kreisrunder Wulst, in der Frühzeit bauchig ausladend, seit der Klassik zunehmend straffer, darüber
- Abakus (Brett) = quadr. Deckplatte

Antenpfeiler mit oder ohne Fuß und mit glattem, unverjüngtem Schaft. Vielfältige Einzelformen, u. a.
- Taenia, Fascia = wenig vorspringende Halsleiste
- Echinus mit Kymation (kleine Welle) = Blattwelle, 14*

Gebälk = Gesamtheit von Architrav, Fries und Geison
- Architrav (Tragbalken), Epistyl, -ion (Säulenauflage) = Hauptbalken, oben begrenzt durch eine
- Taenia = schmale Leiste, an ihr hängen die
- Regulae (Einz.: Regula, Leiste) = schmale Platten mit je 6
- Guttae (Einz.: Gutta) = Tropfen, ursprünglich Nagelköpfe. Über jeder Regula sitzt auf der Taenia eine
- Triglyphe = Dreischlitz, Stützpfeilerchen mit 2 Schlitzen (besser: Kerben) in der Mitte und je einem »halben« Schlitz in der Art von Fasen an den seitlichen Kanten. Triglyphen bilden im Wechsel mit
- Metopen (eigentl.: Raum zwischen den Augen) = bemalten oder skulptierten Rechteckplatten das
- Triglyphon = Fries
- Geison (Vorsprung) = Kranzgesims, Übergang vom Gebälk zum Dach. An dessen nach außen schräger Unterfläche hängen

Fortsetzung Seite 18

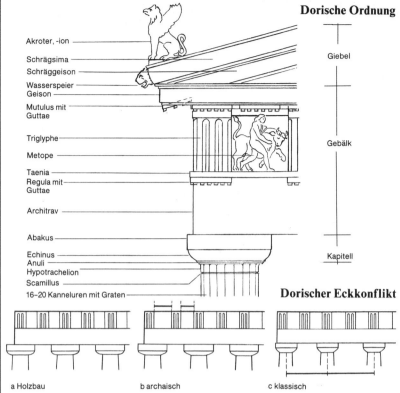

Dorische Ordnung

Akroter, -ion
Schrägsima
Schräggeison
Wasserspeier Geison
Mutulus mit Guttae
Triglyphe
Metope
Taenia
Regula mit Guttae
Architrav
Abakus
Echinus
Anuli
Hypotrachelion
Scamillus
16–20 Kanneluren mit Graten

Giebel
Gebälk
Kapitell

Dorischer Eckkonflikt

a Holzbau   b archaisch   c klassisch

a Holzbau: Ecktriglyphe steht ideal zugleich an Gebälkkante und über der letzten Säulenachse.
b Archaische Großtempel: verbreiterter Architrav reicht über die Säulenachse hinaus. Deshalb unschöne Verbreiterung der letzten Metope (= Differenzverteilung).
c Klassische Tempel verringern den Abstand der beiden letzten Säulen und erhalten so gleich große Metopen (= Eckkontraktion).

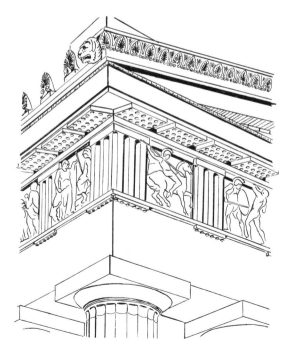

Tempelecke. Athen, Akropolis, Parthenon-Tempel, beg. 449 v. Chr.

Inselionisch-attisch

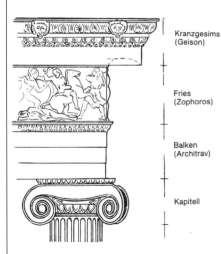

- Kranzgesims (Geison)
- Fries (Zophoros)
- Balken (Architrav)
- Kapitell

Ionisches Kapitell

P Pulvinum (Polster), B Balteus (Gürtel), K Kanalis (Rinne, Volutenverbindung)

Ionisches Eckkapitell

Das ionische Kapitell ist auf Frontalansicht berechnet. An Tempelecken werden deshalb die notwendigen 2 Eckvoluten geschweift und zusammengezogen.

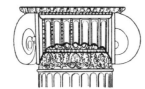

Kleinasiatisch-ionisch

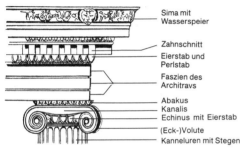

- Sima mit Wasserspeier
- Zahnschnitt
- Eierstab und Perlstab
- Faszien des Architravs
- Abakus
- Kanalis
- Echinus mit Eierstab
- (Eck-)Volute
- Kanneluren mit Stegen

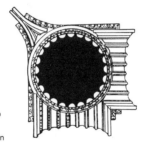

Korinthisch

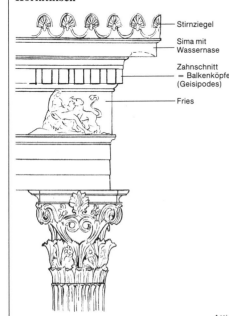

- Stirnziegel
- Sima mit Wassernase
- Zahnschnitt = Balkenköpfe (Geisipodes)
- Fries

Attisch-ionische Tempelecke. Athen, Akropolis, Erechtheion, E. 5. Jh. v. Chr.

IONISCHE ORDNUNG

Säule: Schaft schlanker als der dorische, auch mit Reliefs: Ephesos, 19*, Didyma, Sardes, Chryse, Kyzikos
– Entasis in Ionien erst seit Ende der Klassik
– Kanneluren – meist 24 tiefe Auskehlungen zwischen Stegen, oben und unten ausgerundet
– Basis = Säulenfuß. Typen (15*):
  a) inselionisch. Bei der samischen Basis steht auf einer meist leicht konkav eingezogenen Steintrommel = Spira (Krümmung) ein kräftiger Wulst = Torus. Spira ist durch Stabprofile, Torus durch flache Kanneluren horizontal gegliedert
  b) kleinasiatisch-ionisch. Verbreitet ist die ephesische Basis: quadratische Plinthe (Ziegel) = Fußplatte. Spira mit 3 Einzel- oder Doppel-Stabprofilen, dazwischen jeweils ein Trochilus (Kiebitz) = Hohlkehle. Torus manchmal nur an der unteren Hälfte kanneliert
  c) attische Basis (Entwicklungs-Endtyp): steht erst in röm. Zeit auf einer Plinthe. Ein breiter unterer Torus ist von einem flacheren und etwas schmaleren oberen Torus durch einen nach unten ausladenden Trochilus getrennt. Übergänge durch gebrochene Trochiluskante oder Stabprofile
– Kapitell: Echinus mit ion. Kymation = Eierstab, darunter v.a. in Ionien Astragal (Sprungbein, Gelenkknöchlein für Würfelspiel) = Perlstab. Darüber ein in der Mitte eingesenktes, seitl. gerolltes Pulvinum = Polster. An Vorder- und Rückseite je ein Kanalis = Rinne, auf den Rollen zu abwärts gerichteten Voluten mit »Augen« geformt. Kanalis im 6. Jh. v. Chr. meist gewölbt, im 5. Jh. konkav. Meist Palmetten im Voluten-Echinus-Zwickel. Rollen seitlich mit Anthemien, Akanthus o.ä. bedeckt oder von einem Balteus = Gurt bzw. von Profilstäben zusammengeschnürt. Abakus flach mit Kymation.
– Eckkapitell*
Gebälk mit unterschiedl. Architraven:
a) kleinasiatisch: Faszien (Rutenbündel) = meist vorkragende Steinbänder + Geisipodes (Geisonfuß, Balkenkopf) = Zahnschnitt + Geison + Sima
b) inselionisch-attisch: Zophoros (Figurenträger) = Relieffries, kein Zahnschnitt
c) kleinasiatisch-hellenistisch: Fries plus Zahnschnitt
– zwischen den horizontalen Elementen immer Kymatien-Friese

DORISCHER TEMPEL

Die dorische Bauart ist im wesentlichen auf der Peloponnes und in Großgriechenland verbreitet. Die im 7. Jh. vorgebildeten Formen des Holzbaus werden ab dem 6. Jh. ganz in Stein, alle Bauelemente in ein System von Waagerechten und Senkrechten, von Maß und Zahl übergeführt. Mildernde Übergänge werden nicht gesucht.
– Liegende Teile: Stereobat (15*), Gebälk, Giebel, Dach
– stehende Teile: Säulen, Triglyphen, Cellawände auf 1stufigem Unterbau = Toichobat

Maße
– Säulenanzahl Giebelseite:Langseite = 5:15; 6:17; 6:16; 6:15 (archaisch, schmal), 6:14; 6:13 (klassisch, ausgewogen), 9:18; 6:17; 8:17 (großgriechische Sonderformen)
– Interkolumnium (Säulenabstand von Mitte zu Mitte): 2,5 untere Durchmesser
– Höhe: 5–6 untere Durchmesser
– Verjüngung: ¼ unterer Durchmesser

Fortsetzung von Seite 16

– Mutuli (Einz.: Mutulus, Dielenkopf) = breite Platten mit 3 Reihen zu je 6 Guttae über jeder Triglyphe und Metope

Giebel mit
– Tympanon (Scheibe) = meist mit Skulpturen versehenes Dreieck-Giebelfeld, das oben abgeschlossen wird durch Schräg-Geison und (Front-)
– Sima = karniesförmig aufgebogene Rinnleiste, oft mit Palmetten bemalt. Als waagerechte Trauf-S. an den Langseiten mit
– Wasserspeiern, 14*, (meist Löwenköpfe) wird sie auch durch
– Antefixa (Einz.: Antefix, -um, das Angenagelte) = Stirnziegel als hochgezogenes Ende der Deckziegel ersetzt, 14*
– Akrotere (Einz.: Akroter, -ion, Spitze) = freiplastische Zierglieder an Ecken und First des Dreieckgiebels

Cella-Mauern sind bis auf ein säumendes oberes Friesband und ein entspr. Fuß-(Sockel-)Glied schmucklos

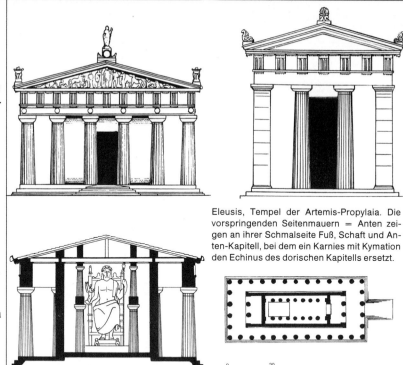

Eleusis, Tempel der Artemis-Propylaia. Die vorspringenden Seitenmauern = Anten zeigen an ihrer Schmalseite Fuß, Schaft und Anten-Kapitell, bei dem ein Karnies mit Kymation den Echinus des dorischen Kapitells ersetzt.

Olympia, Zeus-Tempel, 5. Jh. v. Chr. Anlässe: 472/71 v. Chr. neue Verfassung von Elis und Neuorganisation der Spiele. Dorischer Peripteros 6 × 13, Säulen 10,5 m hoch. Bedeutender Giebelschmuck. Zwischen den 2geschossigen Cella-Säulen auf einem Sockel die 13 m hohe Zeus-Statue des Phidias. Abschluß der Tendenzen des archaischen Tempelbaus.

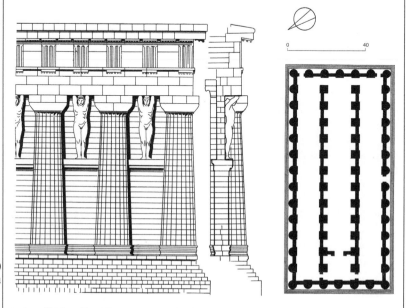

Agrigent/Sizilien, Zeus-Tempel, 5. Jh. v. Chr. Pseudoperipteros, 52,7 × 110 m, 7 Front-Halbsäulen und 14 Halbsäulen an den Langseiten, dazwischen 7,75 m hohe Giganten als Gebälkträger. 2 Pfeilerreihen in der Cella. Sonderform selbst innerhalb der sizilianischen Sonderentwicklung. Vgl. Selinunt, 13*.

IONISCHER TEMPEL

Ihr Verbreitungsgebiet erstreckt sich vorwiegend auf die Inseln der Ägäis, auf Attika und auf die Siedlungsgebiete der Ionier in Kleinasien. Grundriß und Aufbau folgen strengeren rationalen Prinzipien als beim dorischen Tempel. Die Neigung zu rasterartigem Grundriß fällt bes. bei den Großtempeln ins Auge (Samos, Ephesos*; Didyma, 26*).

Durch eine Vielzahl neu hinzugekommener Ornamente erscheinen ionische Tempel reicher geschmückt.

Die Ornamentik konzentriert sich vor allem auf die Zwischenglieder (Säulenbasis und -hals, Kapitell, Abakus, Gesimsprofile). Astragal (Perlen und Rundscheiben), ionisches Kymation (Eierstab mit pfeilartigen spitzen Stegen) und lesbisches Kymation (Herzblatt des Wasserlaubs im Wechsel mit scharfen Stegen) werden bevorzugt. Aber auch Mäander, Flechtbänder, Palmetten, Spiralen, Anthemien, Akanthus und Schuppen schmücken die Friese und Gesimse, bei hellenistischen Bauten auch die Untersichten des Gebälks.

Die Kassettenfelder der Decke ergeben sich beim Holzbau organisch als Zwischenräume einander kreuzender Balken. Im dorischen und ionischen Steinbau werden sie aus einem System von Stroteren (Steinbalken) ausgespart, die stufenartig mit Kalymatien (Füllelementen) ausgefüllt werden. Diese sind mit plastischen, farbig bemalten Friesen geschmückt. 14*

Maße (ohne Berücksichtigung von Sonderformen):
– Säulenhöhe = 8–9faches des unteren Durchmessers
– Verjüngung mit Entasis = ⅓ bis ½ des unteren Säulendurchmessers
– Kannelüren: 24, dazwischen Stege von ¼ Kannelürenbreite
– Interkolumnium = 3 untere Durchmesser

Athen, Akropolis, Athena-Nike-Tempel, um 430 v. Chr. Attisch-ionischer Amphiprostylos, je 4 Stirnwandsäulen, verkürzte Cella, darin Statue der Athena-Nike.

Athen, Akropolis, Erechtheion, E. 5. Jh. v. Chr. V Vorhalle; D Dreizackmal; O Osthalle; A Haus der Athena; E Erechtheushalle; S Salzmeer; K Korenhalle.

Ephesos, archaischer Artemis-Tempel, M. 6. Jh. v. Chr. beg., Dipteros, 57,3 × 119,6 m, vermutl. 117 Säulen von 19 m Höhe, die 36 im W mit Reliefs. Rastersystem von Säulen und S Sekos. Durch Herostrat 356 v. Chr. zerstört, danach mit gleichem Grundriß, jedoch durch 13stufige Krepis mit Außenmaßen 72,7 × 137,8 m wiederaufgebaut. Eines der Sieben Weltwunder.

KORINTHISCHE ORDNUNG

unterscheidet sich von der ionischen durch das Kapitell, bei dem um einen Kelch (Kalathos) Akanthusblätter in 1–2 Reihen angeordnet sind, zwischen denen zur Mitte der 4 Ansichtsflächen und zu den Ecken hin Ranken (Helices) aufsteigen, die sich unter der profilierten Abakusplatte in Voluten aufrollen. Angeblich von Kallimachos, spätes 5. Jh., erfunden, zuerst im Innenraum des Tempels von Bassai (1. Entwurf von Iktinos) verwendet. Kapitelle mit Blattkränzen werden zuerst um die Mitte des 6. Jhs. in der Äolis entwickelt und z. B. in Delphi (Schatzhäuser von Klazomenai und Massilia), Athen, Pergamon (hellenist. Bauten) und Milet verwendet. Die 4 gleichen Ansichtsflächen machen das korinthische Kapitell dem ionischen überlegen (vgl. ion. Eckkapitell, 17*). In klassischer Zeit ausschließlich in der Tempelcella verwandt, findet es erst in hellenistischer Zeit am Außenbau Verwendung.

THOLOS

Tholoi sind Rundbauten, die häufig ein Säulenkranz umgibt. Stehen auch im Innenraum Säulen oder Halbsäulen, gehören diese nicht derselben Ordnung wie die äußeren an. Tholoi sind in griechischer Zeit oft Kultbauten (Epidauros*), in vorhellenistischer Zeit aber keine Tempel.

Einen runden Säulenbau ohne Innenraum nennt man **Monopteros,** Mz.: Monopteroi (nach Vitruv). Der Begriff wird auch – als Gegensatz zum → Dipteros – für alle einfachen Ringhallen-Tempel benutzt.

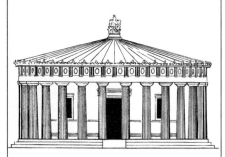

KORINTHISCHER TEMPEL

Athen, Grundriß und Ruinen des Olympieion. Den monumentalen Tempel ließ Antiochos IV., 175–164 v. Chr., an der Stelle eines archaischen (515–510) errichten, der einen noch älteren (um 555) ersetzt hatte. Von dem unfertigen Bau ließ Sulla Säulen entfernen. Unter Kaiser Hadrian wird der Tempel ab 124 n. Chr. vollendet. Der spätarchaische Dipteros hatte 108, der späthellenistische 104 Säulen, 17,2 m hoch.

Olympia, Philippeion, 338 v. Chr. von Philipp II. gestiftet. Ionische Peripteraltholos, deren Wand innen durch 9 korinthische Halbsäulen gegliedert ist. Im Innenraum 5 Goldelfenbeinbilder makedonischer Könige und Königinnen.

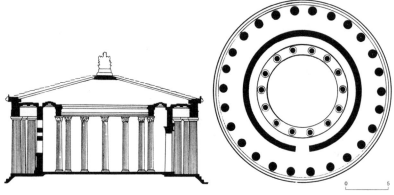

Epidauros, Asklepieion, 370 v. Chr. beg. (?), Polyklet. Thymele = Opferplatz. Außen 26 dorische, innen 14 korinthische Säulen. Labyrinthartiges Gangsystem im Fundament.

GROSSGRIECHENLAND

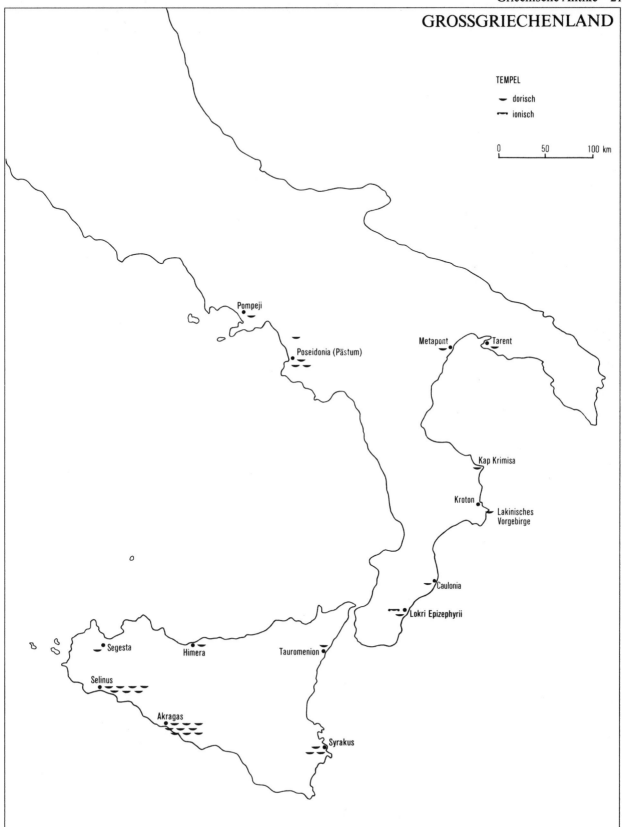

TEMPEL

⌣ dorisch

⌢ ionisch

0   50   100 km

Pompeji

Poseidonia (Pästum)

Metapont   Tarent

Kap Krimisa

Kroton

Lakinisches Vorgebirge

Caulonia

Lokri Epizephyrii

Segesta   Himera   Tauromenion

Selinus

Akragas

Syrakus

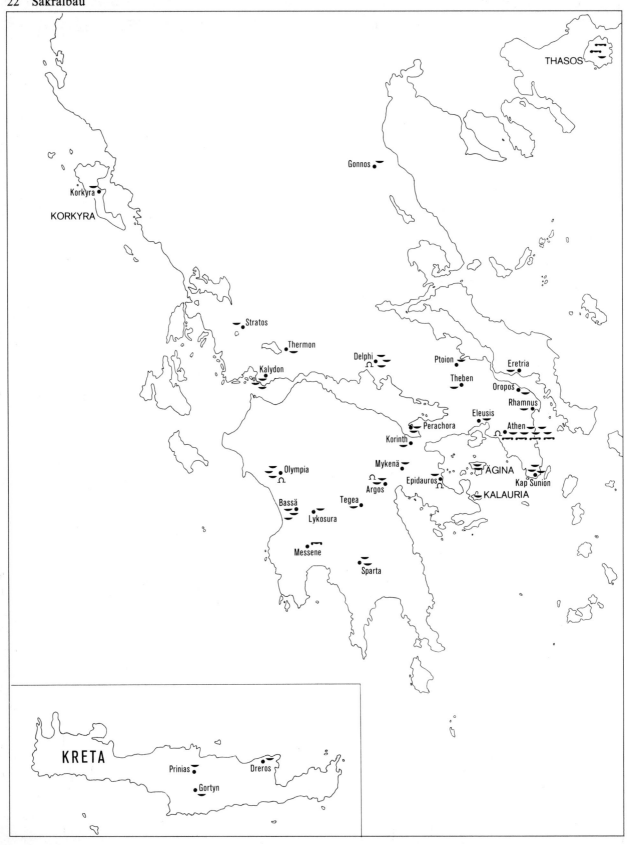

GRIECHENLAND UND IONIEN

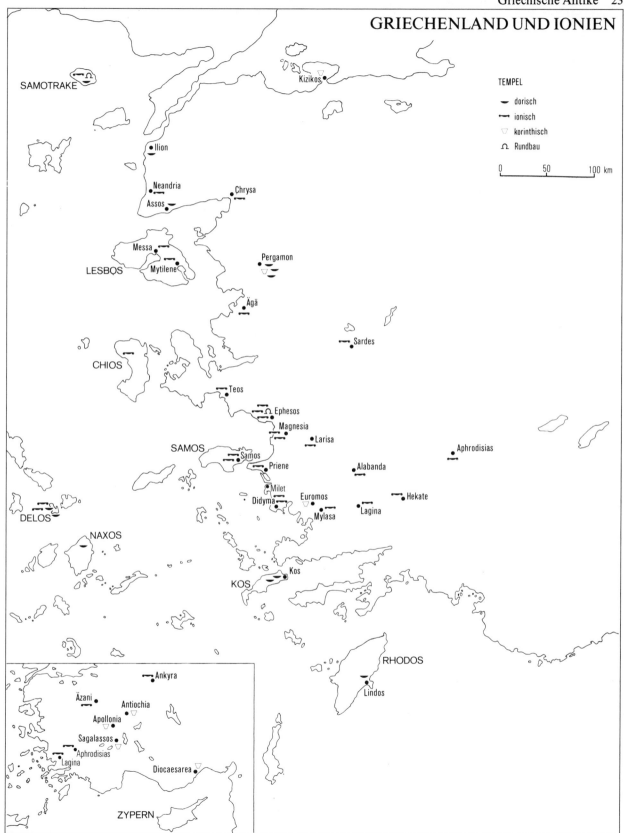

SAMOTRAKE

TEMPEL

— dorisch
↦ ionisch
▽ korinthisch
Ω Rundbau

0   50   100 km

Kizikos

Ilion

Neandria
Assos

Chrysa

Messa
LESBOS
Mytilene

Pergamon

Ägä

Sardes

CHIOS

Teos

Ephesos
Magnesia

Larisa

Aphrodisias

SAMOS

Samos
Priene

Milet
Didyma

Euromos
Mylasa

Alabanda

Hekate

Lagina

DELOS

NAXOS

KOS

Kos

RHODOS

Lindos

Ankyra

Äzani

Antiochia
Apollonia

Sagalassos
Aphrodisias
Lagina

Diocaesarea

ZYPERN

Hellenistische Architektur führt griechische Tradition fort, verwandelt sie aber durch Innovationen. Diese bringen nur wenige neue Bautypen hervor, bereichern oder überwinden jedoch das erstarrte alte Formenvokabular.

GEBÄUDETYPEN

Tempel
– Großtempel in Dipterosform: Ephesos, Artemis-T., nach 356 v. Chr., nachklassisch-frühhellenistisch, 19*; Didyma, Apollo-T. , um 300 v. Chr., frühhellenistisch, 26*. (Nachbauten archaischer Tempel mit neuen Elementen, z. B. vielstufiger Krepis)
– Pseudodipteros = Dipteros, dem der innere Säulenring fehlt (archaische Erfindung). Sardes, Artemis-T., E. 4. oder A. 3. Jh. v. Chr. beg., frühhellenistisch; Messa/Lesbos, Aphrodite-T., 3. Jh. v. Chr.; Chryse/Troas, Apollo-T., 3. oder 2. Jh. v. Chr., 13*; Magnesia, Artemis-T.*; Lagina/Karien, Hekate-T., 2. Jh. v. Chr.; Alabanda/Karien, Apollon-T., 2. Jh. v. Chr.
– Peripteroi werden in westl. Kolonialgebieten nicht mehr gebaut, in Griechenland und auf den Ägäischen Inseln selten (Messene, Asklepieion; Tenos, Poseidon-T., 2. Jh. v. Chr.; Olympieia zu Athen und Lebadeia, 2. Jh. v. Chr.), häufiger im westl. Kleinasien (Priene, Athena-T., frühhellenist.; Ilion, 1. H. 3. Jh. v. Chr.)
– kleine Antentempel und Prostyloi sind zahlreich (vgl. Pergamon, 25*)
– einziger Pseudoperipteros: Epidauros, Tempel L, A. 3. Jh. v. Chr.
– Rundtempel (Tholos, Erfindung des 8. Jhs. v. Chr., spätgeometrische Zeit): Olympia, Philippeion, 338 v. Chr., frühhellenistisch; Samothrake, Arsinoeion, 27*; Stymphalos, Heroon

Profanbauten, tradiert, jedoch modifiziert: Agora, 343*; Buleuterion, 344*; Wohnhaus, 342*, 346*

Bibliothek = hellenistische Erfindung

monumentale Theater: Athen; Syrakus; Epidauros, A. 3. Jh. v. Chr., im 2. Jh. erweitert, 36*
– Skene: Athen, Dionysos-Theater, 338–331 v. Chr.; Priene, 26*
– Parodos-Tore: Epidauros, Dodona

Stadion: Athen, um 330 v. Chr.; Epidauros, Nemea, Rhodos
– Säulenreihen über den Startschwellen: Epidauros, Kos

Stadttor mit Fassade: Thasos, Zeus-Hera-Tor, E. 4. Jh. v. Chr.; Milet, Heiliges Tor; Perugia

Grab
– Turmgrab: Halikarnassos, 27*, Ptolemais/Libyen; Olba-Diokaisareia/S-Anatolien; Kyrene; sog. „punische" Turmgräber in Tunesien und Algerien

Fortsetzung Seite 26

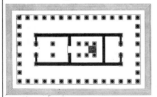

Magnesia am Mäander, Artemis-Tempel, Pseudodipteros, 150–125 v. Chr., Hermogenes

HELLENISMUS[1]

Als **politische Epoche** beginnt der Hellenismus mit der Eroberung des Perserreichs durch Alexander den Großen ab 334 v. Chr. Nach dessen Tod, 323, teilen sich seine Feldherren, die Diadochen, in das Alexanderreich (Karte S. 28 f.), ihre Nachfolger, die Epigonen, festigen das System dieser hellenistischen Staaten. Sie finden ihr Ende mit der jeweiligen Einverleibung in das expandierende römische Weltreich: Madekonien 168 v. Chr., Griechenland 146 v. Chr., Pergamon 133 v. Chr., das vorderasiatische Seleukidenreich bis 63 v. Chr., das Ptolemäerreich in Ägypten 30 v. Chr.

Hellenismus als **Begriff der Kulturgeschichte** wirkt weit über diese 300 Jahre hinaus. In den hellenistischen Ländern zwischen Nubien und dem Schwarzen Meer, vom Pandschab bis zum Tyrrhenischen Meer entwickelt sich allmählich eine weitgehend einheitliche, fortschrittliche griechische Kultur, die sich von den Eigenheiten der alten Stadtstaaten gelöst hat. »Koine« wird die gemeinsame Sprache auf der Grundlage des attischen Dialekts. Alexandria, Pergamon, Antiochia, Rhodos und Athen werden Zentren dieser Kultur. Philosophie und Wissenschaften blühen, Künstler werden aus den alten griechischen Städten angezogen. Aristoteles, der Lehrer Alexanders, hatte die Kategorien der neuen Gelehrsamkeit geschaffen. Aus der Vermischung orientalischen Geistes und griechischer Kultur, von Alexander in kosmopolitischem Sinne angestrebt, entwickelt sich in Kleinasien und Ägypten im späteren Hellenismus ein Synkretismus (und mündet in den Vorstoß orientalischer Religionen nach Europa!).

Die Architektur vom späten 4. bis zum Ende des 2. Jahrhunderts v. Chr. ist gekennzeichnet durch ein rationales und intellektuelles Experimentieren mit dem klassischen Formenapparat (sh. Seitenspalte), durch Trennung von Kunst- und Nutzaspekt und die Entdeckung des Innenraums als gestalterische Aufgabe. Der archaische und klassische Gliederbau verliert auf dem Weg zur römisch-kaiserzeitlichen Raum- und Massenarchitektur (Praeneste, 26*) an Bedeutung.
Im Zuge seiner Expansion raubt oder kopiert Rom zahlreiche griechische und hellenistische Kunstwerke, importiert Künstler und übernimmt Formen griechischer Kunst: »Griechisch Land ward erobert, erobernd den rauhen Besieger« (Horaz). Der Übergang der hellenistischen Baukunst in die römische Architektur ist in der frühen Kaiserzeit (1. Jh. n. Chr.) abgeschlossen.

Hellenistische Bauprinzipien wie Axialität und Symmetrie, der Podium-Tempel, Mehrstöckigkeit u. v. m. werden nicht nur in die römische Architektur übernommen, sondern weiterentwickelt (so wird z. B. das Terrassenmotiv nicht mehr geomorphologisch oder durch Steinpfeiler, sondern durch Substruktionen aus Tonnen- oder Kreuzgratgewölben gebildet). Wenn auch die hellenistischen Städte aus römisch-imperialem Geist überbaut, verschönert und erweitert werden (Ephesos!), das hellenistische Erbe wird in römischen Bauten – besonders Kleinasiens – bis ins 2. Jahrhundert n. Chr. sichtbar weitergetragen.

1) Der Begriff Hellenismus wurde 1836 von J. G. Droysen eingeführt. Er bezog sich dabei auf das 6. Kap. der Apostelgeschichte: Bei einem Streit in der Urgemeinde stehen den »Hebraioi« die »Hellenistai« gegenüber, d. s. Juden, die der griechischen Kultur nahestehen (wie z. B. Paulus). In anderen Kulturnationen wird der Begriff Hellenismus weniger streng gehandhabt als bei deutschsprachigen Historikern. Frz. *hellénisme* bedeutet »Ausdrucksweise nach den Regeln des griech. Stils« oder »griechische Kultur« im weitesten Sinne, ähnlich dem engl. *hellenism*, das v. a. ein Lebensideal nach dem Vorbild griechischer Kulturwerte bezeichnet; noch allgemeiner ist das italienische *ellenismo* im Sinne von »Griechentum«. Nach Wolfgang Orth

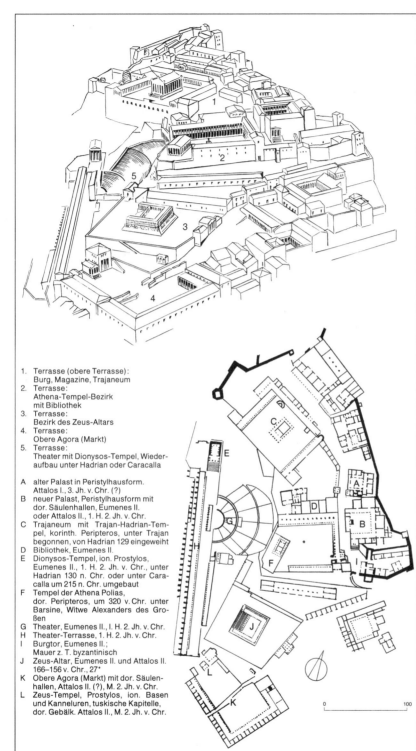

1. Terrasse (obere Terrasse):
   Burg, Magazine, Trajaneum
2. Terrasse:
   Athena-Tempel-Bezirk
   mit Bibliothek
3. Terrasse:
   Bezirk des Zeus-Altars
4. Terrasse:
   Obere Agora (Markt)
5. Terrasse:
   Theater mit Dionysos-Tempel, Wiederaufbau unter Hadrian oder Caracalla

A   alter Palast in Peristylhausform.
    Attalos I., 3. Jh. v. Chr. (?)
B   neuer Palast, Peristylhausform mit
    dor. Säulenhallen, Eumenes II.
    oder Attalos II., 1. H. 2. Jh. v. Chr.
C   Trajaneum mit Trajan-Hadrian-Tem-
    pel, korinth. Peripteros, unter Trajan
    begonnen, von Hadrian 129 eingeweiht
D   Bibliothek, Eumenes II.
E   Dionysos-Tempel, ion. Prostylos,
    Eumenes II., 1. H. 2. Jh. v. Chr., unter
    Hadrian 130 n. Chr. oder unter Cara-
    calla um 215 n. Chr. umgebaut
F   Tempel der Athena Polias,
    dor. Peripteros, um 320 v. Chr. unter
    Barsine, Witwe Alexanders des Gro-
    ßen
G   Theater, Eumenes II., I. H. 2. Jh. v. Chr.
H   Theater-Terrasse, 1. H. 2. Jh. v. Chr.
I   Burgtor, Eumenes II.;
    Mauer z. T. byzantinisch
J   Zeus-Altar, Eumenes II. und Attalos II.
    166–156 v. Chr., 27*
K   Obere Agora (Markt) mit dor. Säulen-
    hallen, Attalos II. (?), M. 2. Jh. v. Chr.
L   Zeus-Tempel, Prostylos, ion. Basen
    und Kanneluren, tuskische Kapitelle,
    dor. Gebälk. Attalos II., M. 2. Jh. v. Chr.

Pergamon, Stadtanlage. Ringförmig um das Theater gruppiert, steigen die Anlagen der Akropolis (Hochstadt), auf verschiedenen Terrassen entwickelt, bergan. Zum Abhang hin sind sie
von gewaltigen Stützmauern unterbaut. Die hellenistischen Anlagen werden in der Römerzeit
nochmals erweitert und verschönert.
Re: Prostylos-Tempel des 2. Jhs. v. Chr. – Hochstadt: 1 E Dionysos-T., ion., 11,8 × 22,2 m. –
2 L Zeus-T., dor.-ion., 6,7 × 12,3 m. – Unterstadt: 3 Hera-T., dor., 7 × 11,8 m. –
4 Asklepios-T., ion., 9 × 16 m. – 5 Hermes- und Herakles-T., korinth., 7 × 12 m.

Hellenistische Stadtanlage am Beispiel Pergamons

Zwischen den 3 großen Diadochenreichen Makedonien, Syrien und Ägypten bilden sich nach dem
Tod Alexanders etliche kleinere Königreiche. Ly-
simachos, ein General aus dem aufgelösten Ge-
neralstab Alexanders, zieht sich mit Geld aus der
Kriegskasse in die alte Festung von Pergamon
zurück und baut sie aus. Sein Nachfolger Philetai-
ros, 281–262 v. Chr., gründet die Attaliden-Dyna-
stie. Diese erwirbt Umland, treibt den Ausbau von
Festung und Besiedlung voran, wird 261 v. Chr.
politisch selbständig. Unter Attalos I. Soter,
241–197 v. Chr., wird Pergamon Königreich. Die
folgenden 3 Generationen versammeln Dichter
und Wissenschaftler an ihren Hof, bauen ihre Bibliothek auf etwa 200 000 Bände und Schriftrollen
aus und machen Pergamon zur führenden Gei-
stesmetropole der hellenistischen Welt.
Attalos III., 138–133 v. Chr., vererbt das Reich an
die Schutzmacht Rom. Pergamon wird Zentrum
der Provinz Asia.

Das Stadtbild zeigt ein Ideal eines hellenistischen Bauprogramms, in dem
sich Repräsentation, Individualität und
Rationalität verwirklichen. Ältere Bauten stehen auf dem Burgberg. Zwar
sind Tempel, Altar, Theater, Stoa her-
gebrachte griechische Gebäudetypen,
neu und typisch für die hellenistische
Stadtanlage ist jedoch die architektonische Gruppenbildung. Die Bauten werden auf mehreren Terrassen zu großan-
gelegten Gebäudekomplexen geordnet.
Bedeutungsvoll wird die zunehmende
Säkularisierung der hellenistischen Architektur. In Pergamon entstehen im 2.
Jh. v. Chr. nur noch kleine hellenistische Prostylos-Tempel, Abb. u. (Schon
der monumentale Zeus-Altar desselben
Jhs. war mehr ein Symbol des Sieges
über die Galater als ein Sakralbau früherer Bedeutung.) Dementsprechend
gewinnen städtische Bauten wie Stoa,
Markt, Markttor (Milet, 344*), Gymnasium, Theater, Bibliothek, Wasserleitung u.a. vermehrt sozial-funktionelle
Bedeutung für die Polis. Diese Tendenz
bereitet den Boden für die technischen
Großleistungen römischer Architekten
und Ingenieure, die später von den
Bauten der griechischen Klassik sagen
werden, sie seien „hoch zu verehren,
aber nutzlos".

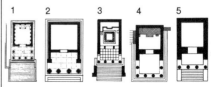

Priene, frühhellenist. Theater, beg. E. 4. Jh. v. Chr., Proskenion 2. Jh. v. Chr., im 2. Jh. n. Chr. umgestaltet. P Proskenion = Stützenhalle mit 3 Türen für Schauspielerauftritte und 4 Pinakes = auswechselbare Kulissentafeln für ältere Dramen mit obligatem Chor in der O Orchestra. Zeitgemäße Stücke und Komödien vermutlich auf dem L Logeion vor der (älteren) 2geschossigen Skene = Bühnenhaus mit T Thyromata = illusionistisch gemalten Kulissen. Pr Prohedria = Sitzreihe mit Ehrensesseln und D Dionysos-Altar. Pa Parodoi = seitliche Eingänge, K Koilon (Cavea) = Zuschauerraum mit (später 50) Sitzreihen. Vgl. griechisches und römisches Theater 36* ▶

Fortsetzung von Seite 24

– überwölbter Grabraum: Makedonien; Canosa/Apulien
– Grabfassaden: Makedonien
– Peristylgräber: Alexandria

BAUELEMENTE
Säulenordnungen:
  dorisch noch häufig; ionisch und korinthisch (beide mit Plinthe) bevorzugt
– Kannelierung der Säulen oft im Zustand der Facettierung belassen (Bossensäule) oder im unteren Schaftteil weggelassen
– Mischung der Säulenordnungen beim Tempelbau (Epidauros, 20*) und bei mehrgeschossigen Säulenreihen, z. B. Stoa, 343*, Hierarchie der Ordnungen, d. h. Untergeschoß meist dorisch, Obergeschoß- bzw. Innensäulen in der zierlicheren ionischen oder korinth. Ordnung
– Ausgestaltung der Halbsäulenarchitektur

Stockwerkbau (erfunden von Sostratos von Knidos, Erbauer des Pharos von Alexandria, 3. Jh. v. Chr.): bei Halle, Hallenhof, Stadttor, Grabfassade, -turm, Bühnenprospekt, Wohnhaus

hohe Quadersockel (archaische Vorbilder) unter Tempel, Säulenhalle, Altar, 27*, Grabmal, 27*

Gewölbe
– Tonnengewölbe: Grab, Theater, Tor
– Keilstein-Bogen: Priene, Agora-Tor

gesprengter Giebel: seit 1. Jh. v. Chr., Petra, 27*; Pompeji, Malerei des 2. Stils

kurvolineare Formen: Tholos, Apsis, Bogen, Gewölbe, Kuppel, Konche, konkave Säulenstellungen, Exedren an Bauten oder frei stehend

Bauornamente formenreich, tief eingeschnitten (Licht- und Schattenwirkung)

Innenraum wird verstärkt Aufgabe der Gestaltung

KOMPLEXBAU UND BAUKOMPLEX
engere Verbindung der Teile von Komplexbauten

Baukomplexe, deren Gebäude nicht autonom, sondern hierarchisch, d. h. nach ihrer Bedeutung optisch gestaffelt sind

bewußter Einsatz des Terrassenmotivs: Kos, Asklepieion, um 300 v. Chr. entworfen; Lindos, Athena-Heiligtum, um 300 v. Chr. entworfen; Didyma, um 300 v. Chr.*; Pergamon, 25*; Palestrina, 1. Jh. v. Chr., römisch-hellenistisch*

Axialität und Symmetrie in Einzel- und Gruppenanlage

Säulengruppierung zu langen Fluchten als Platzumrahmung: Pergamon, Palestrina

monumentale Freitreppen: Kos, Palestrina

THEATER

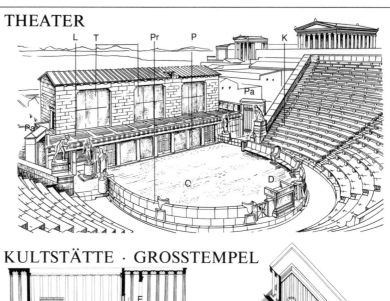

KULTSTÄTTE · GROSSTEMPEL

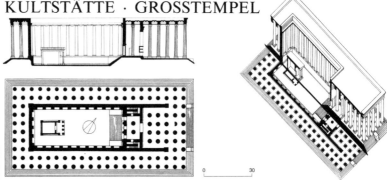

Didyma, Jüngerer Apollo-Tempel, um 300 v. Chr.–4. Jh. n. Chr., Daphnis und Paionios von Ephesos. Orakel. Ionischer 10/21-Dipteros, 118 × 67 m, Säulen 19,7 m hoch. Säulen und Cella in strengem Raster. Im Sekos (in Inschriften Adyton genannt), der tieferliegenden, hofartigen hypäthralen Cella (von griech. hypaitron = unter freiem Himmel, ohne Dach) der kleine Kulttempel (Naiskos) über der heiligen Quelle. Freitreppe zum »Zweisäulensaal«. E Erscheinungstor für den Orakelpriester erhöht über dem 3 Joche tiefen, 5schiffigen Pronaos. Kein Giebel.

STOCKWERKBAU

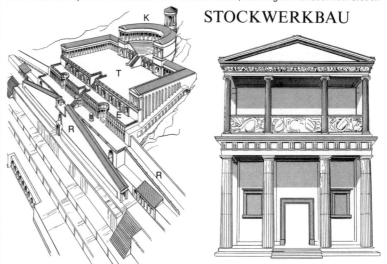

Li: Palestrina (Praeneste)/Latium, Italien, Heiligtum der Fortuna Primigenia, 1. Jh. v. Chr. Losorakel mit Asylrecht. Strenge Symmetrie. Freitreppen und R Rampen führen über die E Exedren-Terrasse und die obere, von 3 Säulenhallen umgebene T Terrasse zum K Kulttheater mit konkaver Säulenhalle. Dahinter ein Rundtempel. Berühmt: Nilmosaik. – Re: Pergamon, Propylon des Athenaion, 1. H. 2. Jh. v. Chr. Zweigeschossig, u dor., o ion. Ordnung.

ALTAR

Als Zentrum der Opferhandlung entwickelt der Altar nach Kultus und örtlichen Gegebenheiten verschiedene Formen, aber immer ist er eine erhöhte Anlage. Griechen und Römer errichten Altäre an heiligen Orten, die sich auch auf Straßen und Plätzen, in Hainen, an Gräbern, an der Grenze eroberten Gebietes befinden. Sie sind in der Regel nach Osten gerichtet. Ein zugehöriger Tempel liegt in gleicher Achse, so daß das Kultbild bei geöffneter Tempeltür auf das Opfer schaut.
– Aschenaltar (Olympia, Festplatz)
– dorischer Blockaltar. Aufbau: Krepis, Podest, Opfertisch, U-förmige Windschutzmauer (Paestum, Athena-Tempel)
– seit archaischer Zeit monumentale Altargebäude (Samos, Rhoikos-Altar; Ephesos, Altar des Artemisions; später Pergamon*; Tenos; Magnesia; Priene; Kos; Rom, Ara Pacis)

Pergamon, Zeus-Altar, 166–156 v. Chr.; U-förmige ion. Säulenhalle auf Sockel mit Freitreppe und Peristyl. Übergang von Bauplastik in Architektur (»barock«): Die Schlange windet sich die Treppe hinauf; ein Krieger kniet auf der Treppenstufe.

Samothrake, Mysterienkultbauten. O: Arsinoeion, 289–281 v. Chr., 19 m Ø Sockel mit Treppe, Holzrundbänke um Altartisch. Umfassungsmauer mit Galerien: außen dor. Pilaster, innen ion. Halbsäulen. – U: Hieron, 3. oder 2. Jh. v. Chr., Apsidensaal mit Holzkassettendecke, Kultherd, seitl. Marmorbänken.

GRABMAL

MYSTERIENKULTBAU

Während beim Tempeldienst die Gemeinde außerhalb des Gebäudes bleibt, müssen die Teilnehmer an den Mysterienkulten innerhalb eines Kultbaus Platz finden. Es werden unterschiedliche Bauformen entwickelt. Samothrake*, Eleusis*

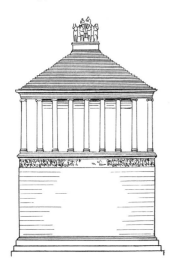

Halikarnassos/Karien, vorhellenist. Grabmal für den Satrapen Mausolos (»Mausoleum«), um 350 v. Chr. Nach Plinius 33 × 39 m, Höhe 42 m. Auf reliefiertem Sockel ion. Ringhalle 9/11 mit Cella. Stufendach mit Quadriga.

Petra/Transjordanien, Felsgrab El Khazne Fara'un, um Christi Geburt. Aus dem vollen Fels gehauene 2geschossige hellenistisch-barocke Fassade mit gesprengtem Giebel und Rundtempelchen. 6 Innenräume.

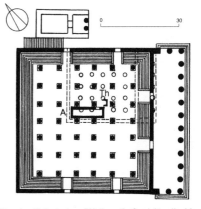

Eleusis, Telesterion (Weiheort), Saal für die Mysterien. Zustand der röm. Kaiserzeit, nach 170 n. Chr., auf der Grundlage des Plans des Iktinos, um 440 v. Chr. Vorgängerbau des Kimon unvollendet. A Anakteron; Th Thron. Gestrichelt: Telesterion des Peisistratos, 6. Jh. v. Chr.

HELLENISTISCHE STÄDTEGRÜNDUNGEN
UND HELLENISIERTE STÄDTE

– – – Reich Alexanders des Großen

0   200 km

Ausschnitt (oben rechts):

Prokonnessos
Nikomedeia
Sestos · Kyzikos · Apameia · Prusias-Kios · Nikaia
Lampsakos · Apollonia · Prusa
Abydos · Daskyleion · Poimanenon
Ilion (Troja) · Dorylaion
Alexandreia-Troas
Neandreia · Stratonikeia
Assos · Adramyttion · Attaleia · Pessinus
Thermai · Apollonia · Aizanoi · Dokineion
Lesbos · Pergamon · Nakrasa · Kadoi
Mytilene · Pitane · Aigai · Thyateira · Synnada
Gryneion · Philomelion
Kyme · Myrina · Apollonis · Hierapolis · Philomelion
Phokaia · Hyrkanis · Eumeneia · Apollonia
Larissa · Magnesia · Sardes · Antiochia-Pisid.
Smyrna · Philadelphia · Blaundos · Peltai
Erythrai · Klazomenai · Apollonia-Tripolis · Dionysopolis · Seleukeia
Teos · Klaros · Nysa · Hierapolis · Sagalassos
Notion · Lebedos · Tralleis · Antiocheia · Laodikeia
Samos · Ephesos · Alinda · Aphrodisias · Themisonion · Komana
Priene · Myces · Alabanda · Olbasa · Selge
Milet · Euromos · Labranda · Lagina
Didyma · Iasos · Mylasa · Stratonikeia · Termessos · Perge · Sillyon
Myndos · Keramos · Kaunos · Kadyanda · Elmali · Attaleia · Aspendos
Halikarnassos · Kalynda · Side
Kos · Telmessos · Tlos · Olympos · Phaselis
Knidos · Pinara · Xanthos · Limyra
Ialysos · Patara · Myra
Kameiros · Rodos · Antiphellos
Lindos

1 Herakleia
2 Seleukeia

Hauptkarte:

SCHWARZES MEER

Artaxata

Orvieto
Tarquinia
Roma
Praeneste · Sperlonga
Anzio
Napoli · Herculaneum · Gnathia
Stabiae · Pompeji · Tarent
Metapont
Sybaris
Thurioi · Kroton

Amastris · Ptolemonium · Pharnakia
Eupatoria
Amaseia
Kieros

Thessalonike · Lysimachia · Myrlea · Nikomedia · Prusias-Kieros · Nikäa
Troja · Philoteria · Prusa
Alexandria Troas · Dakimeon · Ariaratheia
Demetrias · Pergamon · Lysias · Philomelion · Mazaka · Tigranokerta
Ptolemais-Lebedos · Smyrna · Apollonia · Laodikea · Eusebia-Tyana · Demetrios
Sykion · Sardes · Seleukia · Hierapolis · Antiochia · Apamea · Edessa
Ephesos · Philadelphia · Selge · Adana · Seleukia · Karrhä · Antiochia (Nisibis)
Priene · Seleukia · Aspendos · Tarsos · Alexandria · Europos · Ichna
Magnesia · Apollonia · Seleukia · Antiochia- · Nikephorion
Antiochia · Mallos · Aleppo · Amphipolis · Dura-Europos
Telmessos · Arsinoë · Lysias · Chalkis · Euphrat
Patara · Antiochia · Laodikea · Apamea · Palmyra
Paphos · Balanea · Larissa
CYPERN · Laodikea · Epiphania
Tripolis · Arethusa
Byblos · Chalkis
Sidon · Damaskus
Arsinoë · Seleukia
Ptolemais · Seleukia-Abila
Apollonia · Berenika
Asdod · Rabath-Ammon
Askalon · Philadelphia
Raphia · Marisa
Gaza

Mons erix
Palermo · Rhegion · Lokroi
Solunto
Centuripe
Leontinoi · Megara Hyblaea
Siracusa

KRETA

MITTELLÄNDISCHES MEER

Sabratha
Leptis Magna · Ptolemais · Kyrene · Alexandria · Petra
Arsinöe · Arsinoë
Berenice

Nil

Ptolemais

1 Skythopolis
2 Gadara
3 Samaria

ARAL-
SEE

KASPISCHES MEER

Alexandria Eschata

Kyropolis

Alexandria

Maracanda
(Samarkand)

Baktra

Nautaka

Derbent

Aornos

Aornos

Baktra
(Zariaspra)

Taxila

Bukephala

Nikaa

Alexandria Margiane
(Merw)

Alexandria

Kabura

Alexandropolis

Susia

Alexandria Ariorum

Alexandria
(Ghasni)

Zadrakarta

Hekatompylos

Alexandria
Prophthasia

Alexandria Opiana

Alexandria Arachosiorum
(Kandahar)

Europos
(Rhaga)

Apamea

Alexandria Sogdiana

Alexandria (Arbela)

Epiphania
(Ekbatana)

Seleukia

Laodikea
(Nihawend)

Heraklea

Apollonia

Chala

Artemita

Alexandria

Pattala

Kakala

Apamea

Soloukia
(Opis)

Susa
(Seleukia)

Tigris

Pura

Neapolis

Apamea

Methone

Alexandria

Babylon

Orchoë
(Uruk)

Apamea

Antiochia
(Persepolis)

Harmozia

Alexandria-Antiochia (Charax)

Talmena

PERSISCHER GOLF

ARABISCHES
MEER

Indus

Rom, Forum Romanum. Rekonstruktion

RÖMISCHE ANTIKE

Etruskische Vorbilder
Adaptionen griechischer und
kleinasiatischer Kultur

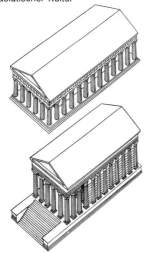

Griechisches und römisches Tempelschema im
Vergleich. O: Griechischer → Peripteros auf 3stu-
figem Stylobat. Athen, Hephaisteion, 5. Jh. v. Chr.
– U: Römischer → Pseudoperipteros auf Sockel
mit frontseitiger Freitreppe zwischen Mauerflanken. Nîmes, Maison Carrée, E. 1. Jh. v. Chr.

Die Herkunft der römischen Architektur von etruskischen und griechischen Vorbildern ist unübersehbar. Der erste Jupiter-Tempel auf
dem Kapitol (33*) ist über einem etruskischen Fundament gebaut.
Seine Gerichtetheit wird für alle römischen Sakralbauten bestimmend. Rundbauten der Kaiserzeit vom Augustus-Mausoleum, begonnen 28 v. Chr., bis zur »Engelsburg«, der Grabstätte Hadrians, vollendet 139 n. Chr., (beide 35*) haben etruskische Tradition, und selbst
die »Römische Wölfin« ist eine etruskische Plastik.

Seit 200 v. Chr. dehnt Rom seine Herrschaft auf Griechenland und
Kleinasien aus. Die Sieger übernehmen mit Eifer, was die griechische
Kultur bietet: die Schrift (über die Etrusker oder direkt von italischen
Griechen der Archaik), den Götterhimmel (griechisch sind Herkules,
Apoll, Aeskulap, Bona Dea, Sol, Luna); sie rauben die Kunstwerke
aus den Heiligtümern, lassen griechische Plastiken in Marmor kopie-
ren. Griechen sind auch die Architekten der Tempel des Jupiter Stator
und der Juno Regina von 146 v. Chr. (Hermodoros v. Salamis), und
sogar noch des Trajansforums von 111 n. Chr. und des Pantheons von
120–125 n. Chr., beide von Apollodoros und in römischer Bauweise.

Nie wird ein griechischer Tempel kopiert. Zwar werden die Säulenordnungen der Griechen modifiziert übernommen, 32*, am Kolosseum, 36*, und andernorts gliedern sie in chronologischer Folge die
Arkadenstockwerke. Aber immer unterwerfen sich die Baumeister
der römischen Baugesinnung, die aufs Praktische sieht, auf Repräsentation und historische Dokumentation (Rom, Reliefs an der Ara Pacis
Augustae, 13 v. Chr., dem Titus-Bogen, nach 81 n. Chr., der Trajanssäule, 113 n. Chr.).

In augusteischer Zeit (31 v. Chr. bis 14 n. Chr.) mündet die griechisch-hellenistische Kunst schließlich und endgültig in die römische.

Die griechische Architektur war vom tektonischen Prinzip des Ausgleichs stehender (tragender) und liegender (lastender) Bauteile gekennzeichnet. Wichtigstes Bauglied war die Säule.

In der römischen Baukunst gewinnt dagegen die Mauer als Raumschale Vorrang. Den Unterschied zwischen der nach außen gerichteten griechischen und der auf den Innenraum bezogenen römischen Bauweise zeigen am deutlichsten
– die Gegenüberstellung eines griechischen Ringhallentempels, z. B. des Parthenon, 10*, und des römischen Pantheon, 34*,
– die typisch römische Basilika, 42 f.*, 348 f.*, »die mit ihren Kolonnaden im Innern einem nach innen gewendeten Tempel gleicht« (Pevsner).

Funktion und Dekoration der Bauelemente werden seit dem 1. Jh. v. Chr. getrennt:
Die Säule wird oft zum bloß dekorativen Mittel (Rom, Forum Nervae, um 100 n. Chr., 349,28*);
als vorgeblendete Halbsäule, einer hellenistischen Innovation, teilt sie sich mit der Mauer in die Stützfunktion, deutlich erkennbar beim Pseudoperipteros (Nîmes, Maison Carrée, 33*);
die schmuckvollen Säulenordnungen (korinthische und Komposit-Ordnung) werden bevorzugt, Ornamente überreich angebracht (Gebälk, Säulenbasis, 32*);
unedles Guß-Mauerwerk für Mauern, Gewölbe, Kuppeln wird mit Quadern oder Marmor verblendet oder mit Stuck überzogen.

Bogen, Gewölbe (beide gibt es schon seit frühhellenistischer Zeit), Kuppel (seit 2. Jh. v. Chr.), zahlreiche neue Mauerwerktechniken (→ Mauerwerk*), Symmetrie und Axialität, beide in hellenistischer Tradition, und Richtungsbau sind wichtige Mittel der Konstruktion und Repräsentation bei Brücke, → Aquädukt*, Galerie (Rom, Trajansmarkt, 347*), → Triumphbogen*, → Thermen*, Theater und Amphitheater, 36*.
Zu Profanbauten sh. auch 292 f*; 340*; 344 ff.; 393

Römische Bauprinzipien

Römisches Wellenband

Bukranionfries

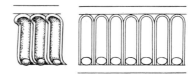
Kanneluren-, Zungenblatt-Fries am Geison der röm.-korinth. Ordnung. Vgl. Höchst, 64*

Werkstein

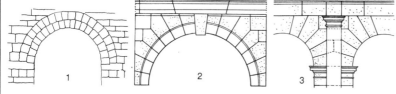

1 Ferentinum, etruskischer Torbogen. Verdoppelter Halbkreisbogen aus Keilsteinen verteilt den Druck. – 2 Rom, Severus-Triumphbogen, 203 n. Chr. Betonter Schlußstein, Keilsteine in Mauerverbund eingebunden. – 3 Rom, Colosseum, 70–80 n. Chr. Keilsteine über profilierten Kämpferplatten. Jochteilung durch Pilaster. Nach J. Durm.

Backstein

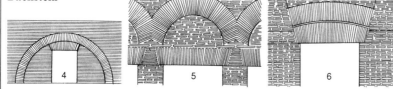

4 Rom, Colosseum, 70–80 n. Chr. Halbrunder Entlastungsbogen über einem scheitrechten Sturz (Sturzbogen). – 5,6 Rom, Maxentius-Basilika, 306–312 n. Chr.; 5 Entlastungsbogen über Sturzbogen; 6 scheitrechter Sturz unter Stichbogen. Nach J. Durm.

BOGENKONSTRUKTION

Nîmes, Pont-du-Gard, 1. Jh. n. Chr., mittleres Teilstück (gesamt →Aquädukt*). Werksteinquader ohne Mörtel. Die Kragsteine für das Lehrgerüst (Rekonstruktionsversuch im mittleren Geschoß) wurden nicht abgemeißelt.

RÖMISCH-DORISCHE UND TOSKANISCHE ORDNUNG

Die römisch-dorische Ordnung modifiziert das griechisch-dorische Vorbild durch
– Zufügung einer Säulenbasis und eines
– Halsrings unter dem Echinus
Ihr ähnlich ist die toskanische = tuskische = etruskische Ordnung:
– Säulenschaft oft ohne Kanneluren, aber mit Basis
– Halsring oft mit Astragal (Perlstab) und
– Echinus mit ion. Kymation (Eierstab)
– karniesförmiger Abakusaufsatz
– Architrav flacher als der griech.-dorische
– Ecktriglyphen über der Säulenachse
– Metopenfelder mit Rosetten, Emblemen oder Bukranien (Einz.: Bukranion) = Rinderschädel-Skelette als Nachbildung der Opfertiere, 31*
– Mutuli gelegentlich durch Zahnschnitt ersetzt

RÖMISCH-IONISCHE ORDNUNG

Hauptunterschiede zum griechischen Vorbild:
– Kanalis zwischen den Voluten nicht konkav
– flacher Architrav
– reichere Gliederung des Gebälks
– ausgiebige Anwendung von Ornamenten

RÖMISCH-KORINTHISCHE ORDNUNG

Entsprechend der römischen Prachtliebe aus der griechischen Form weiterentwickelt, überreich verziert und bevorzugt angewendet.
– Basis: attisch oder der kleinasiatisch-ionischen Form nachgebildet
– Säulenschaft: wie bei der griechisch-korinthischen Ordnung kanneliert, aber auch im unteren Drittel mit Pfeifen = Stäbchen in den Kanneluren oder glatt oder plastisch ornamentiert
– Kapitell: Kalathos = Blattkelch aus 2 × 8 in 2 Reihen, auch 3 × 8 versetzt stehenden → Akanthusblättern
– dahinter ragen 8 schlingpflanzenähnliche Volutenpaare aus Blatthülsen (cauliculus, -i) zu den Ecken und jeder eingezogenen Mitte der Ansichtsflächen empor. Griechisch: nur die Eckvoluten, römisch: alle tragen den
– Abakus. Unter oder auf dessen Mitten je eine Blüte.
– Kranzgesims von Volutenkonsolen getragen, kassettierte Simsunterseite (→ Rosette*)

KOMPOSIT-KAPITELL

– Kalathos 2reihig, mit 4 ionisierenden Volutenpaaren kombiniert, die aber meist nicht durch einen Kanalis verbunden sind
– Astragal (gelegentlich) und Eierstab unterm Echinus

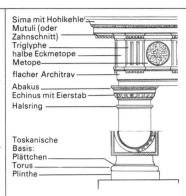

Sima mit Hohlkehle
Mutuli (oder Zahnschnitt)
Triglyphe
halbe Eckmetope
Metope
flacher Architrav
Abakus
Echinus mit Eierstab
Halsring

Toskanische Basis:
Plättchen
Torus
Plinthe

Tuskische Ordnung. Albano, 1. Jh. v. Chr.

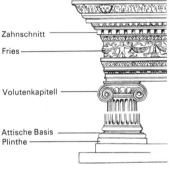

Zahnschnitt
Fries
Volutenkapitell
Attische Basis
Plinthe

Römisch-ionische Ordnung. Rom, sog. Tempel der Fortuna Virilis, 1. Jh. v. Chr.

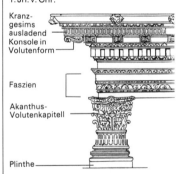

Kranzgesims ausladend
Konsole in Volutenform
Faszien
Akanthus-Volutenkapitell
Plinthe

Römisch-korinthische Ordnung. Rom, Castor und Pollux-Tempel, 6 n. Chr.

Faszien
»ionische« Voluten über korinthischen Akanthuskränzen
Plinthe

Komposit-Ordnung. Rom, Titusbogen, 81 n. Chr.

Toskanische = tuskische Ordnung. Schmucklos, ohne Kanneluren. Rom

Römisch-dorisch. Reich geschmückt, Halsring mit Astragal. Rom

Reich verziertes Volutenkapitell

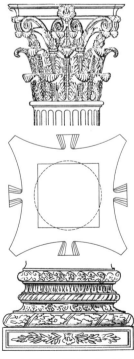

Römisch-korinthische Säule mit reich verzierter Basis

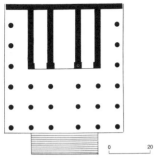

Etruskischer Tempel, spekulative Rekonstruktion nach Vitruv von Borrmann und Wiegand. Mit/ohne Podium, Holz- oder Steinbau. Holzdach, daher weit gestellte Säulen in tiefer Vorhalle. 3-Kammer-Cella (analog Dreigötterkult) in der hinteren Tempelhälfte. Keine Rückhalle, aber gelegentlich gesonderter Schatzraum. – Griech. Einflüsse zeigen bes. die »tuskische« Säule, jedoch mit runder Plinthe und Halsring, Triglyphen, reicher Terrakotta-Dachschmuck (→ Keramik*). – Wirkung auf Rom: Frontalität, Podium, tusk. Ordnung, 32*. Der Grundriß des etrusk. Tempels der Juno Curitis (Civita Castellana) ist fast identisch mit Rom, Jupiter-Tempel*.

RECHTECKTEMPEL

Nur ein einziger Tempel der Römer, Hadrians Roma-und-Venus-Tempel in Rom*, zeigt äußerlich das Bild eines griechischen richtungslosen Baus mit Ringhalle und mehrstufig umlaufendem Unterbau. Im Innern allerdings stoßen – völlig ungriechisch – zwei Apsiden mit ihren Rückseiten aneinander. Obwohl man sich der vorbildhaften Bedeutung der griechischen Architektur bewußt ist und ihre Zeugnisse auch auf römischem Boden zu finden sind, kommt es in der römischen Architektur doch nie zur Kopie griechischer Vorbilder. Hinter der Cella des Tempels liegt auch nie eine der Vorhalle entsprechende Hinterhalle. Der römische Tempel hat eine eindeutig axiale Richtung. An der Vorderseite führt eine breite Freitreppe, von Mauerzungen flankiert, auf ein Podium mit einer Säulen-Vorhalle. Dahinter befindet sich die Cella, nur nach vorn geöffnet. Sie wird nur selten allseitig von Säulen umschlossen (Peripteros). In der Regel werden ihre Wände von Halbsäulen gegliedert (Pseudoperipteros). Im Innern ist die Decke flach oder tonnengewölbt; den Wänden vorgestellte Säulen tragen die Gewölbegurte. Die Tempelrückseiten sind – weil keine Schauseiten – meist bedeutungslos. Vgl. 30*

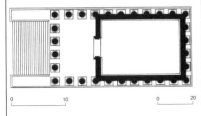

Rom, Jupiter-Tempel auf dem Kapitol: Mit griechischen Spolien (Säulen), aber nach etruskischem Muster mit Freitreppe und Podium. 3teilige Cella für Jupiter, Juno, Minerva. 509 v. Chr. vollendet. Im 1. Jh. erneuert.

Ephesos, Hadrian-Tempel, 2. Jh. n. Chr., im 4. Jh. restauriert. »Syrischer Architrav« mit Mittelbogen. Bedeutende Reliefs in der Vorhalle, u. a. die christliche Familie des Kaisers Theodosius neben der heidnischen Artemis!

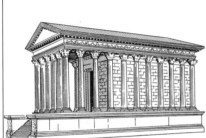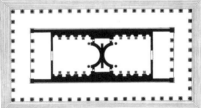

Re: Rom, Roma- und Venus-Tempel, unter Hadrian 121 n. Chr. beg., nach 138 von Antoninus Pius voll. Pseudodipteros, Cella durch 2 Apsiden geteilt. U.: Teil des Schnitts.

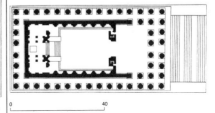

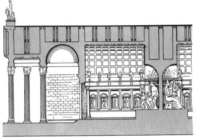

Nîmes/Südfrankreich, sog. Maison Carrée, 19–13 v. Chr., Gaius und Lucius, den Adoptivsöhnen des Augustus, geweiht. Klassizistisch-korinthischer Pseudoperipteros (6/11), d. h. Umgang und Säulenkranz sind auf Halbsäulen an den Cellawänden reduziert. Vorhalle 3 Joche tief. Podium 31,8 × 14,9 m, 2,8 m hoch; 20stufige Freitreppe zwischen Mauerflanken. Das Halbsäulen-Motiv tritt erstmals am um 480 v. Chr. am Zeus-Tempel in Agrigent, 18*.

Baalbek, sog. Bacchus-Tempel, 2. Jh. Korinthischer Peripteros mit doppelter Frontsäulenreihe. Wandsäulen im Innern unter offenem hölzernen Dachstuhl. 2 Geschosse mit Blendfenstern gliedern die Innenwände.

RUNDTEMPEL

Auch die seltenen Rundtempel erhalten in Rom meist einen besonderen Treppenaufgang vor dem Portal. Sie sind meist von einem Säulenkranz umgeben.

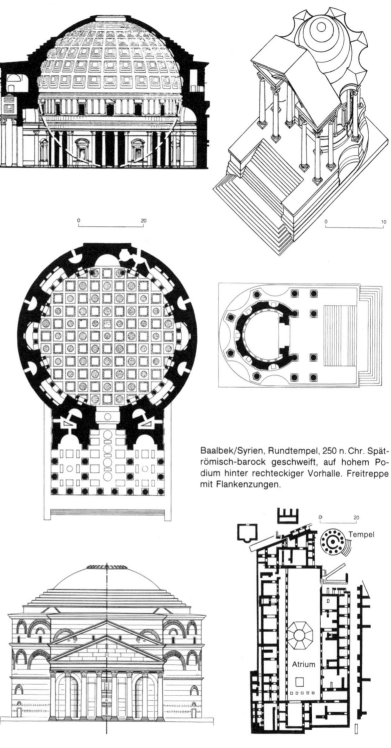

Baalbek/Syrien, Rundtempel, 250 n. Chr. Spätrömisch-barock geschweift, auf hohem Podium hinter rechteckiger Vorhalle. Freitreppe mit Flankenzungen.

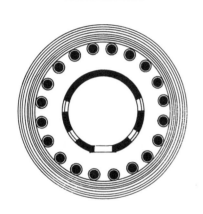

Rom, Rundtempel am Tiber, sog. Vesta-Tempel, E. 2. Jh. Cella von 20 korinthischen Säulen umgeben. Kapitelle erst später aufgesetzt: ihr Ø entspricht nicht den Säulenschäften.

Li: Rom, Pantheon, beg. 118 n. Chr. unter Hadrian. Innenraum: Durchmesser = Höhe = 43,6 m. Einzige Lichtquelle ist das Kuppelauge (9 m Ø). Raffinierte Statik: Zahlreiche Entlastungsbögen im Gemäuer und die überhöhte Außenmauer stützen die Kuppel, die innen eine exakte Halbkugel bildet. Zweischaliger Mauerzylinder. – Re: Rom, Haus und Rundtempel der Vestalinnen auf dem Forum Romanum, letzter Wiederaufbau nach Brand von 191 n. Chr.

Rom, Hadrians-Mausoleum (Engelsburg), voll. 139 n. Chr. Rekonstruktion mit geschlossenem bzw. offenem zylindrischen Aufbau unter der Hadrians-Quadriga.

GRABBAU

Auf kreisförmigen oder quadratischen Unterbauten erheben sich höchst unterschiedlich gestaltete Gebäude. Sonderformen bilden das unterirdische Mausoleum des Augustus* und die Felsengräber der Nabatäer in Petra/ Transjordanien, 27*. Die Rundform hat etruskischen Ursprung, die Bestattung erfolgt aber in der Regel nicht in einem verschließbaren unterirdischen Kammersystem wie in Etrurien, sondern die Urne steht in der Mitte des Rundbaus, der einen ebenerdigen Zugang hat.

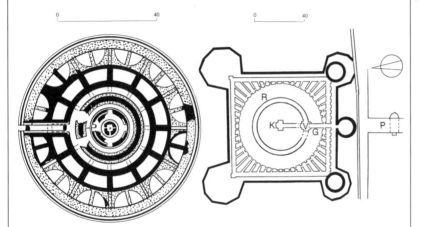

Rom, Augustus-Mausoleum, beg. 28 v. Chr. Zylindrisch gemauerter Tumulus aus konzentrisch gestaffelten Mauern unter einem kegelförmigen Erdhügel.

Rom, Hadrians-Mausoleum, Grundriß. P Pons Aelius (Engelsbrücke), G Gang, V Vestibül, R ringförmiger Gang, K Grabkammer.

St-Remy/Südfrankreich, Julier-Kenotaph, E. 1. Jh. v. Chr. Auf einen reliefgeschmückten Sockel ohne Grabkammer sind ein Triumphbogen (Tetrapylon) und ein 10säuliger Monopteros getürmt.

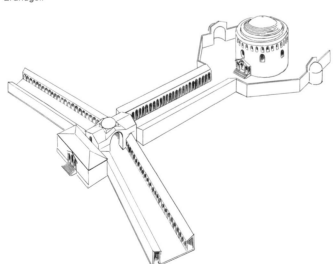

Saloniki/Griechenland, Bogen und Mausoleum des Galerius, nach 300 n. Chr. Rechteckige Gewölbenischen in 2 Geschossen der 6,3 m dicken, isoliert stehenden Zylindermauer. Die Kuppel ist im unteren Teil flacher und hier (später) mit Mosaiken verziert. Im 5. Jh. christlich-byzantinische Kirche. – Re: Schnitt durch das Mausoleum.

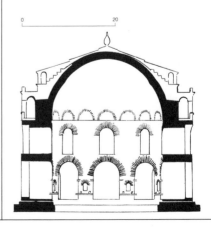

THEATER

Griechenland

Frühzeit: Holztribüne, später Hangmulde mit ansteigenden Sitzplätzen (= Theatron, Koilon, lat. Cavea). Spielfläche (Orchestra) trapez- oder halbkreisförmig mit seitl. Tempel und mittigem oder später seitl. Altar (Thorikos*).

Klass. Form seit 420 in Athen entwikkelt und in der griech. Welt verbreitet.

Zu Epidauros*:

1 älteres Koilon mit 12 Segmenten (Kerkides) eines 20teiligen Kreises
2 jüngeres Koilon mit Segmenten eines 40teiligen Kreises
3 Gürtelring (Diazoma) und Treppen
4 Spielrund (Orchestra)
5 ionische Säulenhalle (Proskenion) und
6 seitliche Risalite (Paraskenien) vor
7 2geschossigem Szenengebäude mit Türen für die Auftritte der Schauspieler
8 seitl. Durchgang (Parodos) für das Publikum
9 Rampe zum Dach über der Säulenhalle
10 Stützmauer

Frühhellenistisches Theater 26*

Rom

Anfänglich Holzgebäude mit oder ohne (halbkreisförmige) Cavea. 55–52 v. Chr. Steinbau auf dem Marsfeld nach griech. Vorbild, 40 Jahre später Marcellus-Theater (→ Theater*) als Muster für das ganze Imperium: nicht mehr in die Natur eingebetteter, sondern frei stehender städtischer Bau mit hochgemauerten Sitzreihen, die von zahlreichen Eingängen in der Außenmauer über Treppen zu erreichen sind. Daneben gibt es aber auch noch – oft umgebaute griechische – Theater am Berghang.

Zu Schema nach Vitruv*:

1 Segmente der Cavea, die einen exakten, ummauerten Halbkreis bildet
2 Treppen
3 Gürtelring (Praecinct)
4 obere Säulenhalle als Verteiler, zugleich Vertikallast, die die Widerlager-Funktion der Außenmauer verstärkt
5 halbrunde Orchestra (mit Ehrenplätzen, nicht als Spielfläche), das einbeschriebene halbe Zwölfeck bestimmt die 5 Treppenaufgänge genau gegenüber den
6 Türen der
7 Bühnenwand (Scenae frons) mit Schauarchitektur hinter der
8 Bühne (Proscenium) mit seitlichen
9 Drehkulissen (Periakten)

Masten mit Spannseilen tragen Sonnensegel bzw. den Schalldeckel über der Bühne (Aspendos*).

AMPHITHEATER

Siehe auch → Theater*

Griechisch   **Römisch**

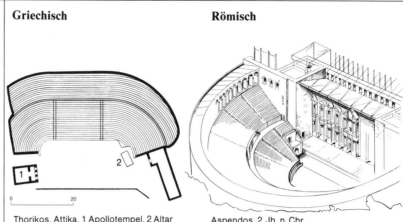

Thorikos, Attika, 1 Apollotempel, 2 Altar   Aspendos, 2. Jh. n. Chr.

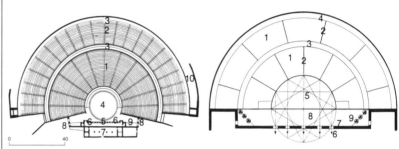

Epidauros, 3. Jh. v. Chr.   Schema nach Vitruv

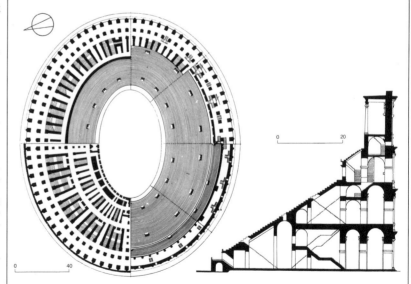

Rom, Flavisches Amphitheater (Colosseum), 70–80 n. Chr., elliptische Arena für Gladiatorenkämpfe, 187 × 155 m, 51 m hoch. Vorbild für alle späteren (Verona, Pozzuoli, Arles, Nîmes, El Djem usw.). Unter der Spielfläche Gänge, Treppen, Käfige, Aufzüge und Arsenale für die Organisation der Spiele. Unter der Cavea 7 Ringe von Pfeilerarkaden mit Gewölben, z.T. mehrgeschossig; 80 Radialmauern, durch Gewölbe verbunden, als Widerlager für den Schub der Sitzreihen; Treppensystem zur schnellen Leerung. Die Pfeiler der unteren 3 Außenarkaden von u nach o mit dorischer, ionischer, korinthischer Säulenordnung.

DAS ANTIKE ROM

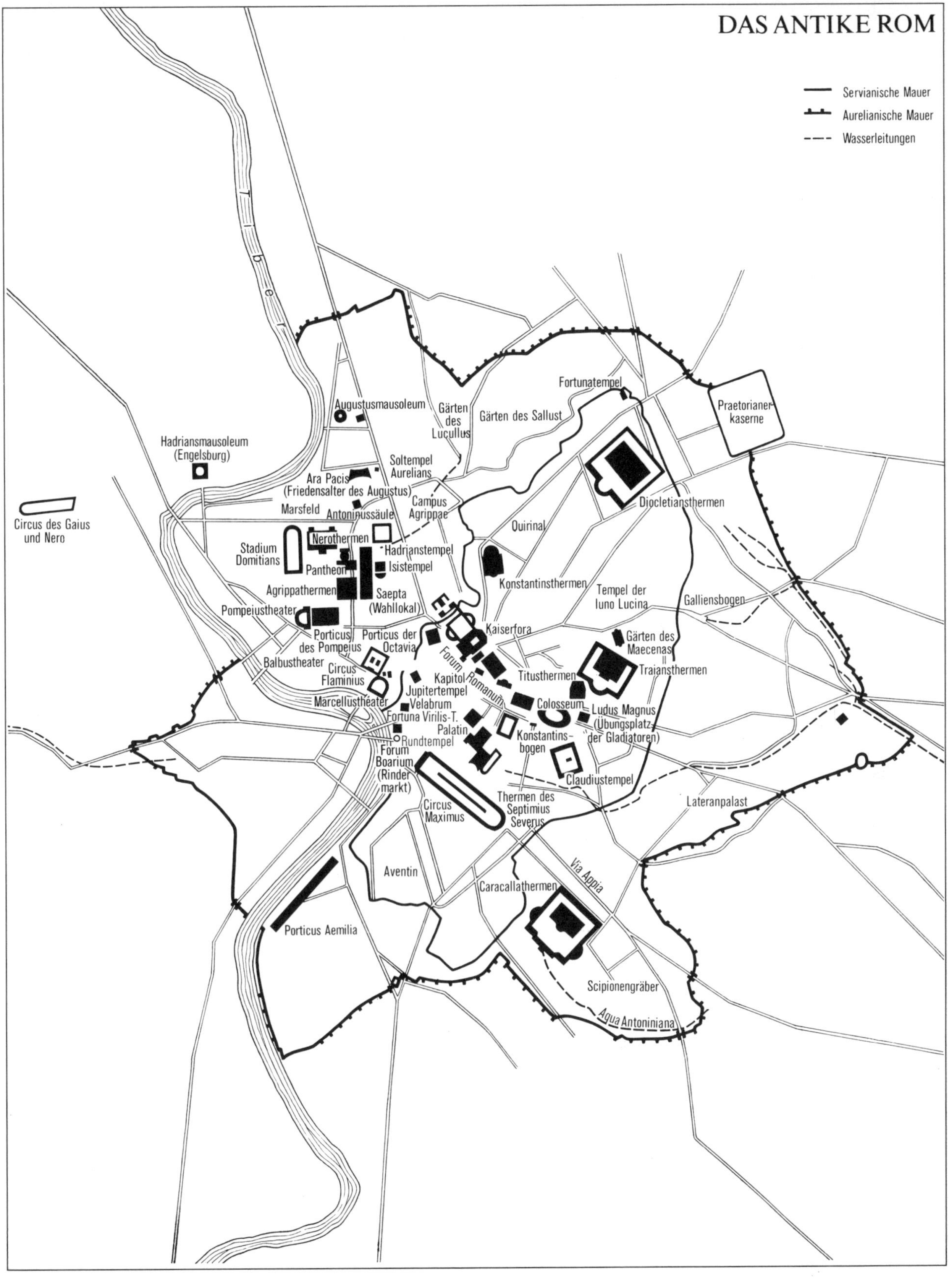

— Servianische Mauer
—⊢⊢⊢ Aurelianische Mauer
--- Wasserleitungen

Tiber

Circus des Gaius und Nero

Hadriansmausoleum (Engelsburg)

Augustusmausoleum

Gärten des Lucullus

Gärten des Sallust

Fortunatempel

Praetorianer-kaserne

Soltempel Aurelians

Ara Pacis (Friedensalter des Augustus)

Marsfeld

Antoninussäule

Campus Agrippae

Quirinal

Diocletiansthermen

Stadium Domitians

Nerothermen

Hadrianstempel

Pantheon

Isistempel

Konstantinsthermen

Tempel der Iuno Lucina

Galliensbogen

Agrippathermen

Saepta (Wahllokal)

Pompeiustheater

Kaiserfora

Porticus des Pompeius

Porticus der Octavia

Gärten des Maecenas

Balbustheater

Circus Flaminius

Forum Romanum

Titusthermen

Traiansthermen

Marcellustheater

Kapitol

Jupitertempel

Velabrum

Colosseum

Ludus Magnus (Übungsplatz der Gladiatoren)

Fortuna Virilis-T.

Palatin

Rundtempel

Konstantins-bogen

Claudiustempel

Forum Boarium (Rinder-markt)

Circus Maximus

Thermen des Septimius Severus

Lateranpalast

Aventin

Via Appia

Porticus Aemilia

Caracallathermen

Scipionengräber

Aqua Antoniniana

Ravenna, Sant' Apollinare Nuovo, um 500

FRÜHCHRISTENTUM UND BYZANTINISMUS

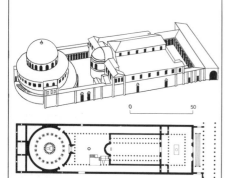

Jerusalem, Grabeskirche, beg. 326, Konstantin. Der Rundbau bleibt neben dem konstantinischen Oktogon der Geburtskirche in Bethlehem, 43*, bis ins hohe Mittelalter Vorbild zahlreicher Zentralbauten. – Von li nach re: Grabrotunde mit 2geschossigem Umgang und 3geschossigem, überkuppeltem Mittelbau; Hof mit Säulengalerie; 5schiffige Basilika; Atrium.

Im dritten Jahrhundert schon ist der Zerfall des riesigen römischen Reiches nur mit Hilfe der Truppen unterworfener Völker aufzuhalten. Macht und Rechtsansprüche verlagern sich deshalb immer mehr in die Provinzen. Caracalla muß 212 n. Chr. allen freien Bewohnern des Reichs das Bürgerrecht, Severus Alexander den Grenztruppen erbliche Lehen gewähren. Selbst die bedeutendsten Kaiser des 2. und 3. Jahrhunderts stammen nicht mehr aus Rom, sondern aus den Provinzen (Trajan, Hadrian, Antoninus Pius, Diokletian). Verschmelzend und zugleich spaltend wirkt sich auch die schleichende Überfremdung durch neue Religionen aus, die ebenfalls aus den eroberten Provinzen kommen. Besonders das Christentum hat Erfolg unter den Massen der Armen. Zur Zeit Diokletians (285–313) kann der komplizierte Verwaltungsapparat des Reichs nur noch von 4 Kaisern (Tetrarchen) zugleich regiert werden. Rom wird als Hauptstadt zunehmend entwertet. Konstantin, 306–337 (326 Alleinherrscher) verlegt 330 die Hauptstadt in das provinzielle, aber vielfach günstigere Byzanz (fortan Konstantinopel oder Secunda Roma, seit dem 5. Jahrhundert auch Roma nova genannt). Im Toleranzedikt von Mailand, 313, garantiert Konstantin die Freiheit aller religiösen Kulte. Das Christentum, noch unter Diokletian blutig verfolgt, wird von Konstantin bald favorisiert und mit staatlichen Aufgaben und Rechten ausgestattet. Es erlebt aber auch kaiserliche Eingriffe in dogmatische Fragen, z. B. die Verdammung des Arianismus und die Erhebung der Lehre des Athanasios zum rechtgläubigen (orthodoxen) Bekenntnis auf dem Konzil von Nicäa, 325. Rom tritt als Hauptstadt gegenüber Konstantinopel zwar zurück, erfährt aber neben Palästina, Trier u. a. O. reiche Förderung des Kirchenbaus.

Rom, *Langbauten:* Lateransbasilika (heute S. Giovanni in Laterano), 5schiffig, Archivolten, Querhaus, Apsis, 130 m lang; Apostelkirche (heute Saalkirche S. Sebastiano), Pfeilerbasilika, 3schiffig, ohne Querhaus; Basilica Hierusalem in Sessoriano (heute S. Croce in Gerusalemme); Basilica S. Petri in Vaticano (Alt-St. Peter*). – *Zentralbauten:* Lateransbaptisterium S. Giovanni in Fonte, 2geschossige oktogonale Säulenstellung um ältesten Taufbrunnen; S. Costanza, 46*.
Konstantinopel: erste Hagia Sophia, 326 beg.;
Palästina: Bethlehem, Geburtskirche, 43*; Jerusalem, Grabeskirche, 38*;
Trier: Doppelbasilika, nach 324, über einem Geviert von 105 × 135 m, 110*; Aula oder Thronsaal, sog. Basilika, erst seit 1856 evang. Kirche, Halle von 73 × 28,5 m, 33 m hoch.

Merkmale konstantinischer Basiliken

- Axiale Raumfolge: Atrium – Narthex – 3–5 Schiffe – Presbyterium
- Entwicklung des T-förmigen Grundrisses (Schiffs- und Kreuzsymbolik)
- Abkehr von der Wölbung, dafür Flachdecke mit Kassettierung oder offener Dachstuhl, dadurch Steigerung der Bauausrichtung
- Architrav oder Archivolten über den Langhaussäulen
- Mauern meist wenig stabil aus Backstein, Tuffstein, selten Quadern
- Spolien (= wiederverwendete Teile früherer Bauten) von antiken Gebäuden: Säulen und Kapitele, nach Bedarf verkürzt oder verlängert; auch Gebälk über den Säulen, später vergröberte Nachahmungen der antiken Vorbilder oder verkümmerte Formen nach korinthischem Muster. Säulen oft ohne Entasis.
- kleine Fenster, meist ohne Verglasung, mit Stoff verhängt oder mit dünnen, durchbrochenen Scheiben aus Alabaster oder Marmor = Transennen, 40*, versehen

Die Epigonen Konstantins, 337–79, fördern mit dem Reliquienkult die Erbauung und Fertigstellung immer prächtigerer Heiligtümer in den Städten und Memoriae auf den Friedhöfen außerhalb der Städte. Mit dem Einsiedler Antonius, 251–356, beginnt die Geschichte des Mönchstums.
Mailand: S. Lorenzo Maggiore, 45*; **Rom:** S. Clemente, 43*;
Konstantinopel: erste Hagia Sophia, 360 geweiht.

Theodosius d. Gr., 379–95, erklärt das Christentum zur Staatskirche, verbietet die heidnischen Kulte und bewirkt eine Blüte christlicher Kunst (»Theodosianische Renaissance«). Er ist der letzte Alleinherrscher. Unter seinen Söhnen wird 395 die Teilung des Reiches endgültig: Honorius erhält das morbide Westrom, das bald unter dem germanischen Ansturm zerbrochen wird, Arcadius das immer selbständiger werdende oströmisch-byzantinische Reich (s. Karte 52/53).
Rom: S. Paolo fuori le mura*; **Mailand:** S. Aquilino, E. 4. Jh.; **Chiusi:** Basilika, um 400; **Spoleto:** S. Salvatore, E. 4. Jh., (8. Jh.?), Presbyterium kreuzgewölbt.

5. Jahrhundert. Mit dem Zusammenbruch der Reichsgrenze, 404, beginnt der Zerfall Westroms. Dennoch entstehen im 5. Jahrhundert in Rom bedeutende Kirchen:
Langbauten: Titulus Aemilianae (heute SS. Quattro Coronati), 401–407; Titulus Sabinae (S. Sabina), 422–32; Titulus Apostolorum seu Eudoxiae (S. Pietro in Vincoli), 432–40; S. Mariae Maior (S. Maria Maggiore), 430–440; *Zentralbauten:* Erweiterungen am Lateransbaptisterium S. Giovanni in Fonte, 432–40; S. Stephani sul Celio (S. Stefano Rotondo, 45*).

Die weströmischen Kaiser regieren seit Beginn der Völkerwanderung in wechselnden Residenzen. 402 verlegt Honorius seinen Regierungssitz vom bedrohten Mailand in das von Sümpfen geschützte **Ravenna.** Er entgeht so dem Westgoten Alarich, der 410 Rom plündert und dessen Nachfolger Athaulf sich schon bald nach Gallien zurückzieht (»Tolesanisches Reich«, Hauptstadt Toulouse). Ravenna spiegelt in besonderer Weise politische und künstlerische Ambivalenzen der Völkerwanderungszeit wider, vgl. 44*.

Fortsetzung Seite 40

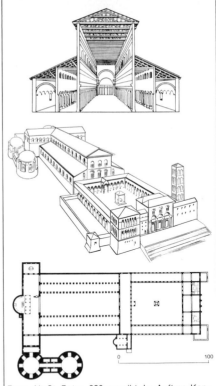

Rom, Alt-St. Peter, 326 geweiht. Im Auftrag Konstantins gebaut als größte christliche Kirche an der Stelle der heutigen Peterskirche. W-Ausrichtung später in Fulda, Mainz u. a. O. nachgeahmt. 92 Langhaussäulen = röm. Spolien. Scheidmauer mit Architrav, Trennmauer zwischen Seitenschiffen mit Arkaden. Kreuzform im ganzen abendländischen Raum übernommen. 1506 abgebrochen.

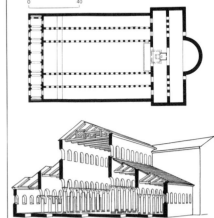

Rom, San Paolo fuori le mura, 5schiffige Basilika mit Archivolten, unter Kaiser Konstantin beg., seit 386 erweitert, nach dem Brand von 1823 wiederaufgebaut unter Respektierung der alten Baugestalt, aber durch Kassettendecke und zahlreiche Details verändert, z.B. Granit statt kannelierter Marmorsäulen.
Dennoch vermittelt dieser nachkonstantinische Bau – als einziger in Rom – eine Vorstellung der Lateran- und Vatikan-Basiliken Konstantins.

Fortsetzung von Seite 39

Der basilikale Langbau wird in allen Teilen des Reiches bevorzugt. Die großen kreuzförmigen Zentralbauten mit zentraler Kuppel entstehen aber in der Zukunft vorwiegend an Orten byzantinischen Einflusses. Dennoch bleibt lange Zeit eine christlich-kulturelle Einheit gewahrt, wenn auch die Kunst des Ostreichs und der von ihm beeinflußten Gebiete (Ravenna, 44f*) ein immer selbständigeres, eben byzantinisches Gepräge zeigt.

Thessalonike: (= Saloniki), Demetrius-Basilika, 412 beg., 634 5schiffig erweitert, Emporen, Querschiff, 44*; St. Georg, Zentralbau; **Syrien:** Kalb-Luzeh, 3schiff. Pfeilerbasilika, Doppelturmfassade; Turmanin, 49*; Kalat-Sim'an, E. 5.Jh., um ein zentrales Oktogon sind kreuzförmig vier 3schiff. Basiliken gruppiert, 44*,49´; **Isaurien** (Euphrat): Kodja-Kalessi, um 500, Kuppel-Emporen-Basilika; **Ägypten** (Libysche Wüste): Menapolis, axiale Gruppe aus Baptisterium (Zentralbau) und 2 Basiliken.

Das 6. Jahrhundert steht weitgehend im Zeichen **Justinians I.,** von 527–65 Herrscher Ostroms. Mit gewaltiger Energie vertreibt er die Goten aus Italien, vernichtet die Vandalen in Nordafrika und stellt die alte Reichseinheit fast völlig wieder her (außer Britannien, Gallien und dem westgotischen Nordspanien, vgl. 57 und Karte 52f). Seine Stiftungen gelten als »letzte Kulmination der frühchristlichen und zugleich als Wurzelboden der byzantinischen Baukunst« (Pevsner).

Konstantinopel: SS. Sergius und Bacchus, 45*; Apostelkirche, 47*; Hagia Sophia, 47*; Hagia Eirene, 532 beg., Kuppel-Emporen-Basilika; **Griechenland:** Philippi, Basilika, vor 540; **Kleinasien:** Ephesos, Johannes-Basilika, 47*; Marienkirche; **Italien:** Grado, Dom, Taufkirche und S. Maria delle Grazie; Rom, S. Lorenzo fuori le mura, Emporenbasilika; **Istrien:** Parenzo (Poreč), Euphrasiana; **Syrien:** vgl. 49*; **Palästina; Ägypten; Nordafrika:** vgl. 49; **Gallien:** Vienne, merowingisch, 56*.

Im 7. Jahrhundert erobern die Araber zwischen 640 und 650 Ägypten, Syrien und Nordmesopotamien. Das byzantinische Reich, auf die Hälfte verkleinert, konzentriert sich um die griechischen Länder und wird hellenisiert. Römisch-lateinische und die ehemals starken semit. Einflüsse werden verdrängt. Die etwa 500 Kirchen und 300 Klöster der Stadt Konstantinopel zerfallen mit der Verarmung der Stadt, 12 von ihnen existieren noch als Moscheen, vgl. 84. → Byzantinische Kunst.

KAPITELL

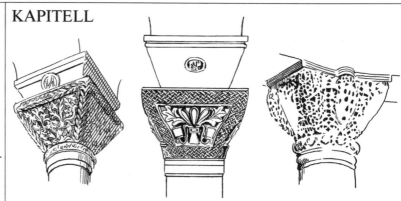

Byzantinisch-frühchristliche Korbkapitele. Li u. Mi: mit Kämpferaufsatz. Ravenna, 6. Jh. – Re: Konstantinopel, SS. Sergius und Bacchus, 6. Jh.

FENSTER

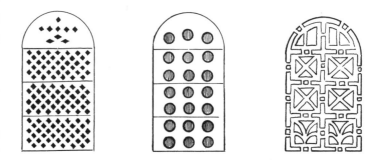

Transennen: Fensterscheiben aus dünngeschliffenem, durchbrochenem Alabaster oder Marmor Li: Rom – Mi: Rom – Re: Grado/Istrien

ORNAMENT

Frühchristliches Ornament aus Ravenna, Sant' Apollinare in Classe, 6. Jh.

Byzantinisches Ornament aus Konstantinopel, Hagia Sophia

PENDENTIFKUPPEL
→ Kuppel*

Pendentif-Kuppel. Der Übergang vom viereckigen Grundriß zur Rundung des Kuppelgrundrisses wird durch sphärische Dreiecke = P Pendentifs bewirkt. – Mi: Pendentif-Kuppel mit Tb Tambour, – re: mit bogen- und rippenförmigen Aussteifungen. Konstantinopel, Hagia Sophia.

TROMPENKUPPEL
AMPHORENGEWÖLBE

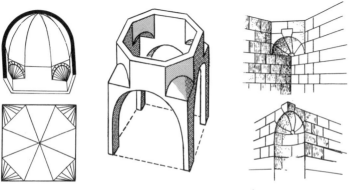

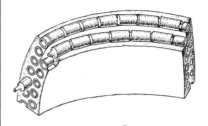

Albenga:	Ravenna:
– Baptisterium	– Mausoleum der
	Galla Placidia
Köln:	– Baptisterium der
– St. Gereon	Orthodoxen
	– San Vitale

Li u. Mi: Trompen-Kuppel. Ein viereckiger Unterbau wird durch 4 halbe Hohlkegel in ein Achteck übergeführt, auf dem eine Rundkuppel oder (li:) ein 8teiliges Klostergewölbe ruht. – Re o: Zwickeltrompe. – Re u: Ecktrompe.

Amphorengewölbe: Tonvasen, spiralig in der Kuppelschale aufgereiht, entlasten die Widerlager

KATAKOMBE

CONFESSIO

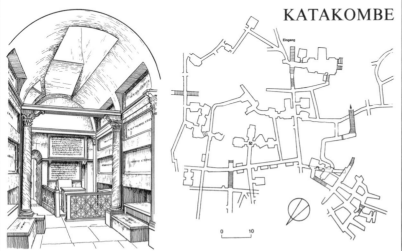

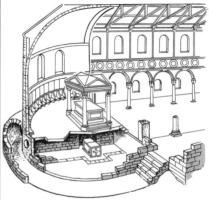

Li: Rom, sog. Papstgruft in der Kallistuskatakombe, um 200. »Katakombe« nach der Talsenke »ad catacumbas«, in der Antike allerdings Coemeterium nach griech: Ruhestätte genannt. Gesetzlich zugelassener Bestattungsort der röm. Christen. K.n auch bei Neapel, Syrakus, Alexandria, auf Malta. Blütezeit zwischen 250 und 350. Gangsysteme in Hügelhängen oder unter der Erde mit Wandgräbern (→ Kolumbarium*) und Sarkophagen. In konstantin. Zeit vermehrt Kammern mit Nischengräbern, z. T. überwölbt (= Arkosolien). Liturgie ausschließlich für Gedächtnisgottesdienst. – Re: Rom, Gangsystem der S. Sebastiano-Katakomben.

Confessio: Kammerartiges Heiligengrab unter dem Hauptaltar, das von einem Stollen her durch eine Öffnung zu besichtigen ist

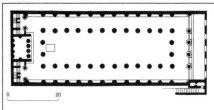

Pompeji, Basilika, um 80 v. Chr.

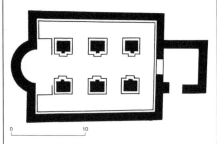

Rom, unterirdische Basilika vor der Porta Maggiore, 1. Jh. v. Chr.

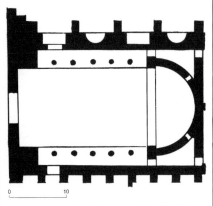

Rom, Basilika des Flavier-Palastes (Domitianspalast), 1. Jh. v. Chr. Vgl. 293*

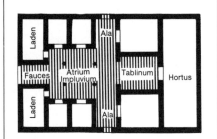

Antikes Atriumhaus, Schema. Atrium, Tablinum und die beiden Alae ergeben eine Kreuzform.

ENTWICKLUNG DER FRÜHCHRISTLICHEN BASILIKA Vgl. auch S. 348*

Die christliche Basilika ist mit Sicherheit keine spontane Erfindung. Ihre Herkunft hat wahrscheinlich mehrere Quellen. Als gesichert darf allerdings angenommen werden, daß sie sich nicht vom griechisch-antiken Tempel ableitet. Denn dessen Bestimmung war es, Haus der verehrten Gottheit zu sein, das nur von Priestern betreten werden durfte. Das Volk umschritt nur den Tempel in feierlicher Prozession und brachte im Freien auf einem Altar seine Opfer dar. Die ersten Christen brauchen dagegen einen Versammlungsraum für alle Gemeindemitglieder, für Hohe und Niedrige. Sie rühmen sich in den ersten Jahrhunderten sogar ihrer strikten Ablehnung von Kultbauten, Altären und Bildern. Die ersten bildhaften Darstellungen in den Katakomben gehören dem ausgehenden 2. Jahrhundert an. Sie beschränken sich auf Symbole für die zentralen Erwartungen des Frühchristentums: Erlösung und jenseitiges Leben (Guter Hirte, Adoranten, Fisch, Kreuz usw.). Neutestamentliche Darstellungen, z. B. Maria mit Kind, kommen erst im 3. Jahrhundert auf. Gottesdienste werden zunächst in Privathäusern abgehalten. Bald sucht man für die wachsende Gemeinde nach großräumigen Vorbildern, die zugleich die Forderung nach eindeutiger Ausrichtung auf Altar und Bischofssitz erfüllen. Zwar zeigen manche römischen Tempel eine Apsis, aber nicht die typische Raumstaffelung der Basilika und nur selten die Aufteilung in mehrere parallele Schiffe. Den Bedürfnissen der Christen entspricht eher die forensische Basilika, die in den Städten als Markt- und Gerichtsstätte dient: Ein überhöhtes rechteckiges Mittelschiff ist allseitig von Nebenschiffen umgeben (Pompeji*), die gelegentlich Galerien tragen (Rom, Basilica ulpia des Trajansforums*, 348*). Eine gewisse Ausrichtung ergibt sich durch den Sitz des Richters oder Marktaufsehers auf einem Podest oder in einer Apsis und durch den Altar an einer Schmalseite. Eine kleine heidnische unterirdische Basilika* aus dem 1. Jahrhundert v. Chr. vor den Mauern Roms zeigt diesen Richtungsgedanken stärker: drei tonnengewölbte Schiffe (nicht mehr umlaufend), Eingang und Apsis an »Anfang« und »Ende« des Baus. Die Basilika des Flavier-Palastes* in Rom aus gleicher Zeit ist flachgedeckt und hat zweigeschossige Seitenschiffe.

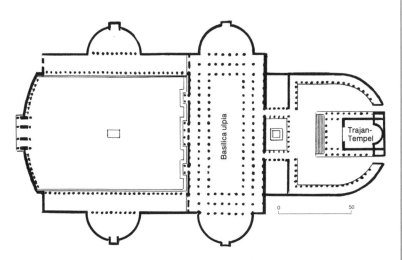

Rom, Trajansforum, A. 2. Jh. Vgl. 349*. Die Gesamtanlage zeigt ein ähnliches Richtungsschema mit Querraum und Apsis, wie es sich später bei der christlichen Basilika entwickelt.

Weit weniger gesichert ist die Herkunft des Querschiffs. Eine mögliche Erklärung geht vom antiken Atriumhaus aus, in dem anfänglich Gottesdienste gefeiert werden, 42*. In seinen Innenräumen mit den beiden Flügeln (Alae) hinter dem Atrium kann man eine rudimentäre Vorform der christlichen Querschiff-Basilika sehen. Denkbar ist auch die Ableitung von den Kaiserforen des Augustus und vor allem des Trajan, 42*. Dieser riesige Marktplatz zeigt trotz seines Wechsels von offenen und überdachten Teilen doch erstaunliche Ähnlichkeiten mit dem Grundriß der christlichen Basilika: Der Eingang und das in eine apsisartige Rundung eingestellte Heiligtum (Tempel) liegen einander gegenüber, Säulenhallen begleiten seitenschiffähnlich den rechteckigen Mittelraum nach vorn, zwei Apsiden an den Enden der Basilica ulpia bilden mit dieser zusammen eine Art Querhaus. Die Übertragung der Gottesvorstellung vom Kaiser auf den monotheistischen Christengott mag auch die Adaption kaiserlicher Architektur durch den christlichen Kirchenbau erklären. Dafür spricht auch, daß die im Auftrag Konstantins entstandenen großen Kirchen Querschiffe aufweisen (Rom, Byzanz, Palästina), die ohne kaiserlichen Einfluß gebauten Kirchen in den kleinasiatischen und afrikanischen Provinzen jedoch nicht.

Der entwickelte Basilika-Typ zeigt 2 bis 4 Seitenschiffe B, erhöhtes Mittelschiff A (selten mit Emporen), Scheidmauern mit Architrav oder (selten, weil teuer) mit Arkaden und ein Querschiff H. Säulen, Kapitelle und Gebälk werden antiken Gebäuden entnommen, soweit der Vorrat reicht (→ Spolien), danach meist vergröbert nach- oder neugebildet. Aus Byzanz stammen kelchförmige Kapitellformen mit trapezförmigen Kämpfern. Die Entscheidung Konstantins für die hölzerne Flachdecke läßt für 700 Jahre die großräumige Wölbungstechnik der Römer nahezu in Vergessenheit geraten (erste Großgewölbe in Speyer, um 1100 vollendet, und Cluny III, Langhausgewölbe 1120 vollendet). Ein offenes Atrium J im Westen mit Brunnen L und Säulengängen K, Narthex (Vorhalle) I im Westteil der Kirche und ein von Chorschranken F mit Ambonen G umrahmter Chor geben die Wegfolge zu Altar E und Apsis D mit Kathedra C an. Türme werden erst später beigefügt und stehen abseits.

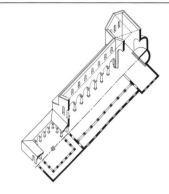

Bauschema einer frühchristlichen Säulenbasilika vom römischen Typus: Narthex in Atriumform, durchgehendes (»römisches«) Querhaus, Mittelapsis. Weder Wölbung noch Emporen noch Pastophorien.

Rom, San Clemente, 4. Jh.
Chorschranken mit Ambonen, 872

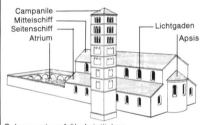

Campanile
Mittelschiff
Seitenschiff
Atrium
Lichtgaden
Apsis

Schema einer frühchristlichen Basilika.

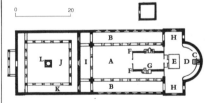

Idealplan einer frühchristlichen Basilika (nach Rom, San Clemente)

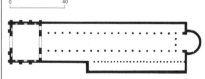

Aspendos, römische Basilika

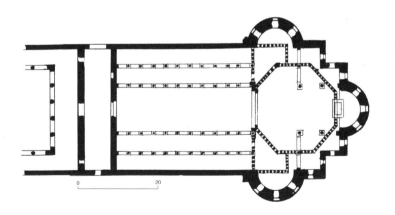

Bethlehem, Geburtskirche, 4.–6. Jh. Justinianische Erweiterungen zur 5schiffigen Basilika (Architrav) mit Dreikonchenanlage. Die ursprüngliche konstantinische Oktogon-Anlage ist gestrichelt dargestellt.

RAVENNA

1. Phase: Ravennatisch-weströmische Bauten. Honorius, 402–23; Galla Placidia, 425–50 als Regentin für ihren Sohn Valentinian III., 425–55.

S. Giovanni, Basilika, 424 beg.; Basilica Ursiana (Dom S. Orso), 450 geweiht, 5schiffig; Apostel-Basilika (heute Neubau S. Francesco), 451 geweiht; S. Giovanni in Fonte = Baptisterium der Orthodoxen, um 400 beg., Oktogon mit 4 Konchen, 46*; Mausoleum der Galla Placidia, 46*.

2. Phase: Germanisch-ostgotisch bestiftete Bauten, 476–540, vgl. 57*. Theoderich, Ostgotenkönig seit 473, in Konstantinopel erzogen (461–67), besiegt im Auftrag Ostroms Odoaker, 493–526 Caesar in Ravenna. Die arianischen Ostgoten bauen von den tolerierten ortsansässigen athanasischen Katholiken unabhängige Kirchen.

Basilika: Dom der Arianer (heute S. Spirito), E. 5. Jh. beg.; S. Apollinare Nuovo, 500–504 (38*); S. Apollinare in Classe*, 549 geweiht.
- 3 Schiffe, kein Querschiff, Pastophorien erst später. Mittelapsis
- Säulen (Spolien) ohne Entasis unter Archivolten. Vorbilder: Rom, S. Paolo fuori le mura, 39*, und oström. Kirchen
- neben der röm. Bautradition (Schema 43*) wird Abhängigkeit von Byzanz auch erkennbar in der Dünnwandigkeit der Tektonik, stark gebohrten und durchbrochenen Marmorkapitellen unter trapezförmigen Kämpfern, 40*, der Confessio im Scheitel der Ringkrypta unter der Priesterbank der Apsis (S. Apollinare in Classe*) und im reichen Mosaikschmuck der Innenwände
- der byzantinische Kunstkreis bevorzugt Basiliken mit Emporen für Frauen (Saloniki, Demetrius-Kirche*, 412 beg.), auch ohne Querschiff (Konstantinopel, Johannes Studios-Basilika, 463). Ravenna paßt sich der westl. Liturgie an, verzichtet deshalb auf Emporen. S. Apollinare Nuovo und S. Apollinare in Classe* werden so für die europ. Liturgie angepaßt, wo die Frauenempore fast ausschließlich in Nonnenkirchen vorkommt (Gernrode, 78*)
- Außenbau durch Lisenen und Rundbögen gegliedert

Zentralbau: S. Maria in Cosmedin = Baptisterium der Arianer, 493–526, Oktogon mit 4 Apsiden, ähnlich dem Baptisterium der Orthodoxen, s. o; San Vitale, 45*; Mausoleum des Theoderich, 57*.

3. Phase: Byzantinische Epoche, 540 bis 8. Jh. Justinian I., 527–65, Herrscher Ostroms, vertreibt die Goten aus Italien. Ravenna wird 540 oström. Exarchat, verliert aber nach der langobardischen Eroberung, 751, jede Bedeutung.

Vollendung von S. Vitale, 45*, und S. Apollinare in Classe*, hier erstmals Turm als frei stehender Campanile, wahrscheinlich noch nicht als Glockenturm. In Syrien auch als Teil des Baukörpers (Turmanin, 49*):

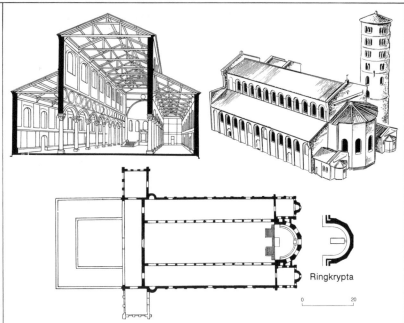

Ringkrypta

0   20

Ravenna, S. Apollinare in Classe, 535–49, besterhaltene und größte Basilika – 6 km südlich der Stadt. 3schiff. Säulenbasilika mit Archivolten, aber ohne Querhaus (Reduktion des röm. Basilika-Schemas, 43*). Ringkrypta unter der Priesterbank der Mittelapsis. Pastophorien später. Atrium begann nicht am Langhaus, sondern an 2 quadrat. Räumen seitlich der Front. Säulen und Kapitelle aus Konstantinopeler Werkstätten. Reicher Mosaikschmuck. Campanile 10. Jh.

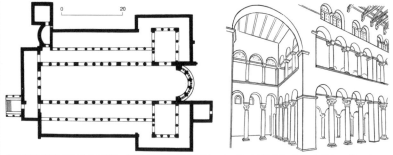

0   20

Saloniki, Demetrius-Basilika, 412 beg., 634 5schiffig erweitert. Blick in den südlichen Querhausarm. Byzantinische Anlage. Unterschied zu römischen Bauten (vgl. 43*): Architektonische Verklammerung der Bauteile bewirkt festeres, monumentaleres Gefüge; Stützenwechsel; Mosaiken bedeck(t)en die Wände, Marmorinkrustationen den Mittelschiffboden; die Frauenemporen (»matronei«) entsprechen byzantinischer Liturgie (vgl. Konstantinopel, Hagia Sophia, 47*).

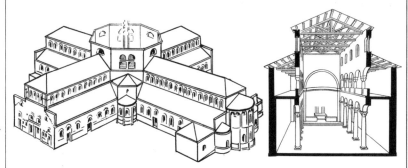

Li: Kalat-Sim'an/Syrien, Klosterkirche des hl. Symeon, 460–90. 4 Basiliken sind um eine oktogonale (überkuppelte?) Anlage geordnet. Ostbau = Kirche mit 3 Apsiden. Quaderbau. Säule des »Styliten« = Säulenstehers Symeon im Oktogon.
Re: Rom, S. Agnese fuori le mura, um 630. Die Frauenemporen nach byzantinischer Liturgie.

GROSSER ZENTRALBAU

Früheste Großkirche ist San Lorenzo* im byzantinisch beeinflußten Mailand, um 360: Eine zentrale Kuppel wird von 4 zweigeschossigen Exedren mit Halbkuppeln widergelagert (vgl. Hagia Sophia, 47*).

In Syrien finden sich Beispiele für kreisrunde, eingeschossige Zentralbauten mit östlichem Langchor, zwischen Nebenräume eingezogen, und 4 Außennischen (Bosra, Kathedrale*, 512; Ezra, St. Georg, 517).

Nischengliederung im inneren Oktogon zeigen andere byzantinische Kirchen (Ravenna, San Vitale*, und Konstantinopel, SS. Sergius und Bacchus*). Die Öffnungen zum Obergeschoß sind durch dreibögige Arkaden unterteilt. Langchor im O.

San Stefano Rotondo in Rom*, 2. H. 5. Jh., nach dem Vorbild der Grabeskirche von Jerusalem, 38*, nimmt eine Sonderstellung ein:

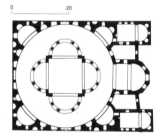

Bosra/Syrien, Kathedrale, 511. Zweischaliger Zentralbau. Hauptapsis außen polygonal.

– Großbau (64 m Durchmesser)
– Flachdeckenbau (in der Tradition der konstantinischen Epoche, die 150 Jahre zurückliegt)
– Bauprinzip der Peterskirche (39*) in Rundform: 2 Umgänge entsprechen 2 Seitenschiffen; Architrav zwischen Mittelraum und innerem Umgang, Arkaden zwischen den Umgängen
– letzter monumentaler Zentralbau Roms (bis zum Petersdom in der Hochrenaissance) und des weströmischen Reiches, soweit nicht – wie Ravenna – unter byzantinischem Einfluß.

In der Folgezeit wird hier nur die Tradition kleiner Zentralbauten (Baptisterien und Mausoleen) fortgesetzt.

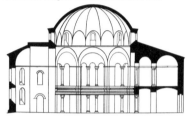

Mailand, San Lorenzo Maggiore, 355–72, Quadrat mit 4 Ecktürmen, dazwischen 2geschossige Exedren, Umgang und Emporen. Atrium im W; Kapellen 4.–5. Jh. Der Bau wirkt auf die Zentralbauvorstellungen der Renaissance ein.

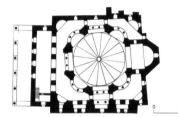

Konstantinopel, SS. Sergius und Bacchus, 6. Jh. Ein achteckiger Zentralbau mit 4 Exedren ist in ein Quadrat mit Nischen eingefügt. Zweigeschossiger Umgang, Untergeschoß mit Architrav, Obergeschoß mit Arkaden. Kapitell 40*.

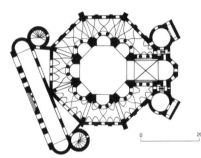

Ravenna, San Vitale, 522–47. Erweitertes System von SS. Sergius und Bacchus: 7 Exedren zwischen innerem und äußerem Umgang; Arkaden auch im U-Geschoß. Kuppel durch Amphoren entlastet. Vorbild für Aachener Kaiserpfalz.

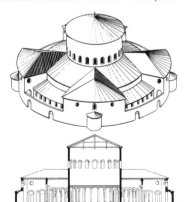
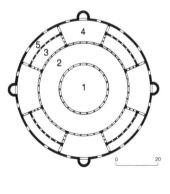

Rom, San Stefano Rotondo, 470 gew. Kreisrunder Bau, dessen Grundriß das frühchristliche Symbol eines Kreuzes im Kreis darstellt. 1 Mittelraum; 2 innerer Umgang hat gleiche Höhe wie die Kreuzarme 4; 3 äußerer Umgang; 5 Höfe. Übertragung des Flachdeckensystems der konstantinischen Basilika auf den Zentralbau. Letzter weström. Monumentalbau   Nach Schmoll.

KLEINER ZENTRALBAU

Die kleinen Zentralbauten sind keine Gemeindekirchen, sondern **Baptisterien** (nur eines in einer Stadt), in deren Mitte Stufen zu einem vertieften Taufbecken hinabführen, **Mausoleen,** in deren Mitte der Sarkophag oder der Altar steht, **Memorien** über geheiligten Orten (Geburtskirche in Bethlehem, 43*; Grabeskirche in Jerusalem, 38*).

– Vorbilder sind antike Zentralbauten: Thermen (überkuppeltes Caldarium mit zentralem Schwimmbassin), Mausoleen und Rundtempel
– oft (basilikale) Raumstaffelung: zentraler Kuppelraum mit durchfensterten Hochwänden, die auf einem Architrav oder direkt auf Säulenarkaden stehen (Santa Costanza*)

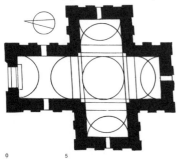

Ravenna, Mausoleum der
Galla Placidia, um 440

– Grundrisse rund oder vieleckig mit runden oder rechteckigen Nischen
– besonders im oströmischen Reich und in byzantinisch beeinflußten Gebieten Grundriß in Form des griechischen Kreuzes mit 4 etwa gleichlangen Flügeln (Mausoleum der Galla Placidia* in Ravenna). Seit dem 6. Jh. ist diese Grundrißform Vorbild für die byzantinischen Kreuzkuppelkirchen, 47 ff*
– Einheitsraum oder Zentralraum mit einem oder mehreren Umgängen

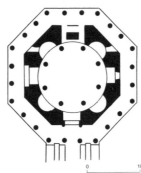

Spalato, Mausoleum im Diokletianspalast, etwa 300 n. Chr.

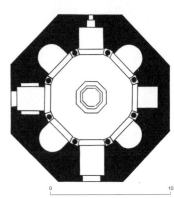

Albenga/Nordwestitalien
Baptisterium, 5. Jh.

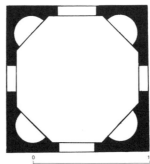

Rom, Saal in den Diokletians-Thermen, E. 3. Jh.

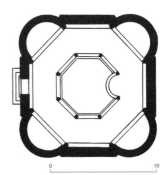

Ravenna, Baptisterium San
Giovanni in Fonte, 5. Jh.

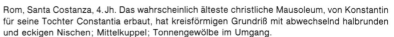

Rom, Santa Costanza, 4. Jh. Das wahrscheinlich älteste christliche Mausoleum, von Konstantin für seine Tochter Constantia erbaut, hat kreisförmigen Grundriß mit abwechselnd halbrunden und eckigen Nischen; Mittelkuppel; Tonnengewölbe im Umgang.

Konstantinopel, Apostelkirche, 527–65, zerstört 1463. Erste christliche Kirche über dem Grundriß des griechischen Kreuzes.

Konstantinopel, Hagia Sophia, 532–37, geweiht 562, Anthemios von Tralles und Isidoro von Milet. Basilika mit Zentralbaucharakter. Konchen (W–O) und Seitenschiffe (N–S) dienen der Kuppel als Widerlager. Kaisertribüne über dem Narthex; seitlich je eine Frauengalerie (Gynaikeion).

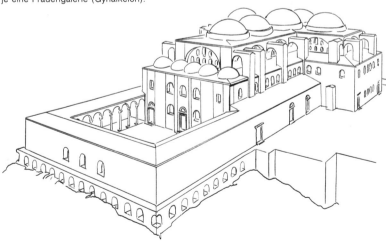

Ephesos, Johannes-Basilika, 550–64. Der ursprüngliche Zentralbau nach dem Muster der Apostelkirche wurde nach W durch eine 6. Kuppel, Narthex und Atrium zu einer Kuppelbasilika über lateinischem Kreuz erweitert (Rekonstruktion).

KUPPELBASILIKA

Bedeutendstes Beispiel ist die Hagia Sophia in Konstantinopel* nach dem konstruktiven Vorbild von SS. Sergius und Bacchus, 45*. Die zentrale Kuppel steht auf Pendentifs zwischen 4 mächtigen Pfeilern. Der Seitenschub des Gewölbes wird im N und S von Strebewerk über den Seitenschiffen gestützt, im W und O von Halbkuppeln, die ihrerseits von je 2 kleinen Halbkuppeln widergelagert werden. Basilikaler Langhausbau wird mit Zentralbau-Charakter verbunden. Zahlreiche Spolien aus Ephesos und Baalbek. (Vgl. Venedig, San Marco, 132*)

KREUZKUPPELKIRCHE

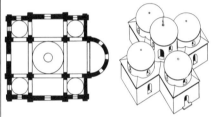

Li: Byzantinisches Bauschema einer Kreuzkuppelkirche = Zentralbau mit Kuppel über der Vierung eines gleicharmigen (»griechischen«) Kreuzes. Hier: mit Nebenkuppeln über den Zwickeln des Kreuzes. – Re: Kreuzkuppelkirche mit Nebenkuppeln über den Kreuzarmen.

Nach Vorbildern wie dem Mausoleum der Galla Placidia, Ravenna, 46*, entstehen Kirchen über dem Grundriß des gleicharmigen griechischen Kreuzes. Sie sind ebenfalls Zentralbauten. Bedeutendstes Beispiel ist die (zerstörte) Apostelkirche in Konstantinopel* mit 5 gleichhohen (!) Kuppeln. (Vgl. Périgueux, St-Front, 118*)

Durch Ansatz einer westlichen Kuppel und die traditionellen Bauteile Narthex und Atrium wird der Grundriß zum lateinischen Kreuz erweitert (Ephesos, Johannesbasilika*).

Kuppelbasilika und Kreuzkuppelkirche sind die letzten Entwicklungsstufen der frühchristlichen Kunst. Danach teilt sich die Entwicklung endgültig in eine östlich-byzantinische und in eine westlich-abendländische Architektur, die zu karolingischer und romanischer Kunst führt.

VERBREITUNG DER BYZANTINISCHEN KUPPELKIRCHE

Griechenland, Syrien und Nordafrika
kennen schon im 3. Jh. einschiffige Bethäuser und kleinere Basiliken. Griechische Christen, die sich außerhalb von Byzanz ansiedeln, und Heiden fremder Länder (Syrien, Armenien, Georgien, slawische Länder), die von byzantinischen Missionaren bekehrt wurden, verbreiten die byzantinische Bauweise über die politischen Grenzen hinweg. Basiliken sind selten (Nordgriechenland, Bulgarien, Syrien). Seit dem 6. Jh. gilt dagegen der würfelförmige Bau mit Kuppel als mikrokosmisches Symbol des christlichen Universums (vgl. Castelvetrano, 136*). Auch die ikonographisch kanonisierte Anordnung der Malerei an Wänden und Wölbungen entspricht dieser Vorstellung. Wegen der technischen Schwierigkeiten beim Bau großer Kuppeln sind die Kirchen durchweg klein. Ihre Grundform (vgl. Bauschema 47*):

Würfel mit einer Kuppel oder mit einer Gruppe von Kuppeln, deren mittlere die anderen überragt, erscheint schon im 5. Jh. (Saloniki). Vom 9. Jh. ab ist ihre Form für immer festgelegt. Dabei entstehen individuelle Formen durch freie Kombination verschiedener Bauelemente:

Kreuzkuppelkirche

- Kuppel auf Pendentifs oder Trompen mit 4 oder 8 Stützen
- Kuppel von vier oder mehr Nebenkuppeln flankiert
- Kuppel zwischen Tonnengewölben
- Kuppel zwischen Kreuzgratgewölben
- unterschiedliche Tambourhöhen
- unterschiedliche Streckung des Grundrisses
- Empore zwischen Vierung und Apsiden
- Apsis (oft eingezogen) und zwei sakristeiartige Nebenräume (= Pastophorien: Prothesis und Diakonikon) bilden ein dreiteiliges Sanktuarium
- Vorräume
- Seitengalerie oder Umgang
- vorspringende Gesimse
- Blendbögen
- Lisenen
- Zwillings- und Drillingsfenster
- Transennen statt Fensterglas
- Backstein, bes. in Konstantinopel,

Griechenland

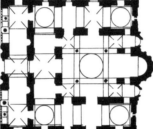

Saloniki/Griechenld., Apostelkirche, 1312–15. Umgang mit Nebenkuppeln auf 3 Seiten des Baukerns. Ostabschluß mit Haupt- und 2 Nebenapsiden. Zellenartige Raumelemente. Fenster und Blendarkaden gliedern Fassade und Tambours. Schichtverband aus Quadern und Backstein. Gestelzte Rundbögen.

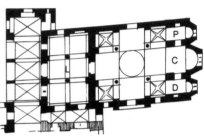

Stiris/Phokis in Griechenland, Hosios Lukas, kleine Klosterkirche, A. 11. Jh. Von der Pendentifkuppel-Vierung (mit 4 Säulen) gehen 4 Tonnen aus. Über den östlichen Räumen (P Prothesis, D Diakonikon, C Chor) befinden sich Emporen, davor steht die Ikonostasis (Bilderwand). L Litai = Vorhalle (Narthex).

Nerezi/Makedonien, St. Pantaleimon, 1164, Kreuzkuppelkirche mit Narthex (li) und vorgezogener Apsis (re), oktogonalem Mitteltambour und 4 Nebenkuppeln. Hau-, Bruch- und Backstein. Blendarkaden rahmen die Fenster aus durchlöchertem Stein (= Transennen).

Griechenland   **Serbien**

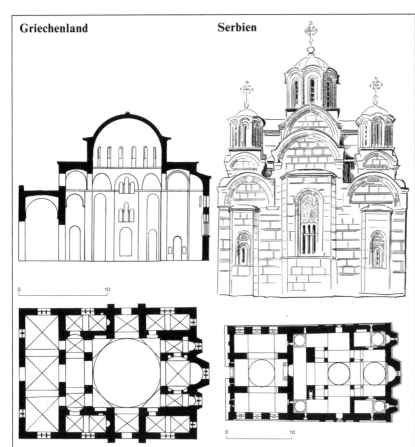

Daphni/Attika in Griechenland, Klosterkirche, 2. H. 11. Jh. Trompenkuppel über 8 Stützen, keine Emporen, Umgänge werden zu kleinen Kammern. Ausgebauchter Chor mit halbrunden Nischen. Kreuzgratgewölbe in Nebenräumen und Vorhalle. Sorgfältige Verarbeitung von Quadern und Backstein.

Gračanica/Serbien, Klosterkirche, 1313–15. Pendentifkuppel über 4 Pfeilern. Dreiteiliger Narthex mit überkuppeltem Mittelraum, Ostabschluß mit Pastophorien. Außenwände durch Backstein und sorgfältig bearbeitete Quader farbig ausgebildet. Hochbau, wie oft in slawischen Gebieten.

Syrien

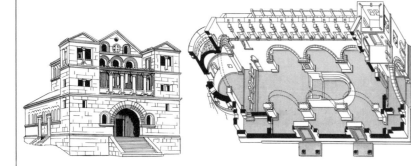

Li: Turmanin, Basilika, 5.–6. Jh. Doppelturm-Fassade mit Narthex. – Re: Kalb-Luzeh, Wallfahrtskirche, 5. Jh.; Emporen-Basilika mit Narthex zwischen 2 Türmen. Bema in Chor und Mittelschiff, deshalb Weitarkaden zur besseren Sicht aus den Seitenschiffen.

Saloniki, Makedonien, W-Kleinasien
– Naturstein, bes. in Griechenland
– gleichzeitige Verwendung von Back-, Hau- und Bruchsteinen: 1. horizontale Backsteinbänder erhöhen Festigkeit der Bruchsteinmauer (z. B. Saloniki, 48*); 2. Backstein zum Bau von Bögen und Kuppeln; 3. ornamentale Backsteinmuster; effektvoll gegen Stein und hellen Putz abgesetzte Motive, Girlanden, Blumen (Mistra); 4. grüne oder braune Lüsterkeramik
– selten Fassadenreliefs (Athen und Armenien, 50*)
– gelegentlich Glockenturm, wohl aus dem Westen übernommen

BASILIKA

In **Syrien** etwa 500 Basiliken und kleinere Saalkirchen des 4.–7. Jhs.

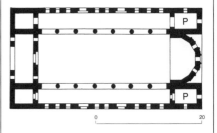

Turmanin/Syrien, 5./6. Jh. P = Pastophorienräume beiderseits des Chors.

Basilika: auch Doppelturmfassade mit Narthex (Turmanin*, Kalb-Luzeh*)
– Mittelschiff mit Säulen oder Pfeilern, Architraven oder Arkaden
– Weitarkaden in N-Syrien (Diözese Antiochia seit 5. Jh.) bei ins Mittelschiff verlängertem Bema (Kalb-Luzeh*, Ruweha, Resafah)
– dreiteiliges Sanktuarium (sh. o)
– in N-Syrien auch Säulengliederung der Scheid- und äußeren Apsismauer (Kalat-Sim'an, 44*; Kalb-Luzeh*)
– Fenster, Türen, Bögen profiliert
– Querschiff selten
– in S-Syrien auch **Emporenhalle** mit flacher Granitplattendecke zwischen querlaufenden Bogenmauern (Schakka)

Klöster als Zusammenschluß von Einsiedlern entwickeln sich schon im 4. Jh. in N-Afrika und Syrien. Die **Basilika** ist immer Zentrum einer räumlichen Anlage, die sich aus regellosen Anfängen langsam zur Ordnung mittelalterlicher Klöster verändert.

VERBREITUNG DER BYZANTINISCHEN KUPPELKIRCHE

Armenien und Georgien

Nach dem 6. Jh. verlieren die Städte Kleinasiens neben dem zentralistischen Konstantinopel an Bedeutung. **Höhlenkirchen** der Eremiten mit Kuppeln, Apsiden, Bögen und Säulen und bedeutender Wandmalerei gibt es bei Milet und Urgup (Kappadokien), daneben kleinere **kreuzförmige Kirchen**.

Armenien und Georgien sind seit dem 7. Jh. Zentren hervorragender Bautätigkeit. Seit dem 10. Jh. entwickeln beide Landschaften aus vorderasiati-

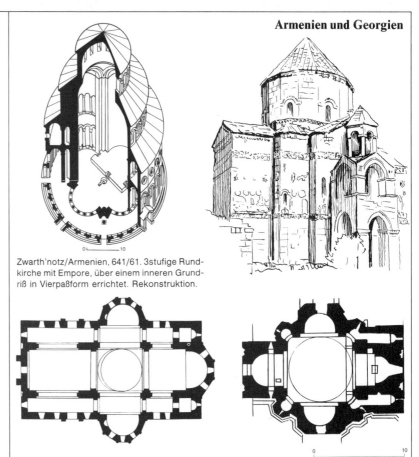

Zwarth'notz/Armenien, 641/61. 3stufige Rundkirche mit Empore, über einem inneren Grundriß in Vierpaßform errichtet. Rekonstruktion.

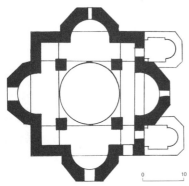

Bagaran/Armenien, Kathedrale, 624. Quadratischer Raum, die Kuppel wird durch Apsiden an 4 Seiten gestützt.

Thalin/Armenien, Kathedrale, 7. Jh. Kombination von Rechteck- und Dreipaßbau. Kuppel auf Säulen (byzantinisch).

schen und byzantinischen Quellen eigene Stilformen mit gemeinsamen Zügen:
– kreuzförmige Vierkonchenanlagen mit zahlreichen Abwandlungen
– auch Vierpaß-, Sechspaß-, Achtpaßgrundriß, außen z. T. zylinderförmig ummantelt (Zwarth'notz*)
– trotz Zentralbaugrundriß äußerlich meist klar gerichtet
– auch **Basiliken** oder Kombinationen von Dreinischenbau mit Längsbau (Thalin*)

Li: Divari/Georgien, um 630. Tympanon des Westportals: 2 Engel und Kreuznimbus. Bauplastik dieser Art ist außer im Kaukasus und in Armenien in der byzantinischen Welt weitgehend unbekannt.

Acht'amar/Armenien, 915–21. Strebepfeiler (Ostenden) und Nischen stützen das Quadrat unter der Kuppel. Der Reliefschmuck ist einzigartig. O: Südfassade; u: Ostfassade mit Reliefs.

Rußland

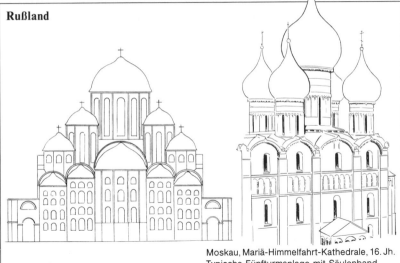

Moskau, Mariä-Himmelfahrt-Kathedrale, 16. Jh.
Typische Fünfturmanlage mit Säulenband.

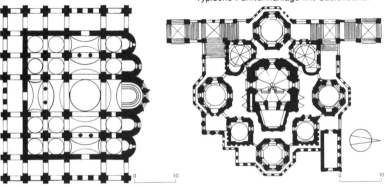

Kiew, Sophien-Kathedrale, 1045–50. Der Kreuzkuppelbau wurde vorbildhaft für den russischen Kirchenbau. Emporen; zur Hauptkuppel gestaffelte Nebenkuppeln. O: W-Fassade; u: Mosaike innen.

Mi u. re: Moskau, Prokov-(»Wassily«-)Kathedrale, 1555–60. Denkmalkirche für den Sieg bei Kazan. 4 hohe und 4 niedrigere Nebentürme, Rund- und Kielbogen, 8 kleine Kirchen gruppieren sich um die Hauptkirche.

- kegelförmige Kuppel über der Vierung
- Gußmauerwerk mit Quaderverkleidung
- gelegentlich reicher Reliefschmuck (außen), Malereien (innen)

Rußland
In Nowgorod und Kiew setzt im frühen 11. Jh. mit bescheidenen Ausmaßen eine eigene byzantinisch-russische Baukunst ein. Die beiden Sophien-Kathedralen zerfallen in viele kleine quadratische oder rechteckige Räume zwischen Pfeilern und stehen so im Gegensatz zur frühchristlichen Weiträumigkeit.

Kreuzkuppelkirchen über griechischem Kreuz
- Ostapsiden hochgezogen
- 5 Schiffe
- Vierungskuppel
- 4–12 Nebenkuppeln, darunter kleine, unübersichtliche Raumzellen
- hohe zylinderförmige Tambours

Die große Epoche russischer Architektur beginnt um 1400, als Moskau Zentrum der Macht wird. Ohne europäisches Beispiel sind die **Denkmalkirchen:**
- meist Fünfkuppelkirchen
- Mittelbau monumental gestaltet durch achteckige Rund- und Kielbogenkränze in mehreren Geschossen unter der Hauptkuppel
- Zwiebeldächer und andere phantasievolle Kuppelaufsätze

IRLAND

Kells

BRITANNIEN

GERMANIEN

Rhein

Aachen

Echternach
Trier

Paris
Germigny-des-Prés
Auxerre
GALLIEN
Zurzach
St. Gallen

Donau

Tours

Cividale
ISTRIEN
Aquileia
Grado
Torcello
Como
Monza
Castelseprio
Milano
Venezia
Parenzo (Poreč)
Gračanica
Pavia
PO
Bobbio
Ravenna
Classis
Salonae
Spalato
Poitiers

Vienne
Rhône

Riez
Albenga
Arles
Fréjus
Marseille

Toulouse

KORSIKA

Rom
Pompeji

PYRENÄEN

Oviedo

Rossano

SPANIEN

SARDINIEN

Toledo

Monreale
Cefalù
Palermo
SIZILIEN
Piazza Armerina

Karthago

Cordoba
Hippo Regius
Sousse
Cherchel
Tipasa
Djemila
Tebessa
Timgad
Feriana
Tanger

AFRIKA

FRÜHCHRISTLICHE UND BYZANTINISCHE WELT

Größte Ausdehnung
des Byzantinischen Reiches
unter Justinian (527–565)

Frühchristliche Kerngebiete

Byzantinisch beeinflußte
Kuppelkirche

Grenze des Ost- und West-
römischen Reiches
seit Theodosius (395)

Kiew

KAUKASUS

GEORGIEN

Divari

Bolnisi

ARMENIEN

Ani

Etschmiadsin/
Thalin Zwarth'notz
Bagaran

SCHWARZES MEER

Trapezunt

Manzikert

Vansee

Acht'amar

Sinope

Tigris

Patleina

~ 500 Basiliken und
Saalkirchen des 4.–7. Jhs.
Caesarea

Edessa

MESOPOTAMIEN

Tirnovo

Ravanica

Nikomedia

KAPPADOKIEN

Studenica

Boiana

Bosporus

Konstantinopel

Urgup/Göreme

Turmanin

Euphrat

Milesevo

Sopocani

Zemen

Nikäa

Kalat-Siman

Aleppo

R'safah

Dura Europos

Decani

Pizren

Nerezi

MAKEDONIEN

Philippi

Miletiopolis

Kálb Luzeh

Ruweha

Kasr-ibn-Warden

Ochrid

Binbirkilisse

Seleukia
Pieria

Antiochia

Palmyra

Saloniki

Athos

TAURUS

Seleukia

Apamea

Aspendos

KILIKIEN

Kodja-Kalessi

Emese

Chios

Ephesos

Priene

Tralles

Maalula

Milet

Daphni

ZYPERN

Schakka

Hosios Lukas

Athen

Ezra

Bosra

Korinth

See Tiberias

Gerasa

Mistra

Caesarea

Jerusalem

PELOPONNES

Bethlehem

Berg Nebo

PALÄSTINA

KRETA

Alexandria

Menapolis

Wadi Natrun

MITTELMEER

Faiyum

Kyrene

ÄGYPTEN

Nil

Leptis Magna

Sohag

Gallerus-Oratorium auf der Halbinsel Dingle/Westirland, 7. Jh.

VORKAROLINGISCHE BAUKUNST

Entstehung des abendländischen Kulturkreises

Bemühungen um Angleichung an römische Vorbilder

Immer, wenn in der Antike ein kultiviertes Volk von einem weniger kultivierten besiegt wurde, übernahmen die Sieger wesentliche Bestandteile des kulturellen Erbes der Unterlegenen.

Auch im Westen Europas verschmelzen nach dem Zusammenbruch des römischen Weltreiches in ähnlicher Weise die römische Zivilisation, das spätantike Christentum und das Germanentum zu einem neuen, »abendländischen« Kulturkreis unter germanischer Führung. Seit dem Ende des 5. Jahrhunderts grenzt er sich zunehmend gegen den byzantinischen Osten ab. Aber die neuen germanischen Herren haben lange Zeit geringen Erfolg mit dem Bemühen, ihre Nachfolgeansprüche auch in einer Fortführung des römischen Kulturerbes zu dokumentieren.

So bedarf es einiger Jahrhunderte, bis sich eine neue Baukunst entwickelt hat, die dem politischen Anspruch des neuen Machtgebildes entspricht.

Auch die staatliche Organisation hat kaum etwas zu bieten, was dem durchorganisierten Staatsapparat Roms äquivalent wäre. Das frühe Frankenreich verfügt nämlich nicht über das starre bürokratische System Roms aus Herrschern und Staatsdienern. Das neue Reich ist weniger ein Staat als eine durch Gefolgschaftstreue verbundene Gemeinschaft von Stämmen, die weitgehende eigene Rechte besitzen. Es fehlt ein zentralistisches »Rom«. Und auch das neuerworbene Christentum wird zunächst zu sehr als magischer Abwehrzauber, zuwenig als ethischer Anspruch begriffen und ist zuwenig organisiert, um staatstragend zu wirken. Erst die Gründung des Frankenreichs (Chlodwig 482–511) und seine stetige Entwicklung bis zum

Imperium Karls des Großen (768–814), begleitet von der fortschreitenden Christianisierung der Germanen, schaffen mit der Zeit die Grundlagen, die nötig sind, um das politische und kulturelle Erbe Roms anzutreten. Die Missionierungen des 8. Jahrhunderts (Bonifatius, Willibrord u. a.) binden die fränkische Kirche wieder organisatorisch an Rom. Parallel dazu unterstellt sich Rom dem Schutz des Frankenreichs. Mit Hilfe dieser Kombination gelingt es Karl, die Christianisierung als Mittel zur Steigerung und Konsolidierung der Staatsmacht einzusetzen. Die Folge dieser weltlichen Einflußnahme auf die Kirche ist allerdings der Streit zwischen Kaiser und Papsttum, für Jahrhunderte ein Hauptthema der abendländischen Politik.

Das Kultur- und Bildungsgefälle zwischen Römern und Germanen, aber auch das Fehlen bedeutender Städte und damit des Bedarfs an städtischen Gebäuden führen dazu, daß sich die Baukunst fast nur auf kirchliche Bauten konzentriert. Aber die Leistungen bleiben schwach, bilden keine Typen. Zwar wird in den Zentralbauten und Basiliken Ravennas ein einziges Mal der Anschluß an die Antike geschafft, aber von römischen Baumeistern, nicht von Germanen. Auch das Grabmal des Theoderich mit dem an germanische Hünengräber erinnernden Deck-Monolithen wird von römischen Bauleuten errichtet.

Von den zerstörten germanischen Holzkirchen geben vielleicht die späteren norwegischen →Stabkirchen* eine gewisse Vorstellung. Zaghaft tastet sich der germanische Holzbau an seine Übersetzung in Stein. Wahrscheinlich ist die (848 zur Marienkirche geweihte) Königshalle von Naranco in Spanien eines der frühesten Ergebnisse. So sehr ist die römische Tradition bereits versickert, daß Zeitgenossen das wenig ansehnliche Tonnengewölbe schon als Meisterwerk preisen.

Im übrigen werden im Lang- und Zentralbau die unterschiedlichsten Grundrißformen ausprobiert. Deuten noch manche dieser Erfindungen schwach auf ihre basilikale Herkunft hin, so möchte man die Ursprünge der eigenartigen Seitenanbauten englischer und spanisch-westgotischer Kirchen mit ihren engen Durchlässen eher im germanischen Holzbau suchen. Seine sinnfälligste Umformung in Stein findet dieser aber im Steinfachwerk mancher englischer Kirchen, deren schönstes Beispiel der im 10. Jahrhundert entstandene Turm von Earl's Barton ist (58*).

Der künstlerische Ausbau der Pfalzen beginnt erst in karolingischer Zeit. 294*; Karte S. 295.

Insgesamt zeigt die künstlerisch unbedeutende Baukunst der vorkarolingischen Zeit das erfolglose Bemühen nach Angleichung des germanischen Kunstwollens an die ihm im Grunde nicht zugängliche römische Tradition.

Ravenna
44*

57*

Übersetzung germanischer Holzbauweise in Stein
56 ff.*
138 f.*

MEROWINGISCHER KIRCHENBAU

Die nach Belgien und Frankreich eindringenden Germanen, insbesondere die Franken, bringen lediglich Holzbaukenntnisse mit. In Masten- oder Ständerbauweise aus senkrechten Stämmen mit Bretterfüllungen waren schon die mehrschiffigen, rechteckigen Königshallen der Zeit vor der Völkerwanderung errichtet worden (Beschreibung im Beowulf-Lied). Wahrscheinlich waren sie den – nur aus späterer Zeit erhaltenen – Stabkirchen Skandinaviens ähnlich. Ihr Typ blieb bei Veränderung des Baumaterials und der Struktur erhalten.

Größere **Basiliken** aus Stein nach frühchristlich-südeuropäischem Muster

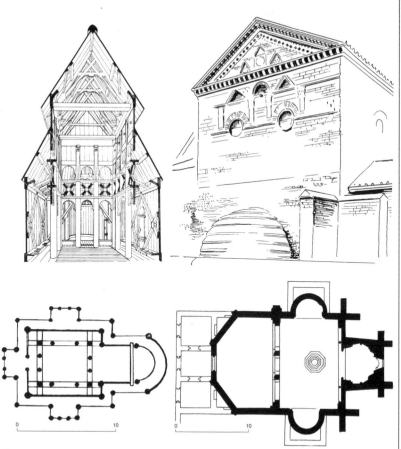

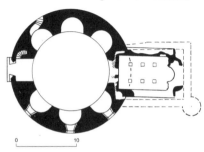

Würzburg, Marienkapelle, 706. Gewölbte Nischenrotunde nach antik-frühchristl. Schema. Chor über Krypta. Gestrichelt = Chor 1603.

entstehen um die Zeit Chlodwigs (482–511) in Zentren des Christentums (Tours, St-Martin; Clermont-Ferrand, Notre-Dame; Reims, spätere Remigius-Kirche; Paris, Apostelkirche). Die allein erhalten gebliebene Kirche St-Pierre, Vienne*, 5. oder 6. Jahrhundert, gilt als Zeuge der früheren:
– 3schiffige Säulenbasilika ohne Querschiff
– halbkreisförmige Mittelapsis
– Blendarkatur an Innenwänden
– Flächendekoration
– vielleicht Emporen

Zentralbauten sind selten und klein. Baptisterien blieben erhalten in Venasque, Poitiers*, Aix, Riez. Der älteste Steinbau auf deutschem Boden ist vielleicht die Würzburger Marienkapelle*.

Saalbauten im ostfränkischen Raum (Lorsch I; Regensburg, St. Emmeram, 67*).

Borgund/Norwegen, älteste erhaltene Stabkirche, 1150. Sh. hierzu auch 138*; Karte S. 139 und →Stabkirche*. Die von Masten gestützte Konstruktion vermittelt eine Vorstellung der zahlreichen zerstörten Holzkirchen vorkarolingischer Zeit.

Poitiers, Baptisterium St-Jean, beg. 5. Jh., Umbauten 7. Jh. (feine Linien). Merowingisch. Dachgiebel zeigt römischen Einfluß; Dreiecknischen und »opus reticulatum« (= netzartiger Mauerverband) weisen auf den Torbau von Lorsch (62*) voraus.

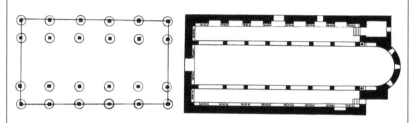

Breberen/Rheinland, Ausgrabungsbefund einer Holzkirche, 8. Jh.

Vienne, St-Pierre, E. 5 oder 6. Jh.; dreischiffige Säulenbasilika

OSTGOTISCHER UND WESTGOTISCHER KIRCHENBAU

Odoaker, germanischer Söldnerführer in röm. Dienst, macht sich 476 zum Herrscher Italiens. Theoderich, ostgot. König, schlägt unter oström. Schutz Odoaker, wird 493 Caesar und residiert in Ravenna. Die von den Ostgoten hier bestifteten Großbauten stehen in bewußter Fortführung west- und oström. Bautradition (44 f*). Sie sind dadurch zugleich Legitimation für die Übernahme des röm. Erbes und werden von röm. Bauleuten erstellt.

Die Westgoten sind das am stärksten romanisierte Germanenvolk. Sie verschmelzen bis zum 7. Jh. römische, iberische, keltische und vandalische Stämme erstmalig politisch und künstlerisch zu einer »spanischen« Einheit. Sie siedeln seit 410 als arianische, später katholische Verbündete Westroms in Spanien, werden im 6. Jh. durch Justinian zeitweilig nach N zurückgedrängt, bleiben 612 Sieger über Ostrom, übernehmen aber den byzantin. Hofstil.
– **Basilika**, 3schiffig, mit Holzdach
– schmale, hohe Mittelschiffarkaden
– Hufeisenbogen (schon vor Islameinfall!)
– Dekor byzant. (Weinranke, Taube) und germ. (Taufries, Rosette, Kreis)
– primitives Mauerwerk
– Kapitelle: röm. Spolien oder westgot. Umformungen des korinth. K's 711–20 vom Islam nach NW-Spanien verdrängt. Hier entwickeln sich seit E. 8. Jh. die frühen westgot. Formen zur »arte preromanico« weiter (Naranco*).

– **Basilika** und **Saalkirche** mit Flachdecke oder einfachem Gurt-Tonnengewölbe
– später komplizierte Grundrisse, auch über dem griechischen Kreuz
– gedrechselt wirkende Pfeiler in Gruppen, weite Bogenstellung
– Ausmalung mit Scheinarchitektur Vgl. 87*, 128*; Karte S. 129

Die auf islam. Gebiet tolerierten Christen entwickeln den **mozarabischen** = westgot.-islam. Mischstil (87, 128*f.):

– 3–5schiffige **Basilika** mit 3 Apsiden
– Holzdecke
– Hufeisenbogen, auch im Grundriß
– islam., röm, westgot. Kapitelle

Ravenna, Grabmal Theoderichs, vor 526, antiken Mausoleen ähnlich; 10eckiges Untergeschoß mit kreuzförmigem Tonnengewölbe. Porphyr-Sarkophag im Obergeschoß. – O: Der Zangenfries vom Hauptgesims (ohne Nachfolge). Rundbögen aus Hakensteinen.

Lillo = Liño (Naranco)/Asturien, westgotische Königshalle, 8./9. Jh., 848 zur Kirche geweiht. Tonnengewölbter Saal, wenig sorgfältiger Mauerverband; gedrechselt wirkende Säulchen deuten vielleicht auf Vorbilder aus dem germanischen Holzbau.

SÄCHSISCHER KIRCHENBAU IN ENGLAND

PORTAL, FENSTER

O: Turmportal (Earl's Barton, 10. Jh.); Zwillingsfenster mit Long-and-short-work-Leibungen (Worth, 10. Jh.); – U: Schmalfenster aus röm. Ziegelsteinen (Leicester, St. Nicholas, 9. Jh.); spitzwinklige Fensteröffnungen mit kannelierten Stützen (Deerhurst).

MAUERWERK

Fischgrät-Mauerwerk   Feldstein   »Wide and fine jointed«
(»opus spicatum«)   = weit- und enggefugt

TURM, KAPITELL

Li: Sog. Steinfachwerk, an den Kanten Long-and-short-work-Bossen (Earl's Barton, 10. Jh.). – Re: Sächsische Kapitelle (Sompting, A. 11. Jh.)

SÄCHSISCHER KIRCHENBAU IN ENGLAND

- Vorwiegend Holzbauten aus Brettern
- Bruchstein- und Backsteinbauten, deren Material häufig aus röm. Bauten stammt (Leicester, 58*)
- wenig komplizierte Grundrisse, langgestreckter, enger, steiler, meist einschiffiger Hauptraum mit abgebundenem Chor (Escomb*)
- auch mit mehreren Nebenräumen, z. T. nur durch Türen oder enge Bögen verbunden, zellenartige Wirkung (Bradford*)
- nach 674 benediktinischer Einfluß
- Rund- und Dreiecksbogen über Türen und Fenstern
- sehr kleine, schlitzartige Fenster mit stark ausgeschrägtem Gewände

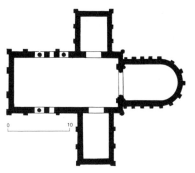

Worth/Sussex, Nikolauskirche, 10. Jh. Zellenbau mit gestelzter Apsis und Annexräumen

- größere Öffnungen durch balusterartige Säulen geteilt
- Reste sächsischer Kirchen (auch Türme) finden sich vorwiegend in späteren Bauten, z. B. Ripon, Krypta des hl. Wilfrid, 7. Jh., unter der gotischen Kathedrale
- »Stein-Fachwerk« = Übertragung des Holzbaus in Stein (Earl's Barton, 58*)

Escomb/Durham, Johanneskirche, A. 8.Jh. Langer, schmalhoher Bau mit rechteckigem Altarraum, nur durch enge Öffnung mit dem Schiff verbunden. Großformatiger Naturstein, z.T. aus röm. Bauten übernommen. Long-and-short-work am N-Eingang und Altarraum-Bogen. S-Anbau 12.Jh.; die Spitzbogen-Fenster sind gotische Zutat.

O u. Mi: Bradford-on-Avon/Wiltshire, St. Laurence, 10. Jh. Schmalhohes Hauptschiff, enge Durchgänge zu Altarraum und Annexen; schlitzartige Fenster hoch in der Mauer; rundbogige Blendarkaden außen. –
U: Canterbury, St. Peter and Paul, 7. Jh. Durchgehendes (»römisches«) Querhaus mit Rundapsis? Narthex im W; 4 Seitenräume.

VORKARLISCHE GROSSBAUTEN bis 768 (Nach Albrecht Mann)

1222 Sakralbauten, davon 837 Klöster, Stifte und Prioreien, 285 Kathedralen. Die meisten Kathedralen aus dem 5. und 6. Jh. (Italien, Frankreich).

• Kloster, Stift, Priorei
○ Kathedrale

Pfalzen → S. 295

0   50   100 km

1 Marchienne
2 St-Amand
3 Valenciennes
4 Crespin-en-Hainaut
5 St-Chislain
6 Moustier-en-F.
7 St-Chislain
8 Malonne
9 Hastière
10 St-Michel-en-Thierache
11 St-Laurent
12 Cuttura
13 Pratz-la-Baume
14 St-Hymethière
15 St-Lupicine
16 St-Claude
17 Montmajour
18 Venasque
19 St-Eusèbe
20 Cagli
21 Malelica
22 Cingoli
23 Nocera-Umbra
24 Terni

Torhout Quercolodora Tronchiennes Gent Wormhoudt Ypern Moorseele Mechelen Boulogne St-Omer Bruel Grammont Renaix Dickelvenne Samer-aux-Bois Renty Blangy Tournai Soignies Nivelles Montreuil Auchy Hasnon Neuville-St- 1 Condé 5 Mons 7 Forest-Montiers Vaast Arras Baralle Cambrai Hautmont Lobbes Sept-Meules St-Valery Ciessies Amiens Honnecourt Dompierre Fescau Corbie Péronne St-Quentin St-Quentin-en-l'Isle 10 Rewin Breteuil Noyon Barisis Thin-le-Moutier L'Orver Laon St-Thierry Beauvais-aux-Bois Bretigny Reims Choisy-au-Bac Rethondes Montfaucon Soissons St-Basle Chaussy Chaumont Paris Meaux St-Fiacre Avenay Châlons St-Denis Chelles Reuil Orbais St-Cloud Jouarre Oyes St-Memmie Bruyères-Lagny Rebais Nesle Perche-Corbion Faremoutiers Chaumes-en-Brie Montierender Melun Champeaux-en-Brie Mantenay Ste-Colombe-l-Sens Provins Puellemontier Troyes Sexfontaine Sens Isle-Aumont Larrey Fleury-St-Benoît St-Cyr-les-Colons Tonnère Auxerre Moutiers-St-Jean Alise Molosme Fontrouge St-Seine-l'Abbay Méry St-Laurent Cessy St-Père-s.-Vézelay Flavigny Dijon Bourges La Charité Jonet Nevers St-Jean-de-Losne Autun St-Marcel La Celle Chalon Tournus Mâcon Trefort St-Trivier St-Germain-des-Fossés Ambierle Montrieux Lyon Thiers Savigny St-Colombe-St-Chef-Arcisse Clermont-Ferrand Couron Manglieu Grigny Vienne Issoire St-Rambert Champdor Velay Le Puy Valence Le Monastier Dié Donzerra Viviers Vaison Bodon Orange Carpentras Villeneuve Uzès 17 Avignon 18 Apt Nîmes Arles 19 St-Rémy Ménerbes St-Gilles Cavillon Aigues-Mortes Aix St-Maximin Magelone Marseille

Portbeil Le Ham Montivilliers St-Marcouf Deux-Jumaux Lillebonne Pavilly St-Saens Ile-de-Batz Tréguier Contance St-Vigor Belcinac St-Pierre-aux-Bois St-Paul-de-Leon Cérisy-la-Forêt Caudebequet Rouen St-Tugfual Reviers Pental Jumièges L'Orver Beuzit Scissy-St-Pair Ension? Lisieux St-Germer Plounéour-Ménez Mt-St-Michel St-Sever-du-Calvados Andelys St-Paul Landévennec Bourbriac St-Molô Maudane? Avranches Almenêches Exmes Evreux St-Évroult Gasny Quimper St-Jacut Alet Dôl Corseul Montreuil Sées Brou Moutier-en- Loctudy St-Méen Javron St-Longis Quimperlé Rennes St-Cenery-le-Géré Le Ch Locmine Jublains Fécamp Mortagne Chartres Vannes Évron Tuffé St-Céronne Paimpont St-Almir Le Mans Anille Châteaudun Ferrières St-Gildes-de-Rhuis Busiacense? St-Rimay St-Calais Beaugency Orleans Angers Blois St-Georges-du-Bois St-Mesmin-de-Micy St-Satur Basse-Indre Loire Nantes St-Maur Gennes St-Dye Tours Selles Noirmoutier Indre Vertou Cunault Candes Marmoûtier Quincay St-Philibert-de-Grandlieu-Déas St-Macaire Chinon St-Outrille St-Georges-de-Montagu St-Jouin Loches Massay Preuilly Les Fontenelles St-Généroux Tourtenay Vaux St-Michel-en-Bresne Délos St-Michel-en-l-Herme Luçon Poitiers Méobeco Mairé-l'Evescault Isle-sur-Marm St-Benoît Lisuge Charenton St-Pierre-le-M. Voulon Mazerolles Sacierges-St-Benoît Nouaille Le Dorat Colombier Guéret St-Amant-de-Bonnieure Chabanais St-Pourçain Saintes St-Junien St-Léonard Moutier-Rozeille Menat St-Amant-de-Boixe Limoges Cadillac? Chantoin Saujon La Couronne Angoulême Solignac Poussanges Mozat Ste-Colombe Aignes Eymoutiers Chamalières-l Beaunmont Aubeterre Périgueux St-Yriax Vigeois Tulle Chantoin Bordeaux St-Astier Terrason Pauliac Mauriac Issoire Croix-d'Hins Moncaret Calabre Brageac Posensac St-Maixent Sarlat Souillac St-Rambert Bonal Velay Bazas Camburat Le Monastier Clairac Cahors Marcilhac Javols Mende Mélas Dax Agen Moissac St-Antonin Rodez Viviers St-Sever Vieux Troclar Nant St-Enimié Aire Alói St-Paul Lectoure Bayonne Auch Lodève Orange Lescar St-Lézer Toulouse Nîmes Montmajour Oloron-Ste-Marie Rustang Sorèze St-Salvy St-Gilles Tarbes St-Hilaire Montpellier Comminges Carcassonne Béziers Magelone Narbonne Agde Camon Couserang St-Polycarpe Elne Lavedan

Garonne Tarn Rhône Allier Loire Saône

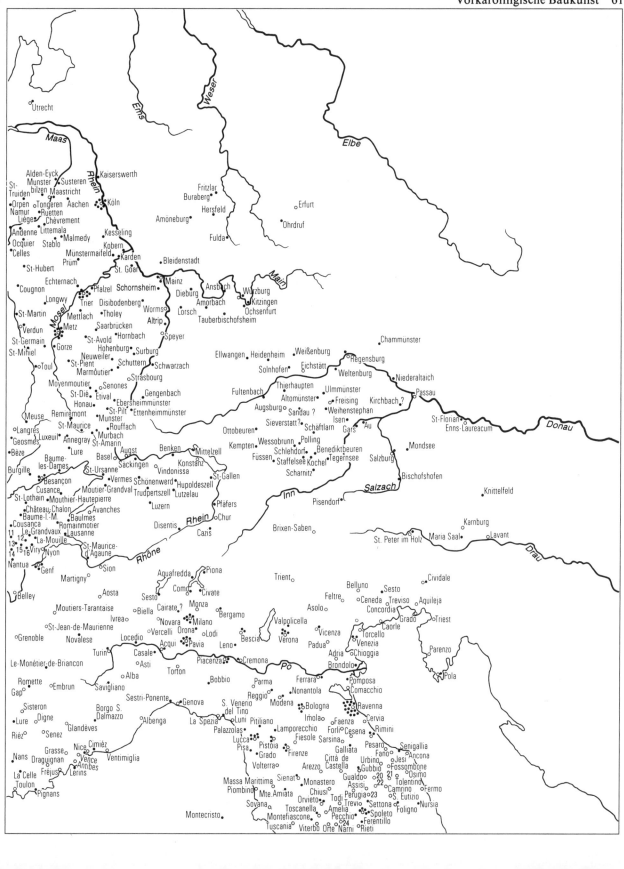

Utrecht

Ems

Weser

Elbe

Maas

Rhein

Alden-Eyck
Munster · Susteren · Kaiserswerth
St-
Truiden · bilzen · Maastricht
Orpen · Tongeren · Aachen · Köln
Namur · Ruetten
Liège · Chèvrement
Andenne · Littemala
Ocquier · Stablo · Malmedy · Kesseling
Celles · Kobern
Münstermaifeld · Karden
St-Hubert · Prüm
Echternach · Bleidenstadt
Cougnon · St. Goar
Longwy · Pfalzel · Schornsheim · Mainz
Trier · Disibodenberg · Dieburg
St-Martin · Mettlach · Tholey · Worms · Lorsch
Verdun · Metz · Saarbrücken · Altrip
St-Germain · Hornbach · Speyer
St-Mihiel · Gorze · Hohenburg · Surburg
Toul · Neuweiler · Schuttern · Schwarzach
St-Pient · Marmôutier · Strasbourg
Moyenmoutier · Senones
St-Dié · Etival · Gengenbach
Honau · Ebersheimmünster
Remiremont · St-Pilt · Ettenheimmünster
Meuse · Munster
St-Maurice · Rouffach
Langres · Murbach
Geosmes · Luxeuil · Annegray · St-Amarin
Bèze · Lure · Basel · Augst · Benken
Baume- · Sackingen
les-Dames · St-Ursanne · Konstanz
Burgille · Vermes · Schönenwerd · Mittelzell
Besançon · Moutier-Grandval · Hupoldeszell
Cusance · Trudpertszell · Lutzelau
St-Lothain · Mouthier-Hautepierre · Pfäfers
Château-Chalon · Avanches · Luzern
Baume-l.-M. · Baulmes
Cousanca · Romainmotier · Chur
11 · Le-Grandvaux · Lausanne · Disentis
13 12 · La-Mouille · Cazis
14 15 16 Viry · Nyon · St-Maurice-
Nantua · d'Agaune · Rhône
Genf · Sion
Belley · Martigny · Aosta

Ms · Aquafredda · Piona
Sesto · Como · Civate
Moutiers-Tarantaise · Biella · Cairate?
St-Jean-de-Maurienne · Ivrea · Novara · Monza · Bergamo
Grenoble · Novalese · Locedio · Vercelli · Orona · Lodi
Turin · Casale · Acqui · Pavia · Leno · Bescia
Le-Monétier-de-Briancon · Asti · Piacenza · Cremona
Romette · Torton · Bobbio · Parma · Ferrara
Gap · Embrun · Savigliano · Reggio · Modena · Nonantola
Sisteron · Alba · Sestri-Ponente · Genova
Lure · Digne · Borgo S. · Dalmazzo · S. Venerio
Riéz · Senez · Glandèves · Albenga · del Tino · Pitiliano
Nans · Grasse · Nice · Cimiéz · La Spezia · Luni · Imolao
Draguignan · Vence · Ventimiglia · Palazzolas · Lamporecchio
La-Celle · Frèjus · Antibes · Lucca · Pistoia · Firenze
Toulon · Lerins · Pisa · Grado · Volterra · Arezzo
Pignans · Massa Marittima · Sienat · Monastero · Città de
Montecristo · Piombino · Mte.Amiata · Chiusi · Castella
Sovana · Orvieto · Todi · Trevio
Toscanella · Montefiascone · Amelia · Pecchio
Tuscania · Viterbo · Orte · Narni · Rieti · Ferentillo

Chammünster
Ellwangen · Heidenheim · Weißenburg · Regensburg
Solnhofen · Eichstätt · Weltenburg · Niederaltaich
Fultenbach · Thierhaupten · Ulmmünster · Passau
Altomünster · Freising · Kirchbach?
Augsburg · Sandau? · Weihenstephan · St-Florian
Sieverstatt? · Schäftlarn · Isen · Gars · Au · Enns-Laureacum
Ottobeuren · Wessobrunn · Polling · Mondsee
Kempten · Schlehdorf · Benediktbeuren
Füssen · Staffelsee · Kochel · Tegernsee · Salzburg
Scharnitz · Bischofshofen
Knittelfeld
Pisendorf
Brixen-Saben · Karnburg
St. Peter im Holz · Maria Saal · Lavant
Drau

Main

Mosel

Inn

Salzach

Donau

Rhein

Trient · Belluno · Cividale
Feltre · Sesto
Aosta · Ceneda · Treviso · Aquileja
Asolo · Concordia · Grado · Triest
Valpolicella · Vicenza · Torcello · Caorle
Verona · Padua · Venezia
Adria · Chioggia · Parenzo
Po · Brondolo · Pola
Leno · Pomposa
Ferrara · Comacchio
Bologna · Ravenna · Cervia
Imolao · Faenza
Forli · Cesena · Rimini
Fiesole · Sarsina · Pesaro · Senigallia
Fano · Ancona
Galliata · Urbino · Jesi
Gubbio · Fossombone · Osimo
Gualdo · 20 21 Camrino · Fermo
Assisi · 22 · S. Eutizio
Perugia 23 · Settona · Foligno
Spoleto · Nursia

Erfurt
Buraberg
Fritzlar
Hersfeld
Amöneburg
Ohrdruf
Fulda

Würzburg
Ansbach · Kitzingen
Amorbach · Ochsenfurt
Tauberbischofsheim

24

Lorsch, sog. Torhalle im Klostervorhof, um 800

KAROLINGISCHE BAUKUNST

Architektur als Legitimation

Die Eroberung des Langobardenreiches (774) macht Karl den Großen zum Schutzherrn Italiens. Mit seiner Krönung zum Kaiser durch
den Papst in Rom (800) sind für den Franken zwei wichtige Legitima-
tionen verbunden: die Gleichberechtigung mit dem byzantinischen
Kaiser als Schutzherrn der Christenheit und das Erbe des weströmischen Imperiums. Karl sieht in dieser Würde sowohl politische als
auch geistige Aufgaben. Sie repräsentieren sich in den karolingischen
Bauten. Karl bewirkt eine Renaissance der frühchristlich-römischen
Architektur. Selbst die Ausmaße der Einzelbauten sind wieder von
antiker Größe und übertreffen alles, was in den letzten 300 Jahren
im Frankenreich gebaut worden ist. Dabei überwiegt der Sakralbau
eindeutig den Profanbau. Die meisten Bauten entstehen in Ostfran-
ken.

Reichskunst

Eine gewisse Reichskunst entwickelt sich durch Herrschererlasse
(capitula missorum). Karl der Große läßt sie auf Reichstagen und
Reichssynoden beschließen. Sie werden von Königsboten (missi do-
minici) in ihrem jeweiligen Reichsbezirk (missaticum) verkündet und
überwacht und anläßlich der wiederholten Anwesenheiten des Herrschers in Pfalzen, Klöstern und Stiften kontrolliert. Karls Entscheidung für die römische Liturgie ebnet so auch der Weiterentwicklung
der Basilika den Weg.

Zentralbau
69*

An der Spitze der wenigen erhaltenen Baudenkmäler der karolingischen Zeit rangiert mit der Aachener Pfalzkirche allerdings ein Zentralbau nach byzantinisch-ravennatischem Vorbild. Die Vermutung
liegt nahe, daß Karl seine Verehrung für Theoderich und den Anspruch auf dessen Nachfolge miteinander verbindet, indem er in
Aachen das Bauschema von San Vitale in Ravenna wiederholt. Aus
Ravenna stammen auch Säulen und Kapitelle des Aachener Baus.

Die Basilika wird aber zum Prototyp karolingischer Sakralbaukunst. Sie schließt sich an die römische Bauweise an, u. a. übernimmt sie das durchgehende Querschiff. Einige Kirchen gliedern das Querhaus auch nach syrisch-byzantinischem Vorbild in Einzelräume (Zellenquerbau, vgl. Einhardsbasilika in Steinbach, 67*, mit Hosios Lukas, 48*). Dennoch müssen auch neue Bedürfnisse gedeckt werden. So verlangen z. B. die Klosterkirchen als Zentren einer zahlreichen Priesterschaft (davon jeder täglich eine Messe zu lesen hat) und der gewaltige Aufschwung der Heiligenverehrung nach immer mehr Altären. Man kann sie in zusätzlichen Apsiden des Querschiffs unterbringen oder – wenig glücklich – über das Langhaus verteilen (St. Gallener Plan, 67*). Auch die Verlängerung des Ostchors (Corvey, 67*) bietet neue Möglichkeiten. Die Einführung der Doppelchörigkeit, in einigen karolingischen Basiliken nachgewiesen (Fulda, 66*), bringt eine Lösung, die häufig den Typ der karolingischen Basilika bestimmt, allerdings zugleich den tradierten gerichteten Raumcharakter wieder zu einer gewissen Richtungslosigkeit hin verändert. Erst die frühe französische Romanik findet mit Chorumgang und Radialkapellen die ideale Lösung (Tournus, St-Philibert, 75*, 76*).

Der 816 geweihte Heito-Bau auf der Reichenau, Mittelzell, 67*, »scheint der älteste erhaltene Bau zu sein, wo sich, auf ähnliche byzantinische Raumgruppierungen beziehend, eine ausgeschiedene Vierung – technisch noch nicht ganz vollendet – greifen läßt« (W. Erdmann). Hier findet sich auch ein Chorquadrat, das in karolingischer Zeit sonst nicht sicher bezeugt ist. Erst die Romanik wird schließlich den gesamten Kirchenraum durch Wandvorlagen und Gewölbeeinheiten in Raumblöcke gliedern.

Das Westwerk ist dagegen eine in sich vollendete, rein fränkische Eigenschöpfung. Es ist ein mehrgeschossiger Vorbau der Basilika (Ausnahme: Aachen = Zentralbau), in dem Kaiser und Hofstaat bei ihren Besuchen dem Gottesdienst beiwohnen. Meist ist in ihm ein Michaelsaltar aufgestellt. St. Michael gilt – wie der Kaiser – als Kämpfer gegen die dämonischen Mächte des Unglaubens, die man im Westen, dem heilbringenden Osten entgegengesetzt, vermutet. Mit seinen Türmen bildet das Westwerk nicht nur eine Burg gegen das Böse, sondern ist zugleich monumentaler Ausdruck der bipolaren Einheit von Kirche und Staat.

Schließlich wird die antike Confessio (41*) weiterentwickelt zur Stollenkrypta und zur Hallenkrypta (vgl. 70*). Der Bauteil (Chor) über einer solchen Halle muß erhöht werden. Man steigt entweder vom Mittelschiff oder von den Querhausflügeln her zu ihr hinab (Fulda, 66*). Bis in die Spätromanik hinein wird diese Neuerung wirken.

Entscheidend für alle Zukunft wird auch die Klosteranlage. Der St. Gallener Idealplan eines Klosters, 68*, wird auf der Grundlage der Beschlüsse der Aachener Synode von 817 gezeichnet. Eine Kopie wird auf der Reichenau für die Bedürfnisse der St. Gallener Verhältnisse beschriftet (sh. Legende S. 70) und dann nach St. Gallen geschickt, allerdings so nicht ausgeführt. Der Regel des hl. Benedikt von 529 folgend, gruppiert sich die Anlage als eigenständige »Stadt« mit Wohngebäuden, Werkstätten, Stallungen, Gästehaus und Schule um Kirche und Kreuzgang (vgl. Maulbronn, 140*). Die Basilika, 67*, ist ein Zellenquerbau mit Querhaus im Osten sowie einer westlichen Apsis mit Ringatrium, wie sie in Köln, 67*, im 9. Jh. gebaut wird.

Basilika
66–68*

Doppelchörige Anlage

Vierung

Westwerk
71*

Krypta
70*

Kloster

Schaffung der Vorbedingungen für die Romanik	Die karolingische Baukunst erschafft die Neuerungen, mit denen sich das Abendland von der Antike befreit. Viele Merkmale des karolingischen Kirchenbaus weisen auf die Romanik voraus: Die additive Raumfolge und das basilikale System mit Querschiff und Drei-Apsiden-Abschluß sind voll entwickelt; das Westwerk, die Türme über der Vierung – in Fulda, 66*, und Centula, 68* noch rund und z. T. aus Holz – und seitlich des Chores werden zur Vieltürmigkeit der romanischen Gottesburgen führen; die starke Betonung der Ost- und Westabschlüsse ist in Centula und im St. Gallener Klosterplan (68*) vorgebildet; die Vierung als Maßeinheit bereitet das → Gebundene System* vor.

ORNAMENT

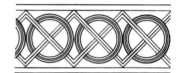

Flechtband-Friese

KAPITELL

3zoniges Zungenblatt-Volutenkapitell. Verona/Italien, Domkreuzgang

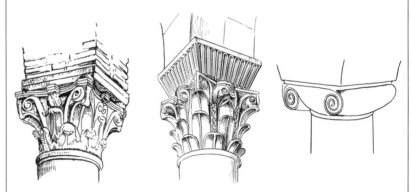

Li: 3zoniges korinthisierendes Kapitell mit Mittelrippen an den Zungenblättern. Brescia/Italien, S. Salvatore, 2. H. 8. Jh. Verona und Brescia: motivische Vorbilder für Höchst*. – Mi: 4zoniges korinthisierendes Kapitell, die 2 oberen Zungenblattreihen stehen zu je 2 Blättern auf 1 Lücke. Mittelrippen: Caules ornamentiert. Eckvoluten mit Leisten eingefaßt. Kämpfer (vgl. 40*) mit röm.-antikem Kannelurenfries, vgl. 31*. Höchst, St. Justinus, 834 beg. – Re: Ionisch nachempfundenes Kapitell. Fulda, St. Michael, um 820.

Sattelkapitell. Assisi, S. Giacomo di muro rupto, 9. Jh.?

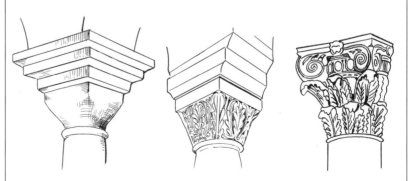

Li: Frühe Form des Würfelkapitells, korbartig. Fulda, St. Michael, um 820. – Mi: Kelchkapitell mit pflanzlichen Ornamenten. »Witigowo«-Säule, Reichenau, Mittelzell, um 810.
Re: Karolingisch-korinthisches Pilasterkapitell. Lorsch, Torhalle, um 800.

Über den Aufbau der Mehrzahl von Kirchen aus vorkarolingischer und karolingischer Zeit wissen wir nichts. Den etwa 800 Klostergründungen dieser Epochen, die A. Mann auf seiner Karte (60, 61) verzeichnet hat, stehen neben etlichen Saalkirchen nur etwa 10 erhalten gebliebene Basiliken gegenüber. Von den übrigen – nicht zu vergessen die zahlreichen zusätzlichen Ausgrabungen neuester Zeit – sind allenfalls mehr oder weniger exakte Grundrisse faßbar. In der folgenden Aufstellung wird versucht, eine nachträgliche Systematik in die Vielfalt der Grundrißformen zu bringen, die der karolingischen Architektur als Angebot zur Verfügung standen. Diese Vielfalt hat aber in Wirklichkeit nicht den scheinbar geradlinigen Entwicklungsverlauf genommen, den die hier aufgezeichnete Reihung vermuten lassen könnte. Viele Fragen der Typenbildung müssen offenbleiben.

So ist z. B. zwar keine karolingische Basilika mit Emporen sicher bezeugt, man kann ihr Vorkommen aber nur schwerlich ausschließen, wenn auf Hunderte von verlorenen nur wenige erhaltene Kirchen kommen. Aus demselben Grunde ist mit Reichenau, Mittelzell, auch eine frühe Form der ausgeschiedenen Vierung dieser Baumuster-Sammlung beigefügt und als Gleichnis für ihr möglicherweise häufigeres und technisch vollkommeneres Vorkommen in karolingischer Zeit zu verstehen.

HAUPTFORMEN DES LANGBAUS

I – Ein Schiff 1–6, mit Annexräumen 13, 14
– mehrere Schiffe 7–22
– eine Apsis 1, 2, 3, 6, 7, 8, 10, 13, 21
– mehrere Apsiden 4, 9, 11, 14–20, 22
– Zellenquerbau 10, 13, 16, 20
– Dreizellenwestbau 16
– durchgehendes Querschiff 6, 11, 18
– Chorhaus 3, 9, 10, 14, 18, 20–22
– Dreikonchenanlage 5
– quadratische Vierung 14, 17, 21, 22
– Vierung als Flächenmodul für
　Querhaus 17, 22
　Mittelschiff 21, 22
　Chorhaus 22
– ausgeschiedene Vierung 21?, 22
– doppelchörige Anlage 11, 19, 20
– Atrium 19–21

II – Ringkrypta 10, 15
– Stollenkrypta 16, 18
– Hallenkrypta 11, 21
– Außenkrypta 10, 15

III　Westwerk 7, 10, 18, 21

IV　Türme

1 Goldbach/Bodensee, St. Sylvester, E. 9./A. 10. Jh., Vorhalle 10. Jh.
– rechteckiger Saal
– Rechteckchor

2 Schopfheim/Baden, St. Michael, 9. Jh.
– Saalkirche mit Apsis und Vorhalle
– O-Teil vielleicht durch Lettner abgetrennt

3 Besora/Katalonien, 9.–11. Jh.
– rechteckiger Saal
– eingezogenes Chorhaus vor der Rundapsis
– Tonnengewölbe 19. Jh.

4 Chur, St. Martin, 769
– Dreiapsidensaal (im 8./9. Jh. bes. in Graubünden/ Schweiz verbreitet)
– Mittelapsis größer als seitliche Apsiden

5 Werden bei Essen, St. Stephan, A. 9. Jh. (Rekonstruktion)
– Dreikonchenanlage
– quadrat. Mittelraum
– Konchen und Mittelraumecken gewölbt (?)
– Tonnengewölbe im Langhaus (?) 69*

6 Ingelheim, Kreuzkirche »im Saal«, Pfalzkapelle, spätkarolingisch oder 10. Jh.
– kreuzförmiger Bau mit Apsis
– Scheidbögen zwischen Vierung und Querflügeln später

7 Lorsch II, 768–74 (Rekonstruktion)
– 3schiffige Pfeilerbasilika
– kein Querhaus
– rechteckiger Altarraum
– Westwerk (»castellum«)

8 Rom, Santa Maria in Cosmedin,
  um 777 erneuert
– 3schiffige Basilika mit Emporen
– kein Querhaus
– 1 halbrunde Apsis, 2 kl. Nischen
– Stützenwechsel P-S-S-S-P

9 Agliate bei Monza, 824–59,
– 3schiffige Säulenbasilika
– kein Querhaus, aber gewölbte
  Vorjoche vor den 3 Apsiden
– Langhaus: offener Dachstuhl

10 Werden bei Essen, St. Salvator,
   804–75
– 3schiff. Basilika mit Mittelapsis
– Pastophorien: D Diakonikon im S,
  P Prothesis im N (Zellenquerbau)
– erster nordeurop. Stützenwechsel P-S-S-P
– Ringstollen-Confessio, Außenkrypta
– Westwerk (71*)

11 Fulda, Stiftskirche, 791–819
– 3schiff. Säulenbasilika, gewestet
– Mittelapsis
– durchgehendes (»römisches«) Querhaus
– doppelchörig
– W- und O-Krypta (Hallenkrypta)

12 Fulda, Stiftskirche
– Rundtürme aus Holz über der
  Vierung und dem O-Bau
  (nach einem Gemälde des
  17. Jhs.)

13 Como, S. Apostoli, E. 5. Jh.
– Saalkirche mit seitenschiffartigen
  Seitenräumen, durch Bögen mit
  dem Hauptschiff verbunden
– halbkreisförmige Apsis
– querschiffartige Nebenräume

14 Neustadt/Main, St. Peter und Paul, 9. Jh.?
– Zellenbau mit abgeschnürter quadratischer
  Vierung und Vierungsturm
– 3 leicht gestelzte Apsiden
– querrechteckiges Chorhaus
– seitenschiffartige Verlängerung der
  Querhausarme nach W

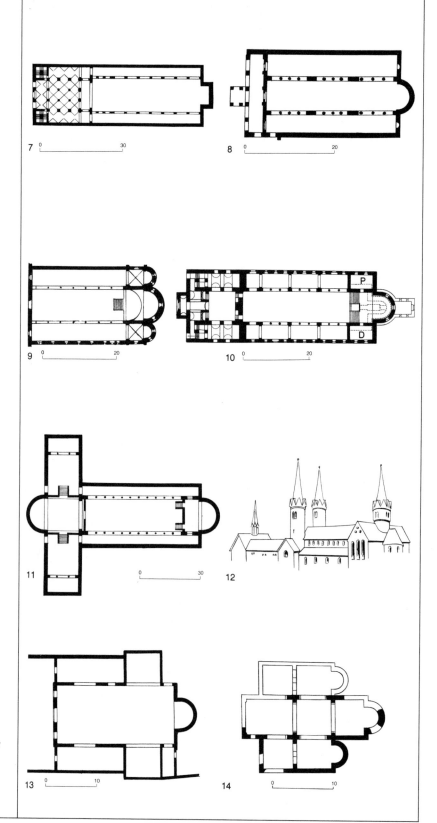

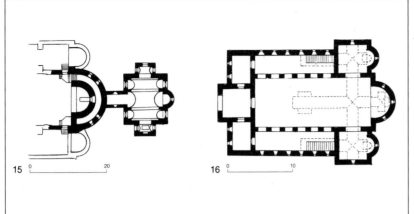

15 Regensburg, St. Emmeram
 – Ringkrypta 8. Jh.; im W des Schei-
   tels eine Wandnische mit Mensa,
   dahinter Grabkammer und Sarkophag (70*)
   Außenkrypta im O, 980

16 Steinbach, Einhardsbasilika, 815–27
 – 3schiffige Pfeilerbasilika
 – 3 Ostapsiden
 – Pastophorien im O (Zellenquerbau)
 – Zellenwestbau
 – Stollenkrypta (gestrichelt), 5 Kreuze
   unter den östl. Bauteilen (70*)

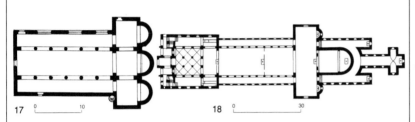

17 Höchst, St. Justinus, 834 beg.
 – Vorform der »ausgeschiedenen
   Vierung«: Vierungsquadrat ist
   gegen Querhausflügel und Mittelschiff durch Bögen abgegrenzt,
   aber Chorquadrat fehlt noch

18 Corvey, Klosterkirche, 844
 – durchgehendes Querschiff
 – Stollenkrypta östl. des Querschiffs und Chors
 – Westwerk, 873–885 (»capella
   regia«) mit Zentralturm und
   2 Treppentürmen (71*)

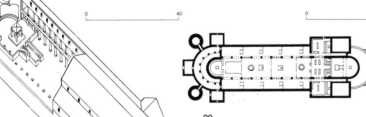

19 Köln, Dom, Zustand 9. Jh. (Rekonstruktion)
 – Langhaus mit überbautem Ringatrium im W
 – doppelchörig
 – O-Chor mit Sängerraum innerhalb
   der Chorschranken
 – vermutlich 2 Türme im W

20 St. Gallen, Klosterkirche, Plan von 820/830
   (Rekonstruktion G. Binding)
 – Zellenquerbau
 – doppelchörig
 – Mittelschiff ohne Vierung bis zu den
   Chören durchlaufend
 – Altäre über alle Bauteile verteilt
 – Ringatrium im W
 – 2 Türme im W

21 Centula, St-Riquier, 790–99 (Rekonstruktion)
 – vermutlich ausgeschiedene Vierung
 – Westwerk, Querschiff
 – Türme über Vierung und Westwerk
 – 4 Treppentürme
 – Krypta unterm W-Eingang
 – Atrium im W (68*)

22 Reichenau, Mittelzell, Waldo-Heito-Bau,
   Chorweihe 799, voll. 816 (Rekonstruktion)
 – ausgeschiedene Vierung. Vierungsturm?
 – Chorquadrat mit 2 hufeisenförm. Apsiden
 – Vierung als Flächenmodul für Chorhaus,
   Querhausarme und Mittelschiff
 – Westturm um 825

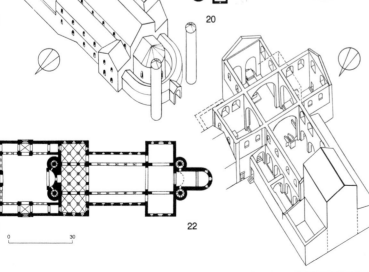

KLOSTER

BASILIKA

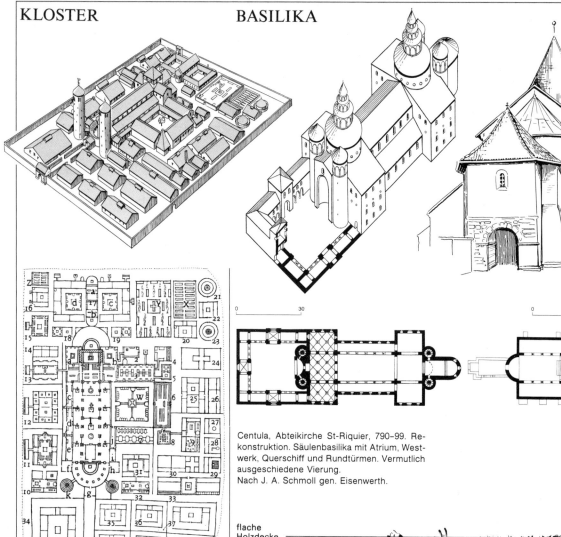

Centula, Abteikirche St-Riquier, 790–99. Rekonstruktion. Säulenbasilika mit Atrium, Westwerk, Querschiff und Rundtürmen. Vermutlich ausgeschiedene Vierung.
Nach J. A. Schmoll gen. Eisenwerth.

Die Klosterordnung ist in karolingischer Zeit bereits fest ausgeprägt. Die Disposition des Grundrisses geht auf römisch-britannische Heerlager, das Claustrum (= abgeschlossener Bereich um den Kreuzgang) auf das antike Peristylhaus zurück (346*). Der nicht realisierte Idealplan von St. Gallen*, 820/30, berücksichtigt Ordensregel, Liturgie und Bewirtschaftung des Klostergutes. Seine Maßstäblichkeit und die – u. a. feuergefährliche – Enge der Gebäudeanordnung sind umstritten. Kirche sh. 67*

St. Gallen, idealer Klosterplan, 820/30, und Modell.
Legende sh. Seite 70

flache
Holzdecke
Licht-(Ober-)
gaden
Triumph-
bogen
Wandmalerei
an der Scheid-
mauer (ottonisch)
Fries
Rundbogen-
arkade
Eingang zur
Hallenkrypta
Säule mit
kelchartigem
Kapitell

Reichenau, Oberzell, St. Georg, 896–913. Flachgedeckte Säulenbasilika mit hoch in der Scheidmauer liegendem Obergaden. Doppelchörige Anlage. Zellenartiges Querhaus mit abgeschnürter Vierung, über dieser ein gedrungener Turm. Der Ostteil ist wegen der darunterliegenden Krypta (70•) stark überhöht. Zugang zur Krypta vom Mittelschiff her. Der erhöhte Ostchor und die Westapsis sind eingezogen. Bedeutende Wandmalereien des 10. und 11. Jhs. Westlicher Vorbau 11. Jh. Kelchartige Kapitelle.

ZENTRALBAU

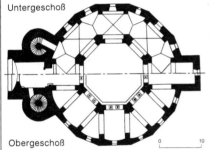

Untergeschoß

Obergeschoß

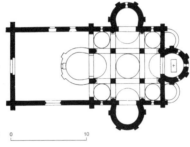

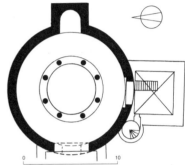

Fulda, St. Michael, um 822. Friedhofskirche des Klosters Fulda nach dem Schema des Hl. Grabes (38*). Rotunde mit Innenstützen, in der Frühromanik durch Umgangsempore und Fenstergeschoß aufgestockt. Krypta mit kreisrundem Mittelraum und tonnengewölbtem Umgangsring.

Aachen, Pfalzkapelle, 786–um 800. Vorbild: Grabeskirche, 38*, Anlehnung an San Vitale, Ravenna, 45*, klostergewölbtes Oktogon mit 16eck. Umgang, dieser durch Tonnen mit Stichkappen gewölbt. Kaisersitz auf der Empore. Säulen = ravennat. Spolien.

Germigny-des-Prés, 806 geweiht. Griechisches Kreuz mit tonnengewölbten Kreuzarmen, Kuppeln über den Eckräumen und vermutlich ursprünglich auch über der Vierung (byzantinisch); hufeisenförmige Apsiden und Gurtbögen (westgotisch). Langhaus später.

Werden bei Essen, St. Stephan, 799–804 (Rekonstruktion). Dreikonchenanlage um einen kubischen Mittelraum von 8 m Seitenlänge. Früheste nordeuropäische Nachahmung einer altchristlichen »Cella trichora« mit rechteckigem Schiff im Westen.

KLOSTER

Legende zu St. Gallen, Seite 68*

1 Kirche
 a Schreibstube im EG, Bibliothek im OG
 b Sakristei im EG, Kammer für die liturgischen
   Gewänder im OG
 c Wohnung für durchreisende Ordensbrüder
 d Wohnung des Vorstehers der Äuß. Schule
 e Wohnung des Pförtners
 f Zugangshalle zum Haus für die vornehmen
   Gäste und zur Äußeren Schule
 g Empfangshalle für Besucher des Klosters
 h Zugangshalle zu den Wirtschaftsgebäuden
   und zum Pilger- und Armenhaus
 i Wohnung von deren Verwalter
 j Sprechraum der Mönche
 k Turm des hl. Michael
 l Turm des hl. Gabriel
2 Zubereitungsraum des hl. Brotes und Öles
3 EG: Wärmeraum, OG: Schlafsaal der Mönche
4 Abtritt der Mönche
5 Bade- und Waschraum der Mönche
6 EG: Speisesaal der Mönche; OG: Kleiderraum
7 Wein- und Bierkeller der Mönche im EG, Vor-
  ratskammer im OG
8 Küche der Mönche
9 Bäckerei und Brauerei der Mönche
10 Küche, Bäckerei und Brauerei für die vornehmen Gäste
11 Haus für vornehme Gäste
12 Äußere Schule
13 Abtshaus
14 Küche, Keller und Badhaus des Abtes
15 Aderlaßhaus
16 Ärztehaus
17 Noviziat und Krankenhaus
 a Kapelle für die Novizen
 b Kapelle für die Kranken
 c Kreuzgang der Novizen
 d Kreuzgang der Kranken
18 Küche und Bad des Krankenhauses
19 Küche und Bad des Noviziats
20 Gärtnerwohnung
21 Gänsehaus
22 Haus der Hühner- und Gänsewärter
23 Hühnerhaus
24 Kornscheune
25 Haupthaus der Werkleute
26 Nebenhaus der Werkleute
27 Mühle
28 Stampfe
29 Darre
30 Küferei, Drechslerei und Getreidehaus für die
   Brauer
31 Pilger- und Armenhaus
32 Küche, Bäckerei und Brauerei für Pilger
33 Haus für Pferde, Ochsen und deren Wärter
34 Haus für die Gefolgschaft des Kaisers (?)
35 Haus für die Schafe und deren Hirten
36 Haus für die Ziegen und deren Hirten
37 Haus für die Kühe und deren Hirten
38 Haus für die Knechte des Kaisers (?)
39 Haus für die Schweine und deren Hirten
40 Haus für trächtige Stuten, Füllen und deren
   Wärter
W Klostergarten der Mönche
X Gemüsegarten der Mönche
Y Friedhof und Obstgarten
Z Garten für Heilkräuter
(Nach W. Horn und E. Born)

RINGKRYPTA MIT CONFESSIO   STOLLENKRYPTA

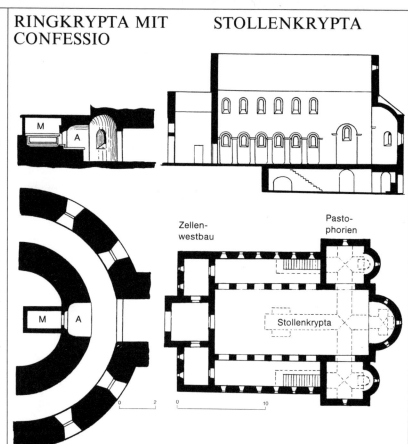

Zellen-
westbau

Pasto-
phorien

Stollenkrypta

Regensburg, St. Emmeram, Ringkrypta, 8. Jh.
Confessio mit A Altartisch in der Scheitelni-
sche, dahinter das M Märtyrergrab.

Steinbach/Odenw., Einhardsbasilika, 815–27.
Unter den Ostteilen bildet die Stollenkrypta
fünf Kreuzungen.

HALLENKRYPTA

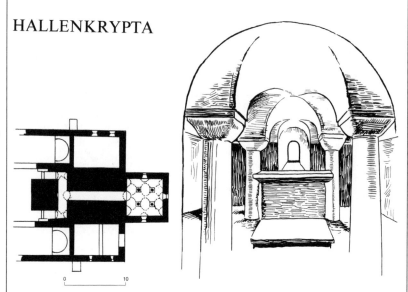

Reichenau, Oberzell, St. Georg, 896–913. Rechts und links von der zum Chor aufsteigenden
Treppe führen Stufen in 2 Stollen, die sich vor einem in der Bau-Achse nach O verlaufenden
Stollen treffen. Dieser führt zu einer frühen Form einer Hallenkrypta mit 4 Säulen.

WESTWERK

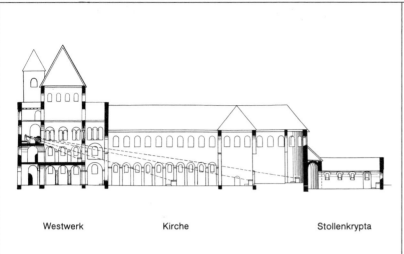

Westwerk   Kirche   Stollenkrypta

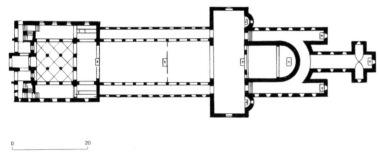

0   20

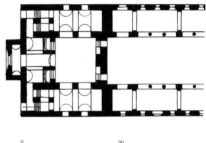

0   20

Werden bei Essen, Stiftskirche St. Salvator, 804–75. Westwerk, um 875 beg., spätkarolingisch, als selbständige Kirche St. Peter für Pfarrgottesdienst und Sendgericht an die Westfassade der Basilika angebaut. Im Kirchenschiff frühestes Beispiel des Stützenwechsels in N-Europa.

Das früheste Westwerk befand sich in der heute zerstörten Kirche von Centula, 68*, das früheste erhaltene besitzt Corvey und ist von ähnlicher Vollkommenheit. Das Westwerk entsteht aus dem karolingischen Typ des Westquerbaus mit Empore(n), der mit dem Pfarrgottesdienst zusammenhängt. Die Verwendung des Westwerks als Taufkirche legt seine zentralbauähnliche Form nahe, die Ausgestaltung mit Turm oder Türmen bereitet entscheidend die romanische Westfassade vor. Das Erdgeschoß kann über 4 Stützen gewölbt (= Vollwestwerk) oder flach gedeckt sein. Es dient als Eingang zur Kirche, für Taufe, Bestattungen und Sendgericht. Das Obergeschoß ist über seitliche Treppentürme erreichbar und wird als Gemeindekirche, Nonnenempore oder als Kapelle des Kaisers benutzt, der von seinem Sitz auf der westlichen der drei umlaufenden Emporen aus dem Gottesdienst beiwohnt. Nach der Blüte in karolingischer und ottonischer Zeit wird das Westwerk im 11. und 12. Jh. zur Dreiturmgruppe (Maria Laach, 111*) oder zum riegelartigen Westbau reduziert (Minden, 104*) und strahlt möglicherweise noch bis auf die dreitürmige (Ost!-) Fassade der gotischen Severikirche in Erfurt aus. Vgl. 63 und → Westwerk.

Corvey, Klosterkirche, Westwerk 873–85. Über einer gewölbten Erdgeschoßhalle – hier »Krypta« genannt, 77* – befindet sich im Obergeschoß die Kapelle mit der Empore für den Kaisersitz (unten li: Innen von O). Gestrichelt = Blickrichtung aus der Kaiserloge zu den Altären.

KAROLINGISCHE GROSSBAUTEN

von 768 bis Mitte 9. Jh. (nach Albrecht Mann)
444 Sakralbauten, davon 417 Klöster, Stifte, Prioreien; 27 Kathedralen. Z.T. Um- und Weiterbauten früherer
Anlagen.

• Kloster, Stift, Priorei
⚷ Kathedrale

Pfalzen → S. 295

0   50   100 km

Arques
St-Josse-sur-M.   Nivelles
                St-Vaast
St-Riquier-Centula   St-Saulve
Longueil
        Neufchâtel
St-Wandrille   St-Quentin
Preaux
                    Allemant
            Morienval   Soissons
Mours   Réez   Reims
⚷Dol   Conches-en-Ouche   St-Denis   Meaux
                    Chelles
Busalt   Chartres   Marolles
Rufflac   Massérac   Bray   Lebrath   Troyes
Arzon Redon   ⚷Le Mans Téron Bonneval   Montieramey
            Noyen   Villemoutiers   Ferrières   St-Florentin
                Montoire Orleans   Germigny-des-Prés   Ligny   Poultiers
Angers   Chambon   Auxerre
Noirmoutier   St-Florent   Loire Tours Cormery   Vézelay   Rougemont
St-Philibert-de-   Saumur   Cervon   Flavigny
Grandlieu-Déas   St-Maurice- Perrusson Villeloin St-Georges-Dèvres Saulieu
le-Fougereuse   Estrées-Strade Bourges⚷ La-Chapelle-
                    d'Angillon
            Naintré   St-Genou-   St-Ambroix   Autun
Radegundis Poitiers de-l'Estrées   Mesvres
            St-Savin   Audes
        Aslonnes   Nevers
Nouaille   Charroux   St-Benoit-
            du-Sault
    Ruffec Alloue   St-Vaury   Evaux
St-Jean-d'Angely Nanteuil   Menat
Soulac   Bernac   Limoges   Varelles   Mâcon
    Nersac   Dignac   Volvic   Alix   La Bruyère
Bagnes   Le Moutier   Lyon⚷
    Blaye Brantôme   St.-Angel Billom
        St-Emilion   Manglieu
                Collonges
        Paunat   Beaulieu   Brioude
    Ste-Foy-la-Grande   Les Chases
    Laréole-Sours   St-Chafre
Vertheuil   Romans
        Cahors⚷ Figeac   Conques   Druas
            Flagnac Campuac
        Moissac   Rodez
Sorde   Condom Meauzac Tarn   Goudargues Montauban
Hagetmau   Serres Pessan   Cabrières St-Martin-
    Saramon Faget Vadala   Joncels St-Guilhem-   de-Castillon
    Simorre   Besalu? Castres   le-Désert
        Venerque Toulouse Bellecell Villemagne Aniane Arles
St-Frajou Pamers Denterra?   St-Chignan St-Laurent Aigues-Mortes
Lavedan   Caunes Monestier St-Thibéry
    Le-Mas-d'Azil Montolieu   Agde
        St-Papoul Montredon Narbonne
    Foix   St-Laurent
        Cubières-en-Rasez
St-Michel-de-Cuxa   St-André-de-Sorède
        Arles-sur-Tech St-Genis-des-Fontaines

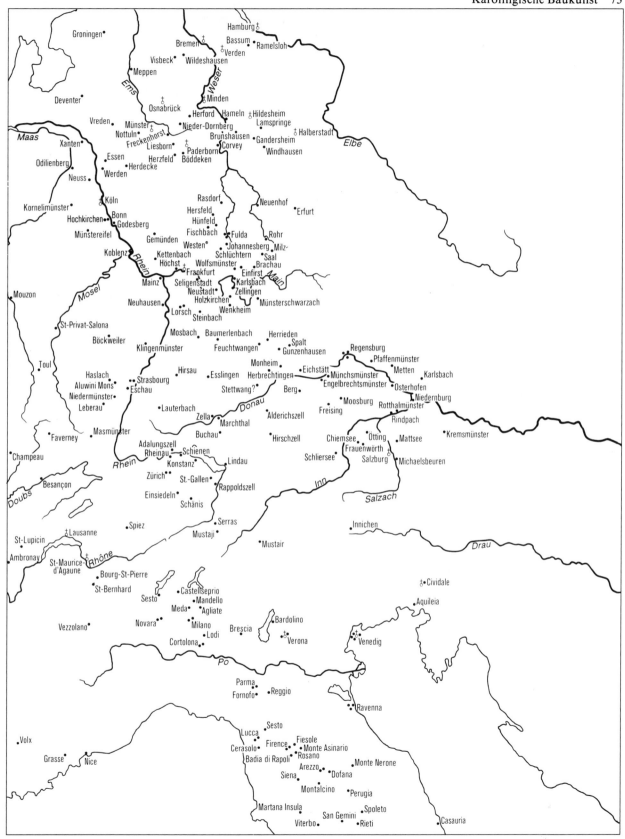

Köln, St. Pantaleon, Westwerk, 984/91–um 1000

BAUKUNST DER OTTONEN UND KAPETINGER

Geschichte

Der mächtige Reichsgedanke Karls versandet schon unter seinem Sohn und Nachfolger, Ludwig dem Frommen, 814–40. Dessen Entschluß, das Reich unter seine drei Söhne zu teilen (Vertrag von Verdun, 843), begründet den Zerfall des Reichs in eine westfränkische und eine ostfränkische Bevölkerungsgruppe. Der Streit zwischen den Stämmen und um die Throne schwächt die Völker. In das Machtvakuum stoßen die Normannen von Norden, die Ungarn von Osten und die Sarazenen im Mittelmeerraum. Mit dem Reich erlebt auch die Baukunst für hundert Jahre eine Zeit des Niedergangs.

Das karolingische Einheitsbestreben wird erst wieder fruchtbar, nachdem die Normannen in der Normandie seßhaft geworden sind, der sächsische Frankenkönig Heinrich I. (919–36) die Ungarn besiegt hat und Otto I. der Große (936–73) im Jahre 962 vom Papst in Rom zum Kaiser des »Heiligen Römischen Reiches Deutscher Nation« gekrönt worden ist. Otto verbündet sich darüber hinaus mit der intakt gebliebenen kirchlichen Organisation, indem er den Episkopat an die Spitze seiner Verwaltung setzt und so die Eigensüchte der Stämme weitgehend neutralisiert. Das Reich wächst zu neuer Bedeutung.

Bauliche Entwicklung

77*

Vom niedersächsischen Kernland der Ottonen (zu ihnen zählt man Heinrich I., 919–36; Otto I., 936–73; Otto II., 973–83; Otto III., 983–1002, und Heinrich II., 1002–24) gehen seit der Jahrtausendwende bauliche Entwicklungen aus, die in Verbindung mit übernommenen karolingischen Neuerungen den Formenkanon der Romanik bereitstellen. Die Basilika wird räumlich größer, ihre Ost- und Westteile werden stärker aufeinander bezogen. Die Wände erhalten durch Säulen und Nischen neue Gliederungen. Der Stützenwechsel verdeutlicht die Aufteilung des Langhauses in eine Folge gleicher

Grundrißelemente. Diese richten sich zunehmend nach der Größe des Vierungsquadrats. St. Michael in Hildesheim, 79*, ist der älteste erhaltene Bau, in dem diese Vierung mit vier Bögen gegen Querhausflügel, Mittelschiff und Chorhaus »ausgeschieden« wird. Mit Treppen- und Vierungstürmen, Krypta, Ost- und Westchor, zwei Querschiffen und einem Grundriß aus noch nicht ganz konsequent durchgehaltenen Reihungen des Vierungsquadrats ist St. Michael der Prototyp der ottonischen Basilika.

Nach vielerlei Versuchen, das antike korinthische Pflanzenkapitell in eine geometrische Form zu bringen, gelingt mit der Vervollkommnung des Würfelkapitells die geniale Lösung. Schließlich entwickelt sich die karolingische Erfindung der Hallenkrypta unter dem hochgelegten Chor weiter. Sie hat verwandte Vorformen in den Untergeschossen der Westwerke, aber auch in den oft zweigeschossigen Außenkrypten.

Das Gewölbe (Tonne, Grat-, Stichkappen- und Klostergewölbe) beschränkt sich in Deutschland allerdings immer noch auf Krypta und kleinere Nebenräume. Die Überwölbung des Mittelschiffs wird der Romanik als Aufgabe verbleiben.

Die Heirat Ottos II. mit Theophanu, der Nichte des byzantinischen Kaisers, wird vor allem für die Entwicklung des Kunstgewerbes von Bedeutung. Kunstwerke werden importiert, Künstler folgen der Prinzessin in den Norden. Von Byzanz, seit Karl dem Großen zugleich Rivale und Vorbild des Abendlandes und wegen seines Reliquienreichtums bewundert, kommen jetzt und bis ins 12. Jahrhundert nicht nur die begehrten Reliquien, sondern auch die Leitbilder für die kunstvollen Reliquiare: die byzantinische Triptychonform der Staurothek und das Kuppelreliquiar, das oströmische Zentralbauten kopiert. Der Einfluß auf die Architektur ist allerdings gering. Bedeutendstes, aber auch unikates Zeugnis ist die Bartholomäus-Kapelle (79*) von 1017 neben dem Paderborner Dom, die griechische Bauhandwerker für sich erbauen und reich mit byzantinisierenden Kapitellen schmücken. Sie ist die erste bekannte Hallenkirche auf deutschem Boden.

Kapitell
76*

Hallenkrypta
77*

Gewölbe

Byzantinische Einflüsse

Tournus, St-Philibert,
Chorumgang, um 950

Frankreich

Staffelchor
Chorumgang mit Kapellenkranz

In Frankreich regieren in ottonischer Zeit die Kapetinger. Im Unterschied zum östlichen Reich der Ottonen sind hier die Landschaften politisch viel selbständiger. Man spricht hier nicht von einer besonderen Stilepoche. Zudem sind im Zug der großen Bauentwicklung des späten 11. Jahrhunderts alle Kirchen um- oder weitergebaut worden, so daß wir in Frankreich heute keine Anlage mehr vorfinden, die entsprechend den ottonischen Kirchen Ostfrankens den Stil der Kapetinger-Bauten rein erhalten hätte. Aber in Frankreich haben sich zu dieser Zeit zwei Grundrißtypen entwickelt, die für die Romanik, im zweiten Fall sogar noch für die Gotik bedeutungsvoll bleiben sollen: der einseitig nach Osten gerichtete Bau über einem lateinischen Kreuz mit Staffelchor im Osten (zum ersten Mal in Cluny II*, 981) und der Chorumgang mit Kapellenkranz. Zunächst sind diese Kapellen noch rechteckig (Tournus, St-Philibert*, um 950), aber um die Jahrtausendwende finden sie in Vignory* ihre für die romanische Zukunft bleibende halbrunde Form.

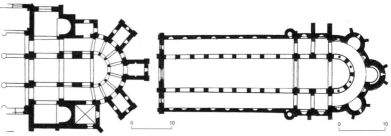

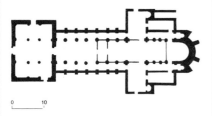

Cluny II, 981 geweiht

Tournus, St-Philibert, um 950

Vignory, Ende 10. Jh.

KAPITELL

Bossenkapitell
Quedlinburg, Stiftskirche,
Wipertikrypta, 10. Jh.

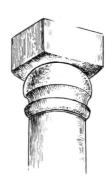

Pilzkapitell
Quedlinburg, Stiftskirche,
Wipertikrypta, um 1020

Würfelkapitell mit Gebälk
und Kämpfer, Hildesheim,
St. Michael, 1010 beg.

Figurenkapitell mit Zackenmotiv
Gernrode, Stiftskirche, 2. H. 10. Jh.

Figurenkapitell
Rasdorf/Hessen, 9. od. 10. Jh.

Akanthus-Abwandlung
Grenoble, St-Laurent

Wandpfeilerkapitell
Essen, Münster, 11. Jh.

STÜTZENWECHSEL

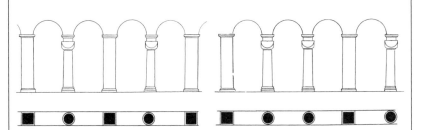

Rheinischer Stützenwechsel
P – S – P

Niedersächsischer Stützenwechsel
P – S – S – P

HALLENKRYPTA

Corvey, Untergeschoß des Westwerks,
873–85, »Krypta« genannt; ein Vorgänger
der Hallenkrypta

Essen, Münster (ehemalige Damenstiftskirche), 1051 geweiht. Hallenkrypta
(Sarkophag gotisch)

WANDNISCHE

Siehe auch Vignory, 76*, Innenseiten der Außenwände

Freckenhorst, Stiftskirche, 11. Jh.
Blendarkatur im nördlichen Seitenschiff

Essen, Münster, spätottonisch, 1. H. 11. Jh.
Nischen in der Außenwand

LANGBAU

Die Basilika beherrscht sowohl in Deutschland als auch in Frankreich den Langbau. Aber während in den ottonischen Gebieten die richtungslose doppelchörige Baugruppe bevorzugt wird, strebt Frankreich die streng nach Osten ausgerichtete Raumform über dem Grundriß des lateinischen Kreuzes an (76*). Besonders an den Pilgerstraßen nach Santiago de Compostela und in den Klosterkirchen der Benediktiner (Cluny) wird eine reich gegliederte Chorpartie benötigt, die Platz für viele Altäre bietet. Durch die Erfindungen von Staffelchor und Chorumgang mit Kapellen wird dieses Problem gelöst.

Auch in Deutschland werden Grundriß und Räume systematisiert.

Basilika
– doppelchörige oder nach O gerichtete Anlagen
– auch Dreikonchenanlage (Köln, St. Maria im Kapitol, 103*)
– ausgeschiedene Vierung setzt sich teilweise durch
– Vierung als Modul für Querhaus und Mittelschiff, selten auch für Seitenschiffe
– eingezogener Chor ist häufig
– Querschiff(e)
– Stützenwechsel (77*):
  rheinisch P–S–P
  sächsisch P–S–S–P
– glatt geschlossene Hochschiffswände oder Emporen
– Auflockerung der unteren Außenwandzone durch Arkatur bzw. Halbrund-Nischen, 77*
– Flachdecke oder offener Dachstuhl
– Gewölbe nur in Nebenräumen und Zentralbauten
– Würfelkapitell mit Kämpfer, antikisierende Kapitelle, Pilzkapitell
– Überfangbogen
– große Bauvolumen
– Westwerk, Westbau
– Vieltürmigkeit
– Hallenkrypta
– ausdrucksstarke Malerei

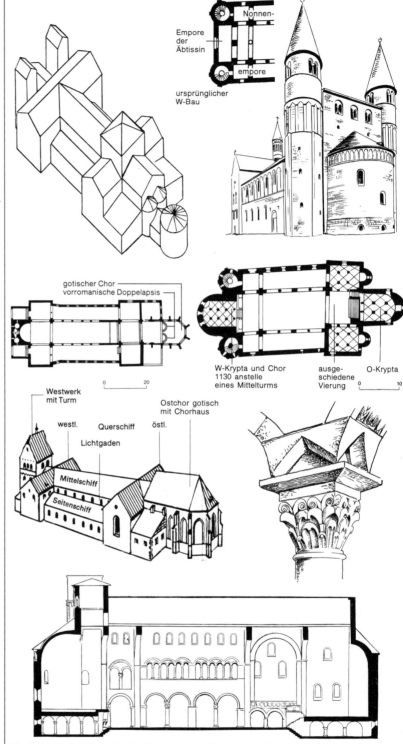

Nonnen-
Empore der Äbtissin
empore
ursprünglicher W-Bau

gotischer Chor
vorromanische Doppelapsis

W-Krypta und Chor 1130 anstelle eines Mittelturms
ausgeschiedene Vierung
O-Krypta

0   20

0   10

Westwerk mit Turm
westl.
Querschiff
östl.
Lichtgaden
Ostchor gotisch mit Chorhaus
Mittelschiff
Seitenschiff

Li: Reichenau, Mittelzell. O: Zustand von 888–913 mit O- und W-Querhaus, Doppelapsis im O, W-Chor und -Türmen. Hl.-Kreuz-Chorscheitelrotunde nach 925 (Erdmann). – Darunter: Zustand nach Umbauten des Mittelalters (spätgot. Chor bis 1555) und der Neuzeit.

Re u. u.: Gernrode, Nonnenstiftskirche, 961–83. Dreischiffige Emporenbasilika mit Stützenwechsel. Ausgeschiedene Vierung im 19. Jh. durch neuen N- und S-Bogen vermutlich richtig wiederhergestellt. 3 O-Apsiden, 2 Krypten, W-Bau um 1130.

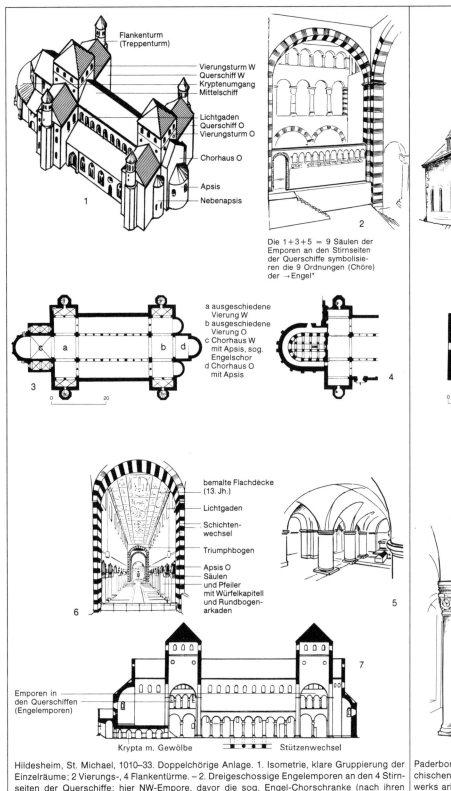

Die 1+3+5 = 9 Säulen der
Emporen an den Stirnseiten
der Querschiffe symbolisieren die 9 Ordnungen (Chöre)
der → Engel*

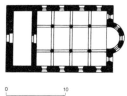

Hildesheim, St. Michael, 1010–33. Doppelchörige Anlage. 1. Isometrie, klare Gruppierung der Einzelräume; 2 Vierungs-, 4 Flankentürme. – 2. Dreigeschossige Engelemporen an den 4 Stirnseiten der Querschiffe; hier NW-Empore, davor die sog. Engel-Chorschranke (nach ihren Engelreliefs), E. 12. Jh. – 3. Mittelschiff besteht aus 3 Quadraten nach dem Maß der ausgeschiedenen Vierung, etwa gleichlang wie die Querschiffe; Stützenwechsel P-S-S-P. Breite Seitenschiffe. 3 O-Apsiden. – 4., 5. Hallen- und Ringkrypta. – 6. Innen nach O. – 7. Längsschnitt.

Paderborn, Bartholomäus-Kapelle, 1017 von griechischen Bauleuten, die am Dom Bischof Meinwerks arbeiten, für den eigenen Gottesdienst errichtet. Älteste Hallenkirche Deutschlands. Originelle byzantinisierende Kapitelle. Das Gewölbe besteht aus 12 Hängekuppeln.

ZENTRALBAU

Die Zentralbauten richten sich in Grundriß und Aufbau in der Regel nach dem Vorbild des Aachener Münsters. Dabei kann das Achteck des Grundrisses auch durch ein Sechseck (Wimpfen, Ritterstiftskirche) oder einen Kreis (Fulda, Michaelskapelle, 69*, karolingisch) ersetzt werden. Der Mittelraum trägt meist ein Klostergewölbe, während die Umgänge kreuz- oder tonnengewölbt sind. Die Emporenöffnungen werden durch Säulenstellungen gegliedert.

Gelegentlich wird einem Langbau in der Achse der Apsis ein kleiner runder oder vieleckiger, meist mehrgeschossiger Zentralbau vorgebaut (Chorscheitelrotunde). Er kann frei stehen oder mit dem Chor verbunden sein (Reichenau, Mittelzell, 78*). Er dient als Grablege, Reliquienaufbewahrungsort oder Marienkapelle.

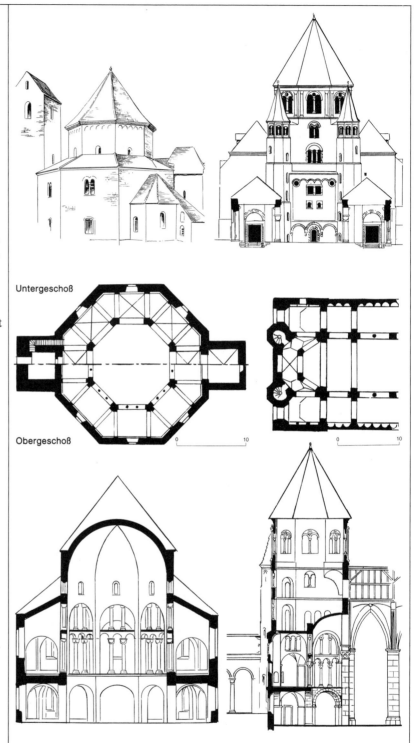

Untergeschoß

Obergeschoß

Ottmarsheim/Elsaß, 1030–49. Inneres Oktogon mit Klostergewölbe. Der Umgang ist im Untergeschoß kreuzgewölbt, das Obergeschoß hat ein Tonnengewölbe. Zweigeschossige Säulenstellungen in den Öffnungen auf der Empore nach dem Vorbild der Aachener Palastkapelle.

Essen, Münster, Damenstiftskirche, um 1050. Umgang und Empore des W-Chors nach dem Aachener System bilden ein halbes Sechseck. Mit dem Turm darüber und den 2 Treppentürmen entsteht daraus ein westwerkähnlicher Bau. Dem Westbau ist ein Atrium vorgelagert. Wandnischen.

OTTONISCHE GROSSBAUTEN

z.T. in späterer Zeit fertiggestellt

0   50   100 km

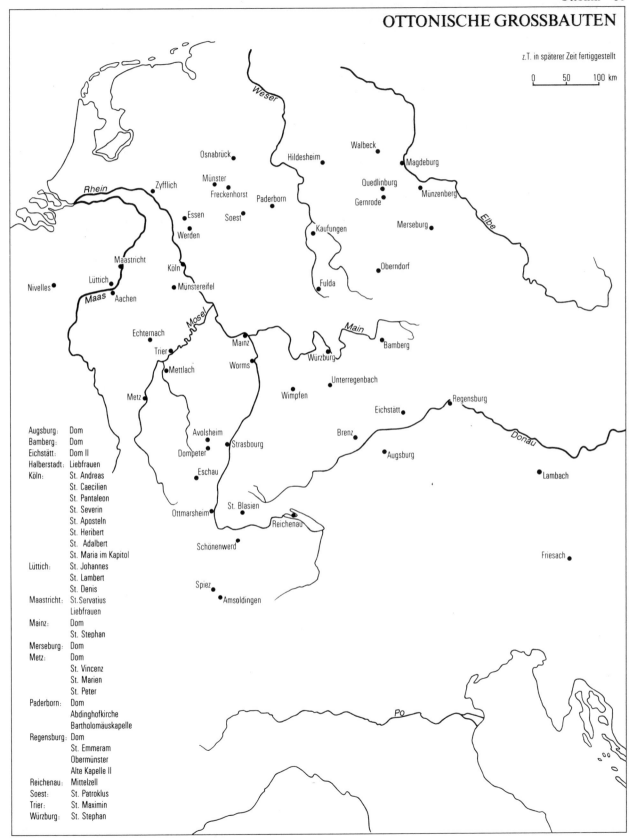

Weser

Rhein

Elbe

Osnabrück

Walbeck

Hildesheim

Magdeburg

Münster

Quedlinburg

Münzenberg

Freckenhorst

Paderborn

Gernrode

Zyfflich

Essen

Soest

Kaufungen

Merseburg

Werden

Maastricht

Oberndorf

Köln

Lüttich

Fulda

Nivelles

Münstereifel

Maas

Aachen

Main

Echternach

Mosel

Bamberg

Trier

Mainz

Würzburg

Mettlach

Worms

Unterregenbach

Metz

Wimpfen

Regensburg

Eichstätt

Avolsheim

Donau

Brenz

Dompeter

Strasbourg

Augsburg

Eschau

Lambach

Ottmarsheim

St. Blasien

Reichenau

Schönenwerd

Friesach

Spiez

Amsoldingen

Po

Augsburg:	Dom
Bamberg:	Dom
Eichstätt:	Dom II
Halberstadt:	Liebfrauen
Köln:	St. Andreas
	St. Caecilien
	St. Pantaleon
	St. Severin
	St. Aposteln
	St. Heribert
	St. Adalbert
	St. Maria im Kapitol
Lüttich:	St. Johannes
	St. Lambert
	St. Denis
Maastricht:	St. Servatius
	Liebfrauen
Mainz:	Dom
	St. Stephan
Merseburg:	Dom
Metz:	Dom
	St. Vincenz
	St. Marien
	St. Peter
Paderborn:	Dom
	Abdinghofkirche
	Bartholomäuskapelle
Regensburg:	Dom
	St. Emmeram
	Obermünster
	Alte Kapelle II
Reichenau:	Mittelzell
Soest:	St. Patroklus
Trier:	St. Maximin
Würzburg:	St. Stephan

Toledo, S. Maria la Blanca, islamisches Kapitell, um 1180

ISLAM IN SPANIEN

Merkmale spanisch-islamischer Architektur

1. Omayyaden, 8.–11. Jh., Cordoba
Hierzu 88 f.*
Ornamente
– kalligraphisch: waagerechte Schriftzeilen als Wandfries oder an Torumrahmungen in kufischer Schrift
– geometrisch: aus Backsteinen vorwiegend am Außenbau gemauert (Toledo, Cristo de la Luz, 87*), Celosía-Fenster = durchbrochene Marmor- oder Gipsplatten mit verschlungenen Mustern, 86*
– pflanzlich: Mauresken auf Friesen oder paneelartigen Wandflächen aus streng stilisierten Pflanzen, meist in symmetrischer Anordnung von einem durchlaufenden oder verschlungenen Stiel ausgehend und in Palmetten oder Blüten endend, 86*. Auf Keramik mit hellem Untergrund und oft mit metallisch reflektierender Glasur (= Lüster), die in Malaga im 11. Jh. erfunden wurde und – mit leichtem Relief – bis 15. Jh. im Mudéjar angewandt wird.

In den 1000 Jahren zwischen dem 8. und 18. Jahrhundert, in denen die islamische Kunst sich entfaltet und zerfällt, breitet sich der Islam über ein Gebiet aus, das von Spanien über Nordafrika, Kleinasien mit Palästina, Syrien und Persien bis Indien reicht. Dabei kann weder die dynastische noch die ethnische Einheit gewahrt bleiben. Araber und Mongolen, Berber und Türken führen die Eroberungen zu eigenem Vorteil weiter. Ihre Machtkämpfe untereinander sind Ursache dafür, daß sich die Herrschafts- und die Kulturzentren verschieben. Jede Dynastie formt das vorgefundene Kulturgut nach eigenen Vorstellungen um. So entsteht bei aller Einheit der religiösen Intention ein Bild außerordentlicher Vielfalt des Dekors und der architektonischen Einzelform.

Nach der Schlacht von Jerez de la Frontera, 711, fällt Spanien unter islamische Herrschaft. Mit dem nordafrikanischen Maghreb zusammen bildet das Land das Gebiet des West-Islam und wird dessen kulturelle Hochburg.

Unterdessen regieren in Ägypten, Syrien, Mesopotamien und Persien die omayyadischen Kalifen. Ihre Gegenspieler sind die Abbassiden, denen Mitte des 8. Jahrhunderts die Vertreibung der Omayyaden gelingt. Deren Führer, Abd er Rahman I., flüchtet 755 nach Spanien und begründet hier eine neue omayyadische Herrschaft mit Cordoba als politischem und kulturellem Zentrum, das fast drei Jahrhunderte überdauern soll. Sein Gegner ist Karl der Große, der ihn mit Mühe an der Eroberung des Frankenreichs hindern kann. Zugleich entwickelt sich in Spanien ein neuer Kunststil, der syrisch-omayyadische, früh-abbassidische und nordafrikanische Einflüsse verarbeitet und im 10. Jahrhundert zur Hochblüte kommt. In der Großen Moschee von Cordoba, 88*, findet er seine Vollendung.

Im 11. Jahrhundert werden die berberischen Almoraviden Marokkos gegen die von Norden vordringenden Christen zu Hilfe gerufen. Sie erobern aber ihrerseits Spanien und lassen das spanische Omayya-denreich zur marokkanischen Provinz verkümmern (1087–1147). Marrakesch wird Residenz und Wiege einer neuen maurischen Kunstrichtung, allerdings unter bewußter Einbeziehung der andalu-sisch-maurischen Kultur.

Sevilla wird zeitweilig die Hauptstadt der nachfolgenden Almohaden (1047–1230). Unter ihrer Herrschaft beginnen die Gebietsverluste an die Reconquista. Ihre Nachfolger, die Nasriden (1231–1492), werden schließlich auf Andalusien zurückgedrängt. Hier entfalten sie den Granadiner und den Alhambra-Stil, die sich bis nach Nordafrika auswirken. 1492 wird mit der Eroberung Granadas durch die Katholischen Könige, Fernando von Aragon und Isabella von Kastilien, die islamische Herrschaft in Spanien beendet. Der Einfluß auf die christliche Architektur Spaniens wird in den mozarabischen (57, 87, 128*) und Mudejar-Bauten (87*, 302*) deutlich. Der Glanz islamischer Kunst und Wissenschaft hat aber das gesamte christliche Abendland bis in die Gegenwart hinein beeindruckt und beeinflußt.

Zwar sind in Spanien noch da und dort islamische Bauten zu finden: Die Alhambra in Granada, die Reste des Rahman-Palastes in Cordoba, ein Bad in Gerona, die zauberhaften Synagogen in Toledo und selbst der Charakter mancher Stadt in Andalusien haben noch das Flair ihrer arabischen Vergangenheit. Die Große Moschee von Cordoba blieb jedoch das Wahrzeichen islamisch-spanischer Sakralbaukunst. Zu ihrem besseren Verständnis soll die Entwicklung der Moschee hier erläutert werden.

Sie gehört zu den einheitlichsten Bauformen, die der Islam entwikkelt: kein Gotteshaus oder Kultgebäude im Sinne christlicher Kirchen, sondern ein Versammlungsraum zum Gebet. Sie ist in der Regel ein richtungsloser Breitbau, ohne Kultgeräte, auch ohne figuralen Dekor, weil der Islam das Bildnis Gottes ablehnt. Die schöpferische Leistung des Islam liegt vorwiegend in der Dekoration. Auf den Europäer wirken die ornamentalen Abstraktionen von Naturformen, die großflächigen Farbkompositionen aus bemalter Keramik mit formelhaften Pflanzen und bewegtem Spiel von Linien eher märchenhaft-prachtvoll als fromm.

Moschee, arab. masdschid = Niederwerfungs-Anbetungsort, heißen ursprünglich nur die Ka'ba in Mekka, der Felsendom in Jerusalem (Qubbet es-Sakhra) und das Haus Mohammeds in Medina. Bis zum 10. Jahrhundert nennt man jedes Bethaus, danach nur noch kleine Bethäuser Moschee. Die großen Moscheen, in denen das Freitagsgebet (khutba) verrichtet wird, heißen seitdem Masdschid-i-Dschum'a, Ulu Dschami oder nur Dschami (= die Versammelnde).

Das Haus Mohammeds war im traditionellen Haus-Typ gebaut, dessen Hof (= Sahn) er einen gedeckten Umgang auf Palmstämmen anfügte.

► Medina, Haus Mohammeds, 56 × 53 m

2. Almohaden, E. 11.–13. Jh. Sevilla
- Vorwiegend Ziegelbauten mit breiten geometrischen Reliefbändern (Giralda in Sevilla), später im aragonesischen Mudéjar wieder angewandt (Teruel, 87*)
- Artesonado = Kassettendecke mit verschlungenen geometrischen Mustern, 87*, häufig mit Stalaktiten, 85*
- spitzbogige Hufeisen- und Zackenbogen (Cordoba, 85*), auch von Girlanden umrahmt (Aljafería in Saragossa)
- kalligraphische Friese in kufischer und der weniger strengen Kursivschrift mit floralen Motiven, 86*
- Azulejos = Außen- und Innendekoration aus urspr. blau (azul) bemalten Kacheln, erstmals im 12. Jh. in Sevilla. Farbflächen der geometrischen Muster durch Linien aus Mangan (cuerda seca) getrennt oder aus glasierten Teilen inkrustiert

3. Nasriden, 14.–15. Jh. Granada
- Subtile Eleganz der Schmuckformen
- gestelzte Rund- und Zackenbögen, von feinsten Stuck- und Keramikornamenten umrahmt und überzogen (Granada, Löwenhof). Yeseria-Muster = kleinteiliger Stuck an Wänden und Kapitellen, 86*
- Arkaden, Türen und Fenster als Blickfang an Fassaden und in Innenräumen

Moschee

Hofmoschee

0   20

Lagermoschee

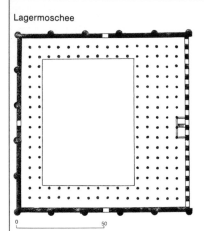

Transeptmoschee

Im Irak wird die Hofanlage durch Umgänge an den 3 Hofseiten und durch einen Betsaal aus mehreren Stützenreihen (Haram) erweitert. Sie dient den Heeren als Lagermoschee. Ihr zweigliedriges System aus Hof und Betsaal wird das Urbild der meisten späteren Moscheen, und auch der heutige Gebetsablauf geht noch auf ihre militärische Gebetsordnung zurück. Später werden die Palmstämme durch Säulen ersetzt, die oft antiken Bauten entnommen werden (→ Spolien).

◄

Bagdad, Große Moschee, Kufa-Typ
(Lagermoschee), 100 × 100 m

Im 8. und 9. Jahrhundert wird die Mitte der Anlage durch ein überhöhtes Schiff nach dem Vorbild frühchristlicher Basiliken betont. Weil es den breit gelagerten Bau quer durchschneidet, nennt man es auch Transept. Die Moschee wird mit einer Gebetsnische (Mihrab) in der nach Mekka gerichteten Wand und einer Kalifenloge (Maqsura) sowie durch eine Kanzel (Mimbar) bereichert und prunkvoll ausgestattet.

Im Außenbau tritt schon im 7. Jahrhundert das Minarett (Gebetsturm) hinzu, zunächst quadratisch (Vorbilder: römische Wacht- und christliche Kirchtürme), später rund und bis zur Vier- und Sechszahl.

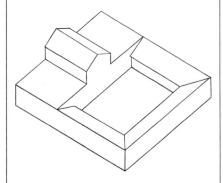

◄

Schema einer Transeptmoschee

Kuppelmoschee

In Syrien und in der Türkei, wo sich zu Beginn der islamischen Herrschaft noch keine eigene Architektur entfaltet, werden christliche Kirchen (byzantinische Kuppelkirchen) zu Moscheen umgestaltet. Dieser Übung verdanken sie auch ihre Erhaltung. Noch 1492 wird die Hagia Sophia im eroberten Konstantinopel zum islamischen Heiligtum erklärt und zum Vorbild für die großen Moscheen des Sinan, des berühmtesten Baumeisters des Islam (1489–1588).

MUAreske, 16. Jh., Peter Flötner;
deutsche Renaissance.
Adaption islamischer Vorbilder

GEWÖLBE BOGEN

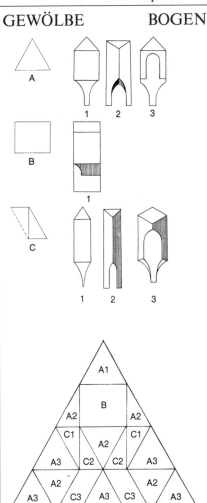

Die 7 Elemente des Stalaktitengewölbes basieren auf 3 Querschnittformen: Rechteck, gleichseitiges Dreieck, rechtwinkliges Dreieck. Ihre Seitenlängen passen zusammen und lassen vielfältige Kombinationen zu. (Nach Hans Helfritz)

1 Trompen- und Pendentifkuppel, Istanbul, Topkapi. – 2 Mihrab-Kuppel mit Tragebögen, Cordoba, Moschee, 961. – 3 Kuppel mit Tragebögen, Toledo, Bib-Mardum-Moschee (heute Cristo de la Luz), E. 10. Jh., 87*. – 4 Nischentrompe unter Rippenkuppel, Kairouan, Sidi Aqba-Moschee.

Li: Hufeisen- und Rundbogen, Cordoba. – Re: Kleeblattbogen, zum Fächerbogen (Zackenbogen) umgewandelt, doppelte Anordnung übereinander, darüber gedrückter Hufeisenbogen. Schichtenwechsel, Cordoba, Moschee.

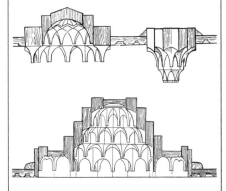

Stalaktiten-Kuppeln und -Zapfen aus verkeilten Holzklötzchen, Tanger, Kaiserl. Marokkanischer Palast

ARABESKE, MAURESKE, CELOSIA

Arabeske. Li: gemalt. – Re: Stuck

Li: Maureske, stilisierte Blatt- und Rankenornamente. – Mi u. re: Celosia-Fenster, Cordoba

SCHRIFTFRIES

Fries mit kufischer Schrift auf Arabesken-Dekor aus fächerförmigen Halbpalmetten, E. 11. Jh.

AJIMEZ UND ALFIZ
KAPITELL

Ajimez = Zwillingsbogen über Fenster oder Tür. Alfiz = deren obere Rahmung.

Li: Almohadisches Kapitell, Marrakesch, Kutubiyya-Moschee, M. 11. Jh., Alhambra-Stil. – Mi: Stalaktiten-Kapitell. – Re: Kapitell mit Yeseria-Muster (= Stuckwerk, kleinteilig, gelegentlich bemalt, auch in Stalaktitenformen). Granada, Alhambra.

WECHSELBEZIEHUNGEN

zwischen islamischer, christlicher und jüdischer Baukunst in Spanien.

Der spanische Islam zeigt meist große religiöse Toleranz. Kauf, auch mietweise Simultannutzung christlicher Kirchen (Toledo, Cristo de la Luz*) sind häufig, Enteignungen selten.

MOZARABISCHER STIL

Die Mozaraber, d. s. unter maurischer Herrschaft tolerierte Christen, können meist ungehindert auf islamischem Territorium Kirchen errichten. Ihr Baustil (9.–11. Jh.) vermischt westgotische (57*) und islam. Elemente.

– 3–5schiff. Basilika mit 3 Apsiden
– Hufeisenbogen (in der westgotischen und islamischen Baukunst unabhängig voneinander erfunden), auch im Grundriß
– geringes tektonisches Empfinden, z. B. dünne Säulen unter schweren Mauermassen
– Holzdecke
– Tonnen- oder kuppelige Kreuzgewölbe
– islamische, byzantinische und westgotische Kapitelle und Ornamentik
– schwache, mystische Belichtung

Beispiel: S. Miguel de Escalada, 128*

MUDÉJAR-STIL

Nach der Vertreibung der Mauren werden zahlreiche islamische Bauten als christliche Kirchen genutzt. Die Katholischen Könige Ferdinand und Isabella allerdings weisen auch die spanischen Juden aus und zerstören oder okkupieren ihre Synagogen. Islamische Werkleute, die Mudéjares, die in den wiedereroberten Gebieten Spaniens verblieben sind, bauen vom 10. bis A. 16. Jh. im Auftrag der Christen und Juden (Toledo*). Ihr islamischer Dekorationsstil vermischt sich dominant mit abendländischer Baukunst. Er beeinflußt noch spanische Gotik und Platero-Stil (180*).

– Backstein, glasierte Kacheln (»azulejos«)
– Hufeisenbogen
– Stern-Rippengewölbe
– flache Dekorationsreihen an der Fassade
– Artesonado-Decken*; Celosía-Fenster, 86*
– arabische (kufische) Schriftzeichen, auch in christl. Kirchen (Sevilla, Alcazar)
– Stuck, Fayencen, emaillierte stilisierte Pflanzenformen
– minarettartige Türme

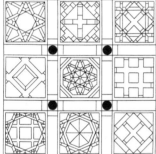

Toledo, ursprünglich westgot. Kapelle, 999 zur Bib-Mardum-Moschee umgebaut, seit 15. Jh. christliche Kirche Cristo de la Luz. Backsteinbau im Cordoba-Stil. Die 9 unterschiedlichen Kuppelgewölbe werden von Hufeisenbogen-Arkaden getragen, die auf westgotischen Kapitellen und Marmorsäulen ruhen.

O: Teruel, Torre San Martin, 15. Jh. Polychromer Backsteinbau, Mudéjar. – Mi: Artesonado-Decke. Salamanca, E. 15. Jh. – U: Toledo, S. Maria la Blanca, um 1180 von islam. Bauleuten gebaut, 5schiff. Synagoge; Hufeisen-Arkaden auf Achtkantpfeilern, Yeseria-Schmuck an Hochwänden. Seit 1405 Kirche.

Höfischer Stil z. Zt. der Almohaden und Nasriden: Tordesillas, Sta. Clara, 1340 beg.; Las Huelgas, Kapelle Alfons VIII., A. 13. Jh.; Sevilla, Alcazar, 12.–16. Jh.; Toledo, Synagogen*.
Volkstümlicher Stil: Blendarkaden in Kastilien (Sahagún, Arévalo, Toledo*), Kacheldekor an Glockentürmen in Aragonien (Teruel*)

CORDOBA Große Moschee

Gegründet 786 von Abd er Rahman I. nach nordafrikanischem Schema (Sidi Aqba-Moschee in Kairouan/Tunesien).

1. Bauperiode:
- 11schiffig, breites Mittelschiff, Hof
- Stützenreihen verlaufen senkrecht zur Qibla (= Gebetsrichtung nach Mekka)

2. Bauperiode:
- unter Abd er Rahman II., 822–50: 7 weitere Joche
- unter Abd er Rahman III., 912–61: Erneuerung des Minaretts an der N-Mauer des Hofes, quadratisch nach syrischen Mustern und selber Vorbild für die »Giralda« in Sevilla

3. Bauperiode unter El-Hakam, 961–97: die Erweiterungen um 14 Joche in Qibla-Richtung, der Mihrab-Trakt im S und 3 vorgelagerte Kuppeln (mit quadratbildenden Rippen, 85*) ergeben eine typische Transept-Moschee

4. Bauperiode unter dem Großwesir El-Mansur (»Almansor«), 976–1009:
- 8 Schiffe im O und Verbreiterung des Hofes zur Gesamtfläche von 176 × 128 m
- Hofarkaden mit Stützenwechsel (Vorbild: Damaskus, Große Moschee, 706–15)
- Außenbau mit Stützpfeilern, 23 Tore mit Blendnischenfries über Hufeisenbogen
- Inneres: Bogenreihen, 10 m hoch, rundbogig – 2geschossig nach dem Vorbild röm. Aquädukte, hufeisenförmig nach der omayyadischen Tradition (Damaskus-Moschee) und westgotischen Bauten (85*)
- Schichtenwechsel: rote Ziegel, weißer Stein
- einander kreuzende Zackenbogen (abbassidisch) mit Stuckdekor
- vergoldete korinthische und römische Kompositkapitelle
- Mihrab (= Gebetsnische) 8eckig mit muschelförmiger Kuppel (omayyadisch); Eingang: Blendnischenreihe mit Kleeblattbogen über monumentalen Hufeisenbogen, 89*
- reiches Dekor: Kandelaber-Muster in Mosaik auf Goldgrund (von byzantinischen Künstlern)
- kufische Schrift (abbassidisch)

Fortsetzung Seite 89

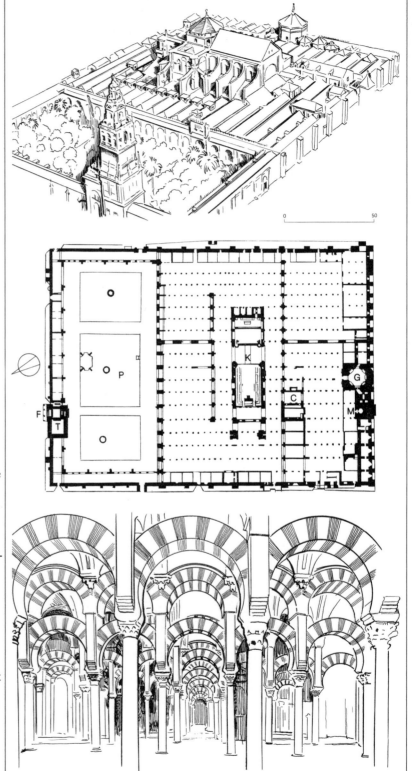

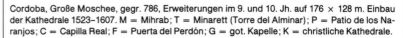

Cordoba, Große Moschee, gegr. 786, Erweiterungen im 9. und 10. Jh. auf 176 × 128 m. Einbau der Kathedrale 1523–1607. M = Mihrab; T = Minarett (Torre del Alminar); P = Patio de los Naranjos; C = Capilla Real; F = Puerta del Perdón; G = got. Kapelle; K = christliche Kathedrale.

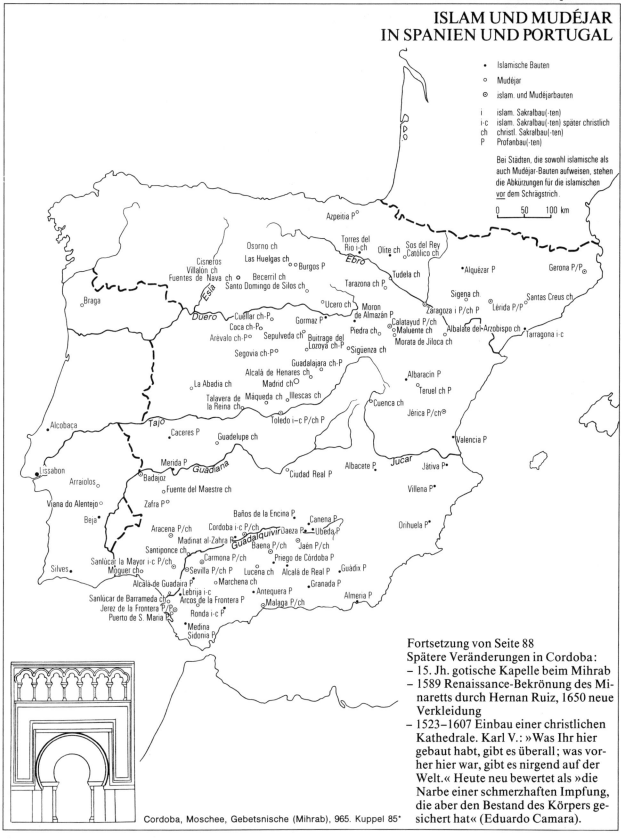

ISLAM UND MUDÉJAR
IN SPANIEN UND PORTUGAL

• Islamische Bauten

○ Mudéjar

⊙ islam. und Mudéjarbauten

i islam. Sakralbau(-ten)
i-c islam. Sakralbau(-ten) später christlich
ch christl. Sakralbau(-ten)
P Profanbau(-ten)

Bei Städten, die sowohl islamische als
auch Mudéjar-Bauten aufweisen, stehen
die Abkürzungen für die islamischen
vor dem Schrägstrich.

0   50   100 km

Azpeitia P

Osorno ch
Torres del
Rio i-ch   Olite ch   Sos del Rey
Católico ch

Cisneros
Villalón ch   Las Huelgas ch   Burgos P   Ebro   Alquézar P   Gerona P/P
Fuentes de Nava ch   Becerril ch   Tudela ch
Santo Domingo de Silos ch   Tarazona ch P   Sigena ch.
Braga   Ucero ch   Moron   Zaragoza i P/ch P   Santas Creus ch
de Almazán P   Lérida P/P
Duero   Cuéllar ch-P   Gormaz P   Calatayud P/ch   Albalate del-Arzobispo ch   Tarragona i-c
Coca ch-P   Piedra ch   Maluente ch   Tarragona i-c
Arévalo ch-P   Sepulveda ch   Buitrage del   Morata de Jiloca ch
Segovia ch-P   Lozoya ch-P   Sigüenza ch
Guadalajara ch-P   Albaracín P
Alcalá de Henares ch   Teruel ch P
La Abadia ch   Madrid ch
Talavera de   Máqueda ch   Illescas ch   Cuenca ch
la Reina ch   Jérica P/ch⊙
Tajo   Toledo i-c P/ch P
Alcobaça   Caceres P   Guadalupe ch   Valencia P

Merida P   Guadiana   Albacete P   Jucar   Játiva P
Lissabon   Ciudad Real P   Villena P
Arraiolos   Badajoz
Fuente del Maestre ch
Viana do Alentejo   Zafra P
Beja   Baños de la Encina P   Canena P
Aracena P/ch   Cordoba i-c P/ch   Baeza P   Ubeda P   Orihuela P
Madinat al-Zahra P   Guadalquivir   Baena P/ch   Jaén P/ch
Santiponce ch   Priego de Córdoba P
Silves   Sanlúcar la Mayor i-c P/ch   Carmona P/ch   Guádix P
Moguer ch   Sevilla P/ch P   Lucena ch   Alcalá de Real P
Alcalá de Guadaira P   Marchena ch   Granada P
Lebrija i-c   Antequera P   Almeria P
Sanlúcar de Barrameda ch   Arcos de la Frontera P
Jerez de la Frontera P/P   Ronda i-c P
Puerto de S. Maria P
Medina
Sidonia P

Cordoba, Moschee, Gebetsnische (Mihrab), 965. Kuppel 85*

Fortsetzung von Seite 88
Spätere Veränderungen in Cordoba:
– 15. Jh. gotische Kapelle beim Mihrab
– 1589 Renaissance-Bekrönung des Minaretts durch Hernan Ruiz, 1650 neue
  Verkleidung
– 1523–1607 Einbau einer christlichen
  Kathedrale. Karl V.: »Was Ihr hier
  gebaut habt, gibt es überall; was vorher hier war, gibt es nirgend auf der
  Welt.« Heute neu bewertet als »die
  Narbe einer schmerzhaften Impfung,
  die aber den Bestand des Körpers gesichert hat« (Eduardo Camara).

Murrhardt, Apsis der Walderich-Kapelle. Spätromanik

ROMANIK

Der wenig glückliche Name »Romanik« vermittelt den Eindruck, daß die mittelalterliche Kunst nichts anderes sei als ein Ausläufer der mittelmeerischen Spätantike. Tatsächlich trifft dies aber nur für die karolingische und ottonische Zeit zu. Hier sind die Parallelen zu Byzanz, Rom, Kleinasien, Syrien und Armenien durchaus sichtbar. Und doch bilden sich gerade in dieser Epoche auch die neuen, nordisch-abendländischen, bisher nie gesehenen Bauformen heraus, die für lange Zukunft die gesamte europäische Baukunst prägen sollen.

Geschichtliche Voraussetzungen

Nach dem Untergang Roms treten die Gebiete nördlich der Alpen politisch und seit Karl dem Großen auch künstlerisch immer mehr in den Vordergrund. Die Macht der deutschen Kaiser erstreckt sich bis nach Italien und Spanien: erst im 11. Jahrhundert gewinnen die großen lombardischen Städte Selbständigkeit. Die Normannen setzen sich im 11. Jahrhundert in England, in Süditalien und Sizilien fest. Im Norden und Osten Europas führt die Missionierung der »Heiden« zur Eroberung der Länder und Völker bis zum Baltikum und der westslawischen und ungarischen Gebiete. Weniger dauerwirksam, aber gleichwohl kennzeichnend für die Macht des Abendlandes sind die Auseinandersetzungen mit dem Islam während der Kreuzzüge (1096–1270). Immerhin lernen die Kreuzfahrer aus allen europäischen Ländern einander kennen und die Andersartigkeiten ihrer kulturellen Herkunft überbrücken. Europäische Gemeinsamkeit zeigt das feudale Lehnssystem, durch das Europa sozial, militärisch und verwaltungstechnisch organisiert wird. Die Hierarchie der Stände aus Adel und Rittertum, Geistlichkeit, Bürgern und Bauern, die kirchliche Organisation in Diözesen und Pfarreien, das Aufblühen der Klöster in ganz Europa sind Zeichen einer großartigen geistigen und realen europäischen Einheit.

Die reinigenden Reformen aus dem burgundisch-benediktinischen Mönchstum von Cluny, Gorze und Cîteaux veranlassen den langen Streit zwischen Papst und Kaiser. Das Gegenüber der beiden wichtigsten Bauten des 11. Jahrhunderts, des burgundischen Cluny III und des salischen Kaiserdoms zu Speyer am Oberrhein, wird heute gern vereinfachend als historischer Ausdruck dieser Bipolarität gesehen. Der Investiturstreit zwischen Rom und den salischen Kaisern ist ein Höhepunkt der Erschütterungen, vor denen weder Kirche noch Kaisertum bewahrt bleiben.

Das Zeitalter der Romanik kennt allerdings noch nicht Nationen im modernen Sinn. Wenn also Deutschland, Italien und Frankreich als die Gebiete genannt werden, in denen sich die Führung der baulichen Entwicklung abspielt und abwechselt, dürfen die Beiträge der kleineren Nationen wie Belgien, die Niederlande, die Schweiz, Skandinavien und das östliche Mitteleuropa nicht vergessen werden, die erst später zu nationaler Selbständigkeit gelangen. So existieren allein in den Niederlanden noch 10 romanische Krypten.

Die politische Regenerierung in ganz Europa seit dem ausgehenden 10. Jahrhundert, verbunden mit der alle Lebensbereiche durchdringenden christlichen Idee, führt zu einem ungeheuren Aufschwung der Baukunst. Der Sakralbau herrscht vor. Im Weltbild des romanischen Menschen ist die Macht des Kaisers das Abbild der Allgewalt Gottes. Daß die monumentalen Kirchen, die Gottesburgen, den Ritterburgen ähnlich sehen und daß die Bilder des Gekreuzigten eine Königskrone tragen (statt der erst später üblichen Dornenkrone), sind für ihn deshalb nur selbstverständliche Gleichnisse.

Erst die Reform-Orden (clunyazensische Benediktiner, später Prämonstratenser, Zisterzienser) benutzen auch die Mittel der Architektur, um Kaisertum und Papsttum voneinander abzugrenzen. Papst Gregor VII., vielleicht ehemaliger Mönch aus Cluny, der in Canossa 1077 dem Kaiser gegenübersteht, wird zur Symbolfigur für die verhängnisvolle Spaltung von kirchlicher und weltlich-ordnender Macht werden. Daneben bewirken aber ebenso die Eigenständigkeit der deutschen Stämme wie die ethnische Vielfalt der französischen Bevölkerung (Germanen, Romanen, Kelten, Gallier) landschaftlich unterschiedliche architektonische Lösungen. Hinzu kommt das Bedürfnis, die Eigenart der weitgehend selbständigen Bistümer, vor allem aber der Orden, in ihren Bauwerken auch in einer besonderen Formensprache darzustellen (Bauschulen). Dennoch begründen der gemeinsame christliche Geist und die Tradierung des römischen Steinbaus, verbunden mit allgemein angewandten Bauformen wie Rundbogen und Abwandlungen des Würfelkapitells und die blockhaften Formen des Baukörpers, eine europäische Einheitlichkeit.

Klerikern und Mönchen obliegt die Bauverwaltung. Als Baumeister und Handwerker sind sie nicht nachgewiesen. Es ist auch fraglich, ob bis zum 12. Jh. außer für Details (Fassade, Portal, Fenster) Baupläne gezeichnet werden oder ob der Bauvorgang in der Regel »in empirischer Auseinandersetzung mit dem Material und den im Lauf der Bauführung auftretenden Einzelproblemen« verlief (R. Oertel).

Während der ungerichtete, in sich ruhende Verweilbau einer doppelchörigen Anlage von Norden oder Süden her betreten wird und den liturgisch wichtigeren Ostteil nicht auf den ersten Blick erkennen läßt (Hildesheim und Worms, 97*), ist der nach Osten gerichtete, einchörige Wegbau ein leicht verständliches Symbol für den christli-

Architektonische Formensprachen als Ausdruck geistiger, politischer und landschaftlicher Eigenständigkeit

Zerlegung des Langbaus, Gewölbe

chen Lebensweg aus dem Diesseits (Langschiff) ins himmlische Jenseits, das sich auf dem Altar offenbart (Hersfeld und Autun, 97*). Flachdecke und Tonnengewölbe lassen den Weg in einem solchen Raum auch optisch zum Altar in der Ostapsis fließen.

Bald wird dieser lange Raum zerlegt. »Zerlegung« ist ein gebräuchlicher, aber mißverständlicher Terminus. Er kann natürlich nicht wörtlich verstanden werden, weil weder Mittel- noch Seitenschiffe körperlich durch Quermauern aufgeteilt werden. (Am ehesten träfe er noch für die Schwibbögen der italienischen Protorenaissance zu, 134*.) In Wirklichkeit besteht die Zerlegung in einem optisch-gefühlsmäßigen Eindruck, der von den Gliederungen der Wände und der Decke ausgeht. Solche Gliederungen durchlaufen im 11. Jahrhundert einen mehrstufigen Entwicklungsprozeß (vgl. 96*, 97*): Um die Jahrtausendwende sind die Innenwände des Hochschiffs noch weitgehend ungegliedert (Hildesheim). Aber in der Arkadenzone beginnt bereits eine Rhythmisierung durch den Wechsel von Pfeiler und Säule = Stützenwechsel. In Jumièges werden den Pfeilern deckenhohe Halbsäulen – ohne tragende Funktion – vorgelegt. Sie übertragen das mit dem Stützenwechsel begonnene Prinzip auch auf die Hochwände, indem sie diese in Einzeltafeln aufteilen. Während solche Vorlagen in Speyer noch in runden Wandbogen enden, tragen sie in Cluny III bereits die Gurte des Tonnengewölbes. Mit ihnen zusammen markieren sie vom Boden über die Decke und wieder zum Boden führende Abteilungen der Wände. Zwischen solche Gurte werden in Speyer gegen 1090 die Kappen von Kreuzgratgewölben gespannt. Die frühen, etwa gleichzeitigen normannischen Kreuzrippen haben noch keine tragende, sondern rein ästhetische Funktion (Caen, Ste-Trinité, 112*), während sie in Worms sich selber tragen und die Gewölbekappen stützen (sh. auch 102*). All diese Kreuzgewölbe bilden in Verbindung mit den Wandvorlagen baldachinähnliche Einzelelemente: die Endstufe der »Zerlegung des Raumes«. Kuppelreihungen verstärken noch den Eindruck von Einzelkompartimenten (Aquitanien, 118*).

Das deutsche »gebundene System« bezieht seine Maße nicht aus den Weglängen von Haupt- und Querschiff, sondern aus dem Flächenmaß des Vierungsquadrats. Es wiederholt sich in den Querhausflügeln, in Chor- und Langhaus und – seitenhalbiert – in den Seitenschiffen.

Seit der Jahrtausendwende wird die Hochschiffwand bis zum Obergaden durch Öffnungen belebt: zaghaft durch Blendbogenstellungen (Worms, 96*), kühner durch Emporengalerien, in der Normandie und in England sogar durch emporenähnliche offene Triforien und Laufgänge vor dem Obergaden (Caen, 112*; Peterborough, 130*). In der Übergangsphase zur Gotik führt die Einfügung von Empore plus Triforium folgerichtig zum vierzonigen Wandaufbau (Laon, 144*; Limburg; Noyon, 96*). Erst die Gotik wird die waagerechten Wandstreifen – durch Verzicht auf die Empore – vereinfachen und zu aufwärtsstrebenden Elementen umformen.

Am Trierer Dom (110*) taucht 1050 erstmals die Zwerggalerie auf. Sie wird im Rheinland und in Oberitalien zum bevorzugten Mittel, die Außenwände in zwei Schalen aufzulockern (101*). Die Fenster entwickeln sich von der strengen rundbogigen Form bis zu barock anmutenden Phantasieformen (Schlüsselloch, Palmette, Lilie) des Übergangsstils (144f.*).

Gebundenes System, Wandöffnungen

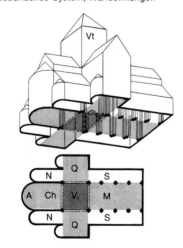

Vierung, Ort der Durchdringung von Mittel- und Querschiff, bildet bei deren gleichen Breiten im Grundriß das Vierungsquadrat, die Maßeinheit des »Gebundenen Systems«. V Vierung, Vt Vierungsturm, Q Querhausarm, Ch Chorhaus, A Apsis, N Nebenchor mit Nebenapsis, M Mittelschiff, S Seitenschiff.

Frankreich hat früh zwei Chorformen erfunden, die das Problem der Unterbringung von Altären lösen: den Staffelchor und den Chorumgang mit Kapellen (76*). Diese Kapellen sind noch deutlich voneinander getrennt und sollen erst in der Gotik zum geschlossenen Kapellenkranz werden.

Nachdem die Vierung quadratisch und ausgeschieden worden ist, kann sich in organischer Weise über ihr der Vierungsturm erheben. Mit den Turmpaaren der Fassaden zusammen, deren Herkunft man aus frühchristlich-syrischen Vorbildern (Turmanin, 49*) und den karolingischen Westwerktürmen ableitet, entstehen die vieltürmigen Gottesburgen (Hildesheim, 79*; Tournai, 111*; Limburg).

Die Krypten der Romanik sind immer gewölbt und nehmen z. T. weitläufige Ausmaße an (Speyer*; Gurk, 105*). Gelegentlich sind sie zum Mittelschiff hin offen (Verona, S. Zeno; Worms, Urbau). Sie liegen meist unterm Chor und sind durch 2 Säulenreihen in 3 Schiffe geteilt, erstrecken sich aber auch unters Querschiff und bis weit unter das Mittelschiff.

Von der Antike bis ins 18. Jahrhundert tritt immer wieder der Typ der Chorscheitelrotunde auf. Sie ist formal ein meist zweigeschossiger Rund- oder Polygonalbau in der Achse des Chores. Ihre Vorbilder sind die Mariengrab- oder die Heiliggrab-Rotunde in Jerusalem (38*). Gelegentlich ist sie auch nur eine spätere Umformung einer Außenkrypta (Halberstadt). Als Mausoleum von Stiftern und Landesherren steht sie oft frei und wird erst nachträglich in die Kirche einbezogen (Genf, Alte Kathedrale). Meist ist sie aber Aufbewahrungsort von Reliquien oder Heiligengrab. Später, besonders in der englischen Gotik, wird sie vorwiegend zur Marienkapelle (»Lady Chapel«).

Das ottonische Würfelkapitell, die eigenständige nordische Umformung des antiken korinthischen Kapitells, nimmt an der wachsenden Dekorationsfreude der Romanik teil. Es wird mit Scheiben, Palmetten, Figuren oder Bestien verziert, sogar in Backstein gemauert; als Kelchblockkapitell findet es seine späte Form.

Das einfache Leibungsportal wird bald zum schräg eingeschnittenen Gewändeportal, das durch Säulen, Nischen oder beides im Wechsel profiliert wird. Vom 12. Jahrhundert ab treten beiderseits des Portals Figuren dazu, zunächst noch nicht bestimmten Baugliedern zugeordnet, sondern lose auf der Fläche verteilt (Ripoll; Regensburg, St. Jakob; Pavia, San Michele, 132*). Bald stehen Figuren zwischen oder vor den Säulen der Gewände (Basel; Chartres-W). Im Tympanon wird häufig Christus als Pantokrator beim Jüngsten Gericht dargestellt. In der Provence wird das Schema des römischen Triumphbogens übernommen und mit Figuren geschmückt, die in Nischen zwischen Pilastern stehen (Arles und St-Gilles, 122*). Das Poitou gliedert schließlich die gesamte Fassade in Geschosse, die mit Figurennischen angefüllt werden (Poitiers, Notre-Dame-la-Grande, 119*).

In Deutschland wird selten die Portalzone, häufiger dagegen das Kircheninnere mit figürlichem Schmuck ausgestattet. Chorschranken und Lettner, durch die der Altarraum vom Gemeinderaum abgetrennt wird, sind die bevorzugten Orte für Propheten- und Apostelzyklen. An den Außenwänden der Kirchen, am Portal (Türklopfer), aber auch an liturgischen Geräten (Taufstein), haben Fratzen, Tiere und verschlungene Ornamente apotropäische (geisterabwehrende) Funktion.

Chor
96*

Türme
100*

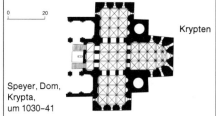

Krypten

Speyer, Dom,
Krypta,
um 1030–41

Chorscheitelrotunden
78*; 142*

Kapitelle
98*

Portale, Figuren
99*

Lettner, Chorschranken
101*

Apotropäische Plastik
101*

Bausteine

Erst im 11. Jahrhundert werden die bis dahin üblichen kleinen, grob behauenen Steine mit starker Mörtelbettung durch sorgfältig bearbeitete große Quadern ersetzt, die nur wenig Mörtel brauchen. Dieser Reifeprozeß findet im zweifarbigen Schichtenwechsel des 11. Jahrhunderts (Hildesheim, 79*; Tournus) frühen, in der kleinteiligen Formensprache der Friese und der üppigen spätromanischen Dekorationen des 13. Jahrhunderts (Neuß, 145*) späten Ausdruck.

Zentralbau
142*

Der Zentralbau ist auf Baptisterien und Karner und wenige Ausnahmen von Gemeindekirchen beschränkt. In den rheinischen Dreikonchenanlagen verbindet sich ein östlicher Zentralbau mit einem westlich angeschlossenen Langbau. Sh. auch → Doppelkapelle*.

Übersicht

Vorromanik **(Ottonik)** 10. Jahrhundert	Sachsen	Heinrich I. Otto I. Otto II. Otto III. Heinrich II.	919– 936 936– 973 973– 983 983–1002 1002–1024	Beibehaltung karolingischer Bauformen Großbauten Säulen oder Pfeiler Stützenwechsel Überfangbogen Flachdecke glatt geschlossene Wände Vierung nach 1000 verbreitet Führung: Deutschland
Frühromanik 1000–1100	Salier	Konrad II. Heinrich III. Heinrich IV.	1024–1039 1039–1056 1056–1106	Differenzierung des Baukörpers durch Stützenwechsel Bündelpfeiler Überfangbogen Dienste an den Hochschiffwänden ausgeschiedene Vierung mit Vierungsturm Seitenschiffgewölbe Hochschiffgewölbe gegen Ende des Jahrhunderts Zwerggalerie Quader statt Bruchstein Führung: Deutschland, später Normandie, Burgund
Hochromanik 1100–1180	Salier Sachse Staufer	Heinrich V. Lothar III. Konrad III. Friedrich I. Barbarossa	1106–1125 1125–1137 1138–1152 1152–1190	Voll überwölbte Bauten Systematisierung aller konstruktiven Teile plastische Durchformung der Einzelglieder Triforium Zwerggalerie Rippengewölbe und Strebewerk Vermehrung der Türme Fassaden erste Spitzbogen (Burgund) reiche Bauplastik (Südfrankreich) Führung: Frankreich, hier in der 2. Hälfte des Jahrhunderts Übergang zur Gotik
Spätromanik 1180–1240	Staufer und Welfen	Heinrich VI. Staufische und welfische Gegenkönige Otto IV. Friedrich II. Konradin	1190–1197 1198–1218 1212–1250 1267–1268	Weitgehend auf Deutschland beschränkt. Reichste Dekoration der Bauglieder ausschließlich Gewölbebau Spitzbogen verdrängt den Rundbogen In Frankreich und England reine Gotik.

Sägezahn-, Spitzzahnfries

Zickzack-, Zackenfries

Zahnschnitt, Zahnfries, Deutsches Band

Rautenfries

Diamantfries, Nagelkopf

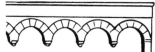

Diamantfries

Rundbogenfries

Rundbogenfries

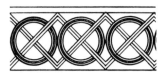

Kreuzbogenfries

Entrelacs, Flechtbandfries

Blatt-, Laubfries

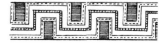

Tierfries

Mäander

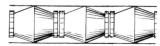

Schnabelkopffries

Kegelfries

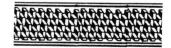

Rollenfries

Schachbrett-, Würfelfries

Taufries

Scheibenfries

Platten-, Felderfries

Schuppenfries

Lisene (L) zwischen Rundbogenfriesen

Blendarkaden

ENTWICKLUNG DES WANDAUFRISSES

Hildesheim, 1010–33

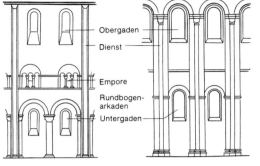

Jumièges, 1060. 3zonig, Empore mit Überfangbogen, Stützenwechsel.

Speyer, Urbau, 1050, 2zonig, Vorlagen vor jedem Pfeiler, kein Stützenwechsel.

Cluny III, um 1100, 3zonig mit Triforium. Vorlagen 3fach gestaffelt.

Flachdecke: Hildesheim; Jumièges; Speyer

Spitztonne: Cluny III

Kreuzgratgewölbe: Knechtsteden

Kreuzrippengewölbe: Worms (gebundenes System); Noyon (queroblonge Gewölbefelder)

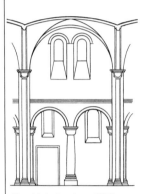

Knechtsteden, beg. 1138. 2zonig, Stützenwechsel, Jochbildung durch Gewölbe.

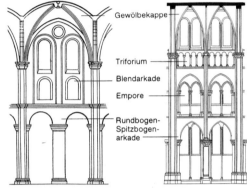

Worms, um 1160, 3zoniger Aufbau, Blendarkade als 2. Zone.

Noyon, 1185–1200. 4zonig mit Empore und Triforium. Übergang zur Gotik.

CHOR

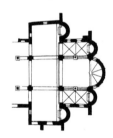

Staffelchor
Gengenbach, Klosterkirche

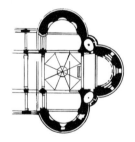

Dreikonchenchor
Köln, St. Aposteln

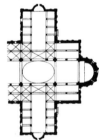

Runder Chorschluß
Pisa, Dom

Polygonalchor
In der Spätromanik besonders von Lothringen ausgehend

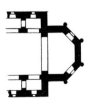

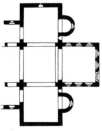

Gerader Chorschluß
Limburg/Hardt
Klosterkirche

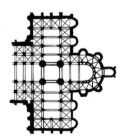

Umgang mit
Radialkapellen
Toulouse, St-Sernin

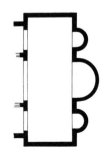

Apsiden am Querhaus
Salerno, Kathedrale

GRUNDRISSFORMEN

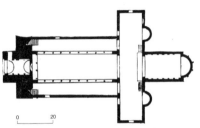

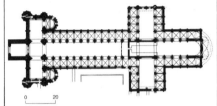

Hersfeld, Klosterkirche, 1038–1144. Langhaus gleichlang und gleichbreit wie das Querschiff, d. h. dem Grundriß liegt ein Längenmaß zugrunde. Vierung nicht ausgeschieden. Das Langhaus bildet keine Joche. Apsiden und Chor nur im Ostteil = einchöriger Richtungsbau.

Hildesheim, St. Michael, 1010–33. Ältester erhaltener Bau mit ausgeschiedener Vierung. Dessen Grundflächenmaß wiederholt sich im Mittelschiff (Pfeiler an den Eckpunkten, dazwischen Säulen = Stützenwechsel) und im Querschiff, nicht in den Seitenschiffen. Doppelchörig-ungerichtet.

Ely, Kathedrale, beg. nach 1080. 3schiffige normannisch-englische Basilika mit Querschiff, Langchor und Stützenwechsel. Dreizoniger Wandaufbau: Arkade – emporenähnliches Triforium mit Zwillingsöffnung – Laufgang mit Drillingsöffnung vor dem Obergaden bilden jeweils eine Achse. Flachdecke. Gestrichelt = urspr. Chorumgang.

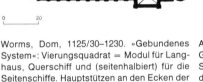

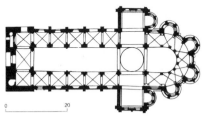

Worms, Dom, 1125/30–1230. »Gebundenes System«: Vierungsquadrat = Modul für Langhaus, Querschiff und (seitenhalbiert) für die Seitenschiffe. Hauptstützen an den Ecken der Mittelschiffsquadrate, dazw. schwächere Nebenstützen. Doppelchörig-ungerichtet. Vollständige Überwölbung (Kreuzgewölbe).

Autun, St-Lazare, 12. Jh. Vierungsquadrat = Grundlage der Abmessungen aller Schiffe. Sie sind aber im Mittelschiff durch Quergurte des Tonnengewölbes in Rechteckfelder zerlegt, die mit den Seitenschiff-Feldern zusammen Quereinheiten bilden: Vorläufer der got. durchgehenden Travée. Einchörig.

Clermont-Ferrand, Notre-Dame-du-Port, Ende 11.–12. Jh. Chorumgang mit Radialkapellen. Mittelschiff tonnengewölbt ohne Quergurte. Vierungskuppel.

GEWÖLBE
KUPPEL

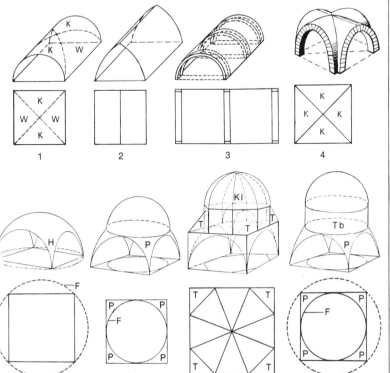

1 Tonnengewölbe, rund (Rundtonne)
   K Kappe, W Wange
2 Tonnengewölbe, spitz (Spitztonne)
3 Tonnengewölbe mit Quergurten,
   auch als Spitztonne
4 Kreuzgratgewölbe
   K Kappe
5 Kreuzrippengewölbe, gebust
6 Hängekuppel
   H Hängezwickel, F Fußkreis
7 Pendentifkuppel
   P Pendentif, F Fußkreis
8 Trompenkuppel
   T Trompe, Kl 8teiliges Klostergewölbe
9 Rundkuppel mit Tb Tambour.
   P Pendentif, F Fußkreis

→ Gewölbe; → Kuppel; 41*

KAPITELL

Englisch-normannische Würfelkapitelle
Northampton, St. Peter, um 1160

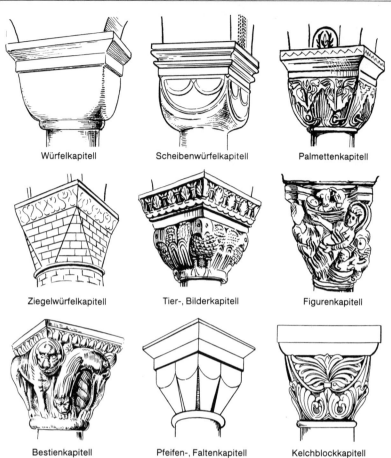

Würfelkapitell   Scheibenwürfelkapitell   Palmettenkapitell

Ziegelwürfelkapitell   Tier-, Bilderkapitell   Figurenkapitell

Bestienkapitell   Pfeifen-, Faltenkapitell   Kelchblockkapitell

SÄULE

1 Gewirtelte S., W Wirtel; 2 Knoten-S. mit Knospenkapitell; 3 Schlangen-S. mit antikisierendem
Kapitell; 4 Bestien-S.; 5 Attische Basis; 6 Eckblatt; 7 Ecksporn, -zahn

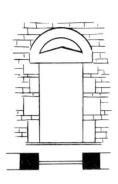

Frühromanisches Laibungsportal

Gewände-Säulenportal mit Halbsäulen in den Gewändenischen

Gewände-Säulenportal mit Vollsäulen in den Gewändenischen. Gewirtelte Archivolten

Baldachinportal, lombardisch
Fidenza, Dom, E. 12. Jh.

Entwickeltes Figurenportal
Straßburg, Münster, 13. Jh.

FENSTER

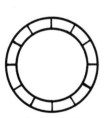

Rundfenster

Radfenster

Gekuppeltes Drillingsfenster

Vierpaßfenster

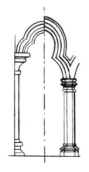

Kleeblattbögen
rund- und spitzbogig

Gegliedertes Fenster

Fächerfenster

TURM

St-Léonard	Saintes	Morienval
Haute-Vienne	Charente	Ile-de-France
Frankreich	Westfrankreich	Frankreich

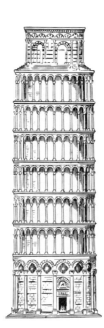
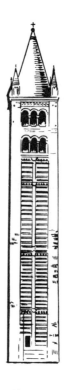
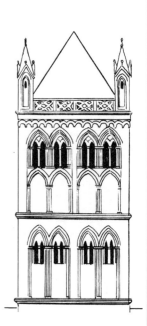

Pisa	Verona	Neuß
Toscana	Venezia	Niederrhein
Italien	Norditalien	Deutschland

ZWERGGALERIE

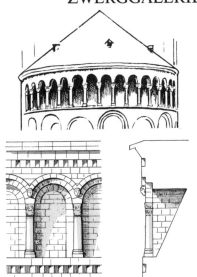

Niederrheinischer Typus der Zwerggalerie: Umgang mit Längstonne, Brüstung unter den Säulenarkaden.
Schwarzrheindorf, Doppelkapelle, 1151 geweiht

Mittelrheinischer Typus der Zwerggalerie: Umgang unter Quertonnen, deren Stirnseiten die Arkaden bilden. Keine Brüstung.
Mainz, Dom, Ostchor, A. 12. Jh.

O: Worms, Zwerggalerie an der Apsis des Doms, um 1140.
U: Frühlombardischer Typus, der sich auch in S-Frankreich findet. Hier: St-Guilhem-le-Désert/Languedoc, 12. Jh., Zwergarkaden der Apsis. Frühe Form, nicht begehbar.

LETTNER

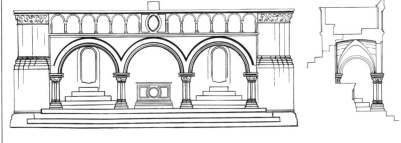

Naumburg, Ostlettner

APOTROPÄISCHE PLASTIK

Freckenhorst, Taufstein, Löwen als Symbol des besiegten Bösen

Marienmünster, Neidkopf, Abwehrfratze gegen das Böse

KAISERDOME

Mainz, 1081–1137 (1239)
Speyer, 1030 bis 12. Jh.
Worms, 1125 bis 13. Jh.

Die 3 Kaiserdome gelten als Höhepunkt der deutschen Romanik. In ihnen sammeln sich und kulminieren alle
wesentlichen Bauformen und Bau-
Tendenzen der Romanik des Rheinlandes. (Vgl. 110ff.)

Pfeilerbasilika
– Gebundenes System. Deshalb
  Hauptstützen > Nebenstützen
– doppelchörig
– Querschiff
– Kreuzgratgewölbe und (bei später
  eingewölbten Bauteilen) Kreuzrip-
  pengewölbe (in Frankreich Tonnen-
  gewölbe schon im 11. Jh. häufig;
  Kreuzrippengewölbe in Durham/
  England schon 1093)
– Wandaufbau zwei- und dreiteilig
– Emporen über den Eingangshallen
  (Speyer W, Mainz O)
– Dreikonchenanlage in Mainz W
– Gliederung durch
  Wandnischen
  Blendarkaden
  Lisenen
  Rundbogenfriese
  Zwerggalerie
– reiche Bauzier: Ornamente; apotro-
  päische Plastik, bes. in Worms
– Turmgruppen im O und W
– Vierungstürme
– Krypta 93*

RHEINISCHE
DREIKONCHEN-
ANLAGEN

Kölner romanische Schule

– Halbrunde Chornischen = Konchen
  im S, O, N der Vierung (röm. Vorbilder: Villa Hadriana, 292*; Piazza Armerina, 292*; Trier, Kaiserthermen,
  340*; u.a.)
– im unteren Konchenteil kleinere
  halbrunde Nischen
– im oberen Konchenteil Umgang
  (Galerie)
– Kleeblattform ist meist auch außen
  am Baukörper sichtbar
– Zwerggalerien
– Vierungsturm
– meist gebundenes System

Kaiserdom　　　　　**Dreikonchenanlage**

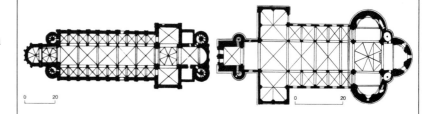

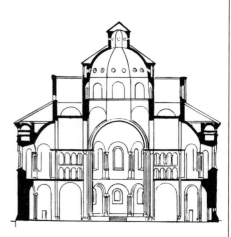

Worms, O-Teil 1125–40, Langhaus um 1160,
W-Teil 13. Jh. Dreischiffige Basilika im gebundenen System mit Rippengewölbe. Vierungskuppel und Kuppel im westl. Zentralturm.
Wandaufbau zwei- und dreizonig. Doppelchörige Anlage mit 6 Türmen und Zwerggalerien.

Köln, St. Aposteln, um 1200, Dreischiffige,
später 6teilig gewölbte Basilika mit westli-
chem Querschiff und 5 Türmen. Die 3 Kreuzarme an der Vierung enden kleeblattförmig in
halbrunden Nischen. a Blendarkaden, b
Zwerggalerie. Schnitt: östl. Querschiff.

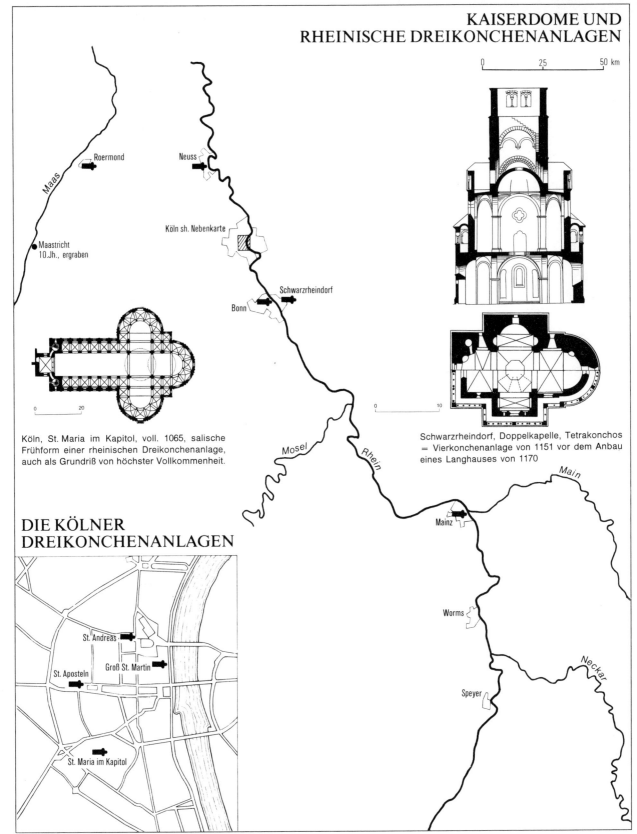

KAISERDOME UND
RHEINISCHE DREIKONCHENANLAGEN

0   25   50 km

Maas

Roermond

Neuss

Köln sh. Nebenkarte

Maastricht
10.Jh., ergraben

Schwarzrheindorf

Bonn

0   20

Köln, St. Maria im Kapitol, voll. 1065, salische
Frühform einer rheinischen Dreikonchenanlage,
auch als Grundriß von höchster Vollkommenheit.

Mosel

Rhein

Main

0   10

Schwarzrheindorf, Doppelkapelle, Tetrakonchos
= Vierkonchenanlage von 1151 vor dem Anbau
eines Langhauses von 1170

Mainz

DIE KÖLNER
DREIKONCHENANLAGEN

Worms

St. Andreas

Groß St. Martin

St. Aposteln

Neckar

Speyer

St. Maria im Kapitol

GEBIETE ÖSTLICH DES RHEINLANDES

Ausgeprägte Eigenentwicklung zeigen vor allem die Stammlandschaften Westfalen und Niedersachsen. Ottonische Bauteile werden gelegentlich mitverwendet. Gotische Um- und Anbauten sind häufig. In Oberschwaben, Bayern und der deutschen Ostmark werden romanische Kirchen später meist barockisiert.

Westfalen

– Basiliken, dreischiffig, im gebundenen System
– Hallenkirchen herrschen aber besonders unter den Bauten des Übergangsstils(Minden*,Osnabrück,Paderborn, Lippstadt, Billerbeck) vor
– seit Mitte 12. Jh. meist voll gewölbt (Kreuzrippen- und 8teiliges Domikalgewölbe mit Rippenscheiben)
– ein oder zwei Querhäuser
– Chorschluß rund oder platt
– massige Pfeiler mit dicken Vorlagen
– wenig gegliederte, machtvolle viereckige Türme, rund als Flankentürme
– Westbauten mit Mittelturmaufsatz und/oder Ecktürmen

Niedersachsen

kennt ebenfalls Hallenkirchen, bevorzugt aber Basiliken, vom 10.–12. Jh. mit Stützenwechsel P-S-P oder P-S-S-P.
– flache Decke
– Chor dreiteilig (gelegentlich Staffelchor), öfter mit reicher Gliederung, Bauplastik, Rundbogenfriesen und Flankentürmen
– zweizoniger Wandaufbau
– Gesims und Arkadenrahmung im Langhaus
– mächtige Westbauten mit Mittelturm und/oder Flankentürmen

Mainfranken, Mitteldeutschland

Die großen Dome von Bamberg* und Naumburg übernehmen u. a. das gebundene System, die Vieltürmigkeit und die Zwerggalerie (Bamberg) vom Rheinland, von Frankreich die Turmform (Laon, 144*) und die Vorliebe für reiche Bauplastik. Sie gehören mit Magdeburg, Würzburg, Arnstadt, Mühlhausen/Thür. bereits dem Übergangsstil an.

Westfalen

Franken

Domikal-gewölbe

Chor des 11.Jhs.

Minden/Westfalen, Dom, nach 1064 als romanische Basilika beg., Mitte 13.Jh. mit gotischer Halle weitergebaut. Rundpfeiler mit Diensten im Langhaus. Westbau als breiter Riegel. 2schaliges spätromanisches Chorhaus (Abb. unten). Der Chor des 11.Jhs. ist im Grundriß gestrichelt.

Bamberg, Dom, 1. Drittel 13. Jh. 3schiffige kreuzgewölbte Basilika im gebundenen System mit Querhaus im W, polygonalen Chören, 4 Türmen. Der O-Chor mit Zwerggalerie verrät rheinischen Einfluß. W-Türme nach Laoner Vorbild. Bedeutende Bauplastik (Bamberger Reiter, Fürstenportal; Chorschranken*).

Österreich

Ungarn

Gurk/Österreich, Dom, 1140–1200. 3schiffige Basilika. Berühmte 100säulige Krypta mit Kreuzgratgewölbe (Abb. unten). 3 unterschiedlich hohe Apsiden am Querhaus wie oft in S-Europa, aber im Raumcharakter steiler und mit stärkeren Mauern. Turmhelme aus barocker Zeit.

O u. Mi: Pécs/Ungarn, Kathedrale, nach 1064. Ital. und ostdt. Einflüsse. – U: Ják/Ungarn, Hauptportal der Abteikirche, 1256 gew. Spätromanisch. Normann. Ornamentik (Bamberger und Regensburger Einfluß); säulentragende Löwen (lombard.). Christus und Apostel gelten als bedeutendste ungar.-roman. Plastik.

Norddeutschland

bevorzugt die flachgedeckte Basilika mit Querhaus, Stützenwechsel (Quedlinburg, Halberstadt, Hecklingen/Anhalt), Pfeilern (Königslutter) oder Säulen (Jerichow = Backsteinbau!).

Österreich

Auch hier haben gotische und barocke Um- und Neubauten nur einen geringen Bestand romanischer Kirchen zurückgelassen.

Ungarn

Die frühromanischen Kathedral- und Stiftskirchen stehen in der Tradition italienischer und bayerischer Bauten.
Saalkirche ohne Querschiff, mit breiter Ostapsis
Rundkirche als Burgkapelle
Basilika, dreischiffig, mit Flachdecke, seit dem späten 11. Jh. mit 3 Apsiden und ohne Querschiff
- Unterkirche
- 2 Türme im O oder W oder viertürmig (Pécs*; Südseite = Hauptfassade im 19. Jh. historisierend mit 11achsigen Blendarkaden und Zwerggalerie im toskanisch-romanischen Stil umgestaltet)
- »Sippenklosterkirchen« mit 2 W-Türmen und Herrschaftsempore im W-Teil bilden seit dem 12. Jh. eine ungarische Sonderform (Akos, Kapornack, Pécs), seit 13. Jh. gewölbt und mit prachtvoller Bauornamentik von oberrheinischer, Bamberger und normannischer Herkunft (Ják*, Lébény, Zsámbék).

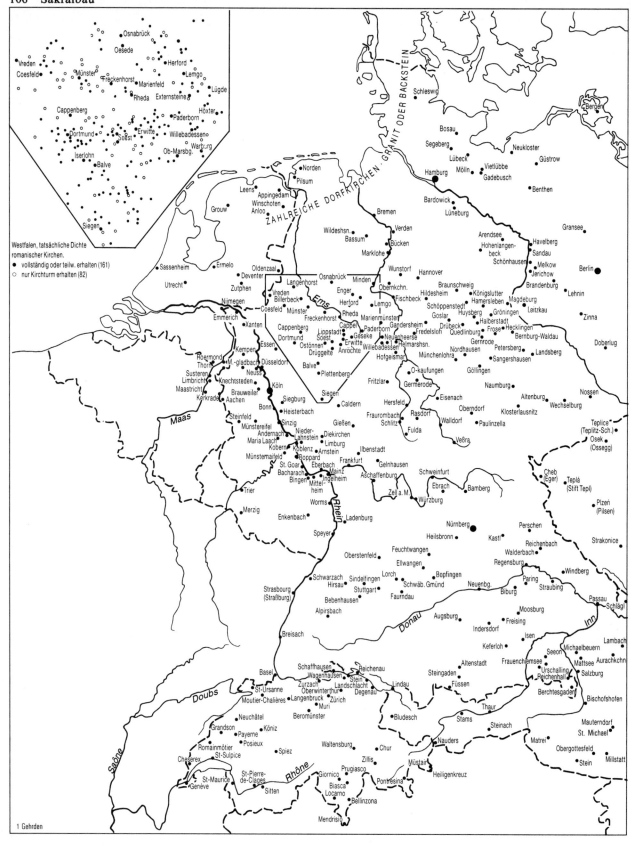

Westfalen, tatsächliche Dichte
romanischer Kirchen.
● vollständig oder teilw. erhalten (161)
○ nur Kirchturm erhalten (82)

1 Gehrden

ROMANIK IN MITTEL-
UND OSTEUROPA

0   50   100 km

Sh. auch Karten auf den
Seiten 104, 109, 114 f., 141

Memel

Gdansk
(Danzig)

Olsztyn
(Allenstein)

Kamienic

Szczecin (Stettin)

Kamieniec

Brzesko
Ziemomyśl

Lubanowo

Swobnica

Gorzów
(Landsberg)

Bydgoszcz
(Bromberg)

Kruszwice

Mogilno

Strzelno

Płok

Bug

Poznán
(Posen)

Ostrów Lednicki

Gniezno (Gnesen)

Warszawa
(Warschau)

Łęczyca

Tum

Oder

Grzegorzewice

Łodz

Piotrkóa

Radom

Legnica
(Liegnitz)

Lubiąż

Oleśnica

Wrozław
(Breslau)

Sulejów

Wachock

Koprzywnica

Strzelin
(Strehlen)

Tarnobrzeg

Henryków

Jedrzejów

Weißkirchen

Doksany

Vinec

Katowice
(Kattowitz)

Řip
(Georgsberg)

St. Boleslav
(Altbunzlau)

Rudy

Krakow
(Krakau)

Przemisl

Praha
(Prag)

Záboří

Jakub

Litomyšl
(Leitomischl)

Tyniec

Gészyn (Teschen)

Zvíkov
(Klingenberg)

Kondrac

Mor. Třebová
(Mähr.-Trübau)

Milevsko (Mühlhausen)

Bořitov

Písek

Hulín
(Hullein)

Třebíč
(Trebitsch)

Velká Lomnica

Řeznovice

Spišské Podhradie

Trenčín
(Trentschin)

Banská Bystrica
(Neusohl)

Košice
(Kaschau)

Raabs

Znojmo (Znaim)

Skalica

Šivetice

Schweiggers

Sallingstadt

Großglobnitz

Pulkau

Michelstetten

Dechtice

Banská Štiavnica

Kraskovo

Tornaszentandrás

Rieggers

Gars Schöngrabern

Kostolany

Ilija

Rimavské Janovce

Szalonna

Vizsoly

Karcsa

Großgerungs

Nitra
(Neutra)

Bzovik

Boldva

Csaroda

Oberranna

Tulln

Klosterneuburg

Levice

Theiß

St. Pölten

Wien

Dt.-Altenburg Čierny Brod

Hörsching

Hennersdorf

Petronell

Diakovce

Bélapátfalva

Ardagger

Heiligenkreuz

Himberg

Hamuliakovo

Wels

Feldebrő

Seitenstetten

Kleinmaria-
zell

Módling

Biňa

Nagybörzsöny

Kremsmünster

Lilienfeld

Wiener Neustadt

Lébénymiklós

Esztergom

Pürgg

Thernberg

Zsámbék

Budapest

Scheiblingkirchen

Hidegség

Győr

Stoob

Sopronhorpács

Pannonhalma

Ócsa

Oroszlány-
Vértesszentkereszt

Göß

Seckau

Csempeszkopács

Székesfehérvár

Oberwölz

Ják

Felsöörs

Murau

Böde

Dörgicse

Friesach

Althofen

Voitsberg

Thiany

Gurk

Wolfsberg

Héviz-Egregy

St. Veit

Griffen

St. Paul

Ossiach

Völkermarkt

Viktring

Grafenstein

Keutschach

Pécsvárad

Pécs

HIRSAUER REFORM

Die clunyazensischen Reformideen werden seit 1079 von Hirsau aus auf etwa 200 Benediktiner-Klöster im deutschsprachigen Raum verbreitet. Viele zeigen mit Hirsau übereinstimmende, durch die reformierte Liturgie bedingte Bauformen. Jedoch überwiegen auch bei Neubauten häufig lokale Traditionen. Der Begriff einer »Hirsauer Bauschule« ist deshalb nicht unbestritten.

Säulenbasilika
- doppeltürmige Westfassade
- Vorkirche im W (Vorbild: Cluny II, 116*)
- Flachdecke
- Querhaus im O
- rechteckiger (selten) oder apsidialer Chorschluß
- fünfteiliger Staffelchor
- »Benediktiner-Chor«, d. h. gegen Seitenräume geöffnet
- ausgeschiedene Vierung = chorus major
- östliches Langhausjoch mit Pfeilern und Chorschranken = chorus minor
- die anschließenden westlichen Joche mit Säulen
- wenige Schmuckformen: Würfelkapitell mit Scheibenauflagen, Ecksporen an attischer Säulenbasis, Arkaden- und Portalrahmung mit Schachbrettfries
- Krypta, Empore, Westwerk entfallen

DIE LANDSCHAFTEN ZWISCHEN RHEIN- UND LOIREGEBIET

ohne Burgund und Normandie

Im Gebiete der Residenz Karls des Großen (Aachen), im Stammgebiet der Salier (Oberrhein) und der Staufer und im Kronland Frankreichs entsteht im Hochmittelalter eine zentrale Kunstlandschaft des Abendlandes mit vielen gemeinsamen Bautendenzen. Die **kreuzförmige Basilika** herrscht vor:
- gebundenes System, auch queroblonge Jochbildung (Maria Laach, 111*)
- ausgeschiedene Vierung
- Querhaus
- »Vertikalismus« im Wandaufbau (Speyer, 96*)

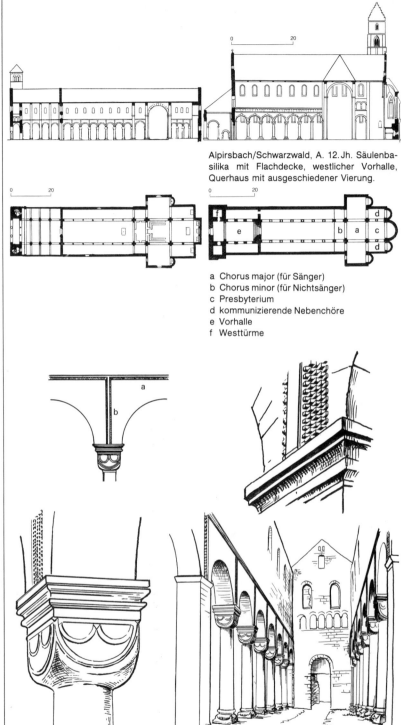

Alpirsbach/Schwarzwald, A. 12. Jh. Säulenbasilika mit Flachdecke, westlicher Vorhalle, Querhaus mit ausgeschiedener Vierung.

a Chorus major (für Sänger)
b Chorus minor (für Nichtsänger)
c Presbyterium
d kommunizierende Nebenchöre
e Vorhalle
f Westtürme

Hirsau/Schwarzwald, St. Peter und Paul, 1082 – 1. Drittel 12. Jh. 3schiffige Säulenbasilika, Chorus minor (östliches Langhausjoch) mit Pfeilerpaar. Staffelchor. Vorkirche im W. – a Arkadensims; b Absenker über einem Scheibenwürfelkapitell.

Paulinzella/Thüringen, 1112–32. 3schiffige Säulenbasilika, flachgedeckt, westliche Vorkirche mit Emporen und Turmpaar. Staffelchor mit halbrunden Apsiden. – Mi: Schachbrettfries am Absenker über einem Pfeiler des Chorus minor.

HIRSAUER REFORM-KLÖSTER

0   50   100 km

Königslutter
Ammensleben
Marienmünster
Clus
Ballenstedt
Lippoldsberg
Bursfeld
Reinsdorf
Homburg
Bosau
Lausick
Breitenau
Erfurt
Schkölen
Reinhardsbrunn
Bürgel
Paulinzella

Schönau
Aura
Schönrain
Main
Bamberg
Michelfeld
Kladrau
Ramsen
Münchaurach
Kastl

Odenheim
Auhausen
Reichenbach
Gottesau
Mönchsrot
Biburg
Prüfening
Donau
Widersdorf
Graufthal
Kentheim
Lorch
Deggingen
Eitting
Lixheim
St. Johann
Ahausen
Heresheim
Münchsmünster
Odilienberg
Reichenbach
Hirsau
Blaubeuren
Elchingen
Scheyern
Benediktbeuern
Hugshofen
Rippoldsau
Urspring
Alspach
Alpirsbach
Zwiefälten
St. Peter
St. Georgen
Attel
St. Marx
Friedenweiler
Amtenhausen
Grafenhausen
Isny
Schaffhausen
Wagenhausen
St. Georgenberg
Beinwil
Mehrerau
Fischingen
Herzogenbuchsee
Millstadt
St. Paul
Arnoldstein
Rosazzo

Weser
Rhein
Mosel
Elbe
Po

- Wandaufbau zwei- und dreizonig: Scheidarkade – Empore (selten) – Obergaden; im Übergang zur Gotik aber auch vierzonig: Arkade – Empore – Triforium – Obergaden (Limburg)
- alle Räume sofort oder (wie zahlreiche Flachdecken des 11. und 12. Jhs.) später voll gewölbt
- Pfeiler quadratisch mit Halbrundvorlagen oder kreuzförmig
- Wechsel von starken und schwachen Pfeilern, auch noch Stützenwechsel
- auch Säulenbasilika
- ausschließlich Rundbogen
- Chorschluß meist halbrund
- Blendbögen häufig auf Säulen stehend
- Würfelkapitell
- Rundbogenfries, Lisenen
- Zwerggalerien, zuerst in Trier*
- z. T. bedeutende Bauplastik
- häufig Doppelturmfassade
- Turmgruppen an großen Kirchen, bis zu 7 Türmen (Tournai, 111*)
- Krypta oft sehr geräumig

Eigenes Gepräge zeigen 1. das Gebiet um Nieder- und Oberrhein, 2. das Maasgebiet, 3. das Scheldegebiet, 4. das Elsaß, 5. das Gebiet um das Seinebecken. Dominieren im Maasgebiet die Einflüsse des Rheinlandes, so mischen sich diese im Schelde- und Seinegebiet mit normannischen Elementen.

Niederrhein und Maasgebiet bilden im Mittelalter eine historisch und architektonisch weitgehend einheitliche Kulturlandschaft. In den Kirchenprovinzen Köln, Trier, Lüttich, Utrecht bilden sich zwar vielfältige Bauformen aus, dominierend sind aber die niederrheinischen Bauschemata, 102*. Beispiel für ottonische Zeit: Nivelles, Ste-Gertrude, 1046 geweiht. Zwar ist sie doppelchörig, hat wie östliche ottonische Großbauten (Hildesheim, 79*) 2 Querschiffe und Flachdecke, aber ihre quadratische Vierung ist kein Modul für den Grundriß, und die Räume – Seitenschiffe, Querhäuser, Mittelschiff – sind in ihren Höhen gestaffelt.

Auch das späte 11. und das 12. Jh. bringen keine Erstarrung. Zwei Beispiele für viele: Maastricht (111*) zeigt eine Variation des gebundenen Systems, Maria Laach (111*) queroblonge Joch-

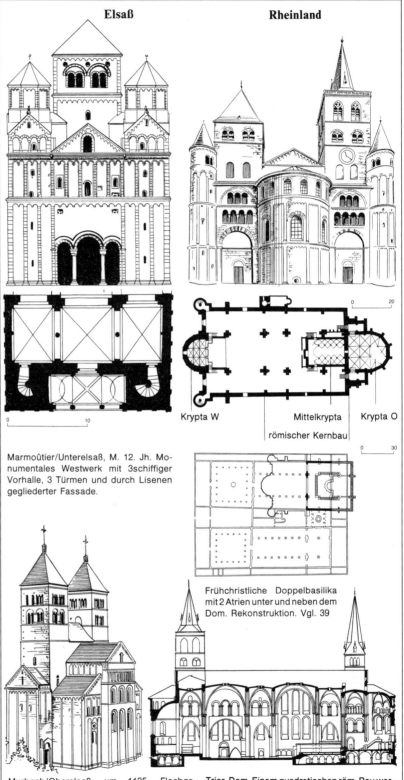

Elsaß

Rheinland

Krypta W   Mittelkrypta   Krypta O

römischer Kernbau

Marmoûtier/Unterelsaß, M. 12. Jh. Monumentales Westwerk mit 3schiffiger Vorhalle, 3 Türmen und durch Lisenen gegliederter Fassade.

Frühchristliche Doppelbasilika mit 2 Atrien unter und neben dem Dom. Rekonstruktion. Vgl. 39

Murbach/Oberelsaß, um 1135. Flachgeschlossener Chor mit Kreuzrippengewölbe, 2 Türme beidseits des Chorvorjochs; tonnengewölbte kleine Querschiffsarme.

Trier, Dom. Einem quadratischen röm. Bau werden im 11. Jh. westl. je 1 weiteres Schmal- und Großjoch mit Chor, im 12. Jh. östl. ein Polygonalchor angefügt. Erste Zwerggalerie.

Rheinland

Scheldegebiet

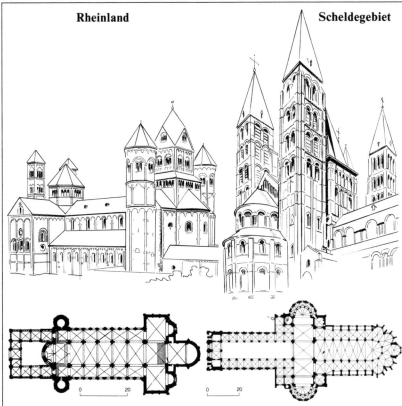

Maria Laach, 1093 bis A. 13. Jh. Kreuzgrat-gewölbte Pfeilerbasilika mit queroblonger Jochbildung. Atriumähnliches Paradies im W. 2 Turmgruppen im W und O.

Tournai, Kathedrale, 1140 bis 14. Jh. 3schiffi-ges Langhaus mit 4zonigem Wandaufbau ohne Wandvorlagen. 5 Türme im Bereich des ur-sprünglichen Dreikonchenchors.

Französisches Kronland

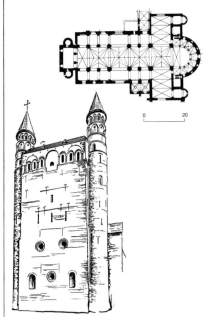

Maastricht, Liebfrauenkirche. W-Bau um 1000 beg. (otton.), Oberteil um 1200, Lang- und Querhaus bis M. 12. Jh., Chor und Krypta um 1200. Gewölbe 15. Jh.

Reims, St-Remi, 11. Jh. Ursprünglich flachge-deckte Basilika mit weit geöffneten Emporen. Stark gegliederte Pfeiler tragen Gewölbedien-ste vor hohen Wänden.

bildungen, die Burgund (Vézelay, 116*) verwandt sind.
Die zweite große Blüte der rheinisch-maasländischen Baukunst bringt die staufische Zeit ab Mitte 12. Jh. (Trier, Dom, W-Bau, 110*; Münstereifel; Köln, St. Andreas, Groß St. Martin; Schwarzrheindorf, Doppelkapelle, 103*; Neuß, St. Quirin, 145*; Mainz, Dom, W-Chor; u. a.).

Im **Scheldegebiet** liegt der Schwer-punkt der flandrischen Romanik.
Basilika
- Schiffe hoch und lang
- Emporen gleichhoch wie Erd-geschoß, weit geöffnet (vgl. Reims, St-Remi*)
- Vierungsturm
Soignies, St-Vincent = frühromani-sches Hauptwerk:
- dreizoniger Wandaufbau
- Stützenwechsel, vor den Hauptstüt-zen gestaffelte Vorlagen zur Flach-decke
Tournai, Kathedrale* = hochromani-sches Hauptwerk:
- vierzoniger Wandaufbau ohne durchgehende Vorlagen, durch Simse horizontalisiert; urspr. Flach-decke
- U-Geschoß: quadratischer Pfeiler-kern mit Halbsäulenvorlagen; O-Ge-schoß: 8eckiger Kern, davor Polygo-nalsäulen
- hoher Obergaden, außen mit nor-mannischer Galerie
- die urspr. Dreikonchenanlage mit schmalem Umgang und Emporen leitet die Tradition früherer rheini-scher Bauten in die frühgotische von Noyon und Soissons über

Das **Elsaß** zeigt ab Mitte des 12. Jhs. statt des ober- und niederrheinischen Vertikalismus breitere Lagerung der Wandgliederung und gedrungene Bau-massen (Rosheim, Sigolsheim, 113,2*). Die Fassaden sind fein gegliedert (Marmoutier, 110*; Murbach, 110*).

Seinebecken
- Basiliken in der Regel flachgedeckt
- nur große Kirchen haben drei- bis vierzonigen Wandaufbau
- Dienstvorlagen an den Mittelschiff-wänden

Zentralbauten meist nach Aachener Muster (Ottmarsheim, ottonisch, 80*)

NORMANDIE UND BRETAGNE

In der Normandie entwickelt sich Mitte des 11. Jhs. nahezu übergangslos ein eigenständiger Stil der Basilika, der von der burgundischen Frühromanik beeinflußt ist (Cluny II, 116*).

Die Bretagne hat nur wenige bedeutende romanische Bauten. Sie zeigen normannischen Einfluß.

Frühe Form (Typ Jumièges, 96*), noch burgundisch beeinflußt:
– steile Zweiturmfassade mit vorspringendem Mittelteil
– steiles Mittelschiff
– dreizoniger Wandaufbau: Arkaden mit Stützenwechsel (gegliederte Pfeiler mit Dienst wechseln mit Rundsäule), durch Säulchen unterteilte Empore, Obergaden
– vielleicht ursprünglich Schwibbögen
– Flachdecke
– ausgeschiedene Vierung mit quadratischem Turm
– Chor mit Umgang
– Querschiff mit Laufgängen in der Mauer

Spätere Form (Typ Caen, Ste-Trinité*, St-Etienne*):
– Pfeilerbasilika mit Diensten
– Flachdecke im Mittelschiff oder offener Dachstuhl
– seit 1115/20 in d. Kirchen von Caen 6teil. Kreuzrippengewölbe, vgl. 130
– Kreuzgratgewölbe zwischen Gurten in den Seitenschiffen
– dreizoniger Wandaufbau mit Emporen ohne Säulenteilung, oder mit (Blend-)Triforium, Laufgang vor dem Obergaden in der Mauer (ähnlich: Trier, Westbau des Doms, 110*)
– Staffelchor
– Querhaussystem einheitlich
– Vierungsturm und Zweiturmfassade

St-Georges-de-Boscherville, 1. H. 12. Jh. 3schiffige Basilika mit Staffelchor, Grundriß fast identisch mit Caen, St-Etienne. Triforium und Laufgang in der Fensterzone wie Caen, Ste-Trinité.

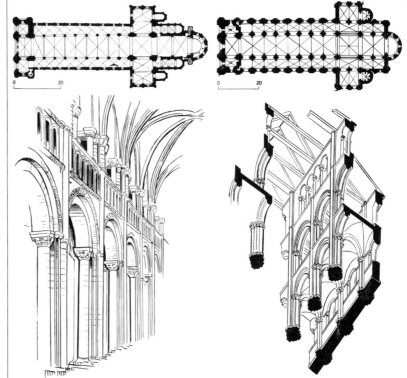

Caen, Ste-Trinité, E. 11. bis 12. Jh. 3schiffige Pfeilerbasilika mit Triforium und Laufgang vor den Obergadenfenstern. Pfeifenkapitelle. Kreuzgratgewölbe in den Seitenschiffen. Mittelschiff erst später mit 6teiligem Kreuzrippengewölbe. Staffelchor. Doppelturmfassade.

Caen, St-Etienne, E. 11. bis 12. Jh. 3schiffige Emporenbasilika, ursprünglich flachgedeckt. Der Seitenschub des späteren Kreuzrippengewölbes wird von nachträglich eingebauten Halbtonnen über den Emporen aufgefangen. Laufgang in der Fensterzone; Staffelchor.

SCHWERPUNKTE ROMANISCHER KIRCHENBAUFORMEN IN FRANKREICH UND IM RHEINGEBIET

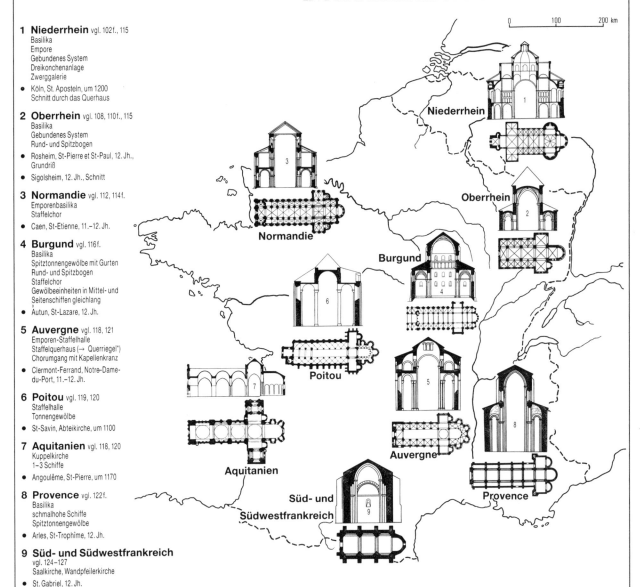

1 Niederrhein vgl. 102 f., 115
Basilika
Empore
Gebundenes System
Dreikonchenanlage
Zwerggalerie

- Köln, St. Aposteln, um 1200
  Schnitt durch das Querhaus

2 Oberrhein vgl. 108, 110 f., 115
Basilika
Gebundenes System
Rund- und Spitzbogen

- Rosheim, St-Pierre et St-Paul, 12. Jh.,
  Grundriß
- Sigolsheim, 12. Jh., Schnitt

3 Normandie vgl. 112, 114 f.
Emporenbasilika
Staffelchor

- Caen, St-Etienne, 11.–12. Jh.

4 Burgund vgl. 116 f.
Basilika
Spitztonnengewölbe mit Gurten
Rund- und Spitzbogen
Staffelchor
Gewölbeeinheiten in Mittel- und
Seitenschiffen gleichlang

- Autun, St-Lazare, 12. Jh.

5 Auvergne vgl. 118, 121
Emporen-Staffelhalle
Staffelquerhaus (→ Querriegel")
Chorumgang mit Kapellenkranz

- Clermont-Ferrand, Notre-Dame-
  du-Port, 11.–12. Jh.

6 Poitou vgl. 119, 120
Staffelhalle
Tonnengewölbe

- St-Savin, Abteikirche, um 1100

7 Aquitanien vgl. 118, 120
Kuppelkirche
1–3 Schiffe

- Angoulême, St-Pierre, um 1170

8 Provence vgl. 122 f.
Basilika
schmalhohe Schiffe
Spitztonnengewölbe

- Arles, St-Trophime, 12. Jh.

9 Süd- und Südwestfrankreich
vgl. 124–127
Saalkirche, Wandpfeilerkirche

- St. Gabriel, 12. Jh.

Niederrhein

Oberrhein

Normandie

Burgund

Poitou

Auvergne

Aquitanien

Provence

Süd- und
Südwestfrankreich

Bauschulen. Der heute seltener gebrauchte Begriff bezeichnet ein Bauschema, dessen signifikante Bauformen an einer eingrenzbaren Gruppe von Bauten wiederkehren. Solche mehr oder weniger typisierten Bauten können
a) einer bestimmten geographischen Region zugehören (z. B. auvergnatische Emporenhallen-Kirchen (118 und 121) oder
b) Ausdruck einer politischen, geistigen oder liturgischen Ordnung sein (z. B. Hirsauer Reform, 108 f.; Zisterzienser-Baukunst, 140 f.).

Ihr gehäuftes Auftreten in einer Region schließt nicht aus, daß andere Bauformen dort vorkommen oder sogar zahlenmäßig überwiegen. So gibt es z. B. in Aquitanien (118, 120) neben den in dieser Landschaft wie nirgend sonst verbreiteten (60!) Kuppelkirchen auch zahlreiche Saal- und Hallenkirchen mit Tonnengewölbe, in Südfrankreich (122–125) neben den vielen typischen Saalkirchen auch bedeutende Emporenhallen und Basiliken.

Außerdem läßt jeder Baukanon zahlreiche Variationen zu. Diese sind bedingt durch nachlassende Strenge der Bauaufsicht oder durch Rücksichten auf lokale Bautraditionen (Hirsauer Reform; Zisterzienser-Baukunst).

ROMANIK ZWISCHEN RHEIN UND BRETAGNE

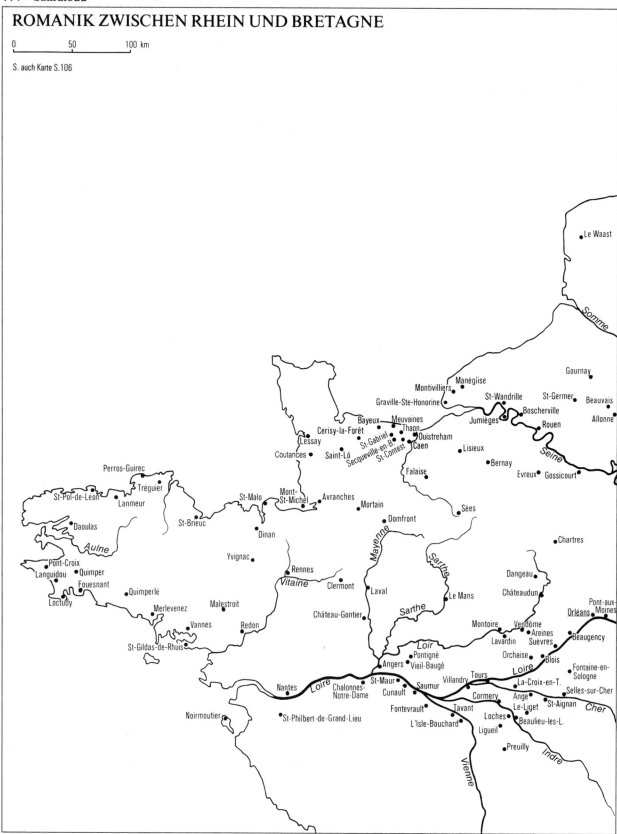

Deventer

Utrecht

Hochelten
Emmerich
Zyfflich
Xanten

Maas

Essen
Werden

Knechtsteden
Maaseik
Susteren
Brauweiler
Koln
Schwarzrheindorf
Bonn

Rhein

Dudzele
Brügge
Zedelgem
Oostkamp
Furnes
Ichteghem
Gent
Termonde
Herent
Löwen
Heverle
Maastricht
Kerkrade
Bertem
Kortrijk-Dutsel
St-Denis Westrem
Leefdaal
Bierbeek
Aachen
Ypern
Harelbeke
Brüssel
Kumtich
St-Trond
Klosterrath
Messines
Anzegem
Anderlecht
Tienen
Tongeren
Cordes
Renaix
Vossem
Wezeren
Glain
Aubechies
Ath
Ceroux-Mousty
Jodoigne
Orp-le-Grand
Liège-Lüttich
Andernach
Leie
Soignies
Tournes-la-Grosse
Huy
St-Séverin-en-Condroz
Maria-Laach
Koblenz
Lille
Nivelles
Chievres
Frasnez-lez-Gosselies
Modave
Hamoir
Limburg
Lillers
Tournai
Blaton
Pont de Loup
Bois-
Tohogne
Stavelot
Münstermaifeld
Lobbes
Fosse
et Borsu
Ocquier
Arras
Gerpinnes
Furnaux
Montignies-St-Christophe
Hastière
Thynes
Chérain
Bacharach
Mainz
Lucheux
Cambrai
Celles
Waha

Amiens

Bouillon
Echternach
Worms

Mont-
Mosel
St-Martin
Limburg a. d. Hardt
Cerny-en-Laonnais
Maas
Trier
Laon
Presles
Speyer
Tracy-le-Val
Oise
Urcel
Merzig
Compiegne
Nouvion-le-Vineux
Cambronne
Orrouy
Soissons
Mont-devant-Sassey
Villers-
Morienval
St-Paul
Pontpoint
St-Vaast-de-Longmont
Reims
Verdun
Olley
Wissembourg
Senlis
Dugny
Metz
Aube-en-Saulnois
Saint-Pathus
Marne
Jâlons-les-Vignes
Ste-Marie-au-Bois
Neuwiller
Surbourg
Meaux
Marsal
St-Jean-Saverne
Haguenau
Schwarzach
Chalons-sur-Marne
Nancy
Marmoütier
Saverne
Paris
Toul
Rosheim
Strasbourg

Longpont
Melun
St-Loup-de-Naud
Montier-en-Der
Andlau
Ceffonds
Etival
Senones
Epfig
Vignory
Epinal
Saint-Dié
Ruffach
Boesse
Vomécourt-
Champ-le-Duc
Sigolsheim
Bellegarde
sur-Madon
Lautenbach
Guebwiller
Germigny-des-Prés
Relanges
Remiremont
Murbach
St-Benoit-s.-Loire
Ottmarsheim

St-Gondon
Loire

Saone

Cher

Scelde

Maas

Seine

CLUNY UND BURGUND

Cluny, das größte jemals gebaute Kloster des Abendlandes, gegr. 910, ist Träger des Kreuzzugsgedankens, der Reconquista in Spanien und einer liturgischen Erneuerung des Mönchswesens, der sich bis zum Jahre 1200 etwa 1500 Abteien und Klöster im Abendland anschließen. (Vgl. auch Hirsauer Reform, 108*.) Auf Cluny gehen zahlreiche Kirchenbauten in Burgund zurück, jedoch ist der burgundische Stil nicht (wie etwa bei den Zisterziensern) für die Ablegerklöster verbindlich. Vézelay hat – im Unterschied zum gebundenen System – eine kreuzgewölbte Jocheinteilung, deren Kompartimente in Mittel- und Seitenschiffen gleichlang sind. Sie weist damit schon auf gotische Wölbung voraus.

In zahlreichen antikisierenden Details zeigt sich der Respekt vor den römischen Ruinen des burgundischen Gebietes.

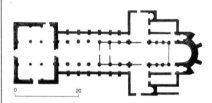

Cluny, Abteikirche II, 981

- Seitenschiffe übers Querschiff hinaus weitergeführt
- Staffelchor, Apsiden halbrund
- Chorumgang mit Kapellenkranz
- 1 oder 2 Querschiffe
- Vorkirche mit Vorhalle (Narthex)
- Krypta
- hohe Seitenschiffe
- dreiteiliger Wandaufbau: Arkade – Laufgang (selten Empore: Nevers) – Obergaden
- Rundbogen, auch Spitzbogen in Scheidarkaden und Gewölberippen
- Rund- und Spitztonnengewölbe (auch quer rundgewölbt: Tournus)
- Kreuzgratgewölbe gelegentlich in den Seitenschiffen, aber auch im Mittelschiff (Vézelay*, rhein. Einfluß)
- Rundsäulen, antikisierend
- kannelierte Pilaster
- Pfeiler mit Diensten (Vézelay und einige meist kleinere Kirchen)
- feinste Bauplastik in Tympanon, Portal und an den Kapitellen
- 2 Westtürme, Vierungsturm

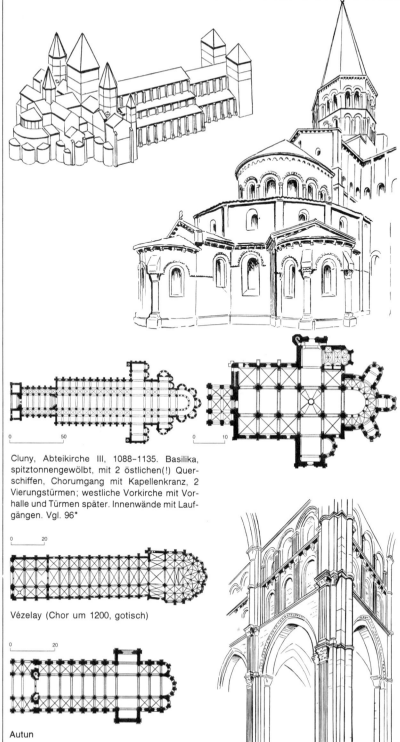

Cluny, Abteikirche III, 1088–1135. Basilika, spitztonnengewölbt, mit 2 östlichen(!) Querschiffen, Chorumgang mit Kapellenkranz, 2 Vierungstürmen; westliche Vorkirche mit Vorhalle und Türmen später. Innenwände mit Laufgängen. Vgl. 96*

Vézelay (Chor um 1200, gotisch)

Autun

Vézelay, Ste-Madeleine, und Autun, St-Lazare, beide 12. Jh., sind 3schiffige Basiliken, bei deren Jocheinteilung jedem quadratischen Seitenschiffsfeld ein langrechteckiges Feld des Mittelschiffs entspricht.

Paray-le-Monial, 1090–1110. Erstmalig Spitzbogen für Arkaden und Tonnengewölbe; antik gegliederte Pfeiler, Blendarkaden in der 2. Wandzone. 8eckige Vierungskuppel, Fenster im Umgang über den Chorumgangskapellen.

ROMANIK IN BURGUND UND DEN
ANGRENZENDEN GEBIETEN

0　　　　50　　　　100 km

AQUITANIEN

umfaßt die Landschaften um Poitiers, Limoges, Saintes, Bordeaux, Angoulême und Périgueux. Im Unterschied zu den Kirchen der Ile-de-France, Loiregegend, Normandie und Bretagne, die i. a. offene Dachstühle haben, sind hier alle Langhäuser gewölbt. Etwa 60 **Kuppelkirchen** des 12. Jhs. geben Aquitanien das besondere Gepräge (Karte S. 120):

– zumeist einschiffige Kirchen mit 2–4 Kuppeln mit z. T. großen Spannweiten (bis 24 m in Périgueux, St-Front*) über dem Schiff
– gelegentlich auch über dem Chor und den Querschiffarmen (Périgueux, Solignac)
– die Kuppeln aus Quadern haben keinen Dachstuhl, sondern sind direkt mit Kalksteinplatten gedeckt (Bauholzmangel)

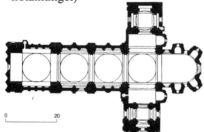

Angoulême, Kathedrale, beg. 1110, geweiht nach 1159. Saalkirche mit 4 gereihten Kuppeln. 4 Chorkapellen gehen direkt vom Chor aus.

– in großen Kirchen Laufgänge in Höhe der Fensterbrüstung in den dicken, von Blendarkatur unterstützten Mauern
– in einigen Kirchen des Angoumois gibt es Durchgänge, die den Weg zum Chor um die dicken, sperrigen Kuppelpfeiler herum erleichtern
– in Périgueux, St-Front*, führen sie durch alle Pfeiler
– Chorumgang mit Kapellenkranz
– in großen Kirchen gehen aber häufig 3 bis 7 Chorkapellen direkt vom halbrund geschlossenen Chor aus (Angoulême*)

Saalkirche mit rundem oder spitzem Tonnengewölbe kommt häufiger vor, dagegen ist die **Basilika** seltener, hat aber meist große Ausmaße (St-Hilaire in Poitiers).

Hallenkirche
– 3 Tonnengewölbe oder kreuzgewölbte Seitenschiffe
– Fassaden mit hausartigen Giebeln,

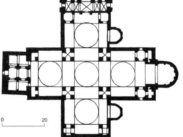

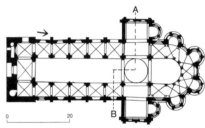

AB = Schnitt der Abb. S. 121
Pfeil = Blickrichtung der Abb. S. 121

Périgueux/Aquitanien, St-Front, 1120–73. Kuppelkirche, vermutlich nach dem Vorbild der Apostelkirche in Konstantinopel, 47*, und San Marco, Venedig, 132*, Zentralbau über griechischem Kreuz mit 5 Kuppeln auf Pendentifs; Tonnengewölbe in den kreuzförmigen Aushöhlungen der Pfeiler. Mit Steinplatten gedecktes Dach.

Clermont-Ferrand/Auvergne. Notre-Dame-du-Port, E. 11. – M. 12. Jh. Emporen-(Staffel-)halle. Tonnengewölbe über dem Mittelschiff, Vierteltonnen über den Emporen, Kreuzgratgewölbe in den Seitenschiffen. Chorumgang mit Kapellen. Das zur Mitte gestaffelte Querhaus bildet einen mächtigen Querriegel, der für die Auvergne typisch ist. 121*

Poitou

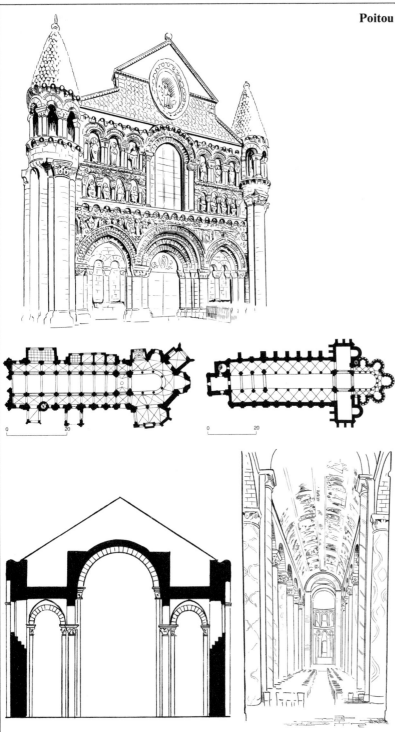

Poitiers/Poitou, Notre-Dame-la-Grande, 1. H. 12. Jh. Tonnengewölbte Hallenkirche mit stark überhöhtem Mittelschiff (Staffelhalle) und schmalen Seitenschiffen. Berühmte Fassade. 3 (davon 2 Blend-)Portale, stark profiliert; reicher Figurenschmuck in den Zwickeln über den Portalen und in den Blendarkadenreihen. Ecktürme auf Diensten.

St-Savin-s.-Gartempe/Poitou, Abteikirche, um 1100. Hallenkirche mit überhöhtem Mittelschiff, das aber keine eigene Belichtung hat. Bemaltes Tonnengewölbe, noch ohne Gurte. Marmorierte zylindrische Säulenpfeiler. Seitenschifftonnen, von Quertonnen durchzogen, bilden Kreuzgewölbe, die sich bis zum Scheitel ins Mittelschiff öffnen.

ein- oder mehrgeschossigen Blendarkaden (vgl. Lombardei, Nordspanien)
– im Lauf der Entwicklung zunehmend reiche Bauplastik und -ornamentik (Zackenbogen, Inkrustationen)
– tief gestaffelte Portale
– Halbkreis- und Polygonalchor mit dreizoniger Gliederung (Sockel, Fenster, Bogenblenden unterm Dach), auch zwei- und viergeschossig
– auch: Staffelchor, Umgang mit Kapellenkranz
– hohe Scheidarkaden, tiefer als die Kämpferzone des Mittelschiffgewölbes; im 12. Jh. spitzbogig
– zylindrische Säulenpfeiler, im 12. Jh. aus 4 Dreiviertelsäulen gegliedert
– Raumeindruck eher breit als hoch
– Querhaus fehlt meist
– bedeutende Wand- und Deckenmalerei
– einheitliches Satteldach
– wenige Türme

POITOU, SAINTONGE

bilden einen eigenen Fassadentyp aus: Die Westfassade ist zur prächtigen Schauwand entwickelt, die oft nicht den Raumquerschnitt widerspiegelt. Sie ist antiken Triumphbogen oder Stadttoren nachempfunden. Das stark profilierte Hauptportal wird auf jeder Seite von einem oder zwei Blendbogen gerahmt. Das obere Geschoß hat dieselbe Dekorationsordnung oder ist mit einer oder zwei Blendbogenreihen gegliedert, die reich mit Skulpturen geschmückt sind. Ecktürmchen stehen gelegentlich auf Dienstbündeln (Poitiers*).
Auch die **Hallenkirche** zeigt landschaftliche Besonderheiten;
– drei Schiffe, Mittelschiff mit halbrunder oder spitzbogiger Längstonne, im 11. Jh. ohne, später mit Gurten; basilikal überhöht, aber ohne Obergaden
– Seitenschiffe wesentlich schmaler als das Mittelschiff und mit Viertel-, Halbtonnen, einhüftigen Tonnen oder Kreuzgewölbe überdeckt
– manchmal imposante Türme; Obergeschoßecken gelegentlich durch Pfeiler oder Säulen ersetzt
– bedeutende Innenmalereien

AUVERGNE
siehe 121

ROMANIK IN AQUITANIEN

◠ Kuppelkirche

0   50   100 km

1 Corme-Royal
2 St-Romain-de-Benet
3 Bourg-Ch.
4 Bassac
5 Champmillon
6 Mouthiers
7 Pereuil
8 Pérignac
9 Puypéroux
10 Gardes
11 Vieux-Mareuil
12 Léguillac-de-Cercles
13 Brantôme
14 Paussac
15 Bourg-des-Maisons
16 Aubeterre
17 Bourdeille
18 Merlande
19 Chancelode
20 Mareuil

Loire
Loire
Cher
Les Aix-d'Angillon
Mehun-s.-Yevre
Langeais
Gracay
Bourges
Fontevrault
Loches
Indre
Plaimpied
Jussy-Champagne
Thouars
Chézal-Benoît
Primelles
Dun-s.-Auron
St-Jouin-de-Marnes
St-Genou
Déols
Chalivoy-Milon
Airvault
Méobecq
La Celle-Bruère
Neuilly-en-Dun
Lencloitre
Vienne
Châteauroux
Noirlac
Parthenay
Coussay-les-Bois
Fontgombault
Poitiers
Chauvigny
St-Gaultier
Creuse
St-Savin-s.-Gartempe
Neuvy-St-Sépulcre
Luçon
Nouaille
Châteaumeillant
Lusignan
Montmorillon
Gargilesse
Melle
La Souterraine
Toulx-Ste-Croix
La Rochelle
Clussaix
Civray
La Souterraine
Chambon-s.Voueize
Surgères
Charroux
Le Dorat
Aulnay
Ruffec
Nanteuil-en-V.
Lesterps
St-Junien
Le Moutier-d'Ahun
Charente
Fenioux
Varaize
Lichères
Echillais
Geay
Mesnac
Matha
Cellefrouin
Le Vigen
Limoges
St-Léonard
Felletin
Pt-l'Abbé-d'Arnoult
Gourville
St-Amant-de-Boixe
Ste-Gemme
Cherves
Chatres
Fléac
Angoulême
Solignac
Eymoutiers
Sablonceaux
Cognac
St-Michel-d'Entraigues
Thézac
Gensac-la-Palue
La Couronne
Vézère
Rétaud
Roullet
Peyrat
Léguillac-de-l'Auche
Meymac
Rioux
Pons
Eche-
Plassac
Boschaud
St-Jean-de-Côle
Uzerche
Marignac
brune
Blanzac
Cherval
Thiviers
Vigeois
La Graulière
Talmont
Porcheresse
St-Martial-de-Viveyrol
Lempzours
Bégadan
Pléneselve
Verteillac
Agonac
Liguéux
St-Robert
Tulle
Chalais
Ligueux
Périgueux
Allemans
Grand-
Ajat
Aubazine
Vertheuil
Brassac
Périgueux
Brive
Collonges
La-Lande-
Guitres
Tursac
St-Amand-de-Coly
Beaulieu
de-Cubzac
Petit
St-Philippe-d'Aiguille
Paunat
Palais
Fronsac
St-Emilion
Tayac
Souillac
Bordeaux
Trémolat
Temniac
Carennac
Camarsac
Dordogne
La Sauve-Majeur
Cadouin
Blasimon
St-Avit-Sénieur
Loupiac
Laurenque
Lot
St-Macaire
Garonne
Cahors
Fontanes
Agen
Saux
(Montpezat-du-Quercy)
Moissac
Garonne

POITOU

CHARENTE

CHARENTE

LIMOUSIN

PERIGORD

Isle

ROMANIK IN DER AUVERGNE

• Emporenhallen-Kirche

0   50   100 km

Nevers

Souvigny
Chatel-de-Neuvre
Bert
Bransat
Langy
Droiturier
Charlieu
Bellaigue
Chatel-Montagne
Menat   Arronne
Biollet   Artonne   Ris
Mozat   Ennezat   Luzillat
Riom   Thiers
Herment   Clermont-Ferrand   Pommiers-en-Forez
Pont-du-Château
Bourg-Lastic   Cournon   Champdieu   Pouilly-les-Feurs
Orcival   Royat
St-Dier
St-Nectaire   St-Saturnin   St-Romain-le-Puy   St-Lambert-s. Loire
Issoire   Sauxillanges
Besse-en-Chandesse   Novacelles
Auzon   St-Etienne
La-Chaise-Dieu
Lanobre   Champagne
Blesle   Chamalières   Retournac
Ydes   Brioude   Lavaudieu   St-Paulien
Mauriac   Dienne   Chanteuges   Le Puy
Brageac   Anglards-   Roffiac   Chanteuges
de-Salers   Saint-Flour   Prades
Aurillac   Le Monastier

Privas

Montsalvy
Conque

Loire
Allier
Saône
Sioule
Dordogne
Cère
Allier
Rhône

AUVERGNE

Die Landschaft ist charakterisiert durch eine Gruppe von **Emporenhallen-Kirchen** des 12. Jhs. (Clermont-Ferrand, 118*). Im strengen Sinne handelt es sich um Staffelhallen, weil ihre Mittelschiffe höher sind als die Emporengewölbe über den Seitenschiffen.
– Tonnengewölbe ohne Gurtbögen und Gesims im Mittelschiff
– Kreuzgratgewölbe in den Seitenschiffen
– Emporen mit Vierteltonnen und Fenstern über den Seitenschiffen
– »auvergnatischer Querriegel« = mächtiges Querhaus zwischen Langhaus und Chor, in 5 Joche geteilt, zur Vierung hin gestaffelt, die äußeren mit Quertonnen, über den Seitenschiffen mit Viertelkreistonnen, durch Schwibbögen von der Vierung getrennt, Arkadendurchbrüche in der Übermauerung der Schwibbögen
– Vierungsturm achteckig mit Fenstern, Trompen und Klostergewölbe
– steingedeckter Chor – niedriger als das Langhaus – mit Umgang und flachem Kapellenkranz, darüber (basilikaler) Obergaden
– mosaikartige Steinmuster durch Wechsel von Quadern und Kieseln
– bedeutende skulptierte Kapitelle

äußeres Joch mit Quertonne

Seitenschiffsjoch mit Vierteltonne

Vierungsturm mit Klostergewölbe

Empore über dem Seitenschiff

└ Tonnengewölbe des Mittelschiffs

Auvergnatischer Querriegel.
Clermont-Ferrand, Notre-Dame-du-Port, E. 11. bis M. 12. Jh. Schnitt durch den nördlichen Teil des Querriegels, das Mittelschiff und das Seitenschiff mit Empore. (Nach Peter Meyer) Vgl. 118*

PROVENCE

Hallenkirche
- Mittelschiff mit Längstonne, rund- oder spitzbogig
- Seitenschiff mit Längstonne oder Kreuzgewölbe
- das sanft geneigte Dach aus Stein liegt ohne hölzernen Dachstuhl auf dem Gewölbe auf

Basilika
Mittelschiff tonnengewölbt, rund- oder spitzbogig, schmal und steil
- Obergaden oft nur einseitig
- Seitenschiffe schmal mit (häufig ein-hüftigen) Tonnen
- Querarme und Vierungskuppel oft gleichhoch wie das Mittelschiff
- Ostteile niedrig, fast immer durch Bogenwand vom Schiff getrennt
- bedeutende Figurenportale (Arles*; St-Gilles*) nach römischen Vorbildern
- zahlreiche antikisierende, gut nachgeahmte Dekorationsdetails, deren ursprünglicher architektonischer Zusammenhang aber unverstanden bleibt

Saalkirche
- spitzbogiges Tonnengewölbe mit Gurtbögen (St-Gabriel, 113*)
- oft Kapellenreihungen mit Quertonnen an den Mittelschiffseiten (Orange*; vgl. Südwestfrankreich, L'Escale-Dieu, 124*)
- Apsiden meist vieleckig und reich gegliedert mit Blendbögen, Pilastern und Säulen
- Vierungstürme rund oder quadratisch
- bedeutende Kreuzgänge, z. T. reich skulptiert (Arles*)

Arles, St-Trophîme, Kreuzgang

St-Gilles, um 1135. Drei Portale mit reichem figürlichen Dekor. Spätrömische Vorbilder (Triumphbögen). Weitere südwestfranzösische Drei-Portal-Gruppen in Cadouin, Civray, Gensac, Ruffec, Pons, Surgères, Maillezais, Petit-Palais, Melle, Saintes, Abbaye des Dames, St-Amant-de-Boixe, St-Jouin-de-Marnes. Vgl. Poitiers, 119*

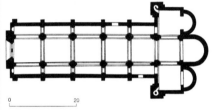
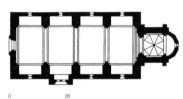

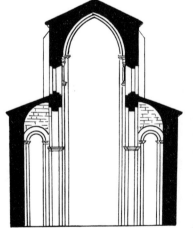

Arles, St-Trophîme, 12. Jh. Dreischiffige Basilika mit spitzbogigem Tonnengewölbe im Mittelschiff, Vierteltonnen in den engen Seitenschiffen. Portal und Kreuzgang (W- und S-Flügel gotisch) mit reichem Figurenschmuck. Berühmte Kapitellplastik.

Orange, Kathedrale, 12. Jh. Saalkirche des provenzalischen Stils: Spitztonnengewölbe mit Gurten, Seitenkapellen mit Quertonnen. Einfache Maßverhältnisse: Der Gurtscheitel bildet mit den Endpunkten der Grundlinie ein gleichseitiges Dreieck.

ROMANIK IN DEN FRANZÖSISCHEN ALPEN, DER PROVENCE UND AUF KORSIKA

0   50   100 km

Saône

Genfer See

Notre-Dame-d'Aulps

Annecy

Quintal

Lyon

Rhône

Cléry

Aime

Chambéry

Moutiers

Vienne

St-Pierre-d'Allevard

Marnans

Ste-Marie-de-Cuines

Lanslebourg

Champagne

St-Jean-de-Maurienne

Isère

Grenoble

Romans

Le Genevrey-de-Vif

Val-des-Prés

Valence

Briancon

Léoncel

Ville-Vallouise

Les Vigneaux

Mazan

Dié

St-Firmin-en Valgodemard

L'Argentière

St-Véran

Cruas

Guillestre

Mélas

St-Marcel-les-Sauzet

Gap

Embrun

Ste-Marie-de-Vars

Viviers

Aleyrac

Donzère

Durance

Boscodon

Valreas

St-André-de-Rosans

Seyne

La Garde-Adhémar

Bourg-St-Andéol

St-Paul-Trois-Châteaux

Lagrand

St-Etienne-de-Tinée

Goudargues

St-Restitut

Vaison-la-Romaine

Sisteron

Isola

Venejan

Orange

St-Trinit

Digne

St-Laurent-des-Arbres

N.-D.-d'Aubune

Saorge

Uzès

Carpentras

Ganagobie

Senez

Vergons

Utelle

Pernes

Venasque

Sospel

Avignon

Simiane

Castellane

Levens

Le Thor

Sénanque

Apt

Forcalquier

Nimes

Tarascon

St-Remy

Cavaillon

Saignon

Moustiers-Ste-Marie

St-Cézaire

Vence

Beaucaire

St-Gabriel

Mirabeau

Grasse

Nice

St-Gilles

Montmajour

Silvacane

Peyrolles

Riez

Arles

Rhône

Aix-en-Provence

Barjols

Fréjus

Cannes

Fos

Brue-Auriac

Le Thoronet

St-Raphaël

Stes-Maries-de-la-Mer

La Celle

Puget-Ville

Marseille

Toulon

Hyères

Six-Fours

KORSIKA

Nebbio

Bastia

Murato

Mariana
La Canonica

Ajaccio

Carbini

SÜDWESTFRANKREICH

In Südwestfrankreich mischen sich die Bauformen der angrenzenden Landschaften. Bis nach Westspanien herrscht die **Hallenkirche** vor.
– Pfeiler mit Diensten, die in die Gurte der Längstonne übergehen

Emporenhalle
– Empore mit Vierteltonne als Gewölbeversteifung zuerst in Conques oder Toulouse, St-Sernin*
– in Toulouse, der größten erhaltenen romanischen Kirche der Welt, auch Querschiff dreischiffig mit Emporen (wie in Limoges und Santiago/ West-Spanien)
– Chorumgang mit Kapellenkranz
– quadratische Pfeiler mit Halbsäulenvorlagen, die bis zum Tonnenkämpfer reichen und die Gurtbögen tragen
– reiche Bauplastik an Kapitellen und Portalen

Basilika vereinzelt
– kreuzförmiger Grundriß
– Längstonne im Mittelschiff, auch in den Seitenschiffen
– auch mit einseitigem Obergaden

Saalkirche
fast immer ohne Querhaus (St-Gabriel, 113*; Rhèdes*; St-Macaire, 125*)

Zahlreiche kleine einschiffige Anlagen
– rechteckiges Langhaus, auch einseitig belichtet (Rhèdes*)
– mit oder ohne Chorgeviert
– runde oder vieleckige Apsis, oft reich gegliedert
– gelegentlich Chorturm

Backsteinbau ist verbreitet

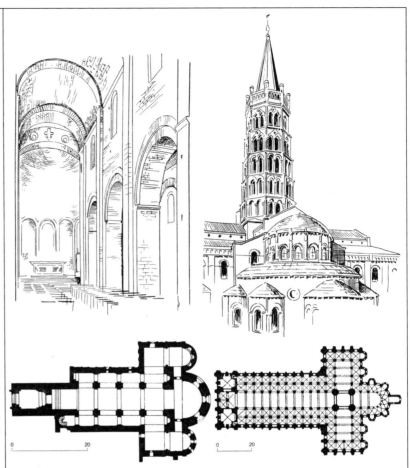

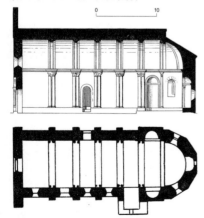

St-Pierre-de-Rhèdes/Hérault, 1. H. 12. Jh. Saalkirche. Tonnengewölbe mit Gurten über verkröpftem Sims und Doppelsäulen. O: die unbelichtete N-Wand.

St-Guilhem-le-Désert/Languedoc, 11. Jh. Pfeilerbasilika, Tonnengewölbe, breite Mittelapsis; steiles, schmales Mittelschiff. Geringe Belichtung. Zwerggalerie 101*.

L'Escale-Dieu/Haute-Pyrenées, 1160 geweiht. Zisterzienserkirche. Tonnensaal mit Kapellenreihen, vgl. Provence, 122. Backsteinbau.

Toulouse, St-Sernin, 1095–1135. 5schiff. Staffel-Emporenhalle, 3schiff. Querhaus mit Kapellen, Chorumgang mit Kapellenkranz.

ROMANIK IN SÜDWESTFRANKREICH

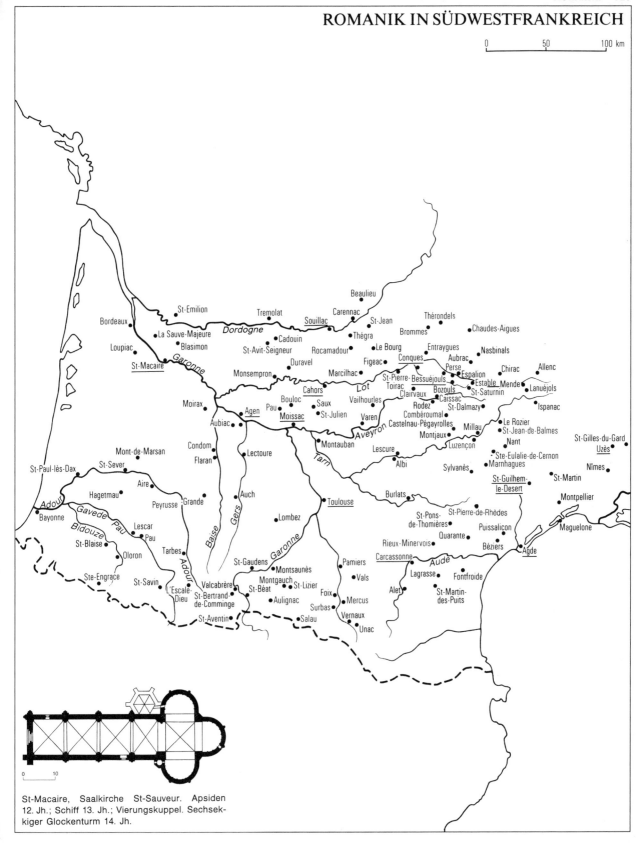

0   50   100 km

Bordeaux
St-Emilion
Tremolat
Beaulieu
Carennac
Souillac
Thérondels
St-Jean
La Sauve-Majeure
Brommes
Chaudes-Aigues
Dordogne
Loupiac
Cadouin
Thégra
Le Bourg
Entraygues
Nasbinals
Blasimon
St-Avit-Seigneur
Rocamadour
Conques
Aubrac
St-Macaire
Duravel
Figeac
Perse
Espalion
Chirac
Allenc
Garonne
Monsempron
Marcilhac
Lot
St-Pierre-Bessuéjouls
Toirac
Estable
Mende
Moirax
Cahors
Bouloc
Saux
Vailhourles
Clairvaux
Bozouls
St-Saturnin
Lanuéjols
Pau
Vaïen
Caissac
Ispanac
Agen
Moissac
St-Julien
Aveyron
Rodez
St-Dalmazy
Aubiac
Combéroumal
Castelnau-Pégayrolles
Le Rozier
St-Jean-de-Balmes
St-Gilles-du-Gard
Condom
Montjaux
Luzençon
Nant
Uzès
Mont-de-Marsan
Flaran
Lectoure
Montauban
Lescure
Ste-Eulalie-de-Cernon
Marnhagues
Nîmes
St-Paul-lès-Dax
St-Sever
Albi
Sylvanès
St-Guilhem-le-Desert
St-Martin
Aire
Auch
Adour
Hagetmau
Peyrusse
Grande
Burlats
Montpellier
Bayonne
Gavede Pau
Lombez
St-Pons-de-Thomières
St-Pierre-de-Rhèdes
Bidouze
Lescar
Pau
Quarante
Puissalicon
Maguelone
St-Blaise
Tarbes
Rieux-Minervois
Béziers
Oloron
St-Gaudens
Montsaunès
Pamiers
Carcassonne
Agde
Ste-Engrace
St-Savin
Montgauch
St-Lizier
Vals
Aude
Lagrasse
Fontfroide
L'Escale-Dieu
Valcabrère
St-Béat
Foix
Mercus
Alet
St-Martin-des-Puits
St-Bertrand-de-Comminge
Aulignac
Surbas
St-Aventin
Salau
Vernaux
Unac
Baïse
Gers
Garonne
Tarn
Adour

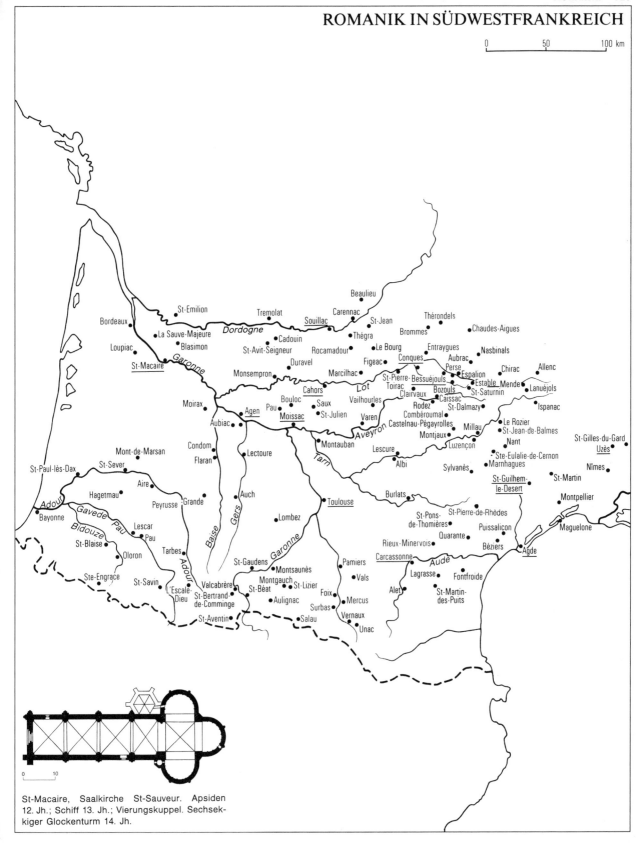

0   10

St-Macaire, Saalkirche St-Sauveur. Apsiden 12. Jh.; Schiff 13. Jh.; Vierungskuppel. Sechseckiger Glockenturm 14. Jh.

ROUSSILLON UND KATALONIEN

Politisch und kulturell bildet Katalonien mit Südostfrankreich bis Mitte 13. Jh. eine Einheit. Mehrere hundert vielgestaltige romanische Kirchen geben dem Gebiet von allen europäischen Landschaften das ausschließlichste frühromanische Gepräge.

– Vorwiegend **Hallenkirchen** mit 3 Apsiden oder
  einschiffige **Saalkirchen** ohne oder mit hallenartigem Querschiff, 1–3 Apsiden und Vierungsturm
– selten: Kleeblattchor oder Chorumgang
– Tonnengewölbe mit und ohne Gurtbögen, oberhalb des Gewölbes mit Mauerwerk oder Erde aufgefüllt, so daß die Steinplatten des schwach geneigten Sattel-(Einheits-)Daches ohne hölzernen Dachstuhl daraufliegen (Holzmangel und Brandsicherung)
– selten: offener Dachstuhl (Tahull*)
– runde, quadratische oder gegliederte Pfeiler, auch mit Vorlagen, selten Säulen

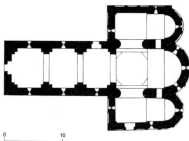

– starkfarbige Fresko-Ausmalung (häufig retoiliert in Museen)
– oft wenig belichtete, höhlenartige Innenräume
– Außenbau gedrungen, wenig gegliedert (Lisenen, Rundbogenfriese)
– Nischenkranz unterm Dach
– kleinteiliges Mauerwerk aus Bruchstein oder Kleinquadern
– gelegentlich Krypta und große Türme
– zahlreiche Kreuzgänge mit bedeutender Bauplastik

– Wenige, aber bedeutende **Basiliken**
– Längstonne im Mittelschiff
– selten: Holzdecke (Ripoll*, Gewölbe 19. Jh.)
– gelegentlich einseitige Belichtung

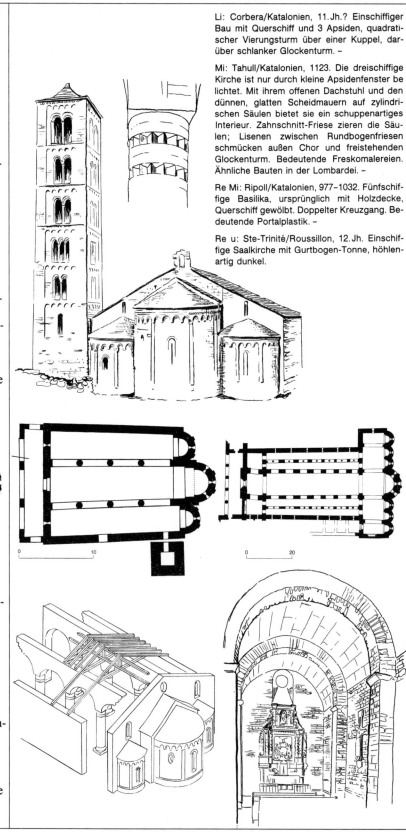

Li: Corbera/Katalonien, 11.Jh.? Einschiffiger Bau mit Querschiff und 3 Apsiden, quadratischer Vierungsturm über einer Kuppel, darüber schlanker Glockenturm. –

Mi: Tahull/Katalonien, 1123. Die dreischiffige Kirche ist nur durch kleine Apsidenfenster belichtet. Mit ihrem offenen Dachstuhl und den dünnen, glatten Scheidmauern auf zylindrischen Säulen bietet sie ein schuppenartiges Interieur. Zahnschnitt-Friese zieren die Säulen; Lisenen zwischen Rundbogenfriesen schmücken außen Chor und freistehenden Glockenturm. Bedeutende Freskomalereien. Ähnliche Bauten in der Lombardei. –

Re Mi: Ripoll/Katalonien, 977–1032. Fünfschiffige Basilika, ursprünglich mit Holzdecke, Querschiff gewölbt. Doppelter Kreuzgang. Bedeutende Portalplastik. –

Re u: Ste-Trinité/Roussillon, 12. Jh. Einschiffige Saalkirche mit Gurtbogen-Tonne, höhlenartig dunkel.

ROMANIK IM ROUSSILLON UND IN KATALONIEN

F = Fresken am Ort
Ⓕ = Fresken im Museum

0   5   10 km

NORDWESTSPANIEN

Aus den Elementen der westgotischen »Arte preromanico« (57*) und islamischen Bauformen entsteht der frühromanische mozarabische Mischstil (hierzu 87; S. Miguel de Escalada*). Aus der gemeinsamen politischen und Bau-Tradition mit Südwestfrankreich erwächst die spanische Romanik. Bis M. 11. Jhs. werden kaum bedeutende Kirchen außerh. Kataloniens gebaut.

Die Reconquista erreicht Mitte des 11. Jhs. die Linie Ebro–Duero, zu Beginn des 12. Jhs. den Tajo, Anfang des 13. Jhs. den Guadiana. In gleichem Maß, wenn auch mit gewissem zeitlichen Abstand, weitet sich auch der Kirchenbau nach Süden aus. Große und kleine Bauten entstehen bis ins 12. Jh. im gesamten Nordspanien, darunter so bedeutende wie die Kathedralen von Jaca, um 1060, San Isidoro in León, 1054–67, und – mit ähnlichem Grundriß wie St-Sernin in Toulouse, 124*, und Bauplastik des 11. und 12. Jhs. von höchster Bedeutung – Santiago de Compostela, beg. 1075.

Die **Hallenkirche** herrscht vor. Ihre Form entspricht im wesentlichen den katalanischen und südwestfranzösischen Kirchen. Besonders in Kastilien treten an einer oder zwei Langseiten der Kirche Vorhallen mit Arkaden und Holz- oder Gewölbedecken hinzu.

Die großen Kirchen der Spätromanik und der Übergangszeit im südlichen León (Salamanca, Alte Kathedrale*, seit 1152; Zamora, 1151–74; Toro, seit 1160) und im östlichen Aragon (Tarragona, seit 1171; Lerida, seit 1203; Huesca, A. 13. Jh.) sind kreuzgewölbte **Basiliken.**
– Schwere Bauformen
– spitzbogige, niedrige Arkaden unter dicken, wenig gegliederten Mittelschiffwänden
– Rippengewölbe mit kräftigen Rippen, Gurten und Schlußsteinen
– phantasievoll plastische Formen (Salamanca*, Turm)
– Figuren- und Blattkapitelle
– Rippenkuppeln

Daneben leben **Halle** (La Coruña) und **Emporenhalle** vom Typ Santiago weiter (Coimbra).

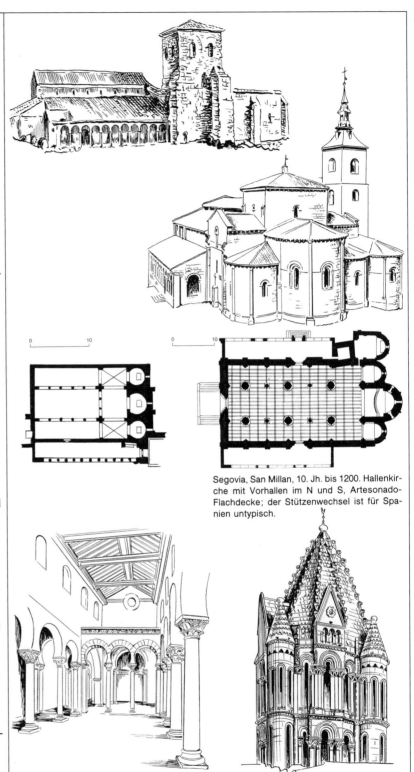

Segovia, San Millan, 10. Jh. bis 1200. Hallenkirche mit Vorhallen im N und S, Artesonado-Flachdecke; der Stützenwechsel ist für Spanien untypisch.

S. Miguel de Escalada, 913 gew., Portikus 1050. Mozarabische 3schiffige Basilika. Hufeisenbogen in Arkaden und Grundriß der 3 Apsiden. Westgotischer Vorgängerbau nach Maureneinfall von 711 verfallen. Vgl. 57

Salamanca, Alte Kathedrale, beg. 1152. Der spätroman. Vierungskuppelturm ist beispielhaft für den Formenreichtum der Übergangszeit zur Frühgotik. Schmale Maueröffnungen mit gestelzten Rundbögen. Byzantin. Einfluß.

WESTGOTISCHE, MOZARABISCHE UND ROMANISCHE
BAUKUNST IN SPANIEN UND PORTUGAL

0   100   200 km

La Coruña
Cambre
Meira
Lugo
Santiago de Compostela
Vilar de Donas
Osera
Ribadavia
Celanova
Taboadela
Tuy
Monção
Bande
São Frutuosa
Braga
Tibães
Rates
Travança
São Martinho de
Cedofeita
Ferreira
Porto
Balsemão
Tarouca
Lamego
Viseu
Lourosa
Coimbra
Leiria
Nazaré
Tomar
Alcobaça
Sintra
Lissabon
Évora
Beja

Naranco u S. Miguel
de Lillo
Salas
Oviedo
Tuñon
Sta. Cristina
de Lena
S. Maria de Arbas
S. Miguel de
la Escalada
Ribas de Sil
Orense
Santiago
de Peñalba
Ponferrada
León
Sahagún
Carrion d. l. Condes
Villacázar de Sirga
S. Martin
de Castañeda
Sta. Marta de
la Tera
Benavente
Baños de Cerrato
S. Pedro
de la Nave
Bragança
Toro
Zamora
Bamba
S. Cebrián de Mazote
Maderuelo
Arévalo
Salamanca
Ciudad Rodrigo
Viseu
Plasencia
S. Pedro de
la Mata
S. Martin de Montalbán
Merida
Calatrava
Córdoba
Niebla
Sevilla
Bobastro
Granada

Lillo =
Liño
Santullano
Covadonga
Valdedios
Pola de Lena
Lebeña
Santander
Bedón
Santillana d. M.
Siones
S. Salvador de Cantamuda
Cervatos
Oña
Antoñana
Las
Huelgas
S. Quirce
Burgos
Palencia
Frómista
Arlanza
Quintana
Covarrubias
Silos
Soria
Berlanga
Almazán
Gormaz
Sepúlveda
Segovia
Ávila
Madrid
Montelios
Toledo
Guarrazar
Tajo
Valencia
Las Navas de Tolosa

Roncesvalles
NAVARRA
Eunate
Pamplona
Sangüesa
Leyre
Puente
la Reina
Nájera
Torres d. R.
S. Millán de la Cogolla
Jaramillo d. l. Fuente
Quintanilla d. l. V.
S. Juan de Duero
S. Baudel de Berlanga
S. Juan
d. l. Peña
Loarre
Luna
Huesca
Tudela
Tarazona
Zaragoza
Fraga
Lerida

Siresa
Jaca
S. Cruz
de la
Seros
Gavin
Lárrede
Roda
Pedret
Albelda
Tarrasa
S. Pedro de Roda
La Garriga

Duero
Ebro
Júcar
Guadiana
Guadalquivir
Esla

CASTILLA
GUADARRAMA
ALMOHADENREICH
Teruel

.... Grenze der christlichen Königreiche

— — — Grenze des Islam um 1200

♦   westgotisch

○   mozarabisch

•   romanisch

⊙   mozarab. u. romanisch

Katalonien sh. auch Seite 127

ENGLISCH-NORMANNISCHE BAUKUNST

Gleich nach dem Sieg Wilhelms des Eroberers bei Senlac Hill (1066) beginnt eine rege Bautätigkeit im Auftrag der normannischen Herren. Noch am Abend der Schlacht wird der Bau von Battle Abbey befohlen. Andererseits werden fast alle sächsischen Bauten zerstört. Normannische Bischöfe und an Rom geschulte Maurer übertragen in Neu- und Wiederaufbauten den romanischen Baustil der Normandie. In Durham* wird 1093 zum erstenmal das Kreuzrippengewölbe verwendet, das dem Kreuzgratgewölbe überlegen ist und in Caen (112*) bald als sechsteiliges Gewölbe übernommen wird.
- Solide Einfachheit der Bauformen und Ornamentik
- kreuzförmiger Grundriß bei großen Kirchen, Chor oft sehr lang
- platter Chorschluß (Southwell*) oder halbkreisförmige Apsis; auch Chorumgang (Durham*; Ely, 97*)
- »Lady Chapel« (Marienkapelle) östl. des Chors erst ab 14. Jh. angefügt
- Türme gewöhnlich quadratisch. Vierungsturm. Doppelturmfassade. Einturm von Ely hat deutschen Ursprung
- Rundbogen, Rundpfeiler
- Pfeifen-, ornamentiertes Würfelkapitell, 98*; typische Friese*
- dreiteiliger Wandaufbau in großen Kirchen: Arkaden – emporenartiges Triforium – Obergaden mit Laufgang
- stark geöffnete, »ausgehöhlte« Innenmauern (Peterborough*)
- Holzdecke oder Steingewölbe

Frühzeit
- rohes Mauerwerk, aber feiner als zur sächsischen Zeit
- großfugig: »wide-jointed«
- Ornamentierung mit der Axt
- Archivolten nicht dekoriert

Spätere Zeit
- bessere Maurerarbeit
- engfugig: »fine-jointed«
- Archivolten und Kapitelle mit Meißel reich und tief verziert; Zickzackfries und Kreuzbogen sind bevorzugte Dekorationsformen
- Tympanon-Reliefs (Ely, Barfreston)

Nur 3 Zentralbauten sind erhalten:
Northampton, 1100–25; Cambridge, 1130 (131*) London, 1185

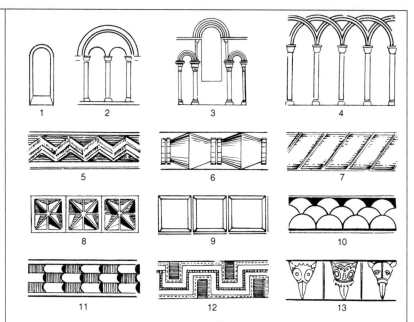

Wandöffnungen: 1 Fenster, 2 Zwillingsfenster mit Überfangbogen, 3 innerer Laufgang vor dem Obergaden, 4 Blendarkade mit Kreuzbogen. – Ornamente und Friese: 5 Zickzackfries, 6 Kegelfries (Double cone), 7 Taufries, 8 Diamantfries, 9 Felderfries, Plattenfries, 10 Schuppenfries, 11 Rollenfries, 12 Mäander, 13 Schnabelköpfe (Beakhead).

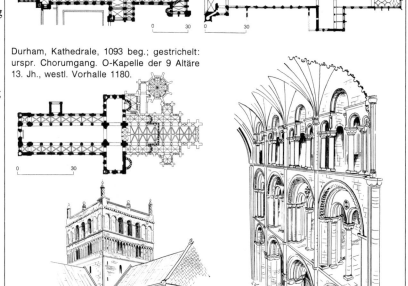

Durham, Kathedrale, 1093 beg.; gestrichelt: urspr. Chorumgang. O-Kapelle der 9 Altäre 13. Jh., westl. Vorhalle 1180.

Southwell, Kathedrale, Vierungsturm und südlicher Querhausarm. W-Teil und Querschiff normannisch (1108), O-Teile 13./14. Jh. Gestrichelt = normannischer Staffelchor. Quadratischer Turm mit Kreuzbogenarkatur.

Peterborough, Kathedrale, beg. 1118, Nordseite des Presbyteriums. Emporenartiges Triforium. Holzdecke 15. Jh. W-Fassade A. 13. Jh. (Early English, 165*). Lady Chapel im O mit Fächergewölbe um 1500 (Perpendicular).

ROMANIK IN GROSSBRITANNIEN UND IRLAND

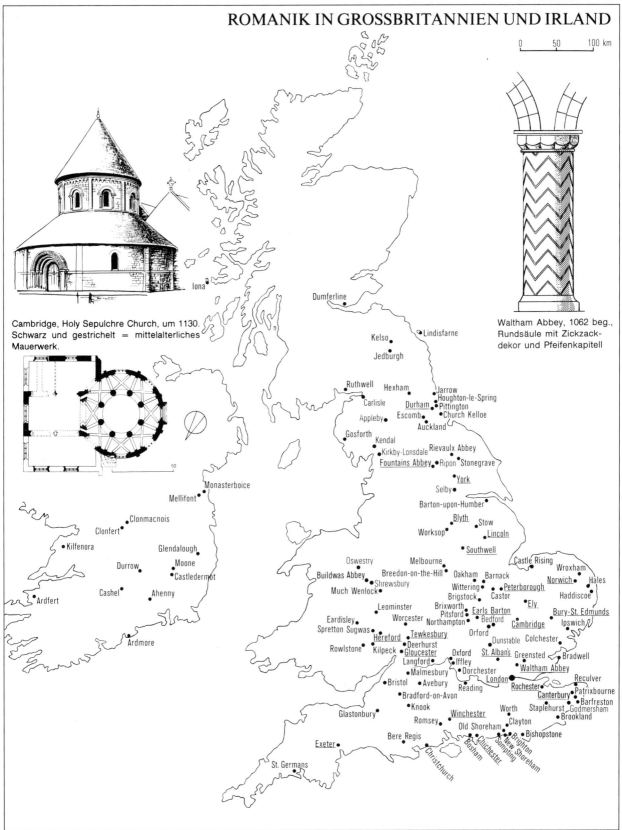

0   50   100 km

Cambridge, Holy Sepulchre Church, um 1130.
Schwarz und gestrichelt = mittelalterliches
Mauerwerk.

Waltham Abbey, 1062 beg.,
Rundsäule mit Zickzack-
dekor und Pfeifenkapitell

Iona

Dumferline

Kelso
Jedburgh

Lindisfarne

Ruthwell   Hexham   Jarrow
                        Houghton-le-Spring
Carlisle   Durham   Pittington
Appleby   Escomb   Church Kelloe
                        Auckland
Gosforth
        Kendal
        Kirkby-Lonsdale   Rievaulx Abbey
        Fountains Abbey   Ripon   Stonegrave

        York

        Selby

        Barton-upon-Humber

        Blyth   Stow
Worksop   Lincoln

        Southwell

Oswestry   Melbourne   Castle Rising
                                Wroxham
Buildwas Abbey   Breedon-on-the-Hill   Oakham   Barnack   Norwich   Hales
        Shrewsbury   Wittering   Peterborough   Haddiscoe
Much Wenlock   Brigstock   Castor
        Leominster   Brixworth   Earls Barton   Ely   Bury-St. Edmunds
Eardisley   Worcester   Pitsford   Bedford   Cambridge   Ipswich
Spretton Sugwas   Northampton
                Orford
        Hereford   Tewkesbury   Dunstable   Colchester
Rowlstone   Kilpeck   Deerhurst   Greensted   Bradwell
        Langford   Gloucester   Oxford   St. Alban's
                Iffley   Waltham Abbey
        Malmesbury   Dorchester   London   Reculver
Bristol   Avebury   Reading   Rochester   Patrixbourne
        Bradford-on-Avon   Canterbury   Barfreston
        Knook   Worth   Staplehurst   Godmersham
Glastonbury   Winchester   Clayton   Brookland
        Romsey   Old Shoreham   Bishopstone
                        Brighton
Bere Regis   New Shoreham   Sompting
Exeter   Chichester   Bosham
St. Germans   Christchurch

Monasterboice
Mellifont
        Clonmacnois
Clonfert
Kilfenora   Glendalough
        Moone
Durrow   Castledermot
Cashel   Ahenny
Ardfert
        Ardmore

10

OBERITALIEN

Piemont, Lombardei, Emilia, Venetien

Die altchristliche **Säulenbasilika** ohne Querschiff und Westbau ist häufig Vorbild für (nicht nur) frühe romanische Kirchen Italiens. Pfeiler, Emporen und Querhaus, ausgeschiedene Vierung und Doppelchörigkeit bleiben Ausnahmen.
- Eine oder drei Apsiden
- flächenhafte Westwand
- Backstein, Bruchstein oder Kleinquader
- Bogenfriese über Lisenen
- Nischenkranz unterm Dach
- dünne Wände
- Campanile frei stehend

In der Hochromanik vielfältige Formen
- Holzdecke
- Jochbildung, gelegentlich durch Schwibbogen getrennt, auch Stützenwechsel, gebundenes System
- Wandaufbau zweizonig
- (Rippen-)Gewölbekirchen mit Emporen, aber oft ohne Obergaden (Mailand, Sant' Ambrogio*)
- Säulen, Kreuzpfeiler mit Diensten
- Fassaden flach, reich gegliedert mit (Baldachin-)Portalen, Fenstern, skulptierten Streifen, horizontalen oder schräg ansteigenden Zwerggalerien in der Mauerstärke (Pavia*)
- Vierungsturm
- Krypten oft weiträumig (Piacenza*)

Zentralbauten als Kirchen oder als Baptisterien, die zu den großen Domanlagen gehören
- achteckig, rund oder mit 4 Stützen
- auch mit Emporen oder Umgang und überhöhtem Zentralraum.

Fidenza, Dom, Ende 12. Jh. Vorhalle mit Baldachin-Portal = Protiro mit Stylophoren = säulentragenden Tier- oder Menschenskulpturen. Ohne Stützen = Pseudoprotiro.

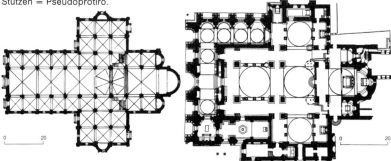

Piacenza, 12./13. Jh. Dreischiffige Basilika mit Hallenquerhaus, got. Gewölbe; große O-Krypta; 3 Portalvorbauten im W.

Venedig, San Marco, 11./12. Jh. Kreuzkuppelbasilika mit Zentralbau-Charakter nach byzantinischem Vorbild.

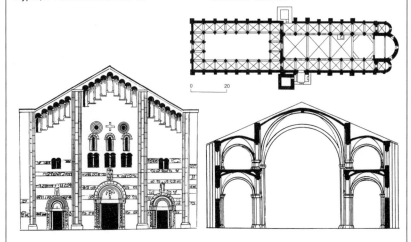

Pavia, San Michele, 12. Jh. Wandfassade mit 3 Portalen, durch Bündelpfeiler, Zwerggalerie und skulptierte Streifen gegliedert. Fenster in Gruppen angeordnet.

Mailand, Sant' Ambrogio, 11./12. Jh. Emporen-Hallenkirche (Staffelhalle) ohne Querschiff, aber mit Tambourkuppel überm Mittelschiff. Rippengewölbe. Atrium im Westen.

ROMANIK IN OBERITALIEN

0   50   100 km

Burgúsio
Bressanone/Brixen
San Candido/Innichen
Abbazia di S. Salvatore
Bolzano
Zuglio
Venzone
Capo di Ponte
Cavalese
Gemona
Gravedona
Egna
Spilimbergo
Cividale
Lenno
Trento
VENEZIA
Isola Comacina
Feltre Follina
Sesto al Reghena
S. Maria di Loppia
Anzu
Oderzo Concordia
Orto
Aosta
Como
Pontida
Sagittaria
Aquileia
Almenno
Grado
Galliano
S. Pietro
Bergamo
Bassano
Trieste
Biella
Monza
del Grappa Treviso
Ivrea
Milano
Maderno
Murano
Torcello
Novalese
Abbiategrasso
Chiaravalle Milanese
Brescia
Valpolicella
Caorle
Vercelli
Bardolino
Verona
Padova
Cavagnolo Po
LOMBARDIA
Sirmione
Abano T.
Venezia
Susa
Casale Monferrato
Lodi
San Bonifacio
Sagra San Michele
Torino
Lomello
Pavia
Arqua Petrarca
Cortazzone
Abbazia di Vezzolano
Cremona
Mantova
Asti
Piacenza
Tortona
Castell Arquato
Alseno
Ferrara
Pomposa
Saluzzo
Bobbio
Fidenza
Parma
Cento
Acqui
Carpi
Nonantola
Cherasco
Modena
EMILIA
Toano
Bologna
S. Tommaso
Ravenna
LIGURIA
Genova
S. Fruttuoso
Pieve Trebbio
Bagnacavallo
Classe
Noli
Sa. Margherita
Brisighella
Gallimaria
Albenga
Rimini
Andora
Portovenere
Bagno di Romagna

Venedig, San Marco. 2. H. 11. Jh. – 1094: Das byzantinische Bauschema wird durch abendländisch-romanische Elemente (z. B. Hallenkrypta unter dem Sanktuarium) zu einer eigenständigen venezianischen Bauweise erweitert. – Ab 1204 werden die Flachkuppeln durch Außenkuppeln überhöht, die Innenflächen mit Mosaiken bedeckt; die neue Vorhalle im N und die Säulenfassade im W entstehen. – 1385 beginnt die spätgotische Bekrönung der Obergadenmauern, Skulpturen schmücken die Tabernakel und die Spitzen der Kielbogen. – E. 15. Jh. werden die Sakristei und die Cappella di S. Teodoro, A. 16. Jh. wird die Zen-Kapelle gebaut.

MITTELITALIEN

Protorenaissance (= Vorrenaissance) ist eine von Jacob Burckhardt eingeführte Bezeichnung für die Rückführung einiger Kirchenbauten des 11. und 12. Jh. zu antiken Einzelformen in der **Toscana** und – weniger ausgeprägt – in der Provence. San Miniato* gilt wegen seiner frühchristl. Bauformen und der konsequenten Inkrustierung außen und (später) innen als Hauptwerk der Protorenaissance. Der Bau steht gemeinsam mit der Dom-Gebäudegruppe von Pisa (401*) am Anfang der Entwicklung. Zwar haben Grundriß und Querschnitt des Doms* keine Nachfolge, aber die Arkadengalerien im oberen Bereich der Fassade finden sich mehrfach wieder: Pavia, 132*, Lucca, Pistoia, Prato, Empoli. Marmor-Inkrustationen werden zum Merkmal zahlr. Kirchen in Florenz (Dom, 173*; Baptisterium, 142*; S. Maria Novella, 171*; u. a.), Pistoia, Pisa u. a.

Die Kirchen des Umlandes zeigen in der Regel individuelle Kombinationen der üblichen roman. Bauelemente: **Säulenbasilika** herrscht vor.
– 3 Schiffe, meist ohne Querschiff und Emporen, offene oder Flachdecke
– monolith. Säulen, gemauerte Rundpfeiler, auch rechteckige Pfeiler
– Stützenwechsel
– Krypta zum Mittelschiff geöffnet
– die turmlose Fassade folgt dem basilikalen Querschnitt
– Campanile freistehend
– Bruchstein und Kleinquader (früh)
– später Quader und reichere Außendekoration: Rundbogenfries zwischen Lisenen, Bogenblenden, Rundbögen über Pilastern oder Wandsäulen
– ausnahmsweise Vierungsturm, Chorumgang, Doppelchor, Doppelturmfassade, Querhaus, Nischengalerie, Backsteinbau mit Kreuzbogenfries

In **Marken** und **Abruzzen Hallenkirchen** und eine Gruppe von **Tonnenbasiliken** mit Säulen und Vierungskuppel (Ancona, 135*).

Rom hat im 11./12. Jh. geringe Bedeutung; reich dekorierte Kreuzgänge, Cosmaten und Inkrustationen der Spätromanik sind jedoch bemerkenswert.

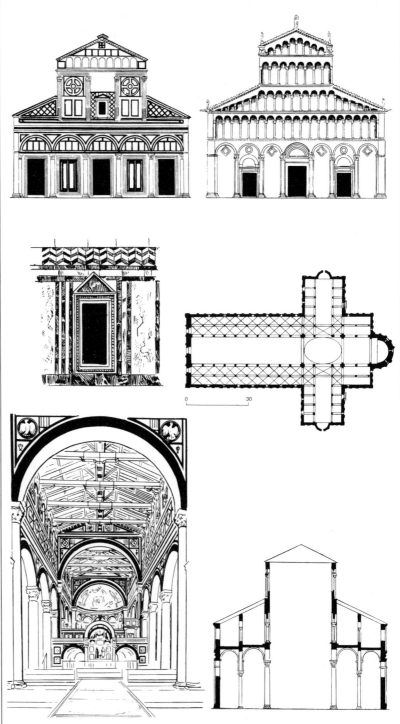

Florenz, San Miniato, 1018 bis 12. Jh. Reiche Marmor-Inkrustation außen und – später und z.T. gemalt – innen. Offener Dachstuhl. Jochbildung durch Wechsel von Vierpaßpfeilern und Säulen P–S–S–P und durch Schwibbögen. Krypta unter erhöhtem Chor. Bedeutendes Fußbodenmosaik, 1207 datiert.

Pisa, Dom, 1063 beg., um 1120 geweiht. 5schiffige, flachgedeckte Säulenbasilika mit 2schiffigen (!) Emporen und 3schiffigem Querhaus. Elliptische Kuppel; Brückenemporen zwischen Lang- und Querhaus; reiche Fassadengliederung mit Marmorinkrustation und Arkaturen, 13. Jh. Vgl. Rom, Basilica ulpia, 348*.

ROMANIK IN MITTELITALIEN

0   50   100 km

TOSCANA

Barga
Pistoia
Lucca
Prato · Fiesole
Pisa · Artimino · Firenze
S. Frediano a Settimo
S. Miniato al Tedesco · Ramena
S. Gimignano · Gropina
S. Piero a Grado
Monteriggioni
Volterra · Siena
Arezzo
Gubbio

MARCHE

Fano
Ancona
Jesi
Sassoferrato
S. Vittore delle Chiuse
Val di Castro · S. Claudio al Chienti

UMBRIA

Perugia · Assisi
S. Quirico d'Orcia
S. Antimo
Bevagna · Foligno
Massa Marittima
Castel Ritaldi
Abbazia S. Salvatore
Orvieto · Todi · Spoleto
Sovana · Bolsena · S. Felice di Narco
Lugnano · Ferentillo
Narni
Montefiascone
Tuscania · Viterbo
Capranica · Civita Castellana
Tarquinia
Sutri
S. Elia
Roma · Tivoli
Grottaferrata
Terracina

Ascoli
Teramo
S. Clemente al Vomane
Atri · Pescara
Aquila · S. Pietro ad Oratorium · Chieti
Rosciolo · Lanciano
Colano · Vasto
Palombara · Sulmona
Carsoli
Subiaco · Anagni · Alatri
Ferentino · Montecassino
Minturno
Gaeta

ABRUZZI

CAMPANIA

Lazio

Ancona/Marken, Kathedrale S. Ciriaco, 11.–13. Jh. Die Kirche gehört zu einer Gruppe von Bauten in Ancona und Umgebung (bis Lugnano), für die der byzantinische Grundriß über griechischem Kreuz, basilikale Staffelung (hier ohne Obergaden), säulengetragenes Mittelschiff, Längstonne und Vierungskuppel typisch sind. Vorhalle mit Baldachin-Portal (»Protiro«), E. 13. Jh.

SÜDITALIEN

Apulien

Normannen erobern seit 1030 die bisher byzantinisch beherrschte Ostküste, wenig später den ganzen Süden. Besonders die apulische Kirchengruppe um Bari*: Barletta, Trani*, Bitonto, Troia zeigt normannischen Geist in landschaftsgebundener Ausprägung. Die lange Bauzeit von S. Nicola in Bari bewirkt, daß spätere, aber in kürzerer Zeit gebaute Kirchen die jeweilige Stufe seiner baulichen Entwicklung zum Vorbild nehmen.

Säulenbasilika, steil, flachgedeckt
- durchgehendes Querhaus, 3 hohe Apsiden (viell. nach Salerno, 96*)
- Stützenwechsel
- Emporen, denen außen Säulengalerien über tiefen Rundbogenarkaden entsprechen
- bis 5 Türme, nicht freistehend
- auch: Chor mit Umgang (Acerenza)
- auch: Kuppelreihung (Molfetta)

Sizilien, Kampanien, Kalabrien

Nach der Vertreibung der seit 917 in Sizilien ansässigen Araber im 11. Jh. entwickeln die Normannen einen arabisch-byzantinisch-normannischen Mischstil. Sein Eklektizismus wirkt räumlich bis Neapel, zeitlich bis in die Stauferzeit (seit 1194). Einige kleinere Kirchen (Palermo, S. Cataldo, vor 1161; Castelvetrano*) haben
- kubische Formen
- 1 bis 5 halbrunde Kuppeln (arab.)
- Spitzbogen(-fenster) zwischen Halblisenen

Hauptwerke sind die nordsizilian. Dome in Palermo, Cefalù, Monreale*.
Säulenbasilika
- Spitzbogenarkaden, auch gestelzt
- keine Empore
- Decke flach, offen (Cefalù, Monreale) oder arab. Stalaktitendecke (Palermo, Cappella Palatina)
- Querhaus und Chor steil, auch höher als das Mittelschiff
- 3 Apsiden, am Querhaus (Palermo) oder vor Chorhäusern (Monreale*)
- Turmgruppen, Doppelturmfassade
- reiche Dekoration: Spitzbogen als Fries über gelängten Lisenen und als kreuzbogige Verblendungen; Inkrustation mit Lava und farbigen Steinen; Mosaiken (byzantin.); artesonado-artiger Fußboden (arab.)

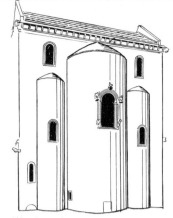

Trani/Apulien, 12. Jh. Apsiden am Querschiff.

Bari/Apulien, San Nicola, 1088–1197. Dreischiffige Basilika; durchgehendes Querschiff mit 3 hohen Apsiden; Trompenkuppel; Stützenwechsel P–S–S–P im vorderen flachgedeckten Langhaus, das durch Schwibbögen gegliedert wird; Emporen über kreuzgewölbten Seitenschiffen; 2 seitlich vorspringende W-Türme, 2 O-Türme.

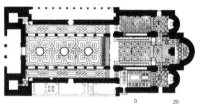

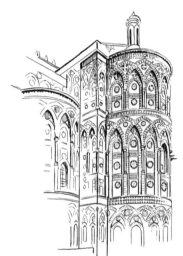

Castelvetrano/Sizilien, SS. Trinità di Delia, 12. Jh. Kleine kubische Normannenkirche mit Zentralkuppel.

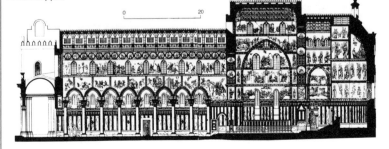

Monreale/Sizilien, beg. 1174, zählt neben den Domen von Cefalù, beg. 1131, und Palermo, beg. 1161, zu den Hochleistungen der sizilianisch-normannischen Romanik. – U: Mosaiken der Nordwände. Nach D. B. Gravina, 1869.

ROMANIK IN SÜDITALIEN

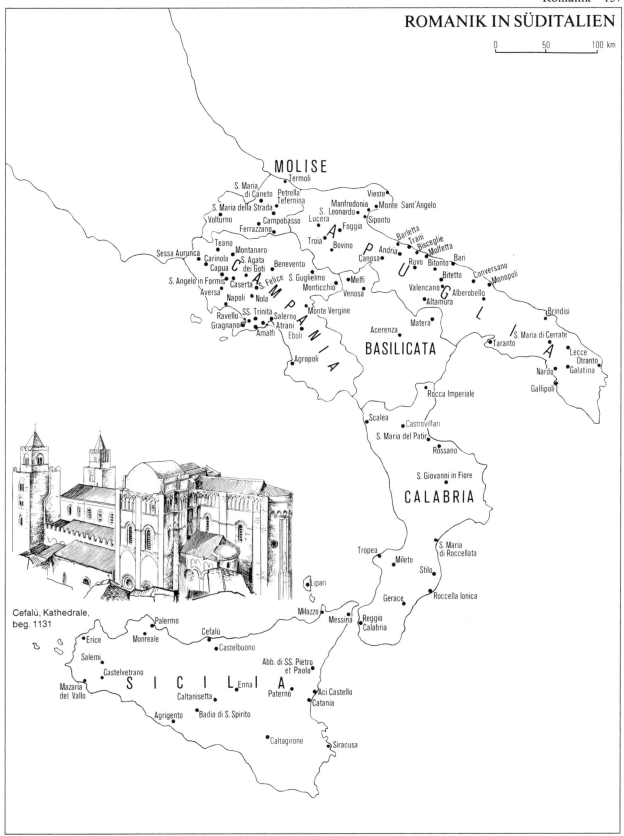

0   50   100 km

MOLISE

Termoli

S. Maria
di Caneto   Petrella
Tefernina   Vieste
S. Maria della Strada   Manfredonia   Monte Sant'Angelo
Volturno   Campobasso   S. Leonardo   Siponto
Ferrazzano   Lucera   Barletta
Teano   Montanaro   Foggia   Trani   Bisceglie
Sessa Aurunca   S. Agata   Troia   Bovino   Andria   Ruvo Bitonto Molfetta   Bari
Carinola   dei Goti   Benevento   Canosa   Conversano
Capua   S. Felice S. Guglielmo   Melfi   Bitetto   Monopoli
S. Angelo in Formis   Caserta   Monticchio   Valencano   Altamura Alberobello
Aversa   Napoli   Nola   Venosa
SS. Trinita   Salerno   Monte Vergine   Matera   Brindisi
Ravello   Atrani   S. Maria di Cerrate
Gragnano   Eboli   Lecce
Amalfi   Acerenza   Taranto   Nardo   Otranto
Agropoli   BASILICATA   Galatina
Gallipoli

CAMPANIA   PUGLIA

Rocca Imperiale

Scalea   Castrovillari
S. Maria del Patir
Rossano

S. Giovanni in Fiore

CALABRIA

Tropea   S. Maria
di Roccellata
Mileto
Stilo
Gerace   Roccella Ionica

Lipari

Milazzo   Messina   Reggio
Calabria

Palermo
Cefalù, Kathedrale,   Monreale   Cefalù
beg. 1131   Erice   Castelbuono
Salemi   Abb. di SS. Pietro
Castelvetrano   et Paolo
Mazaria   SICILIA   Enna   Aci Castello
del Vallo   Caltanisetta   Paterno   Catania
Agrigento   Badia di S. Spirito
Caltagirone   Siracusa

NORD- UND OSTEUROPA

haben keine eigenständigen romanischen Kunstlandschaften entwickelt. Kolonisation und Ausdehnung der Diözesen bewirken im Kirchenbau starke stilistische Abhängigkeit von England, deutschen und romanischen Ländern. Kleinkirchen (meist Saalkirchen) überwiegen. Rundbauten ohne und seltener mit eingestellten Stützen sind häufig. Gelegentlich vermischen sich abendländische mit byzantinischen Bauformen (Slowenien).

Norwegische Stab- und Mastenkirchen

– Grundrahmen = Schwelle
– Stäbe (= äußere Pfosten) und innere, freistehende Masten nicht eingeerdet
– Palisadenwand mit Lichtlöchern
– Stabilisierung zwischen den Masten durch Querbalken und Bogenscheiben (Kaupanger-Gruppe, sh. u.), bei Borgund-Gruppe auch durch Andreaskreuze (sh. u.), gegen die Außenwände durch Bogenscheiben
– Saal oder basilikale Staffelung
– Mittelschiff mit/ohne Umgang, aber keine echten Seitenschiffe

Aus gotischem Geist stammen: äußerer Laubengang, Wimperge, Dachreiter, Apsistürmchen (Perivalium), Fenster.

Sh. hierzu: Borgund 56*; → Stabkirche*

Zur Karte S. 139:

Typ A Stabkirche als kleine Saalkirche
4 Stäbe 1–6   > 4 Stäbe 7–11

mit Mittelmast als   Übergangstyp 15
Dachreiterstütze 12–14   mit 4 Masten

Typ B Große entwickelte Mastenkirche
Kaupangergruppe 16–20   Wandaufriß

Borgundgruppe 21–29 (30)
mit/ohne L Laubengang   Wandaufriß

Nach Gunnar Bugge

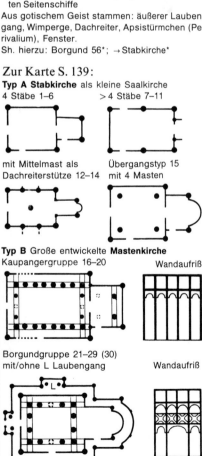

Böhmen   ## Skandinavien

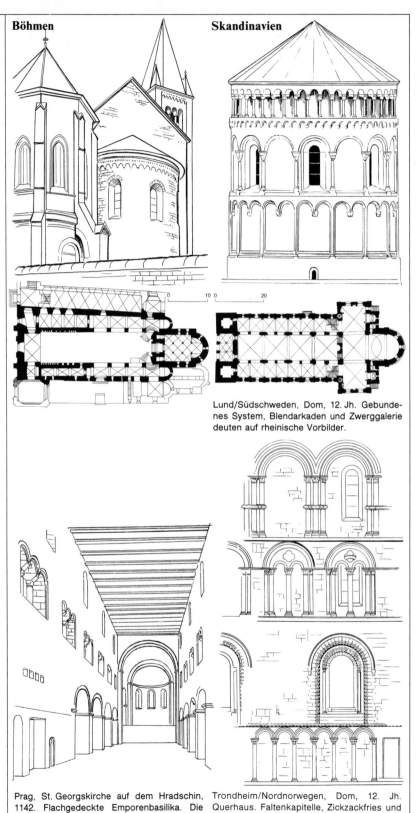

Lund/Südschweden, Dom, 12. Jh. Gebundenes System, Blendarkaden und Zwerggalerie deuten auf rheinische Vorbilder.

Prag, St. Georgskirche auf dem Hradschin, 1142. Flachgedeckte Emporenbasilika. Die östlichen Emporen sind überwölbt. Krypta unterm Chor.

Trondheim/Nordnorwegen, Dom, 12. Jh. Querhaus. Faltenkapitelle, Zickzackfries und Laufgang vor den Obergadenfenstern verweisen auf englische Vorbilder. Vgl. 179*.

ROMANIK IN SKANDINAVIEN

0 — 50 — 100 km

○ Stabkirche in situ, ursprünglich etwa 700 Kirchen
◉ Stabkirche, an einen anderen Ort versetzt
   Nach Roar Hauglid
● romanische Kirche

Munkholm (Nidarholm)
1 Holtålen
-Trondheim (Nidaros)
Åre
Frösön
7 Grip
9 Kvernes
8 Rødven
1 Holtålen
Alnön
30 Vågå
20 Lom
10 Garmo
29 Ringebu
Fåvang
19 Fortun
Hälsingtuna
Njutånger
Trönö
Söderala
16 Kaupanger 17 Urnes
Årdal
26
15 Øye Hurum 25 Hegge
18 Hopperstad 23 Borgund
Vang 27 Lomen
Lillehammer
2 Undredal
Ringsaker
Hamar
(Hedmark)
24 Gol 4 Reinli
21 Torpo
Ål
5 Hedalen
Bergen Nes
Fantoft Grinaker
13 Uvdal Flå
Fagersta
Tensta
Söderby
Gamla Uppsala Ballingsta
12 Nore 3 Rollag Salnecke Skokloster Rö Frösunda
28 Flesberg Härkeberga Husby
11 Røldal Hjartdal Oslo Västeras Yttergran Sigtuna Täby
22 Heddal Arboga Fogdö Yttersela Munsö
6 Eidsborg Örebro Tumbo Strangnäs Adelsö Stockholm
14 Høyjord Knista Täby
Tønsberg Tångeråsa Mosjö Sköllerstad
Stavanger Södra Råda
Skee Tuna
Risinge
Kristiansand Älgarås Ask Flistad Skärkind
Husaby Forshem Kåga
Svenneby Skalunda Strö Kinne-Vedum Vretakloster Vårdsberg
Skara Götene Skövde Väversunda Linköping
Bokenäs Sparlösa Gudhem Varnhem Alvastra
Morlanda Gökhem Kungslena
Suntak
Ytterby Södra Ving Visby Bro Källunge
Hedared Gothem
Göteborg Dalhem Anga
Fröjel Lye Gärde
Roma Lau
Hilletofta Pelarne
Norra Ljunga Vetlanda Källa Öja
Nydala Vallsjö Föra Vamlingbo
Hjälmseryd Königsvik
Svartrå Drev Dädesjö Egby
Växjö Gärdslösa
Jät Kläckeberga Vickleby
Hagby Resmo
Laholm Hjortsberga
Finja Gumlösa
Herrevadskloster Bäckaskog
Raus Ignaberga
Röstånga Vä Rinkaby
Köbenhavn Ven Bosjökloster
(Kopenhagen) Gårdstånga
Ledöje Lund Dalby Ravlunda Kyrka
Bjernede Roskilde Anderslöv Övraby Simrishamn
Sorø Maglarp Valleberga
Ringsted St. Olof Österlar
Store Heddinge Ny Nylar

Gjøl
Vitskøl
Stenild Rimsø
Viborg Nødager
Århus
Venge
Jelling
Kalundborg
Ribe Horne
Haderslev
Løgumkloster

Norwegische Stab- und Mastenkirchen
Typisierung entsprechend S. 138*

Typ A: Stabkirche als kleine Saalkirche
4 Stäbe: > 4 Stäbe:
1 Holtålen 2. H. 11.   7 Grip 12.
2 Undredal ?   8 Rødven 12.
3 Rollag ?   9 Kvernes E. 12.
4 Reinli 13.   10 Garmo 1021
5 Hedalen 12.   11 Røldal 13.?
6 Eidsborg 1. H. 13.

mit Mittelmast   Übergangstyp:
unterm Dachreiter   15 Øye 1747
12 Nore E. 12.   (Vang, ver-
13 Uvdal E. 12.   setzt ins
14 Høyjord   Riesenge-
   (abgetragen)   birge 1841)

Typ B: Große Mastenkirche
Kaupanger-Gruppe
16 Kaupanger E. 12.
17 Urnes M. 11.–12.
18 Hopperstad 1. H. 12.
19 Fortun 12.
20 Lom E. 12.

Borgund-Gruppe:
21 Torpo 2. H. 12.
22 Heddal ~ 1250
23 Borgund 1150
24 Gol 1. H. 12.
25 Hegge 1. H. 12.?
26 Hurum E. 12.
27 Lomen E. 12.
28 Flesberg ?
29 Ringebu E. 12.   30 Vågå
Nach Roar Hauglid und Gunnar Bugge

Zahlreiche kleine romanische und roman.-got. Steinkirchen

BAUKUNST DER ZISTERZIENSER

Nach dem Verebben der benediktinischen Reform von Cluny, 116*, führt der neugegründete Zisterzienserorden eine Neuordnung des Klosterwesens durch. Fast 600 abendländische Kirchen gehen auf die Reform- und Bauvorschriften ihrer burgundischen Klöster Cîteaux (gegr. 1098), Clairvaux (gegr. 1115) und Morimond zurück. Politisch und wirtschaftlich unabhängig, kultivieren sie unwirtliches Land und erwerben großen Grundbesitz. Ihre Kirchen sind an Grund- und Aufriß leicht erkennbar. Bis etwa 1150 werden die Bauvorschriften streng, später – besonders unter dem Einfluß von Stiftern oder örtlichen Bedingungen - großzügiger gehandhabt. In einigen Ländern Europas (Deutschland, Spanien, Italien, England) bereiten zisterziensische Bauten die Gotik vor.

Basilika
- hölzerner Dachreiter statt Turm
- Langhaus flachgedeckt, später Rippengewölbe
- Pfeilervorlagen endigen in der Regel in halber Höhe auf Konsolen

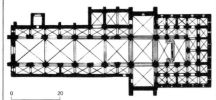

Riddagshausen/Niedersachsen, 1. H. 13. Jh. Dreischiffige Basilika, gebundenes System. Querhaus, flacher Chor mit Umgang und Kapellen.

- Querhaus mit 2–4 rechteckig geschlossenen Nebenkapellen
- gerader Chorschluß, dahinter manchmal Kapellen, später auch rechteckiger oder halbrunder Umgang mit Kapellenkranz (Riddagshausen*, Pontigny*)
- queroblonge Jochbildung in Burgund, in Deutschland zunächst gebundenes System
- kein figürlicher Schmuck oder bunte Glasfenster, aber außerordentlich sorgfältige Steinmetzarbeiten
- Krypta und Empore fehlen
- Arkaden des Kreuzgangs ruhen auf durchlaufendem Mauersockel

Backsteinbauten in N-Europa
→ Backsteinbau, Abb. Chorin

Mi (von oben nach unten): Fontenay/Burgund, Kreuzgang. Gegr. 1118 durch Bernhard von Clairvaux, älteste vollständig erhaltene Zisterzienser-Klosteranlage. – Maulbronn/Baden-Württemberg, 12./13. Jh., nach frz. Vorbildern. A Kreuzgang mit B Brunnenhaus (Tonsur). C Pfeilerbasilika mit Querhauskapellen, geradem Chorschluß und H Lettner zwischen Mönchs- und Laienkirche (Abb. u). Vorhalle (Paradies) im W. D Kapitelsaal, E Refektorium (Speisesaal), F Parlatorium (Sprechsaal) im Untergeschoß und Dormitorium (Schlafsaal) im Obergeschoß. G Schlaf- und Speisesaal der Laienbrüder. – U: Maulbronn, Klosterkirche

Re: Pontigny/Burgund, 1150–80, gotisch. Travéebildung in Lang- und Querhaus. Chor, Umgang und Kapellenkranz halbrund. Pfeilervorlagen endigen auf Konsolen.

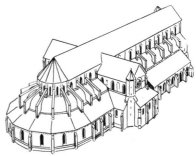

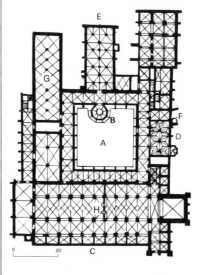

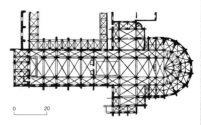

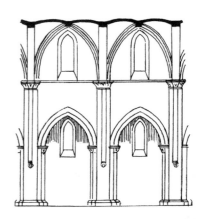

ZISTERZIENSERABTEIEN UND IHRE TOCHTERGRÜNDUNGEN

0   100   200 km

ZENTRALBAU

Die bedeutendsten Zentralbauten stammen aus der Hoch- und Spätromanik. Die Grabeskirche in Jerusalem, 38*, und das Aachener Münster, 69*, als Vorbilder werden vielfältig umgeformt.
Grundrißformen:
– kreisrund
– 6-, 8-, 12eckig; auch 7eckig mit 14eckigem Umgang (Rieux bei Carcassonne)
– quadratisch
– kreuzförmig
– mit Nebenräumen: Vorhalle, Apsiden, Chorhaus, Turm
– Quadrat mit 4 eingestellten Stützen, besonders bei Burgkapellen, die im 12. Jh. als zweigeschossige → Doppelkapelle* beliebt werden.

Segovia, Templerkapelle Vera Cruz, 1208. Der 12eckige Kernbau mit 2 Treppen ist zweigeschossig. 3 Ostapsiden. Turm später.

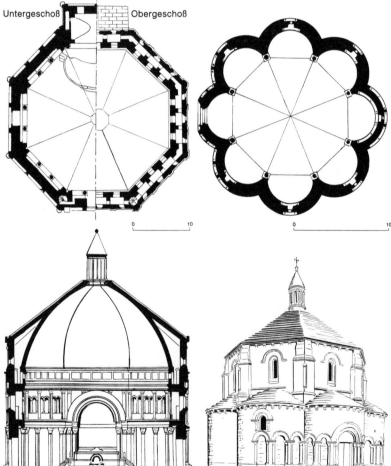

Untergeschoß   Obergeschoß

Dijon, St. Bénigne, A. 11. Jh. Grundriß der noch erhaltenen Krypta unter der (zerstörten) Chorscheitelrotunde (Abb. u) mit ehem. 4geschossigem Mittelraum. Vorbild: Grabeskirche in Jerusalem, 38*

Florenz, Baptisterium, 11.–12. Jh. 8eckiger Bau mit 3geschossiger inkrustierter Fassade, innen 2geschossig mit Klostergewölbe und reicher Gliederung aus Säulen und Pilastern.

St-Michel-d'Entraigues, 12. Jh. Achtseitige Anlage mit halbrunden Nischen an jeder Seite, die außen als Exedren vortreten. Klostergewölbe mit Laterne.

WEHRKIRCHE

oder Kirchenburg nennt man eine befestigte Kirche des Mittelalters, die mit
starken Umfassungsmauern (die auch
oft den Friedhof umschließen), Wehr-
gängen und Zinnen, auch mit zusätzlichen Verteidigungstürmen ausgebaut
ist. Sie bietet in Grenzgebieten und an
anderen, unbefestigten kleinen Orten
Schutz für die Bevölkerung. Die bekanntesten sind die Siebenbürger (Eibesdorf*, Tartlau*, Schäßburg, Wurm-
loch, Schonberg u. a.) und die südfranzösischen Wehrkirchen (Agde*; Les-
Stes-Maries; Royat; Montmajour*),
die z. T. zum Schutz gegen Seeräuber
gebaut wurden. Auch in Schwaben
(Großsachsenheim, Merklingen, Lien-
zingen), im Elsaß (Hunawihr*), in der
Schweiz (Sitten) und in Österreich sind
Wehrkirchen zu finden (Maria-Saal,
Weißenkirchen).

Agde/Südfrankreich, beg. 9. Jh., tonnengewölbte Saalkirche

Eibesdorf/Siebenbürgen, Bauzeit bis 15. Jh.
(gotisch)

Hunawihr/Elsaß, Kirchenburg. Die Umfassungsmauer mit den 6 Bastionen stammt noch
aus dem 12. Jh. Die ursprünglich romanische
Kirche wurde durch eine gotische ersetzt
(Turm 14. Jh., Kirche 15. Jh.).

Tartlau/Siebenbürgen, Kirchenburg Prejmer,
A. 13. Jh. beg. – Mi: Lageplan der Kirche inmitten der Mauern und Bastionen mit den insges.
275 Wohnkammern, die im 15. Jh. an- und eingebaut wurden. – U: Außenansicht

Montmajour bei Arles/Provence, Benediktiner-
Abtei, gegr. 10. Jh., Abtei und Kreuzgang 12. Jh.
Der 26 m hohe gotische Bergfried (»Abtturm«)
wurde 1369 erbaut und diente in Kriegszeiten als
Zuflucht der Mönche.

BAUKUNST DER ÜBERGANGSZEIT

Frankreich

In Frankreich zeigen die Fassaden einiger Kirchen – bes. in der Picardie – bereits im 2. Drittel des 12. Jhs. frühgotischen Charakter. Die nach 1170 entstandene Kathedrale von Laon* ist schon ein Werk der Frühgotik, aber noch unter starker Verwendung romanischer Detailformen:

Romanische Formsubstanzen:
– Gewölbe bleiben noch sechsteilig
– Festhalten an der Empore, dadurch vierzoniger Wandaufbau*, 154*
– Dienstbündel werden von Schaftringen unterteilt
– Stützenwechsel
– Rundbogen, Rundfenster und stark gedrückte Spitzbogen, bes. in den 2 unteren Fassadenstockwerken
– kompakte, schwere, körperhafte Bauteile (z. B. Portalvorbauten, Vierungsturm, Fialen)
– schluchtartige Maueröffnungen (vgl. Lissabon, roman. Kathedrale)

Gotischen Formwillen zeigen
– die unruhige Rhythmisierung der Fassade
– die Durchbrechungen der Türme und der übereck stehenden Altanstaffelungen an den Turmkanten
– Rippengewölbe und Strebewerk
– die Überwindung des Stützenwechsels der westlichen Joche, 156*, der beim etwa gleichzeitigen Bau von Noyon noch die Joche trennt und das Fließen des Raums verhindert
– die weitgehende Entmaterialisierung der Hochschiffwände
– Triforium
– weitgehende Anwendung des Spitzbogens

Italien

Der Vielgeschossigkeit in nordfrz. Kirchen des 12. Jhs. entsprechen in Nord- und bes. Mittelitalien die mehrgeschossigen Raumnischen in den Fassaden (134*), während die inneren Hochwände Mittelitaliens meist ungegliedert oder nur inkrustiert bleiben. Kreuzrippenwölbung und Emporen werden nur im Norden aufgenommen. Die frz. Zisterzienser bringen in Fossanova, 1180–1208, und Casamari, beg. 1217, mit einem Schlag das Formenvokabular der frz. Gotik in die

Laon, Kathedrale, 1155–1235. W-Fassade, Wandaufriß.

Laon, Kathedrale, Grundriß.

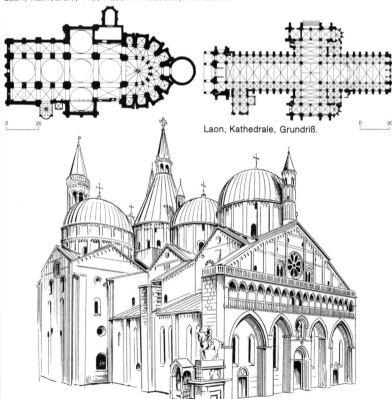

Padua, San Antonio, 1232–1307, Pfeilerbasilika. Mischung von romanischen, gotischen und byzantinischen Bauformen. Vorbilder: ital. Bettelordenskirchen (3schiffiges Langhaus mit breitem Querschiff); frz. Kathedralen (polygonaler Chor); byzantinische 5-Kuppel-Anlage (vgl. Venedig, San Marco, 132*), durch 2 Kuppeln erweitert; lombardische Fassade (Blendarkaden, darüber Zwerggalerie).

Neuß, St. Quirin, nach 1209. Nach dem gebundenen System eingewölbte Emporenbasilika mit Dreikonchenchor. Westbau (o) und Chor (u) zeigen die reiche Gliederung der spätesten Romanik.

O u. Mi: Canterbury, Chor der Kathedrale, 1175; 6teil. Gewölbe, Rund- und Spitzbogen. Stützenwechsel. Dienst der Querrippe beginnt auf dem Kämpfer der Nebenstütze. – U: Ripon, Kathedrale, Triforium und Obergaden.

Lombardei und mit S. Galgano, beg. 1227, in die Toscana. Übergangsformen zeigen S. Andrea in Vercelli, 1219 beg., und die eklektizistische Antoniuskirche in Padua, 144*.

Deutschland

In Deutschland trennt man sich erst spät vom romanischen Formenkanon. Noch bis zur Mitte des 13. Jhs. wird romanisch gebaut, wenn auch als typisch gotisch geltende Elemente wie der Spitzbogen häufiger verwendet werden und französischer Kirchenbau bes. im Rheinland gern zum Vorbild genommen wird. Die normannische Stabwerkarchitektur findet zuerst in Sachsen Eingang (Magdeburg, 1209 beg.). Bes. Laon wirkt auf die deutsche Baukunst ein: vierzoniger Wandaufbau in Limburg; Türme nach Laoner Vorbild in Bamberg, Naumburg, vermutlich auch in Würzburg. In der letzten »barocken« Phase der Romanik verbindet sich die Westwand mit flankierenden Türmen zu einer außerordentlich reich gegliederten Fassade, Fenster erhalten Fächer-, Kleeblatt-, Schlüssellochformen. Das gebundene System und die Kreuzrippenwölbung bleiben zunächst erhalten.

Emporenbasilika:
– gebundenes System
– Kreuzrippengewölbe
– Triforium selten
– auch: Dreikonchenanlagen
– Kleeblatt-, Schlüsselloch-, Fächer-, Rund- und Radfenster
– Knospenkapitell
– Chor halbrund oder polygonal mit reicher Gliederung
– Westfassade mit reicher Gliederung
– Krypta
– gelegentlich üppig skulptierter Lettner

Hallenkirche besonders in Westfalen.

England
Der englische Übergangsstil (»Transitional«) liegt zwischen 1175 und 1200. Er führt zum »Early English«, der englischen Frühgotik.
Besonders auffällig sind die in runde Überfangbögen eingestellten Spitzbögen bei gleichzeitiger Verwendung des normannischen Laufgangs vor den Obergadenfenstern.

Chartres, Kathedrale, um 1200, Gewölbe

GOTIK

Die Gotik läßt sich in drei Epochen gliedern, die allerdings in den europäischen Ländern mit zeitlichen Verschiebungen beginnen und enden.

Epochen der Gotik

1. Der Übergang von der Romanik zur Gotik. Er beginnt in Frankreich etwa Mitte des 12. Jahrhunderts, in England 1175 und in Deutschland kurz nach 1200. Die landschaftliche Bautradition wird nur langsam überwunden.

Hochgotik

2. Die Wandlungen in der Politik (Aufstieg Frankreichs zur größten Macht in Europa durch ein starkes, das Land zentralisierendes Königtum), in der Gesellschaft (Aufstieg des städtischen Bürgertums) und der Philosophie (Scholastik) haben ein neues Weltbild geschaffen, das seinen umfassenden künstlerischen Ausdruck in Bau und Dekoration der Kathedralen des 13. und 14. Jahrhunderts findet. Das französische Kathedralprogramm setzt sich in Europa durch (Austausch zwischen den Bauhütten) und führt zur stärksten Vereinheitlichung der Architektur in Europa.

Spätgotik

3. Das 14. Jahrhundert, von Epidemien, Kriegen und Not gekennzeichnet, geistig von der Mystik, gesellschaftlich vom Bürgertum getragen, entwickelt wieder deutlicher nationale Sonderformen. Predigerkirchen und Kapellen für die private Andacht werden bevorzugt, Dekorationen vermehrt. Gegen 1400 und später kommen unvollendete Großbauten zum Erliegen. Die bildenden Künste lösen sich von der Bindung an die kirchliche Architektur und werden selbständig.

Nationalisierung Europas:
Deutschland

In den langen Kämpfen zwischen Kaiser und Papst zerbricht in Deutschland die Einheit von Staat und Kirche. Die Fürsten erstarken gegenüber dem Kaiser. Die geistige und politische Vorrangstellung Deutschlands bröckelt unter den letzten Staufern ab und endet im Interregnum nach dem Tode Friedrichs II. (1250). Damit ist auch die kulturelle Einheit Europas zerfallen. Zwar sind hundert Jahre später unter Karl IV. (1347–78) die deutschen Verhältnisse wieder geordneter. Aber die kulturelle Blüte, die daraus erwächst, bleibt auf das nationale Territorium beschränkt.

Italien löst sich nach dem Zusammenbruch der Staufermacht in Einzelstaaten auf, die sich in den Kämpfen zwischen Ghibellinen und Guelfen zerfleischen. Ihre Fürstenhöfe stehen der Gotik fremd gegenüber und entwickeln schon in gotischer Zeit die Grundlagen der Renaissance. | Italien

Spanien ist auf mehrere Königshäuser aufgesplittert, zum Teil ist es noch von den Mauren besetzt. | Spanien

Die Erweiterung der französischen Kronlande zwingt England während mehr als zwei Jahrhunderten zu Kriegen um seine Erbansprüche in Frankreich. Innenpolitisch ist das Land auf die Schaffung einer frühen Form der Demokratie fixiert (Magna charta 1215, Parlament 1275 und 1295). | England

Der neue Stern geht über Frankreich auf. Bis ins 12. Jahrhundert politisch wenig bedeutsam, werden die Bemühungen der Kapetinger (987–1328) um politische Einheit des Landes im 13. Jahrhundert erfolgreich. 1214 siegt Philippe II. Auguste (1180–1223) bei Bouvines gegen die Engländer und ihren deutschen Verbündeten, Otto IV. Dieser ist aber zugleich Gegenkaiser Friedrichs II. In einer großzügigen Geste übersendet Philippe den erbeuteten Reichsadler dem bedrängten Friedrich, der an dem Sieg selber gar nicht beteiligt war. Dadurch wird einerseits das staufische Kaisertum ein letztes Mal anerkannt, andererseits der französische Einfluß auf Deutschland gestärkt. Philippe IV. (1284–1314) verschleppt das Papsttum in die »Babylonische Gefangenschaft« nach Avignon und löst mit diesem Schlag die Probleme, die in hohem Maß den Untergang des deutschen Kaisertums mitbewirkt hatten. Mitte des 15. Jahrhunderts befreit sich Frankreich endgültig von den englischen Territorialansprüchen. Dies alles bewirkt eine ungeheure Erstarkung des Nationalbewußtseins. | Frankreich

Innerhalb Frankreichs können sich indes die großen Orden relativ ungebunden und zwanglos entfalten. Sie lehren den Ackerbau auf dem Lande und in den Klosterschulen die Sieben Freien → Künste*. Nie war hier die Kirche so stark in die weltliche Machtausübung integriert wie etwa in Deutschland. In ihrem Bannkreis kristallisieren sich auch zuerst die geistigen Wandlungen heraus, die ihr äußeres Bild in der Kunst der Gotik finden werden. Die Beziehungen zwischen den Machtansprüchen der Krone und den Intentionen der Kirche bleiben dabei immer intakt. | Orden · Wandlungen des Weltbildes

Suger, von 1122–51 Abt von St-Denis, ist zugleich Freund des Königs und Kanzler des Landes. Er entwickelt ebenso umfassende wie detaillierte neue Vorstellungen von Architektur und Sinn der Kathedrale.

Der Dominikaner Thomas von Aquin und der spätere Benediktiner Abälard sind die führenden Köpfe der Scholastik, der neuen Philosophie. Sie lehren an der um 1200 gegründeten Universität von Paris, in der das Wissen der Zeit enzyklopädisch zusammengetragen wird, und sie entwickeln eine neue Methode, um mit diesem Wissen die Wahrheit der Offenbarung dialektisch zu beweisen.

Tiefgreifende Wandlungen vollziehen sich in ganz Europa. Das alte imperiale Weltbild der Menschen in Deutschland löst sich auf. Die Logik aus der Ableitung »Gott–Kaiser–Sicherheit«, die bisher als richtig erlebt wurde, wird in den Unsicherheiten des Interregnums in bösem Sinne bestätigt. Im Schutze neuerbauter Städte gewinnt der Bürger Wohlstand, Bildung und Emanzipation.

In Italien stellt Franz von Assisi dem Absolutheitsanspruch der Obrigkeit den »Bruder Mensch« entgegen. Bernhard von Clairvaux schreibt bittere Worte über die alte Magie des apotropäischen Dämonenbildnisses, den Versuch der Beschwörung des Bösen durch dessen bildhafte Darstellung an Fassaden und Kapitellen.

Die flammenden Aufrufe der Päpste und Orden zu den Kreuzzügen bewirken – bei aller politischen und menschlichen Unseligkeit der Unternehmungen – einen intereuropäischen Kulturaustausch: Die Kreuzfahrer kommen aus vielen europäischen Nationen; sie werden sich der Ähnlichkeit ihrer nationalen geistigen und gesellschaftlichen Probleme bewußt und fördern nach ihrer Rückkehr in ihren Heimatländern die Bereitschaft, das Angebot des neuen Geistes und des künstlerischen Formwillens der Gotik anzunehmen und mitzutragen.

In seiner Not und seinen Unsicherheiten fühlt der Mensch sich zunehmend vertrauter mit Gott und den Heiligen. Die Mystiker werden um 1300 eine starke Gegenbewegung zur Scholastik. Statt des Gottes-Beweises suchen sie die Gott-Erfahrung und finden in der Abfolge von »Reinigung–Heiligung–Vereinigung« eine Technik des direkten Zugangs, der Einswerdung mit Gott.

Die Kathedrale aber wird der Ort, in dem sich diese Wandlungen der Welt und des Weltbildes widerspiegeln:

Die wachsende Steilheit ihrer Wände, der Vertikalismus aller gliedernden Elemente deuten auf einen Formwillen hin, der von der neuen Frömmigkeit des Volkes und von der ekstatischen Gottsuche der Mystik geprägt ist.

In den Gewänden und Archivolten von Chartres und anderswo sind all jene Gestalten und Allegorien aufgereiht, die der Scholastik als Zeugen und Gleichnis ihrer Wahrheiten dienen: Aristoteles und die Sibyllen, Propheten, Apostel und Kirchenväter, die Sieben Freien Künste, Tugenden und Laster, die Zeichen des Firmaments und die Arbeiten des Jahreslaufs, und unter den Heiligen Thomas Becket, der moderne Blutzeuge.

Der Bürger, der sich zunehmend der Innenausstattung seines Gotteshauses annimmt, fügt den Bildern seiner Heiligen die Attribute einer neuen, bisher nie gekannten »Menschlichkeit« zu. Pietà und »Erbärmdebilder« zeigen Christus in der ganzen Armseligkeit des Leidens, der Gekreuzigte trägt eine Dornen- statt der früher üblichen

Die Kathedrale als Spiegelbild des Weltbildes

Wahrzeichen der Bürgerstadt bleiben Kathedrale und Stadtkirche, die sich »wie eine Glucke bei ihren Küchlein« (Dehio) über Bürgerhäuser, Markt und Gassen erheben.
Duisburg, Salvator-Kirche, 15. Jh.
Nach einer Lithographie des 19. Jhs.

Königskrone. Und aus den Verzückungen der Mystiker entstehen Marienbilder und -plastiken von unendlicher Zartheit.

Nicht zuletzt ist die frühe Kathedrale ein Symbol für die neue Macht der französischen Könige. Zu der Zeit, als sich das französische Königtum noch auf die Ile-de-France beschränkt, erfinden einige geniale Baukünstler hier und in der nächsten Nachbarschaft, der Champagne und der Picardie, mit dem Strebewerk das entscheidend Neue: die Zusammenordnung von Gliederbau und Rippengewölbe. Im gleichen Maß, in dem vom Pariser Raum aus die Vereinheitlichung des Reiches und der Einfluß der Krone fortschreiten, kann sich auch die sakrale Gotik über ganz Frankreich verbreiten. Im Zuge dieser zeitlich-räumlichen Analogie wird die Kathedrale zu einer sichtbaren Legitimation eines königlichen Herrschaftsanspruchs, der über den Ahnherrn Karl d. Gr. bis auf die römischen Kaiser zurückgeführt wird. Es ist derselbe Anspruch, der ehedem die Idee des deutschen Kaisertums begründete und sich in den Kaiserdomen legitimierte. Im 13. Jahrhundert machen die Königsgalerie an der Fassade und die Bestimmung der Kathedrale als Krönungsort (Reims) und Grablege (St-Denis) diese Beziehungen vor aller Welt deutlich.

Mit dem Aufstieg des Bürgertums im 14. und 15. Jahrhundert bildet sich eine neue Gesellschaftsschicht mit Standes- und Selbstbewußtsein heraus. Sie errichtet ihre Kathedralen nicht mehr als Frondienst, sondern in freier Zusammenarbeit und mit neuen Absichten: als Wahrzeichen der Stadt, als Versammlungsraum der Gemeinde, aber auch als Ort, an dem sich der Bürgerstolz der Zünfte im Reichtum der Ausstattung und die elitäre Distinktion der Begüterten in den Privatkapellen bezeugen. Zugleich treten Baumeister, Künstler und Bürger aus der Anonymität des frühen Mittelalters heraus und verschaffen ihrer persönlichen Endlichkeit in Stifterbildnissen und Inschriften Dauer.

Bei allen Veränderungen von Sinn und Struktur seit der Romanik bleibt doch das Schema der Basilika des französischen Typus erhalten. Aber die Einzelräume werden nicht mehr, wie in der Romanik, aneinandergereiht, sondern mehr und mehr zum Einheitsraum zusammengefaßt. Dies gelingt vor allem durch die Überwindung des Wechsels von Haupt- und Nebenstützen in der Arkadenzone, denen oft ein sechsteiliges Gewölbe entsprach. Bei all dem spielt die Ambivalenz von Formwillen und technischer Möglichkeit eine entscheidende Rolle. Die augenfälligsten technischen Mittel, deren sich die Gotik auf der Suche nach ihrem architektonischen Ausdruck bedient, sind Spitzbogen und Strebewerk mit Rippengewölbe. Sie geben dem gotischen Bau Gesicht und Halt. Beide sind keine Erfindungen der Gotik: Sowohl das Strebewerk als auch das Rippengewölbe finden sich schon in der Romanik (Durham, 155*). Der Spitzbogen ist islamischen Ursprungs und wird ebenfalls schon in der Romanik verwandt (Burgund, 116*; Poitou, 119*; Provence, 122*). Er erlaubt den Bau von Bögen mit unterschiedlichen Spannweiten bei gleicher Scheitelhöhe. Damit ist eine Voraussetzung für Grat- und Rippengewölbe über rechteckigen Räumen und Raumkompartimenten geschaffen. Erst die Favorisierung gerade dieser Elemente aus der Fülle des bekannten Arsenals und ihre gedankenreiche Zusammenfügung kann offenbar den Formwillen der Menschen des hohen Mittelalters befriedigen. „Ein neuer Stil entsteht, wenn ein veränderter Inhalt des geistigen Bewußtseins ihn fordert" (Dehio).

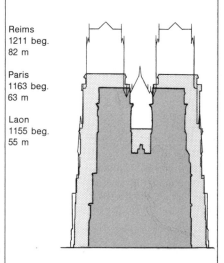

Reims
1211 beg.
82 m

Paris
1163 beg.
63 m

Laon
1155 beg.
55 m

Größenverhältnisse früh- und hochgotischer Kathedralen in Frankreich

Skelettbau, Strebewerk	Die queroblongen Felder des Schiffs erhalten gleichstarke Arkadenpfeiler an den Eckpunkten. Pfeilerdienste laufen vom Fußboden zum Gewölbeansatz durch und setzen sich in den Rippen bis zu den Scheitelpunkten des – nun meist vierteiligen – Gewölbes fort. Sie bilden das innere Strebewerk, in das die Last des Gewölbes abfließt. Die stetige Reihung solcher zeltartigen Joche bewirkt ein ruhiges Fortschreiten des Raumes in West-Ost-Richtung. Das äußere Strebewerk besteht aus einem Kranz von Strebepfeilern, von denen sich Strebebögen zum Schiff hinüberschwingen. Durch Fialen beschwert, stemmen sie sich an besonders zu sichernden Stellen gegen den Seitenschub. Mauern sind statisch weitgehend überflüssig (154 f*).
Glasfenster	An ihrer Stelle werden Joch- und Chorwände mit farbigen Glasfenstern, die Giebelwände von Haupt- und Querschiffen mit Rosetten gefüllt. Sie sind Bildträger theologischer Programme, vor allem aber Quelle einer irrealen Raumbelichtung, in welcher der Gläubige »die materiellen Lichter als ein Sinnbild der immateriellen Lichtergießung betrachten und verstehen wird« (Dionysios Areopagita).
Maßwerk	Die Entwicklung des Maßwerks beginnt kurz nach 1211 in Reims. In seiner wachsenden Formenvielfalt wie auch in der rationalen Strenge der englischen Spätgotik spiegelt es die wechselnden Dekorbedürfnisse wider (163*, 196 f*).
Querschiff	Die Vereinheitlichung des Raumes und der verstärkte West-Ost-Fluß der Längsachse führen schon in Notre-Dame von Paris zu einer Reduzierung des Querschiffs. Zwar behalten viele Basiliken das vorspringende Querschiff bei, und in den extrem langen Bauten Englands laden auch die Querschiffe am weitesten aus. Aber Spanien und die deutsche Sondergotik, insbesondere die Hallenkirchen der Spätgotik, verzichten meist ganz auf sie.
Chor	Große Veränderung erfährt auch der Chor. In der Regel wird keine Krypta mehr gebaut. Der Chorraum wird deshalb nur wenig erhöht. Aber er wächst weit über die Vierung hinaus, wird mehrschiffig wie das Langhaus und bildet einfache oder doppelte Umgänge mit Kapellen. In der Romanik traten die Radialkapellen als isolierte Rundungen stark nach außen. Die Gotik bindet sie mehr und mehr zu einem Kranz von Polygonen zusammen, deren Gewölbe mit denen des Umgangs verschmelzen. In spätgotischen Hallenkirchen vor allem Süddeutschlands treten sie nach außen schließlich gar nicht mehr in Erscheinung oder fallen zugunsten polygonaler Apsidenschlüsse ganz weg (157*). Zum Mittelschiff hin trennt noch häufig ein Lettner das Volk vom Klerus.
Kapitell **160***	Der romanische Formenreichtum der Kapitelle wird reduziert auf das frühe Knospenkapitell, das ionische Voluten vegetabilisch umformt, sodann auf das vor allem in England übliche Tellerkapitell und das Laubkapitell. Bei der frühen Reimser Form wachsen Laub und Früchte organisch aus dem Halsring, im 13. und 14. Jahrhundert werden Blätter, schließlich zum Buckelblatt schematisiert, lose an den Kelch geheftet. Ähnliche Entwicklungen machen Krabbe und Kreuzblume mit. Die späte Gotik verzichtet oft auf ein Kapitell. Die Säule geht übergangslos, auch schraubenförmig ins Gewölbe über.
Bauhütte	Das ikonographische Programm für die Bilder-Zyklen aus Stein und Glas wird vom gelehrten Klerus erstellt. Die Werkleute, die den Bau

planen und ausführen, sind Laien. Seit dem 13. Jahrhundert bildet die Gemeinschaft der Steinmetze und Bauleute, die an einer großen Kirche bauen, eine eigene »Bauhütte«. Ohne Zunftzwang, sind sie doch an strenge Hüttenordnung unter dem Hüttenmeister und seinem Vertreter, dem Parlier, gebunden und müssen die künstlerischen und technischen Erfahrungen der Bauhütte als Geheimnis hüten. Als die ersten Kathedralen fertiggestellt sind und die Werkleute sich an neuen Arbeitsplätzen zusammenfinden, gibt es allerdings einen regen Erfahrungsaustausch, der die Vereinheitlichung des europäischen Kathedralbaus fördert.

In Frankreich bilden sich neben dem »nationalen« Kathedralschema regionale Bautypen heraus:

1. Ile-de-France: St-Denis und Nachfolgebauten bis Paris, N.-D.
2. Champagne: St-Remi in Reims(Chor), Châlons, Noyon bis Reims, Kathedrale
3. Normandie: romanische Aushöhlung der Wände in gotischen Formen. Obergadenfenster in der äußeren Mauerschale, innere Schale aus Bogenreihungen. Empore. Innen offene Vierungstürme mit acht- oder zwölfteiliger Rippenkuppel.
4. Burgund übernimmt von der Normandie Aufspaltung der Mauer und offenen Vierungsturm. Häufig polygonaler Chorschluß ohne Umgang. Offene Vorhallen.
   Zisterziensergotik: geringe Wandauflösung und wenig bauliche Gliederung. Bereitet italienische und deutsche Bettelordenskirchen vor.
5. Anjou (»Style Plantagenet«), Loiregebiet:
   – Hallenkirchen(!) mit 3 gleichhohen Schiffen (in der Tradition der romanischen Dreitonnenhallen des Poitou), selten monumental.
   – Saalkirchen ohne Wandgliederung mit Rundbogenfenstern; achtteilige gebuste Gewölbefelder mit dünnen Rippen, durch einen dünnen Rundstab statt durch einen breiten Gurt von den Nachbarjochen getrennt (»angevinisches Gewölbe«). Ausstrahlung auf Westfalen.
6. Südfrankreich: Saalkirchen mit Polygonalchor ohne Umgang, niedrige Einsatzkapellen zwischen den Strebepfeilern, darüber Fensterzone. Oder primitive Säle mit Schwibbögen zwischen den Pfeilern.

Aus den Bemühungen der Reform- und Bettelorden um volksnahe Seelsorge entstehen die Predigerkirchen der Minoriten (Franziskaner, Barfüßer, Kapuziner, Dominikaner, Prediger usw.). Sie sind vorwiegend Stadtkirchen. Ihre Schlichtheit ist Ausdruck des Armutsgelübdes der Mönche und der Protesthaltung gegenüber dem Prunk der Kathedralen und Abteikirchen. In Italien bilden sie die ersten und häufigsten Beispiele der Gotik. Die Weiträumigkeit ihrer Kirchen wirkt bis in die Renaissance. Die deutschen Minoritenkirchen – Basiliken, Hallen- und Saalkirchen – sind das Verbindungsglied zwischen ostromanischer und spätgotischer Architektur. Besonders in Süddeutschland, Tirol, Ostschweiz und Graubünden werden sie Vorbild für Hunderte von dörflichen Saalkirchen (176*).

Bis weit ins 13. Jahrhundert wird in Deutschland noch romanisch gebaut. Wo man aber die Anregungen der französischen Gotik früh übernimmt, werden sie mit in Frankreich unüblichen Elementen vermischt: St. Elisabeth in Marburg ist eine Hallenkirche mit Dreikon-

Regionale Bautypen in Frankreich

»Style Plantagenet«
Saumur, Chapelle St-Jean, A. 13. Jh.

Bettelordenskirchen

Deutsche Sondergotik

chenchor, der noch der rheinischen Spätromanik verpflichtet ist, und Liebfrauen in Trier ist ein gotischer Zentralbau mit romanischem Turmende. Der Vierungsturm verschwindet allerdings wie in Frankreich bald völlig.

Nur wenige deutsche Großbauten haben das System der französischen Kathedralgotik vollständig übernommen. Bamberg und Naumburg bauen noch nur die Türme nach dem Muster von Laon; erst beim Kölner Dom, 1248 beg., gelingt der Durchbruch (Vorbilder: Amiens und Beauvais). Zwar wird – vor allem durch die Zisterzienser – die gotische Formensprache bis nach Böhmen, Polen, Ungarn und Jugoslawien getragen. Auch arbeiten französische Baumeister östlich des Rheins, und Karl IV. beruft noch 1344 Matthias von Arras zum Architekten des Prager Doms. Aber schon die Westfassade des Straßburger Münsters zeigt Züge der deutschen Sondergotik. In ihr setzen sich im Laufe der Zeit einerseits Reduktionen, andererseits Bereicherungen gegenüber dem französischen System durch.

Reduktionen:
– Grundriß: Wegfall des Chorumgangs und des Kapellenkranzes
– Wandaufriß: Wegfall des Triforiums, vgl. Reims–Freiburg, 170*
– Pfeiler: Achteck- oder Rundpfeiler statt Pfeilerbündel
– das basilikale System wird durch Angleichung der Schiffshöhen zur Hallenkirche; dadurch Verzicht auf freistehendes Strebewerk
– Einturm statt Doppelturmfassade
– weitgehender Wegfall der Wimperge (nach Straßburg und Köln)

Bereicherungen (besonders in der Spätgotik):
– Gewölbe: Stern-, Netz-, Schlinggewölbe (gewundene Reihungen)
– Bogen: Kiel-, Vorhangbogen
– Pfeiler: korkenzieherartige Dienste und Rippen, konkave Kehlen zwischen den Diensten

Schließlich sind drei Gruppen von Bauten in der Masse der stilistisch unentschiedenen deutschen Kirchen erkennbar:

1. Hallenkirche* (174*)
2. Bettelordenskirche (176*)
3. Backsteinbauten (175*)

Die 3 Dachlösungen der Hallenkirchen
1. Querdächer mit Giebeln oder Walmen. Westfalen, norddeutsche Bettelordenskirchen, Gebiet der Ostkolonisation

2. Paralleldächer.
NW-Deutschland, Danzig; Hessen: Butzbach

3. Einheitsdach.
Vorwiegend S-Deutschland; norddeutsche Beispiele: Prenzlau, Hannoversch Münden

FRANZÖSISCHE UND BELGISCHE KATHEDRALEN

<u>Paris</u> got. Kathedrale besonderer Bedeutung

0   50   100 km

Bruges
<u>Gent</u> •Antwerpen
•Mechelen
Ypres
Boulogne-sur-Mer• <u>St-Omer</u>• Lille •Tournai Liège
Arras• Namur• Maas
Cambrai
Luxembourg
<u>Amiens</u>• Noyon •<u>Laon</u>
Rouen• <u>Beauvais</u> <u>Soissons</u>• <u>Reims</u>• Verdun• Metz•
•Bayeux Lisieux• <u>Senlis</u>• Châlons- Nancy•
Tréguier• Coutances Evreux• Pontoise• s-Marne• Toul• St-Dié•
St-Paul-de-Léon St-Malo• Sées• Versailles• Meaux• <u>Strasbourg</u>•
•St-Brieuc Dol• <u>Chartres</u>• Corbeil-Essonnes St-Dié•
•Quimper Rennes• Laval• <u>Sens</u>• <u>Troyes</u>•
•Vannes Le Mans• Orléans• Langres•
Nantes• Angers• Blois• Auxerre• <u>Dijon</u>• Besançon•
Loire Tours• Doubs
•Luçon Poitiers• <u>Bourges</u>• <u>Nevers</u>• Autun• Châlons-s-Saone•
La Rochelle• Moulins• St-Claude•
Saintes• <u>Limoges</u>• Mâcon• Belley•
Angoulême• <u>Clèrmont-Ferrand</u>• •Annecy
Périgueux• Tulle• <u>Lyon</u>• Chambéry•
<u>Bordeaux</u>• Sarlat• St-Flour• Le Puy• Grenoble• •Moutiers
Bazas• Cahors• Lot Mende• Vienne• St-Jean-de-Maurienne•
Agen• Rodez• Viviers• Valence• Dié• Embrun•
Condom• Montauban• St-Paul-trois-Châteaux• Gap• Senez•
Dax• Lectoure• Albi Tarn Uzès• Vaison• Sisteron•
Aire-sur-Adoure• Auch• Lodève• Nîmes• Orange• Digne•
Bayonne• Lescar• Lombez• Lavaur• St-Pons-de- Avignon• Grasse• Vence•
Oloron• Toulouse• Castres Thomière Cavaillon• Apt• Nice•
•Tarbes <u>Carcassonne</u>• Béziers• Montpellier• Arles• <u>Aix-en-Provence</u>• Fréjus•
St-Bertrand-de-Comminges• Pamiers• Rieux• Maguelonne• Marseille• Toulon•
Mirepoix• Agde•
Alet• St-Papoul• <u>Narbonne</u>•
St-Lizier• Perpignan•
Elne•

<u>Korsika</u>

Ajaccio
Mariana

KIRCHENBAUTYPEN LANGBAU

Nach Querschnitt und Belichtung unterscheidet man

1. Basilika
   Emporenbasilika
   Staffelbasilika

2. Hallenkirche
   Staffelhalle
   Pseudobasilika
   Emporenhalle (sh. auch Auvergne, 121, 118*; Mailand, 132*)

3. Saalkirche
   Wandpfeilerkirche (sh. auch 250 ff.*)

Basilika

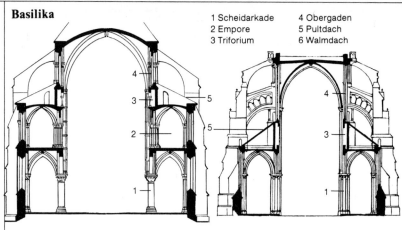

1 Scheidarkade   4 Obergaden
2 Empore   5 Pultdach
3 Triforium   6 Walmdach

3schiffige Emporenbasilika, 4zoniger Wandaufbau des Übergangsstils: noch mit Empore, aber auch schon mit Triforium.
Laon, Kathedrale, 1155–1235.

3schiffige Basilika, frühgotisch, durch Wegfall der Empore 3zoniger Aufbau. Doppelte Strebebögen, Pultdach über den Seitenschiffen.
Chartres, Kathedrale, 2. H. 12. Jh.–1260.

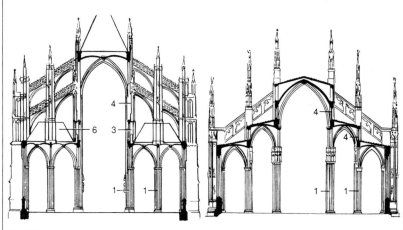

5schiffige Basilika, hochgotisch. Durch quergestellte Walmdächer kann das Triforium hinterfenstert werden.
Köln, Dom, 1248 beg.

5schiffige Staffelbasilika. Die inneren und äußeren Seitenschiffe haben jeweils eigene Belichtung.
Mailand, Dom, 1387 beg.

Hallenkirche

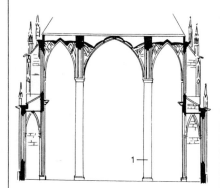

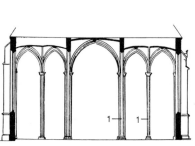

3schiffige Hallenkirche mit Flankenkapellen. Alle Schiffe haben gleiche Höhe und gemeinsames Dach oder Querdächer über Seitenschiffen.
Schwäbisch-Gmünd, Heiligkreuzkirche, 2. Viertel 14. Jh. beg.

5schiffige Staffelhalle = Mittelschiff leicht überhöht. Das gewaltige Einheitsdach ist höher als das Mittelschiff.
Erfurt, Severikirche, 1278–1360.

3schiffige Pseudobasilika = Staffelhalle mit ausgebildeten, aber unbelichteten Hochschiffwänden. Hohe Fenster über niedrigen Einsatzkapellen. Gelegentlich auch basilikales Dach.
Ingolstadt, Frauenkirche, beg. 1425.

Emporenhalle

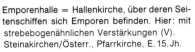

Saalkirche

Emporenhalle = Hallenkirche, über deren Seitenschiffen sich Emporen befinden. Hier: mit strebebogenähnlichen Verstärkungen (V). Steinakirchen/Österr., Pfarrkirche, E. 15. Jh.

Saalkirche als Oberkirche einer Doppelkapelle. Die Unterkapelle ist eine Hallenkirche. Paris, Ste-Chapelle, 1243–48

Wandpfeilerkirche = Saalkirche mit niedrigen Flankenkapellen zwischen den Strebepfeilern. Südfranzösisch-spanischer Typus. Gerona, Kathedrale, beg. 1416. Spannweite des Gewölbes = 23 m.

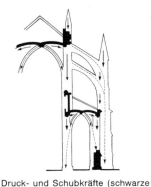

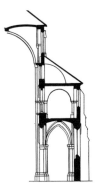

Durham, Kathedrale, 1093–1130, romanisch

Druck- und Schubkräfte (schwarze Pfeile) und ihre Ableitung (gestrichelte Pfeile) Reims, Kathedrale, beg. 1211

Verdecktes Strebewerk St-Germer-de-Fly, frühgotisch

STREBEWERK UND AUFLÖSUNG DER WAND

Schnitte durch die Mitte eines Gewölbefeldes. Das Gewölbegewicht wird durch Rippen auf die Eckpunkte (Pfeiler) geleitet. Die Wand wird bis in die Höhe des Gewölbescheitels aufgelöst (Reims). Die Rückwand des Triforiums entfällt (Köln 154*). Die verbleibenden Mauermassen (Wandsockel, Seitenschiffdecke, Triforium) werden weiter ausgedünnt. Schließlich entfällt auch das Triforium (Freiburg, 170*). Doppelte und dreifache Strebebögen und von Fialen beschwerte Strebepfeiler ermöglichen enorme Höhenentwicklung. Die Entlastung der Wandfelder erlaubt immer größere Glasflächen. Die Strebebögen können auch unterm Seitenschiffsdach verborgen sein = verdecktes Strebewerk (St-Germer-de-Fly).

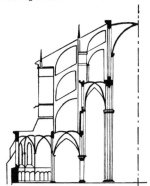

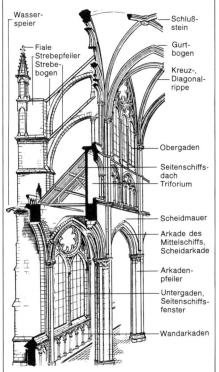

Le Mans, Kathedrale, 1. H. 13. Jh. Gestaffelter Raumquerschnitt im Chor

Marienstatt/Hessen, Zisterzienserkloster, um 1300. Strebewerk des Chors

Amiens, Kathedrale, 1220–69, Strebewerk und Triforium

WANDGLIEDERUNG

1 Laon. 4zonige Wandgliederung der Übergangszeit: Arkaden – Empore – Triforium – Obergaden

2 Paris. 4zonige Wandgliederung der Frühgotik mit Empore und 2 Fensterzonen; in der Hochgotik durch Vereinigung beider Fensterzonen zu Hochfenstern auf 3 Zonen mit Empore reduziert

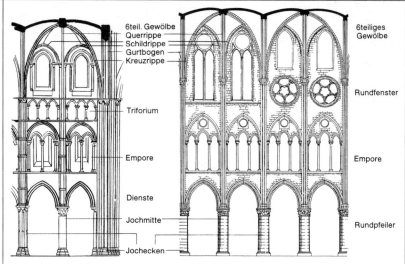

Laon, 1155–1235, westl. Joche. 4zon. Wandsystem, Rundsäulen, 6teil. Gewölbe, 5 Dienste an den Jochecken (für Gurtbogen, 2 Kreuz-, 2 Schildrippen), 3 Dienste in der Jochmitte (für Querrippe und Schildrippen). Frühg.

Paris, Notre-Dame, 1163–1240. Re: frühgot. Zustand 4zonig; E. 19. Jh. z.T. wiederhergestellt (Viollet-le-Duc). Rundpfeiler, -fenster, Empore, 6teil. Gewölbe roman. tradiert. – Li: 3zoniger hochgot. Umbau 1220–30.

3 Reims. 3zonige Wandgliederung des vollendeten französischen Kathedralschemas: Arkade – Triforium – Obergaden. Wegfall der Empore.

4 Beauvais. Großarkade durch optische Vereinigung von Obergaden und Triforium

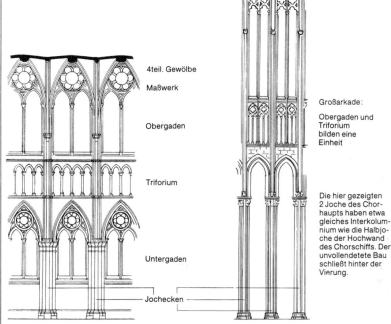

Reims, Kathedrale, beg. 1211. 3teil. System (ohne Empore). Erste Maßwerkfenster! 4teiliges Gewölbe, deshalb keine Jochmittelstütze. Pfeilervorlagen entsprechen Diensten und Rippen. Betonung der Vertikalen. Hochgotik.

Beauvais, nach 1284, Chorhaupt. Höchste Vertikalisierung: Chorschiff 48 m, Seitenschiffe 21 m hoch. Nach dem Einsturz entstehen durch Verdoppelung der Stützen unter der Hochwand schmale Halbjoche. Hochgotik.

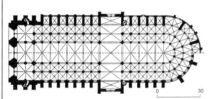
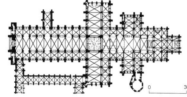

offene
Holzdecke

kleine Ober-
gaden-
fenster

Holzdecke
im Seiten-
schiff

breite
Arkaden
ohne Kapi-
telle und
Dienste

WANDGLIEDERUNG

5 Freiburg. 2zonige Wandgliederung durch Verzicht auf das Triforium. Reduktion des französischen Kathedralschemas, deutsche Sondergotik (152)
6 Aigues-Mortes. 2zonige Wandgliederung in der Tradition der südfranzösischen Romanik

GRUNDRISS- UND CHORBILDUNG

Gegen Ende der Frühgotik und in der Hochgotik werden besonders die Chorformen kompliziert. Die Spätgotik tendiert dagegen deutlich zur Vereinfachung und Vereinheitlichung der Gestalt des Kirchenbaus. Das wird besonders deutlich in Hallen- und Saalkirchen (172*, 174*, 209*). Ähnliche Richtungstendenzen lassen sich auch in anderen Baustilen, vor allem des Spätbarock, erkennen (239). Allerdings geht mit den vereinfachten Bauformen eine zunehmende, oft wuchernde Kompliziertheit, ja Skurrilität der Dekoration und Gewölbebildung einher, die sich in Frankreich und Deutschland (172*), besonders aber in Spanien, Portugal (180 f.*) und England (208 f.*) zeigt. Die schematisierten Vereinfachungen der Reformordens-Kirchen stammen aus den liturgischen und seelsorgerischen Postulaten der Ordensregeln (Basel*; Bettelorden, 176*).

Freiburg, Münster, 1190–1513. 2zoniger Aufbau (Triforium ist in Deutschland selten). Betonung der Wandfläche. 4teiliges Gewölbe. Dienste sind der Wand vorgelegt, nicht eingebunden. Maßwerkfenster.

Aigues-Mortes. Offener Dachstuhl mit hölzernen Zangen, dünne Scheidmauern ohne gliedernde Bauteile, keine Kapitelle. Abgefaste Viertkantpfeiler. Raumeindruck ähnlich der katalanischen Protoromanik.

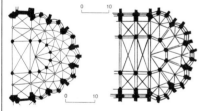
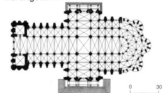

Paris, Notre-Dame, 1163–1240. Vereinheitlichter Grundriß, reduziertes Querschiff, runder Chorschluß, dopp. Chorumgang in der Flucht der Seitenschiffe. Ob. Hälfte: Zustand n. 1250.

Salisbury, Kathedrale, 1220–58. Frühgotische 3schiffige Basilika. Langgestreckter Chor mit geradem Schluß und Lady Chapel (spätgotisch). 2 ausladende Querschiffe und quadratischer Vierungsturm.

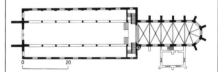

Basel, Barfüßerkirche, E. 13.–14. Jh. Basilika mit flach gedeckten, schmucklosen Schiffen; kreuzrippengewölbter Chor mit Polygonalschluß und Strebepfeilern.

Li: St-Denis, Abteikirche, 1137–13. Jh.
Re: Soissons, Kathedrale, E. 12. bis A. 13. Jh.; Umgangskapellen und Umgang stehen unter demselben Gewölbe.

Chartres, Kathedrale, 2. H. 12. Jh.–1260. Umgang und vorspringende Kapellen sind räumlich und durch eigene Gewölbe voneinander getrennt. Dreischiffiges Querschiff.

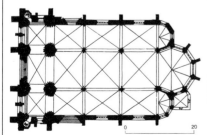
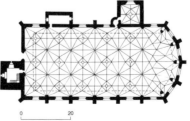
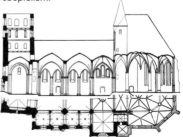

Soest, Maria zur Wiese, um 1400. Die dreischiffige Halle mit 3 Jochen bildet ein »westfälisches Quadrat« und endet in 3 polygonalen Apsiden (⁷/₁₀- und ⁵/₁₀-Schluß). Im Westen ist eine schmale Vorhalle mit Empore vorgelagert.

Schneeberg, St. Maria und St. Wolfgang. Späte erzgebirgische Hallenkirche; die Chorkapellen sind einem alle 3 Schiffe zusammenfassenden ⁴/₁₆-Schluß eingebunden. Emporen, 1536–37, umziehen den gesamten Innenraum.

Lippstadt, Große Marienkirche, spätrom. westfälische Staffelhalle 1222 beg., got. Hallenchor 1478. Umwandlung des Ostteils älterer Kirchen in spätgot. Hallenchor ist v. a. in S-Deutschland häufig (Augsburg, Dom; Nürnberg, St. Sebald; u. a.).

GEWÖLBE

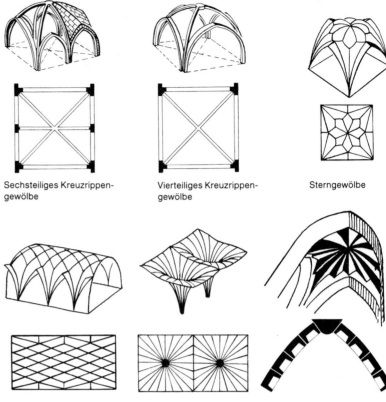

Sechsteiliges Kreuzrippengewölbe

Vierteiliges Kreuzrippen-
gewölbe

Sterngewölbe

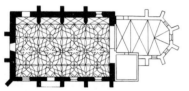

Gewundene Reihungen, Schlinggewölbe = Rippen erscheinen auch im Grundriß gekrümmt. Vorwiegend in Österreich (hier: Königswiesen) und Ostdeutschland, spätgotisch.

Li: Netzgewölbe, gleichmäßig gereihte Rippen ohne Rücksicht auf Jocheinteilung. – Mi: Fächer-, Kelch-, Trichtergewölbe, von einer Zentralstütze ausgehend. – Re: Zellengewölbe, nicht im Rippensystem, sondern aus Zellenschalen mit Randgraten zusammengesetzt. Norddeutsche Spätgotik (hier: Danzig). Nach H. Pothorn.

GEWÖLBERIPPE

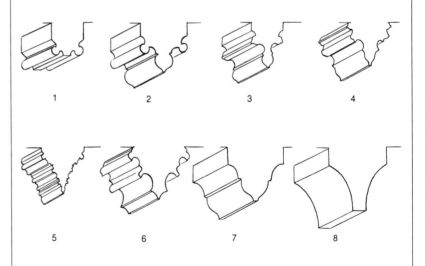

Rippen. Die einfach, körperlich rund gegliederten Profile der Frühgotik (1) werden in der Hochgotik (2, 3) zu scharfkantigen »Birnstäben« mit Hohlkehlen. Die Spätgotik bildet einerseits vielfältig gegratete Profile mit malerischen Effekten (4, 5, 6), daneben aber auch wieder betont einfache Formen aus (7, 8).

GEWÖLBE

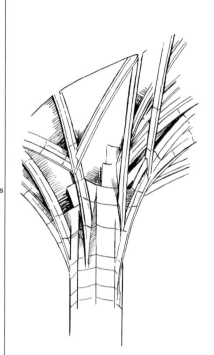

Gewölbekappe

Quergurt = Gurtrippe, –bogen des Mittelschiffs

Ortrippen beim Quergurt des Mittelschiffs

Mittelschiffswand, als Außenmauer im Bogenfeld des Schildbogens = Schildmauer; als Trennwand zum Seitenschiff = Scheidmauer

Scheidarkade, -bogen, gestaffelt durch 2 Ortrippen

»alter Dienst« unter Gurtrippe

»junge Dienste« unter Rippen

Seitenschiffswand = Schildmauer

Obergaden = Mittelschiffs-, Hochschiffenster

Kreuzrippe des Mittelschiffsgewölbes

Längsgurt, -rippe (auch Ortrippe) des Mittelschiffsgewölbes, markiert als Schildrippe den Schildbogen

Kreuzrippe des Seitenschiffs

Längsgurt, -rippe, Schildrippe (auch: Ortrippe) des Seitenschiffs, markiert den Schildbogen

Ortrippen beim Quergurt = Gurtrippe, -bogen des Seitenschiffs

Untergaden = Seitenschiffsfenster

»alter« Dienst und »junge« Dienste als Vorlagen der Seitenschiffswand

Basilikales Gurt- und Rippensystem. Die Pfeilerdienste setzen sich in Gurten und Rippen fort. Jedem Glied der Arkaden und des Gewölbes ist ein Dienst zugeordnet. Ortrippen begleiten die Gurte des Gewolbes und der Scheidarkade oder markieren als Schildrippen die Schildbogen über den Schildmauern in Mittel- und Seitenschiff.

In der Spätgotik überstaben sich die Dienste, werden schraubenförmig (172*) oder treten ohne Vermittlung aus Pfeiler und Wand heraus. Halle, Marktkirche, 1536 vollendet.

STÜTZENQUERSCHNITT

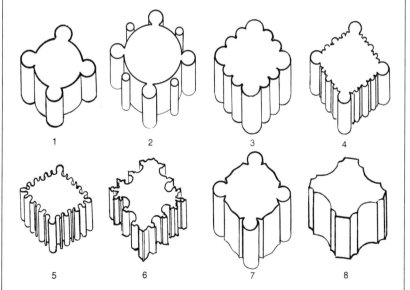

Säulenquerschnitte. Frühe Formen: Dienste treten als Rundsäulchen weit aus dem Säulenschaft heraus (1) oder stehen frei neben ihm (2). – Hochgotik: Mit der Zahl der Bogenprofile und Rippen nehmen auch die (dünner werdenden) Dienste zu (3, 4, 5, 6). – Spätgotik: Mit dem Rückgang der Wand- und Bogengliederung vermindert sich die Anzahl der Dienste, sie verschmelzen weich ineinander (7, 8).

SCHLUSS-STEIN

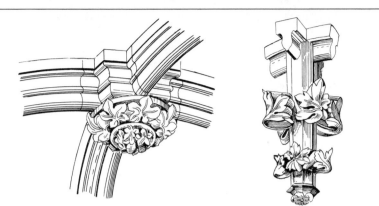

KAPITELL

Schlußsteine von Kreuzrippengewölben. Die Endstücke der Rippen sind an den Schlußstein gearbeitet. – Li: Erfurt, Dom, Kreuzgang, 14.Jh. – Re: Hängeschlußstein (Abhängling, Hängeknauf); Mühlhausen, St. Blasius, um 1300

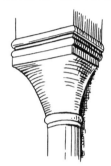
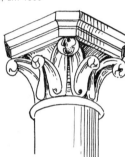

Kelchkapitell an einer Wandvorlage

Knospen-, Knollenkapitell seit Frühgotik

Blatt-, Laubkapitell frühgotisch

Blattkapitell frühgotisch

Blattkapitell mit Weinlaub, hochgotisch

Buckelblattkapitell spätgotisch

KONSOLE

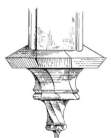

Li: Konsole mit Blattmaske, Marburg, E. 13.Jh. – Mi: Spätgotische Knaufkonsole; Königshofen i. Gr., 15.Jh. – Re: Figürliche Konsole; Köln, 1380–90

FIALE, WIMPERGE
SCHLEIERWERK

Wimperge mit Dreipaß als Blendmaßwerk, frühgotisch. – Hochgotisch sh. Köln, 165*; spätgotisch sh. Vincennes, 172*

Hochgotisches Schleierwerk = frei stehendes Stab- und Maßwerk

Fiale auf einem Strebepfeiler mit Wasserspeier. Reims, hochgotisch

PROFIL-
DURCHDRINGUNG

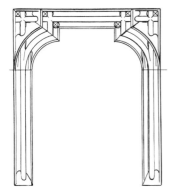

Überstabung
hochgotisch

Astwerk, spätgotisch
15. Jahrhundert

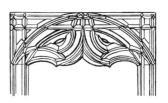

Abstrakte Formen
spätgotisch, nach 1500

NASE

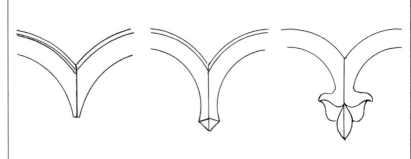

Frühgotik   Hoch-, Spätgotik   Spätgotik

BOGEN

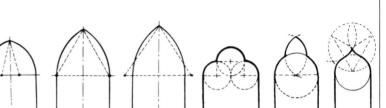

1   2   3   4   5   6

1 Spitzbogen, flach, gedrückt; 2 normal, gleichseitig; 3 überhöht, Lanzettbogen; 4 Kleeblatt- oder Dreipaßbogen, rund; 5 spitz; 6 Kielbogen

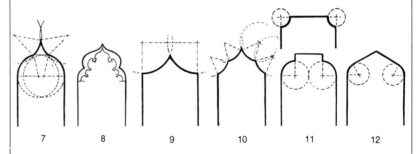

7   8   9   10   11   12

7 Eselsrücken; 8 Flammenbogen mit Nasen (engl. Hochgotik = Decorated); 9–10 Vorhangbogen; 11 Schulterbogen; 12 Tudorbogen

PASS UND SCHNEUSS

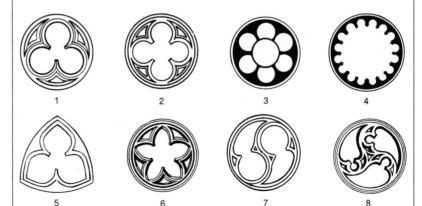

1   2   3   4

5   6   7   8

Dreischenkel, spätgotisch

1 Dreipaß; 2 Vierpaß; 3 Sechspaß; 4 Vielpaß; 5 Dreiblatt; 6 Fünfblatt; 7 Zwei-, Doppelschneuß, Fischblase, spätgotisch; 8 Dreischneuß, Fischblase, spätgotisch

MASSWERK

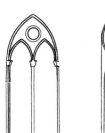

Frühgotisches negatives Maßwerk; Chartres, Ende 12. Jh.

Frühe hochgotische Maßwerkformen; Reims, 13. Jh.

Hochgotisch; Erfurt, Dom, um 1360

Rayonnant = strahlenförmig; Erfurt Dom, um 1360

Engl. Hochgotik = Decorated; Cottingham, 1332

Flamboyant, spätgotisch; Stuttgart, Spitalkirche, 1480

Einfluß der engl. Spätgotik; Stuttgart, 1480

Portugiesische Spätgotik; Batalha, um 1400

ROSE

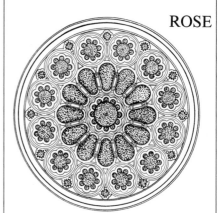

Paris, Notre-Dame, Westrose, frühe Hochgotik

Paris, Ste-Chapelle, Flamboyant-Rose, Hochgotik

Chartres, Kathedrale, Westrose, E. 12. Jh. Punktiert = Glasflächen. Frühgotik

LETTNER

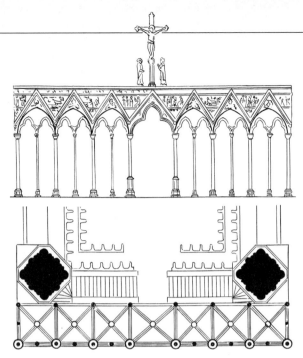

Chartres, ehemaliger Lettner der Kathedrale, um 1230, abgebrochen 1763; hochgotisch. Dahinter die Stallen des Chorgestühls.

PORTAL

Gotland/Schweden, Portal einer frühgotischen Kirche. Säulen mit Knospenkapitellen setzen sich in Archivolten fort. Das Bogenfeld ist mit Nasen vor Zirkelbögen geschmückt.

Chartres, Kathedrale, Mittelteil des Königsportals, 1145–55. Frühgotik. Pantokrator im Tympanon. Jede Gewändefigur mit zugehöriger Säule aus einem Stück gearbeitet.

PORTAL

Fermo/Marken, Dom 1348, Hauptportal, latinisierende italienische Gotik.

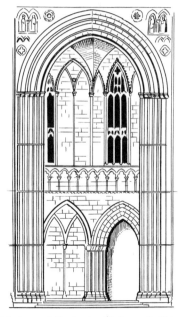

Peterborough/England, 13. Jh., nördliches Westportal. Early English.

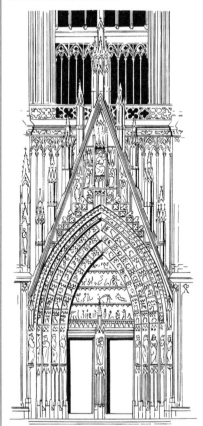

Köln, Dom, beg. 1248, Hauptportal. Reich skulptiert in Tympanon, Gewänden, Archivolten und Wimperge. Schleierwerk. 19. Jh. nach dem hochgot. Plan des 13. Jhs.

Chemnitz, Schloßkirche, nach 1514. Astwerk mit Überstabungen, reicher Skulpturenschmuck, gerundete Bögen, malerische Effekte. Späteste Gotik.

KRABBE

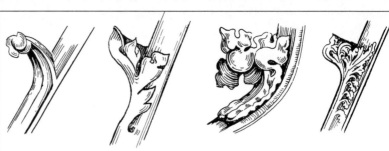

12. Jahrhundert   13. Jahrhundert   14. Jahrhundert   15. Jahrhundert

KREUZBLUME

 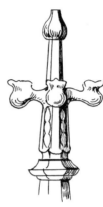 

12. Jahrhundert   14. Jahrhundert   15. Jahrhundert

ORNAMENT

Spitzbogenfries, frühgotisch

Laubfries, frühgotisch

Vierpaßfries, norddeutsch, Backstein

Kreuzbogenfries, hochgotisch

Flächenfüllung, Laubwerk, spätgotisch

TURM

Laon, Kathedrale Coutances, Kathedrale Florenz, Dom Crema, Dom

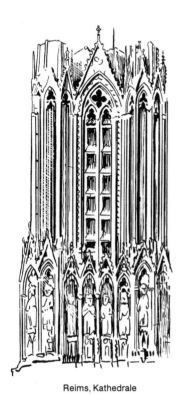

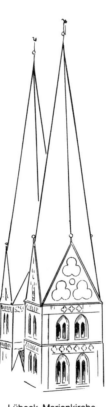

Reims, Kathedrale Lübeck, Marienkirche Eßlingen, Frauenkirche

FRÜHGOTIK

Frankreich
Emporenbasilika

– 1137–13. Jh. Neubau von St-Denis, 157*, Suger. Erstmals systematische Verwendung des Spitzbogens. Strebewerk
– Kreuzrippengewölbe (normann. Herkunft)
– Chorumgang mit Kapellenkranz ist nicht mehr Summe von Einzelräumen (Romanik), sondern ein unterteilter Einheitsraum
– Nachfolgebauten bis Notre-Dame, Paris, bleiben Emporenbasiliken, oft mit Triforium = 4zonig (Laon, Noyon, Soissons)
– Lanzettfenster ohne Maßwerk
– zweitürmige Fassaden mit Rosenfenster. Rose und Fassade von Notre-Dame in Paris werden Vorbild zahlreicher Kathedralen; Türme von Laon beeinflussen Bamberg, Lausanne, Naumburg; 4zon. Wandaufbau von Laon wirkt nach Limburg
– reiche Kapitellornamentik
– Bauplastik an Portalen
– bedeutende Glasmalereien

Basilika ohne Empore

– Sens, Kathedrale, 1143–63, mit 3zonigem Aufbau (Arkade – Triforium – Obergaden) wird Vorbild für die großen Kathedralen des 13. Jhs.

Deutschland

– Zur Bauzeit der frz. Kathedralen in Deutschland noch reine Romanik oder Übergangsstil, bei dem got. Formen zu manchmal phantastischen Dekorationen verwendet werden
– am Mittel- und Niederrhein byzantinisierende Raumformen mit got. Einzelformen (Neuß, 145*)
– in Westfalen roman.-got. Kirchen mit kuppeligen Gewölben, aus dem frz. Anjou übernommen, vgl. 151,5
– die zweitürmigen got. Fassaden von Andernach und Limburg werden ins Romanische rückübersetzt
– Unentschiedenheit zwischen roman. und got. Form in Magdeburg und verwandten Kirchen
– rein got. Bauabschnitte in Maulbronn (140*), Magdeburg (Chor, 1210), Bamberg (Adamspforte, 1235), Freiberg (Goldene Pforte, 1240)
– erste rein got. Bauten sind keine Basiliken: Trier, Liebfrauen, 1227–43, Zentralbau; Marburg, St. Elisabeth,

Frankreich   Deutschland

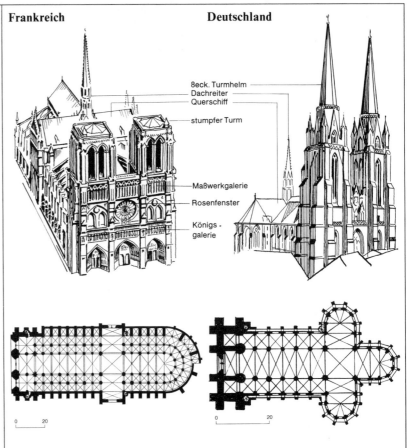

8eck. Turmhelm
Dachreiter
Querschiff
stumpfer Turm

Maßwerkgalerie
Rosenfenster
Königs-galerie

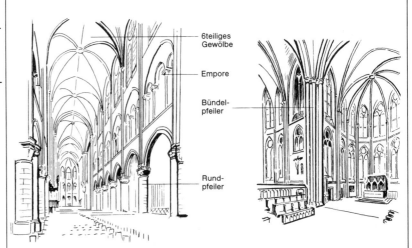

6teiliges Gewölbe
Empore
Bündel-pfeiler
Rund-pfeiler

Paris, Notre-Dame, 1163–1240. 5schiffige Emporenbasilika, Seitenschiffe setzen sich im Chorumgang fort. Kapellen 1225, 3. Querhausjoch 1250 beg. Dienste des 6teiligen Gewölbes beginnen über Rundpfeilern. Fassade horizontal und vertikal ausgeglichen. Königsgalerie. Dachreiter 19. Jh. (Viollet-le-Duc). 156*

Marburg, St. Elisabeth, 1235–83, erster einheitlich gotischer Kirchenbau Deutschlands. 3schiffige Hallenkirche mit polygonalem Dreikonchenchor. 2zoniger Wandaufbau, 4teiliges Gewölbe, schmucklose Doppelturmfassade, 6eckige Turmhelme. Strebepfeiler, kein offenes Strebewerk.

Spanien

Italien

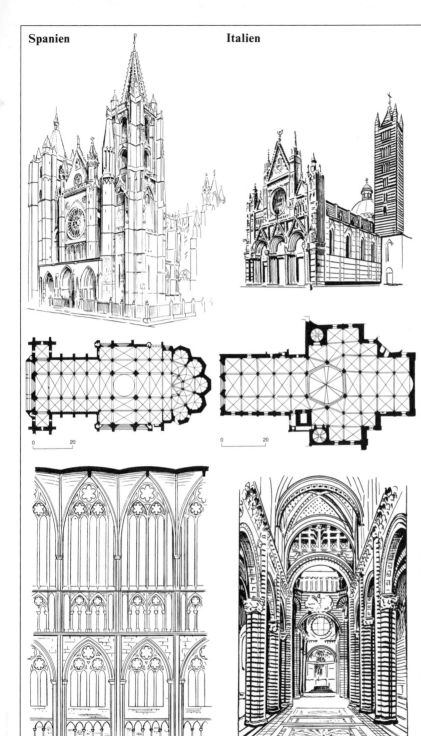

León, Kathedrale, beg. 1205. Dem französischen Kathedralschema am nächsten stehender spanischer Bau; 3schiffige Basilika mit belichtetem Triforium, Querschiff, Chorumgang und Kapellenkranz, Doppelturmfassade, reiche Portalplastik, Rose. Spätgotisch-plateresker Kreuzgang.

Siena, Dom, um 1300. Zweizoniger Wandaufbau. 12eckige Kuppel über 6eckigem Zentralraum. Strebebogen ins Dach eingezogen. Rund- und Spitzbogen. Polychromer Marmorbau mit reicher Bauplastik. Marmor-Mosaikfußboden. Frührenaissance-Charakter trotz zahlreicher gotischer Bauelemente.

1235–83, Hallenkirche mit Dreikonchenchor
– fast ausschließlich Spitzbogen
– Fenster-Maßwerk
– Krypta entfällt
– die Landkirchen bleiben bis tief ins 13. Jh. romanisch

Spanien

Das Spanien der Reconquista gehört bis zum Ende des Mittelalters weitgehend dem südfranz. Kulturkreis an. Hier wie dort entstehen seit Mitte 12. Jh. zahlreiche französisch-zisterziensisch beeinflußte Bauten (Poblet, Las Huelgas, Valbuena) vom burgundischen wie vom südfranz. Typ (Saalkirche mit seitlichen Kapellen-Nischen). Zahlreich sind auch die Prämonstratenser- und Kartäuser-Gründungen von Frankreich aus. Große Kathedralen werden erst im 13. Jh. nach bereits der Hochgotik angehörenden französischen Vorbildern gebaut (für León, beg. 1205: Reims und Chartres; für Burgos, beg. 1221: Coutances, Reims; für Toledo, beg. 1226: Bourges und Le Mans). Die Berührung mit dem Islam schlägt sich vor allem nieder in der Dekoration:
– Stuck, Fayencen, emaillierte stilisierte Pflanzen, Artesonado-Decken, Celosia-Fenster
– minarettartige Türme
– Hufeisenbögen
Von einer eigenen frühgotischen Kathedralbaukunst kann nicht gesprochen werden.

Italien

Bis 1265 (Pisa, Dom), also in der Bauzeit der frz. Kathedralen, entstehen in Italien noch die roman. Inkrustationsfassaden, ein Jh. später zeigen sich erste Ansätze zur Frührenaissance. Die Entwicklung von der byzantinisch beeinflußten Romanik zur Renaissance wird von der Gotik berührt, aber nicht ergriffen: Zisterzienser aus Burgund vermitteln die Formensprache der Gotik in die Toscana (lombardische Rippengewölbe seit 1160). Die Bettelorden übernehmen den schlichten südfranz.-katal. Saalbau. Der Staufer Friedrich II. baut gotisch, aber nur eine Kirche (Altamura/Apulien, 1232 voll.). Die kleinteilig-bunt ornamentierten, marmornen Prachtfassaden von Siena* und Orvieto wirken trotz got. Elemente (Spitzbogen, Wimperge, Fialen) neben nordeurop. Gotik befremdlich.

HOCHGOTIK

Frankreich
Basilika
– Chartres, 2. H. 12. Jh. bis 1260,
am Ende der Frühgotik. Sein 3zon.
Wandaufbau (Arkade – Triforium
– Obergaden) setzt sich in d. Hochgotik allgemein durch. Erhöhung der
Arkade und (geringer:) der Fenster
– 4teiliges Rippengewölbe über quer-
oblongen Feldern wird üblich
– die in der Romanik runden Mauern
von Hochchor, Umgang und Kapellen werden durchwegs polygonal
– Rundpfeiler mit 4 schlanken Diensten werden zu Bündelpfeilern
– erstes Maßwerk: Reims, 1211–1311
– der wachsende Höhendrang (Chartres: 36 m; Beauvais: 48 m) verlangt
2- und 3fache Strebebögen, 154*,
155*
– die durch das Strebesystem weitgehend entbehrlichen Wände werden
durch Glasmalerei gefüllt. Nachdem
die Pultdächer der Seitenschiffe
durch Zelt-/Walmdächer ersetzt wurden, können auch die Triforien hinterfenstert werden (Köln, 154*)
– Maßwerk, Fensterrose und Wimperge zeigen höchste Verfeinerung
– reicher Figurenschmuck an Portalen,
Fassade, weniger im Innenraum
– das allgemein gültige Kathedralbau-
system verdrängt die regionalen Bauschulen der Frühgotik

Deutschland
Das frz. basilikale Bauschema setzt
sich in seiner reinen Form nur in wenigen Großbauten durch (Straßburg,
Langhaus, 1250–75; Köln, 1248 beg.;
Prag, 1344 beg.). Dort arbeiten frz.
Baumeister oder frz. geschulte Bauhütten. In etlichen bescheideneren Neubauten wird das »opus francigenum«
(= frz. Bauweise) mehr oder weniger
glücklich nachgeahmt (Wimpfen im
Tal, 1268 beg.; Halberstadt, um 1270;
Regensburg, Domchor, 1275–1313;
Altenberg, Zisterzienserkirche, 1255
beg.). In der Regel entstehen Bauten
der »deutschen Sondergotik« (151f.),
die eine Reduktion der frz. Bauelemente aufweisen. Besonders die
Backsteingotik (175*) übersetzt die frz.
Gliederung ins Flächige. Geringere
Durchfensterung der Wände, Einturm-
fassade, 2zoniger Wandaufbau, aber
auch Bereicherungen wie durchbro-

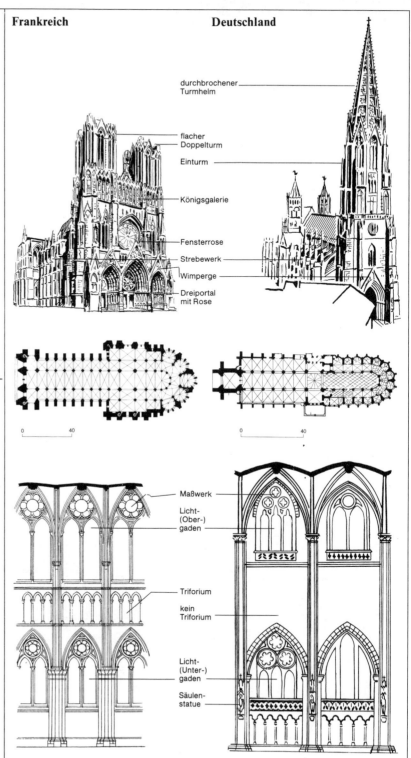

durchbrochener Turmhelm
flacher Doppelturm
Einturm
Königsgalerie
Fensterrose
Strebewerk
Wimperge
Dreiportal mit Rose

0   40   0   40

Maßwerk
Licht-(Ober-)gaden
Triforium
kein Triforium
Licht-(Unter-)gaden
Säulen-statue

Reims, Kathedrale 1211–1311. 3schiffige Basilika mit 3schiffigem Querhaus; Chorumgang
mit Kapellenkranz. Doppelturmfassade mit reichem Figuren- und Ornamentalschmuck, Ro-
sen, Wimperge, Königsgalerie. Bedeutende
Glasmalerei. Früheste Maßwerkfenster.

Freiburg/Breisgau, Münster, 1190–1513;
Langhaus, 1220–60, im Sinne der »deutschen
Sondergotik« reduziert (vgl 151). Einturmfas-
sade mit durchbrochenem Turmhelm,
1260–1350. Basilikaler Chor mit Umgang und
Kapellenkranz ab 1350.

Spanien

Italien

chene Turmhelme, reiche Bauplastik im Innenraum und feingliedrige Klein-architektur (Sakramentshaus, Tauf-stein, Schnitzaltar) sind typisch deutsch. Sie übergehen z. T. die eigent-liche Hochgotik und leiten direkt zur Spätgotik über.

Spanien

In der 2. Hälfte des 13. Jhs. verstärkt sich der Einfluß der südfranzösischen Gotik (vgl. Albi, 175*; Gerona, 155*):
– große Saalkirchen mit polygonalem Chorschluß, oft ohne Umgang
– rechteckige Kapellennischen an Sei-ten- und Chorwänden zwischen den Wandpfeilern (Einsatzkapellen)
– große 4teilige Gewölbe, Spannweite Gerona: 23 m (beg. 1416), 155*
– auch zahlreiche Pfarr- und Abteikir-chen mit ähnlichem Grundriß
– andere in einfacher Form mit Schwibbögen zwischen den Pfeilern und offenem Holzdachstuhl

Saalkirche des kata-lanisch-südfranzösi-schen Typus, der auch Vorbild vieler italieni-scher Bettelordenskir-chen ist. Nach Peter Meyer.

Mudéjar-Stil siehe 87

Italien

Italien bleibt ohne volles Verständnis für das architektonische Anliegen der nordeuropäischen Gotik. »Die Bau-kunst dieser Epoche ist eine Brücke und Mittlerin zwischen den wesensver-wandten Stilen der Romanik und der Renaissance« (Robert Dohme).
– Die Fassade übernimmt zwar öfter Schmuckformen wie Wimperge, Rose, Statuen, Baldachin, Wasser-speier, Fiale; ihr Gesamteindruck mit ihren antikischen Grundformen bleibt aber »italienisch«-geome-trisch; aufs feinste skulptierte Details in Marmor wirken als latinisierte Adaptionen der nordeurop. Gotik künstlich (Siena, 169*; Pisa, Spina)
– Raumeindruck wird oft von der Vie-rungskuppel bestimmt
– oft runde Obergadenfenster
– Rundbogen nur selten völlig ver-drängt
– dünne Scheidmauern

Burgos, Kathedrale, 1221–1567. 3schiffige Ba-silika nach französischem Schema mit ein-schiffigem Querhaus, Chorumgang und Kapel-lenkranz, Zweiturmfassade, Rose. »Deut-scher« durchbroch. Turmhelm. Maurische Ele-mente im Vierungsturm (→Platero-Stil).

Florenz, Santa Maria Novella, beg. 1283. 3schiffige Basilika mit Kreuzgewölbe, Quer-schiff mit Ostkapellen. Gerader Chorschluß. Runde Obergadenfenster in ungegliederter Scheidwand. Die marmorinkrustierte Fassade stammt aus dem 15. Jh. (Abb. oben).

SPÄTGOTIK

Frankreich

Der 100jährige Krieg mit England
(1337–1475) behindert die Entfaltung
von Wirtschaft und Kunst. Selbst in
Südfrankreich werden nur wenige Hallenkirchen gebaut. Das basilikale Kathedralschema der Hochgotik bleibt
nach Grundriß und Konstruktionssy-
stem erhalten. Neuerungen zeigt vor
allem die Dekoration.

- Mittelschiff nur wenig überhöht
- gelegentlich vereinfachter Chor, erhöhte Arkaden, aber selten bis ins
  Gewölbe hinein (Dôle), niedrige
  Obergadenfenster
- Triforium entfällt meist
- Bündelpfeiler wird reduziert auf ein
  kompaktes, weichliniges Profil mit
  wenigen strangartigen Diensten
- umlaufende Kapitelle entfallen ganz
  oder Kapitelle gelten nur für einzelne Profilstränge

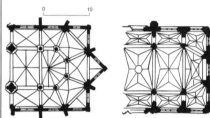

Li: Triel bei Paris, 16. Jh. – Re: Troyes, St-Nicolas,
1526–35. Vereinheitlichung des Raumes und des
Grundrisses, Vereinfachung der Chorformen.
Sterngewölbe.

- Fischblasen-Maßwerk (»style flamboyant«), zuerst in den Johanneska-
  pellen der Kathedrale von Amiens
  1366–73, oft ohne Nasen
- Stern- und Scheitelrippengewölbe
  mit scharfkantigen Birnstab-Rippen
- Kielbogen, oft schon Renaissancebo-
  gen, mit (got.) Hohlkehlen profiliert
- Überstabungen an Türen und Fenstern
- lebhafteste Skulptierung von Portalen, Wimpergen, Konsolen, auch Innenwänden
- bedeutende Hofkapellen (Vincennes*, Riom, Bourges, Méhun, Dijon)
  in Saalform

Deutschland
Siehe Hallenkirchen, 174*

Frankreich

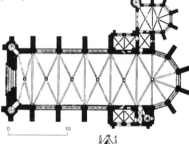

O und Mi: Vincennes, Chapelle Royale, beg.
1379, geweiht 1552. Saalkirche als Hofkapelle
nach dem Vorbild der Pariser Ste-Chapelle
(155*) erbaut.

U: Beauvais, Kathedrale, Querschiffsfassade,
16. Jh., Flamboyant-Rose und Überfülle der
Dekoration. 1284 Einsturz des mit 48 m höchsten gotischen Gewölbes (vgl. 156*), 1573 des
153 m hohen Turms. Baueinstellung nach dem
1. Mittelschiffsjoch.

Deutschland

Annaberg, Annenkirche, 1499–1520, Hallenkirche. Die Gewölberippen lösen sich schraubenförmig aus den Pfeilern und verschlingen sich
zu »gewundenen Reihungen«. – O: »Schöne
Tür« von 1512 mit »barocker« Formenfülle und
Symbolik. Überstabungen.

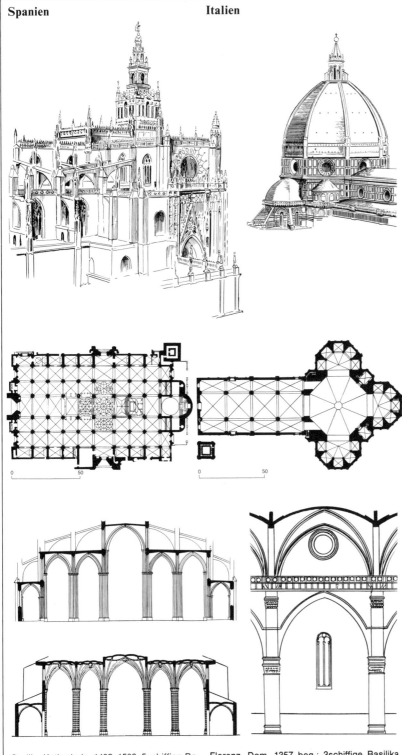

Spanien   **Italien**

Sevilla, Kathedrale, 1402–1506. 5schiffige Basilika mit Kapellennischen; Mittel- und Querschiff wenig überhöht. Gerader Chorschluß. Turm (»Giralda«) von der ursprüngl. Moschee. – U: Saragossa, Kathedrale, nach 1490. 5schiffige Staffelhalle mit seitlichen Kapellen.

Florenz, Dom, 1357 beg.; 3schiffige Basilika mit Dreikonchenchor. »Latinisierte Gotik«. Weiträumiges Langhaus. Mittelschiff: Gewölbequadrate über Wandpfeilern, durch Laufgang von Arkaden getrennt. Runde Obergadenfenster. Riesige Vierungskuppel, 1420–36.

Spanien

Spanien hält über das Ende der Reconquista (1492) hinaus bis weit ins 16. Jh. an der Kathedralgotik fest.
- Staffelräume als **Basilika** mit hohen Arkaden oder als **Hallenkirche** (Saragossa und zahlreiche kleinere Stadt- und Dorfkirchen)
- wenig überhöhtes Kreuzschiff
- Weiträumigkeit wohl in der Nachfolge maurischer Moscheen (die Kathedrale von Sevilla ist die größte Kirche der gesamten Gotik!)
- Verkleinerung der Fenster
- → Gotico florido: komplizierte Sterngewölbe und Flamboyant (15. Jh.)
- → Isabell-Stil mit reichster Dekoration (seit etwa 1475)
- → Platero-Stil verarbeitet orientalische und maurische Einflüsse

Katalanische Sondergotik, 180*

Italien

Die gotische Formensprache wird auch im Trecento und Quattrocento nur selten konsequent gehandhabt. Gigantische Weiträumigkeit (Bologna: 217 m geplante Länge!) und Sinn für großartige Wirkung mit einfachen architektonischen Mitteln sind im Wettstreit der Stadtstaaten begründet. Meist bestimmen die Bettelorden den Charakter der Volkskirchen. Nur in Mailand und Bologna entstehen Dome in enger Bindung an dt. und frz. Bauhütten. Trotz Verwendung aller gängigen got. Zierformen (Mailand, Dom; Venedig, Santa Maria dell'Orto) zeigt sich eine starke »Latinisierung« der nordalpinen Gotik, parallel zur Frührenaissance.
- Verwendung von Marmor als Baustein (Mailand; Siena, 169*); Backstein und Quader
- Rundpfeiler stehen weit auseinander
- entsprechend große Arkadenbögen
- dadurch wenig Raumtrennung zwischen den Schiffen, oft Eindruck eines säulenumstellten Platzes
- Galerie zwischen Arkade und Obergaden (Florenz*; Enna/Sizilien)
- Kuppelbau (Florenz, Bologna)
- Marmorinkrustation (Florenz)
- Ostpartien oft nach Zisterzienser-Schema
- Rundfenster neben Spitzbogenfenstern mit reich ausgebildetem Maßwerk, Rundbogen neben Spitzbogen

HALLENKIRCHEN DER DEUTSCHEN SPÄTGOTIK

- Einheitl. Raumwirkung durch 3, auch 4 oder 5 gleichhohe oder gestaffelte Schiffe, im Rheinland (186) und in Österreich häufig 2 Schiffe
- Sterngewölbe (vgl. 175) oder Netzgewölbe und fehlende Quergurte verwischen die Jochgrenzen
- »gewundene Reihungen« = Schlinggewölbe ohne tragende Funktion bilden die späteste Gewölbeform (Österreich, Böhmen und Sachsen 1500–1550)
- ohne Tragfähigkeit sind auch die manchmal frei durch den Raum gespannten Rippen, auch als Astwerk ausgebildet, oder zwei verschiedene Rippensysteme übereinander (Ingolstadt, Stadtkirche)
- Seitenschiffe nur wenig schmaler oder gleichbreit wie Mittelschiff
- meist kein Querschiff
- die Chorgliederung aus polygonalen Einzelapsiden (Soest*) wird im 15. Jh. zu einem alle Schiffe umfassenden Chorpolygon vereinheitlicht
- dünne, durch wenige Hohlkehlen gegliederte Pfeiler in großen Abständen steigen bis ins Gewölbe
- Gewölberippen winden sich manchmal schraubenartig aus den Pfeilern oder verschwinden ohne Ansatz in der Wand (Annaberg, 172*)
- Kapitelle und Kämpfer sind selten
- Umgang mit Brüstung unter den Fenstern, auch mit kanzelartigen Vorsprüngen (Nürnberg, St. Lorenz*; Amberg*; sächs. Hallenkirchen)
- regional unterschiedlich: riesiges Sattel-(Einheits-)dach über allen Schiffen oder Querdächer über Seitenschiffen oder Paralleldächer, 152*
- Emporenhallen selten (Kuttenberg, 184*; Steinakirchen, 155*), in Ober- und westl. Niederösterreich: Emporen im W und (schmal) im N und S
- häufig wird einem älteren Langhaus ein stark überhöhter Hallenchor vorgebaut (Nürnberg, Augsburg)
- phantasievolle Kleinarchitektur (Lettner, Sakramentshaus, Chorgestühl) mit dünngliederigem Gesprenge aus geschweiften Wimpergen, Fialen, Durchdringungen von Stäben und stark profilierten Einzelformen

Erzgebirgische Hallenkirchen: vgl. Annaberg, 172*

Westfalen

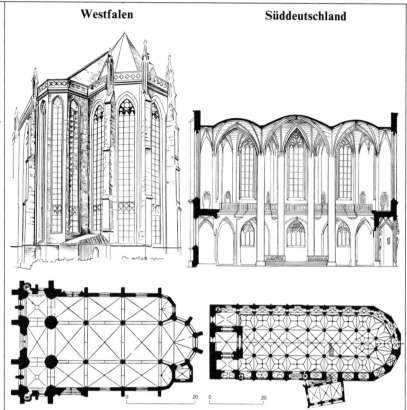

Amberg, St. Martin, beg. 1421 (vgl. Barcelona, 180*). Stärkste Vereinheitlichung des Raumes und Grundrisses; durchgehendes Stern- und Netzgewölbe, 7/12-Chor, umlaufende Einsatzkapellen, darüber Empore mit Brüstung.

Süddeutschland

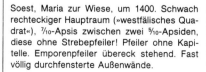

Soest, Maria zur Wiese, um 1400. Schwach rechteckiger Hauptraum (»westfälisches Quadrat«), 7/10-Apsis zwischen zwei 5/10-Apsiden, diese ohne Strebepfeiler! Pfeiler ohne Kapitelle. Emporenpfeiler übereck stehend. Fast völlig durchfensterte Außenwände.

Nürnberg, St. Lorenz, Hallenchor, 1439–77 dem got. Westteil angefügt. Die polygonal gebrochenen Chorumgangswände sind von Einsatzkapellen, darüber von einer kanzelartig um die Pfeiler verkröpften Galerie umzogen. Unvermittelter Rippenaustritt.

Norddeutschland

Südfrankreich

BACKSTEINBAU

Verbreitung seit 13. Jh.: in Nordeuropa (Niederlande, norddt. Küstengebiet, Lübeck, Mark Brandenburg, Baltikum, Schweden, Finnland durch niederländische Kolonisten und Kaufleute der Hanse), in Südfrankreich (um Albi-Toulouse), Spanien (um Toledo; Mudéjar-Stil, 87*, im nichtmaurischen nördlichen Spanien) und Italien, auch in Süddeutschland.

– Vorwiegend Hallenkirchen ohne Strebewerk, weniger Basiliken
– häufig Einsatzkapellen: Lübeck, St. Marien*; Wismar, St. Nikolai; Lübeck, Petrikirche; Thorn, St. Jakob; Danzig, St. Marien; auch Albi*
– frühe Bauten sind monumentalwuchtig, wenig gegliedert
– einschiffige Dorfkirchen

Pobethen/Ostpreußen, Dorfkirche, 14. Jh. Saalkirche mit Sterngewölbe.

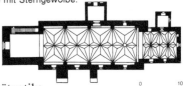

Spätgotik:
– Zierformen werden in Backstein übertragen: Maßwerk, Fensterrose, Fiale, Krabbe, Baldachin, Kreuzblume, Kapitell, Wimperge
– Verwendung von Formsteinen: glasierte Backsteine in Grün, Dunkelrot, schwärzlich, oft in Schichtenwechsel mit Rohsteinen; ornamentierte Terrakottaplatten werden zu Friesen gereiht; durch Hintereinanderstaffelung von Formsteinen werden tiefe Portal- und Fensterprofile erzielt
– keine starke Durchbrechung der Mauer, häufig Blendarkatur in spitzbogig geschlossenen Lisenen-Zwischenräumen
– selten stark unterschnittene Profile
– zurückliegende Wandflächen werden manchmal weiß gekalkt, wodurch der Baukörper plastischer erscheint
– Ziergiebel, die die Feingliedrigkeit der schönsten Werksteinbauten erreichen oder übertreffen (Prenzlau, Brandenburg*, Stargard)
– Sterngewölbe, nach engl. Vorbildern seit E. 13. Jh. im preußischen Ordensland (305*), entwickeln sich zu einem Hauptmotiv der deutschen Spätgotik (Pobethen*).

Lübeck, Marienkirche, M. 13. bis A. 14. Jh. 3schiffige Basilika mit Einsatzkapellen und durch Kapellen angedeutetes Querschiff. Obergaden nach unten als Blendfenster verlängert (statt Triforium). Umgang und Kapellenkranz bilden eine Gewölbeeinheit.

Albi/Südfrankreich, Kathedrale, 1282–1390. Saalkirche mit Einsatzkapellen und Emporen zwischen dem tief eingezogenen Strebewerk, das außen als runde Stützen den Wehrbau-Charakter betont. Grenzform zur Emporenhalle, aber ohne durchgängige Seitenschiffe.

Brandenburg, Katharinenkirche, 1401–34. 3schiffige Halle mit Umgangschor. Hier: Ziergiebel der Heilig-Blut-Kapelle an der Südseite. Reichliche Verwendung von Formsteinen und glasierten Ziegeln. Schichtenwechsel verstärkt die Farbigkeit.

Toulouse, Jakobinerkirche, 1292 vollendet. 2schiffige Hallenkirche mit Kapellennischen. Von den schlanken Rundpfeilern gehen fächerartig die Gewölberippen aus. (1. Schiff = Mönchschor, 2. Schiff = Laienchor). Sterngewölbe im Chor.

BETTELORDENSKIRCHE

Die Kirchen der Minoriten, der Nachfolger der Hll. Franz v. Assisi (1182–1226) und Dominikus (1170–1221), sind als Predigerkirchen vorwiegend Stadtkirchen.

Verschiedene Typen:
- gewölbte **Basilika,** oft mit Neigung zur Halle (vorwiegend Dominikaner, auch Franziskaner)
- flachgedeckte Basilika mit wenig überhöhtem Mittelschiff (vorwiegend Franziskaner, Oberdeutschland, Mitte 13. bis 14. Jh.)
- gewölbte **Hallenkirche** (Franziskaner, Dominikaner)
- einschiffige **Saalkirche**

Basilika (entwickelter Typ)
- 3 Schiffe ohne Querhaus
- breit geöffnete Spitzbogenarkaden
- breite Seitenschiffe mit Pultdächern, die bis hoch an die Mittelschiffwand reichen, deshalb
- hohe Wandzone ohne Gliederung, gelegentlich mit Fresken
- Obergaden aus kleinen, oft runden Fenstern in großen Abständen
- schlanke Rundpfeiler oder abgefaste Achteckpfeiler ohne Gliederung
- keine Kapitelle
- flache Holzbalkendecke über den Langhausschiffen, manchmal mit Flachschnitzerei bis zum Stirnbogen des Chors
- oder Kreuzgewölbe
- Lettner ein oder mehrere Joche vor dem Chor
- Seitenschiffe enden flach, selten in Nebenchören
  Chor oft überhöht
- polygonaler Chorschluß
- Netz- oder Sterngewölbe
- hohe Lanzettfenster
- Dienste nur im Chorhaupt bis zum Boden geführt
Außen schlichte Giebel- und Flankenwände
- oft Vordach und schlichtes Fenster an der Westseite
- Türme selten, meist nur Dachreiter über dem Chorbogen
- Strebepfeiler nur am Chor, mehrfach durch Kaffgesimse gestuft

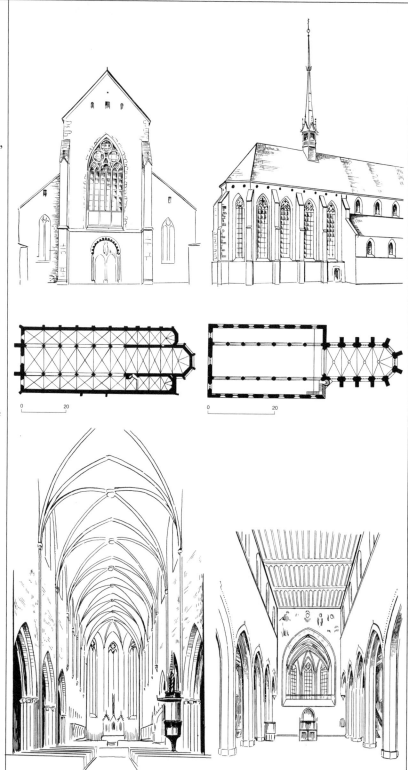

Regensburg, Dominikanerkirche, 2.H. 13.Jh. Kreuzgewölbte Basilika. Haupt- und Nebenchöre langgestreckt und mit polygonalen Apsiden. Chorjoche kürzer als Langhausjoche.

Königsfelden, Aargau/Schweiz, Clarissinnenkloster, beg. 1311. Basilika, weitgespannte Arkaden, Flachdecke im Langhaus, Chor rippengewölbt. Lettnerrückwand erhalten.

FRANZISKANERKLÖSTER IN EUROPA

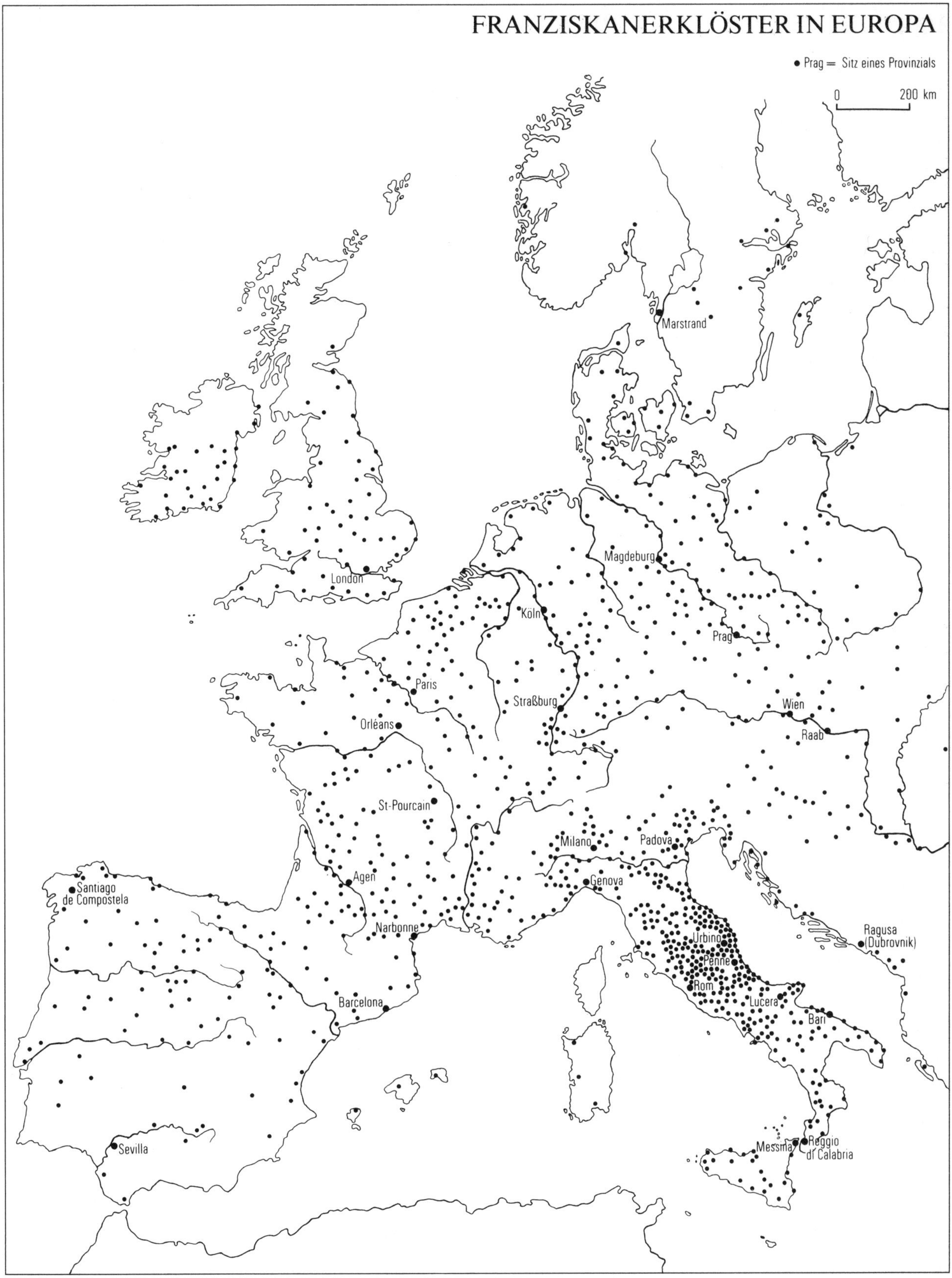

● Prag = Sitz eines Provinzials

0   200 km

Marstrand

Magdeburg

Köln

Prag

Paris

Straßburg

Wien

Orléans

Raab

St-Pourcain

Milano   Padova

Agen

Genova

Santiago
de Compostela

Ragusa
(Dubrovnik)

Urbino

Narbonne

Penne

Rom

Lucera

Barcelona

Bari

Sevilla

Messina   Reggio
di Calabria

London

BELGIEN
NIEDERLANDE

Belgien

Zisterzienser sind auch hier Wegbereiter der Gotik (Backsteinbauten an der Küste mit hölzernem Tonnengewölbe und einfachem Turm). Von Tournai (Quintinus-Kirche, vor 1200) geht die **Scheldegotik** des 13. Jhs. aus, in der sich Einflüsse der Champagne mit eigenen Formen verbinden und die sich bis in Landkirchen auswirkt. Hauptwerke: Gent, St. Niklaas, 1200–25; Brügge, St. Salvator, 13.–15. Jh.; Tournai, St. Jakob, A. 13. Jh.; Lissewege, O. L. Vrouw, 1225–50; Damme, O. L. Vrouw, 1220–50.

– Außenlaufgang entlang dem Obergaden
– Vierungsturm mit 4 Ecktürmchen, innen 8teilig gewölbt
– schräggestellte Querschiffkapellen in Ypern, St. Martin, beg. 1221 (nach Braisne, 185*)
– Rundpfeiler mit 8eckigem Knospenkapitell
– Wechsel von Pfeilern und Säulchen im Triforium, gelegentlich ohne Arkaden
– bis M. 13. Jh. Dienste auf Konsolen, Chorumgang ohne Kapellen, keine Strebebögen

Die **Brabanter Gotik** (ab 14. Jh.) setzt das frz. Kathedralschema durch, am deutlichsten in Mechelen, St. Rombout*, beg. 1341; Antwerpen, Kathedrale, beg. 1352; Brüssel, Ste-Gudule*, beg. vor 1226; Gent, St. Bavo.

– Großräumige Bauten mit 2–4 Seitenschiffen, Chor mit Umgang und Kapellen
– Backstein mit kontrastierendem Sandstein
– Doppelturmfassade
– Säulen; Pfeiler nur in der Vierung
– oder Bündelpfeiler ohne Kapitelle
– Skulpturen an den Säulen
– große Obergadenfenster, deren Stäbe sich nach unten fortsetzen (blindes Triforium)
– belichtetes Triforium (Antwerpen)
– Laufgang vorm Obergaden und unter den Chorfenstern (Brüsseler Gruppe)
– 4teiliges Gewölbe; auch Scheitelrippe oder Liernen nach engl. Vorbild (Gent, St. Bavo)

Niederlande sh. S. 181

Niederlande sh. S. 181

Belgien

Niederlande

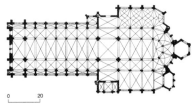

Brüssel, Kathedrale Ste-Gudule, A. 13. Jh. bis 15. Jh. Dreischiffige Basilika nach französischem Bauschema mit belichtetem Triforium; Doppelturmfassade.

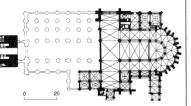

Utrecht, Kathedrale, 1254–1517. 5schiff. Backsteinbau; frz. Grundriß (nach Soissons und St-Denis). »Deutscher« Einturm, 1321–82, frei vor der ehem. Fassade des 1674 vom Sturm zerstörten Langhauses stehend.

Mechelen, St. Rombouts-Kathedrale, beg. 1341. Brabanter Gotik, Basilika mit Rundpfeilern. Triforium und Obergaden bilden eine Einheit (vgl. Großarkade 193*). Säulenplastiken.

Alkmaar, Grote Kerk, 15. Jh. Innen schlichter Backsteinbau. Blendarkatur überm Triforium ist oben mit Korbbögen geschlossen. Hohes Mittel- und Querschiff. Chorumgang.

Schweden

Norwegen

SKANDINAVIEN

Die großen Kirchen sind den mitteleuropäischen Bauten nachgebildet, erreichen aber weder Pracht noch religiöse Atmosphäre der zeitgenössischen Kathedralen Frankreichs und Deutschlands. Die Innenräume sind dunkel (klimat. bedingte kleine Fenster); Glasmalerei, Skulpturen, Ornamentik und offenes Strebewerk fehlen zumeist.

In **Dänemark** und **Südschweden** herrschen norddeutsche und holländ. (auch engl. und frz.) Einflüsse vor. Wichtigste Bauten: Uppsala*, Roskilde, Odense, Århus, alle 13./14. Jh.
- Hallenartige Backsteinkirchen mit Einturm (Ystad*)
- Treppengiebel mit Blendarkaden
- einfaches Maßwerk
- hohes Mittelschiff und hoher Chor
- Wände und Rippengewölbe geweißt, gemalte pflanzliche Dekoration
- Sägezahn- und Fischgrätfriese sowie Fensterverstabung aus Backstein, bes. an kleineren und späteren Stadt- und Abteikirchen

Norwegen zeigt bes. engl. Einfluß. Hauptwerk: Trondheim*. – Zahlreiche blockhausartige Holzkirchen. Ergänzungen und Erweiterungen bestehender → Stabkirchen* durch Söller, Wimperge, Dachreiter, Turm (auch frei stehend), offener Umgang. 56*; 138 f.*

Finnland besitzt bes. an der SW-Küste einige große Kirchen aus Sand- und Backstein. Hauptwerke: Turku (Basilika, 13. Jh.), Hollola (Hallenkirche, E. 15. Jh.), Porvoo (Hallenkirche, 15. Jh.), Peruå (Hallenkirche, E. 14. Jh.), Lohja (Wände und Gewölbe völlig bemalt). Die Mehrzahl der Kirchen war aus Holz.

Schweden
Einige Zisterzienserkirchen werden – wie in England – nach den Zerstörungen der Reformation zu Pfarrkirchen umgebaut. Sie zeigen vorwiegend norddt. und holländ. Einflüsse.
Basilika oder **Hallenkirche**
- kreuzförmiger Grundriß, meist Flachchor
- Backstein und Haustein
- 4- oder 8eckige Pfeiler
- 4teiliges Gewölbe, auch Liernengewölbe (Stockholm, Storkyrkan)

Fortsetzung Seite 180

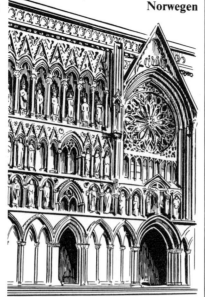

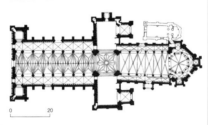

Uppsala, Kathedrale, 1270–1315. Dreischiffige Basilika mit Einsatzkapellen, Umgang mit Kapellenkranz, Westrose, Doppelturmfassade. Französisches Bauschema.

Ystad, Klosterkirche, 14. Jh. Hallenkirche, schlichter Backsteinbau. Staffelgiebel mit schmalen Blendfenstern und Steinscheiben. Norddeutsche Einflüsse.

Trondheim, Nidaros-Dom, 1130 (1235)–1290. Querschiff romanisch, Mittelschiff und Fassade entsprechen der engl. Gotik. Vierungs-Laternenturm; Chorhaupt als Oktogon.

KATALANISCHE SONDERGOTIK

In Palma de Mallorca und Barcelona bereiten im 14. Jh. **hallenartige Basiliken** nach frz. Bauschemata (Albi, 175*; Toulouse, Jakobinerkirche, 175*) die Spätgotik vor:
– vereinheitlichter Kapellenchor
– hohe Mittel- und Seitenschiffsarkaden
– Einsatzkapellen unter umlaufender Empore
– Triforium verkümmert oder entfällt
– Rundfenster im Obergaden
– Querschiff wenig betont (Barcelona, Kathedrale) oder entfällt (S. Maria del Mar*)
– kubischer Raumeindruck

Das einschiffige Langhaus von Gerona, beg. 1416 (155*), gilt als Höhepunkt der katalanischen Spätgotik, S. Maria del Mar in Barcelona*, beg. 1329, weist aber am deutlichsten auf die ideale spätgotische Raumlösung der Hallenkirche voraus.

PLATERO-STIL

Gegen Ende des 15. Jhs. verbindet sich der Mudéjar-Stil mit gotischen und Renaissance-Elementen, die aus Italien eindringen (Medaillons, Pilaster, Grotesken, Nischen usw.), zu einem verschwenderischen Dekorationsstil, der die maurische Flächenkunst mit dem plastischen Sinn der Italiener vereint. Im 16. Jh. verbreitet sich der Platero-(= Silberschmied-)Stil über ganz Spanien. Er hat keinen Einfluß auf die architektonische Struktur. Der Platero-Stil steht dem spätgot. → **Isabell-Stil** nahe.

Fortsetzung von Seite 179

Die zahlreichen Kirchen der Insel Gotland sind aus lokalem Gestein und in hoher Vollendung gebaut (meist zerstört).

Einige Landkirchen sind – wie in Finnland – reich mit Fresken ausgemalt (Södra Rådå, Herkeberga).

Die großen Kathedralen zeigen französische (Uppsala, 179*) und englische Bauschemata (Skara, Linköping).

Spanien

Barcelona, S. Maria del Mar, beg. 1329. 3schiffige Basilika mit Einsatzkapellen; polygonaler Chor, quadratische Mittelschiffsjoche (vgl. Florenz, 173*), hohe Achtkantpfeiler, Rundfenster im Obergaden. Hallencharakter. Akzentuierte Verteilung der Fassadendekoration.

O: Segovia, Kloster Santa Cruz la Real, 15. Jh., Portal im Platero-Stil. – Mi: Sevilla, Kathedrale, schmiedeeisernes Gitter, 16. Jh. U: Valladolid, S. Pablo, nach 1486. Portalzone der Platero-Fassade mit überschwenglicher dekorativer und figürlicher Ausstattung.

Portugal

PORTUGAL

Nicht Kathedralen, sondern Kloster-kirchen und Konventanlagen geben der portugiesischen Spätgotik ihr faszinie-rendes Gepräge (Hauptwerke: Ba-talha*, Belém*, Tomar). In enger Bin-dung an das Königshaus dokumentie-ren sie den Weltmachtanspruch des Landes. Batalha, Dominikanerkloster, wird 1388 als Grablege des Königshau-ses und zur Erinnerung an die entschei-dende Schlacht (= batalha) gegen Spa-nien gegründet. Der Bau des Klosters Belém bei Lissabon geht auf ein Gelöb-nis Manuels I. für das Gelingen der Entdeckungsreise Vasco da Gamas zu-rück. Besondere Bedeutung erlangen die Ritterorden, die sich u. a. »die Be-kämpfung der Mauren und die Vergrö-ßerung der portugiesischen Monar-chie« zur Aufgabe machen. Der Orden der Christusritter, 1314 gegr., baut bis nach 1520 den Templerkonvent »Con-vento da Ordem de Cristo« in Tomar.

Im → **Emanuel-Stil** erhalten die portu-giesischen Konvente phantastisch wuchernde Ornamentierung mit indi-schen (Tomar) und englischen Einflüs-sen (Belém). Typisch werden Dekora-tionselemente aus Seefahrt und Mee-resfrüchten: Korallen, Muscheln, Al-gen, Schiffstau, -bug u. ä.; 182*. Flä-chendekor oft plastischer als beim gleichzeitigen span. Platero.

Fortsetzung von Seite 178

Die **Niederlande** gehören bis M. 17. Jh. zu Deutschland und empfangen von dort auch die stärksten Anregungen.
- Großräumig-strenge, helle Bauten
- Backstein, u. a. in Alkmaar, 178*, mit kontrastierendem Sandstein (vgl. Brabanter Gotik, 178)
- Mittelschiff, Chor und Querhaus sehr hoch
- Einturm, quadratisches Unterge-schoß schlicht, jedes weitere Ge-schoß stärker gegliedert, schließlich 8eckig mit kurzem Turmhelm (Ut-recht, 178*)
- einfaches Äußeres, wenig gegliederte Portale und Strebewerk
- französische Einflüsse (Soissons) bes. im Dom zu Utrecht, 14. Jh. (178*), am stärksten in 's-Hertogen-bosch, St. Jan, 1419–1529, reich de-koriert an Wimpergen, S-Portal, Stre-bewerk, Querhaus-Giebeln, Maß-werk

Batalha, Dominikaner-Konvent, 1388 bis 16. Jh. 3schiffige Basilika, zisterziens. Querhaus. Da-hinter Vorhalle mit Empore und 15 m hohes Prachtportal zur Mausoleums-Rotunde (7 Ein-satzkapellen, in reichstem Emanuel-Stil deko-riert). Grabkapelle (Zentralbau!) im SW der Kir-che, 1434 vollendet. W-Fassade und S-Seite lebhaft skulptiert. Phantastische Ornamentik im großen Kreuzgang.

Belém, Hieronymiten-Kosterkirche, beg. 1499. 3schiffiges Hallenlanghaus und stützenloses, 19 m breites Querhaus mit Gewölbe aus ge-wundenen Reihungen. Schlanke, 8eckige, reich ornamentierte Pfeiler. Prächtiges Haupt-portal. Chor: Hochrenaissance. Berühmter 2geschossiger Kreuzgang (Abb. u) mit üppi-ger, englisch beeinflußter Dekoration, z. T. schon Renaissance-Formen.

GOTIK IN SPANIEN UND PORTUGAL

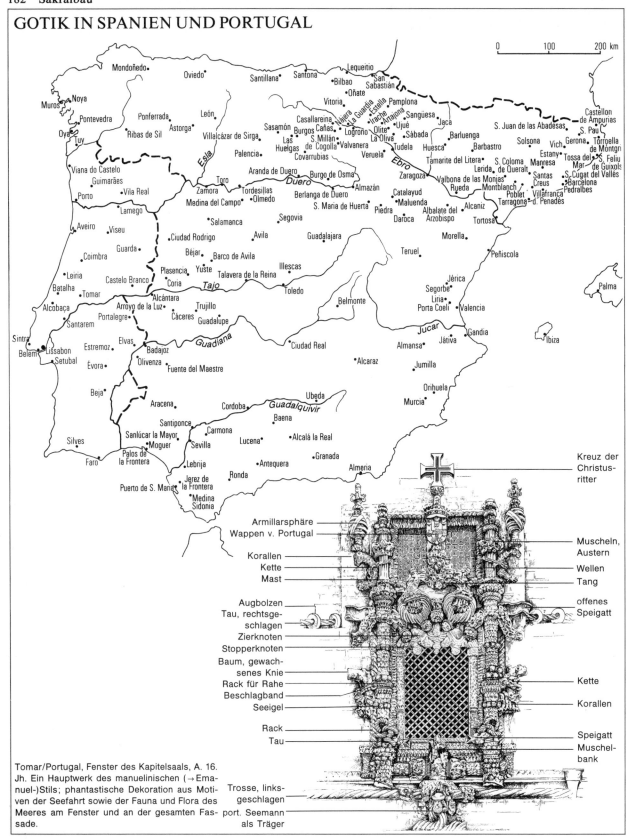

0   100   200 km

Mondoñedo
Oviedo
Santillana
Santona
Lequeitio
Bilbao
San Sebastián
Muros
Noya
Vitoria
Oñate
Castellon de Ampurias
Pontevedra
Ponferrada
León
Sasamón
Casallareina
Nájera
La Guardia
Estella
Artajona
Sangüesa
Jaca
S. Juan de las Abadesas
S. Pau
Oya
Tuy
Astorga
Villalcázar de Sirga
Burgos
Cañas
Logroño
Olite
Ujué
Sábada
Barluenga
Solsona
Vich
Gerona
Tórroella de Móntgri
Ribas de Sil
Las Huelgas
S. Millán de Cogolla
Valvanera
La Oliva
Tudela
Huesca
Barbastro
Estany
Tossa del Mar
S. Feliu de Guixols
Palencia
Covarrubias
Veruela
Zaragoza
Tamarite del Litera
Lerida
S. Coloma de Queralt
Manresa
S. Cugat del Vallés
Viana do Castelo
Aranda de Duero
Burgo de Osma
Valbona de las Monjas
Santas Creus
Barcelona
Guimarães
Toro
Duero
Almazán
Rueda
Montblanch
Pedralbes
Vila Real
Zamora
Tordesillas
Olmedo
Berlanga de Duero
Catalayud
Maluenda
Albalate del Arzobispo
Poblet
Tarragona
Villafranca d. Penadés
Porto
Medina del Campo
S. Maria de Huerta
Piedra
Alcaniz
Lamego
Segovia
Daroca
Tortosa
Aveiro
Salamanca
Avila
Guadalajara
Morella
Viseu
Ciudad Rodrigo
Teruel
Peñiscola
Guarda
Béjar
Barco de Avila
Coimbra
Plasencia
Yuste
Illescas
Jérica
Palma
Leiria
Castelo Branco
Coria
Yuste
Talavera de la Reina
Toledo
Segorbe
Batalha
Tomar
Alcántara
Tajo
Liria
Porta Coeli
Valencia
Alcobaça
Arroyo de la Luz
Trujillo
Cáceres
Belmonte
Sintra
Portalegre
Guadalupe
Gandia
Belem
Lissabon
Santarem
Estremoz
Elvas
Badajoz
Guadiana
Ciudad Real
Jucar
Almansa
Játiva
Ibiza
Setubal
Évora
Olivenza
Fuente del Maestre
Alcaraz
Jumilla
Beja
Orihuela
Aracena
Santiponce
Carmona
Ubeda
Cordoba
Guadalquivir
Murcia
Silves
Sanlúcar la Mayor
Moguer
Sevilla
Lucena
Baena
Alcalá la Real
Faro
Palos de la Frontera
Lebrija
Antequera
Granada
Almeria
Puerto de S. Maria
Jerez de la Frontera
Ronda
Medina Sidonia

Kreuz der Christus-ritter

Armillarsphäre
Wappen v. Portugal

Korallen
Kette
Mast

Muscheln, Austern
Wellen
Tang

Augbolzen
Tau, rechtsge-schlagen
Zierknoten
Stopperknoten
Baum, gewach-senes Knie
Rack für Rahe
Beschlagband
Seeigel

offenes Speigatt

Kette

Korallen

Rack
Tau

Speigatt
Muschel-bank

Tomar/Portugal, Fenster des Kapitelsaals, A. 16.
Jh. Ein Hauptwerk des manuelinischen (→Ema-
nuel-)Stils; phantastische Dekoration aus Motiven der Seefahrt sowie der Fauna und Flora des
Meeres am Fenster und an der gesamten Fassade.

Trosse, links-
geschlagen
port. Seemann
als Träger

GOTIK IN ITALIEN

0   50   100 km

Aosta
Fenis
Brixen
Bolzano
Sauris di Sotto
S. Antonio
Como
Clusone
Trento
Venzone
Novara
Monza
Riva
Belluno
S. Daniele
Vercelli
Milano
Bergamo
d. Friuli
Torino
Sanazzaro
Certosa di Pavia
Salò
Spilimbergo
Udine
Asti
Pavia
Sirmione
Verona
Treviso
Saluzzo
Cremona
Verona
Padova
Piacenza
Mantova
Venezia
Cuneo
Fidenza
Montagnana
Chioggia
Genova
Parma
Cento
S. Salvatore
Reggio
Ferrara
Sarzana
Bologna
Carrara
Imola
Lucca
Pistoia
Pisa
Certosa di Galuzzo
Firenze
Pesaro
S. Gimignano
Urbino
Siena
Arezzo
Jesi
Cortona
Gubbio
Ancona
Grosseto
Gualdo Tadino
Treia
Perugia
Assisi
Tolentino
Bevagna
Foligno
S. Ginesio
Fermo
Orvieto
Todi
Montefalco
Offida
Montefiascone
Città di
Spoleto
Viterbo
Bagnoregio
Ascoli
Tarquinia
S. Martino
Aquila
Prata
Loreto Aprutino
d'Ansidonia
Roma
Fossa
Rocca
Badia di
Lanciano
Subiaco
casale
S. Spirito
Giovanni in Venere
Anagni
Sulmona
Fossacesia
Abazia di
Casamari
Fossanova
Lucera
Aversa
Napoli
Castel
Amalfi
del Monte
Ruvo
Capo Conca
Salerno
S'Angeli d. L.
Altamura
Gioia del Colle
Ostuni
Matera
S. Maria del Casale
Brindisi
Lecce
Galatina
Cosenza

SIZILIEN

Erice
Palermo
Trapani
Monreale
La Badiazza
Caccamo
Messina
Nicosia
Taormina
Calascibetta
Agrigento
Enna
Catania
Ragusa
Siracusa
Modica

OSTEUROPA

Nationale und regionale Eigenständigkeit wird auch hier erst in der Spätgotik erreicht. Abhängigkeiten vom Westen bleiben bestehen.

Böhmen. Die Bautätigkeit der Luxemburger hat ihren Höhepunkt im Veitsdom zu Prag*, 1344–85, von Matthias von Arras im frz. Kathedralstil begonnen, von Peter Parler weitergeführt. Südböhmen entwickelt unter bayer.-österr. Einfluß einen eigenen Raumstil (Krumau, beg. 1407; Wittingau, beg. 1367). Nach den unfruchtbaren Hussitenwirren (1419–85) wird die Barbarakirche in Kuttenberg* von B. Rieth zur Emporenhalle mit Schlinggewölbe umgebaut (vgl. Annaberg, 172*).

Polen. Die norddt. Backsteingotik wird bis nach Krakau getragen (St. Marien, Basilika, E. 14. Jh.). Die höfische 2schiff. Hallen-Kollegiatskirche von Wislica, 1362, (frz. Bauleute?) wird Vorbild für etliche andere Kirchen.

Ungarn. Frankreich wirkt unter den Anjou-Königen (1308–82) ebenso wie die Wiener Bauhütte auf die ungar. Architektur ein (Preßburg, Dom, Hallenkirche mit Netzgewölbe).

Rumänien. Österr. Einfluß zeigt sich auch in den dt. Siedlungsgebieten Siebenbürgens (Klausenburg, Stadtkirche; Kronstadt, Schwarze Kirche).

In der Region Moldau im NO Rumäniens lassen Stephan III. der Große (1457–1504) und sein Sohn Petru Rares zum Dank für 34 siegreiche Schlachten gegen Türken, Polen und Ungarn eine Reihe von bewehrten Klöstern bauen. Sie vermischen byzantin. und got. Elemente mit der Bautradition des Landes (einheimische, westeuropäische und deutsche Handwerker aus Siebenbürgen). Nachfolgebauten bis E. 17. Jh.
- Wenig belichtete, abgeschnürte Innenräume; Kleeblattchor
- Spitz- und Rundbogen
- vorgekragte, 1- oder 2geschossige, parallel oder diagonal zu den Wänden stehende Bogenanlagen unter den Pendentifkuppeln
- steile, gegliederte, vorkragende Schindeldächer (rumän. Tradition)
- Außenwände der auf S. 187, Nebenkarte, genannten Klöster sind teilweise oder völlig mit Fresken bemalt.

Moldauische Gewölbeform
Hîrlău, Sf. Gheorghe, 1492

Prag, Teynkirche, 1370 beg. Doppelturmfassade. »Vereinfachung im Ganzen, Komplikation in den Einzelheiten« (Dehio über Spätgotik).

Voronet/Rumänien, Klosterkirche, beg. 1488, das bekannteste der 12 »Moldau-Klöster«, die wegen ihrer mit Fresken bedeckten Außenwände berühmt sind.

Prag, Veitsdom, 1344–85, Chor. 5schiffige Basilika nach französischen Schema. Brüstung vor dem Triforium. Frühestes Netzgewölbe.

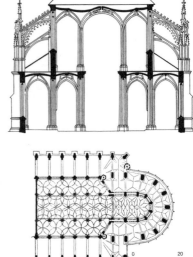

Kuttenberg, St. Barbara, 1388 beg., Peter Parler, nach 1512 von Benedikt Rieth als Emporen-Hallenkirche mit Schlinggewölbe vollendet.

ZENTRALBAU

Das Raumideal der Gotik ist der Langbau. Zentralbauten sind in der Gotik Sondererscheinungen geblieben. Die Liebfrauenkirche in Trier* steht am Anfang der dt. Gotik. Sie ist im Prinzip aus 4 ineinandergeschachtelten Fächerchören gebildet. Bei diesen sind die Ecken zwischen Chor und Querhaus durch polygonale Räume ausgefüllt, deren Achsen schräg zum Chor verlaufen (St-Yved*). Das zerstörte Oktogon von St. Heribert in Köln, nach 1383 (18 × 19 m), war von Einsatzkapellen umgeben; der got. Urbau von Kloster Ettal war eine gewölbte Rotunde von 25 m Durchmesser mit Mittelsäule.

Kleine Zentralbauten finden sich als Kapitelhäuser engl. Kathedralen (»chapter houses«)
– meist 8eckig (Wells, 1240; Salisbury, um 1280, 206*; Southwell, 1294, 130*; Westminster, M. 13. Jh.; York, 1342, 207*)

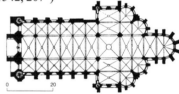

Braisne bei Soissons, St-Yved, 1180–1216, Fächerchor. Vorbild für Ypern, St. Martin (vgl. Scheldegotik, 178), Trier* und Xanten, Dom, 1263

– oder 10eckig (Lincoln, 1220–35, 203*, 207*), alle mit Fächergewölbe Chorscheitelkapelle
– kreisrund (Canterbury, Corona, E. 12. Jh., 145*; Batalha/Port., Capelas imperfeitas = Mausoleum, 15./ 16. Jh., 181*)
– oder vieleckig (Burgos, Kathedrale, Capilla des Condestable, 15. Jh., 171*)
Kapellenanbau (Batalha, Capela do Fundador an der S-Seite der Klosterkirche, 181*; Konstanz, Mauritiusrotunde)
einzelstehende Kapellen (Calw, Nagoldkapelle, 14. Jh.)
Turmkapellen (Enna/Sizilien, Turm Friedrichs II., 13. Jh.; Vincennes, Donjon)
Karner = Beinhäuser, mehr als 100 in Böhmen, SO-Deutschland und Österreich, meist romanisch. Über einem kryptenartigen Ossuarium, dem eigentlichen Beinhaus, befindet sich eine Kapelle (Tulln*).

Trier, Liebfrauenkirche. 1227–43. Wie beim Ostabschluß von Braisne, St-Yved*, werden in die Ecken polygonaler Kreuzarme zwei Polygone übereck und ein Quadrat gefügt. 2fache vertikale Staffelung von den Eckelementen zum Vierungsturm hin.

Tulln/Niederösterreich, Karner, E. 13. Jh. Der spätromanisch-frühgotische Bau hat ein sechsstufiges romanisches Trichterportal und steile Spitzbogen-Blendarkaden auf dünnen Diensten. Das eigentliche Beinhaus befindet sich im Untergeschoß. Treppe verändert.

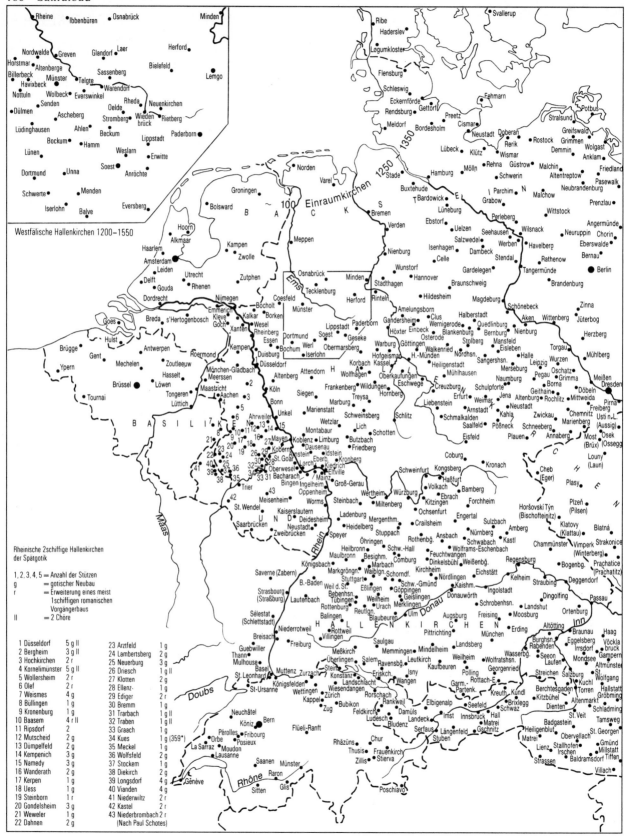

Westfälische Hallenkirchen 1200–1550

GOTIK IN MITTEL- UND OSTEUROPA

Vilnius (Wilna)

0   50   100 km

Kaliningrad (Königsberg)   Cemachovsk (Insterburg)

Gdynia (Gdingen)
Słupsk (Stolp)   Oliva   Braunsberg
Gdańsk (Danzig)   Frauenburg   Heilsberg
Elblag (Elbing)
Koszalin (Köslin)   Starogard (Stargard)   Malbork (Marienburg)   Olsztyn (Alleinstein)   Grodno
Kolberg   Pelplin
Treptow   Marienwerder

Szczecin (Stettin)   Stargard   Chełmno (Kulm)   Łomza
Königsberg   Koronowo (Krone)   Rheden   Brodnica (Strasburg)   Kleczkowo   Wizna
Bydgoszćz (Bromberg)   Torún (Thorn)   Przasnysz
Znin

Gniezno (Gnesen)   Warszawa (Warschau)   Brest

Frankfurt   Poznań (Posen)   Gosławice
Fürstenwalde   Warthe

Cottbus   Gostyń   Łodz
Gostyń   Inowłodz
Ostrów (Ostrowo)   Sulejów
Zarnów   Prendocin   Kraśnik
Kamenz   Lubań (Lauban)   Liegnitz   Wrocław (Breslau)   Bodzentyn   Chybiez
Bautzen   Leubus   Kielce   Kazimierza
Görlitz   Lwówwek Ślaski (Löwenberg)   Kurzelów   Stróżyska   Sandomierz
Zittau   Schweidnitz
Heinrichau   Szaniec   Stopnica
Litoměřice (Leitmeritz)   Ziebice   Neisse   Oppeln   Kazimierza   Beszowa
Nymburk (Nimburg)   Hradec Králové (Königgrätz)   Olkusz   Wiślica   Lemberg
Praha (Prag)   Kolin   Krzeszowice   Kraków (Krakau)   Nowy Korczyn
Karlštejn (Karlstein)   Sedlec (Sedletz)   Niepołomice
Sázava   Kutná Hora (Kuttenberg)   Staniatka

Zvikov (Klingenberg)   Šternberk (Sternberg)   Ostrava (Mähr.-Ostrau)   Biecz
Milevsko   Doubravnik   Olomouc (Olmütz)   Nowy Targ   Nowy Sacz
Písek   Tabor   Jihlava (Iglau)   Tišnov   Frydman   Červený Kláštor   Bardejov
Bechyně (Bechin)   Telč (Teltsch)   Třebíč   Levoča (Leutschau)   Prešov
Chvalšiny   Jindřichuv Hradec (Neuhaus)   Brno (Brünn)   Liptovský Mikuláš   Kežmarok (Käsmark)   Spišské Podhradie
Znojmo (Znaim)   Spišsky Štvrtok   Spišská Nová Ves (Neudorf)   Zehra   Košice (Kaschau)
Litschau   Retz   Trenčín (Trentschin)   Banská Bystrica (Neusohl)   Štitnik   Čečejovce   Ushgorod
Weitra   Pulkau   Laa   Kremnica (Kremnitz)   Zvolen
Stift Zwettl   Eggenburg   Mistelbach
Friedersbach   Imbach   Krems   Trnava (Tyrnau)   Hronský Beňadik
Freistadt   Tulln   Miskolc
Greiz   Mauer   Stein   Wien   Bratislava (Preßburg)   Mátraverebély   Eger   Csenger
Linz   Kefermarkt   St. Pölten   Mödling   Altenburg   Nógrádsáp   Gyöngyöspata   Nyirbátor
Enns   Pöchlarn   Pyhra   Deutsch   Gumpoldskirchen   Visegrád
Wels   Ybbs   Lilienfeld   Baden   Esztergom   Budapest
Steyr   Scheibbs   Rust   Pannonhalma
Waidhofen   Gaming   Wiener Neustadt   Eisenstadt   Ráckeve
Rottenmann   Eisenerz   Neuburg   Neunkirchen   Sopron   Klausenburg
Gaishorn   Aflenz
Leoben   Bruck   Stadtschlaining   Kőszeg
Oberwölz   Göß   St. Erhard   Berhida
Murau   St. Marein   Pöllauberg   Keszthely   Kőröshegy
St. Lambrecht   Judenburg   Straßengel   Velemér   Szeged   Eibesdorf
Altenmarkt   Graz   Fernitz
St. Veit/Glan   St. Leonhard   Hochfeistritz   Hermannstadt
M. Saal   Völkermarkt
Maria Wörth   Ebemdorf   Kronstadt

Bemalte Moldauklöster NO-Rumänien

Putna   Bogdana
Sucevița   Dragomirna
Moldovița   Arboré
Humor   Suceava
Voroneț   Moldova
Neamţ
Sucu   Agapia
Varatec

Lincoln, Kathedrale, Westfassade und Türme, 13. – E. 14. Jh.

GOTIK IN ENGLAND

Die englische Gotik beginnt etwa mit dem Bau des Chors von Canterbury, 1175–84, durch Meister Wilhelm von Sens. Sie hat bis ins 20. Jahrhundert hinein nie ganz aufgehört. Immer wieder gab es »revivals«, manieristische Wiedergeburten. Und noch zwischen 1880 und 1910 wurde die Kathedrale von Truro, 273*, im gotischen Stil aufgeführt. Die klassische Zeit der englischen Gotik endete allerdings nach 375 Jahren um 1550. Ihre zeitliche Einteilung in Phasen führte zu Glaubenskriegen unter den Kunsthistorikern. Thomas Rickmans Klassifizierung von 1817 in Early English, Decorated und Perpendicular style mit dazwischenliegenden Übergangszeiten (»transitions«) ist aber so griffig und populär, daß sie bis heute im wesentlichen überlebt hat. Am deutlichsten, weil am besten sicht- und überschaubar, lassen sich die Stilperioden der englischen Gotik am Maßwerk der Fenster ablesen. Nach ihm wurden auch die Phasen vor allem der mittleren Periode benannt (sh. Tabelle S. 192 und 196*, 197*). In der Formenkunde (193* bis 204*) werden nach Möglichkeit Beispiele aus allen Perioden vorgestellt.

Zwar hat die englisch-normannische Architektur weder die Vieltürmigkeit noch die doppelchörigen Anlagen übernommen, die für die kontinentale Romanik so stilbestimmend waren. Als jedoch im späten 12. Jahrhundert die Zisterzienser (und später die Dominikaner und Franziskaner) die gotische Formensprache nach England tragen, treffen sie dort auf dieselbe normannische Tradition, aus der sich auch die französische Gotik entwickelt hatte. Aber aus jener Mischung von Beharrungsvermögen und Fortschrittlichkeit, die noch heute zu den meistbewunderten Tugenden des englischen Charakters zählen, erlangt der neue Stil schon bald jene selbständigen Eigenarten und Sonderformen, die sich weit von der Entwicklung im übrigen Europa entfernen.

Französisch-romanischer Tradition entsprechen:
- das Festhalten an der Emporenbasilika, die in Frankreich mit dem Bau von Chartres seit dem Ende des 12. Jahrhunderts aufgegeben wurde
- der Vierungsturm
- die Beibehaltung eines zweiten Querschiffs nach clunyazensischem Vorbild, das für die klosterartige Lebens- und Gottesdienstordnung des englischen Klerus maßgebend bleibt. Die Altarstellen der Querschiffe ersetzen den auf dem Kontinent verbreiteten Kapellenkranz hinter dem polygonalen Chorumgang. Denn der Ostteil der großen englischen Kirchen ist in der Regel durch einen platt schließenden Chorumgang (»retro-choir«) besetzt, der sich in eine Chorscheitel-Kapelle (»Lady Chapel«) öffnet
- die gewaltige Längenausdehnung nicht nur der Kathedralen (Winchester, 192 m, und St. Alban's, 185 m, sind die längsten Kirchen der Welt!), sondern auch vieler Pfarrkirchen und Abteien
- das additive Prinzip, nach dem Schiff, Chor, Quer- und Chorseitenschiffe als selbständige Einzelräume aneinandergereiht werden
- die waagerechte Tendenz der Mittelschiffswände
- der Laufgang vor dem Obergaden
- der durch Lettner – auch in kleinsten Kirchen – und seitliche Schranken streng abgeteilte Chor
- die monumentale Westfassade, die oft ausladender als der dahinterliegende Kirchenraum ist und durch mehrere Geschosse von Arkadenreihungen noch breiter wirkt

Seit der Christianisierung in sächsischer Zeit und erneuert in der Unabhängigkeitserklärung von Rom durch Heinrich VIII. hat sich die englische Kirche immer als Landeskirche empfunden. Daher und aus der klösterlichen Abkunft der meisten englischen Kathedralen mag es kommen, daß sie noch heute eher das Bild einer Residenz als nur einer Bischofskirche darbieten. Nur selten ist sie wie in York in das Gewirr von Stadthäusern eingebettet, wie es in Frankreich und Deutschland üblich ist. Gewöhnlich führen bis zu vier burgtorähnliche »gates«, oft reich skulptiert und bemalt, in den weitläufigen Kathedralbereich hinein, an dessen Rändern die kleinen Häuser des Domkapitels liegen.[1] Wie ein übergroßes Modell ihrer selbst steigt dann die Kathedrale aus der Mitte einer großen Rasenfläche auf.

In den hohen Sockel sind die figurenlosen Portale eingelassen. Die Fassade der Frühzeit ist mit Arkadenreihungen dicht besetzt, von riesigen Hochnischen oder Fünf-Fenster-Gruppen ausgehöhlt; später wird sie von einem Fenster durchbrochen, das die gesamte Breite und restliche Höhe des Mittelschiffs aufdeckt. Andere Fenster werden außen wie innen gern einer durchlaufenden Arkatur eingeordnet. Das Strebewerk ist wenig zweckmäßig oder phantasievoll gestaltet und wäre z. B. in Wells statisch nicht nötig gewesen. Andererseits sind die meisten Vierungstürme der Großkirchen wegen statischer Mängel des Strebewerks irgendwann zusammengebrochen.

Westtürme sind selten Teil der Fassade, sondern stehen seitlich neben oder gar hinter ihr oder sind ihr später wenig organisch aufgesetzt. Zentrum des Baus ist aber der Viertungsturm: viereckig, oft aus romanischen Anfängen erhalten und gotisch dekoriert, mit Zinnen oder Türmchen am Plattformrand, seltener von einer Turmspitze bekrönt.

[1] Selbst kleinste Dorfkirchen schließen ihren rasenbestandenen Kirchhof mit kleinen hölzernen Gates ab.

Canterbury, Christ Church Gateway, 1517

Anbauten	Die Anbauten haben klösterlichen Charakter. Da finden sich ein Kreuzgang an der Südseite des Schiffs (selten, wie in Gloucester, 208*, an der Nordseite) mit trogartiger Waschanlage für die Mönche und ein Refektorium mit Lesebühne.
Kapitelhaus 203*	Der Kapitelsaal ist meist traditionell-rechteckig. Aber in seiner acht- oder zehneckigen Form ist er eine Sonderleistung der englischen Gotik und ohne kontinentales Beispiel. Wie eine kostbare Pyxis aus farbigem Glas und Fächergewölbe erhebt er sich über den Sitzbänken ringsum, eine Offenbarung aus Zierde und Konzentration.
Innenraum 199* 203*	Grundriß und Bauschema der englisch-gotischen Großkirche haben sich nie wesentlich geändert: drei Schiffe mit einem oder zwei Querschiffen und einem allseitig abgeschlossenen Chor, in dem heute die kleineren Gottesdienste abgehalten werden, dahinter Retrochor und Lady Chapel. Das Mittelschiff ist gewöhnlich schmal und nur mäßig überhöht, dadurch noch länger wirkend. Die 3 Geschosse liegen isoliert, zunächst durch keinerlei Dienste, wie sie in der normannischen Romanik oder französischen Gotik üblich sind, rhythmisch in Joche eingeteilt. Die unzähligen Ziersäulchen aus schwarzem Purbeck-Marmor erzeugen den Schein des Leichten und Bewegten. Bis weit ins 13. Jahrhundert hinein stehen sie in Anzahlen von vier bis über zwanzig frei um den Säulenschaft herum, von Wirteln gehalten (wie in frühen Bauten Frankreichs: Paris, Laon und Soissons). Sie sind mit Teller-, seltener Laubkapitellen bekrönt, aber immer endigen sie innerhalb des Geschosses, dem sie entspringen. Im Decorated werden sie zwar mit dem Pfeilerkern zusammen schichtweise aufgemauert, mit birnenförmigem Profil weich in tiefe Kehlen hinein verlaufend. Aber erst mit dem Aufkommen der geschoßverschleifenden Großarkade im 14. Jahrhundert verbinden sie wie in Frankreich jochbildend Arkadenpfeiler und Gewölbe. Die wenig gegliederten flachen Holzdecken der Frühzeit und die Liernengewölbe der mittleren und späten Periode verstärken nur noch den Eindruck loser Aufreihung von Haupt- und Triforienarkaden. Wenn man das »ergreifende rhythmische Pathos französischer Kathedralen« (Dehio) als Norm für Gotik schlechthin setzt, dann bedeutet die mangelnde organische Aufwärtsbewegung der frühenglischen Wand eine Rückwärtsentwicklung bis vor die französisch-normannische Zeit. Dafür gewinnt der Raum an Luftigkeit, Weite, ja oft an einer gewissen gemütvollen Häuslichkeit. Andererseits werden die Teilräume durch »screens«, lettnerartige Steingitter, voneinander getrennt. Der Blick wird oft gehemmt, schräge Durchblicke sind meist nicht möglich. Der zwingende Zug vom Westen zum Chor fehlt. Zentrum des Gebäudes ist die Vierung unter dem Turmgewölbe. Das alles ist anders als in Frankreich. Erst mit den Kapellenbauten der Tudorkönige wird die Tendenz zur überschaubaren Saalkirche deutlich, aber auch dies geschieht viel später als auf dem Kontinent. King's College Chapel in Cambridge und die Kapelle Heinrichs VII. hinter dem Chor der Westminster-Abtei (209*) sind ihre bedeutendsten Beispiele. Hier dienen die unendlich scheinenden Wiederholungen desselben Wand- und Gewölbeschemas deutlich dem Zweck der Vereinheitlichung des Raumes.
Dekoration	Zwar zeigen etliche der großen Kathedralen figürlichen Fassadenschmuck, oft in beträchtlicher Höhe, in einigen Tympani des Decorated wie auch an den etwas protzigen Tudorportalen gibt es Außenplastiken, und das Nordportal von St. Mary Redcliffe in Bristol ist

von Ornamenten überwuchert. Aber insgesamt ist die Dekoration viel stärker als in Frankreich ins Kircheninnere gezogen. Arkaden dünnen die Seitenschiffswände aus (198*), Simsbänder sind mit einer Vielzahl von originellen Ornamenten geschmückt (200*), Türen und Arkaden werden gebogene Traufleisten (»drip-stones«) aufgesetzt, die in vielfältig skulptierten Konsölchen enden (202*). Hier muß man auch die Nasen nennen, die vollflächig oder durchbrochen aus Bögen und Stäben vorspringen und Blattformen oder Spitzensäume bilden (202*). Nach zisterziensischer Tradition steigen die Gewölbedienste nicht vom Boden auf, sondern beginnen in einer oft polychromen Konsole (»corbel«) in der Arkaden- oder Triforienzone (202*). Und im Gewölbe ist keine Möglichkeit ausgelassen, die Treffpunkte der Rippen mit bunten Schlußsteinen zu zieren (201*). Tausende von Einzelfigürchen an 1500 solcher »bosses« bevölkern die Gewölbe von Kathedrale und Kreuzgang in Norwich. Monumentaler Figurenschmuck fehlt dagegen außer an wenigen Lettnern fast völlig. Vergebens wird man an den Säulen nach Aposteln, an den Chorschranken nach Reliefs, unterm Chorbogen nach einem Triumphkreuz suchen. In einigen Laubkapitellen von Exeter und Wells tummeln sich kleine Vögel und Bäuerlein, anrührend eher ob ihrer Seltenheit als wegen ihrer Bedeutung. Das Oktogon von Ely zeigt einige Figuren-Kapitelle, der Chor von Lincoln die berühmten, aber schwer auffindbaren Engel (207*). Doch die geschnitzten Miserikordien vieler Kirchen sind sinnreich und zauberhaft.

Derselben Tradition, die englische Schiffszimmerleute berühmt machte, verdankt die Architektur ihre offenen Dachstühle (195*). Sie bedecken während des gesamten Mittelalters die Mehrzahl der Kirchenräume und entwickeln sich vom einfachen »waggon-roof« zu kunstvollsten Holzdecken, reich mit geschnitzten Engeln und Ornamenten besetzt, oft märchenhaft koloriert (Wells, 208*).

Die ersten gotischen Gewölbe (194*) sind vierteilig kreuzgerippt. Im frühen 14. Jahrhundert treten weitere Rippen dazu, Tiercerons, die von den Jochecken fächerartig zur Scheitelrippe aufsteigen und im Grundriß Sterne bilden. Bald danach werden Liernen erfunden, die von einer Rippe zur anderen springen, ohne je die Jochecken zu berühren. Spätere Formen mit 1–3 Längsrippen und einer verwirrenden Anzahl von Liernen führen zu höchst phantastischen Mustern (Gloucester). Als Sterngewölbe beeinflussen sie vielleicht den nordeuropäischen Backsteinbau. Sterne bilden auch manche Vierungsgewölbe (Canterbury). Die Höchstleistung vollbringt England aber in der Konstruktion des Fächergewölbes[1], Mitte des 14. Jahrhunderts im Kreuzgang von Gloucester begonnen und zu höchster Vollendung geführt in den Steinhimmeln der Spätzeit (Cambridge, Westminster, 209*; Bath).

Diese letzte Phase der englischen Gotik beginnt nach dem Ende des Hundertjährigen Krieges mit Frankreich (1339–1459).England gewinnt neue Prosperität. Überall im Land entstehen jetzt neue Pfarrkirchen. Aber der Wohlstand führt nicht zu überschäumender Pracht, wie sie auch nach den dekorativen Häufungen des Decorated zu erwarten gewesen wäre, sondern zur Rückkehr zu den rationalen Formen. Fensteröffnungen, Wände und Türme werden mit Stabwerk übersponnen, durch Querriegel in wabenartige Felder unterteilt.

[1] Definition eines Fächergewölbes: »A rectangular portion of a quadrant of an inverted concave conoid« (nach R. Tibbs).

Salisbury, Kapitell im Kapitelhaus, 13. Jh.

Holzdecken

Steingewölbe

Spätzeit

Zierliche Zinnenreihen bekrönen die Waagerechten. Die Großarkade setzt sich durch. Ältere Basiliken werden im neuen Perpendicular-Stil umgebaut, erhalten zumindest die neuen breiten Fenster. Die Sehnen des Perpendicular scheinen heute in England allgegenwärtig. Kaum je hat ein Land solch ureigene Sonderform in einen bestehenden Stil eingebracht. Sie ist höchst originell, aber oft auch trocken und bleibt im wesentlichen insular.

Könige, Stilphasen und Maßwerkformen der englischen Gotik

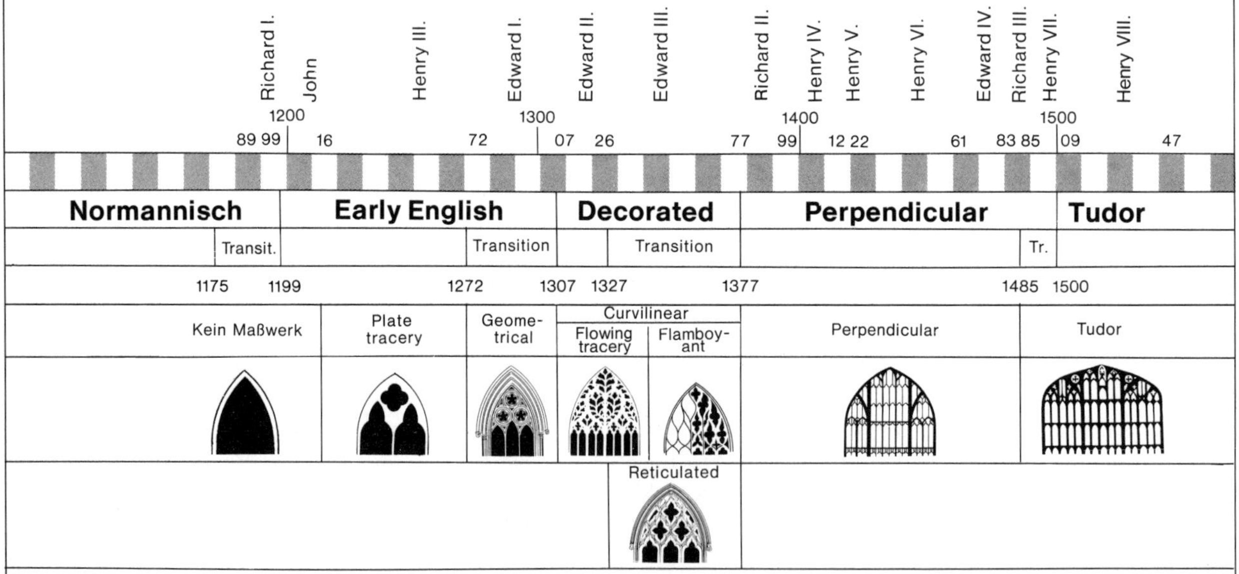

Richard I. — John — Henry III. — Edward I. — Edward II. — Edward III. — Richard II. — Henry IV. — Henry V. — Henry VI. — Edward IV. — Richard III. — Henry VII. — Henry VIII.

1200   1300   1400   1500

89 99 | 16   72   07 26   77 99   12 22   61 83 85 | 09   47

Normannisch	Early English	Decorated	Perpendicular	Tudor
Transit.	Transition	Transition		Tr.

1175   1199   1272   1307 1327   1377   1485 1500

Kein Maßwerk	Plate tracery	Geome-trical	Curvilinear		Perpendicular	Tudor
			Flowing tracery	Flamboy-ant		

Reticulated

WANDAUFRISS

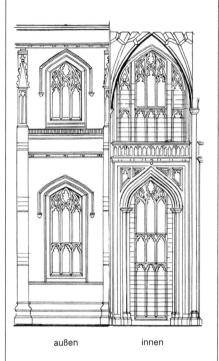

außen   innen   außen   innen   außen   innen

Early English. Salisbury,
Kathedrale, 1220–58

Decorated. Exeter,
Kathedrale, 1257–1369.
Übergang zur Großarkade

Perpendicular. Winchester, Kathedrale,
Umgestaltung 1350 bis 15. Jh.
Großarkade = Arkade, Triforium und
Obergaden bilden eine Einheit

ARKADE

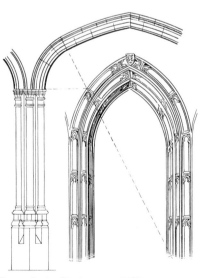

Early English. Oxford,
Kathedrale, um 1250

Decorated. Chipping Wardon,
um 1350.

Perpendicular. Sherborne, um 1490.
Darüber: Tudorbogen, 16. Jh.

GEWÖLBE

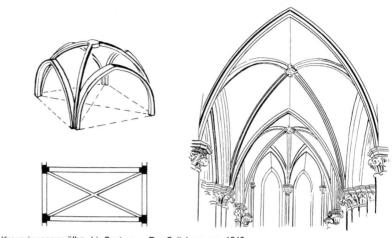

Kreuzrippengewölbe. Li: System. – Re: Salisbury, um 1240

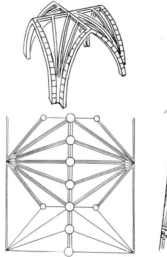

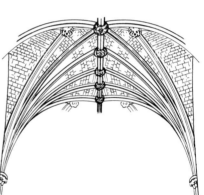

Sternartiges Gewölbe mit Scheitelrippe. Li: System. – Re: Frühestes Beispiel: Lincoln, 1210

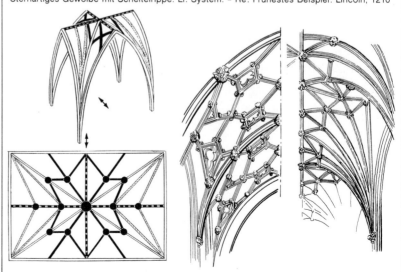

Liernengewölbe. Li: System. – Mi: Canterbury, 1390–1405. – Re: Wells, um 1330

—————— Kreuzrippe (= Diagonalrippe), Gurt

▪▫▪▫▪▫ Scheitelrippe, Querrippe

⎯⎯⎯⎯ Tierceron (= Nebenrippe, Rippe 2. Grades), führt von der Jochecke zur Scheitelrippe oder zur Querrippe, aber nicht zum Hauptschlußstein

━━━━━ Lierne (= Rippe 3. Grades), berührt keine Jochecke

● ● Haupt- und Nebenschlußstein

GEWÖLBE

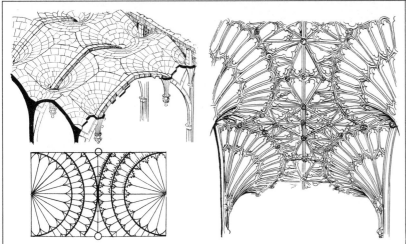

Fächergewölbe. Li: Systeme. Li o: mit Abhänglingen (London, Westminster Abbey, Kapelle Heinrichs VII., 1503–19). – Re: Sherborne Abbey, 1475–1500

DACHSTUHL

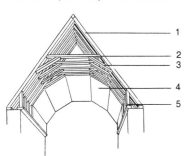

»Waggon-roof«, »Trussed-rafter roof«
Freitragendes Sparrendach, 13. Jh.

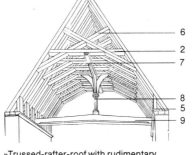

»Trussed-rafter-roof with rudimentary principal«, »King-post roof«, seit 13. Jh.

1 rafter	Sparren
2 collar beam	Zange, Kehlbalken
3 brace	Strebe, Kopfband
4 cant	Holzdecke
5 strut	Stiel, Drempelstiel
6 Andrew's cross	Andreaskreuz
7 central purlin	Unterzug
8 King post	Stiel mit Kopfbändern
9 tie beam	Deckenbalken
10 ridge	Firstpfette
11 a arched brace	Bogenstrebe
11 b arched brace	Dach-(Bogen-)binder
12 wind brace	Windrispe
13 purlin	Mittelpfette
14 corbel	Konsole
15 wall post	Wandstiel
16 hammer beam	Zange

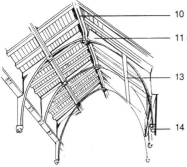

»Roof with framed principals«
Dreigelenkrahmen; freitragende Dachkonstruktion, 14. Jh.

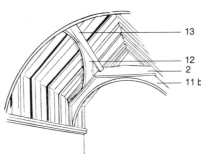

»Roof with wind-braces«
Zweigelenkrahmen, 14. Jh.

»Hammer-beam roof«
Norwich, St. Stephen, 15. Jh.

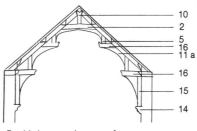

»Hammer-beam roof«
Sprengwerk mit Bogenstreben, Mitte 14. bis 17. Jh.

»Double hammer-beam roof«
Doppelsprengwerk mit Bogen-streben, 14.–17. Jh.

FENSTER
UND MASSWERK

Vgl. Tabelle S. 192

1 Lanzettfenster, Witney, um 1220

2 Lanzett-Zwillingsfenster mit überhöhtem Spitzbogen,
  Lincoln, um 1250

3 Früheste Form eines durchbrochenen Bogenfel-
  des über Zwillingsfenster = negatives Maßwerk
  (Plate-tracery).
  Great Abington, um 1200

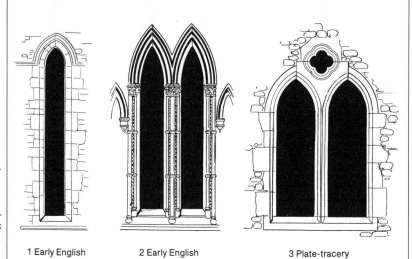

1 Early English   2 Early English   3 Plate-tracery

4 Entwickelte Form:
  Vierpaß mit Nasen.
  Cotterstock, um 1250

5 Frühe Maßwerkform.
  Bar-tracery = Maßwerkprofile gleichbreit oder
  schmaler als Stabwerk: gilt für alles spätere
  Maßwerk.
  Castor, A. 13. Jh.

6 Frühes Maßwerk mit Vierpaß.
  Charlton-on-Otmoor, um 1260

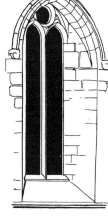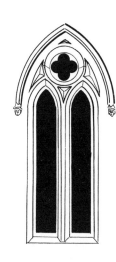

4 Plate-tracery   5 Bar-tracery   6 Bar-tracery

7 Früher Geometrical style mit Dreiblatt-Maßwerk
  und Nasen.
  Westminster, nach 1245

8 Dorchester, um 1280

9 Gestreckte Dreiblattformen,
  Great Haseley, um 1300

7 Decorated   8 Geometrical   9 Geometrical

10 Geometrical

11 Flowing tracery

12 Style rayonnant

13 Flowing tracery

14 Intersected tracery

15 Reticulated

16 Flamboyant

17 Perpendicular

18 Perpendicular

19 Perpendicular

10 Ripon, nach 1286

11 Figurenbildung.
York, vor 1338 (»Herz von Yorkshire«)

12 Strahlenbildung. Auch »Kentish tracery« genannt

13 Lincoln, um 1320 (»Bishop's Eye«)

14 Intersected tracery = Überstabung.
Northfield, um 1320

15 Reticulated = netzartig. Kielbogen-Vierblatt in
versetzten Rauten.
Oxford, um 1320

16 Stabwerk endet in Kielbogen mit Nasen;
Schneußformen im Bogenfeld. Übergang zum
Perpendicular.
Rye, um 1380

17 Transom (= Querriegel) im unteren Drittel. Latticed transoms (Gitter-Querriegel) im Bogenfeld. Wabenstruktur mit Paßenden.
Oxford, 1488

18 Konsequente Vergitterung der Fensteröffnung.
Swinbrook, um 1500

19 Konsequente Vergitterung der Fensteröffnung,
zahlreiche Querriegel.
Gloucester, 1349

WANDARKADE

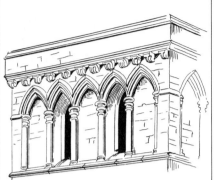

Early English, Haddenham, um 1230

Übergang zum Decorated
Lincoln, nach 1235

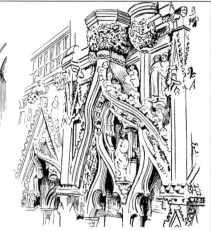

Decorated, Flammenbogen, reichste Dekoration, Durchdringungen.
Ely, Kathedrale, 1321–49

LEVITENSTUHL

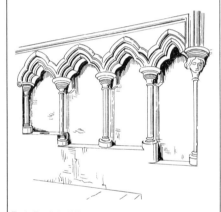

Early English, Uffington, um 1250

Decorated
Chesterton, um 1320

Decorated, Übergang zum Perpendicular
Willesborough, um 1350

VOTIVKAPELLE
(Chantry)

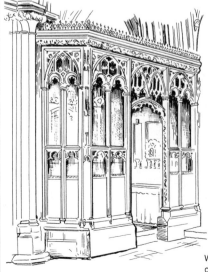

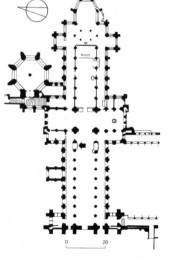

Wells, Votivkapelle des Bubwith, 1425, unter der nördlichen Mittelschiffarkade (Pfeil)

KAPITELL

Early English. Teller-K.   Early English, Teller-Blatt-Kapitell   Decorated. Blatt-Kapitell

Early English. Salisbury, 13. Jh.

Decorated. Teller-Kapitell   Decorated, Polygonal-Kapitell   Perpendicular. Polygonal-K.

SÄULENQUERSCHNITT

Early English, 13. Jh.

Decorated, 1330   1350   Perpendicular, 1450, 1490

SÄULEN- UND PFEILERBASIS

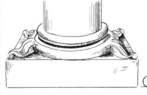

Early English, um 1220   1250

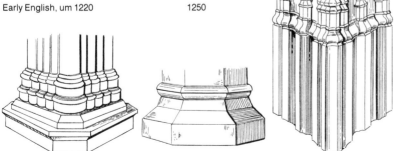

Decorated, 1335   1350   Perpendicular, 1488

ORNAMENT

Early English

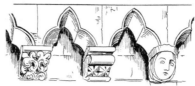

Konsolsims
Hants, um 1220

Konsolsims
Salisbury, um 1260

Dogtooth-(Hundszahn-)Ornament
Chipping Wardon, um 1220

Dogtooth-Ornament
Ketton, um 1240

Dogtooth-Ornament
Hants, um 1260

Laubfries
Warmington, um 1250

Laubfries
Glastonbury Abbey, um 1180

Laubfries
Salisbury, 1258

Decorated

Fruchtkapsel-Ornament
Beverly, um 1300

Vierblattblume
Coggs, um 1350

Zinne. Beverly, um 1400

Ball-flower und Vierblattblume
Grantham, um 1320

Weinlaub-Fries
Southwell, um 1290

Perpendicular

Laubfries
Wells, 1465

stilisiertes Weinlaub
Combe in Teignhead, um 1500

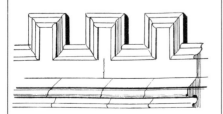

Zinne. Dorchester, um 1450

stilisierter Blattfries
Oxford, um 1480

Laub und Blüten, streng gereiht
Oxford, 1488

FIALENBEKRÖNUNG
KREUZBLUME

Early English: 1 Lincoln, Kathedrale, um 1260. – Früh-Decorated: 2 Oxford, Merton College Chapel, um 1280. – Decorated: 3 Wimborne Minster, um 1350. – Perpendicular: 4 Chittlehampton, um 1500

SCHLUSS-STEIN

Early English. Wells, Kathedrale, Lady Chapel, 1248–1264

Spät-Decorated. York, Chor, 1361–1405

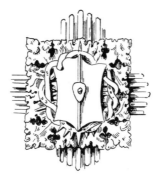

Perpendicular. Windsor, St. George's Chapel, letztes Viertel 15. Jh.

BLATT, PASS, NASE

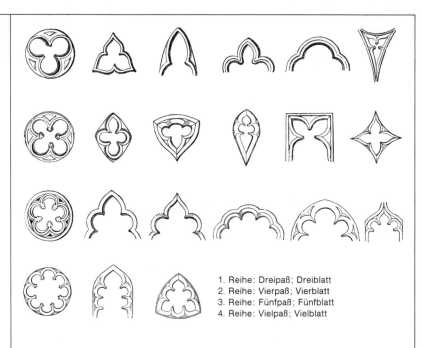

1. Reihe: Dreipaß; Dreiblatt
2. Reihe: Vierpaß; Vierblatt
3. Reihe: Fünfpaß; Fünfblatt
4. Reihe: Vielpaß; Vielblatt

TRAUFLEISTE
(Drip-stone)

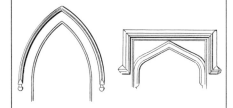

Traufleiste. Li: Early English; re: Perpendicular

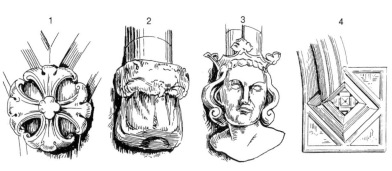

Traufleisten-Abschlüsse: Early English: 1 Lincoln, St. Benedict's Church, um 1250; 2 Heading-ton, um 1300. – Decorated: 3 Oxford, Merton College Chapel, 1277. – Perpendicular: 4 Chippen-ham Church, um 1460

KONSOLE
(Corbel)

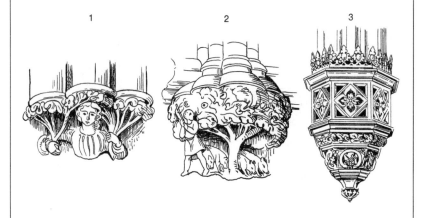

Early English: 1 Wells, Kathedrale, um 1250. – Decorated: 2 Oxford, Merton College Chapel, 1277. – Perpendicular (Tudor): 3 Oxford, Christ Church, 1529

LETTNER
(Screen)

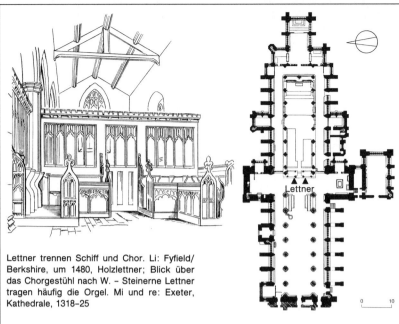

Lettner trennen Schiff und Chor. Li: Fyfield/
Berkshire, um 1480, Holzlettner; Blick über
das Chorgestühl nach W. – Steinerne Lettner
tragen häufig die Orgel. Mi und re: Exeter,
Kathedrale, 1318–25

KAPITELHAUS
(Chapter house)

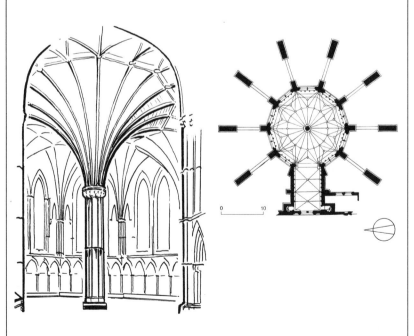

Die polygonalen Kapitelhäuser sind eine Sonderleistung der englischen Gotik. Li und Mi: Lincoln, 1220–35. – Die meisten Kapitelhäuser sind allerdings rechteckig. Re: Chester, um 1200

TURM

Early English. Li.: Middleton Stoney, um 1220. – Mi: Oxford, Christ Church, 1220. – Re: Stamford, St. Mary's, 1250

Decorated. Li: Lincoln, E. 14. Jh. (oberer Teil). – Mi: Bloxham, 1350. – Re: Bristol, St. Mary Redcliffe, Turmspitze später (1450) in die Mitte der Zinnenbekrönung gesetzt.

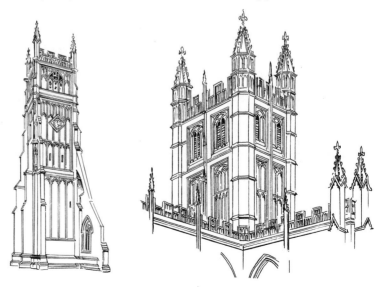

Perpendicular, Cirencester, St. John's Church, 15. Jh.

Tudor. Bath Abbey Church of St. Peter and St. Paul, Vierungsturm, 1501–39

MITTELALTERLICHE KATHEDRALEN IN GROSSBRITANNIEN

Birsay
Kirkwall

0   50   100 km

● Kathedrale

□ ehem. Kathedrale, jetzt Ruine oder Pfarrkirche

◐ Kathedrale, ursprünglich Klosterkirche

◁ ehemalige Kathedrale, ursprünglich Klosterkirche,
  jetzt Ruine oder Pfarrkirche

Dornoch

Elgin
Fortrose   Birnie

Aberdeen

Brechin

Dunkeld

Lismore

Iona   Dunblane   St. Andrew's

Glasgow   Edinburgh

Newcastle
Hexham
Whithorn   Carlisle   Durham

Peel

Ripon
York
Blackburn   Bradford
Manchester   Wakefield
Liverpool   Sheffield
St. Asaph   Lincoln
Bangor   Chester   Southwell
Derby
Lichfield   Leicester   Peterborough   Norwich   North Elmham
Birmingham   Coventry   Ely
Hereford   Worcester   Bury St. Edmunds
St. David's   Brecon   Chelmsford
Gloucester   Oxford   St. Alban's
Newport   Westminster   London
Llandaff   Bristol   Abbey   Southwark   Rochester   Canterbury
Wells   Old Sarum   Guildford
Salisbury   Winchester
Portsmouth   Chichester
Exeter

EARLY ENGLISH

Großkirchen als **Emporenbasilika,** dreischiffig, oft Umbau einer normannischen Kirche, auch 2 Querschiffe.
- Chor ähnlich lang wie Hauptschiff
- durch Chorschranken und Lettner abgegrenzt
- fast immer platter Chorschluß
- östl. dahinter Retrochor (Umgang) und Lady Chapel (Marienkapelle) im Chorscheitel ab 14. Jh.
- 3zoniger Wandaufbau: Arkade – Triforium, nicht als Kastentriforium (= Laufgang in der Mauerstärke), sondern als unechte → Empore ausgebildet – Obergaden mit Laufgang
- Mittelschiff wenig überhöht
- Kreuzrippengewölbe noch ohne Einfluß auf schwerfällige Mauerdicke, erste Tiercerons; daneben offene und geschlossene Holzdecken
- gewölbetragende Wandvorlagen beginnen erst in Arkadenzwickeln oder Triforiumzone; dadurch schwache Jocheinteilung, horizontale Reihung der Wandelemente
- vollrunde, degagierte, oft gewirtelte Dienste aus Purbeck-Marmor tragen tiefgestaffelte Arkaden
- Teller- und Laub-(Blatt-)Kapitell
- letzte Rundbögen verschwinden
- Lanzettfenster oft gereiht oder in fortlaufende Arkatur gebunden
- Maßwerk, vgl. 192*, 196 f.*, 202*
- Wandarkaden mit Dreiblatt oder Dreipaß oder oft stark überhöhtem Spitzbogen
- geometrisch stilisierte Dekoration
- letzte Krypta nach 12. Jh. in Hereford
- Strebewerk mit Strebebögen an Großkirchen
- kulissenhafte Fassade, oft breiter als das Langhaus, mit mehreren Reihen von Blendarkaden oder hohen Lanzettfenstern oder Hochnischen. Sparsame Außenplastik
- Portale ohne Gewändeschmuck
- quadratischer Vierungsturm, selten mit Spitzhelm
- Kathedralen mit klösterlichen Anlagen: Kreuzgang, Refektorium usw. Kapitelhaus rechteckig bzw. 10eckig (Lincoln, 1220–35) oder 8eckig (Wells, 1240; Salisbury, um 1280; Southwell, 1294)

Ripon, Kathedrale, M. 12. bis 15. Jh. Reihungen von Lanzettfenstern. Fünf-Fenster-Gruppen sind im Early English verbreitet, Fassadentürme selten.

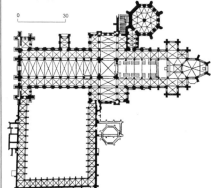

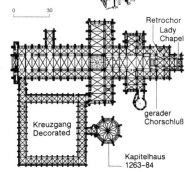

Retrochor
Lady Chapel

gerader Chorschluß

Kreuzgang Decorated

Kapitelhaus 1263–84

Wells, Kathedrale, 1220–1363. 3schiffige Basilika mit 2 Querschiffen, flachem Chorschluß, 3zonigem Wandaufbau. Geringer Höhendrang, horizontale Raumwirkung. Gegenläufige Innenbögen der Vierung, 1338, aus statischen Gründen nachträglich eingebaut

Salisbury, Kathedrale, 1220–58. Wegen kurzer Bauzeit reinstes Beispiel des Early English. Hoher Vierungsturm, 4teiliges Gewölbe, 3zoniger Wandaufbau, 2 Querschiffe, 8eckiges Kapitelhaus mit Fächergewölbe über einer Mittelsäule. Wandaufrisse 193*.

DECORATED

- Reiche, z. T. wuchernde Dekoration an Sockelarkaden, Simsen und Archivolten. »Ball-flower«, Vierblattblume, später Zinnenfries (200*)
- »vollkommener« Spitzbogen überm gleichseitigen Dreieck; Kielbogen seit 1. Viertel 14. Jh. in Fenstern und Nischen, auch mit vorschwingender Spitze; Flammenbogen mit skurrilen Nasen, auf den Bogenrücken Krabben und Laubwerk; Eselsrücken
- vielfältige Maßwerkformen (vgl. 192*, 196 f.*); geometrische, florale und figurative Muster; Fischblase wird als spätgot. »Flamboyant« auf dem Festland übernommen. Unverglastes Maßwerk freistehend in Triforium und Obergaden (Lincoln*), als skelettiertes Schleierwerk vor Innenwänden (Wells)
- Tellerkapitell mit vermehrten Ringen, aber verringerten Unterschneidungen, rund und achteckig; naturalistisches Blattkapitell (Wein, Eiche, Rose)
- Arkaden weniger tief gestaffelt
- erste Großarkaden: Geschosse, durch Stabwerk vereinheitlicht, fließen ineinander. Scheintriforium (Rochester)
- Rippen des Tierceron-Gewölbes schwingen schon von der Triforienzone weit in den Raum zur Scheitelrippe; sehniger Eindruck (Exeter, Wells); im 14. Jh. Liernen-Gewölbe (Netzgewölbe)
- Lady Chapel im Chorscheitel, wird in der Folge auch bereits bestehenden normannischen (Peterborough, 130*) und Early English-Kirchen angefügt (Salisbury, 206*)
- Chorscheitel-Kapelle auch als Halle (Salisbury); Hallenchor in Bristol bleibt ohne Nachfolge
- Fassadenwände mit Riesenfenstern; Rosenfenster nur an Querschiffsfassaden, klein und selten (Lincoln, 197*)
- Turmspitzen oft auf ältere Türme und immer in die Mitte von Zinnenkranz oder Ecktürmchen gesetzt; 204*
- große, prächtige Kreuzgänge

Lincoln, Kathedrale, 1192 bis E. 13. Jh., 146 m Gesamtlänge. Fassadenkern 1140. Türme mit Kielbogen und Ecktürmchen. Geometrisches Maßwerk. Gewölbedienste auf Konsolen. Erstmals Scheitelrippe, 1210. Reiche Ornamentik. 10eckiges Kapitelhaus. – U: Engelschor.

York, Kathedrale, 13.–15. Jh., 147 m lang. Doppelturmfassade mit Riesenfenster (Flowing tracery, 197*); 3schiffiges Querschiff; Liernengewölbe im Schiff und im belichteten Gewölbe über der Vierung (»lantern tower«). Prächtiges 8eckiges Kapitelhaus.

PERPENDICULAR

- Giebelfronten von riesigen Kiel- oder Tudorbogen-Fenstern durchbrochen
- Großarkade mit großen Obergadenfenstern und korrespondierendem Triforium dominiert (Gloucester*, Winchester, 193*)
- Fenster, Portale und Bögen mit vollkommenem Spitzbogen (überm gleichseitigen Dreieck) oder Tudorbogen, auch flach-dreieckig
- häufig doppelte Traufleisten überm Portal: die untere folgt dem Bogenlauf, die obere ist waagerecht, an den Enden senkrecht nach unten abgewinkelt und trifft die untere beim Bogenanfang (202*)
- gitterartiges Stabwerk der Fenster, durch Traversen verbunden = »rectilinear«; sehnig-abstrakter Eindruck. Wabenförmige Maßwerkfelder, die kein abgegrenztes Bogenfeld bilden (192*, 197*)
- langrechteckige, flache Kassettenfelder, oben in Drei- oder Fünfblatt beginnend, durch Stäbe voneinander getrennt, bedecken rasterartig Wandflächen, Pfeiler, Portalwandungen, Fächergewölbe. Durchbrochen bilden sie die gitterartigen Schleierwerk- oder Maßwerkfelder
- halbrunde Säulenvorlagen (Dienste) wechseln mit tiefen Hohlkehlen ab; Basis (nur unter den Diensten) hoch und schlank, vieleckig (199*)
- Kapitelle nur über den Diensten, meist profiliert, selten skulptiert, oft achteckig
- naturalistischer Laubfries, später häufiger geometrische Einzelblätter in Hohlkehlen der Simse und Archivolten. Schrägdach- oder vielfach durchbrochene Zinnen
- Liernengewölbe mit skulptierten und bemalten Schlußsteinen
- Fächer-(Schirm-)Gewölbe in langen Reihungen, vor allem in der Spätphase (195*, 209*). Aus den Profilbündeln der Wandpfeiler steigen zahlreiche dünne Rippen und bilden trichterförmige Fächerkelche, von Maßwerk bedeckt. Auch stalaktiten- oder trichterförmige Abhänglinge und frei durch den Raum gespannte Gurtbögen. Scheitelrippe(n)
- geschnitzter Lettner in der Raummitte, oft mit Orgel
- offener »hammer-beam«-Dachstuhl

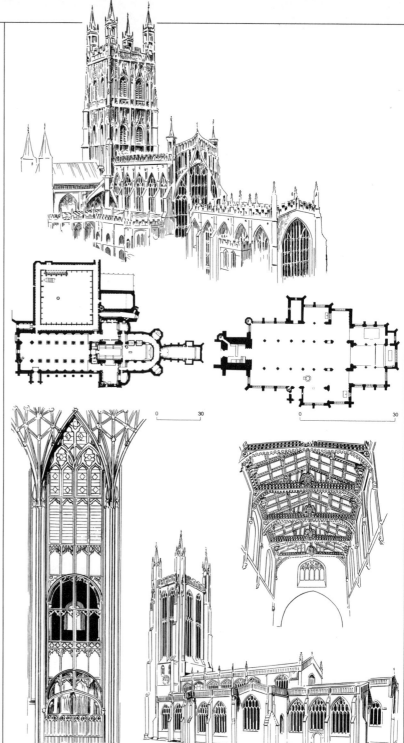

Gloucester, Kathedrale. Vergitterung des ursprünglich normannischen Chors durch vorgeblendetes Stabwerk schon M. 14. Jh. (»skelettiertes Gehäuse«). Großarkade ohne Differenzierung der Wandzonen. Außenwände weitgehend in Glas aufgelöst. Im Kreuzgang erstes Fächergewölbe, nach 1357. → Gewölbe 5b*

Wells, Pfarrkirche St. Cuthbert, 15./16. Jh. Dreischiffige Basilika mit Querschiff und breiten Seitenschiffen. Zweizoniger Wandaufbau. »Glasschrein«, außen von Süden nach Norden durchschaubar. Prachtvoll polychrome offene Deckenkonstruktion mit »King post« (195*), 16. Jh.

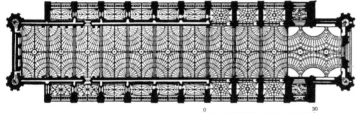

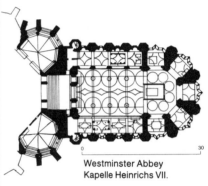

Westminster Abbey
Kapelle Heinrichs VII.

Cambridge, King's College Chapel, 1446–1515. Saalkirche, 81 m lang, Reihung von 12 Raumkompartimenten mit gleichem Fenstermaßwerk und gleichem Fächergewölbe, nur durch hölzernen Lettner, 1533–36, mit Orgel von 1686–88 geteilt, Ost- und West-Fassade sind ebenfalls nahezu identisch.

O: Windsor Castle, St. George's Chapel, beg. 1475, Schiff 1503–11. Weitestgehend verglaste Wände; Liernengewölbe. – Re u. u: Westminster, Kapelle Heinrichs VII. im Chorscheitel, 1503–19. Fächergewölbe ohne tragende Funktion aus durchbrochenem Maßwerk mit Abhänglingen. Schräg-Draufsicht 195 o. li*

oder Sprengewerk-Decke, reich geschnitzt und bemalt
- Laternen-Vierungstürme (York, Worcester)
- frühere Türme mit Fialen besetzt
- kostbar dekorierte Kreuzgänge

Im 15. und 16. Jh. über 1000 Pfarrkirchen als **Basiliken** von oft großer Länge mit breiten, flachgedeckten Seitenschiffen; Mittelschiff mit Holztonne oder kunstvoll geschnitztem und bemaltem offenem Dachstuhl (Wells, St. Cuthbert, 208*), auch ohne eigene Belichtung.

TUDOR

Der Kirchenbau tritt stark hinter dem Schloßbau zurück. Die bedeutendste Schloßkapelle ist St. George in Windsor Castle*. Neigung zum überschaubaren **Saalbau** zeigt sich in King's College Chapel, Cambridge*, und der Kapelle Heinrichs VII. in Westminster Abbey*. Höchste Vollendung des Fächergewölbes. Bescheidene Renaissance-Einflüsse.

DECORATED STYLE

0   50   100 km

Edinburgh

Lindisfarne

Sweetheart

Carlisle

Durham

Guisborough   Whitby

Ripon   Rievaulx

Markenfield Hall   Kirkham

York   Bridlington

Beverly

Selby   Hull   Patrington

Howden

Thornton

Conway   Vale Royal   Lincoln

Caernarvon   Chester   Southwell

Nottingham   Boston   Binham

Grantham   Walsingham

Harlech   Snettisham

Shifnal   Swaffham

Acton Burnell   Lichfield   Leicester   Norwich

Shrewsbury   Wenlock   Peterborough

Market Harborough   Ely   Bury St. Edmunds

Leominster   Warwick   Geddington   Mildenhall

Worcester   Northampton   Bushmead

Amberley Court   Great   Pershore   Cambridge

Malvern   Hailes   Banbury   Felixtowe

Hereford   Ledbury   Chipping Norton   Dunstable

Tewkesbury   Woodstock   St. Albans

Gloucester   Oxford   Waltham

St. Davids   Dorchester   London

Tintern   Malmesbury   Westminster

Bristol   Southwark

Bath   Hartley Wespall   Windsor   Rochester

Wells   Urchfont   Canterbury

Glastonbury   Boyton   Dunsfold   Penshurst   Chartham

Salisbury   Place

Winchester   Winchelsea

Sherborne   Netley   Battle Abbey

Exeter   Beaulieu

Ottery St. Mary   Christchurch

Dorchester

PERPENDICULAR STYLE

Fast alle mittelalterlichen Kathedralen sind mit Perpendicular-Details ausgestattet
siehe S. 205

⊙ Kloster- oder Kollegiat-Kirche
● Pfarrkirche

0   50   100 km

Melrose ⊙

Chester-le-Street ⊙

Catterick ●
Hornby ●
Thirsk ●

Bridlington ●

Bolton Percy ●
Beverley ● Skirlaugh ●
Halifax ●
Cottingham ● Hedon ●
Wakefield ● Howden ● Hull ● Welwick ●
Silkstone ● Thornton ⊙
Manchester ⊙ Rotherham ● Tickhill ● Grimsby ●
Prestbury ● Louth ●
Chester ⊙ Vale Royal ⊙ Tideswell ● Wainfleet ●
Gresford ● Howton ● Tattershall ⊙
Wrexham ● Bunbury ⊙ Strelley ● Sleaford ● Wyberton ●
Morley ● Nottingham ● Donington ●
Battlefield ⊙ Surfleet ● Walsham ●
Shrewsbury ⊙ Maxey ● Croyland ⊙ Westwick ● Worstead ●
Tong ⊙ Leicester ● Lynn ⊙ Ingham ●
Ludlow ● Atherstone ● Stamford ● Swanton Morley ●
Presteigne ● Wolverhampton ● Fotheringhay ● Wymondham ●
Old Radnor ⊙ Knowle ● Peterborough ⊙ Pulham Market ●
Warwick ● Highham Ferrers ⊙ Ramsey ⊙ Eye ● Wingfield ●
Pershore ⊙ Lowick ● Burwell ● Bordwell ● Southwold ●
Great Malvern ⊙ Stratford-u-A Wymington ● Cambridge ⊙ Balsham ● Laxfield ● Walberswick ●
Brecon ⊙ Adderbury ● Colmworth ● Bury ● Lavenham ● Long Melford ● Ipswich ●
Evesham ⊙ Campden ● Houghton ● St. Edmunds Clare ⊙ Sudbury ●
Haverfordwest ⊙ Tewkesbury ⊙ Chipping Norton ● Buckland ● Shelford ● Cavendish ● Stoke ●
Monmouth ● Winchcombe ⊙ Hanborough ● Conquest Luton ● Kelvedon ●
Tenby ⊙ Arlingham ● Oxford ⊙ St. Albans ⊙ Pleshey ⊙
Christchurch ⊙ Northleach ● Thame ● Broxbourne ●
Peterstone ⊙ Cirencester ● Kings Langley ⊙ Cheshunt ● Luton ●
Cardiff ● Dorchester ⊙ Ewelme ● Watford ●
Westbury ⊙ Eton ⊙ Harmondsworth ●
Bristol ⊙ Chippenham ● Crayford ● Cobham ●
Hungerford ● Devizes ● Windsor ⊙ Effingham ● Ryarsh ● Maidstone ●
Cheddar ● Trowbridge ● Lingfield ● Charing ● Wye ●
Dunster ⊙ Bridge- Wells ● Edington ⊙ Ashford ● Woodchurch ● Folkstone ●
Cleeve ⊙ water Salisbury ● Tenterden ● Lydd ●
High Ham ● North Cadbury ● St. Cross ⊙
Bradninch ● Yeovil ● Sherborne ⊙ Westbourne ● Arundel ⊙ Etchingham ●
Ottery St. Mary ⊙ Milton ⊙ Poynings ●
Launceton ● Bridport ● Wimborne ● Christchurch ⊙
Mawgan ● Tavistock ● Dorchester ●
St. Colomb ⊙ Bodmin ● Totness ●
Probus ⊙ Plymouth ●

Florenz, San Lorenzo, Alte Sakristei, 1421–29, F. Brunelleschi

RENAISSANCE UND MANIERISMUS

Das Zeitalter der Renaissance gilt allgemein als die erste Teilperiode der Neuzeit.

Renaissance ist die Summe von mindestens 3 geschichtlichen Strömungen, die miteinander verbunden sind, sich aber zeitlich nicht decken:

1. Humanismus
2. Reformation und Beginn der Gegenreformation
3. Manierismus, heute geistesgeschichtlich als homogene Epoche, kunstgeschichtlich als eigener Stil verstanden.

Ihren Hintergrund bilden die Phänomene der allgemeinen Geschichte: Erfindungen und Entdeckungen, Blüte des Welthandels, Aufstieg der Städte und des Bürgertums, der Beginn der unumschränkten Monarchie in Frankreich unter Ludwig XI., 1461–83, und Franz I., 1515–47, die Reconquista in Spanien und das Habsburgische Weltreich, das seinen Mittelpunkt in Spanien hat. Nicht zuletzt bedeutet »Renaissance« aber ein Lebensgefühl und ist ein Synonym für ein Menschenbild, das den Gott des Mittelalters durch den Menschen als Maß aller Dinge ersetzen möchte. Es ist durch kritischen Geist, Selbstbewußtsein, Weltläufigkeit und naturwissenschaftliche Unbefangenheit gegenüber der Überlieferung gekennzeichnet. Die meisten dieser Erscheinungen haben ihre Ursprünge schon im Spätmittelalter, ja sie überschneiden sich oft mit ihm. Ein einheitlicher Renaissancebegriff für Europa ist deshalb nicht definierbar. Am ehesten ist er noch in der Kunstgeschichte zu bestimmen als Epoche zwischen Gotik und Barock. Jedoch: War die Gotik seit 1230 für zwei Jahrhunderte ein europäischer Stil, so sind Beginn und Ende der Renaissance in den einzelnen Ländern derart zeitverscho-

ben, daß während des gesamten »Zeitalters der Renaissance« nur
eine Kernzeit von knapp 20 Jahren verbleibt, während der sie für
ganz Europa Gültigkeit hat.

In Italien werden die allgemein- und geistesgeschichtlichen Voraussetzungen der Renaissance geschaffen.

Der Maler Cimabue, 1270–1302, spricht schon von einer »rinascità«,
einer Wiedergeburt der Kunst. Im 14. Jahrhundert werden in ganz
Italien aber auch Stimmen laut, die nach einer »regeneratio« der
politischen Verhältnisse rufen. Jedoch nach Rienzis gescheitertem
Versuch, ein neues italienisches Kaisertum zu schaffen (1347), zerfällt Italien in zahlreiche Stadtstaaten. Sie werden von Financiers,
Tyrannen oder Republikanern regiert. Der Traum einer politischen
Einheit bleibt für mehr als 500 Jahre unerfüllt. Aber an den Höfen
der Medici in Florenz, der Montefeltre in Urbino, im Mailand der
Sforza, bei den Este in Ferrara und Modena und in den aristokrati-
schen Republiken von Venedig und Genua, in Mantua unter den
Gonzaga und in Rimini bei den Malatesta entfalten sich im frühen
15. Jahrhundert neue Lebens-, Kunst- und Gesellschaftsformen, in
denen die Wiedererweckung römisch-antiker Kunst und Kultur zum
Ideal wird. (Erst im 16. Jahrhundert wird die Renaissance auch auf
Rom übergreifen.) Ihren Namen »Renaissance« erhält diese Zeit
allerdings erst um 1855/60 von den Historikern Jules Michelet und
Jacob Burckhardt.

Ein neues intensives Quellenstudium antiker Schriftsteller beginnt;
es wird gefördert durch byzantinische Gelehrte, die nach der türki-
schen Eroberung Konstantinopels, 1453, aus Griechenland nach
Italien emigrieren. Sie richten das Interesse der Humanistenkreise
auf ihre mitgebrachten Manuskripte. Eine antikisierende Dichtung
in lateinischer Sprache entsteht. In ihr verbindet sich der christliche
Gedanke von der Gleichwertigkeit aller Menschen mit dem griechischen, daß dieser Wert in der maßvollen, allseitig entfalteten, emanzi-
pierten Persönlichkeit liege. Dieser »homo universale« ist das Ideal
des neuen Menschen, der sich aus der Namenlosigkeit und der einseitig transzendentalen Einengung des Mittelalters befreit hat. Wie die
Namen ihrer fürstlichen Mäzene, so stehen nun auch die Namen
der Künstler im Mittelpunkt der höfischen Kreise. Um ihre Anwesenheit feilschen die Fürstenhöfe, ihre Bilder werden gesammelt, ihre
Viten von Vasari, 1511–74, beschrieben wie ehedem die der Könige.
Das Porträt gewinnt höchste Bedeutung. Der Individualist trium-
phiert über den Typus. Seine vollkommene Verkörperung findet das
neue Menschenbild in Universalgenies wie Alberti und Leonardo.

Bald wird auch die latente Abneigung der Romanen gegen die Gotik
deutlich beim Namen genannt: »Verflucht sei diese Pfuscherei; nur
Barbaren konnten sie nach Italien bringen«, schreibt Filarete 1460,
und Vasari verleiht dieser »Barbarenkunst« den Spottnamen »stilo
gotico«. Er erinnert damit an die Goten der Völkerwanderungszeit,
die im 5. Jahrhundert Italien überwältigt hatten, inzwischen jedoch
längst im romanischen Volkstum aufgegangen sind. In Wirklichkeit
meint er das Nordisch-Fremde, zu dessen Unendlichkeitsdrängen
die Romanen wenig Zugang haben.

Schon in der Protorenaissance des 11. und 12. Jahrhunderts (134*)
gab es in Italien Versuche, an die Antike anzuknüpfen. Als dann im

Italien als Ursprungsland der Renaissance

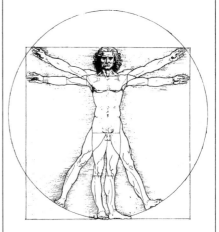

Leonardo da Vinci, Kanon
der Proportionen

Humanismus in Italien

15. Jahrhundert die Kräfte der ungeliebten Gotik nachlassen und der stilistische Druck schwindet, unter dem in Italien gotische Bauten entstanden waren (von Frankreich gesteuerte Orden und deren Bauvorstellungen), wendet sich Italien immer stärker dem Geist und den Formen der Antike zu.

Die zehn Bücher »De Architectura« des Vitruv von 23 v. Chr., 1414 wiederentdeckt, werden zur Bibel der Baumeister. Italien wird umgegraben auf der Suche nach antiken Plastiken. Antike Tempel, Säulen, Kapitelle werden vermessen, mit den Maßverhältnissen des menschlichen Körpers verglichen, ja in ihm werden umgekehrt die ursprünglichen, natürlichen Moduln der Architektur gesucht – je schöner, vollkommener der Mensch, um so mehr wird er das Maß der Dinge.

Humanismus in Nordeuropa

Im europäischen Norden bewegt sich die Renaissance zunächst auf einer schmaleren Basis als in Italien. Hier steht der gelehrte, der philosophische und philologische Aspekt des Humanismus mehr im Vordergrund. Italienische Studenten haben ihn im 14. Jahrhundert im deutschsprachigen Raum verbreitet, Gelehrtenkreise in München, Prag und – im 15. Jahrhundert – in Wien, Nürnberg und Basel betreiben in lateinischer Sprache die Überwindung der Scholastik durch mathematisch-naturwissenschaftliche Studien. Die neuen Entdekkungen und Erfindungen erweitern das Welt- und Menschenbild. Daneben gären theologische Probleme: Luthers Bibelübersetzung, seine Schaffung einer hochdeutschen Sprache sind zwar gewaltige philologische Leistungen. Aber er schreibt auch von der »Freiheit des Christenmenschen« in seiner unmittelbaren Beziehung zu Gott. Die Buchdruckerkunst fördert die Verbreitung der neuen Gedanken.

Der Bürger als Kulturträger

Die Humanistenkreise des Bürgertums, das längst zu Wohlstand und Selbstbewußtsein gekommen ist, aber auch die weniger Gebildeten münzen die aufklärerischen Gedanken um in Kritik am überkommenen Feudalismus, ja sogar an der Kirche. Die Bauarbeiten an den halbfertigen gotischen Domen werden fast überall und gleichzeitig eingestellt. Statt dessen entstehen aufwendige Rat-, Zunft- und Wohnhausbauten. Der Bürger hat den Priester als Kulturträger abgelöst. Im mitreißenden Strom der Reformation gerät der Humanismus nördlicher Prägung zur Volksbewegung – in den Maßlosigkeiten der Wiedertäufer und der Bauernkriege schlägt er in sein Gegenteil um. Am Ende gelingt es den Mächtigen, das aufstrebende Bürgertum für eine weitere Kulturepoche von angemessener politischer Macht zurückzudrängen.

Verfall der gotischen Architekturformen

Parallel zu dieser geistigen und gesellschaftlichen Entwicklung verfällt nördlich der Alpen - anders als in Italien, wo die Gotik schon im 15. Jahrhundert energisch abgestreift wird – der ehedem mächtige Impetus der hochgotischen Baukunst in einer langen Agonie.

Übergang Gotik – Renaissance, Tendenzen zur Horizontalisierung

Die Kraft zur vertikalen und Längen-Ausdehnung erlahmt in der Spätgotik Deutschlands, Englands und Spaniens (weniger in Frankreich):
- An die Stelle der basilikalen Kathedrale treten die Hallenkirche in Deutschland und Spanien, die Saalkirche in England und Südwesteuropa. Sie kommen dem vorreformatorischen Zug zur Predigerkirche besonders entgegen;
- das Verhältnis von Breite zu Länge, das in der Hochgotik noch 1:4 und mehr betragen hat, gleicht sich in der Spätgotik immer mehr dem Quadrat an, ja in Kuttenberg, 184*, wird das Schiff, in Zwik-

kau gar der ganze Bau breiter als lang (vgl. »Westfälisches Quadrat«, Soest, 157*);
– die Netzgewölbe der Spätgotik sind »ruhenden« Tonnen dekorativ
unterlegt. Die Knäufe und Kelche der englischen Fächergewölbe
»hängen durch«;
– die Scheitelhöhen sinken ab;
– die »ballistische« Kurve des Spitzbogens sinkt zum Kielbogen,
Eselsrücken, Tudor- oder gar Vorhangbogen ein;
– das Maßwerk verliert im ungerichtet schweifenden Flamboyant
die steigende Tendenz und wird im Perpendicular zu einem trockenen Gerippe.

Jedoch, all diese Veränderungen hin zur un-ekstatischen, die Horizontale und Vertikale ausgleichenden, zentrierten, in sich ruhenden
Form ohne Tiefenzug sind auch Tendenzen der Renaissance.

In Italien hat sie inzwischen signifikante Merkmale ausgebildet. Dabei stehen zunächst römische, dann aber auch griechische, hellenistische und byzantinische Vorbilder Pate. Aber der Vergleich mit antiken Bauten zeigt, daß die Renaissance-Architekten zwar die Säulenordnungen, Giebel- und Ornamentformen und vor allem die Regeln
der harmonischen Baukomposition anwenden, daß sie jedoch durchaus eigene Raumbildungen schaffen.

Italien, Merkmale der Architektur

Die Idealform des Sakralbaus ist für die großen Theoretiker der überkuppelte Zentralbau, wenn auch die kultische Praxis meist kompro-
mißhafte Langbauten daraus macht (Rom, St. Peter, 227*, 255*).

Die Kuppel ruht gewöhnlich auf einem Tambour und ist von einer
Laterne bekrönt. Die in der Gotik weitgehend aufgelösten Wände
werden wieder geschlossen. Die gliedernden und schmückenden
Elemente, in der lombardischen Frührenaissance noch mit krauser
Ornamentik beladen, werden in der Hochrenaissance zu in sich ruhenden Formen ohne Höhendrang. Rechteck und Kreis dominieren.
Rippe und Spitzbogen sind verbannt. Holzdecke, Tonnengewölbe
und Kuppel werden in Kassetten unterteilt. Die Fenster werden in
der Frührenaissance rundbogig, in der Hochrenaissance waagerecht
abgeschlossen (seit etwa 1500) und mit Dreiecks- oder Segmentgiebeln verdacht. An die Stelle des spätgotischen Pfeilers ohne Basis
und Kapitell treten die klassischen Säulenordnungen: dorisch, ionisch, korinthisch, komposit, die »dem Maß des Menschen entsprechen und ihm in der Folge von Basis = Fuß, Schaft = Leib und Kapitell = Haupt ein Gleichnis geben« (H. Weigert). Körperhaft wird
auch die Fassade: In zunehmendem Maße wird sie mit Säulen und
Pilastern, mit Rustika- und Spiegelquadern, Risaliten, Vorhallen
und Verkröpfungen durchgebildet. An die Stelle des Mystischen,
Jenseitigen, Heiligen des gotischen Raumes tritt das festlich überhöhte Diesseitige.

Die späten Formen der italienischen Renaissance, ab 1530, nehmen
an Schwere zu: An die Stelle der Pilaster treten Halb- oder Rundsäulen, Gesimse ragen weit aus den Mauern heraus. Daneben kündet
eine reichere Dekoration vom beginnenden Manierismus. Die zentrale Baumeistergestalt der Spätrenaissance ist Andrea Palladio,
1508–80. Die Regeln, die er aus dem Studium antiker Bauten ableitet,
wendet er zwar selber nicht immer an. Aber sein Bemühen, die
Grundrißgestaltung immer mehr der Antike anzunähern, sein Sinn

Italienische Spätrenaissance

für Symmetrie (vgl. Villa Rotonda, 310*) und harmonische Proportionen, die Tempelfronten seiner Kirchen und Villen, das – auf Serlio zurückgehende – → »Palladio-Motiv« der Rundbogenarkade mit beidseitigen schmalen Öffnungen, die nur bis zur Kämpferhöhe des Bogens reichen, und die von Michelangelo übernommene Kolossalordnung werden in der Folgezeit zum klassischen Kanon. Dieser beherrscht die englische Baukunst seit etwa 1620 und gewinnt starken Einfluß auf Frankreich und das übrige Europa.

Ausbreitung der Renaissance:
Frankreich

Franz I. von Frankreich, 1515–47, hat auf seinen norditalienischen Feldzügen gegen Karl V., 1519–56, die Architektur der italienischen Renaissance selber gesehen und in ihrer zeitgemäßen, d. h. manieristischen Ausprägung auf den französischen Schloßbau übertragen lassen. Vgl. 217*, 311 f.*. Im Sakralbau spielt sie zunächst fast keine Rolle. Allerdings wird Frankreich später am europäischen Barock nur in der Form des »style classique« teilnehmen, der nichts anderes als eine Weiterentwicklung der Renaissance sein und Kirchen von kühler Großartigkeit zeitigen wird.

England

Tudor-England tut sich besonders schwer mit der Renaissance. Heinrich VIII. beruft zwar italienische Handwerker und den Florentiner Bildhauer Torrigiano nach London, der 1518 das Grabmal Heinrichs VII. schafft. Aber nach dem Schisma zwischen England und Rom reist Torrigiano wieder ab. England gerät in die Isolation. Seine Renaissance wird aufgeschoben. Die elizabethanische und jakobinische Renaissance, 1550–1620/40, ist manieristisch, sie kommt von Flandern und Deutschland. Kirchen von Bedeutung entstehen nicht.

Spanien

Renaissance-Dekor mischt sich seit dem 15. Jahrhundert kleinteilig und üppig in den spanischen Mudéjar- und den Platero-Stil. In der asketisch-strengen Zeit Philipps II., 1556–98, schlägt der Geschmack in das karge, schmucklose, glattwandige »Desornamentado« Herreras (1530–97) um.

Deutschland

Unter den Händen deutscher Baumeister gerät die Renaissance-Architektur zunächst zum reinen Mißverständnis. Sie haben meist weder Italien noch die Bauten der Antike oder der klassischen Renaissance je gesehen. Aus Musterbüchern übernehmen sie das Dekor der lombardischen und venezianischen Frührenaissance und verkleiden damit die Fassaden der Kleinstadthäuser und Schlösser, verschleifen ihre gotischen Staffelgiebel mit Voluten und überfüllen ihre Rathaussäle und die wenigen neugebauten Kirchen später mit allerlei manieristisch-antikisierendem Gekröse aus Holz und Stein. So entsteht meist eine zwar handwerklich vorzügliche, aber naive, mit Symbolik durchtränkte kleinteilige Elemente-Sammlung, eine bürgerliche »Lego-Antike«, deren Einzelförmchen ihre ursprünglichen Funktionen verloren haben und angeklebt wirken (Liebenstein, 232*). Wo der Anschluß an Italien gewonnen wird – Schloßbauten in Dresden, Berlin, Torgau, Brieg, Heidelberg (hier mit niederländischen Einflüssen), Michaelskirche in München – überwiegt dennoch oft das Ornament.

Erst im 17. Jahrhundert gelingen die reinen Proportionen der Renaissance auch außerhalb Italiens. Dort ist sie inzwischen zum Barock geworden.

MANIERISMUS

Parallel zur Spätrenaissance entwickelt sich – von 1520 bis etwa 1610 (in Deutschland bis 1650) – eine bewußt antiklassische Ausdrucksform, der Manierismus. Er geht von der florentinischen Malerei aus und zeigt überlängte, kleinköpfige, oft spiralig gewundene Figuren (»linea serpentinata«) mit überfeinerten Gliedmaßen. Sie stehen unfest in Räumen unbestimmbarer Ausdehnung; grelle Farb- und Lichtkontraste verbreiten Unruhe und Spannung (Parmigianino, El Greco). Anamorphotische Darstellungen, Labyrinth (Mantua, 219*), Kugel, Ei, Auge, Würfel in rebusartigen, traumhaft-grotesken Zusammenstellungen (Hieronymus Bosch, Giuseppe Arcimboldo) weisen auf den Surrealismus des 20. Jahrhunderts voraus. In den Ursprüngen ist der Manierismus dem Hellenismus ebenso wie der Spätgotik verwandt. Seine inbrünstig-religiöse Komponente verweist auf Zusammenhänge mit der Gegenreformation. Dieser Gegenstoß zur protestantischen Reformation geht auf Beschlüsse des Konzils von Trient, 1545–63, zurück und wird vor allem von den Jesuiten getragen.

Seine bedeutendste Folge für den Sakralbau ist die Priorität des Langbaus vor dem Zentralbau. Bezeichnend dafür wird Madernas Anbau eines Langhauses an Bramantes und Michelangelos Zentralbau des Petersdoms zu Anfang des 17. Jahrhunderts. Vignola schafft schon 1568 mit Il Gesù in Rom den Prototyp der Jesuitenkirche, die für zahlreiche Kirchen des Barock zum Vorbild werden wird. Dieser Bau mit dem dunklen Langhaus, das in einen lichtdurchfluteten Kuppelraum mündet, gehört allerdings nur bedingt dem Manierismus an. Dessen Bauwerke neigen weit stärker zur Abwendung vom klassischen Ideal ausgewogener Harmonie, zu vertikaler Überlängung, zu beunruhigendem Funktionsverlust der tragenden und lastenden Elemente, »es entsteht Tiefe, die ansaugt, an deren Ende aber nicht . . . ein point de vue steht, sondern das Nichts, eine räumliche Unbestimmbarkeit« (Pevsner). Der Chor von Palladios Kirche Il Redentore in Venedig, 229*, wird gern als Musterbeispiel dieser Intention genannt. Die Spirale – von den Manieristen bevorzugtes Sinnbild des Relativen, des zyklisch Werdenden und insofern dem Labyrinth verwandt – findet konstruktiven Ausdruck in der doppelläufigen Wendeltreppe von Chambord* und den nach außen geöffneten Treppentürmen von Blois und Torgau (311 ff.*).

Aber weit mehr als die Konstruktion wird die Dekoration zum Merkmal des Manierismus. Simsfiguren und Balustraden, Girlanden aus Früchten und Laub, Genien und Putten verschleifen die Geschoßeinteilung und kontrastieren zur strengen »gravità« der Spätrenaissance. Spiralige Formen erscheinen an den Säulen und Schornsteinen. Der Niederländer Cornelis Floris, 1514–75, entwickelt eine ganze Welt neuer Ornamentformen, die durch die Stiche von Vredeman de Vries verbreitet, allerdings auch verfälscht werden: Beschlag- und Rollwerk, Knorpel- und Ohrmuschelwerk bedecken in Nordeuropa Wände, Altäre und Kanzeln (»Floris-Stil«) und bilden mit Obelisken und Voluten das »Schweifwerk« an den Giebeln.

Der Manierismus ist trotz seiner Tendenz zur Auflösung ein notwendiges Korrelat zur Renaissance, die wie jede Klassik von der Erstarrung bedroht ist. »Klassik ohne Manierismus als Spannung wird Klassizismus, Manierismus ohne Klassik als Widerstand wird Manieriertheit« (Gustav René Hocke). Der Manierismus ist mehr als nur Endphase der Renaissance oder Übergang zum Barock. Er ist ein eigenständiger Stil. – Vgl. auch Postmoderne, 341.

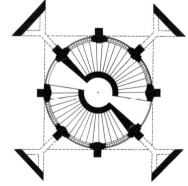

Chambord/Loire, Schloß, 1519–33, P. Nepveu. Doppelläufige Wendeltreppe.

FASSADE (ITALIEN)

Rimini, Augustusbogen, 27 v. Chr. von Kaiser Augustus für den Bau der Via Flaminia errichtet. Heutiger Zustand. Vorbild für San Francesco (Abb. re).

Rimini, San Francesco (»Malatestatempel«), nach 1472, Alberti. Dem antiken Augustusbogen in Rimini (einfacher Bogen mit Zwickelmedaillons) nachgestaltete Dreiarkadenfassade. Unvollendet.

Venedig, San Zaccaria, 1480–1515, Codussi. Untergeschoß marmorinkrustiert, darüber – noch in gotischem Sinn – mehrgeschossiger Aufbau. Mitteltrakt betont in der Art venezianischer Palastfassaden.

Turin, Dom, 1492–98, Caprina. 2geschossiger Mittelbau mit Dreiecksgiebel, durch 2 Halbgiebel mit den Seitenschiffen verbunden. Doppelpilastergliederung. Vorbild für zahlreiche kleine Kirchen in Rom.

Venedig, San Giorgio Maggiore, beg. 1565, Palladio. Römische Tempelfront, in Kolossalordnung der flacheren Dreischiffsfassade mit Rundbogen-Nischen und Ädikulen vorgebaut. Straffe Gliederung.

Dreiecksgiebel

Kranzgesims

Volute

Nische

verkröpfte Gesimse

Doppelgiebel (Segment- und Dreiecksgiebel)

Figurennische

2geschossige doppelte Pilastergliederung

Rom, Il Gesù, 1576–84, della Porta. Breites Untergeschoß in Kolossalordnung mit 4 Doppelpilastern, Portalrahmung PS – SP. Mit dem schmaleren Obergeschoß (4 Doppelpilaster) durch Simsverkröpfung und Voluten verbunden. Mittelachse durch Dach- und 2 Portalgiebel betont. Vorbild für zahlreiche barocke Fassaden, besonders für Jesuitenkirchen.

KASSETTENDECKE

Kassettendecke und Wandvertäfelung, Straßburg, E. 16. Jh.

Deckendekoration der italienischen Renaissance, M. 16. Jh., S. Serlio

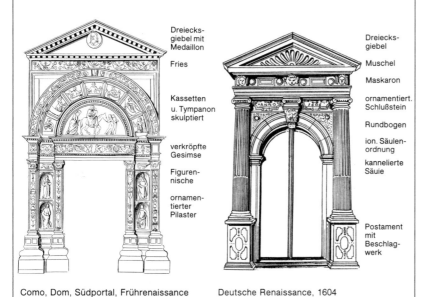

Kassettengewölbe, Schloß Chambord/Frankreich, 16. Jh.

Labyrinth als Deckendekoration, Schema. Mantua, Palazzo Ducale, um 1600, Viani. Manierismus.

PORTAL

Dreiecks-giebel mit Medaillon

Fries

Kassetten u. Tympanon skulptiert

verkröpfte Gesimse

Figurennische

ornamentierter Pilaster

Dreiecks-giebel

Muschel

Maskaron

ornamentiert. Schlußstein

Rundbogen

ion. Säulen-ordnung

kannelierte Säule

Postament mit Beschlag-werk

Como, Dom, Südportal, Frührenaissance

Deutsche Renaissance, 1604

KAPITELL

Groteskenkapitell mit Astragal und Laub, geschweifter Abakus

Geschweifter Abakus, auskragende Voluten, kannelierter Kapitellkorb

Phantasie-Kapitell mit Erote, Eierstab, Blattwelle, Akanthuslaub

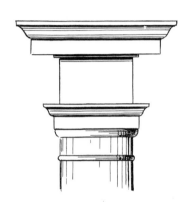

Kapitell, dorisch nachempfunden, mit Kämpfer und Kämpferplatte

SÄULE UND PFEILER

Französische Säule »à bracelets« (Armbandsäule) mit üppigen Dekorationen an Gebälk, Echinus und sogar den Kanneluren. Paris, Seine-Flügel des Louvre-Palasts, 1564–72, Philibert de l'Orme.

1 Venezian. Säule mit Schmucksockel. – 2 Gedrungene Säule mit schwerfälliger Dekoration; süddt., A. 16. Jh. – 3 Kannelierte Säule, mit »Pfeifen« im Unterteil verstäbt, süddt., A. 16. Jh. – 4 Kandelaber-Säule mit Blättern und gewundener Verstäbung, 16. Jh. – 5 Achteckpfeiler mit reich dekorierter Kapitellzone. Wolfenbüttel, Marienkirche, nach 1604, Spätrenaissance.

KUPPEL UND TURM

Laterne

Tambour

Pendentif-Kuppel mit belichtetem Tambour, Laterne und innerem Umgang. Venedig, Il Redentore, 1577 beg., Palladio

8eckige Welsche Haube mit Laterne auf quadratischem Turm. Bossenwerk. Aschaffenburg, Schloß, 1605–14.

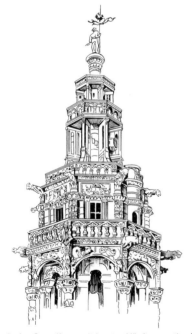

Gotische Grundform mit bunter Häufung antiker (auch romanischer) Dekorationselemente nach italienischen Musterbüchern. »Lego-Antike«. Heilbronn, Kiliansturm, 1513–29, H. Schreiner. Manierismus.

Reiche Gliederung mit verkröpftem Konsolgesims, ionischen Ecksäulen, Dreiecksgiebeln, Balustraden, Loggien und Zwiebelformen der achteckigen Laterne. Amsterdam, Zuiderkerk, 1614, de Keyser. Manierismus.

DEKORATION IN RENAISSANCE UND MANIERISMUS

Norddeutsch-niederländische manieristische Häufung von antiken, italien. und Floris-Stil-Ornamenten: Groteske, Allegorie, Ranke, Volute, Muschel, Maskaron, ion. Kapitell, ornamentierter Pilaster, Beschlagwerk verkleiden das verkröpfte Gesims. Bremen, Kornbau, 1609–14. – Zahlreiche Repräsentationsräume der Renaissance zeigen ähnliche Dekoration in Holz.

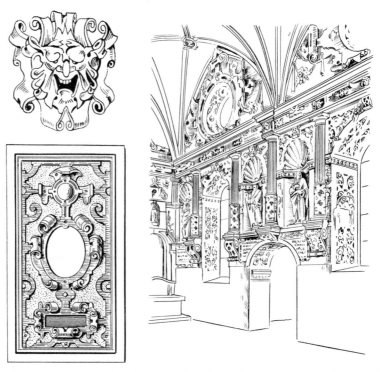

Maskaron aus Ohrmuschel- und Knorpelwerk. Deutscher Manierismus, A. 17. Jh., Fr. Unteutsch

Li: Rollwerk-Maskaron im Floris-Stil, seit 1550 von den Niederlanden aus verbreitet. – U: Kartusche mit Beschlag- und Rollwerk, A. 17. Jh. – Re: Wanddekoration mit aufgeklebt wirkenden Einzelformen: Muschel-Nische, Beschlag- und Rollwerk, ornamentierte Säulchen. St. Luzen bei Hechingen, 1586. – Alle Abbildungen dieser Seite: Manierismus

DEKORATION
IN RENAISSANCE
UND MANIERISMUS

Li: Bemühung um klassische Architekturdetails: überhöhter Dreiecksgiebel, Segment- statt Rundbogen, Pilaster; got. Nachklänge: Überstabung, unruhige Füllung mit Figürchen und Dekor. Münster, Epitaph, 1540, J. Brabender. – Re: Harmonische Bewegungen, großzügige Flächen, ruhige Dekorreihung. Florenz, Verkündigung, 1435, Donatello.

Li: Übergang von der ital. Hochrenaissance zum Manierismus. Durch Doppelpilaster beengte Ädikulen; Strenge durch Bewegung und Dekor gemildert. Florenz, Medici-Grabkapelle mit Allegorien von Morgen und Abend, 1520–34. Michelangelo. – Re: Keramik-Medaillons von della Robbia. Pavia, Certosa, A. 16. Jh.

Hängeknauf (»Cul-de-lampe«), französische Renaissance. Chambord, 16. Jh.

AUSSENDEKORATION FENSTER

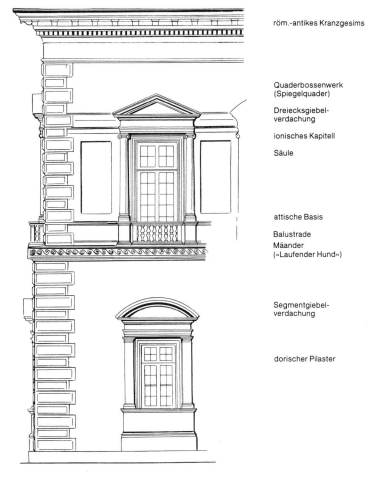

röm.-antikes Kranzgesims

Quaderbossenwerk
(Spiegelquader)

Dreiecksgiebel-
verdachung

ionisches Kapitell

Säule

attische Basis

Balustrade
Mäander
(»Laufender Hund«)

Segmentgiebel-
verdachung

dorischer Pilaster

Florenz, Palazzo Pandolfini, A. 16. Jh. Raffael. Strenge Ordnung, klar begrenzte Geschosse, wenig Ornamentik. Bramante-Nachfolge.

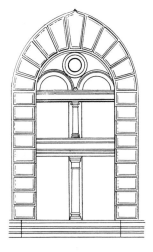

Rundbogenfenster in spitzbogiger Rustikarah-
mung, dorische und ionische Säulchen vor dem
Fensterstock. Arezzo, Palazzo della Cassa di Ri-
sparmio. Frührenaissance.

Li: Rundbogenfenster mit durchbrochenem Bogenfeld; flach rustizierter Überfangbogen ohne
Einbindung in die Rustika-Schichten der Wandfläche, Frührenaissance. Florenz, Palazzo Rucellai, 1446, Alberti. – Mi: Gleichmäßig profilierter Rundbogen inmitten von rustizierten Quadern.
Florenz, Palazzo Gondi, 1490–94, G. da Sangallo. – Re: Waagerechte Verdachung. Rom, Palazzo della Cancelleria, E. 15. Jh.

AUSSENDEKORATION
FENSTER

Triton
Füllhorn
Fabeltiere
Delphin

Nike (= Siegesgöttin)
Feston
Vase

Grotesken-Hermen auf
Voluten

Mezzanin

Maskaron
Feston

Blumenkorb
waagerechte Fenster-
verdachung

Rundbogennische

mythologische Allegorie

antikisierendes
Gebälk:

Fries

Regula
Triglyphen

Guttae

Rom, Palazzo Spada, E. 16. Jh., Mazzoni, manieristische Stuckdekoration. Auflösung der Fläche, Verschleifung der Geschosse.

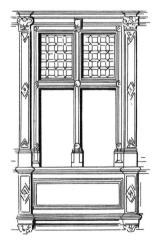

Li: Rundbogenfenster mit derb-manieristischer Rahmung, die Rustika-Bossen treten aus glat-
ter Mauerfläche hervor, ihre äußeren Abrundungen folgen der Bogenform; Kämpfer-Quader
ohne Spiegel. Nürnberg, Tucher-Brauerei, 16. Jh. – Re: Kreuzstock-Fenster von einem Wohnhaus in Orléans, Rue Pièrre Percée, 2. Viertel 16. Jh. Die gotische Grundform ist mit antikisierenden Details gerahmt.

Lukarne mit Kandelabern als Giebelbekrönung
und reicher Rahmung. Schloß Amboise/Frank-
reich, Flügel Ludwigs XII., vermutlich nach 1515.

ZENTRALBAU ITALIEN

Das ethische Ziel der Renaissance ist auf Vollendung der in sich geschlossenen Persönlichkeit gerichtet. Allgemein wird als seine bauliche Entsprechung der zentrale Rundbau angesehen, »der den Eingetretenen in seiner Mitte stille stehen läßt, so daß er, von allen Seiten gleichmäßig umfangen, die Harmonie einer in sich ruhenden Vollendung erlebt« (H. Weigert). Im zentralen Kuppelbau sind die horizontalen und vertikalen Kräfte harmonisch ausgeglichen: Die Waagerechten laufen in sich selbst zurück, die Senkrechten sammeln sich in der Rundung der Kuppel.

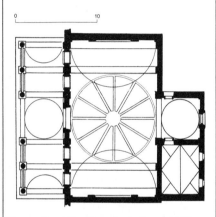

Florenz, Pazzi-Kapelle an Santa Croce, 1430 beg., Brunelleschi. Kuppelgewölbe im Hauptraum, tonnengewölbte Nebenräume (Vorbild: San Lorenzo, Alte Sakristei). Das Tonnengewölbe der Vorhalle wird von einer Mittelkuppel unterbrochen.

Die ersten Zentralbauten der Renaissance sind die »Alte Sakristei« bei San Lorenzo, 212 *, und die Pazzi-Kapelle* an Santa Croce, beide in Florenz und von Brunelleschi (1377–1446). Filarete (1400–69), Alberti (1404–72), Bramante (1444–1514) und Leonardo (1452–1519) haben zahlreiche Entwürfe für Zentralbauten gemacht. Das griechische Kreuz, das Quadrat, der Kreis und ihre Durchdringungen sind wichtigste Bestandteile des Grundrisses. Bramantes »Tempietto« in Rom* ist die Musterleistung der Rundkapelle; Santa Maria della Consolazione in Todi*, ein Werk seiner Schüler, wird eine der wenigen größeren Gemeindekirchen, in denen sich die Idealform aus Quadrat und Kreisen praktisch durchsetzen kann.

Rom, San Pietro in Montorio (»Tempietto«), 1502, Bramante. Rundbau mt Kuppelgewölbe. Unterbau nach antikem Rundtempel-Vorbild mit dor. Säulenkranz, darüber Umgang mit Balustrade. Bekrönung später. Der Grundriß zeigt den Bau inmitten des ursprünglich vorgesehenen Säulenhofes.

Todi, Santa Maria della Consolazione, 1508–1608, Bramante-Schüler. Überkuppeltes Quadrat mit 4 halbrunden bzw. polygonalen Apsiden (»Tetrakonchos«). Fassade und Tambour sind mit Pilastern gegliedert. Die auf einer Anhöhe liegende Kirche gilt als der folgerichtigste Zentralbau der Hochrenaissance.

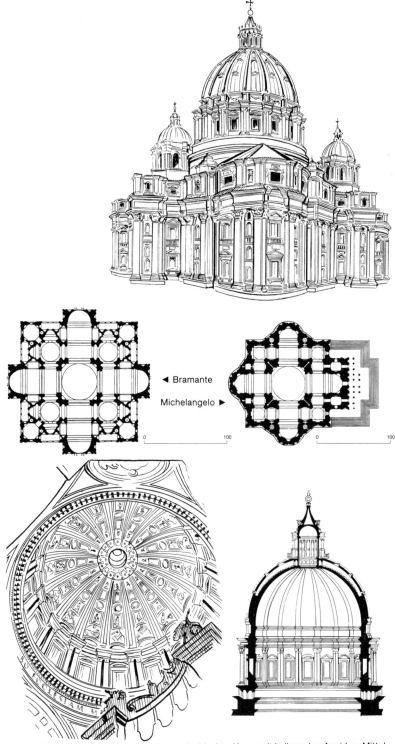

Rom, St. Peter, beg. 1506. Bramante-Plan: griechisches Kreuz mit halbrunden Apsiden, Mittel-quadrat mit Kuppel. Die Eckzwickel bilden eigene Zentralbauten mit Kuppeln vom halben Durchmesser der Hauptkuppel. Ecktürme. – Michelangelo-Plan, 1546–64: Vereinfachung des Bramante-Plans: Nebenkuppeln werden verkleinert, Ecktürme entfallen. Dafür statische Ver-stärkung. Säulenvorbau am Ost-Eingang (gewesteter Bau!). Monumentale zweischalige Kup-pel. – Langbau (255*) und Fassade, 1607–26, Maderna, barock.

Die konstantinische Peterskirche des 4. Jhs. in Rom wird 1506 abgebrochen. Statt des Langbaus soll ein riesiger Zentralbau entstehen.

Bramantes Entwurf*, 1506, ein Auftrag Papst Julius II., zeigt einen Kuppel-raum inmitten eines griechischen Kreuzes. Dasselbe System wird in den 4 Ecken wiederholt. Dadurch entste-hen weitere, kleinere Eckzwickel, in die Türme gestellt werden. Der Ge-samtbau bildet ein Quadrat mit Mittel-risaliten. Er stellt eine klassische Addi-tion von weitgehend selbständigen, einander ähnlichen Räumen dar. Die Kuppel ist halbrund.

Michelangelos Entwurf* übernimmt das griechische Kreuz, verzichtet auf die Kreuzarme der 4 Nebenkuppeln und die Türme. Die 3 konzentrischen Quadrate Bramantes werden auf 2 re-duziert, die Vierungspfeiler kolossa-lisch verstärkt. Auch der gewaltige Au-ßenbau (korinth. Kolossalordnung, Ädikulen im Erd-, Fenster im Oberge-schoß, 3geschossige Nischen, das Ganze unter einer schweren Attika) verliert die harmonische Vielfalt des Bramanteschen Entwurfs. Der vorgese-hene Ostportikus mit 10 plus 4 Säulen zerstört die Zentralbau-Symmetrie.

Die 2schalige Kuppel* wird von della Porta, 1588–90 Baumeister von St. Pe-ter, nach dem stark veränderten Mo-dell Michelangelos aufgeführt. Gekup-pelte Säulen umstehen den Attika-Tambour und tragen die Außenrippen. Auch die Laterne ist von Doppelsäulen umgeben und hat eine konkave Spitze.

In der teilweisen Aufgabe der klassi-schen Harmonie, der Bewegtheit des Innenraumes, besonders aber in der Dynamik der parabolischen Kuppel (im Gegensatz zu Bramantes »ruhen-der« Halbkugel) werden Elemente des Manierismus gesehen, und »der groß-artige Sieg gigantischer Kräfte über das Schwergewicht gewaltiger Mas-sen . . . deutet über den Manierismus auf den Barock voraus« (Pevsner).

Maderna, 1556–1629, fügt 1607–26 dem Zentralbau ein östl. Langhaus und eine Fassade an, nachdem sich der Langbaugedanke – aus Gründen des Gottesdienstes – allgemein durchge-setzt hat (255*).

LANGBAU ITALIEN

Der Langbau wird in der Renaissance immer neben dem Zentralbau gepflegt. Die Vorliebe der Theoretiker für den Zentralbau kann nur selten in größeren Gemeindebauten verwirklicht werden (Todi, 226*); denn die liturgischen Bedürfnisse verlangen meist den Langbau. Die zahlreichen Kompromißlösungen führen zu 3 Bauprinzipien:

1. – zentraler Ostteil ohne/mit Kuppel
   – angefügtes Langhaus mit Flachdecke oder Tonnengewölbe
   – Seitenschiffe
2. wie 1, jedoch mit Flankenkapellen statt der Seitenschiffe (Wandpfeilerkirche)
3. mehrere aneinandergereihte überkuppelte Zentralbausysteme, dreischiffig (bes. in Padua und Venedig)

Zu 1: In Santo Spirito in Florenz* wird der Westarm des zentralen Ostbaus um 3 weitere Einheiten von der Größe des Vierungsquadrats gelängt. Die den Ostteil umlaufenden Seitenschiffe mit Kapellennischen begleiten auch das so entstandene Langhaus. Sie sollten ursprünglich auch um die Westseite herumgeführt werden.

Zu 2: Die für die Zukunft bedeutsamste Lösung ist Albertis Entwurf für Sant'Andrea in Mantua*. Die bisher üblichen Seitenschiffe werden durch Kapellen ersetzt, die unverbunden, also nur vom Mittelschiff her zugänglich sind. Offene und geschlossene Joche wechseln einander ab (a-b-a-Schema, vgl. Längsschnitt Venedig, Il Redentore, 229*). Diese Lösung wird zum Vorbild für Il Gesù, 218* und 230*, die ihrerseits das System zahlreicher Barockkirchen festlegt.

Zu 3: In Venedig beginnt man gegen 1500 mit dem Bau von Zentralkirchen aus einer Hauptkuppel, vier kleineren Eckkuppeln und tonnengewölbten Kreuzarmen (Mailänder Schema). Lombardi (oder Spavento?) verwendet in San Salvatore, 229*, ein solches System als Ostteil und fügt 2 weitere als Langhaus an. Alle quadratischen Räume erhalten Flachkuppeln, die rechteckigen schmale Tonnengewölbe. Für die Öffnungen der Seitenschiffe ergibt sich wieder ein a-b-a-Schema aus (offenen) schmalen und weiten Jochen.

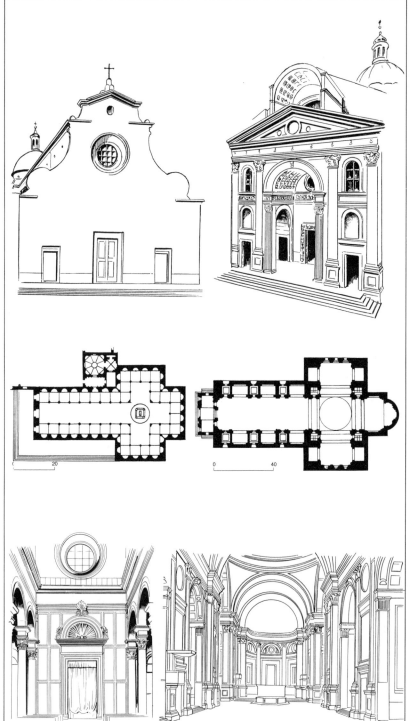

Florenz, Santo Spirito, beg. 1436, Brunelleschi. Als zentraler Kuppelbau aus gleich großen Quadraten und umgeführten Seitenschiffen mit Kapellennischen geplant, durch angefügtes Langhaus zur flachgedeckten Säulenbasilika erweitert. Frührenaissance. – U: Blick vom Mittelschiff zum Westportal.

Mantua, Sant'Andrea, beg. 1472, Alberti. Mittelraum tonnengewölbt; Seitenkapellen mit Quertonnen wirken als Widerlager. Vorbild für röm. Jesuitenkirchen (vgl. Il Gesù, 218* und 230*). Vorhalle mit Schaufassade entspricht nicht den Schiffbreiten. Pilaster über 3 Geschosse. Kuppel erst im Barock zugefügt.

O u. Mi: Venedig, San Salvatore, beg. 1507,
Lombardi. Hintereinandergereihte Kuppeln,
die von je 4 Nebenkuppeln und 4 schmalen
Quertonnen gerahmt sind. Querschiff und 3-
Apsiden-Chor. – U: Ferrara, San Francesco,
beg. 1484, Rosetti. Mittel- und Seitenschiffe
von niedrigen Kuppelreihen überwölbt.

Venedig, Il Redentore, beg. 1577, Palladio. Vierung mit Kuppel und Dreikonchenanlage bilden einen Zentralbau, daran angeschlossen
ein tonnengewölbtes Mittelschiff mit Kapellennischen. Fassade mit 2facher Kolossalordnung an Portal und Giebelvorbau. Spätrenais-
sance-Manierismus. – Kuppel 221*

Die Gegenreformation, beginnend mit
den Reformen des Konzils zu Trient,
1545–63, und getragen von den Jesuiten, führt zu neuer jenseitsgerichteter
Frömmigkeit. Wenn der Zentralbau
gleichnishaft der Selbstbezogenheit
des Renaissance-Menschen entspricht,
so spiegelt die eindeutige Vorherrschaft des Langbaus seit der Mitte des
16. Jhs. den Beginn der neuen Gottsuche im Sinne des mittelalterlichen
Wegebaus wider. In Il Redentore* verbindet Palladio das Alberti-Motiv des
tonnengewölbten, von Kapellennischen begleiteten Langhauses mit einem Ostteil, der sowohl einen Zentralbau wie auch eine Dreikonchenanlage
andeutet, dessen Ostapsis aber aus offenen Säulenstellungen besteht und
den Blick in dahinterliegende Räume
von unbestimmbaren Ausmaßen öffnet. Solche Effekte sind typisch für den
Manierismus.

Die Fassaden. Die bes. in S-Europa
zahlreichen Knickgiebel-Fassaden der
Renaissance und des Barock lösen in
schlichter Weise die Aufgabe, das dahinterliegende hohe Mittelschiff und
die flacheren Seitenschiffe am Außenbau zu veranschaulichen (Florenz,
228*). Viel schwieriger wird das Problem, wenn klassische Säulenordnungen und antike Tempelfassaden verwendet werden, die keine Seitenschiffe
kennen.
– Albertis Portikus von Sant' Andrea,
  228*, variiert einen römischen Triumphbogen, der unschöne Aufsatz
  verbirgt das westl. Mittelschiffenster
– Palladio schaltet dem Mittelschiff
  eine röm. Tempelfassade vor, die Seitenschiffe werden von ähnlichen,
  aber breiteren Ordnungen logisch
  eingebunden, die räumlich zurück-
  gesetzt sind (Venedig, Il Rendentore*
  und San Giorgio Maggiore, 218*)
– die Fassade von Venedig, San Salvatore* zeigt schon die unruhige, wenig
  harmonische Häufung des Dekors,
  die auf den Manierismus deutet
– die weniger antike, aber geschmeidi-
  gere Fassade von Il Gesù, 218*, von
  della Porta weist die Höhe des Mittelschiffs durch 2 Geschosse aus; Voluten (Vorbild: Florenz, Santa Maria
  Novella, 15. Jh.) vermitteln zu den
  Seitenschiffen.

Die Lösung von Il Gesù

Die folgenreichsten Lösungen des Innenraumes und der Fassade finden Vignola und della Porta für Il Gesù in Rom. Vorbild des tonnengewölbten Mittelschiffs mit flankierenden Kapellennischen und dem a-b-a-Schema der Pilasterstellung ist der 100 Jahre ältere Alberti-Bau von Sant'Andrea in Mantua, 228*.

Jetzt, am Übergang der Renaissance zum Barock, erhalten Raumbildung und Fassade eine Endgültigkeit, die das Schema für Hunderte von Barockkirchen werden wird.

LANGBAU SPANIEN

Spanien löst sich nur schwer von dem überkommenen Dekorationsbedürfnis, das der islamischen Vergangenheit und seiner eigenen Fähigkeit zur Maßlosigkeit entspringt.

1. Phase. Bis ins 16. Jh. wirkt der Mudéjar-Stil. Der Platero-Stil, 180*, verbindet spätgotische Formenvielfalt, frühe Renaissance und flämischen Manierismus zu geistreichen, aber oft auch zu verwirrend kleinteiligen Häufungen des Dekors (Toledo: Treppe im Kreuzgang von Santa Cruz, 1504; Kreuzgang von San Juan de los Reyes, E. 15.Jh., Isabel-Stil).

2. Phase. In Granada ist die erste Renaissance-Kathedrale Spaniens, 1523 beg., im Bauprinzip eine spätgotische Hallenkirche mit vielformigem Schlinggewölbe, der römische Ordnungen in mittelalterlicher Weise eingepflanzt sind. Der Ostchor mit korinthischen Säulen auf hohen Sockeln und mit antikem Gebälk strahlt eine hybride italienisch-spanische Kolossalität statt klassischer Gelassenheit aus.

3. Phase. Sie wird erst unter der Regierung des asketischen Philipp II. 1556–98, erreicht. Für den Bau des Escorial, 1563 beg., der zugleich Kloster und Refugium des Königs ist, befiehlt er seinem Baumeister Herrera, 1530–97, »Noblesse, Einfachheit und Strenge ohne Prahlerei«. Sein schmuckloser »Desornamentado«-Stil entspricht am ehesten der italienischen Hochrenaissance. Vgl. 314*.

Rom, Il Gesù, 1568–75, Vignola. Das Vorbild von Mantua, S. Andrea, 228* (tonnengewölbter Mittelraum, Kapellennischen mit Quertonnen), wird durch eine zentrale Kuppel und reduziertes Querschiff zum System zahlreicher barocker Kirchenbauten. Fassade von della Porta, 218*

Granada, Kathedrale, 1523 beg., Egas, 5schiffige Hallenkirche mit Flankenkapellen; spätgot. Schlinggewölbe. – Der Ostabschluß, beg. 1528, Diego de Siloé, zentralbauartig mit Radialkapellen (u: Blick ins Oktogon), gilt als ein Höhepunkt des Kirchenbaus im 16. Jh.

LANGBAU PORTUGAL

Einige Kirchen des frühen 16. Jhs. zeigen, besonders in den Werken des Diego de Torralva, 1500–66, reine italienische Renaissance.

Seine Kirche La Graça in Évora, 1527–37, hat zwar manieristische Züge, aber sein Hauptwerk, der zweigeschossige Kreuzgang im Kloster von Tomar* ist hochklassisch. Dorische Säulen tragen das Untergeschoß, ionische trennen die differenzierteren Palladio-Motiv-Öffnungen des Obergeschosses.

Die Sakralbauten des späten 16. Jhs. zeigen manieristische und barocke Züge. Filippo Terzi, 1520–97, überträgt den Jesuiten-Stil von Italien nach Portugal. Die Fassade seiner Kirche von S. Vicente de Fora in Lissabon* ist zwar klassisch-strenger gegliedert als Il Gesù, verzichtet vor allem auf die weich vermittelnden Voluten, der Grundriß lehnt sich jedoch stark an Vignolas Plan an.

LANGBAU DEUTSCHLAND

Die zahlreichen mittelalterlichen Kirchen decken weitgehend auch den Bedarf der Renaissance-Zeit. Neue Kirchen finden sich deshalb vorwiegend in neu entstandenen Städten (Freudenstadt, um 1600; Hanau-Neustadt, um 1600), Siedlungen (Augsburg, Fuggerei, 1509–23) sowie als Schloßkapellen (Torgau, Stuttgart, Augustusburg, Schmalkalden, alle 2. Hälfte des 16. Jhs.). Ihre geringe Zahl zwingt dazu, auch den Profanbau in die Beschreibung der Entwicklung einzubeziehen.

Die **Frührenaissance** (»Welsche Manier«) verehrt zunächst venezianische (Fuggerkapelle in Augsburg, 1509), vor allem aber lombardische Baudekoration (Breslau, Sakristei-Tür, 1517; Dresden, Georgentor, 1534), ohne rechten Zugang zu italienischer Raumgestaltung. Italienische Baumeister übertragen zwar den Stil der Hochrenaissance nach Deutschland (Landshut, Residenz, 1536), haben hier aber keine deutschen Nachfolger.

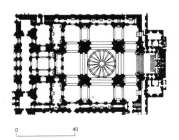

Escorial, 1563 beg., Juán Bautista de Toledo und Juán de Herrera. O: Außenfassade des Palastes. Mi u. u: Klosterkirche, Grundriß und Vierung mit Pendentifkuppel. Zentralbauartige Anlage, kannelierte Pilaster unter klassischem Gebälk. Desornamentado-Stil. Vgl. 314*

Lissabon, S. Vicente de Fora, 1582–1627, Terzi. Zweiturmfassade mit Pilastergliederung. Grundriß nach dem Schema von Il Gesù. – U: Tomar, Kreuzgang des Convento da Ordem de Cristo, 1557, de Torralva; im Hintergrund die spätgotisch-manuelische Klosterkirche.

Liebenstein/Sachsen, Schloßkapelle, 1590, Schweifwerk über spätgot. Kernbau. Willkürlich zwischen den Simsen versetzte Hermenpilaster und Halbsäulen ohne Tragefunktion. Asymmetrie.

Hochrenaissance. Vielmehr setzt sich Mitte des 16. Jhs. die Dekoration des niederländischen Manierismus (Floris-Stil) durch, der sich markant z. B. im Schweifwerk und in sinnreichen Allegorien humanistischer Prägung an den Rat- und Bürgerhausfassaden des Wesergebietes findet (»Weser-Renaissance«). Ernsthaftere Ausrichtung an Italien wird in frühen Einzelfällen zur Zeit der späten Hochrenaissance am Münchner Antiquarium, 1569, und der Michaelskirche*, 1583–97, deutlich; sie findet aber erst in der **Spätrenaissance** in den Rathäusern von Nürnberg, 1616–22, Wolff, und Augsburg, 1615–20, Holl, zu nichtimitierter Eigenständigkeit (365*).

In der Hoch- und Spätrenaissance zwischen 1582 und 1629 entstehen einige Jesuitenkirchen. Darunter ist die o. g. Kirche St. Michael in München der bedeutendste deutsche Nachfolgebau von Il Gesù, während der Kölner Bau, 1621–29, außen auf Italien, im Innern auf das frz. Vorbild von St-Etienne-du-Mont, 233*, zurückweist; 3geschossige Pfeilerbogenstellungen in der klassischen Folge dorisch-ionisch-korinthisch wie an römischen Theaterbauten zeigt dagegen das Innere der Würzburger Universitätskirche.

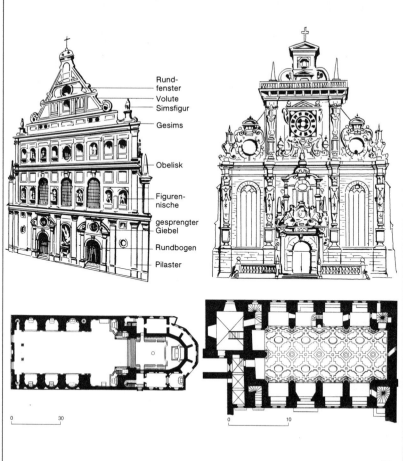

Rundfenster
Volute
Simsfigur
Gesims
Obelisk
Figurennische
gesprengter Giebel
Rundbogen
Pilaster

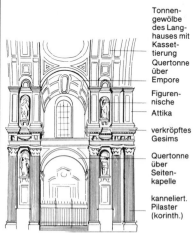

Tonnengewölbe des Langhauses mit Kassettierung
Quertonne über Empore
Figurennische
Attika
verkröpftes Gesims
Quertonne über Seitenkapelle
kanneliert. Pilaster (korinth.)

München, Jesuitenkirche St. Michael, 1582–97, Sustris. Wandpfeilerkirche nach dem System von Il Gesù (218*, 230*): Mittelraum mit Tonne, Kapellennischen mit Quertonnen (als Widerlager), aber mit Emporen und ohne Kuppel. Bedeutendste Adaptation des italienischen Vorbarock in Deutschland. – Schema 492*

O: Bückeburg, Stadtkirche, beg. 1613, de Vries. Niederländ.-manierist. Ornamentfülle der Fassade vor got. Hallenkirche mit korinth. Säulen. – Mi u. u: Augustusburg, Schloßkapelle, 1568–73, v. d. Meer. Ornamentiertes Tonnengewölbe, an 3 Seiten Emporen über Kapellennischen.

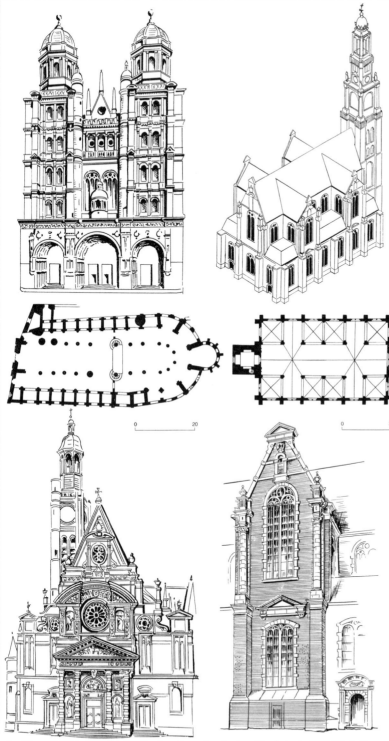

Dreischiffige Hallen sind die bedeutendsten protestantischen Kirchen: Wolfenbüttel, 1608–20, Francke, mit reichem Dekor an den Zwerchgiebeln; Bückeburg, 1613 beg. (232*), mit gotisch-spitzbogigem Kreuzgewölbe und manieristisch-barock überfüllter Fassade.

LANGBAU
FRANKREICH

Die französische Malerei und Architektur übernehmen schon Ende des 15. Jhs. italienische Quattrocento-Details. Das Schloß von Gaillon, 1508, hat die ersten Pilaster in mehreren Säulenordnungen. Franz I., 1515–47, überträgt vorwiegend manieristische Renaissance-Motive auf seine Schloßbauten. Mitte des 16. Jhs. hat Frankreich einen eigenen Renaissance-Stil entwickelt, der sich in zahlreichen Schloßbauten darstellt. Vgl. 311 f.*

In Frankreich sind Renaissance-Kirchen noch seltener als in Deutschland. Ihre Innenräume haben meist renaissance-verkleidete gotische Architektur. Die Fassade versetzt die gotische Grundform mit Elementen der italienischen Renaissance (Dijon, St-Michel*), oder sie wird als klassische Schauwand mit manieristischen Elementen gemischt (Paris, St.-Etienne-du-Mont*) bzw. in frühbarocker Schwere (Paris, St-Gervais, 1616, 242*) gotischen Kirchen vorgeblendet.

LANGBAU
NIEDERLANDE

Bis ins 17. Jh. verbinden sich auch hier gotische mit Renaissance-Details zu einem überschwenglichen Nationalstil: Back- und Haustein werden gemischt. C. Floris, 1514/20–75, beeinflußt die manieristische Ornamentik vor allem Nordeuropas (Hauptwerk: Antwerpen, Rathaus, 1561). Die Amsterdamer* Kirchen von de Keyser wirken bis Dänemark und Danzig. Gegen 1630 folgt – gleichzeitig mit England und Frankreich – eine palladianische Phase (Den Haag, Mauritshuis, 1633; Amsterdam, Rathaus, 1648; Haarlem, Nieuwe Kerk, 1645). Die Jesuitenkirchen bleiben bis ins 17. Jh. gotisch.

O: Dijon, St-Michel, A. 16. Jh. Zweiturmfassade got. Abkunft mit Renaiss.-Dekoration vor einer got. Kirche. – Mi u. u: Paris, St-Etienne-du-Mont, spätgot. Innenraum, 1517 beg.; Fassade 1610 beg., manierist. Steilgiebel über Dreiecks- und Segmentgiebel, Rose mit got. Maßwerk. Armbandsäulen am Portal.

Amsterdam, Westerkerk, 1620–38, de Keyser. Die 3schiffige Basilika hat 2 Querschiffe, Flachchor und vor der Westfassade einen 6geschossigen Turm. Die »gotischen« Querschiffgiebel in rotem Backstein sind mit antikisierenden Elementen in kontrastierendem weißen Haustein besetzt.

RENAISSANCE IN MITTEL- UND OSTEUROPA

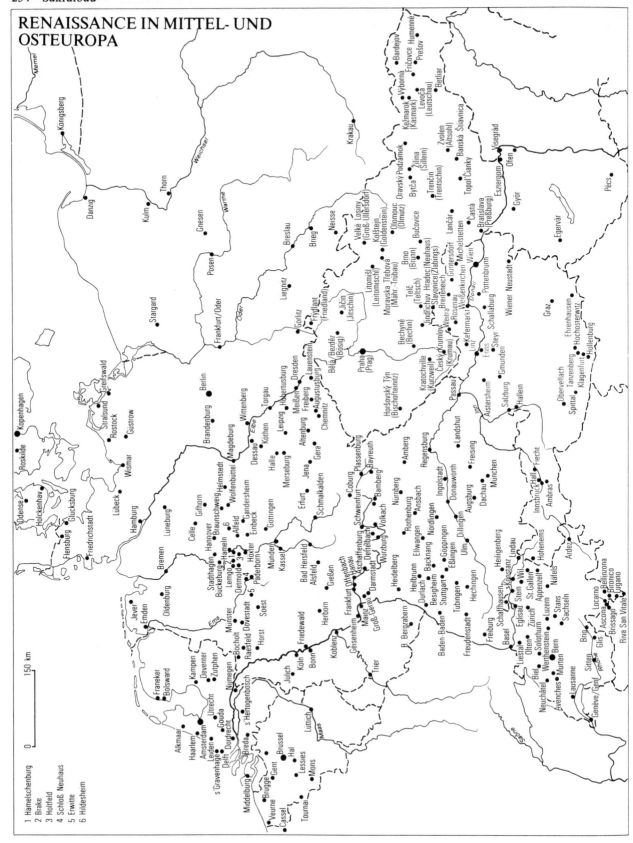

1 Hämelschenburg
2 Brake
3 Holtfeld
4 Schloß Neuhaus
5 Erwitte
6 Hildesheim

RENAISSANCE IN ITALIEN

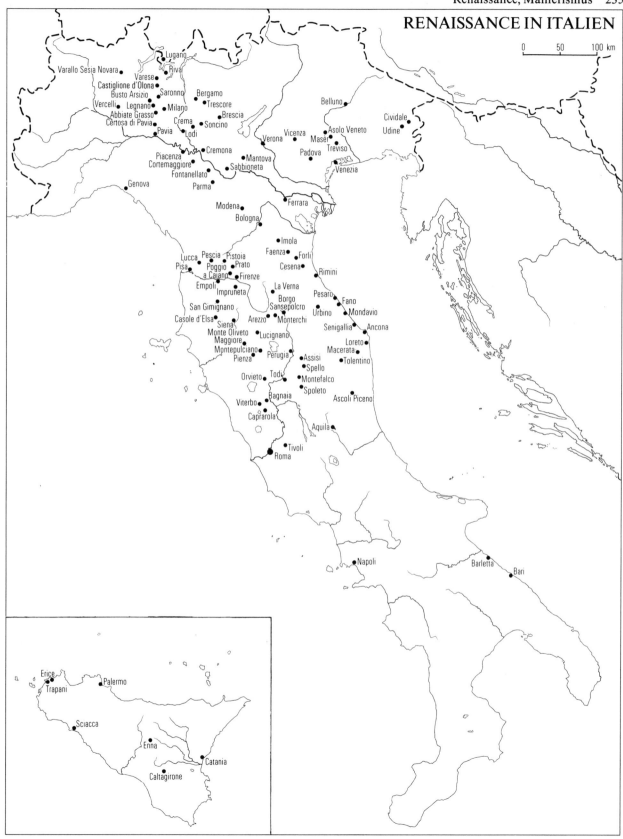

0   50   100 km

Varallo Sesia Novara
Lugano
Riva
Varese
Castiglione d'Olona
Busto Arsizio
Saronno
Bergamo
Trescore
Vercelli
Legnano
Milano
Brescia
Abbiate Grasso
Crema
Soncino
Certosa di Pavia
Pavia
Lodi
Cremona
Belluno
Cividale
Udine
Asolo Veneto
Verona
Vicenza
Maser
Padova
Treviso
Piacenza
Cortemaggiore
Mantova
Sabbioneta
Venezia
Fontanellato
Parma
Genova
Modena
Ferrara
Bologna
Imola
Faenza
Forlì
Lucca
Pescia
Pistoia
Cesena
Rimini
Pisa
Poggio
a Caiano
Prato
Firenze
Empoli
La Verna
Pesaro
Fano
Impruneta
Borgo
Sansepolcro
Urbino
Mondavio
San Gimignano
Arezzo
Monterchi
Senigallia
Ancona
Casole d'Elsa
Siena
Monte Oliveto
Maggiore
Lucignano
Loreto
Montepulciano
Perugia
Macerata
Pienza
Assisi
Tolentino
Spello
Orvieto
Todi
Montefalco
Spoleto
Viterbo
Bagnaia
Ascoli Piceno
Caprarola
Aquila
Tivoli
Roma
Napoli
Barletta
Bari

Erice
Palermo
Trapani
Sciacca
Enna
Catania
Caltagirone

Turin, Superga, 1717–31, F. Juvarra

BAROCK

Der Manierismus war zunächst noch der Ausdruck allgemeinen Umbruchs, der Reformation und Kirchenspaltung, der nachfolgenden Unruhen, Kriege und Anarchien. Das neue Programm des Tridentinischen Konzils, 1545–63, läutet die Zeit der siegreichen Gegenreformation ein. Die neugewonnene Macht der Kirche solidarisiert sich im 17. Jahrhundert wieder mit der weltlichen. Ihrer beider Machtentfaltung ist durch das Gottesgnadentum legitimiert. Die Vertreter beider Mächte sind absolute Herrscher.

Der Stil dieses absolutistischen Zeitalters – etwa von 1600 bis 1780 – ist der Barock[1]. Wie die Gegenreformation geht er von Rom aus. Die Ausmaße seiner Bauten, die Gliederung der Räume und der Prunk der Dekoration propagieren die Autorität der Kirche und der Staaten. Wenn er sich auch in Deutschland und England erst   Mitte des 17. Jahrhunderts durchsetzt, wenn auch die protestantischen Länder gewisse Sonderstellungen einnehmen, so ist er doch für nahezu 150 Jahre eine – und bis heute die letzte – einheitliche Stilform, die imstande ist, alle künstlerischen, geistesgeschichtlichen und gesellschaftlichen Bedürfnisse der Zeitgenossen abzudecken.

In ganz Europa wird für mehr als anderthalb Jahrhunderte »barock« zu einem Lebensgefühl, das alles durchdringt: die Plastik und die Malerei, die sich mühelos und ohne Übergänge dem Bauwerk einfügen, die Musik, die den Hof- und Kirchenfesten letzten Glanz verleiht, die schwärmerische Religiosität, die Literatur, aber auch das

[1] »Barock« aus portugiesisch »barocco« = Bezeichnung für schiefrunde Perlen. In der italienischen Renaissance des 16. Jahrhunderts verächtlich für die scholastische Philosophie des Mittelalters, Ende des 18. Jahrhunderts für alles überladen Geschmacklose. Noch im 19. Jahrhundert abwertend als Name für die Zeit zwischen Renaissance und Klassizismus, seit 1855 durch Jacob Burckhardt im »Cicerone« mit positiver Bedeutung benutzt; Ende der 80er Jahre als wissenschaftliche Zeitbestimmung in den Sprachgebrauch eingeführt (Gurlitt, Wölfflin u. a.).

Mobiliar, das Kostüm und die Haartracht, ja sogar die Sprechweise. Barocke Kunst wendet sich an die ganze Gesellschaft und wird von ihr getragen. (Paul Klee klagt: »Uns trägt kein Volk.«)

Der Barockmensch hat ein überschaubares Bildungsideal mit geringer Spezialisierung. Es ist immer noch weitgehend identisch mit den Sieben Freien Künsten. Die Kenntnis der Bibel und der antiken Mythologie kommt hinzu und ein verfeinerter Geschmack, der über die europäische Mode orientiert ist, Sentimentalität aber ebensowenig ausschließt wie saftige Derbheit.

Das machtbewußte, extravertierte Ichgefühl des barocken Menschen findet seinen Gegenpol in einer gefühlsstarken, oft rauschhaften »Inbrunst zum Jenseitigen« (Fleming). Dementsprechend hat auch alle barocke Kunst gemeinsam die Darstellung des sichtbaren Universums und dessen, was man unsichtbar, aber empfindungsstark dahinter weiß: der Transzendenz. Wo das Thema – wie im Schloßbau – nur Diesseitiges herzugeben scheint, wird die Transzendenz als Ursache der Pracht (»von Gottes Gnaden«) und örtlich-räumlich (Schloßkapelle) doch immer einbezogen. Bach schreibt auch unter eine weltliche Kantate »Ad majorem Dei gloriam.«

Die Intention barocker Kunst ist universal-transzendental. Oder: Im Sichtbaren verehrt sie das Unsichtbare.

Die Summe all dessen spiegelt sich in der kirchlichen und feudalen Architektur. Sie entdeckt die unverbrauchten Möglichkeiten, die in der Weiterentwicklung der Renaissance-Formen liegen. Das Wesen barocker Baukunst ist Repräsentation. Mit ungeheurem Schwung ergreift sie die zahlreichen weltlichen und geistlichen Herrscher in Europa, aber auch die Bürger. Könige, Bischöfe, Fürsten und Äbte werden von einer immensen Bauwut erfaßt. Sie verschwendet sich in die Riesenausmaße der Kirchen, Schlösser und Parks und verdoppelt ihre Pracht in den Spiegeln künstlicher Gewässer. Der Architektur sind alle anderen Kunstgattungen untergeordnet. Sie werden von ihr engagiert und dem Ziel der Repräsentation funktionell zugeordnet: Bildhauer und Maler sind die Zuträger symbolträchtiger Ausstattung, Stuckfiguren gehen unmerklich in Deckenfresken über, deren raffinierte Perspektive dem Gebäude die Illusion räumlicher Unendlichkeit verleiht (248*).

Die Spannungen aus universalen und transzendentalen Intentionen verfestigen sich in exemplarischen Bauformen, die dieser Polarität gleichnishaft entsprechen. So kommt dem Grundriß eine steigende Bedeutung zu, ja er wird selber schließlich zum Kunstwerk voller Tiefsinn und Symbolkraft. Galt z. B. der Kreis als Sinnbild für das säkularisierte Ichgefühl des Renaissance-Menschen, so dokumentiert sich für den Menschen des Barock »in den Schwingungen der Ellipse und der Parabel das Abbild leidenschaftlicher Verwobenheit des Personalen mit der Unfaßbarkeit des Alls« (Scharoun, 1964).

So geht auch bei aller Weltfreudigkeit die absichtsvolle Strenge nie verloren. Sie zeigt sich allenthalben in einer unbedingten Symmetrie, dem Bild und Gleichnis göttlicher Ordnung. Aus der Achse versetzte Erker oder Portale – in der Renaissance häufig – sind im Barock undenkbar.[1] Die Opernarie bevorzugt das symmetrische a-b-a-Schema,

---

[1] Eine städtebaulich begründete Ausnahme bildet der seitliche Einturm von St. Nikolaus auf der Kleinseite in Prag, 259*.

und die Bearbeitung symmetrischer Spiegelungen eines Fugenthemas gilt als höchste Kunst. Symmetrie und Gleichgewicht beherrschen das Ganze wie das Detail: Möbel, Stoffmuster, Uniform, Gartenkunst und nicht zuletzt die hochentwickelte Kunstform der Etikette. (In der Zeit des Zerfalls dieser Ordnung, im Rokoko, wird bezeichnenderweise die Asymmetrie zum typischsten Stilmerkmal.)

Dabei kann das Abgleiten in die Theatralik nicht immer vermieden werden. Andererseits vereinigt gerade die Barockoper wie in einem Brennglas alles, was die barocke Lebensform ausmacht: Architektur, Musik, Sprache, Tracht, illusionistische Malerei und Gehweise zwischen Stelze und Kokotterie.

Solche Gesamtkunstwerke – der Begriff wird erst im 19. Jahrhundert geprägt – setzen vielseitige Organisatoren voraus, die sich auch in ihrer Lebensführung mit der Aufgabe identifizieren. Der westfälische Baumeister Schlaun, 1695–1773, steht hier für viele: Er errichtet um 1745 nicht nur das Schloß Clemenswerth (→ Jagdstern*) mit dem integrierten Franziskanerkloster – er entwirft auch die Gartenanlage, die Altäre der Kapelle, die Sonnenuhr, die Kerzenleuchter, Theaterdekorationen und den mechanischen Bratenwender für die Küche. Dabei ist er Offizier und fromm und sieht in seiner Arbeit die Verbindung zwischen »Machet euch die Erde untertan« und der »größeren Ehre Gottes«. Für solche Einstellung spricht auch die Lebensweise der feudalen Kulturträger – mit graduellen Unterschieden bis hin zum ritualisierten Hofleben Ludwigs XIV., das als ein Teil dieses Gesamtkunstwerks zelebriert wird.

Schwierigkeiten bereitet die Geldbeschaffung. Wenn auch kostbare Materialien bevorzugt werden, so muß doch das Kunsthandwerk oft genug mit Surrogaten aushelfen, wenn Bronzierung das fehlende Gold, bemaltes Holz den teuren Marmor ersetzen. Stucco lustro erlaubt Marmorimitation in jeder gewünschten Farbe. Die Wände zwischen den Prachträumen bestehen manchmal nur aus Holzbrettern (Potsdam, Neues Palais; Peterhof/Leningrad, Favorite u. a.). Außerdem ist Eile geboten; denn der aufs höchste gesteigerte Ichkult des Bauherrn begründet zugleich die berechtigten Zweifel, ob sein ebenso egozentrischer Nachfolger das begonnene Werk fortsetzen oder statt dessen sich selber ein neues, d. h. ein anderes Denkmal setzen wird. Deshalb sind die Bauzeiten barocker Schlösser und Kirchen meist erstaunlich kurz: Schloß Solitude in Stuttgart wird in 4, Sanssouci in 2, Vaux-le-Vicomte in gut einem Jahr aus dem Boden gestampft. Entsprechend schlampig ist oft die handwerkliche Arbeit, soweit sie durch Putz und Tapeten verdeckt werden kann.

Dem Versuch einer Darstellung des Kirchenbaus der Barockzeit als einer einzigen Kontinuität widersetzen sich
1. die Gleichzeitigkeit barocker und klassizistischer Strömungen, vgl. Rom, S. Giovanni in Laterano, 239*
2. die nationalen Sonderformen seit dem Hochbarock
3. die Ungleichzeitigkeit der Stilphasen in den europäischen Ländern
4. die Ambivalenz von Zentral- und Langbau.
Die ersten 3 Probleme werden in der Übersicht (239 ff.) angesprochen. Der Verdeutlichung des 4. Punktes dienen die folgenden, besonders aber die Darstellungen der Seiten 250–261. Dabei werden Zeitfolge, nationale Eigentümlichkeiten und klassizistische Varianten so weit als möglich berücksichtigt, stehen aber nicht im Vordergrund.

Bauzeiten

Wien, Karlskirche	9 Jahre
Dürrnstein, Stift	4 Jahre
Fulda, Dom	8 Jahre
Wahlstatt, Kloster	4 Jahre
Prag, St. Nikolaus	5 Jahre
Birnau, Kloster	2 Jahre
Steingaden, Wieskirche	8 Jahre
Benediktbeuern, Kloster	5 Jahre
Weltenburg, Kloster	5 Jahre
Diessen, Stiftskirche	3 Jahre
Weingarten, Kloster	8 Jahre
Einsiedeln, Kloster	4 Jahre
Wien, Oberes Belvedere	3 Jahre
Vaux-le-Vicomte, Schloß	1 Jahr
Potsdam, Schloß Sanssouci	2 Jahre

Die Entscheidungen des Tridentinischen Konzils orientieren sich am Frühchristentum. Sie sind die geistigen Grundlagen der Gegenreformation. Dieser theoretischen Plattform steuert Vignola schon in der ausgehenden Renaissance mit Il Gesù den adäquaten Kirchentyp der Wandpfeilerkirche bei, der eine moderne Version der altchristlichen Basilika darstellt und sich bald als ein außerordentlich praktikables Modell für den Kirchenbau des gesamten Barock erweist, das hundertfach übernommen und abgewandelt wird. Der höchste Triumph dieser Erfindung ist Madernas Anfügung eines Langhauses nach dem modifizierten Schema von Il Gesù an den Zentralbau der Peterskirche. Hier bedeutet er die Vertreibung der Geister Bramantes, Michelangelos und der Renaissance.

Die normale Pfarr- und Klosterkirche wird ein Langbau.
Aber schon Il Gesù verbindet den Langbau mit der Idee einer zentralen Kuppelvierung. Selbst das Vorarlberger Schema, 252*, bringt nur wenige Kirchen hervor, die ganz auf eine Zentralbauzelle verzichten. Seit dem Hochbarock gewinnt der Zentralbau zunehmend an Bedeutung: sowohl als selbständiger Baukörper wie auch als Bestandteil des Langbaus.

In Nachhinein stellen sich die Einzelentwicklungen und Ambivalenzen von Zentral- und Langbau dar als drei Wege zur Vereinheitlichung des Kirchenraumes:
1. Das frühbarocke Konzept der Wandpfeilerkirche wird in einigen Kirchen des Spätbarock nach Abstoßung der Nebenräume (Seitenkapellen, Querschiff, Chornebenräume) und der Kuppelvierung zur reinen Saalkirche reduziert. Vgl. 250*–253*. (Parallelen in der Gotik, 172)
2. Der reine Zentralbau des Hoch- und Spätbarock stellt die Idealform der Raumeinheit dar. Vgl. 254*–255*. (Parallelen in fast allen Baustilen)
3. Verschmelzung von Zentralbau und Langbau in 4 Stufen:
   – Anbau von Nebenräumen an den Zentralbau. Vgl. 256; 256*–258*
   – Wachsende Bedeutung des in den Langbau integrierten Zentralbaus. Vgl. 257; 258*, 259*
   – Langbau als Reihung von Zentralräumen. Vgl. 257; 259*, 260*. (Parallelen in der Romanik, 118)
   – Paralysierung des Langraumes durch Auflösung in zentralraumähnliche Parzellen oder echte Zentralräume (Zentralisierung des Langraumes) im Spätbarock. Vgl. 260*, 261*

Der Zentralbau frißt den Langbau.

Der Barock entsteht in Rom auf der Grundlage der Renaissance-Elemente. Die neue Konzeption teilt sich sogleich in 2 parallele Strömungen:
1. Die **barocke Strömung** beginnt mit Michelangelos Erfindung der →»Kolossalordnung« am Kapitolspalast, 1564 (361*) und Vignolas Raumprinzip von Il Gesù, 1568–76 (218*, 230*):
   Der römische Kirchentyp ist eine Wandpfeilerkirche mit tonnengewölbtem Langhaus, Vierungskuppel, Seitenkapellen.
2. Die **klassizistische Strömung** beruft sich auf Alberti und Palladio (Rom, S. Giovanni in Laterano*) und bestimmt in der Folge vor allem die Architektur Frankreichs und Nordeuropas. Nachdem sich dynamische Kraft und gesellschaftliche Voraussetzungen des Barock Ende des 18. Jahrhunderts erschöpft haben, setzt sie sich im Klassizismus in ganz Europa durch.

Rom, S. Giovanni in Laterano. Die Fassade, 1733–35, Alessandro Galilei, ist ein Beispiel für die klassizistische Strömung, die schon den frühen Barock begleitete. Sie stützt sich auf Alberti (Mantua, 228*) und den Manierismus Palladios (Venedig, 218*, 229*).

Italien   **Übersicht**
Frühbarock, 1570–1630
Vorläufer:
Michelangelo, 1475–1564
Hauptvertreter:
C. Maderna, 1556–1629
G. Bernini, 1598–1680
G. della Porta, 1539–1602

Hochbarock, 1630–1700

Hauptvertreter:
G. Bernini, 1598–1680
F. Borromini, 1599–1667
P. B. da Cortona, 1596–1669
C. Rainaldi, 1611–1691

Bevorzugung des Zentralbaus: 254*–257*

– Fassaden werden dynamisch geschwungen: konkav vorwiegend bei Kirchen, die an Plätzen stehen (Rom: S. Agnese, 254*; S. Ivo, 255*), – konvex oder konvex-konkav besonders oft bei Fassaden, die in die Straßenzeile eingebunden sind (Rom, S. Carlo alle quattro fontane, 254*). Portalbau schwingt gelegentlich vor (Rom: S. Maria della Pace, 243*; S. Andrea al Quirinale, 242*)
– Raumdurchdringungen (Rom, S. Ivo, 255*, Borromini; Turin, S Lorenzo, 257*, Guarini)
– die Fassadentürme nach dem Vorbild der unausgeführten Entwürfe Berninis für St. Peter (vgl. Rom, S. Agnese, 254*) werden auch für Nord- und Osteuropa bestimmend (London, 260*; Birmingham, 244*; Leningrad, 244*)
– starke Bereicherung der Dekoration.

Turin und **Piemont**

Hauptvertreter:
G. Guarini, 1624–1683

Guarini legt in seinem Buch »Architettura civile«, 1668 als Stichwerk, 1737 mit Text erschienen, die mathematischen und ästhetischen Grundlagen seiner Bauideen dar, darunter besonders die Durchdringung verschiedener geometrischer Raumformen. Seine Ideen beeinflussen besonders die Baukunst nördlich der Alpen (261*).

Venedig

Hauptvertreter:
B. Longhena, 1598–1682

Hauptwerk des Barock ist der Zentralbau von Santa Maria della Salute, 256*, Longhena.

Süditalien

Hauptvertreter:
R. Gagliardi, 1700–1770

In Lecce, Santa Croce, 1582–1644, verbindet eine üppig dekorative, von Spanien geprägte Sonderform Schmuck-Motive des 17. Jahrhunderts mit solchen der Renaissance und des Mittelalters.

Spätbarock, 1700–1780

Hauptvertreter:
F. Juvarra, 1678–1736
C. Fontana, 1634–1714
R. Gagliardi, 1700–1770

Juvarras Turiner Bergkirche, die Superga, 1717–31, wird in ihrer eleganten, phantasievollen Heiterkeit gern mit Melk und Einsiedeln verglichen. Der überkuppelte Rundbau mit breiten Turmflügeln und langem Portikus zieht die Summe aller vorausgegangenen Zentralbauten. 236*

Die sizilianischen Barockfassaden in Noto, 1730, und Ragusa Ibla (243*), 1744–75, von Gagliardi zur Zeit der Herrschaft spanischer Vizekönige erbaut, verbinden neapolitanische mit spanischen Formen von außerordentlicher Eleganz.

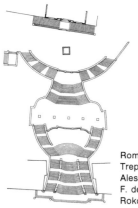

Rom, Spanische Treppe, 1721–26, Aless. Specchi und F. de Sanctis. Rokoko

In Rom haben sich barocke und klassizistische Richtungen endgültig getrennt. Das Rokoko der Spanischen Treppe*, 1721–26, Specchi und de Sanctis, und die Kirche Santa Croce in Gerusalemme, beg. 1743, Gregorini, zeigen schon die Endphase der barocken Strömung, die Fassade von San Giovanni in Laterano, 1733–36, Galilei, 239*, weist auf den Beginn des Klassizismus, den Fontana schon Anfang des Jahrhunderts vertreten hat.

Frankreich
Frühbarock, 1610–1643

Hauptvertreter:
S. de Brosse, 1571–1626
F. Mansart, 1598–1666
J. Lemercier, 1585–1654

Die Fassade von St-Gervais in Paris, 1616–21, de Brosse (242*), verbindet das Schema von Il Gesù in Rom mit dem Stil des Renaissance-Schlosses Anet, 312*, und stellt den Inbegriff des französischen »barocken Klassizismus« dar. Auch der Innenraum von Val-de-Grace, Paris, 1645 beg., F. Mansart, folgt mit seinem unverkröpften Gesims dem Stil von Il Gesù. Die Kuppel, 1660, Lemercier, zeigt allerdings rein barocke Züge, und der Altar-Baldachin, 247*, ist dem

Berninis in St. Peter, Rom, nachempfunden. Der Portikus mit 2 Säulenpaaren und Dreiecksgiebel ist dem Baukörper weit vorgestellt und wird für zahlreiche französische Barockkirchen typisch.

St-Sulpice in Paris, 1646 beg., Le Vau, zeigt in den schmucklosen Wänden mit unverkröpftem Gesims römische Anklänge, in Chorbildung und Stichkappengewölbe sogar gotisches Raumgefühl. Im Invalidendom, 1675–1706 (256*), verwandelt Hardouin-Mansart das Vorbild von St. Peter in einen Zentralbau, der mit seiner Kuppel und seiner kolossalen palastartigen Fassade den barocken Impetus, mit seinen verstandesklaren, mathematisierten Maßverhältnissen und einer tiefkühlen Dekoration die klassizistische, weltlich-feierliche Formensprache des französischen Absolutismus repräsentiert. Noch stärker zeigt seine Schloßkapelle von Versailles, 1699–1710, jene statisch-akademische Klarheit, die sich bewußt vom bewegten (gleichzeitigen) Spätbarock Italiens fernhält.

Hochbarock, 1643–1715
Hauptvertreter:
L. Le Vau, 1612–1670
J. Hardouin-Mansart, 1646–1708

Die Abkehr vom Hochbarock zeigt sich architektonisch im Bau kleinerer Schlösser und Hôtels (321*), dekorativ als Absage an die pathetischen Schmuckformen (korinthisches Kapitell, schwere Gesimse mit antikem Gebälk); an seine Stelle tritt ein überschwenglicher, aber zart-naturalistischer Innenraum-Dekorationsstil, der vom übrigen Europa modifiziert übernommen wird; vgl. Deutschland, 241.

Spätbarock
Régence, 1715–1723, und
Louis XV (Rokoko), 1723–1774
Hauptvertreter:
P. Lepautre, 1660–1744

Vier Kräfte wirken auf den spanischen Barock ein:
– der Nachklang des zugleich imperialen und asketischen »Desornamentado« von Herreras Escorial (231* und 314*)
– die klassizistischen Strömungen Frankreichs und Italiens (Loyola, Sagrario, beg. 1681, Fontana)
– die dynamisch bewegte Architektur Italiens, bes. Berninis und Borrominis (Saragossa, 251*)
– die spanische Neigung zu überschwenglicher Dekoration, die besonders im »Churriguerismus« die Innenwände überspinnt (Santiago, 244*; Salamanca, 245*; Granada, 248*). Theaterhafte Effekte (»Transparente« in der Kathedrale von Toledo, 1720–32).

Spanien, 1600–1800
Hauptvertreter:
F. de Herrera d. J., † 1685
J. Churriguera, 1665–1725
N. Tomé, † 1742
J. G. de Mora, 1586–1647

Wandpfeilerkirchen herrschen vor. Der spanische Barock strahlt vor allem auf die lateinamerikanischen Kolonialländer, aber auch auf Sizilien aus (Ragusa, 243*).

Wie im gesamten außeritalienischen Europa steht der Frühbarock, der wegen des 30jährigen Krieges erst spät beginnt, ganz unter dem Einfluß italienischer Architekten (München, Theatinerkirche, 250*). Während der protestantische Norden unter den Einfluß des holländisch-französischen Klassizismus gerät, gelingen im katholischen Süden gegen Ende des 17. und besonders im 18. Jahrhundert neue Bau- und Dekorationsformen, in denen deutsche Baumeister die Bewegtheit des italienischen Barock (Bernini, Guarini) und ab 1735 auch das französische Rokoko mit eigenen Vorstellungen mischen. Fortan verbleiben hier Führung und Vollendung des europäischen barocken Kirchenbaus.

Deutschland, 1660–1780
Hauptvertreter:
G. Dientzenhofer, † 1689
J. Dientzenhofer, 1663–1726
K. I. Dientzenhofer, 1689–1751
G. Bähr, 1666–1738
B. Neumann, 1687–1753
C. D. Asam, 1686–1739
E. Q. Asam, 1692–1750
D. Zimmermann, 1685–1766
J. K. Schlaun, 1695–1773
Vorarlberger Meister sh. 252

Der frühbarocke Salzburger Dom, 1618–24, wird von Solari im rein italienischen Stil gebaut, nach 1648 italienisierend stuckiert. Die Glanzzeit des österreichischen Barocks liegt zwischen 1690 und 1750, in der die italienischen Meister bald durch bodenständige Kräfte abgelöst werden.

Österreich, 1618–1780
Hauptvertreter:
J. B. Fischer von Erlach, 1656–1723
J. L. v. Hildebrandt, 1668–1745

Fortsetzung Seite 242

FASSADE
Siehe auch 250–263

Paris, St-Gervais, Fassade 1616–21, de Brosse, Innenraum gotisch; 3geschossige Doppelsäulengliederung, starke Verkröpfungen. Vorbild: Il Gesù. Übergang zum Barock.

Averbode/Flandern, Klosterkirche, 1664 bis 1701, v. d. Eynde. Gotischer Vertikalismus und Wechsel von Hau- und Backstein leben im nordischen Barock weiter.

PORTAL

Rom, Sant'Andrea al Quirinale, 1658–70, Bernini. Antikisierendes Portal mit halbrundem Säulenportikus.

Lecce/Apulien, Kathedrale, N-Portal, 1659–70, Zimbalo. Verkröpfter Segmentgiebel, Pilaster, figürliche Kapitelle.

Fortsetzung von Seite 241

Neben Kirchenbau, besonders in Wien und Salzburg, gibt es lebhafte Bautätigkeit in Stiften und Abteien (St. Florian, 1686, und Melk, 1702, Prandtauer; Göttweig, 1719, Hildebrandt; Klosterneuburg, 1730, Allio und Fischer; Altenburg, 1740; Admont, 1745). Ihre prunkvollen Klosterbibliotheken sind besonders bemerkenswert.

England, 1670–1730
Siehe 262–263

Cambridge, King's College, 1724–30, Gibbs. Palladianisch-strenges Säulenportal nach römischen Vorbildern.

Gesimsfigur, Vase
gesprengter Giebel
verkröpfter Giebel
Triglyphe
Kartusche mit Rollwerk
Bogenfeld
Herme

Pilaster

Säule

Prag, Lorettokloster, 1720–22 umgebaut, K. I. Dientzenhofer. Reich gegliederte Portal-Anlage, konkave Profilbildung.

FASSADE

Rom, Santa Maria della Pace, 1656–57, Cortona. Konvexer Fassadenvorbau vor konkaven Flügeln harmoniert mit der Anlage des Platzes; bewegt und malerisch.

Ragusa Ibla/Sizilien, San Giorgio, 1744–75, Gagliardi. Der Turm ist in die konvexe Mittelachse einbezogen. Dreifache Säulenstellungen. Freitreppe.

Santiago de Compostela, Kathedrale, Casas y Novoa. Ornamental überwucherte Doppelturmfassade, 1738, vor romanischem Innenraum, 1078–1128. Freitreppe 1606. Sh. auch 244*.

FENSTER

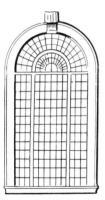

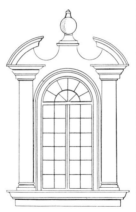

Abington/Berkshire, Rathaus, 1677, Kempster. Rundbogen mit Agraffe.

Valencia, Kathedrale, 1703, Vergara. Elliptisches Fenster (»Ochsenauge«).

Prag, Michna-Palais, 1640–50, Giebel gesprengt-bekrönt

Metten/Niederbayern, Kloster, 1706–20, Holzinger. Fensternische, ruhige Formen mit Putten- und Bandelwerkdekor.

Steinhausen, Wallfahrtskirche, 1728–33, D. Zimmermann. Dreiteiliges Fenster, skurrile Formen. Rokoko.

München, Preysing-Palais, 1723–28, Effner. Stich-, Rundbogen-, Rechteckfenster; geschweifte, verkröpfte, Voluten-Verdachung. Rokoko.

TURM

London, St.-Dunstan-in-the-East, um 1680, Wren. Kirchturm mit gotisierenden Formen, die den englischen Barock immer begleiten.

Rom, Sant'Agnese, Turm 1666 voll. Rainaldi, Borromini. Öffnungen zwischen Pilastern und Säulen.

Birmingham, Kathedrale, 1709–25, Archer. Kuppelturm mit Laterne.

Grüssau/Schlesien, 1728–35, Jentsch. Durchbrochener Volutenhelm.

Li: Hamburg, St. Katharinen, 1657–59, Marquardt. – Re: London, St. Bride, Fleet Street, 1702–03, Wren. Gotische Grundformen mit gestapelten, borrominesken »Tempietti«.

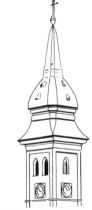

Rottenbuch/Obb., 1782. Barocker Turmhelm auf gotischem Turm.

St. Gallen, Stiftskirche, 1755–67. Welsche Haube.

Luzern, Jesuitenkirche, 1666–73, Vogeler. Zwiebelturm.

Santiago de Compostela, 1738–50, Casas y Novoa. Überquellender Formenreichtum des spanischen Spätbarock.

Klagenfurt, Landhaus. Renaissance-Turm mit barokkem Spindelhelm = Doppelzwiebelhelm über einer Welschen Haube

Leningrad, Smolny-Kathedrale, beg. 1748, Rastrelli. Vierturm-Kuppel-Gruppe, byzantinische Zwiebeln.

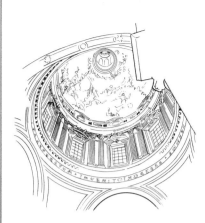

Rom, Sant'Agnese, 1652–77, Rainaldi. Tambourkuppel über Pendentifs; Pilaster- und Fenstergliederung. Sh. auch 254*.

Turin, San Lorenzo, 1668–87, Guarini. Kuppel mit einander kreuzenden Rippen. Sh. auch 257*.

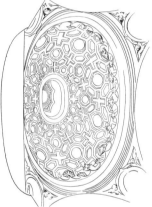

Rom, San Carlo alle quattro fontane, 1638–40, Borromini. Elliptische Kuppel, kassettiert. Sh. auch 254*.

Rom, Sant'Ivo, um 1650, Borromini. 6teilige Kuppel mit abwechselnden konvexen und konkaven Segmenten. Sh. auch 255*

Rom, Sant'Ivo. Äußeres der Kuppel. Der serpentinenartige Turmhelm zeigt manieristische, aber auch rokokohafte Tendenzen.

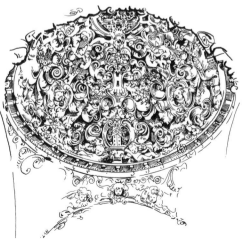

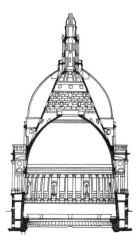

Salamanca, Clerícia, 1614–1755, Mora. Tambourkuppel, Rollwerkkartuschen und strenge Flächenaufteilung.

Sevilla, S. Maria la Blanca, 1659, de Borja. Manieristisch überquellender Stuckdekor in Kuppel und Pendentifs.

London, St. Paul's, 1675–1710, Wren. Dreischalige Kuppel, die mittlere Schale konisch. Sh. auch 260*.

GEWÖLBE

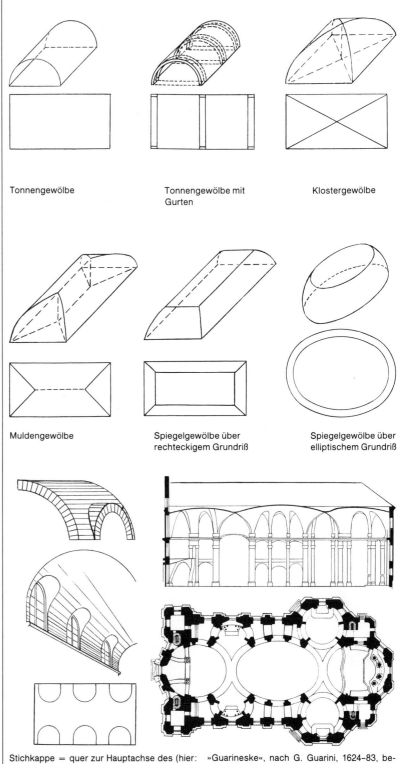

Tonnengewölbe

Tonnengewölbe mit Gurten

Klostergewölbe

Muldengewölbe

Spiegelgewölbe über rechteckigem Grundriß

Spiegelgewölbe über elliptischem Grundriß

Stichkappe = quer zur Hauptachse des (hier: Tonnen-)Gewölbes verlaufendes Gewölbe, besonders wenn Fenster in das Hauptgewölbe hineinreichen

»Guarineske«, nach G. Guarini, 1624–83, benannte Verschneidung von Gewölbeschalen; Spätbarock und Rokoko in Böhmen und Franken (hier: Vierzehnheiligen, Neumann).

VERKRÖPFTES GESIMS

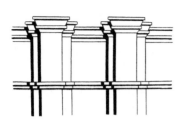 

Verkröpftes Gesims. Li: Palermo, Santa Anna. – Re: Steingaden, Wieskirche

KAPITELL

 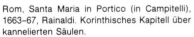 

Rom, Santa Maria in Portico (in Campitelli), 1663–67, Rainaldi. Korinthisches Kapitell über kannelierten Säulen.

Weingarten, 1715–23, Franz Beer. Antikisierendes Pilasterkapitell mit reduziertem Laubwerk, vielfach verkröpftes Gebälk.

Steinhausen, Wallfahrtskirche, 1728–33, D. Zimmermann. Mehrgeschossige Staffelung, starke Verkröpfung, 4 separate Schauseiten des Kapitells.

Steingaden, Wieskirche, 1745–54, D. Zimmermann. Geschweifter Kämpfer, Phantasiekapitell und Säule in Stucco lustro = Stuckmarmor.

Paris, Val-de-Grace, 1654, Leduc. Gewundene Säule mit Kapitell, Gebälk, Kämpfer und Bekrönungsfigur nach Berninis Baldachin in St. Peter, Rom, 1624.

DEKORATION
Siehe auch 318*, 320*

Bandelwerk, dt. Bezeichnung eines symmetrischen Flechtornaments, das E. 17. Jh. in Frankreich (J. A. Bérain d. Ä.) entwickelt wurde. Als Stuck- und Holzdekoration verbreitet es sich im 1. Drittel des 18. Jhs. über ganz Europa.

Balusterformen

Li: Pilasterdekoration, span. Spätbarock, J. Churriguera (»Churriguerismus«). Granada, Sakristei der Kartause, um 1760. – Re: »Honigschlecker«, Putto, um 1750, Feichtmayer. Birnau, Klosterkirche, Rokoko

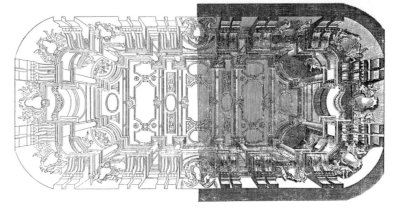

Illusionistische Deckenmalerei aus »Prospettiva de pittori et Architetti di Andrea Pozzo della Compagnia di Giesu«, Rom, 1702, Barock

Rocaille und Putten. Ottobeuren, 1737–67, Feichtmayer, Rokoko

SÜDDEUTSCHER BAROCK

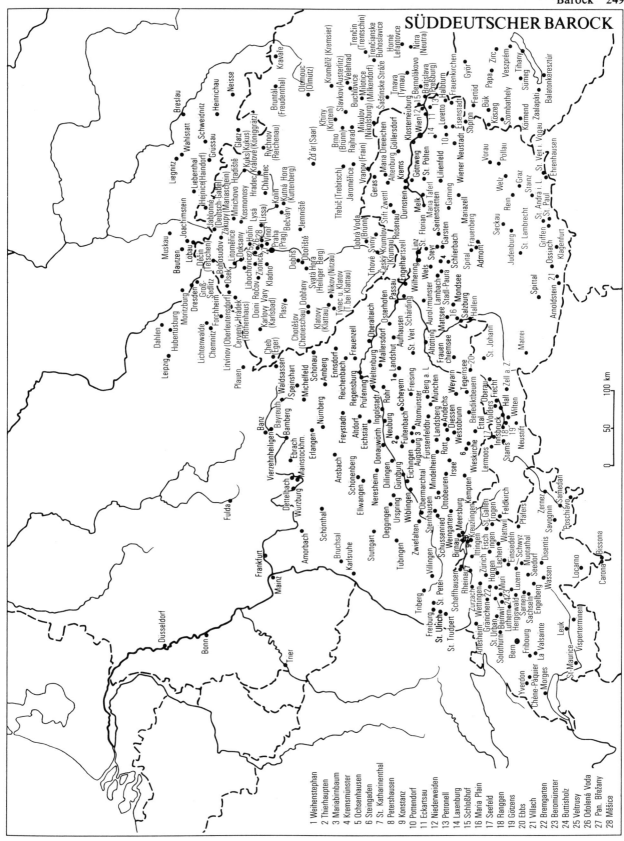

1 Weihenstephan
2 Thierhaupten
3 Mariabirnbaum
4 Kremsmünster
5 Ochsenhausen
6 Steingaden
7 St. Katharinenthal
8 Petershausen
9 Konstanz
10 Pottendorf
11 Eckartsau
12 Niederweiden
13 Petronell
14 Laxenburg
15 Schloßhof
16 Maria Plain
17 Seefeld
18 Ranggen
19 Götzens
20 Ebbs
21 Villach
22 Bremgarten
23 Beromünster
24 Buttisholz
25 Veltrusy
26 Odolená Voda
27 Pan. Bžežany
28 Měšice

Der 1. Weg zur Vereinheitlichung des Raumes (vgl. 239)

LANGBAU

Schema von Il Gesù

Das Prinzip der Wandpfeilerkirche als Saalkirche mit Flankenkapellen anstelle von Seitenschiffen ist in südwesteuropäischen Kirchen der Spätromanik (Orange, 122*; L'Escale Dieu, 124*) u. Gotik vorgebildet (vgl. Gerona, 155*). Dort sind die Kapellen in das äußere Strebewerk eingesetzt = »Einsatzkapellen«. Auch die Querwände und Gewölbe von Il Gesù, 218* und 230*, wirken als Widerlager gegen den Schub des Mittelschiffsgewölbes. Direkter Vorläufer von Il Gesù ist Sant'Andrea in Mantua, 228*, beg. 1472, Alberti; Vignola fügt diesem Prinzip aber noch eine Vierungskuppel hinzu. Das Schema von Il Gesù wird zum Prototyp der römischen Jesuitenkirchen und beherrscht bald den gesamten barocken Langbau.

Entwicklung der römischen Wandpfeilerkirche

- Flach gegliederte Seitenwände mit Doppelpilastern und schwerem, unverkröpftem Gesims
- niedrige Seitenkapellen, deren Altäre an den Außenwänden stehen
- Haupt- und Querschiff tonnengewölbt
- Kapellen mit Quertonnen oder Flachgewölbe
- 2geschossige Renaissance-Fassade mit Giebel und Seitenvoluten, aber plastisch nach vorn gestuften Doppelpilastern, vollrunden Säulen am Mittelportal
- Portalgiebel
- gegenüber den rhythmischen Fortschreitungen der Wandglieder vieler (insbes. früher) Renaissance-Kirchen mächtige Raumwirkung »aus einem Stück«; die Rundbögen vor den manchmal höhlenartigen Seitenkapellen verlieren den Eindruck von Arkaden, sie bezeichnen nur noch Raumabschnitte
- Anfang des 17. Jhs. Belebung der Fassade durch verstärkte Vorstaffelung der Portalzone
- Verkröpfung der Gesimse
- fortschreitende Verdrängung der Pilaster durch (Doppel-)Säulen (Rom, Santa Susanna, 1594–1605, Maderna u. a.); Verbreitung dieses römischen

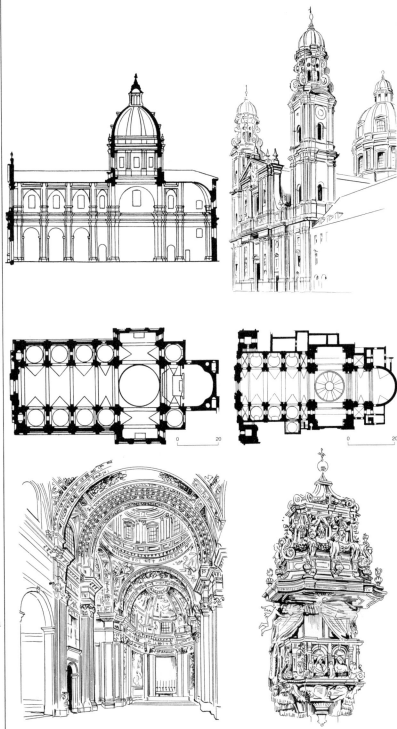

Rom, Sant'Andrea della Valle, 1591–1665, della Porta und Maderna. Tonnengewölbtes Langhaus mit überkuppelten Kapellennischen ohne Emporen, Tambourkuppel durch verstärkte Joche vor den 4 Seiten der Vierung besonders betont. 2geschossige Fassade mit gekuppelten Säulen.

München, Theatinerkirche St. Cajetan, 1663–67, Barelli. Tambourkuppel und Fassadentürme 1668–90, Zuccalli. Fassade 1767, Cuvilliés. Erste Kuppelkirche in Bayern nach dem Vorbild der Jesuitenkirchen. Basilikales Langhaus, unterschiedliche Jochlängen. – U: Kanzel von A. Faistenberger.

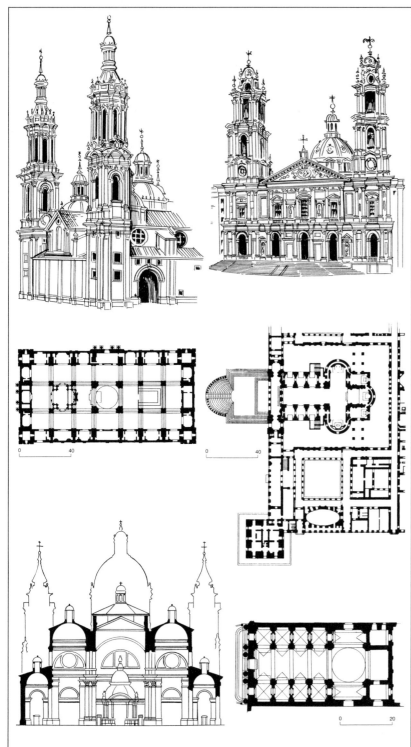

Saragossa/Spanien, Nuestra Señora del Pilar, 1680 beg., Herrera d.J. 3schiffiger Hallenbau mit Seitenkapellen. Vierungs- und 10 Nebenkuppeln, 4 Ecktürme, 2 Fassaden. 140 m Gesamtlänge. Monumentale Pfeiler. Gnadenkapelle der »Jungfrau auf dem Pfeiler« im 2. W-Joch.

O u. Mi: Mafra/Portugal, Klosterkirche und Palast, 1717–70, Ludwig. Symmetrische Gesamtanlage; die Kirchenfassade ist in die Palastfassade einbezogen. Saalkirche nach dem Schema von Il Gesù. Dreikonchen-Osttrakt. U: Salamanca/Spanien, Jesuitenkollegiatskirche Clericía, 1614–1755, Mora. Kuppel 245*

Fassadentyps auch nach Frankreich (vgl. Paris, St-Gervais, 242*)
– vermehrter plastischer Schmuck durch plastische Ausformung der Fenster und Nischen
– logenartige »Coretti« über den Kapellen oder in den schmalen Wandfeldern zwischen den Pilastern
– in erweiterten Formen bilden sie über den Kapellen Emporen, deren Gewölbe gelegentlich als Stichkappen das Tonnengewölbe des Mittelschiffs schneiden, auch wohl bis zu dessen Scheitel vordringen, so daß sie Kreuzgratgewölbe ergeben
– schwungvolle Linienführung, pomphafte Stuckierung (Rom, Sant'Andrea, 250*), gewundene Säulen
– optische Erweiterung des Innenraums durch selbständige Beleuchtung von Chor und Seitenkapellen, in denen die Altäre dann die Ostwände besetzen
– Verbindung der Seitenkapellen schafft Eindruck von Seitenschiffen (Rom, Sant'Ignazio, 1626–85)

Eine gigantische Erweiterung erfahren diese Prinzipien im 3schiffigen Langhaus von St. Peter, 255*, das 1607–12 von Maderna an den Renaissance-Zentralbau, 227*, angebaut wird.
– Die von Bernini 1631 geplanten Seitentürme über den Anschlußachsen werden zwar nicht ausgeführt, aber das Ensemble aus einer Kuppel zwischen 2 seitlichen (Fassaden-)Türmen bleibt ein Lieblingsmotiv des Barock (London, St. Paul's, 260*; Leningrad, Smolny-Kathedrale, 244*; Wien, Karlskirche, 258*)
– Vorhalle über ges. Fassadenbreite
– Fassadengiebel entfällt mit Rücksicht auf die Kuppel

In den frühbarocken Phasen des übrigen Europa sind italienische Baumeister und Handwerker bestimmend (München, 250*).

In **Spanien** verbindet die Wandpfeilerkirche die alte südwesteuropäische Tradition der Saalkirche mit Einsatzkapellen und das Schema von Il Gesù (Salamanca*), weitet sich aber auch zur 3schiffigen Halle mit Seitenkapellen aus (Saragossa*).

Für **Portugal** sind Zentralbauten über einem Kreis oder Achteck bes. charakteristisch. Im Langbau herrscht jedoch die Wandpfeilerkirche vor (Mafra*).

Vorarlberger Bauschema

Weitgehende Befreiung der süddeutschen Barockarchitektur vom italienischen Vorbild gelingt einer Gruppe von verwandten und verschwägerten Baumeistern und Handwerkern aus Au in Vorarlberg (West-Österreich). **Hauptvertreter:** Michael Thumb, 1640–90; Christian Thumb; 1683–1726; Peter Thumb, 1681–1766; Michael Beer, gest. 1666; Franz Beer, 1660–1726; Johann Michael Beer, 1696–1780; Ferdinand Beer, 1731–89; Caspar Moosbrugger, 1656–1723.

Ihr Bauschema ist um 1700 in ganz Süddeutschland und der Schweiz verbreitet. Auftraggeber sind vor allem Prämonstratenser und Benediktiner.
– Wandpfeilerkirche = einschiffig mit Wandpfeilern, zwischen denen Kapellennischen statt Seitenschiffen liegen (Prinzip von Il Gesù, 250)
– darüber Emporen, die die Wandpfeiler durchbrechen und in der Emporenzone zu Freipfeilern machen
– kein Kranzgesims unterm Gewölbe
– Querschiff ist schmaler als das Mittelschiff und lädt nur wenig aus
– eingezogener, langgestreckter Altarraum zugunsten einer Verbreiterung der Chorseitenräume. Die Pfeiler werden von der Basis an zu Freipfeilern, so daß der Chor eine Emporenhalle bildet
– Tonnengewölbe: längs über dem Mittelschiff, quer über den Kapellennischen und Emporen

Als ideale Verwirklichung des V.B's gilt die Abteikirche von Obermarchtal* ohne zentrale Vierungskuppel, jedoch gibt es zahlreiche Variationen:
– Einfügung einer Zentralanlage (St. Gallen, 259*)
– halbrunder Querschiffabschluß
– gleiche Breite von Mittelschiff und Chor (Weingarten*; St. Gallen)
– bei späten Bauten sind die Langhauspfeiler auch in der Kapellenzone von der Wand isoliert (Weingarten; St. Gallen)
– Wegfall der Gewölbegurte (St. Urban, Kanton Luzern)
– konvex geschwungene Emporen und guarineske Gewölbe (Osterhofen)
– teilweise Übernahme des Schemas durch außenstehende Baumeister (Zwiefalten*: V. B. nur im Langhaus)

Vgl. Einsiedeln, 259*; Rheinau, 492*

U und Mi u: Obermarchtal, Abteikirche, 1686–1701. M. und Chr. Thumb, F. Beer. Wandpfeilerkirche mit Freipfeilern über geraden Emporen.
O und Mi: Zwiefalten, Klosterkirche, 1738–52, Fischer. Konvexe Emporen, Chor ohne Nebenräume. Knickgiebelfassade.

Weingarten, Benediktinerkloster, 1715–23, Moosbrugger, Franz Beer, Frisoni. Abweichungen vom Vorarlberger Bauschema: Freipfeiler schon im Erdgeschoß, konkave Emporen. Einzige monumentale Tambourkuppel in Schwaben. – Mi u: Idealplan des Klosters, nur zum Teil ausgeführt.

Saalkirche des deutschen Spätbarock

Die schlichte Saalkirche hat immer neben den vielgestaltigen Raumgliederungen der sakralen Hauptwerke eine – wenn auch meist untergeordnete – Rolle gespielt. Wegen der Probleme der Deckenkonstruktion war sie meist klein und zur Gemeinde- oder Hofkirche prädestiniert.

Anfang des 18. Jhs. wird sie aber auch von einigen großen Baumeistern als ideales Grundkonzept für die Vereinheitlichung eines Langbaus erkannt, der außer der Empore alle Nebenräume abstößt. Wieder entstehen kleinere (Birnau*) und kleinste Kirchen (München*), aber sie konzentrieren auf sich die ganze Fülle der technischen und künstlerischen Möglichkeiten ihrer Zeit.

Etwa gleichzeitig beginnt in Frankreich die Spätphase des Barock mit der Régence (321*), deren Fortsetzung, das Rokoko, in Deutschland zuerst im Schloßbau (München, Amalienburg im Nymphenburger Park, 1734, Cuvilliés, 326*), sehr schnell aber auch im Kirchendekor Fuß faßt.

Süddeutsches Rokoko
– Häufig vereinfachte Gliederung des Grundrisses (Saalkirche, zweischalige Ellipse; vgl. Steingaden, Steinhausen, 258*) und der Fassade
– aber auch komplizierte Raumdurchdringungen
– Rokoko ist jedoch vorwiegend Innenraum-Dekorationsstil, dessen Hauptmerkmal die Unsymmetrie der Einzelform ist
– skurrile Fensterformen (Steinhausen, 243*)
– unsymmetrische Rocaille-Formen (248*) als immer wiederkehrendes Motiv der Dekoration und Altargestaltung (Vierzehnheiligen, 261*)
– Putten, freistehende Skulpturengruppen und
– zartes, naturalistisches Rankenwerk aus Stuck und Holz (= Boiserie) in Pastellfarben, Gold, Silber sowie
– Stuck und Freskomalerei gehen ineinander über
– → optische Ergänzung
– Abrundung der Ecken, auch bei Verkröpfungen und Kapitellen (247*)

Birnau, Wallfahrtskirche, 1747–49, P. Thumb. Vorübergehende Abkehr vom Vorarlberger Bauschema: Saalkirche aus 3 schmaler werdenden Räumen, zierliche umlaufende Empore. Graziöse Rokoko-Ausstattung, Feichtmayer. Das Priesterhaus mit dem Mittelturm ist der Kirche vorgeschildet.

München, St. Nepomuk (Asamkirche), 1733–46, E. Q. und C. D. Asam. Ohne Auftrag gebaute Kirche, in der die Brüder Asam auf engstem Raum (innen 22 m lang, 8 m breit) eine Summe der technischen und künstlerischen Möglichkeiten ihrer Zeit ziehen. Fassade in Häuserzeile einbezogen.

Der 2. Weg zur Vereinheitlichung des
Raumes (vgl. 239)

ZENTRALBAU

Italien

Schon die Meister des römischen
Hochbarock wenden sich wieder entschieden dem Zentralbau zu. Man
sieht darin gern einen Beweis für die
nie ganz zerbrochene Tradition der Renaissance. Ist auch die Absicht, den
vielfach geteilten Innenraum des Langbaus zur Einheit eines Zentralbaus zu-
rückzuführen, unbestreitbar, so sind
doch die Mittel des 17. und 18. Jhs.
ganz andere, als sie die Renaissance
einsetzte.

Gleich am Anfang steht statt des Re-
naissance-Kreises eine Variation der
Ellipse[1], deren einschwingende Wände
noch einen Langbau simulieren (San
Carlo alle quattro fontane*). Aber bald
werden alle geometrischen Grundformen und ihre Durchdringungen heran-
gezogen: das griechische Kreuz, der
Kreis, das Drei-, Vier-, Achteck und
immer wieder die Ellipse. Schließlich
wird die Langhausidee pervertiert,
wenn in S. Andrea al Quirinale, 255*,
– wie am Petersplatz, 255*, vorgebildet
– die Ellipse querliegt und sich ihre
Hauptachse an leeren Wänden tot-
läuft. Nischen ergeben sich in den
nicht kongruenten Teilen der einander
durchdringenden geometrischen Flächen, oder sie werden angefügt. Sie
sind ideale Orte für Altäre und Statuen. Die Anpassung der Gewölbe, vor
allem der Kuppel an die immer kom-
plizierteren Grundrisse verlangt immer
größere Anstrengungen (Rom, S. Ivo,
245*, 255*).

[1] Man sollte in solchen Zusammenhängen die
zwar gebräuchliche, aber irreführende Bezeichnung »oval« = eirund allgemein durch die exak-
tere »elliptisch« ersetzen.

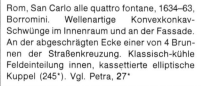

Rom, San Carlo alle quattro fontane, 1634–63,
Borromini. Wellenartige Konvexkonkav-
Schwünge im Innenraum und an der Fassade.
An der abgeschrägten Ecke einer von 4 Brun-
nen der Straßenkreuzung. Klassisch-kühle
Feldeinteilung innen, kassettierte elliptische
Kuppel (245*). Vgl. Petra, 27*

Rom, Sant'Agnese, 1652–77, Rainaldi und Borromini. 4 tonnengewölbte Kreuzarme und 2
Apsiden in der Querachse; quadratischer Mittelraum mit 4 Ecknischen, Kuppel mit Tambour
(245*). Die Zweiturmfassade mit Säulen-Pila-
ster-Gliederung und Dreiecksgiebel schwingt
leicht nach innen.

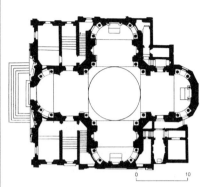

Rom, SS. Martina e Luca, 1635–50, Cortona. Erste Barockkirche. Grundriß über griechischem Kreuz. Tonnengewölbe, Tambourkuppel, kolossale Säulen.

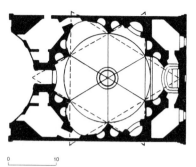

Rom, Sant'Ivo, 1642–50, Borromini. 2 »borrominische« Dreiecke bilden einen überkuppelten 6eckigen Grundriß, dessen Ecken 3 Konchen und 3 Nischen abrunden (245*).

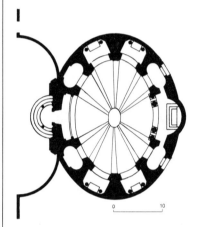

Rom, Sant'Andrea al Quirinale, 1658–70, Bernini. Eingang und Altar liegen auf der Nebenachse einer Ellipse, Hauptachse endet an »leeren« Wänden.

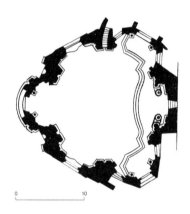

Münster, Clemenskirche, 1744–53, Schlaun. Gleichseitiges Dreieck mit Wechsel von Rund- und Flachnischen; Kuppel. Konvexe Fassade an einer Straßenecke.

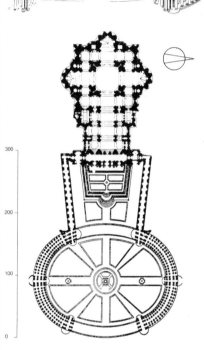

Rom, St. Peter, Renaissance-Zentralbau, 1506–90, Bramante, Michelangelo, della Porta, Vignola, Fontana; Langhaus 1607–26, Maderna; Petersplatz, Kolonnaden um Trapezoid und Querellipse, 1656–67, Bernini.

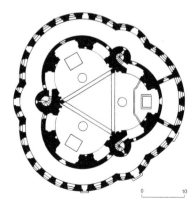

Kappel/Oberpfalz, Dreifaltigkeitskirche, 1685–89, G. Dientzenhofer. Zentrales Dreieck, 3 Halbkuppeln, 3 Altäre, 3 Türme und 3seitiger Umgang symbolisieren die Trinität.

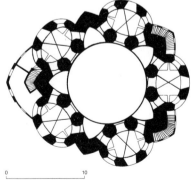

Saar/Mähren, St. Nepomuk, 1719–22, Aichel. 5 Ellipsen (5 Sterne schwammen nach dem Martyrium des hl. Nepomuk auf der Moldau), Umgang mit Emporen, Mittelkuppel.

Deutschland, Mähren, Schweiz
Hier gewinnt der Zentralbau zunehmende Bedeutung als Wallfahrtskirche. Die geometrischen Spekulationen italienischer Grundrisse werden gern zu symbolischen Formen entwickelt (Kappel, Dreifaltigkeitskirche*; Saar, St. Nepomuk*). Diese nehmen auch Einfluß auf die Liturgie (z. B. Dreifaltigkeitskirche = 3 × 3 Altäre; St. Nepomuk = 5 Altarräume; Umgang und umlaufende Galerie erleichtern den Rundgang der Wallfahrer.)

Der 3. Weg zur Vereinheitlichung des Raumes (vgl. 239)

VERSCHMELZUNG VON ZENTRALBAU UND LANGBAU

Anbau von Nebenräumen

Nördlich der Alpen setzt sich der Zentralbaugedanke besonders bei Wallfahrtskirchen durch. Der reine Zentralbau genügt aber nur bei wenig besuchten Wallfahrtsorten den liturgischen Anforderungen. Der Langbau als Alternative kann zwar große Menschenmengen aufnehmen, behindert jedoch den Bewegungsfluß der Pilger zum Gnadenaltar. Diese u. ä. Probleme treten auch in Italien und bei Kirchen auf, die keine Wallfahrtskirchen sind. Sie führen zu den unterschiedlichsten Lösungen in Bauten, die zwischen Zentral- und Langbau liegen.

– Gesonderter Altarraum wird dem Zentralbau vorgelagert (Venedig*; Paris*; Turin, 257*), Hauptraum wird für Gemeinde frei
– dazu Vorraum im W als Warteraum (Salzburg, 257*; Wahlstatt, 257*; u. a.)
– zweischaliger Zentralraum, dessen äußere Schale Kapellen enthält (Wien, St. Peter, 257*; Wien, Karlskirche, 258*)
– oder als Umgang fungiert (Steinhausen und Steingaden, 258*)
– ein zentraler zweischaliger Rundbau mit Choranbau und ein- oder mehrgeschossigen Emporen im äußeren Raummantel kommt dem Ideal der protestantischen Predigerkirche besonders entgegen (Dresden, 257*). Vgl. auch die evangelischen klassizistischen Kirchen in Warschau, 271*, und Frankfurt, 272*.

Venedig, Santa Maria della Salute, 1631–87, B. Longhena. 8eckiger Hauptraum mit Umgang und 6 Kapellennischen, abgeschnürter Chor. Beide Räume überkuppelt. Keine Fassade. Voluten stützen und betonen die Kuppel, die ein Wahrzeichen der Stadt bildet.

Paris, Invalidendom, 1675–1706, Hardouin-Mansart. Streng mathematische Gliederung von Grund- und Aufriß: alle Maße sind Vielfaches oder Teile des Mittelraum-Radius. Dreischalige Kuppel. Heute Napoleon-Mausoleum – U: Obergeschoß.

Wachsende Bedeutung des in den Langbau integrierten Zentralbaus

Der Annäherung des Zentralbaus an den Langbau kommt eine gleichzeitige Entwicklung des Langbaus entgegen, die dem in ihn integrierten Zentralbau immer größere Ausweitung erlaubt, bis der Langbau schließlich in einer Synthese von Zentralbauelementen oder in einem Geflecht zentralisierter Räume aufgeht.

Diese Entwicklung beginnt mit einer starken Vergrößerung des seit Il Gesù üblichen überkuppelten Vierungsraumes,
– der den gesamten Osttrakt des Langbaus dominiert (Prag, 259*)
– oder seine Symmetrieachsen beherrscht, wodurch Chor und Schiff an Bedeutung verlieren (St. Gallen, 259*; Wien, 258*)

Langbau als Reihung von Zentralräumen

Mehrere Zentralbauten werden langbauartig hintereinandergeschaltet (Rott am Inn, 260*). In Einsiedeln, 259*, verlangt die gleichzeitige Funktion als Abtei und Wallfahrtskirche einen großräumigen Chor und weitgehende Trennung des Konvents von den Wallfahrern.

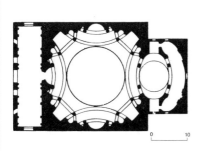

Turin, San Lorenzo, 1668–87, G. Guarini. Grundriß aus Oktogon entwickelt, Chor querelliptisch. Kuppel von sich kreuzenden Gurten getragen (nach islam. Vorbild).

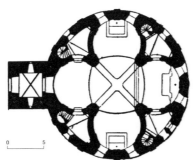

Westerndorf/Oberbayern, 1670. Rundkirche mit vorgebautem Turm; kleeblattförmige Abmauerung des Innenraums mit 4 Nischen in den Zwickeln. Einheits-Kuppeldach.

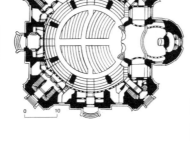

Salzburg, Dreifaltigkeitskirche, 1694–1702. J. Fischer v. Erlach, Längsellipt. Hauptraum (Kuppel) zwischen Kreuzarmen, Vorraum und Chor. Konkave Fassade zwischen 2 Türmen.

Dresden, Frauenkirche, 1725–38, G. Bähr. Quadrat. Baukörper mit kreisrundem Mittelraum, mehrgeschossigen Emporen und 3schaliger Kuppel. Kleine Ecktürmchen.

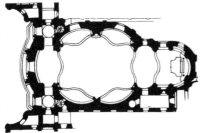

Wahlstatt/Schlesien, Klosterkirche, 1727–31, K. I. Dientzenhofer. Der westl. Vorraum und der Übergang zum Chor bilden Querellipsen, der längselliptische Hauptraum hat 4 Eckkapellen. Der mittlere Teil der Fassade schwingt nach vorn.

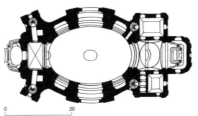

Wien, St. Peter, 1702–1707, J. L. v. Hildebrandt. Die Längsellipse des Hauptraums ist überkuppelt und wird von 4 kleineren und 2 größeren Kapellennischen begleitet. Die Türme sind übereck gestellt und schmiegen sich so der Ellipse an.

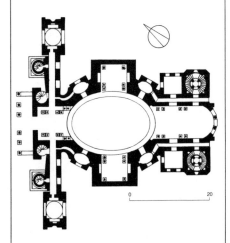

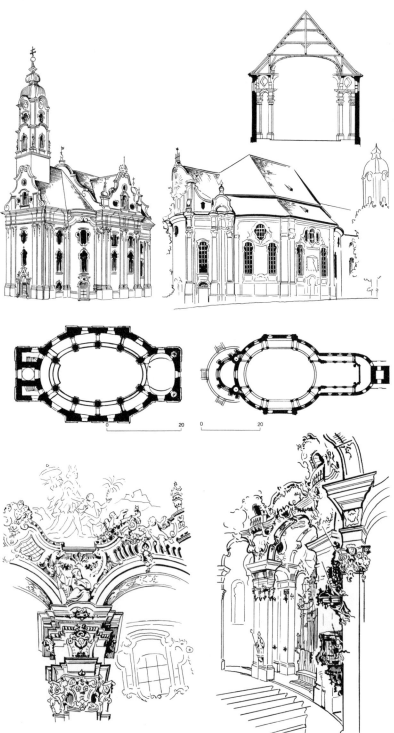

Wien, Karlskirche, 1716–25, J. Fischer von Erlach. Elliptische Tambourkuppel über elliptischem Hauptraum, von 6 Kapellen, Vorraum und Langchor umgeben. Breite Schaufassade mit seitlichen Glockentürmen. Nachschöpfungen der Trajanssäule, die den imperialen Anspruch der österreichischen Krone symbolisieren.

Steinhausen, Wallfahrtskirche St. Peter und Paul, 1728–33, D. Zimmermann. Zweischaliger Zentralbau, ausschließliche Verwendung der Ellipse im Grundriß von Haupt- und Nebenräumen. – U: Stuckdetails des vierzonigen Dekorationssystems zwischen Pfeilerkapitell und Deckengemälde. Sh. auch 247*. Rokoko

Steingaden, Wieskirche, 1746–54, D. Zimmermann. Um den elliptischen Hauptraum mit falschem Spiegelgewölbe (im Dachstuhl aufgehängt!) und den langgestreckten Chor zieht sich ein schmaler Umgang (zweischalige Bauweise). Reiche Stukkaturen und geschweifte Verkröpfungen. Sh. auch 247*. Rokoko

Prag, St. Nikolaus auf der Kleinseite, 1703–52, Chr. und K. I. Dientzenhofer. Dominierende Zentralbau-Vierung mit Tambourkuppel. Vereinheitlichung des Schiffs: wellige Emporen hinter übereck gestellten Wandpfeilern, Dekkenfresko überzieht die gurtlosen elliptischen Gratgewölbe. Rokoko

St. Gallen/Schweiz, Stiftskirche, 1755–67, Bagnato, P. Thumb, J. M. Beer. Hallenartiges Langhaus nach modifiziertem Vorarlberger Schema (252*) mit 3 Jochen wie der Chor. Dazwischen mächtige Rotunde mit 6 Kapellennischen und Flachkuppel. Fassade, von 2 Türmen flankiert, an der Chorseite! Rokoko

Einsiedeln/Schweiz, Benediktiner-Abtei, 1719–35. C. Moosbrugger. Zerfall des Vorarlberger Bauschemas (252*) durch Reihung selbständiger Zentralräume: Achteck mit Gnadenaltar im Westen, Schiff aus 2 Quadraten. Überkuppelter Chor erst M. 18. Jh. Üppige Stuckierung. Symmetrische Klosteranlage.

In England scheitert Wrens früher Versuch eines monumentalen Zentralbaus nach dem modifizierten Vorbild von St. Peter (»Great model«*). Der realisierte Entwurf nach dem tradierten englischen Basilika-System behält dessen Raumfolge bei, fügt aber einen gewaltigen quadratischen Zentralbau mit dominierender Kuppel als Vierung ein und parzelliert die übrigen Bauteile vollständig durch 28 imaginäre Kuppelräume. Diese Lösung findet keine Nachfolge.

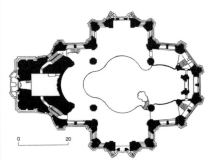

Hamburg, Michaeliskirche, 1751–62, Sonnin

London, St. Paul's Cathedral, 1675–1710, Chr. Wren. Re: 3schiffige Basilika, außen durch Schildmauern 2geschossig verblendet. Alle Einzeljoche überkuppelt. Zentralbau-Vierung, Tambour-Kuppel mit Kolonnaden nach Bramantes, Türme nach Berninis Projekt für St. Peter. Schnitt durch die Kuppel sh. 245*. – Li: Grundriß und »Great model« des ursprünglichen, jedoch abgelehnten Zentralbau-Entwurfs (in der Krypta aufgestellt).

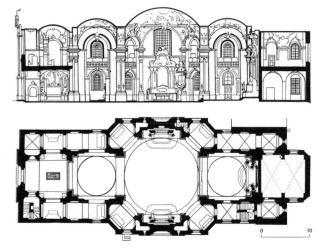

Zentralisierung des Langbaus

I. Zusammenfassung des Raumes
In der Hamburger protestantischen Michaeliskirche* gelingt die weitgehende optische Zentralisierung einer Saalkirche mit Querschiff durch eine originelle Emporenlösung, die den gesamten Raum in Dreikonchenform zusammenfaßt und zur Mitte hin konzentriert.

II. Langbau mit guarineskem Gewölbe
Guarino Guarini, 1624–83, Theatinerpater, entwickelt als Mathematiker die euklidische Geometrie weiter. Als Ar-

Rott am Inn, Klosterkirche, 1759–63, J. M. Fischer. Erstmalige völlig symmetrische Anordnung von Zentralbauten zu beiden Seiten des überhöhten Mittelraums, der ebenfalls ein Zentralbau ist. Im Grundriß gelungene Synthese von Kreis und Rechteck. Die 4 Diagonalkapellen verändern die Durchgangsfunktion des Mittelraums zu einem Rundgang = Zerstörung der Langbaustruktur. Umlaufende Emporen treffen sich im O im Mönchschor oberhalb der Sakristei.

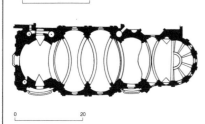

Lissabon, Kirche zur Göttlichen Vorsehung,
um 1650, G. Guarini

0 _____ 20

O: Banz, Klosterkirche, 1710–18,
Johann Dientzenhofer

Mi: Brewnow bei Prag, Klosterkirche, voll. 1715,
Christ. Dientzenhofer

0 _____ 20

0 _____ 20

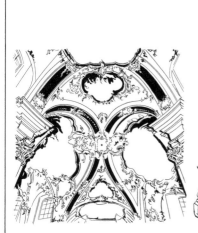

Vierzehnheiligen, Wallfahrtskirche, 1743–71, B. Neumann. Doppelturmfassade. Kurvige Anordnung der Pfeiler um die 3 Ellipsen der Hauptachse. Gewölbegurte schwingen zugleich auf- und
seitwärts und ergeben komplizierte Verschneidungen (»Guarinesken«). Die Zwickel seitlich der
Berührungspunkte werden zu gewölbten Querräumen erweitert. – Li u: Gewölbeverbindung
zwischen Schiff (li) und Chor (re) und Querräumen (o und u). – Re u: Gnadenaltar im Mittelraum.

chitekt wendet er seine mathematischen Erkenntnisse auf die Erfindung
von neuen Systemen an, bei denen sich
Kräfte gegenseitig abstützen. Dadurch
verringern sich die senkrechten Stützen. Erste spektakuläre Ergebnisse
sind die Kuppeln der Cappella della
S. Sindone am Turiner Dom, 1667–90,
und von S. Lorenzo, Turin (245*, 257*),
1668–87, die von übereinandergestaf-
felten Segmentbögen gebildet werden,
deren obere Bögen geringere Spannweiten haben. In seinen (zerstörten)
Langbauten in Prag und Lissabon*
werden die Gurtbögen zugleich nach
oben und seitlich in die Richtung der
Raumachse geführt. Diese Konstruktion wird im Spätbarock und Rokoko
in Österreich (J. L. v. Hildebrandt,
1668–1745), Böhmen (Ch. Dientzenhofer, 1655–1722, und dessen Sohn
K. I. Dientzenhofer, 1689–1751) und
in Franken (J. Dientzenhofer,
1663–1726; B. Neumann, 1687–1753)
als »Guarineske« weiterentwickelt.

Guarinesken stellen sich dar als »imaginäre Raumkörper, die sich durchdringen und in den Gewölbeschalen
verschneiden« (Pevsner).

Höhepunkte und Ende ihrer Entwicklung bilden die Gewölbe von
Brewnow*, Banz* und Vierzehnheiligen*. In Banz und Vierzehnheiligen
treffen sich die Gurte an den Schlußsteinen. Sie bilden in ihren senkrechten
Projektionen Ellipsen und Kreise mit
Zentralraumcharakter. Diese zentrali-
sierten Räume sind in Brewnow und
Banz noch ganz im Sinne eines Langbaus hintereinandergeschaltet.
In Vierzehnheiligen entstehen echte,
gegeneinander geöffnete Zentralbauten: 3 elliptische und 2 kreisförmige
(anstelle des Querschiffs). Sie verdrängen die klassische Vielheit aus klar getrennten Mittel-, Quer- und Seitenschiffen, Vierung und Chor; die Vierung entfällt völlig. Die Seitenschiffe
werden zu Umgängen im Sinne einer
zweiten Raumschale verwandelt. Der
Gnadenaltar in der mittleren Ellipse
entwertet den Chor. Der gesamte
Raum wird mit gleichartigen, ineinander verschlungenen zentralen Baukör-
pern ausgefüllt. Sie »zentralisieren«
den länglichen Grundriß und bewirken
höchste Vereinheitlichung des Raumes.

PALLADIANISMUS UND BAROCK IN ENGLAND

Die wechselvolle Geschichte Englands im 17. Jh. findet ihre Entsprechung auch in der schnellen Abfolge von Architekturtendenzen.

Zwei Reisen nach Italien in den Jahren 1601 und 1613–14 führen Inigo Jones, 1573–1652, sowohl an den römischen Barock seiner Zeit als auch an den Klassizismus Palladios in Venedig und Vicenza. In England wird der römische Barock als zu katholisch abgelehnt. Jones knüpft deshalb an Palladio an. Seiner Definition der Doktrin Palladios wird England ab 1620 für 200 Jahre anhängen – vielfältig variiert und nur selten von anderen Stilrichtungen unterbrochen. Aber immer wird die Architektur von gotisierenden Reminiszenzen begleitet sein. Die Stilrichtung Jones' bedeutet eine Revolution der englischen Baukunst, an der die Renaissance ja ohne große Wirkung vorübergegangen ist. Sein strenger, nobler Palladianismus wird aber nur in der kultivierten Oberschicht akzeptiert, die Paläste und repräsentative Landsitze baut. Der Kirchenbau ist fast völlig zum Erliegen gekommen.

Auch die Architekten der folgenden Generation, J. Webb, 1611–72, und R. Pratt, 1620–85, führen die strengen, einfachen klassizistischen Formen weiter. B. Gerbier, 1595–1667, bildet mit seiner Neigung zum Barock eine Ausnahme.

Währenddessen bemühen sich die englischen Bürgerbauten der Zeit bei geringer äußerer Klassizität mehr um Komfort. Sie setzen den »niederländischen Stil« fort. Vgl. 332*, 371*.

Es bedarf einer Katastrophe, um auch dem Kirchenbau eine große Zeit zu bescheren: Vom 2. bis 5. September 1666 brennen in London 13 200 Holzhäuser und 87 Kirchen ab. Leiter des Wiederaufbauprogramms wird Christopher Wren, 1632–1723. Seine Reisen haben ihn nie nach Italien geführt, wohl aber nach Paris, wo er 1665 Bernini trifft und wo er an den französischen Schloßbauten seinen Geschmack für das Dekor schult. In solchem schmuckvollen Stil baut er 53 Londoner Kirchen, die sich weit von Jones' Richtung entfernen und »im Verhältnis zum eng-

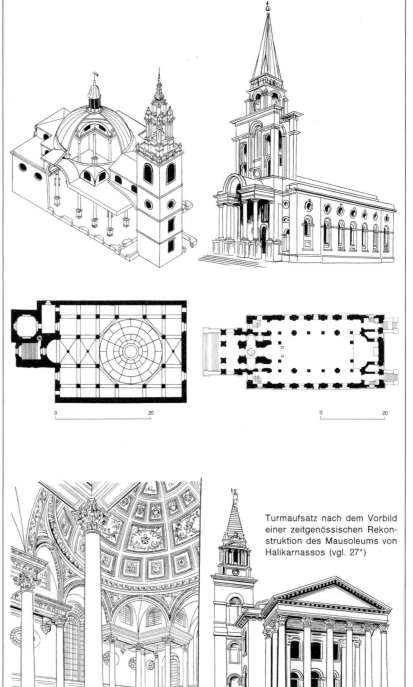

London, St. Stephen, Walbrook, 1672–87, Chr. Wren. 5schiffiger Rechteckbau, hölzerne Pendentifkuppel zwischen dem 3. und 5. Joch, reich kassettiert, über 8eckigem Grundriß, dessen Seiten die Schiffs- und Jochbreiten bestimmen. Eleganter, leichter Raumeindruck.

Turmaufsatz nach dem Vorbild einer zeitgenössischen Rekonstruktion des Mausoleums von Halikarnassos (vgl. 27*)

O u. Mi: London, Christ Church, Spitalfields, 1723–39, Hawksmoore. 3schiff. Basilika, Flachdecke. Palladio-Motiv in Portikus und Turmvorblendung. – U: London, St. George, Bloomsbury, 1720–30, Hawksmoore. Röm.-korinth. Portikus vor Querrechteckbau.

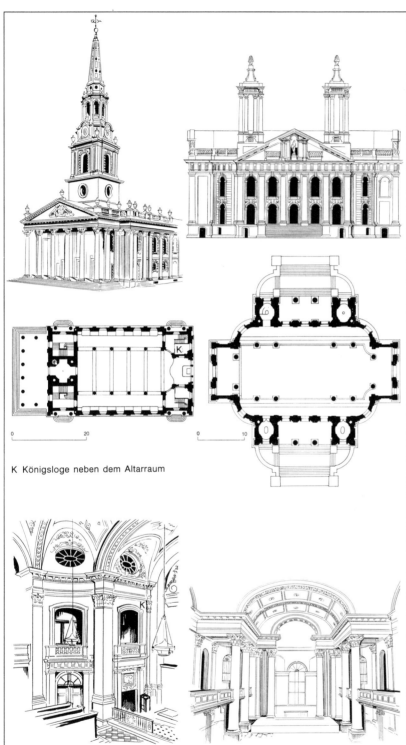

K Königsloge neben dem Altarraum

London, St. Martin-in-the-Fields, 1722–26, J. Gibbs. Emporenhallenkirche mit 3 Tonnengewölben. Der von einem Obelisken bekrönte Turm steht auf der Westmauer, davor ein Säulenportikus, dessen Ordnung sich rundum in Pilastern unter Dachbalustraden fortsetzt.

London, St. John's, Smith Square, 1714–28, Th. Archer. Tonnengewölbter Mittelraum mit gigantischen korinth. Säulen, hölzerne Seitengalerien auf ion. Säulen. 2 Turmpaare im Stil Borrominis (244*) seitlich auf den N- und S-Portikus mit P-P-S-S-P-P-Stellung.

lischen Puritanismus als barock bezeichnet werden können« (Bazin). Gemessen am Barock Italiens oder Deutschlands verwirklicht nur die St. Paul's Cathedral, 260*, den Anschluß an den Kontinent. Die übrigen Bauten sind anglikanische Predigerkirchen unterschiedlichster Formensprache: Basilika, Zentralbau, Saal- und Hallenkirche und deren Vermischungen, klassische Säulenordnungen und gotisierende Kirchtürme (244*). Es sind
– die Kühnheit der Konstruktion und Statik,
– der immense Erfindungsreichtum unter relativ häufiger Verwendung des röm.-barocken Formenvokabulars
– und – als Gegengewicht zum allgemein kühlen, gelegentlich trockenen Ästhetizismus der Raumwirkung – ein gewisser ornamentaler Reichtum, die Wrens Bauten zu den gelungensten der 60 Jahre während Barockversuche auf der Insel machen.

1711 beschließt die neue Tory and High Church Commission den Bau von weiteren 50 Stadtkirchen, von denen aber nur 12 gebaut werden, weil schon diese ersten zu teuer wurden. Unter den Architekten folgt Wrens Lieblingsschüler N. Hawksmoore, 1661–1736, noch am ehesten den Intentionen seines Lehrers, die auf eine Synthese von Barock und Gotik abzielen (262*). Daneben verwendet er palladianische, römische und griechische Vorbilder (262*). Auch J. Gibbs, 1682–1754, (St. Martin-in-the-Fields*) und Th. Archer, 1668–1743, (St. John's, Smith Square*) bleiben in der Tradition, die sich stärker dem römischen Barock verpflichtet fühlt. Sie nehmen aber auch palladianische Motive in ihre Bauprogramme auf. Ihre Zeitgenossen des frühen 18. Jhs. hängen hingegen ganz dem Neopalladianismus an, der sich unter Führung des Lord Burlington, 1694–1753, etabliert und während der Zeit des Hannoveraner Königshauses die klassische Komponente des Georgian style (1720–1830) vertritt. Er betätigt sich fast ausschließlich in der Profanarchitektur, seine Hauptleistungen sind große Landsitze (333* und 371).

Auch die übrigen Baustile des 18. Jhs.: Queen Anne, Adam style und Regency, spielen im Kirchenbau keine signifikante Rolle.

Kopenhagen, Vor Frue Kirke (Frauenkirche), 1811–29, C. F. Hansen. Skulpturen von B. Thorvaldsen

KLASSIZISMUS
HISTORISMUS
EKLEKTIZISMUS

»Barock« im Sinne kraftvoll bewegter Baumassen hatte schon um 1760 in den französischen Salons als geschmacklos gegolten. Mit der Französischen Revolution von 1789, die durch die großen Geister der Aufklärung vorbereitet worden war, brach auch der Lebensstil zusammen, der den Barock und seine Ausläufer bestimmt hatte. Die Befreiung des dritten Standes hat sie zwar nicht gebracht, aber wenigstens die ersten Manifeste der allgemeinen Menschenrechte. Das ancien régime hatte sich noch ganz als paternalistisches System verstanden, in dem der kleine Mann zwar wenig Rechte hatte, sich aber auf die Patenschaft seines Herrn verlassen konnte. Balthasar Neumann war Offizier der Schönbornfamilie gewesen, und Haydn hat zeitlebens den Lakaienrock der Esterhazy getragen. Mozart dagegen hatte sich zum freien Künstler erklärt und die wirtschaftlichen Folgen dieser Freiheit in aller Bitterkeit erfahren. Schlimmer noch trifft es jetzt die Ungebildeten: Als 1807 in Preußen die Leibeigenschaft aufgehoben wird, geht der Widerstand nicht von den Gutsherren, sondern von den Befreiten aus, die sich zu Recht auf ihre neue Freiheit nicht vorbereitet fühlen.

An die Stelle der alten Wertordnung treten Ideologien: Subjektivismus, Individualismus, Atheismus, Liberalismus, Demokratie. Ihnen stehen die handfesten Realitäten der beginnenden Industrialisierung gegenüber, die im 19. Jahrhundert zur Vermassung des Proletariats und einer neuen Form der Verarmung führen werden.

Der Umbruch durch die Revolution hat in den Jahrzehnten um 1800 auch für die Kunst schwerwiegende Folgen. Das »Gesamtkunstwerk« des Barock war in Kirche und Palast realisiert worden. Nun sind die gesellschaftlichen Kräfte nicht mehr vorhanden, die den Barock trugen, seine Stilmittel sind aufgebraucht, zum Schluß in der

Kleinteiligkeit des Rokoko aufgegangen. Seit Kirche und Aristokratie aus ihrer Aufgabe als Kulturträger entlassen sind, steht der Kirchenbau zum erstenmal nicht mehr an der Spitze der stilbildenden Aufgaben; der von Religion und Mythologie geprägte künstlerische Aufgabenkatalog geht verloren. Mit der zunehmenden Demokratisierung tritt die weltliche und geistliche Aristokratie aber nicht nur als Auftraggeber, sondern auch als die geschmacksbildende Elite in den Hintergrund. Zwar wird der Bürger zum neuen Kulturträger, aber das breite Publikum ist zu uneinheitlich gebildet, um neue Kriterien für einen allgemein gültigen Geschmack zu verabreden. Zum erstenmal wird der Kitsch zu einem sozialen Problem.

Zu einem neuen Stil reicht die Kraft noch nicht. Es beginnt ein Jahrhundert, das aus dem Fundus der Kunstgeschichte lebt. Daß an seinem Beginn die Formensprache der Antike bemüht wird, hat mehrere Gründe:

- Seit der Renaissance hat es immer eine klassizistische Strömung gegeben, die sich vorwiegend auf die Bauregeln der römischen Antike berief. Ihr stand der Profanbau allezeit näher als der Sakralbau. In Frankreich, wo sich nach der Gotik der Schloßbau weit vor den Kirchenbau geschoben hat, nennt man die 300 Jahre vor der Revolution bezeichnenderweise »Klassik«. Sie wird am deutlichsten in den Werken Perraults und Mansarts.
- Der Palladianismus von Jones im 17. Jahrhundert, von Burlington, Campbell und Kent im 18. Jahrhundert bereitet den englischen Klassizismus vor. Vgl. 262 f. und 332 ff.*.
- Vom Rationalismus der französischen Aufklärer ausgehend, macht sich in ganz Europa gegen Mitte des 18. Jahrhunderts ein Verlangen nach festen Kunstregeln bemerkbar, die auf Naturgesetzen und rationaler Logik beruhen und ein Gegengewicht zur »Regellosigkeit« des Barock schaffen sollen.
- Nahrung und Programm erhalten diese Tendenzen durch Winckelmanns »Gedanken über die Nachahmung der griechischen Werke in der Malerei und Bildhauerkunst«, 1755. Er gilt als Begründer der wissenschaftlichen Archäologie. Seine Deutung des Wesens griechischer Kunst als »edle Einfalt und stille Größe« bestimmt das Schönheitsideal des »archäologischen Klassizismus«.
- Die Theoretiker der Französischen Revolution stellen den Perversionen des ancien régime die romantisch verklärten römischen Bürgertugenden gegenüber und erheben sie zum Ideal des neuen Menschen. Folgerichtig erklären sie die römische Antike zum Vorbild ihrer eigenen Architektur, die deshalb »romantischer« oder »revolutionärer Klassizismus« genannt wird (vgl. 372).
- Schließlich sieht Napoleon in einer am antiken Rom orientierten klassizistischen Staatskunst ein repräsentatives Legitimationsvehikel seiner cäsarischen Ansprüche.

Die Kunstgeschichte versteht unter »Klassik« im engsten Sinn die griechische Kunst in der Zeit zwischen dem archaischen Stil und dem Hellenismus, also etwa das 5. und 4. vorchristliche Jahrhundert. Weniger eng gefaßt, fällt die nach strengen Regeln gearbeitete Kunst der griechischen und römischen Antike unter diesen Begriff.

Bei den späteren Kunstepochen unterscheidet man solche mit emotional-transzendentaler Grundhaltung von anderen, die auf dem Rationalismus beruhen. Die rationalistische Geisteshaltung neigt zu Kunstäußerungen, die die Klassik zum Vorbild nehmen und die man

Kopenhagen, Vor Frue Kirke (Frauenkirche), 1811–29, C. F. Hansen. Innen: 264*. Wandpfeilerkirche mit quergewölbten Kapellen. Unkannelierte dor. Säulen im Emporengeschoß tragen das kassettierte Tonnengewölbe. Die Skulpturen von B. Thorvaldsen sind Teil des Bauplans.

Begriffsbestimmung

deshalb klassizistisch nennt. Am deutlichsten erscheint das klassische Stilprinzip in der Renaissance und in der Epoche etwa zwischen 1770 und 1830, für die in Deutschland der Name »Klassizismus« reserviert ist. Klassizistische Perioden gibt es aber schon in der Antike (augusteisches und hadrianisches Zeitalter), in der karolingischen Kunst und in der Romanik; und selbst die als typisch »antiklassizistisch« geltenden Kunstepochen – Gotik, Manierismus, Barock – werden von schwächeren oder stärkeren klassizistischen Tendenzen begleitet. Außerdem fällt auf, daß sich die imperialistischen Weltreichansprüche von Augustus über Karl den Großen bis zu den Renaissance-Päpsten und von Ludwig XIV. bis zu Napoleon, Hitler und Stalin mit Vorliebe des Klassizismus als der offiziellen Kunst bedienen.

Die klassizistischen Tendenzen nach der Renaissance haben in den europäischen Ländern unterschiedliche Namen:
1. Die Weiterführung der Renaissance-Prinzipien im Barock in West- und Nordeuropa heißt in
   – Deutschland: barocker Klassizismus
   – Frankreich: architecture classique, ins Deutsche übersetzt »Klassik«
   – England: classical architecture
   – international: klassischer Stil.
2. Der Stil, der zwischen 1770 und 1830 auf Barock und Rokoko folgt, heißt
   – in Deutschland: Klassizismus
   – im übrigen Europa: Neo-classicism, ins Deutsche übersetzt »Neuklassizismus«.
3. Die Bewegung, die im 20. Jahrhundert an den Klassizismus (2) anknüpft, wird in Deutschland »Neoklassizismus« genannt.

Merkmale

Das Bild der klassizistischen Architektur wird bestimmt durch die griechische oder römische Tempelstirnwand mit Dreiecksgiebel oder Säulenportikus; lediglich Pilaster und Gesimse gliedern den blockhaften Baukörper. Die Säulenordnungen sind nicht mehr dekorativ, sondern konstruktiv bedingt, d. h., sie schmücken nicht nur die Wand, sondern sie tragen ein Gebälk. Als sparsamer Dekor dienen neben Girlanden, Urnen und Rosetten die klassischen Palmetten und Mäander, Perl- und Eierstab.

Die Entwicklung zum Klassizismus wurde zwar, wie oben dargestellt, aus vielen Quellen genährt, und so gesehen, lag die Entscheidung für ihn in der Luft. Aber es könnte auch ein anderer historischer Stil dominieren, wie ja auch nach dem Tridentinum die Entscheidung für den Barock nicht zwingend war (vgl. Spaniens Desornamentado, 314*). Von größter Bedeutung ist sicherlich, daß der distinguierte Habitus der klassischen Formenwelt den restaurativen Bemühungen der Großmächte besseren Ausdruck zu geben versprach als beispielsweise die Gotik. Selbstverständlich ist der Klassizismus jedenfalls nicht. Und tatsächlich stellen geistesgeschichtliche und technische Neuerungen dem Klassizismus ebensolche Fallstricke wie funktionale Ungereimtheiten und andersgerichtete historisierende Tendenzen, die ihn am Ende verdrängen.

Schon die Unentschiedenheit, ob Rom oder Griechenland die Mutter der neuen Architektur sein solle, läßt keine völlige Einheit des klassizistischen Stils zu. Zwar gehören beide Kulturen zur Antike, sind aber sowohl in den gesellschaftlichen Voraussetzungen und ihren repräsentativen Absichten wie in ihren Formensprachen und Bautechniken durch Welten getrennt. Ein römischer Tempel ist auch nicht dasselbe wie eine christliche Kirche. Immerhin haben sie die sakrale Weihe miteinander gemein. Aber beim Schloß- und erst recht beim Kommunalbau muß die Divergenz zwischen einem antikisierenden äußeren Dekor und den Funktionen, die eine moderne Ausstattung erfordern, offen zutage treten:

Die Organisation eines neuzeitlichen Rat- oder Wohnhauses läßt allenfalls eine »antike« Außenhaut und entsprechende Baudetails im Innern zu. Aber schon Glasfenster, Gardinen, Kanonenöfen, die Kamine auf dem Dach und andere neuzeitliche Versorgungseinrichtungen, vor allem die von den modernen Verwaltungsaufgaben diktierte Innenraum-Aufteilung sprengen die innere Verbindung zu antiken Gebäuden. Der Mensch stülpt seiner modernen Lebens- und Arbeitstechnik eine antike Verkleidung über. Natürlich sind den Architekten diese Diskrepanzen bewußt. Darum machen sie aus der Not eine Tugend durch die ständig wiederholte Beteuerung, man wolle nicht imitieren, sondern anverwandeln. Deshalb haben viele klassizistische Bauten ein eklektizistisches Flair. Wo sie dem antiken Formenkanon sehr nahekommen, wirken sie seltsam kühl und unbewohnt, als genaue Kopien bleiben sie befremdlicher als alle anderen historisierenden Bauten (Wien, Theseus-Tempel, 1820–23, Nobile; 2 Korenhallen an St. Pancras', London, 271*), gelegentlich erscheinen sie heute peinlich (Donaustauf, Walhalla, 1831–43, Klenze). Dennoch sind die legitimierende Kraft der Staatsgebäude und die auf Distinktion bedachte Noblesse der Bürgerbauten noch heute spürbar. Andererseits gelingt es K. F. Schinkel, 1781–1841, am Berliner Schauspielhaus (373*) erstmals, die wenig entwicklungsfähige kubische Form in tragende und füllende Teile zu gliedern. Dieses Prinzip läßt griechische Bau-Motive ebenso zu, wie es die Lösung neuzeitlicher Bauaufgaben ermöglicht.

Am überzeugendsten ist die klassizistische Stadtplanung. Sie überwindet die palladianische Konzentration antiker Motive auf das isolierte Einzelgebäude und schafft die großzügigen, überschaubaren Achsen mit ihrer Symmetrie und Dominantenbildung: Karlsruhe, 373*; München, Ludwigstraße, Odeonsplatz; Petersburg, Platz an der Kazaner Kathedrale, 269*; Bath, Royal Crescent, und London, Royal Terrace, 371*; London, Regent Street* mit All Souls, 271*; Turin* mit Gran Madre di Dio, 269*, u. a.

Im letzten Drittel des 18. Jahrhunderts beginnen in England, Deutschland und der Schweiz literarische Gegenbewegungen zum Rationalismus der Aufklärung. Der Sturm und Drang und die Romantiker schaffen ein neues Naturverständnis, aber auch ein neues Geschichtsbewußtsein. Dieses stellt sich in Sammlungen von Märchen und Sagen, der Übersetzung antiker Dichtungen, dem Beginn der vergleichenden Literaturwissenschaft und der kritischen Geschichtsschreibung dar. Aus der Verbindung dieser geschichtsbewußten Geisteshaltung mit der Systematisierung der Archäologie entstehen bald nach 1800 etliche Museen, meist im klassizistischen Stil, dessen repräsentative Kühle die Kommunal- und Staatsgebäude bevorzugen.

Aber schon das Rokoko und der englische Barock kannten auch vereinzelte Nachahmungen des gotischen Stils. Der wachsende Einfluß der Romantik zu Anfang des 19. Jahrhunderts verstärkt diese Tendenz: Schinkel bietet 1821 für die Friedrichwerdersche Kirche in Berlin eine klassische, eine gotische und eine Renaissance-Version an. Gebilligt wird der gotische Entwurf (268*).

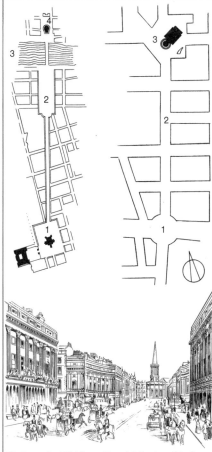

Kirchen als Blickfang klassizistischer Straßenachsen.

Li:
Turin
1 Piazza Castello
2 Piazza Vittorio
   Emanuele
3 Po
4 Kirche Gran
   Madre di Dio, 269*

Re u. u:
London
1 Oxford Circus
2 Regent Street
3 Vorbau der Kirche
   All Souls, 271*

Romantik

Historismus gilt heute nicht mehr nur als geschmackliche Entgleisung, sondern wird von der Kunstwissenschaft mehr und mehr als selbständiger Zeitstil angesehen. Zu dieser Auffassung führten folgende Tatsachen und Überlegungen:
– die Fülle der Bauten, die der Historismus in allen Ländern und Erdteilen erstellt hat, die von europäischem Geschmack beeinflußt sind
– der Ideenreichtum, der die Vielfalt der entliehenen Formen zu neuartigen, den veränderten Bedürfnissen der modernen Lebensweise genügenden Nutzbauten anverwandelte
– die Erkenntnis, daß gerade die Monstrositäten unter den Hervorbringungen des Historismus-Eklektizismus dessen Fähigkeit zur originell-monumentalen Synthese bezeugen (London, St. Pancras'-Station; Budapest, Parlamentsgebäude; Brüssel, Justizpalast, 374*)
– die Tatsache, daß der Historismus vom Volk getragen wurde, weil es sich viel stärker mit dessen Bauwillen identifizierte als etwa mit dem späteren Jugendstil
– die notwendige Revision der Gewohnheit, vom Historismus den Klassizismus abzukoppeln und nur ihm die Qualität eines eigenen Stils zuzubilligen.

Berlin, Friedrichwerdersche Kirche, 1824–30, K. F. Schinkel

In diese Entwicklung wirken außerdem die neuen Bautechniken hinein. Schinkel entwirft 1818 ein gußeisernes neugotisches Kriegerdenkmal für den Kreuzberg in Berlin. Hier werden die Bruchstellen zwischen Historie, Dekor, Funktion und Technik aufs deutlichste offenbar. Ist der Klassizismus schon nichts anderes als eine frühe Form des Historismus, bei der die antiken Vorbilder dominieren, so rutscht gegen 1830 seine bis dahin bemühte Einheitlichkeit des Stils mit der Nachahmung mehrerer historischer Stile unverhohlen ins stilistische Chaos. (William Morris definiert Historismus: »Maskerade in anderer Leute abgelegten Kleidern«.)

Die enzyklopädische Katalogisierung früherer Bauformen durch Viollet-le-Duc und andere ermöglicht es nämlich, daß die Versatzstücke vergangener Stile wie aus Baukästen hervorgeholt und entweder in eklektizistischer Mischung oder »stilistisch rein« zu neuen Bauwerken zusammengesetzt werden können – oft perfekter als die Vorbilder, an denen verschiedene Epochen ihre Zutaten hinterlassen haben.

So gewinnen die langen viktorianischen Straßenzeilen der englischen Stadt Chester noch ein einheitliches Tudor-Gepräge, aber das neue München und die Bauten der Ringstraße in Wien werden zu überdimensionalen Architekturmuseen. Der Neugotik folgt nämlich bald die Neurenaissance; der Rundbogenstil findet seine Hochburgen gegen die Jahrhundertmitte in München, Karlsruhe und am längsten in Hannover, und die wilhelminische Neuromanik läuft zeitlich dem Gründerstil parallel, der seit 1871 den protzigen Neubarock zeitigt. Aber auch exotische Stilformen mischen sich in die europäische Architektur. Napoleons unglücklicher Feldzug von 1798/99 bringt ägyptische Elemente in den Empire-Stil, ein Engländer baut dem Fürsten Woronzow ein maurisches Schloß auf der Krim, und J. Nashs Royal Pavilion in Brighton, 1815 (334*), ist eine islamisch-indische Absonderlichkeit unter reichlicher Verwendung von Gußeisen.

Schon in ihren Anfängen hat die Begeisterung für die Geschichte nationale Färbungen angenommen, deren am wenigsten umstrittene Auswirkung die Fertigstellung der unvollendeten gotischen Kathedralen ist (Köln, Wien, Regensburg u. a.).

Es wäre sicherlich falsch, den Historismus allein an den Regellosigkeiten vieler Profanbauten zu messen. Wenn auch G. Semper schon 1834 in seiner Erstlingsschrift »das Pauspapier als das Zaubermittel der jetzigen Kunst« verspottet (»Man ahmt nach, was eben nachzuahmen ist«), so ist der Historismus doch auch Ausdruck der Ehrfurcht vor der vaterländischen Geschichte, sein Ernst trägt unverkennbare Züge religiösen und sozialen Bewußtseins, seine Sakralbauten haben Würde, und in ihrer exakten Stilkopie äußert sich die Verehrung der »alten Meister«.

Die Baukunst des 19. Jahrhunderts hat gerade in jüngster Zeit positivere Bewertungen erfahren. Diese sind begründet
– in dem Erlebnis der Zerstörungen durch den 2. Weltkrieg
– in der Ernüchterung über den schmucklosen Stil der städtischen Nachkriegsarchitektur
– in einem neuen Bewußtsein, das sich zunächst diffus in einer Nostalgiewelle und einem verbreiteten Interesse an Archäologie, dann handfest in den weltweit populären Bemühungen des Umweltschutzes und der Denkmalspflege niederschlägt.

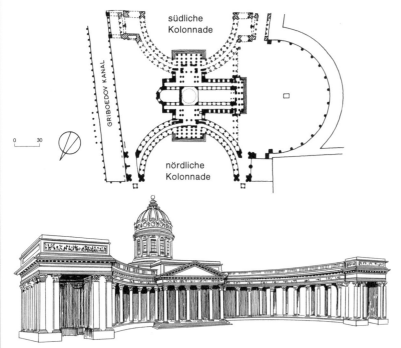

Neapel, San Francesco di Paola, 1816–24, Bianchi. Zentralbau nach Vorbild des Panthéon, 270*, und Berninis barocken Kolonnaden von St. Peter in Rom.

Petersburg, Kathedrale der Jungfrau von Kazan, 1801–11, Woronichin, gleichfalls auf St. Peter zurückgehende Kolonnaden, aber mit korinth.-barockem Dekor. Nur N-Kolonnaden vollendet.

Turin, Gran Madre di Dio, 1818–31, Bonsignore. Blickfang innerhalb der neuen Stadtplanung. Vom Pariser Panthéon inspiriertes Memorial zu Ehren der Rückkehr des savoyischen Königs-hauses nach dem Ende der napoleonischen Besetzung. Rundbau mit römisch-korinthischem Portikus über einer Freitreppe, die von Mauerzungen flankiert wird. Wie San Francesco di Paola Beispiel für Klassizismus mit eklektizistisch-historisierender Tendenz.

KLASSIZISMUS

Italien

In Rom entsteht nur die kleine Kirche San Pantaleo, 1806, Valadier.

Fast ganz Italien gehört zum Herrschaftsbereich Napoleons. Parma, Genua und Turin, Etrurien und der Kirchenstaat sind Teile des Kaiserreichs, die Königreiche von Neapel und (Nord-)Italien teilen sich in den Rest des Stiefels und werden von Verwandten Napoleons beherrscht. Der Machtwille des Kaisers dokumentiert sich hier fast ausschließlich in Profanbauten (Neapel, Umbau des Opernhauses San Carlo, 1809; Caserta, Empire-Dekorationen im Schloß, 1807; Venedig, Fabbrica Nuova als Westabschluß des Markusplatzes), deren monumentalste Bauwerke allerdings unvollendet bleiben (Mailand, Forum Bonaparte, seit 1806; Rom, Eingriffe in die Gestaltung der Piazza del Popolo).

Nach dem Sturz Napoleons, 1815, kehren die alten Herrscher nach Italien zurück. Aus diesem Anlaß entstehen die bedeutendsten klassizist. Kirchen Italiens: Gran Madre di Dio in Turin* für das savoyische Königshaus und San Francesco di Paola in Neapel* im Auftrag des Bourbonen Ferdinand I. Beide Bauten gehen aber auf das frz. Vorbild des Pariser Panthéon zurück! Die Kolonnaden Berninis vor St. Peter scheinen noch immer Inbegriff architektonischer Monumentalität zu sein: Man findet sie im nahen Neapel* ebenso imitiert wie vor der Kathedrale von St. Petersburg*.

Rußland

Alexander I. und Nikolaus I. erweitern St. Petersburg in monumentaler Weise. Italienischen und französischen Baumeistern folgen bald einheimische Architekten: Von A. N. Woronichin, 1760–1814, stammt die Kathedrale*. Der Klassizismus beginnt in Rußland zu gleicher Zeit wie in Westeuropa und weist ebenbürtige Leistungen auf.

Polen

schließt sich in frühen Bauten der französischen Revolutionsarchitektur an (Warschau, 271*), findet aber auch bald zum international gewordenen Klassizismus, der sich eindeutig an der Antike orientiert.

Frankreich

J. N. L. Durand, 1760–1834, ist der führende Theoretiker der napoleonischen Zeit. Er unterscheidet nicht mehr nach Sakral- und Profanarchitektur, sondern nach privaten und öffentlichen Gebäuden. Zu diesen letzteren zählt er Stadttor, Triumphbogen, Brücke, Platz, Markthalle, Schule, Bibliothek, Museum und Gemeinschaftshaus und erst an 10. Stelle die »Basiliken« unter Vermeidung des Wortes »Kirche«.

Die Reihenfolge verrät die Wertmaßstäbe, die das Kaisertum den Architekturtypen für seine Selbstdarstellung beimißt. (Immerhin stehen die Paläste erst an 11. Stelle!) So sind auch die Geschichten der bedeutendsten Kirchen dieser Epoche stark vom Repräsentationsbedürfnis ihrer Zeit geprägt: Das ursprünglich als Kirche erbaute Panthéon* wird 1791 von der Revolution als »Denkmal der Großen Frankreichs« vereinnahmt; in St-Sulpice* wird 1789 nach dem Sturm auf die Bastille das Tedeum gesungen und die Fahne der Nationalgarde geweiht, 1792 beschließt hier der Revolutionsrat den Tod der benachbarten Karmeliter, und wie zahlreiche Kirchen wird sie »Tempel der Vernunft«, »Tempel des Höchsten Wesens« und Siegestempel.

Die Madeleine* wird 1764 als christliche Kirche begonnen; 1806 läßt Napoleon die Mauern einreißen und den klassizistischen Neubau zu Ehren der Grande Armée als »Temple de la Gloire« errichten. Nach dem Sturz des Kaiserreichs, 1814, ordnet Ludwig XVIII. die Fertigstellung als Gotteshaus an. 1834 wird die Verwendung als erster Pariser Bahnhof erwogen.

Wie die evangelische Stadtkirche von Karlsruhe (373*) dem Rathaus gegenübergestellt ist, so läßt Napoleon auch die Fassade der Assemblée Nationale auf dem anderen Seine-Ufer mit der Säulenfront der Madeleine korrespondieren.

In ganz Frankreich entstehen nur wenige klassizistische Kirchenneubauten. In zahlreichen Städten werden aber – hierin dem Beispiel von St-Sulpice folgend – bestehenden Kirchen antikisierende Fassaden vorgebaut.

Paris, Panthéon, 1764–90, Soufflot. Tambourkuppel mit Säulenumgang über der Vierung, 4 Nebenkuppeln auf Widerlagern mit Tonnengewölbe über den Kreuzarmen. Korinthischer Portikus mit seitlichen Verstärkungen. 1791 von der Nationalversammlung säkularisiert (»Denkmal der Großen Frankreichs«).

Paris. O: St-Sulpice, 1646 beg., Le Vau. Fassade 1733–77, Servandoni und Chalgrin. Der 2geschossige Portikus betont die Waagerechte. Klassische Säulenordnungsfolge. Mi und u: Madeleine-Kirche, 1806–42, Vignon und Huvé. Römisch-korinthischer Peripteros mit 3 Oberlichtern, keine Fenster.

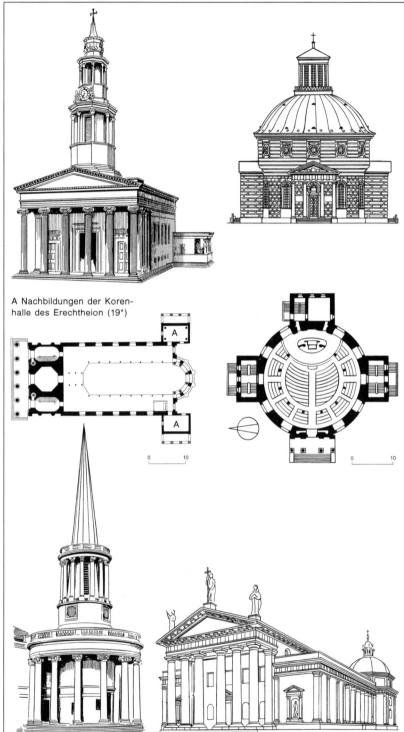

A Nachbildungen der Korenhalle des Erechtheion (19*)

London. O: St. Pancras' Church, 1819–22, Inwood. »Greek Revival«. Vorbilder: Erechtheion, 19* (flachgedeckte Halle mit Galerien, Korenhalle), Turm der Winde, 345* (Turm, dreifach gestaffelt). – U: All Souls', Vorbau,
1822–24, Nash. Griechisch-ionischer Tholos,
darüber Monopteros mit Spitzturm. 267*

O u. Mi: Warschau, Evangelische Kirche,
1777–79, Zug. Zylindrischer Baukörper mit La-
ternenkuppel. 4 Eingangsbauten, der westliche als dorischer Portikus. – U: Wilna/Li-
tauen, Kathedrale, 1769–1801, Gucewicz. Rö-
misch-dor. West-Portikus vor dem Mittelschiff
des basilikalen Langhauses mit Ost-Kuppel.

England

Ähnlich wie nach dem Brand von 1666
(vgl. 262) und 1711 (vgl. 263) wird 1818
eine »Church Building Society« unter
Leitung von J. Nash, Sir J. Soane und
Sir R. Smirke gegründet. Das Parlament bewilligt 1,5 Millionen Pfund zum
Bau billiger Kirchen, vorwiegend in
Städten, die durch Industrialisierung
und Landflucht stark gewachsen sind.
Von den 214 Kirchen, welche die Kom-
mission errichtet, werden 174 »gotisch«
gebaut, nur wenige sind architektonisch bedeutsam. Fast alle Kirchen von
Nash, Soane und Smirke gehören dem
»Greek Revival« an. Sie sind stark indi-
viduell geprägt, zu teuer und unbrauch-
bar als Bautypen für die beabsichtigte
Massenproduktion.

Hauptvertreter und ihre Werke:
– William Inwood, 1771–1843, und
  Henry William Inwood (Sohn),
  1794–1843: London, St. Pancras'
  Church*, 1819–22; All Saints', Cam-
  den Town, 1822–24
– John Soane, 1753–1837: London, St.
  Peter, Walworth, und Holy Trinity,
  Marylebone, beide 1824–25
– John Nash, 1752–1835: London, All
  Souls', Regent Street*, 1822–24
– Robert Smirke, 1781–1867: London,
  St. Mary, Wyndham Place, 1823–24;
  St. Anne, Wandsworth, 1820–22;
  Strood, St. Nicholas, 1825.

Dänemark

Die Frauenkirche in Kopenhagen,
1811–29, C. F. Hansen (264*, 265*), innen durch Thorvaldsens Figurenzyklus
geschmückt, ist einer der edelsten Beiträge zum europäischen Klassizismus.

Deutschland

Die Klosterkirche von St. Blasien
(272*) stellt schon eine frühe, von
Frankreich beeinflußte Abkehr vom
barocken Bauschema dar, und die
Frankfurter Paulskirche (272*) zeigt
noch radikaler die nüchterne Kühle
des Klassizismus, wenngleich sie die
barocke Ellipse im Grundriß verwendet.

Friedrich Weinbrenner, 1766–1826,
der seiner Vaterstadt Karlsruhe ihre
heutige Gestalt verschafft, hat Du-
rands Theorien studiert und baut mit
der Evangelischen Stadtkirche (373*)
reine klassizistische Architektur.

VOM KLASSIZISMUS ZUM EKLEKTIZISMUS

Siehe auch 374 ff.

Aber schon bei den Kirchenbauten der beiden wichtigsten Baumeister der nächsten Generation, Schinkel und Klenze, treten die Spannungen zwischen Klassizismus und Historismus offen zutage. K. F. Schinkel, 1781–1841, gelingt zwar mit der Nikolaikirche in Potsdam* ein streng klassizistischer Bau, aber schon 10 Jahre früher hat er für die Werdersche Kirche – ähnlich wie Nash in England und Latrobe in Baltimore – Entwürfe in 3 verschiedenen historischen Stilen vorgelegt, von denen der neugotische verwirklicht wird (268*).

L. v. Klenze, 1784–1864, der das neue, klassizistische Stadtbild Münchens wesentlich prägt, muß für die Allerheiligen-Hofkirche seines Auftraggebers, Ludwig I., die Cappella Palatina von Palermo zum Vorbild nehmen.

Der Klassizismus gerät bald in Verruf. H. Hübsch, 1795–1863, Weinbrenners Nachfolger, kritisiert schon 1820, »daß die antike Architektur auch bei der freisten Behandlung für unsere heutigen Gebäude unbrauchbar sey« und nennt den Klassizismus 1828 einen »Lügen-Styl«.

Neugotik. Seit der Restauration ahmt der Sakralbau mit Vorliebe die eigene Gotik nach. In England setzt sich damit eine ununterbrochene Tradition fort, die als »Gothic Revival« auch den Klassizismus begleitete und sich als »Neugotik« über Europa verbreitet. Engl. Architekten bauen u. a. die Nikolaikirche in Hamburg, 1844, und die Kathedrale in Lille, 1856. England fühlt sich zwar gegenüber der gotischen Vergangenheit stärker verpflichtet als der Kontinent (programmatische Schriften mit moralisch-theologischen Begründungen von A. W. Pugin, 1812–52, u. a.), und engl. Neugotik reicht bis in die Jetztzeit, aber wahrhaft europäisch sind im 19. Jh. der neugotische Baueifer (in Frankreich wird 1852 an 200 neugot. Kirchen gebaut!) und die Erscheinungsformen:
– gotisierende Einzelformen an klassizistischen Bauten (London, St. Bartholomew, G. Dance)

St. Blasien, Kloster, 1768–83, d'Ixnard. Eckrisalite verstärken die 2 symmetrisch-quadratischen Hofanlagen. Rundkirche mit Tambourkuppel auf 20 Säulen, basilikaler Langchor, umlaufende Galerie. Säulenportikus mit niedrigen Flankentürmen.

O u. Mi: Frankfurt, Paulskirche, 1789–92, Heß. Ellipt. Zentralbau, Emporen auf 20 Säulen. Hier: Anordnung für das Parlament von 1848. – U: Potsdam, Nikolaikirche, 1830–37, Schinkel. Hohe Tambourkuppel mit Säulengang über der Vierung des griechischen Kreuzes.

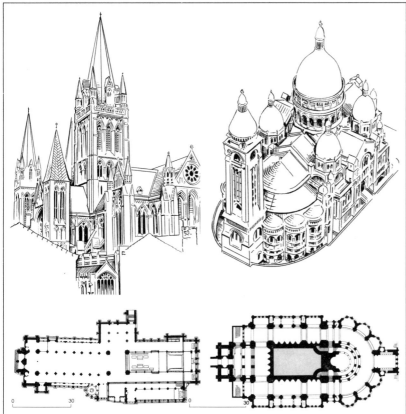

Truro, Kathedrale, 1879–1910, J. L. Pearson. Mischstil aus Early English und frz. Kathedral-Gotik. Kreuzgang 1935 beg.

Paris, Basilika Sacré Cœur, als Sühnezeichen nach dem Krieg 1870/71 im romano-byzantinischen Stil erbaut.

Wien, Votivkirche, gestiftet für die Errettung des Kaisers Franz Joseph, 1879 voll., v. Ferstel. Eine der größten neugotischen Kirchen Europas im Stil des 14. Jhs. mit Doppelturmfassade, Querhaus, durchbrochenem Turmhelm und reichem Maßwerk.

Kopenhagen, Frederiks Kirke, »Marmorkirche«, beg. 1749, Jardin. Rundkirche mit Umgang. Wegen Spätrenaiss.-Vorbildern, z.B. Kuppel nach Rom, St. Peter, und Vollendung unter Einfluß der Romantik, 1876–94, Medahl, auch dem Historismus zuzuordnen.

– pittoreske Abwandlung gotischer Vorbilder (Fonthill Abbey, 335*, ist keine Kirche, sondern ein Landhaus!)
– exakte Kopie gotischer Bauweise (Chelsea, St. Luke, 1820–24, J. Savage; Wien, Votivkirche*; Vitoria/Spanien, Neue Kathedrale, 1907–69)
– seit etwa 1830 als Teil eines Gemischs verschiedener Stile
– Fertigstellung unvollendeter gotischer Dome wie Köln und Ulm
– Zerstörung nachgotischer Einrichtungen in gotischen Kirchen (Altar, Kanzel, Orgel u. a.) und deren Ersatz durch neugotische Surrogate (→ »Purismus«)
– moderner Bau mit vereinfachten gotischen Elementen in Portal, Fenstern, Turm usw. (Guildford Cathedral, 1936–61!, E. Maufe)

Auch Bauten späterer Stile werden zu Ende gebaut (Kopenhagen*).

Der **Rundbogenstil,** eine deutsche Variante der **Neuromanik,** geht von Schinkel aus und lehnt sich an byzantinische, italienisch-romanische und italienische Renaissance-Vorbilder an (Sakrow bei Potsdam, Heilandskirche, 1841–44, L. Persius, → Rundbogenstil*). Ende 19. Jh. werden zahlreiche neuromanische Kirchen (und Bahnhöfe!) gebaut.

Die historisierende Architektur – dazu gehören auch die **Neurenaissance,** 1830 in Frankreich begonnen, der **Neubarock** der Gründerzeit, ägyptische und byzantinische Reminiszenzen (Paris, Sacré Cœur*) – wird zu ihrer Zeit weniger als Erfindungsschwäche, vielmehr als Zeichen der Ehrfurcht vor der Geschichte und als Symbol spezifischer Geisteshaltungen assoziiert (vgl. 375). Die Verwirrung der Begriffe wird selten erkannt. Selbst der weitsichtige G. Semper, 1803–79, polemisiert zwar gegen den Historismus, sieht aber das Ideal »moderner« Baukunst darin, »die Tendenzen der Renaissance-Architektur fortzubilden«.

Ronchamp, Wallfahrtskirche, 1950–55, Le Corbusier

JUGENDSTIL UND MODERNE

Ornamentik

Buchgraphik

Jugendstil[1] ist der Versuch einer Antwort auf den Historismus des 19. Jahrhunderts, dessen Architektur weitgehend auf der Nach- oder Umformung vergangener Stile fußte.

Wissenschaft und Technik machen gegen Ende des 19. Jahrhunderts gewaltige Fortschritte. Sie verändern Weltbild und Lebensstil. Wer mit der Zeit lebt, spürt, daß sie reif ist für eine durchgreifende »Lebensreform« des Bürgers. In ständig sich erweiterndem Rahmen finden solche reformatorischen Bewegungen ihren Ausdruck etwa in den Bestrebungen nach einer »Reformkleidung« der Frauen, in den Bünden des »Wandervogels«, aber auch in den zunächst belustigenden, dann ärgerniserregenden Postulaten der Suffragetten. Sie kulminieren schließlich in dem weltweiten Schrei der Zukurzgekommenen nach sozialer Gerechtigkeit.

Von England geht um 1890 eine Bewegung aus, die eine neue Ästhetik der Kunst propagiert und bald ganz Europa ergreifen wird. Ihre ersten Bemühungen richten sich auf das Ornament. Stilisierte Pflanzen- und Tierformen in weich gekrümmten, bewegten Linien, flächig und schattenlos, dadurch fern jedem Naturalismus oder Historismus – am ehesten noch spätgotischen Formen und der japanischen Malerei verwandt –, assoziieren ähnlich lyrische Stimmungen wie die zeitgenössische Dichtung. Von dorther stammen auch die ersten Aufträge für eine neue Buchgraphik. Bald macht sich auch die Plakatkunst die großzügige, augenfällige Wirkung des neuen Stils zunutze.

[1] In Deutschland so genannt nach der 1894 von Georg Hirth gegründeten Zeitschrift »Jugend«. – Österreich: »Sezessionsstil«. – Frankreich: »Art nouveau« nach dem Ladenschild der 1896 in Paris eröffneten Galerie Samuel Bing, auch »Modern Style«, »Style nouille«, »Style coup de fouet«, »Style Guimard«. – England: »Modern style«, »Liberty«. – Italien: »Stile Liberty«, »Stile Nuovo«. – Spanien: »Modernismo«, »Arte Joven«, »Estilo Gaudí«.

Den Weg über das Kunstgewerbe gehen William Morris und seine Freunde. Ihre Werkstätten für Möbel, Stoff- und Tapetendekors finden in vielen Städten Nachfolger mit eigenen Formensprachen (vgl. 380). Die bekanntesten entstehen in München, 1897, Dresden, 1898, Wien, 1900, Nancy, 1901, und in der Darmstädter Künstlerkolonie Mathildenhöhe, 1900. In Glas-, Zinn- und Porzellangegenständen zeigt sich auch noch einmal der Einfluß japanischer Kunst, der schon für den Impressionismus so bedeutsam war.

Aber Jugendstil ist mehr als Eckmann-Schrift und Lautrec-Plakat, will auch mehr, als Beardsleys und Oscar Wildes freizügige Raffinessen vorstellen. Er will auch mehr als nur einen neuen, unhistorischen Einrichtungsstil.

Er ist »das erste Stilphänomen mit universellen Ansprüchen seit dem Barock – mit dem Anspruch, der das totale Leben für sich fordert. An die Stelle der katholischen Kirche im Barock ist hier die ›Weltanschauung‹ getreten, die diese universelle Forderung an das Leben begründen sollte« (Willy Haas, Die Belle Epoque). Er betreibt die »Humanisierung der bürgerlichen Welt durch die Kunst«. Die schöne, zweckmäßige Form soll in allen Dingen selbstverständlich sein. Der Virtuose, das künstlerische Idol des 19. Jahrhunderts, soll abgeschafft, der Künstler aus seiner Isolierung gegenüber dem Volk (und Kunstgewerbe) befreit werden. Es geht also wieder um das »Gesamtkunstwerk«. Aber es ist paradoxerweise doch wieder ein »Star«, der diese Ansprüche am nachhaltigsten, zumindest am spektakulärsten erfüllt: Richard Wagner, erklärter Held des Jugendstils und Erfinder des Begriffs vom Gesamtkunstwerk, das in seiner Oper realisiert sein soll als Einheit von Handlung, Musik und Bild, ja sogar als Verkettung von Kunst und Leben in seinen sozialen und ästhetischen Formen. In der Tat hat nie mehr eine Kunstform so sehr alle Strömungen ihrer Zeit aufzusaugen und weiterzureichen gewußt wie die Wagner-Oper.

Architektonische Gesamtkunstwerke entstehen in der zweiten Phase des Jugendstils, als Ende der 90er Jahre seine ersten Wohnhäuser gebaut werden. Auch ihre Architekten verstehen sich – ungeachtet der ursprünglichen Absicht des Jugendstils – nicht als Handwerker, sondern als Genies. Aus ihrer Hand stammen Außen- und Innenarchitektur, Mobiliar, Teppiche und selbst die nebensächlichsten Gebrauchsgegenstände (Wolfgang Pehnt: »bis zum Petschaft auf dem Schreibtisch«). Victor Horta treibt den Dialog mit dem Auftraggeber so weit, daß er seine Häuser als »Porträts« ihrer Bewohner angesehen wissen will. Aber für ein solches »Wohnset« von Horta, Gaudí oder Van de Velde kommt nur eine finanzkräftige Elite als Käufer in Betracht, die sich überdies auch die Ausbildung eines erlesenen Geschmacks leisten kann. Für das Volk, den Arbeiter, dem doch eigentlich die gute Absicht gilt, ist diese Kunst zu teuer. Den volkspädagogischen Intentionen ihrer Verfechter widersetzt sich überdies der traditionelle Argwohn des Proletariers gegenüber dem Intellektuellen, der ihm neues Heil durch die Kunst anbietet.

Bald treten auch die ersten Kunst-»Ismen« mit ihren weit radikaleren Programmen auf, die die volksbildenden Absichten des Jugendstils links überholen.
– 1905 wird die »Brücke« gegründet, die Wiege des norddeutschen Expressionismus,

Kunstgewerbliche Werkstätten

Gesamtkunstwerk

Otto Eckmann, 1865–1902, Zeichner für die Jugendstil-Zeitschriften »Jugend« und »Pan«, Entwerfer der »Eckmann-Schrift«.

Widerstände und Niedergang

- 1905 stellen auch die »Fauves« im Pariser Salon d'Automne zum erstenmal ihre bestürzenden Bilder aus,
- 1910 malt Kandinsky in München sein erstes abstraktes Aquarell.
- Ebenfalls 1910 vollziehen Braque und Picasso ihre radikale Trennung von der optisch erfaßbaren Natur. »La nature existe et ma toile aussi« lautet Picassos lapidares Manifest.
- 1910 treten die Kubisten zum erstenmal – ebenfalls im Salon d'Automne – vor die Öffentlichkeit,
- 1910 trennt sich die Künstlerjugend Berlins von der impressionistisch orientierten »Sezession« und gründet die »Neue Sezession«.

Schließlich bedeutet der Ausbruch des Weltkrieges das Ende des Jugendstils. Die bittere Realität, Blut und Not setzen sich über seinen Ästhetizismus hinweg.

So wird verständlich, was Meier-Graefe als Fazit der Jugendstilbewegung schreibt: »Wir trugen zuviel Kunst in unseren an sich lebenswerten Gedanken hinein. Die Kunst sollte mit dem Leben verbunden werden. Wir erdachten alle möglichen Verbindungen, aber sie waren alle zu künstlerisch, um nicht zu sagen künstlich. Und je mehr wir deren erdachten, desto weiter wich das Leben von unseren schönen Plänen zurück.«

Auswirkungen

Dennoch verbleiben markante Spuren der Jugendstilarchitektur:
- ein sichtbarer Trend zu menschenwürdigeren Arbeitersiedlungen
- eine große Zahl von räumlich großzügigen, wohnlichen Miet-Wohnhäusern, von Hotels, Kaufhäusern und Kommunalbauten in den Formen des Jugendstils (wenn sie auch meist keine »Gesamtkunstwerke« geworden sind) oder in eklektizistischer Verbindung mit Elementen des Historismus
- einige wenige Wohnbauten, Theater (Köln), Museen (Weimar) von Endell, Olbrich, Horta, Van de Velde u. a. sowie Gaudís Gesamtwerk: seine Wohnhäuser, Villen, die Kirche »Sagrada Familia« in Barcelona (282*), die Arbeitersiedlung Colonia Güell, der Park Güell, die Gesamtkunstwerke darstellen
- kunstgewerbliche Gebrauchsgegenstände
- Auswirkungen auf die »Neue Sachlichkeit« der 20er Jahre (Reproduzierbarkeit von Möbeln), auf die plastischen Formen des Expressionismus (383*), den anthroposophischen Goetheanismus (383*) und sogar auf Le Corbusiers Wallfahrtskirche in Ronchamp (284*), aber auch auf die »zweckmäßige« funktionelle Architektur.

Jugendstil. Lesepultengel, F. Hofstötter, um 1910. Weiden, Pfarrkirche St. Josef

Jugendstil. Li: Stuhl, um 1900. – Mi: Bauornament, 1903. – Re: Pflanzenkapitell, 1905

Diese Zweckmäßigkeit ist ein Hauptziel des »technischen Zeitalters«. Sie beschränkt sich im Rahmen der industriellen Revolution des 19. Jahrhunderts aber noch weitgehend auf die Mechanisierung der maschinellen Fabrikation. Noch sind die Fassaden der Fabrikgebäude historisierend verkleidet, neugotische Lagerhallen und Bahnhöfe im Rundbogen-Stil lassen keine Schlüsse auf ihre Funktionen zu. Natürlich weiß auch die Baukunst des 19. Jahrhunderts schon die konstruktiven Vorteile der neuen Werkstoffe – Glas, Eisen, später Stahl und schließlich Beton – und der Maschine zu nutzen, die »jede menschliche Geschicklichkeit beschämt« (G. Semper, 1852). Aber nur selten bestimmen diese neuen Werkstoffe auch die äußere Form und gelten dann – wie der Eiffelturm – als nackt und häßlich. Fast immer werden sie darum geradezu schamhaft versteckt: Die Eisenkonstruktion der Pariser Opernkuppel (375*) hinter dem pompösen Äußeren und die von burgähnlichen Brückenköpfen gerahmten Eisenskelett-Brücken (377*) stehen für zahlreiche andere Beispiele. Sie bezeugen nicht nur den historistischen Geschmack ihrer Zeit, sondern weit mehr die Tatsache, daß die Baukunst des 19. Jahrhunderts im wesentlichen doch noch immer Handwerkskunst ist, die auch an den Materialien einer jahrtausendealten Tradition festgebunden bleibt: Holz, Stein, Mörtel. Diese traditionellen Baustoffe ließen zwar eine nahezu unbeschränkte Vielfalt der Erfindung von Formen zu, aber ihre konstruktiven Möglichkeiten blieben seit den Tempeln der Antike immer gleich.

Nur der Ingenieur, dessen Berufsbild sich um 1800 von dem des Baumeisters getrennt hat (377, Ziff. 6), kann es sich leisten, beim Bau von technischen und Industrie-Anlagen (Viadukt, Flugzeug-Hangar, Silo, Röhren, Decken) die neuen Baustoffe rein auf ihre Zweckmäßigkeit und ohne Rücksicht auf die äußere Schönheit seines Werkes zu erproben und die Überlegenheit der neuen Techniken zu beweisen:

1. Der Eisenskelettbau fängt durch seine Verstrebungen sowohl Druck als auch Seitenschub und Windknickung auf. Er erlaubt große Bauhöhen (Eiffelturm, 1889, 300 m) und weit vorkragende Decken (Brückenbau). Der Eisenskelettbau spart Zeit. Zeitersparnis bedeutet Kostenersparnis. Der Londoner Kristallpalast (377*), ein 540 × 140 m großes, durch Glasscheiben geschlossenes Eisengerüst aus vorgefertigten Bauteilen, wird 1851 in weniger als einem Jahr gebaut.

2. Beton, schon seit der römischen Antike als »opus incertum« bekanntes Gemisch aus Zuschlagstoffen (Sand, Kies), Bindemittel (Zement) und Wasser von hoher Tragkraft, wird 1867 von Joseph Monier auch um ein Metallgerippe (= Bewehrung) gegossen. Dieser Eisen- oder Spannbeton bewirkt
   - höhere Belastbarkeit durch Druck (Tragfähigkeit) und erlaubt ein dünnes Pfeilergerüst oder → Piloten als tragende Elemente
   - Aufnahme großer Zugspannungen beim Bau von aufliegenden, besonders aber bei weit auskragenden Decken, bei freitragenden Treppen (387*) und Schalendächern. Fritz Schumacher, 1869–1947, hat errechnet, daß die 43 m Spannweite des Pantheon in Rom (34*) von einer nur 6 cm dicken Eisenbetonkuppel überwölbt werden könnte, wobei sogar der Seitenschub ausgeschaltet wäre.

Typen moderner Kirchen
Hierzu 283 ff.

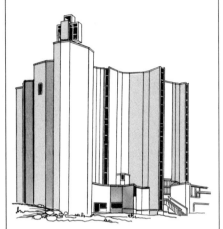

Tampere/Finnland, Kaleva-Kirche, 1964–66, Paa-telainen und Pietilä. Die Strenge der außerordent-lich hohen, glatten, gleichhohen Betonmauern wird durch Kurvaturen barock bewegt. Der Innen-raum überwältigt durch seine Fülle von Licht und Raum und die handwerklich vorzüglichen hölzer-nen Ausstattungsstücke. – Vgl. 284,1

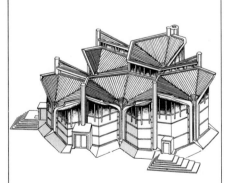

Emmerich/Rheinl., Heilig-Geist-Kirche, 1965–66, D. Baumewerd. Unregelmäßiger »organischer« Grundriß, Betonmauern. Die Betonpfeiler tragen lotosblumenartige Dachkompartimente mit raffi-nierter Entwässerung. – Vgl. 284,2

Die große Bildsamkeit des Betons ermöglicht in Verbindung mit seiner Spannfähigkeit den Guß von Formen, die mit Steinen nicht zu bauen wären.

Vorgefertigte Bauteile (Rahmen, Stützen, Deckenplatten, Wand-elemente, Curtain wall-Elemente = nichttragende Vorhangfassade für die Außenverkleidung von Skelett-Bauten usw.) erlauben Nor-mierung, Zeit- und Kostenersparnis.

3. Glas wird nicht nur als Füllung von Fensteröffnungen benutzt, sondern kann das tragende Gerüst eines Gebäudes völlig umklei-den (Kristallpalast). Seine relative Unkörperlichkeit bildet eine diaphane Außenhaut, die äußere Erscheinung und innere Struktur eines Gebäudes gleichzeitig empfindbar macht. Als Curtain wall wird sie im 20. Jahrhundert einem Skelettbau vorgehängt.

4. Die Statik (nach Pevsner »Lehre vom Gleichgewicht der Kräfte, vom Spannungs- und Verschiebungszustand von Tragwerken«) gewinnt neue mathematische Erkenntnisse, durch die das kon-struktive Gerüst eines Bauwerks auf sein körperliches Minimum reduziert werden kann.

5. Kunststoffe spielen erst im 20. Jahrhundert eine zunehmende Rolle im Bauwesen. Ihre Vorteile liegen vor allem in geringerem Gewicht, Wärmedämmung, Bildsamkeit, Reproduzierbarkeit, Wi-derstandsfähigkeit gegen Korrosion (deshalb z. B. auch bei Restau-rierungsarbeiten eingesetzt: Köln, Fialen des Doms; Brighton, Kuppeln des Royal Pavilion und der Georgian-style-Häuser usw.).

Gegen 1900 übernehmen auch die Baumeister in zunehmendem Maße die Erfahrungen der Ingenieurkunst für ihre Konstruktionen. Aber die Außenhaut der Gebäude behält weitgehend das unwahre Aussehen handwerklicher Bearbeitung, weil diese jetzt durch maschi-nengefertigte Bauteile nur noch vorgetäuscht wird.

Auch der Jugendstil schafft nur wenige Bauten, die Konstruktion und äußere Form mit den Mitteln der neuen Techniken zur Kon-gruenz bringen.

Anfang des 20. Jahrhunderts erst gelingt die Verwirklichung einer neuen Ästhetik der Baukunst, die bis in die Jetztzeit maßgebend wird (vgl. 382 ff.*). Gleich an ihrem Beginn steht ein Manifest des einfluß-reichen Wiener Architekten Otto Wagner, 1841–1918, der zunächst selber im Stil der Neurenaissance und des Jugendstils gearbeitet hat, 1906 aber das Programm dessen verkündet, was bis heute im wesent-lichen unter moderner Architektur verstanden wird: »Die moderne Baukunst sucht Form und Motive aus Zweck, Konstruktion und Ma-terial herauszubilden. Sie muß, soll sie unser Empfinden klar zum Ausdruck bringen, auch möglichst einfach sein. Diese einfachen For-men sind sorgfältig untereinander abzuwägen, um schöne Verhält-nisse zu erzielen, auf welchen beinahe allein die Wirkung von Wer-ken unserer Baukunst beruht.« 1906 wird das Weimarer Bauhaus gegründet, 1907 der Deutsche Werkbund. Die italienischen Futu-risten entwerfen seit 1907 ihre phantastischen, wenn auch nie reali-sierten Bilder der modernen lärm- und geschwindigkeitserfüllten Städte. Die holländische »Stijl«-Bewegung, Le Corbusiers frühe Postulate für eine menschenwürdige Wohnwelt und erst recht der sozialistisch gerichtete Konstruktivismus der 20er Jahre – sie alle schreiben den Satz Sullivans auf ihre Fahnen: »Form follows function« (1896), der das Programm des Funktionalismus darstellt. Auch der Jugendstil wollte die Erscheinungsform seiner Erzeugnisse aus ihren Funktionen ableiten. Seine Bauelemente sind zugleich ornamental gestaltet, ja, seine Bauten stellen im idealen Fall die Synthese dar aus lauter ornamentalen Formen, die »auch« tragen oder offene Flächen füllen können. Aber gerade diese esoterische Ununterscheidbarkeit von Ornament und statischer Struktur, von Dekoration und Funktion ist den Neuerern suspekt. Ihre zunehmende Ablehnung alles Ornamentalen gipfelt in dem 1908 geschriebenen Satz von Adolf Loos: »Das Ornament wird nicht nur von Verbrechern erzeugt, es begeht ein Verbrechen dadurch, daß es den Menschen schwer an der Gesundheit, am Nationalvermögen und also in seiner kulturellen Entwicklung schädigt.«

Das Ziel des Funktionalismus ist es, alle Bauteile auszuschalten, die nicht zugleich ein »aktiver Bestandteil der Konstruktion« sind. »Das konstruktive Gerüst wird als ästhetischer Wert ausdrücklich zur Schau gestellt« (P. Meyer).

Was dem Jugendstil nie recht gelungen ist, das gelingt den neuen Strömungen der Baukunst des 20. Jahrhunderts: Ihr soziales Engagement führt sie tatsächlich an die Bedürfnisse und – nach langen Anfangsschwierigkeiten – schließlich an das Verständnis des breiten Volkes. In der schmucklosen Geradlinigkeit, der überschaubaren und aufs Praktische gerichteten Organisation einer Arbeitersiedlung findet der Arbeiter Identifikation und Behagen; und wenn er sein eigenes Haus baut, so ist es meist wieder ein funktioneller Bau.

Die menschenfeindlichen Wohn-Hochhäuser der Zeit nach dem 2. Weltkrieg, die seelenlosen Trabanten- und Innenstädte und manches kirchliche Seelensilo bestätigen allerdings auch die Erkenntnis, daß die technischen Möglichkeiten an sich wertfrei sind und erst durch Mißbrauch oder Dummheit schädlich werden.

Neben dem Funktionalismus, der Kubus und rechten Winkel bevorzugt, geht eine Strömung einher, die den Grundriß weniger geometrischen Grundformen als vielmehr der organischen Bewegung des Menschen anpaßt. Sie geht auf amerikanische Anregungen zurück. Vor dem 2. Weltkrieg schafft sie einige wenige Bauten, vorwiegend Wohnhäuser, wird im Deutschland des Dritten Reiches verpönt, ja verfolgt (vgl. 389*), findet aber auch wegen der hohen Baukosten kein breites Echo. Nach dem Krieg wird dieser »organische Baustil« deshalb nur in Gebäudetypen realisiert, deren Baumittel aus einer kleinen, reich gewordenen und oft zur Exzentrik neigenden Bevölkerungsschicht (Villenbau) oder aus der relativen Unerschöpflichkeit öffentlicher Hände stammen (Kommunal- und Kirchenbau, 284*).

Lichtensteig/Schweiz, St. Gallus, 1968–70, W. Förderer. Turm aus expressionistischen Staffelungen von Blocks aus Beton. Förderers Ideen zu kirchlichen Vielzweck-Anlagen mit Theater, Konzertsaal und Meditations-Räumen werden in Hérémence bei Sion verwirklicht. Ähnliches Schema zeigt das Sussex University Meeting House bei Brighton, beg. 1962, B. Spence. – Vgl. 285,3

Hjerkinn/Norwegen, Eystein-Kirche, 1970. Traditionelle Bauformen mit modernen Baustoffen und Linien. Rauh verputzter Beton, Holzskulptur unterm Rosenfenster. – Vgl. 285,5

STAHLBAU:
RAHMEN, STÜTZE, DACH

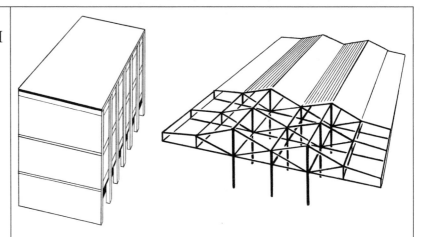

Stahlbau. Li: Die äußeren Stahlstützen sind frei sichtbar. – Re: Offene Halle, die auf wenigen, nach innen gezogenen Stützen ruht. Die Verspannung der Gerüstglieder hebt die auseinanderstrebenden Kräfte auf und erlaubt weit vorkragende Dächer.

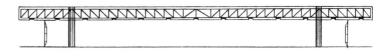

Stahlgitterdach

STAHLBETONBAU:
STÜTZE

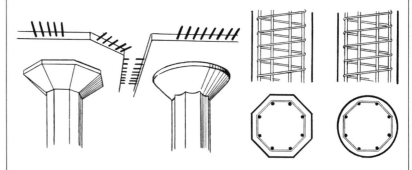

Li: Betonsäulen unter bewehrten Betondecken. – Re: Bewehrung (= Armierung) von Stützen mit unterschiedlichen Querschnitten; die Kernarmierungen sind spiralig umwickelt.

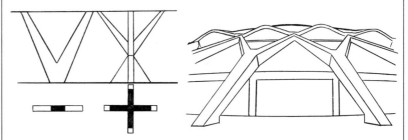

Li: V-Stütze. – Mi: Kreuzstütze. – Re: Y-förmige Schrägstützen, die in einem unterirdischen Stahlbeton-Ringfundament verankert sind, nehmen den Seitenschub des gewölbten Daches auf.

STAHLBETONBAU: DECKE

Li: Stahlbetonstütze und Übergang in Unterzug und Plattendecke. Re: 1 Plattendecke; 2 Plattenbalkendecke = Massivdecke aus Einheit von Deckenplatte und querlaufenden Balken; 3 Rippendecke, wie 2, aber mit enger liegenden schmalen Balken = Rippen. Nach H. Koepf.

Pilzdecke, Paderborn

RAHMEN

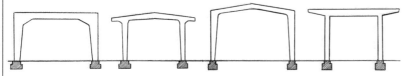

Stahlbeton-Rahmenbinder

DACH

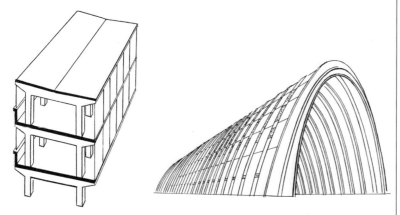

Li: Nach innen verlegte Stützen, am Boden als Piloten ausgebildet, unter den Decken in Unterzüge übergehend, die weit ausragende Deckenflächen ermöglichen. Vorgehängte Fassade (»Curtain wall«) ohne statische Funktion. – Re: Gerundete Längsschale mit Rippen. Paris-Orly, Luftschiffhangar, 1916–24, Eugène Freyssinet.

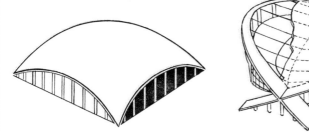

Li: Schalendach. Die Last- und Zugkräfte werden auf die sphärische Fläche verteilt und fließen in die äußeren Auflager. – Re: Hängedach mit ausgesteiftem Ringbalken ermöglicht große Hallen ohne Innenstützen. Berlin, Kongreßhalle, 1956–57, H. A. Stubbins

JUGENDSTIL

Im allgemeinen bleibt der Jugendstil
für den Sakralbau ohne Bedeutung.
Der Templo Expiatorio de la Sagrada
Familia in Barcelona* ist stilistisch nur
schwer einzuordnen. Weil Struktur
und Dekor des Tempels von pflanzlichen und anderen natürlichen Formen
ausgehen und wegen der Zeitgleichheit
seiner ersten Bauphase mit dem Jugendstil wird er – wie auch sein Erbauer Antonio Gaudí – diesem zugerechnet und gilt als sakrales Hauptwerk des Jugendstils:
– neugotische Einzelformen (maiskol-
  benförmige Turmspitzen, Spitzbo-
  genmaßwerk und -portale)
– barocker Überschwang der Formen
  (B. Champigneulle: »Jede funktionelle Idee wurde bei ihm Ornament«)
– manieristisch-anthropomorphe Formen
– symbolische Bedeutung aller Details
– Verwendung von Farben und glasierten Backsteinen in maurisch-spani-
  scher Tradition

Von weit größerer Bedeutung ist aber
die Überwindung des Strebebogensy-
stems, Gaudís persönlicher Beitrag zur
Entwicklung der Statik (Schnitt*):

Der zentrale Teil der Gewölbe ist hy-
perbolisch-konkav gestaltet; denn er
soll das Licht von den Schlußsteinen
aus verbreiten, die die Brennpunkte
der Beleuchtung sind. Bei der Wendung zu den Säulen sind sie ebenfalls
hyperboloid, aber konvex. Paraboloide
Flächen verbinden die sternförmigen
hyperbolischen Flächen miteinander.

Bedeutung für die Statik: Jeder Querschnitt eines jeden Schiffes hat sein eigenes Gleichgewicht. Denn das Gewicht des Gewölbes teilt sich nicht
mehr – wie im gotischen Spitzbogen-
bau – in Druck nach unten (der auf den
Säulen lastet) und in seitlichen Schub
(der von den Strebebögen über das Sei-
tenschiffdach nach außen in die Strebepfeiler abgeleitet werden mußte).
Parabolische und hyperbolische Flächen ergeben eine beinahe »senkrechte
Kräfteresultante«, d. h., das Gewicht
des Gewölbes fließt fast ausschließlich
senkrecht in die Säulen. Ihre leichte
Schrägstellung nimmt den Rest des
Seitenschubs auf.

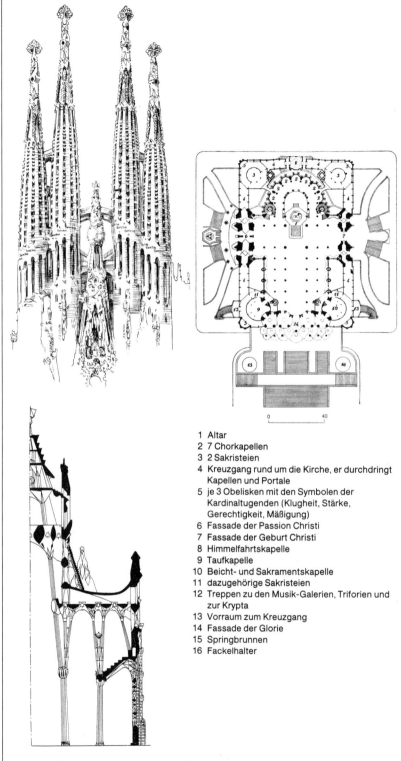

1 Altar
2 7 Chorkapellen
3 2 Sakristeien
4 Kreuzgang rund um die Kirche, er durchdringt
  Kapellen und Portale
5 je 3 Obelisken mit den Symbolen der
  Kardinaltugenden (Klugheit, Stärke,
  Gerechtigkeit, Mäßigung)
6 Fassade der Passion Christi
7 Fassade der Geburt Christi
8 Himmelfahrtskapelle
9 Taufkapelle
10 Beicht- und Sakramentskapelle
11 dazugehörige Sakristeien
12 Treppen zu den Musik-Galerien, Triforien und
   zur Krypta
13 Vorraum zum Kreuzgang
14 Fassade der Glorie
15 Springbrunnen
16 Fackelhalter

Barcelona, Kathedrale Sagrada Familia, 1882 beg., A. Gaudí, unvollendet. Seiteneingang, Plan
(Zeichnung von J. Puig Boada) und Schnitt. – 130 m lang, 87 m breit, 170 m hoch, 5 Kuppeln, 12
Glockentürme von je 100 m Höhe, Chorränge in 14 m Höhe für 2200 Sänger, die nach innen und
außen hörbar sind, 4 Orgeln in 40 m Höhe, weitere Riesenorgeln in den westlichen Türmen,
Glockenspiele in den Osttürmen.

MODERNE

Auch beim Sakralbau der Zeit vor dem 2. Weltkrieg kann die mühevolle Loslösung vom Historismus, die Wendung zu den neuen Baustoffen und Konstruktionstechniken und zu einer entsprechenden neuen Ästhetik an exemplarischen Beispielen verfolgt werden.

Englands Architektur bleibt eklektizistisch mit traditioneller Vorliebe für eine Gotik, die von Doreen Yarwood wegen ihrer Verspätung »anachronistisch«, wegen ihrer modernistischen Vereinfachung der historischen Formen »kastriert« genannt wird (Kathedralen in Truro, 273*, 1887–1910; Liverpool, 1901 entw., unvoll., G. Scott; Guildford, 1936–61, E. Maufe).

Norwegens Hauptleistung wird weniger in Neubauten als in der Restaurierung und Rekonstruktion der Kathedrale von Trondheim sichtbar (179*). Sh. auch Hjerkinn, Eysteinkirche, 279*.

Auch Schwedens Kirchen bevorzugen noch Granit, Backstein und hölzerne Decken. Ihre durchaus traditionellen Bauformen beeindrucken durch plastische Massivität (Stockholm, Engelbrekt-Kirche, 1906–14, L. I. Wahlmann; Göteborg , Masthugg-Kirche, 1916, S. Erikson).

Die Grundtvig-Kirche in Kopenhagen* symbolisiert nationales Verehrungsbedürfnis und geschichtliches Selbstbewußtsein durch einen modern gestrafften gotisierenden Baustil und Verwendung des auf nationale Tradition verweisenden Backsteins.

Notre-Dame de Raincy* ist die erste ganz aus Beton gebaute Kirche. Sie bildet den Anfang einer religiösen Architektur, die sich sowohl von den Baustoffen wie von der Ornamentik des 19. Jhs. löst. Wegen unausgereifter Beton-Technik ist sie aber schon heute in schlechtem Zustand: »Elle doit être refaite presque complètement« (H. Morin, Pfarrer von Raincy). Unter zahlreichen Nachfolgebauten entsteht St. Antonius in Basel, 1926–31, Karl Moser.

Den deutschen Expressionismus vertreten die Kreuzkirche in Berlin-Wilmersdorf, 1930, E. Paulus, und die

Kopenhagen, Grundtvig-Kirche, 1913 entw., gebaut 1920–40, J. Klint. Backstein, großzügig vereinfachte Version got. Vorbilder, plastisch und monumental; national gerichtet: Grundtvig = dän. Volkserzieher und Reformator.

Raincy bei Paris, Kirche Notre-Dame, 1922–25, A. Perret. Quertonnen der Seitenschiffs und Längstonne des Mittelschiffs aus Spannbeton machen Strebewerk unnötig. Fenster aus vorgefertigten Betonglaselementen.

Rundkirche von St. Engelbert in Köln-Riehl, 1931–33, Dominikus Böhm.

Der 2. Weltkrieg unterbricht eine mögliche kontinuierliche Weiterentwicklung der neuen Architektur. Durch Zerstörungen und Umschichtungen der Bevölkerungsstrukturen (Ballungen, Anwachsen konfessioneller Minderheiten) entstehen gewaltige Bauaufgaben. Ihnen entspricht ein quantitativer Bauwille, der wie nie zuvor die Breite des Volkes erfaßt. In Deutschland werden zwischen 1945 und 1980 mehr Kirchen gebaut als in den 400 Jahren vorher. Eine einheitliche stilistische Weiterentwicklung des Kirchenbaus läßt sich nur schwer erkennen. Im wesentlichen sind folgende Trends feststellbar:

1. Mehr oder weniger glückliche Aufarbeitung der Forderungen des Bauhauses (vgl. 384*) und verwandter Ideen. Tampere/Finnland, 278*

2. Abwendung vom Langbau zugunsten eines Pseudo-Zentralbaus mit barocker Attitüde. Dieser geht weniger auf geometrische Grundformen zurück – wie die Zentralbauten früherer Stile – als vielmehr auf unsymmetrische, unregelmäßige »organische« Formen. Rechte Winkel werden möglichst vermieden, wodurch sich u. a. Wege ergeben, die dem natürlichen Gehverhalten besser entsprechen sollen. Die Gebäuderänder zerfließen, sind amöbenhaft eingedrückt (Hammelburg*), bilden spiralige Grundrisse (Billings*, Ludwigswinkel*) oder amorphe Figurationen (Berlin-Schöneberg*), sie springen an unvermutbaren Stellen nach innen oder außen vor, wodurch sich allerdings Fensterflächen für indirekte Beleuchtung ergeben: auch dies eine Idee des Barock (Dahl*). Die lebendige Dynamik der Raumgestaltung schlägt gelegentlich in strukturelle Formlosigkeit um.

Entsprechend kompliziert sind die Dachkonstruktionen: gefaltet, geknickt, zerklüftet, geschweift, Hänge- und Schalendach. Emmerich, 278*

Das rituelle Zentrum, der Altarraum, liegt meist außermittig, die Sitzplätze sind oft amphitheatralisch

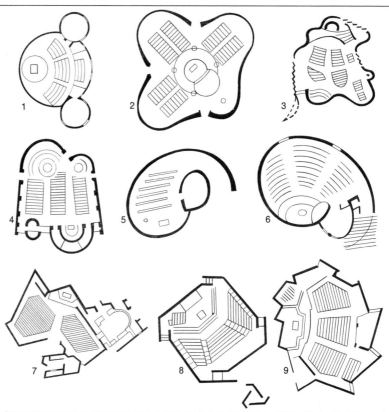

Schemata moderner Kirchenbauten. 1 Circumstantes; 2 Weilheim/Obb. (Projekt); 3 Hammelburg; 4 Gladbeck, St. Petrus; 5 Billings, Kapelle; 6 Ludwigswinkel-Fischbach, St. Ludwig; 7 Berlin-Schöneberg, Paul-Gerhardt-Kirche; 8 Düsseldorf, Bonhoefferkirche; 9 Dahl-Friedrichsthal (Nach Hans Koepf).

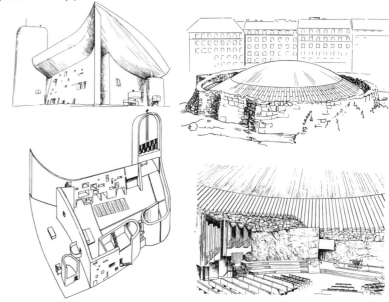

Ronchamp/Frankreich, Wallfahrtskirche Notre-Dame-du-Haut, 1950–55, Le Corbusier. Mauern und Dach sind hohle Betonschalen; plastisch-körperliche Wirkung des Sichtbetons (»béton brut« → Brutalismus). Expressionismus.

Helsinki, Temppeliaukion Kirkko, »Felsenkirche«, 1939 beg., J. S. Sirén; 1961–69 geänderter Plan, Timo und Tuomo Suomalainen. Aus dem Felsen gesprengt; Bruchsteinwälle; Stahlbeton-Kuppelskelett, innen mit Kupferverkleidung.

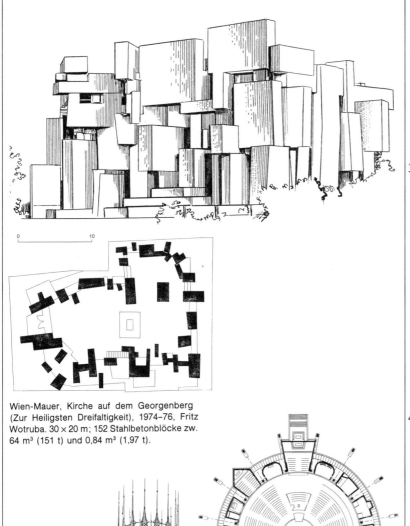

Wien-Mauer, Kirche auf dem Georgenberg (Zur Heiligsten Dreifaltigkeit), 1974–76, Fritz Wotruba. 30 × 20 m; 152 Stahlbetonblöcke zw. 64 m³ (151 t) und 0,84 m³ (1,97 t).

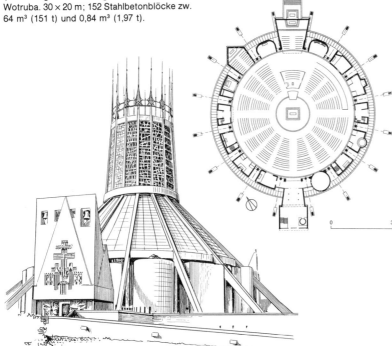

Liverpool, Metropolitan Cathedral of Christ the King, 1962–67, F. Gibberd. Zentralbau (auf den Fundamenten eines 1904 beg., 1941 zerstörten neuromanischen Kuppelbaus, E. Lutyens) mit 16 Schrägstützen, konischem Dach und farbig durchfensterter Laterne.

angeordnet. Schiebewände, Annexbauten, bewohnbarer Kirchturm, sogar Krypten ermöglichen die neuen Formen des Gemeindelebens und Gottesdienstes. Dieser nimmt neben Predigt und Meßfeier vermehrt eine Art von Schaugottesdienst (Music-bands, Theater, Lichtspiel usw.), aber auch Bildungs-, Informations- und Geselligkeitsveranstaltungen in den Kirchenraum auf.

3. Exponenten einer Tendenz zu plastischer Körperlichkeit mit deutlichen Anklängen an den Expressionismus (383*) sind
   – die Wallfahrtskirche von Ronchamp, 284*, 1950–55, Le Corbusier, eine Zusammenfügung dikker, aber geschmeidig geformter Bauteile aus hohlen Beton-Doppelschalen,
   – die Kirche auf dem Georgenberg*, Wien-Mauer, 1974–76, nach Entwürfen des Bildhauers Fritz Wotruba, eine zyklopische, atektonische Häufung gegeneinander verschobener Kuben.
   – Lichtensteig/Schweiz, 279*
   – Helsinki, Felsenkirche, 284*

4. Klassische Züge zeigt die Metropolitan Cathedral of Christ the King in Liverpool*, 1962–67, Frederick Gibberd. Sie gilt als moderne Verkörperung des Renaissance-Ideals eines kreisrunden Zentralbaus mit zentralem Altar unter Verwendung moderner Baustrukturen, -techniken, -stoffe. Dabei wird Eklektizismus streng vermieden. Dennoch erzeugt u. a. das farbige Licht aus Laterne und schmalen Maueröffnungen die mystische Stimmung mittelalterlicher Kathedralen. Die Symbolik (Königskrone) ist unübersehbar.

   Die Materialstruktur bleibt in der Regel unverkleidet, wird aber gelegentlich starkfarbig behandelt (Ronchamp). Ornamentaler Schmuck wird sparsam angewendet, dagegen sind ikonographische Bildprogramme auf Portalen, Türgriffen, Taufbecken und Ambo beliebt (Treibarbeit, Bronzeguß, Bergkristall-Einlagen). Farbiges Betonglas wird bevorzugt.

5. Adaption nationaler Bautradition. Hjerkinn, 279*; Kopenhagen, 283*

Wien, Oberes Belvedere, 1720–23, L. v. Hildebrandt

BURG UND PALAST

PFALZ

Seit merowingischer Zeit werden das fränkische und seine östlichen Nachfolge-Reiche von einer Reihe von Pfalzen aus regiert, die über das ganze Verwaltungsgebiet verstreut sind und vom Herrscher mitsamt seinem Hof und Mobiliar reihum besucht werden. Das Itinerar Heinrichs II., 1002–24, bezeugt etwa 200 solcher Reisen. Die Aufgaben einer Pfalz sind vielfältig und z. T. nur auf die Zeit der Anwesenheit des Herrschers beschränkt:
– Unterkunft und Bewirtung des Hofes
– Verwaltungszentrum eines begrenzten Teils des Reichsbesitzes
– Gerichtsstätte für Rechtsfälle, die der Jurisdiktion des Königs vorbehalten sind
– Versammlungsort für Reichsversammlungen und Synoden, die Aufgaben der Legislative erfüllen.

Ihre künstlerische Ausgestaltung hat für den Machtanspruch des Königs legitimierende Bedeutung; sie verwendet Bauelemente und Dekorationsformen, die auch im zeitgenössischen Kirchenbau üblich sind.

Erst in der zweiten Hälfte des 13. Jahrhunderts bauen die Könige ihre Residenzen als feste Wohnsitze aus. Nachbarstädte kaufen die leerstehenden Pfalzen an und verwenden sie als Verwaltungsgebäude. Die Aula regia wird Vorbild zahlreicher Rathaus- und Marktgebäude (vgl. Gelnhausen, 355*).

BURG

Schon die Merowinger belehnen ihre Vasallen mit Land und delegieren das Recht, befestigte Wohnsitze zu bauen.

Nach dem Tod Karls des Großen, 814, nimmt die Macht des Königtums stetig ab und die der Lehnsnehmer zu. Bald wird das Lehen erblich und entzieht sich so zunehmend der Besetzung durch den König. Der Burgbann, das Recht zum Burgenbau, gehört zwar noch allein dem König, läßt sich aber nur mit Mühe durchsetzen. Karl der Kahle befiehlt 864 mit geringem Erfolg, unerlaubt gebaute Burgen zu schleifen.

Zu gleicher Zeit – Ende des 9. Jahrhunderts – erweist sich aber das karolingische System weitgestreuter Königspfalzen als ungenügend zur Abwehr der dänischen, normannischen und ungarischen Überfälle.

Der Sachse Heinrich I., 919–36, erkauft 924 von den Ungarn einen zehnjährigen Waffenstillstand, in dessen Verlauf er die Ostgrenze des Reiches durch den fieberhaften Bau von Burgen sichert. Die Übertragung des Burgbanns auf die dort wohnenden Ritter (jeder neunte muß eine Burg bewohnen) führt schnell zu deren Unabhängigkeit. Der selbstherrliche Bau von Burgen verbreitet sich in wenigen Jahrzehnten über das ganze Reich. Zur Stauferzeit, im 12. und 13. Jahrhundert, erreicht er seinen Höhepunkt.

Die Selbständigkeit der Städte und Städtebünde und die Entwicklung der Feuerwaffen stellen Bedeutung und Wert der Burgen immer mehr in Frage. In drei großen Wellen vollzieht sich schließlich ihre Zerstörung: in den Hussitenkriegen des 15. Jahrhunderts, den Bauernkriegen des 16. Jahrhunderts und im 30jährigen Krieg, 1618–48.

Nach ihrer landschaftlichen Lage werden unterschieden
– Höhenburg, Gipfelburg, Kammburg
– Niederungsburg (Tieflandburg), meist von Wasser umgeben.

Exponierte Einzelbauteile lassen eine Differenzierung nach Turm-, Haus-, Schildmauer-, Mantel-, Palasburg zu.

Zoll-, Grenz-, Stadt-, Zwing-, Paß- und Straßenburg kennzeichnen die Funktion der Anlage, während über Art und Stand der Bauherren folgende Benennungen Auskunft geben:
Pfalz, Hof-, Stadt-, Lehensburg, Reichs-, Fürsten-, Grafen-, Ritter-, Dienstmannenburg, Ministerialen- und Kirchenburg, Wohnturm des städtischen Patriziats, Allodialburg als lehnsfreies Eigentum des Grundherrn.

Aber nur die geographische Unterteilung in Höhen- und Niederungsburg ist keinem möglichen Wandel unterworfen. Deshalb treffen die übrigen Systematisierungen oft nur für begrenzte Zeitphasen der Geschichte einer Burg zu.

Stilkundlich interessieren weit mehr die Bauformen der Burganlage. Das äußere Bild der Burg wird geprägt von den Bauteilen und -formen, die den Zwecken der Strategie, der Bewohnbarkeit und der Repräsentation entsprechen.

Den Anfang der nordeuropäischen Burg bilden die frühgeschichtlichen steinernen oder aus Palisaden errichteten Ringwälle (299*), die in Kriegszeiten als Fliehburgen dienten.

Burgtypen

Nach Herkunft und Grundrißform unterscheidet man in Europa 3 mittelalterliche Burgtypen (nach Herbert de Caboga):

1. **Die Ringburg**
   entsteht aus der »Motte« (von lat. mutta = Erdaushub), einer wahrscheinlich von den Normannen im ausgehenden 1. Jahrtausend entwickelten Burgform: Der Aushub eines kreisförmigen Grabens wird in der Mitte zu einem Hügel aufgeschüttet, auf dessen Spitze ein Wohn- und Wehrturm aus Holz oder Stein errichtet wird. Diesen umgibt ein Palisaden- oder Mauerring. Ähnliche Anlagen weit größeren Ausmaßes wurden aber schon im hethitischen Reich und in Syrien gebaut.

2. **Die byzantinisch-arabische Viereckanlage**
   geht auf das römische Castell zurück (293*). Nach seinem Vorbild bauen die Byzantiner quadratische und – seltener – rechteckige Anlagen. Sie sind von Türmen flankiert, ihre Tore sind durch Fallgatter und Gußöffnungen gesichert. Anfang des 8. Jahrhunderts übernehmen und verbessern die Araber dieses Verteidigungsschema für eine große Anzahl nordafrikanischer Burgen (301*). Die Kreuzritter machen diesen Burgentyp in England, Frankreich, Italien und auf der Pyrenäenhalbinsel, vereinzelt auch in den Balkanländern für die folgenden Jahrhunderte heimisch. Auch die Burgen des Deutschritter-Ordens im Osten variieren ihn, während sich

3. **die unregelmäßige Burganlage**
   in Zentraleuropa stärker durchsetzt. Ihre Formen richten sich nach der Anzahl der zu schützenden Bevölkerung (die als Fronarbeiter zugleich Größe, Finanzierung und Bautempo entscheidet), der strategischen Wichtigkeit des Platzes und den natürlichen Möglichkeiten und Beschränkungen des Baugeländes.

SCHLOSS

Im deutschen Sprachgebrauch sind Burg, Schloß und Palast nicht immer eindeutig unterscheidbar. Während die Burg immer ein befestigter Wohnsitz ist, kann ein Schloß sowohl befestigt als auch »offen« sein. Die Begriffe Schloß und Palast werden oft gleichbedeutend angewendet.

Auch die Übergänge vom vornehmen Steinhaus des mittelalterlichen Stadt-Patriziats, das bis zum Ende der Renaissance auch Wehraufgaben erfüllt, zu Burg und Schloß sind durchaus fließend (Palazzo Davanzati, 350*).

Bezeichnungen wie »Maison«, »Manoir« (Frankreich) oder »Manor house«, »Place«, »House«, »Hall«, »Great house« und »Palace« (England) vermitteln keineswegs zuverlässige Angaben über den wirklichen Charakter des Gebäudes als Burg, Landsitz, Herrenhaus oder Schloß. Oft stehen sie nur für ein aufwendigeres Bürger- oder Kleinadelshaus (Stanley Palace, 366*).

Mit der Demokratisierung des 19. und 20. Jahrhunderts beginnt eine Verwirrung besonders des Palast-Begriffes (vom Kristallpalast, 377*, für ein Ausstellungsgebäude von 1851 bis zum Palazzetto dello Sport, 341*, 1956), an dessen inflatorischer Ausweitung selbst die sozialistischen Länder teilnehmen (Kulturpalast, Volkspalast), so daß er schließlich banal abgewertet wird (»Palais de papier« für ein Tapetengeschäft).

Würzburg, Residenz, 1719–46, B. Neumann u. a.; Stadtseite. Grundriß 327*

Als Wohn- und Repräsentationsgebäude ist der Schloßbau die vornehmste Bau-Aufgabe des absolutistischen Fürstentums. Er entwickelt sich im 15. Jahrhundert aus drei Quellen:
– dem wehrhaften Stadthaus (Wohn-, Geschlechtertum, 353*)
– der mittelalterlichen Burg, deren Wehraufgaben durch mauerbrechende Feuerwaffen in Frage gestellt wurde
– der römischen Villa, 292*.

Nach seinen Funktionen und seiner topographischen Lage unterscheidet man Land-, Stadt-, Wasser-, Lust-, Jagdschloß.

In der Regel ist das Schloß so angelegt, daß es entweder
– von der erhöhten oder durch Wasser geschützten Stelle einer ehemaligen Burg aus eine natürliche Landschaft beherrscht
– Zentrum einer künstlichen (Park-)Landschaft ist oder
– Ausgangspunkt bzw. Ende eines städtischen Straßensystems wird.

Im 16. Jahrhundert werden auch beim Schloßbau z. T. noch die zentralisierenden Formen des Burgenbaus weitergeführt (Ancy-le-Franc*, 1555 beg.; Prag, Schloß Stern*, 1555).

1 Kugelhammer, Lkr. Schwabach, 1607–08, Nützel. – 2 Wörlitz, Sachsen, 1769–72, Erdmannsdorf. – 3 Thalheim, Lkr. Hersbruck, 1708–13, Mösel. – 4 Siersdorf bei Jülich, 1578. – 5 Gottesau bei Karlsruhe, 1589 beg., Murer. – 6 Steinbach, Lkr. Lohr, 1725–28, Neumann. – 7 Haus Hülshoff bei Münster, 1540–45. – 8 Horst bei Bottrop, 1558–83, Johannsen. – 9 Bevern bei Holzminden, 1603–12, Münchhausen. – 10 Augustusburg bei Chemnitz, 1568–73, Lotter. – 11 Ancy-le-Franc, 1555. – 12 Prag, Schloß Stern, 1555. – 13 Castel del Monte, Apulien, um 1240, Friedrich II. – 14 München, Pagodenburg im Nymphenburger Park, 1717–19, Kurfürst Max Emanuel (?). – 15 Finkenstein, Ostpreußen, 1716. – 16 Nordkirchen bei Lüdinghausen, 1703–30, Pictorius und Schlaun. – 17 Neuschwanstein bei Füssen, 1869–92, Ludwig II., Riedel u. a.

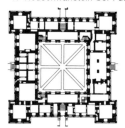 

11 Vierflügelbau mit Ecktürmen – V 12 **Zentral-, Polygonalbau**

Italien entwickelt in der Renaissance den blockförmigen Stadtpalast (308 f.*), aber auch den – von Palladio ausgehenden – Rechteckbau mit vorgezogenen Seitenflügeln, der sich besonders in England und Frankreich durchsetzt. Der innerhalb der 3 Flügel entstehende Innenhof wird in Frankreich im 16. Jahrhundert zur Cour d'honneur (= Ehrenhof), seine offene Seite durch Mauer oder Gitter geschlossen. Diese Form übernehmen zahlreiche Schlösser des Hochbarock, besonders in Deutschland und Österreich.

Spätbarocke Schlösser stellen oft zusammengesetzte Anlagen von riesigen Ausmaßen dar, die aus zahlreichen Einzelgebäuden unterschiedlicher Bauformen bestehen (Ludwigsburg, 327*).

Dem strengen Zeremoniell des Absolutismus entspricht die Symmetrie der Schloßanlage, die auch in der inneren Einteilung möglichst beibehalten wird. Dabei entwickeln sich Bau- und Ordnungsschemata von weitgehender Allgemeingültigkeit.

Der Hauptbau (Corps de logis) wird in seiner Mitte durch einen Risalit oder Mittelpavillon hervorgehoben, dessen Vorsprung sich auch im Frontgiebel (Frontispiz) fortsetzt. Die Ecken der ungeflügelten

Schloßbauformen

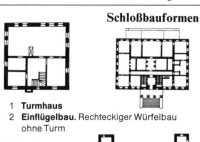

I 1 **Turmhaus**
II 2 **Einflügelbau.** Rechteckiger Würfelbau ohne Turm

3 Einflügelbau, Rechteckbau, Treppenturm
4 Einflügelbau, Ecktürme, Mittelrisalit

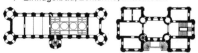

5 Einflügelbau, Ecktürme, Treppenturm
6 Einflügelbau mit Eckrisaliten (mit Ecktürmen und Mittelrisalit: vgl. Wien, 290*)

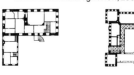

III 7 **Zweiflügelbau** ohne Turm
8 Zweiflügelbau mit Türmen, flachere Flügelanbauten später

IV 9 **Vierflügelbau** mit Treppentürmen im Hof
10 Vierflügelbau mit Eckhäusern

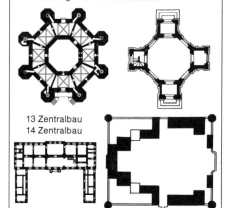

13 Zentralbau
14 Zentralbau

VI 15 **Dreiflügelbau** mit Ehrenhof
16 Dreiflügelanlage, abgetrennte Flügel

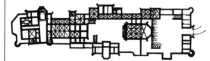

VII 17 **Unregelmäßige Anlage** der Romantik

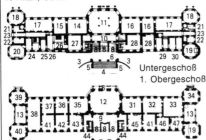

Schnitt
1 Frontispiz
2 Treppenhaus
3 Auffahrtrampe zur Durchfahrt
4 Freitreppe
5 Treppenflanke mit Sphinx-Postament
6 Durchfahrt für Karossen
7 Postament mit Putten und Kandelaber
8 Haupttreppe
9 Perron (Vestibül) vor dem Marmorsaal
10 Passage
11 Gartensaal (Sala terrena)
12 Festsaal, sog. Marmorsaal
13 Altan, Söller

Untergeschoß
1. Obergeschoß

Untergeschoß	**1. Obergeschoß**
	Piano nobile
14 Sommerzimmer	31 Vorzimmer
15 Gesellschaftsz.	32 Konferenzzimmer
16 Gesellschafts- und	33 Parade- und Audienzz.
Spielzimmer	34 Spiegelsalon
17 Offene Galerie	35 Tafel-(Speise-)Zimmer
18 Offenes Kabinett	36 Kaffeezimmer
19 Kapelle	37 Spielsalon
20 Speisezimmer für	38 Bildergalerie
Offiziere	39 Marmoriertes Kabinett
21 Zimmer	40 »Cabinet«
22 Bedienstetenz.	41 Schlafzimmer
23 Gemeiner Gang	42 Vorzimmer
24 Bratküche	43 Buffet, Schenkzimmer
25 Passage	44 Bedienstetentreppe
26 Küche	45 Garderobe
27 Vorküche	46 Bildersammlung,
28 Konditorei	»Cabinet«
29 Offener Gang	47 Bibliothek
30 Tafeldeckerei	

Großes Bauprogramm eines Barockschlosses (Rechteckanlage mit Ecktürmen und Mittelrisalit) am Beispiel Wien, Oberes Belvedere, das Prinz Eugen 1720–23 für sich bauen ließ. Baumeister: L. v. Hildebrandt. Schnitt durch Treppenhaus und Mittelpavillon, Grundrisse des Erdgeschosses und des 1. Obergeschosses (Piano nobile). Gesamtansicht der Gartenseite 286*.

(gartenseitigen) Front sind ebenfalls durch Risalite betont. Das Erdgeschoß (Parterre, auch Bezeichnung für einen tiefliegenden Gartenteil im unmittelbaren Anschluß an das Schloß) enthält die Eingangshalle (Vestibül), den Gartensaal (Sala terrena) sowie kleinere Räume. Das Obergeschoß (Beletage, Piano nobile) ist der wichtigste Teil des Schlosses mit Vorsaal, durch zwei Geschosse reichendem Festsaal und den Wohngemächern der Schloßherrschaft. Hierhin führt die Treppe. Im Mittelalter ist sie ein künstlerisch nebensächlicher Zweckbau, aber seit der späten Gotik gewinnt sie zunehmend an repräsentativer Bedeutung (Torgau, 314*). Im Barock wird das Treppenhaus oft zum größten Raum des Schlosses (316 f.*, 326 f.*). Die Schloßkapelle bildet gelegentlich das Pendant zum Theater.

Seit der Renaissance gehören Bildergalerie und Bibliothek zur Ausstattung des Schlosses. Sie werden als kleines Kabinett, flurförmiger, einseitig beleuchteter Gang oder als Zimmerflucht ausgebildet, deren Türen in einer durchgehenden Achse liegen (Enfilade, um 1650 in Frankreich entwickelt).

In der Gliederung der Schloßfassade zeigen die Länder Europas dieselben unterschiedlichen Tendenzen wie im jeweiligen Kirchenbau.

Wesentlicher Bestandteil des barocken Schlosses ist der Garten (→ Gartenkunst): in französischer Manier streng geometrisch angeordnet oder als englischer Landschaftsgarten unter behutsamer Einbeziehung der natürlichen Landschaft romantisch gestaltet.

Die Prachtentfaltung des absolutistischen Fürsten ufert häufig in Ausbeutung der Untertanen aus. Sie wird aber erst im 18. Jahrhundert allgemein kritisch in Frage gestellt. Bis dahin ist sie für den Untertan Legitimation der Macht, die ihm eine gewisse äußere und soziale Sicherheit verbürgt. Für den Fürsten bedeutet sie neben den persönlichen Annehmlichkeiten ein Leben in heute unvorstellbarer Öffentlichkeit vom Augenblick der Geburt an. Schloß und Garten sind in den meisten Residenzen für jedermann zugänglich (Ludwig XIV. beklagt sich über die im Schloß von Versailles herumstreunenden Bettler).

Trotz seines festen Wohnsitzes spielt sich das Leben des Fürsten zu großen Teilen auf Reisen ab. Das – unvollständige – Itinerar des Kölner Kurfürsten Clemens August, 1700–61, zählt für seine letzten 20 Lebensjahre 330 Reisen auf.

Im 18. Jahrhundert finden kleine, intime Schlößchen stärkere Verbreitung. Sie verkörpern das Bestreben, in ländlicher Umgebung dem Reglement der Hofetikette und der ständigen Zurschaustellung zu entfliehen. Aus denselben Gründen kommt in Paris noch zur Regierungszeit Ludwigs XIV. das Hôtel = Stadtpalais des Adels in Mode. In seinen Salons entwickeln sich die Dekorations- und Lebensformen, die als Rokoko und Louis XVI-Stil die Endphase der barocken und – am Vorabend der Französischen Revolution – der feudalen Zeit darstellen.

Das 19. Jahrhundert bringt einige bemerkenswerte Schloßbauten im klassizistischen Stil hervor. Die historisierenden Schlösser der Romantik gipfeln in den phantastischen Visionen des Bayernkönigs Ludwig II.

GRIECHENLAND

Palast und Burg

An den ägäischen Küsten bauen die Territorialfürsten der Bronzezeit zahlreiche Paläste und Burgen. Kulturbereiche siehe Karte S. 343.

Kreta

Zwischen 2000 und 1400 v. Chr. fördert die Seemachtstellung Kretas den Palastbau (Knossos*, Mallia, Hagia Triada, Phaistos, Zakro u. a.). Er repräsentiert neben der politischen und Wohnfunktion auch die wirtschaftliche, religiöse und gesellschaftliche Führungsrolle des Königs. Vorbild für Baustil und -schema wird Knossos: Raumgruppen für die verschiedenen Repräsentationszwecke werden durch ein kompliziertes, labyrinthartiges Gangsystem erschlossen und um einen rechteckigen Zentralhof gelagert. Keine Befestigungsanlagen.

Troja/Kleinasien*

Die Dynasten- und Fliehburg entwikkelt sich seit der Jungsteinzeit von einem durch Mauerring befestigten Dorf mit Megaron (Troja I) über eine Haus- und Torbautengruppe im Megaronschema und Teilung in inneren und äußeren Burghof (Troja II) zu einer erweiterten Stadt (Troja VI) mit neuen, zur alten Mauer konzentrisch gebauten Mauer-Turmanlagen.

Mykenische Burgen

Mykenä* und Tiryns* stellen den Typ der bronzezeitlichen Dynasten-Höhenburg = Akropolis über einer unbefestigten Unterstadt dar. Wie Troja II wirkt ihr auf optische Steigerung angelegtes Schema bis in den Hellenismus hinein (vgl. 25).

Athen, Akropolis (10*)

Die bedeutendste attische Höhenburg (vor 1200 v. Chr.) verliert Ende des 6. Jhs. Teile ihrer Befestigung. Sie wird wichtigstes attisches Heiligtum und in perikleischer Zeit nach der Zerstörung im Peloponnesischen Krieg ab 447 in der heute bekannten Form neu als Heiligtum geplant. Erechtheion, 19*; Nike-Tempel, 19*; Parthenon, 16*; → Propyläen*

Hellenistische Burg sh. Pergamon, 25*

Knossos/Kreta, um 1500 v. Chr. O: Westflügel des Innenhofs (Rekonstruktion nach Evans). –

Mi: K Prozessionskorridor; St »Stepped Portico«; P1 westlicher, P2 südlicher, P3 nördlicher Propylon; V Vestibül; T1 Treppe zu den Staatsräumen im Obergeschoß; T2 Schautreppe; T3 Osttreppe; S kleiner Thronsaal; F Kultfassade (Abb. oben); H Hof; P Pfeilersaal; M Megaron der Königin.

O: Mykenä, Löwentor = Haupttor der Palastanlage, A. 13. Jh. v. Chr. Breite des Durchgangs 3 m. Eine Zyklopenmauer umgibt die gesamte Zwingburg.
Mi: Troja, die 2 wichtigsten der 9 Schichten: Troja II = innerer Ring um 2150 v. Chr., Hauptmegaron 45 × 13 m, Mauerdicke 1,5 m, also Spannweite 10 m, bis zur römischen Kaiserzeit sonst nie stützenlos überdacht.
Troja VI = äußerer Ring, 15. Jh. v. Chr.

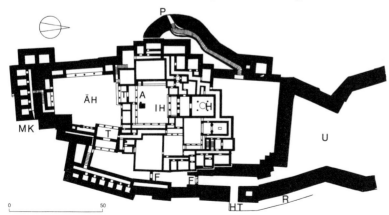

Tiryns, Burg, 13. Jh. v. Chr., sh. auch 342*. 8 m starke Zyklopenmauern, am HT Haupttor verdoppelt. R Rampe; F Festungstore; MK Magazine und Kasematten; T Torbauten; ÄH äußerer Hof; IH innerer Hof; A Altar; H Herd im Hauptmegaron; P Ausfallpforte; U Unterburg = Fluchtburg

ROM

Villa und Palast

Die Villa rustica = römischer Gutshof ist die Vorform der städtischen und ländlichen Villenarten.

1. Spätrepublikanische Peristylanlagen mit Wohn- und Wirtschaftsräumen in den Flügeln
2. Villa urbana = Herrenhaus ohne Wirtschaftsgebäude auf den Latifundien; auch Stadtvilla
3. Villa suburbana = ländliches Wohnhaus reicher Stadtbürger.
   Hauptformen:
   – Peristylanlage (hellenistische erweiterte Form des italischen Peristylhauses, 346*)
   – Portikus-Villa, bes. in den nördlichen Provinzen Germanien, Gallien, Britannien (Nennig*)
4. Villa imperialis = Kaiservilla. Sommer- oder Nebenresidenz zwischen mittlerer Ausdehnung und riesiger Anlage aus mehreren Gebäudekomplexen. Großer Komfort durch Hypokaustenheizung, Glasfenster, Therme u. a. (Villa Hadriana*).

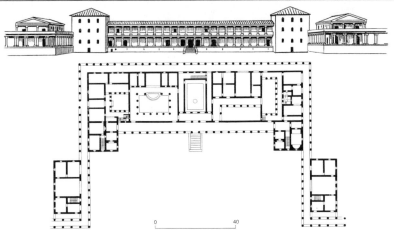

Nennig/Saarland, Villa suburbana, 2. Jh. n. Chr. Dreiflügelige Portikus-Villa, Fassade 140 m, Einzelbauten von 1geschoss. Säulenhallen umzogen, 2geschoss. Portikus zwischen kontrastierenden 3geschoss. Eckbauten. Mittelsaal 2geschoss., übrige Innenaufteilung unsymmetrisch, 4 Peristyle. Im ummauerten Garten zwei je 250 m lange Wandelhallen. Mosaike.

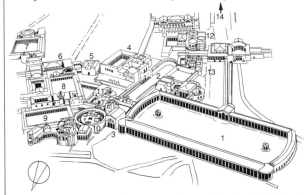

1 Poikile
2 Nymphäum
3 Philosophensaal
4 Quadriportikus
5 Caserma dei Vigili
6 Basilika und Saal der dorischen Pfeiler
7 Piazza d'Oro
8 Peristyl (»Palazzo«)
9 Hof der Bibliotheken
10 Teatro Marittimo (Inselvilla)
11 Thermen mit Heliocaminus
12 große Thermen
13 kleine Thermen
14 Canopus mit Serapis-Tempel, Akademie

Tivoli, Villa Hadriana, 118–38, nur teilweise ergraben. Ländliche Residenz auf flachem Hügelland, durch Terrassengärten, Alleen locker gegliederte Gebäudegruppen. Etliche Bauten sind Erinnerungen des Kaisers an Gebäude und Anlagen, die ihn in Griechenland und Ägypten beeindruckt hatten. Sie werden hier in oft völlig neuen, aber immer röm. Bauformen umgedeutet. Die entspr. Namenszuweisungen sind deshalb zumeist spekulativ.

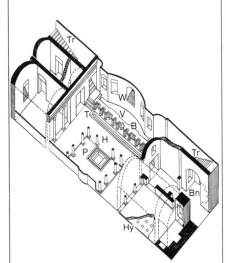

Nymphäum. Rom, Domus Transitoria des Nero, M. 1. Jh. n. Chr. W Wasserzulauf; V Verteilerbecken; B Brüstung mit 9 Überlauföffnungen; T Brunnentrog; H Hof; P Pavillon; Hy Hypokaustenheizung; Bn Bettnische; Tr Treppe

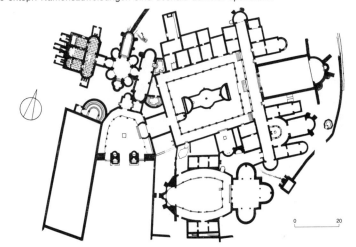

Piazza Armerina/Sizilien, beg. 293 ?, vielleicht Alterssitz des für Italien zuständigen Tetrarchen Maximianus Herculeus oder Sommersitz des Kaisers Maxentius, zw. 305 und 320. Mehrere axiale Raumfolgen. Die vielfältigen Raumformen weisen auf zahlreiche Grundrißschemata christlicher Kirchen voraus. Der Fußboden ist mit 3500 m² Mosaikbildern geschmückt.

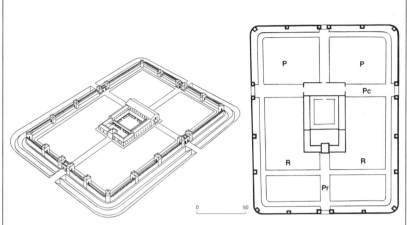

Römisches Castell, »Saalburg« im Taunus, eines der 51 Castelle (Legionslager) am 550 km langen römisch-germanischen Limes zwischen Regensburg und Koblenz. Pr Via Praetoria (Cardo); Pc Via Principalis (Decumanus); P Praetentura; R Retentura. Unter Domitian beg., 86–91, im 2.Jh. erweitert.

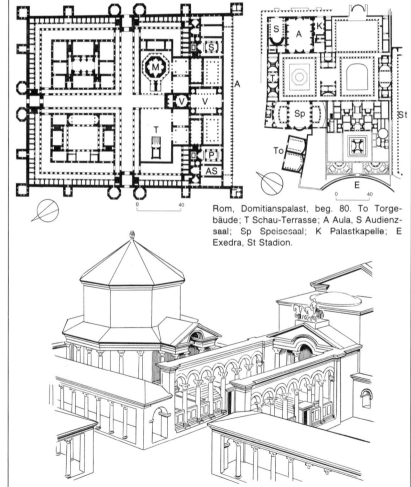

Rom, Domitianspalast, beg. 80. To Torgebäude; T Schau-Terrasse; A Aula; S Audienzsaal; Sp Speisesaal; K Palastkapelle; E Exedra, St Stadion.

Spalato/Jugoslawien, Diokletianspalast, 295–305 n.Chr. Teilung durch ein Straßenkreuz (Cardo-Decumanus) wie ein Militärcastell. A See-Arkaden im S vor der Wohnung des Kaisers; V Vestibül; S Speisesaal; AS Audienz-Saal; P Palast-Aula; T Tempel mit Hof; M und Abb. unten Mausoleum. Vgl. 46*

Militärcastell (Castrum Romanum) Der im ganzen Reich genormte Aufbau der leicht befestigten Marschlager und der durch Wall, Mauern und Türme verstärkten Legionslager* garantiert die Unterbringung der gleichgroßen Einheiten und die Anwendung der auch an anderen Orten exerzierten Kriegstechnik. Die Via Praetoria (Cardo) bildet die Längsachse des Lagers. Die Via Principalis (Decumanus) teilt die schmalere Praetentura von der Retentura. Auf dieser liegt inmitten der (nicht gezeichneten) Fachwerkunterkünfte der Truppenteile eine zentrale Gebäudegruppe: Praetorium (Principia), Quästur (Legatenpalast), Arsenal, Lazarett und Exerzierhalle (Forum?).

Theater, Amphitheater, Zirkus, Canabae (Marketenderläden, Wohnungen der Legionärsfamilien, Handwerker und Händler) entstehen in unregelmäßiger Ordnung außerhalb des Lagers und begründen Stadtbildung. Dagegen entstehen geplante Städte nach dem Castell-Prinzip.

Kaiserpalast

Domitianspalast*. Nach mehreren Bebauungen des Palatinischen Hügels mit Villen und Palästen (Domus Tiberiana; Domus Transitoria und Domus Aurea des Nero) errichtet Domitian ab 80 n.Chr. auf der S-Kuppe sein Palatium (hiervon abgeleitet: Palast) als Zentrale des Imperiums. 4 Gebäudegruppen umstehen zentrale Peristylien. Die nördlichen Staatsräume (Domus Flavia) verlaufen parallel zum südlichen Wohnpalast (Domus Augustana). Vielfältige Raumformen innerhalb der Grundform eines doppelten Achsenkreuzes, dessen »Vierungen« die beiden gleich großen Peristyle bilden.

Der **Diokletianspalast*** in Spalato (Split)/Jugoslawien, verwendet das Achsenkreuz-Schema eines militärischen Castells. Die 2 nördlichen Quartiere sind bestimmt für Verwaltung und Palastwache, die Südquartiere für Forum, Mausoleum und Wohnung.

MITTELALTER

PFALZ

von lat. palatium, ursprünglich Palatium des Domitian (vgl. Kaiserpalast, 293*). Residenz der fränkischen und deutschen Kaiser des Mittelalters. Weil es keinen festen Regierungssitz gibt, werden die übers ganze Reich verteilten Pfalzen reihum besucht.

Hauptgebäude: Palas (Aula regia) mit mehrschiffigem, ein- bis dreigeschossigem Saal, Kapelle, oft Doppelkapelle, Wohn- und Wirtschaftsgebäude, gelegentlich auch Schreibschule und andere Einrichtungen. Mauer und Graben umgeben die gesamte Anlage.

Die Anordnung der Baukörper weist auf das römische Castrum zurück, ihr Baustil auf die germanische Königshalle, die römische Basilika und den byzantinischen Zentralbau. Von den mehr als 100 Pfalzen sind nur Reste erhalten (Ingelheim*, um 780; Paderborn 2. Bau, nach 793; Aachen*, um 800; Goslar*, 11.–13. Jh.; Gelnhausen, 12. Jh.).

Pfalzen werden in oder bei bestehenden Orten bzw. Städten errichtet oder sind Ausgangspunkt für Ansiedlung und Städtebau.

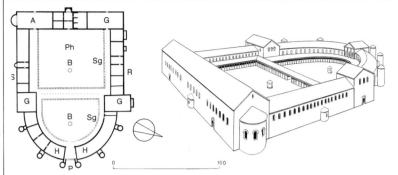

Ingelheim, Pfalz, um 780–808, durch Ludwig den Frommen vollendet. Hypothetischer Idealplan nach H. J. Jacobi, 1974. P Hauptportal, A Aula Regia, G Großer Saal, S Südflügel, R Rheinflügel, H Halbkreisbau, Sg Säulengang, Ph Palasthof, B Brunnen.

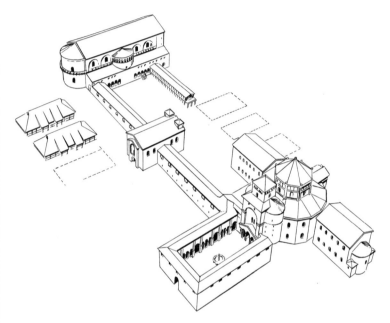

Aachen, Pfalz, um 800, karolingisch. Zwischen der Pfalzkapelle im S (vgl. 69*) und der Königshalle = Aula regia befinden sich Unterkunfts-, Empfangs- und Wirtschaftsräume. (Nach dem Modell von Leo Hugot, 1970)

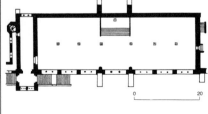

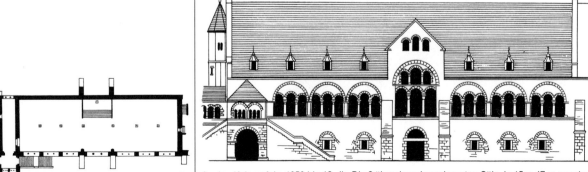

Goslar, Kaiserpfalz, 1050 bis 13. Jh. Die 2 übereinander gelagerten Säle, je 15 × 47 m, wurden nach starkem Zerfall im 19. Jh. rekonstruiert. Estrade mit Kaisersitz gegenüber der Fensterfront. – Li: Grundriß.

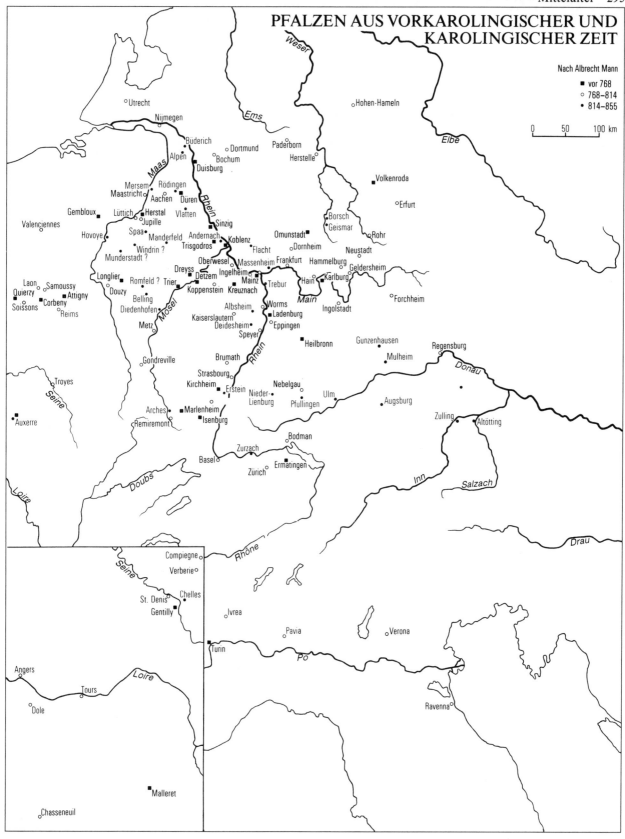

PFALZEN AUS VORKAROLINGISCHER UND
KAROLINGISCHER ZEIT

Nach Albrecht Mann
■ vor 768
○ 768–814
● 814–855

0   50   100 km

BURG

TURM UND TOR

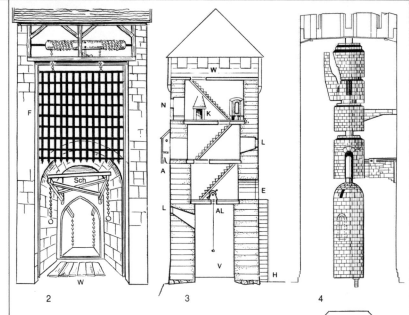

1 Torturm mit Flankenturm, Zugbrücken mit Ketten vor Haupttor und kleinerem »Mannloch«; Gußerker, Wehrgang mit Holzblenden, Kreuzscharten für Büchsenschützen. – 2 Burgtor, vom Hof her gesehen, W Wolfsgrube; Sch Schwungruten; F Fallgatter mit Haspel. – 3 Bergfried, System. H Hofseite; V Verlies; AL Angstloch mit Haspel; L Lichtschlitz; E Eingang; A Aborterker; K Kamin; N Fensternische mit Bänken; W Wehrplatte. – 4 Bergfried, Steinsberg bei Sinsheim, 13. Jh. – 5 Schalenturm.

ZINNE

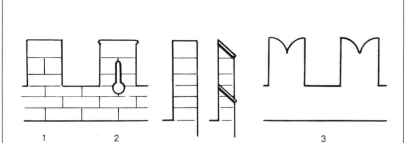

MASCHIKULIS

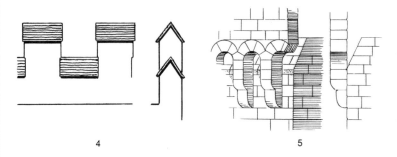

1 Zinne ohne Scharte. – 2 mit Schlüssellochscharte, flach und mit Pultdach. – 3 Kerbzinne, auch Schwalbenschwanz-, Ghibellinen- oder Skaligerzinne. – 4 Dachzinne mit Satteldach, auch mit Zelt- oder Walmdach. – 5 Maschikulis = Fußschartenschlitze, Senkscharte, Gußlöcher für heißes Pech, Öl, Wasser hinter der Steinbrüstung, die von Konsolen getragen wird.

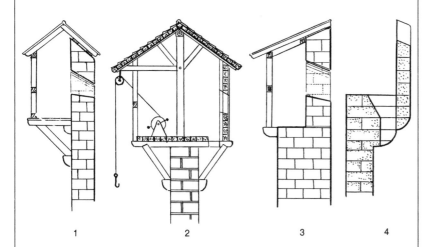

Wehrgänge (Letzen, Mordgänge, Hurden). – 1 Nach innen vorkragender Wehrgang, auf Streben und Konsolen ruhend (Hurde), Außenseite wird von der Mauer gebildet. – 2 Nach innen und außen vorkragende Hurde, auf der Mauer reitend. Durch herausnehmbare Bodenbretter werden Guß- bzw. Wurföffnungen für Steine geschaffen, die mit einem Aufzug transportiert werden. Außenwand aus Holzbohlen. – 3 und 4 Wehrgänge innerhalb der Mauerstärke, rechts mit Maschikulis hinter einer steinernen Brüstung. – 5 Schießscharte in einer Mauernische.

PECHNASE
ABORTERKER

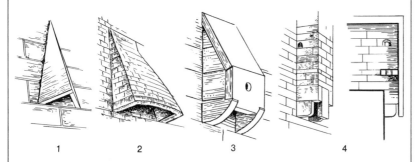

SCHARTE

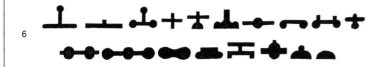

Pechnasen werden als Gußlöcher oder Sichtschutz bei Verhandlungen benutzt. 1 Nasenförmig, Frühform (Seebenstein/Österr.) – 2 Geschweift. – 3 Auf Kragsteinen. – 4 Aborterker (Landsberg/Elsaß, E. 12. Jh.). – 5 Schlüsselloch-, Kreuz- und Schlüsselmaul-Scharten. – 6 Maul- und Kreuzscharten.

BURGTYPEN nach Grundrißformen

1. Zentrale Anlage, Ringburg
– germanischer Ringwall (Otzenhausen, 299*; Biskupin, 299*)
– Turmhügelburg, Motte (Motte-System, 299*; Restormel, 299*, aus einer Motte entwickelt; Hagenwil, 300*, = rechteckiger Motte-Typ)
– Randhausburg (Restormel, 299*; Büdingen, 299*)
– Turmburg, Wohnturm, Donjon, Keep (Hedingham, 329*; Newcastle; London, White Tower; Rochester; d'Étampes; Belém; Tarascon, mit Vorburg: alle 300*)

2. Byzantinisch-arabische Viereckanlage, Castelltyp
– regelmäßige Anlage (Sousse; Catania; Rheden: alle 301*; Neidenburg, 302*; Coca, 302*; Beaumaris, 330*)
– Varianten (Castel del Monte, 301*, = achteckig; Burgschwalbach, 303*, = symmetrische Hauptanlage; Carcassonne, 304*; Sully, 311*)

3. Unregelmäßige Burganlage
Segovia, 302*; Münzenberg; Scharfeneck; Ehrenberg: alle 303*; Marienburg, 305*; Avignon, 306*; Conway, 330*. – Eltz, 304*, = Ganerbenburg. – Gaillard, 306*, = Abschnittsburg. – Bourges, 306*, = burgartiger Stadtpalast.

Weitere Differenzierung der Burgtypen nach Anzahl, Form (rund, eckig) und Anordnung der Türme (Mittel-, Randturm), nach auffälligen Bauteilen (Schildmauer, Palas), Grabensystem (Abschnittsburg).

HAUPTBESTANDTEILE DER BURG

Wohnturm, Donjon (frz.), **Keep** (engl.)
Die Anfänge des Wohnturms liegen in der Turmhügelburg (Motte, 299*), die auf normann. Gepflogenheiten zurückgeht und bis zum 15. Jh. vorkommt. Von ihr geht die Entwicklung zum
– Bergfried (299 f.)
– Geschlechterturm (Regensburg, 353*; San Gimignano → Turm*)
– Wohnturm. Dieser wird in Frank-

Schema der mittelalterlichen Burg nach Herbert de Caboga

B	Bergfried	S	Stallungen
G	Gußerker	W	Wohngebäude für Knechte;
E	Eingang zum Bergfried		Schmiede
Sm	Schildmauer mit hölzernem Wehrgang	Mt	Mauerturm
P	Palas	R	Wohngebäude für ritterliche Dienst-
Br	Burghof mit Brunnen		mannen
K	Küchenbau	Ä	Äußere Vorburg
Kp	Kapelle	I	Innere Vorburg
T1	Burgtor mit Mannloch	Z	Zwinger
	(Schlupfpforte), Zugbrücken mit	St	Schalenturm
	Schwungruten	Sch	Schießscharte
T2	2. Tor mit Fallgatter	A	Aborterker
T3	Torturm, Zugbrücken mit Rollen-Ket-	M	Maschikulis
	ten	Wg	Wehrgang, gedeckt
Po	Poterne (Ausfallpforte)	Wo	Wehrgang, offen, auf der
	mit Palisaden		Ringmauer (Zingel, Bering)

Ringwall, Motte, Ringburg

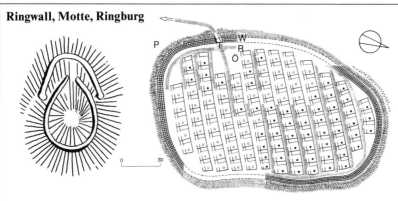

Li: Otzenhausen, germ. Ringwall mit Vorwall zur Deckung des Tores.
Re: Biskupin bei Gniezno(Gnesen)/Polen, Wehrsiedlung der Lausitzer Kultur, frühe Eisenzeit, 550–350 v. Chr., urspr. Insel, heute Halbinsel. P Pfahlzaun/Wellenbrecher aus 40 000 schräg in den Seeboden eingeschlagenen Pfählen. W Wall, 5–6 m hoch, aus gereihten Bohlenkästen von 3 m Seitenlänge mit Erdverfüllung und Lehmverstrich, darauf Brustwehr. R Wallstraße und 11 Querstraßen aus Bohlen. 105 gleichartige Wohnhäuser, etwa 8 × 9 m, mit Wohnraum (Herd), Schlafraum und Stall. T Torbau; Ö öffentlicher Platz.

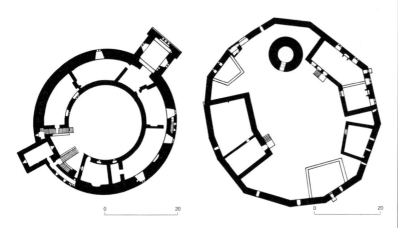

Restormel/Cornwall, Ringburg, aus einer Motte im 11.–13. Jh. entwickelt. Vgl. 329.

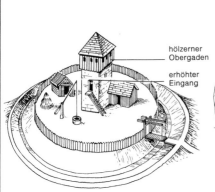

»Motte«, ältester Ringburgtyp, System, seit 8. Jh. Künstlicher Hügel aus Grabenaushub, Palisaden, Turm mit erhöhtem Eingang und vorkragendem hölzernen Obergaden.

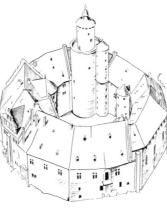

Büdingen/Hessen, 13seitige Ringburg. »Ministerialenburg« = für unfreien Dienstmann. Grundriß: Zustand E. 12. Jh. – U.: Zustand mit Um- und Anbauten der Gotik und Renaiss.

reich, England, Spanien und im normannisch geprägten Süditalien entwickelt und Ende des 12. Jhs. vom deutschen Burgenbau adaptiert (300*).

Ringmauern fehlen manchmal völlig; oft sind Wirtschaftsgebäude angebaut, oder der Wohnturm ist zugleich der Bergfried einer entwickelten Burganlage.

Ganerbenburgen (Eltz, 304*) bestehen aus mehreren Wohntürmen, die innerhalb einer gemeinsamen Ringmauer eng beieinanderstehen. Sie sind oft durch Stege oder Türen miteinander verbunden, gehören aber jeweils verschiedenen – oft verwandten – Familien.

Als Verteidigungsbau haben Bergfried und Wohnturm gleiche Aufgaben. Während aber der Bergfried nur in Notzeiten bewohnt wird, dient der Wohnturm als dauernde Unterkunft.

Die Wohnfunktion bedingt bei ähnlichem Bauschema komfortablere Ausgestaltung als der Bergfried:
– größere Grundfläche
– Teilung des Innenraumes durch eine Quermauer
– überwölbte Räume
– mehr und bequemere, aus der Mauerdicke ausgesparte oder gewendelte Treppen, durch Fallschächte u. ä. gesichert
– Untergeschoß regelmäßig als Vorratsraum benutzt
– Einteilung der Obergeschosse variabel, aber gewöhnlich erstes Obergeschoß mit Zugang, heizbarem Hauptsaal, Wohn- und Sitznischen in der Mauerstärke
– Kapelle im 1. oder 2. Obergeschoß
– Schlafräume im 3. Obergeschoß, darüber die Wehrplatte
– Grundriß meist rechteckig, aber auch rund (seit 12. Jh.), vieleckig oder als Vielpaß (d'Etampes, 300*)
– durchschnittliche Ausmaße: 15 × 15 bis 15 × 30 m, Höhe 30 m.

Bergfried, 296*

Hauptturm der Burg als Ausguck und letzte Zuflucht, an der höchsten oder am meisten gefährdeten Stelle errichtet; bei langgestreckten Anlagen auch 2 Bergfriede (Münzenberg, 303*); meist freistehend im Zentrum oder am Rand der Burg, selten von einer eige-

nen Mantelmauer umgeben. Hauptbauzeit zwischen dem 11. und 15. Jh.
– Grundriß: rund, quadratisch, rechteckig, mehreckig, halbrund, auch dreieckig, manchmal übereck zur Feindseite = schräge Angriffsfläche.
– Mauerstärke: 1,5–3 m, in den oberen Geschossen meist dünner, wobei die Rücksprünge als Balkenauflager dienen. Turmbreite 6–14 m, Höhe 18 bis 30 m.
– Aufriß: senkrecht oder nach oben durch Absätze verjüngt, auf denen sich gelegentlich Wehrgänge befinden (»Butterfaßturm«, bes. in Österreich und Bayern).
– Innenschema: Untergeschoß = Burgverlies oder Vorratsraum, manchmal mit seitlichem Lichtschlitz; Öffnung (= Angstloch) in der gewölbten oder flachen Decke, darüber Haspel und Seil.

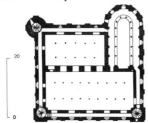

London, White Tower, Keep, um 1080. Zweites Obergeschoß mit Kapelle und umlaufender Galerie.

Eingangsgeschoß mit schmaler (Doppel-)Tür, von außen erreichbar durch einziehbare Leiter, Strickleiter, abschlagbare Holztreppe oder ebensolchen Steg oder durch Zugbrücke vom Palas oder Wehrgang aus, auch durch Seilaufzug. Manchmal Gußerker über der Tür.
2–4 weitere Geschosse, durch Blockstufentreppen, Leitern, aus der Mauerstärke ausgesparte Treppen, selten durch Wendeltreppen erschlossen. Beleuchtung durch Lichtschlitze, Rund- und Bogenfenster, gelegentlich Sitzbänke in den Gewänden. Häufig ist ein Raum heizbar (Kamin); auch Aborterker sind üblich.
– Die Wehrplatte ist entweder von einem Zinnenkranz oder einem hölzernen vorgekragten Wehrgang umgeben, nach oben offen oder gedeckt (Zelt-, Sattel-, Krüppelwalmdach, später und selten gemauerter Giebel). Häufig wird der Turm auch von einem »Obergaden« bekrönt, d. i. ein

Keep, Donjon

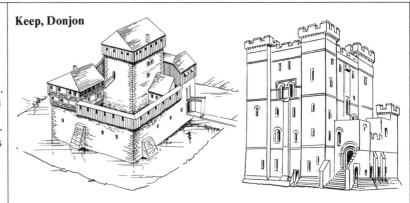

Hagenwil/Schweiz, kleine Wasserburg, Motte-Typ. Palas aus Fachwerk. Wohnturm, vorgekragter hölzerner Obergaden und Wehrgang, Torhaus, Stall, Hof.

Newcastle on Tyne, normann. Schloß, Keep, 1080. Turmzinnen und Maschikulierung = 19. Jh. Ähnliche Bauten in Frankreich, z. B. Chambey/Orne.

d'Etampes/Ile de France, Tour Guinette, E. 12. Jh.; Donjon mit vierpaßförmigem Grundriß und Innenraum.

Rochester Castle/England, Keep, 1126–39. Erstes Obergeschoß mit Kapellenanbau und verstärkten Ecken.

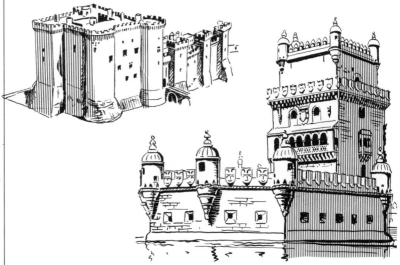

Tarascon/Provence, 12.–15. Jh. An die blockhafte Hauptburg in der Art eines Donjon mit schmalem Innenhof schließt sich eine niedrigere Vorburg an. Zinnen und Maschikulis sind rundum angebracht.

Belém bei Lissabon, Hafenturm, 1515–21. Schildzinnen, Scharwachttürmchen, Sims in Seilform, Erker, Loggia im formenreichen →Emanuel-Stil des »gótico oceânico«, zeitgleich mit der ital. Hochrenaissance.

Viereckanlage

Staufische Achteckanlage

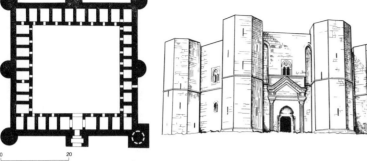

Sousse/Tunesien, arabische Burg (=Ribat) mit 45 Einzelwohnungen der ordensähnlich lebenden Ritter, Speisesaal mit Gebetsnische. Quadratische Anlage, 8. Jh.

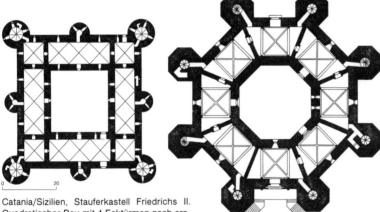

Catania/Sizilien, Stauferkastell Friedrichs II. Quadratischer Bau mit 4 Ecktürmen nach arabischem System, 1239–50.

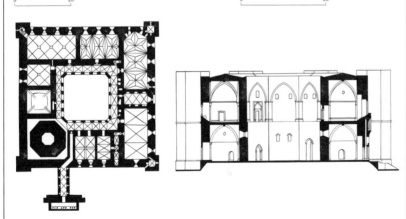

Rehden/Westpreußen, Deutschordens-Burg, beg. 1310. Wohnräume, Komtur, Remter, Kapelle und Bergfried sind nach arabischem Vorbild um einen quadratischen Innenhof angeordnet. – Re: Rekonstruktion.

Castel del Monte/Apulien, um 1240, Friedrich II. Abwandlung des arab. Baumusters in Achteck-Formen und Acht-Teilungen (altorient.-antikes Symbol für die Vollendung des Kosmos; vgl. Aachen, 69*).

hölzernes Geschoß, das die Wohnung des Türmers enthält und allseitig vorkragt. Hochklappbare Holzblenden zwischen den Zinnen schützen den Verteidiger vor Einblick und Geschossen. Steine und heiße Flüssigkeiten können durch Öffnungen geschüttet werden, die durch das Herausnehmen von Bodenbrettern im Wehrgang entstehen. Wo dieser fehlt, sind Gußerker häufig. Maschikulis werden erst im 12. Jh. üblich. Ecktürmchen sind fast immer spätere Zutaten.

Türme

Neben Bergfried und Wohnturm kommen andere Türme vor, deren Bezeichnungen über Ort oder Funktion Auskunft geben:

Der Torturm über dem eichenen, eisenbeschlagenen Burgtor wird nach außen durch Zugbrücke, Gußerker, Wehrgang und ggf. Flankentürme geschützt, innen durch verriegelbare Querbalken, Falltür über der »Wolfsgrube« und Fallgatter gesichert; 296*.

Mauertürme springen eckig, später meist rund aus der Mauerflucht vor und gestatten die Seitenbestreichung der Mauern mit Geschossen. Sie sind oft zur Burgseite hin offen (»Schalenturm«) und nur mit offenen Zinnen versehen, um eingedrungenen Feinden keinen ungewollten Schutz zu bieten. Die Entwicklung der Feuerwaffen zwingt gegen Ende des 15. Jhs. zum Bau niedriger Geschütztürme von großer Mauerstärke (Batterieturm).

Treppentürme werden dem Bergfried oder Wohnturm gelegentlich angelehnt oder bilden häufig die inneren Burghofecken. Künstlerische Bedeutung erlangen sie erst seit der Spätgotik im Schloßbau.

Der Gefängnisturm ist eine Variante der zahlreichen Anlagen, die der Aufbewahrung und Folter von Gefangenen dienen (Kriechgefängnis; Ungemach = kleiner Käfig, in dem man weder stehen noch liegen kann und dessen schräger Boden mit Spitzen versehen ist; Hexenkeller usw.).

Ein Wasserturm = Brunnenturm schützt einen Brunnen, der meist nicht in der Burg selbst angelegt werden kann. In wasserarmen Gebieten tritt häufig eine Zisterne an seine Stelle.

Küchen- und Kapellentürme sind selten (Conway, 330*).

Palas, 302*, 303*,
wird das Herrenhaus genannt. Sein Platz ist immer in der inneren Burg, meist in der Nähe des Bergfrieds. Manchmal nimmt er als »wehrhafter Palas« zugleich die Funktionen des Bergfrieds und Wohnturms wahr (Andraz in Südtirol). Die Hofseite ist oft durch Arkadenfenster oder -reihen und Verzierungen geschmückt. Auch die Außenmauer öffnet sich manchmal in Arkaden. Ein häufig angewandtes Schema bestimmt den Innenausbau:
– Untergeschoß mit Keller, Vorratsräumen, Küche, auch Ställen
– in der Romanik führt eine Freitreppe zum 1. Obergeschoß (Goslar, 294*), in dem sich der ein- oder zweischiffige, heizbare Saal = Dürnitz, Dirnitz befindet. Er dient der Repräsentation und ist Speiseraum für Herrschaft und Gesinde. Der Herrentisch steht oft auf einer Estrade (vgl. Penshurst Place, 330*)
– die Wohn- und Schlafräume, manchmal auch die Kapelle, liegen im 2. Obergeschoß oder in einem eigenen Gebäude, der

Kemenate (von lat. caminata = heizbarer Raum), oft gleichfalls Dürnitz genannt.

Kapelle
Meist von kleinen Ausmaßen, befindet sich die Kapelle
– als selbständiger Bau nahe dem Palas oder in der Vorburg
– oder außerhalb der Ringmauer (Ehrenberg, 303*)
– in einem eigenen Kapellenturm (Conway, 330*).

Regelmäßige und unregelmäßige Burganlage

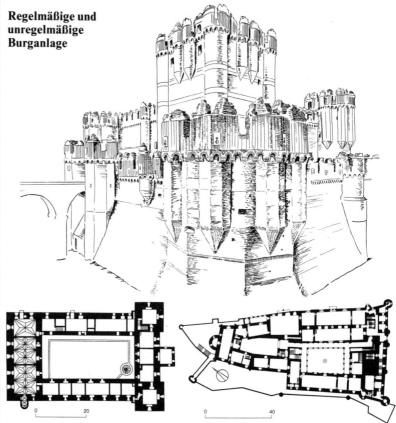

Neidenburg/Ostpreußen, Ordensschloß des Deutschritter-Ordens, E. 14. Jh. Schmale Bauten im Norden und Süden verbinden Remter und Kapelle im Westen mit Wohntrakt und Türmen im Osten.

O: Burg Coca bei Segovia, um 1400. Mudéjarischer Backsteinbau mit quadratischem Grundriß. – Mi: Segovia, Alcázar, 11.–16. Jh. Unregelmäßige Höhenburg. Maurisches Dekor. Rechteckiger Innenhof: Herrera-Schule.

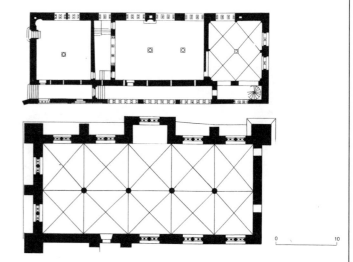

Palas-Bauten. O: Wartburg//Thüringen, Landgrafenburg, 1157–65, erstes Obergeschoß; zweischiffiger Hauptsaal hinter einem langgestreckten Treppenkorridor. –
U. Marburg, Landgrafenschloß, E. 13. Jh., erstes Obergeschoß (sogen. Festsaal). Symmetrische Anlage aus 2 Schiffen mit kreuzgewölbter Decke und einer rechteckigen Nische im Norden.

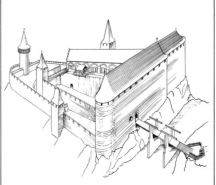

Scharfeneck/Pfalz, auf einem Felsvorsprung liegend, durch künstlichen Graben und Schildmauer abgetrennt. Äußere und innere Mauer, Quermauer mit Turm an der Burgspitze.

– In einen Bergfried, Wohnturm, in Palas oder Torbau als 1- oder 2schiffige Anlagen einbezogene Kapellen ragen meist mit dem Altarraum aus der Mauerflucht, weil ein Kirchengebot Wohnräume über dem Altar verbietet (vgl. Chörlein → Erker). Oft besteht die Kapelle auch nur aus einem solchen Altarerker, der durch ein Gitter oder eine Tür vom davorliegenden Raum abgetrennt ist (Eltz, 304*).

Herrschaftssitze befinden sich
– auf einer Empore oder
– im Obergeschoß einer → Doppelkapelle*, das gelegentlich einen eigenen Altar aufweist und durch eine Bodenöffnung den Blick auf den Altar im unteren (Gesinde-)Geschoß freigibt.

Mauern und Zwinger
Sofern nicht schon die Außenmauern der randständigen Gebäude Schutz bieten, dienen freistehende Mauern (Ringmauer, Bering, Zingel) der Verteidigung. Sie werden mit überdachtem Wehrgang (297*) – auch mehrstöckig – oder mit Zinnen (296*) oder mit beidem bedeckt. Die zahnartigen Maueraufsätze der Zinnen (= Wimperge) sind breiter oder gleichbreit wie die Zinnenlücken und gelegentlich mit schießscharenähnlichen Spählöchern versehen. Auch die beim Schießen hochklappbaren Holzblenden vor den Lücken (vgl. Bergfried) haben solche Öffnungen.
»Mantel«, auch »Hoher Mantel« heißt
– ein Teil der Ringmauer von besonderer Höhe und Dicke zum Schutz ei-

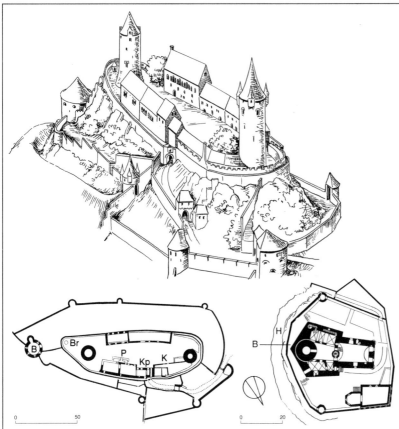

Münzenberg/Wetterau. P älterer Palas; Kp Kapelle; K Küche; Br Brunnen und Bergfriede 1151–66. Zweite Hofhaltung im Norden und Vorburg nach 1260; B Batterieturm A. 15. Jh. Große Zwingeranlagen.

Burgschwalbach/Taunus, 1368–71. Die pfeilförmige Anlage überragt mit Rundturm und stumpfwinkliger Schildmauer den H Halsgraben, der auch Zugangsweg zum Burgtor ist. Absatz zwischen Schildmauer und Graben = B Berme.

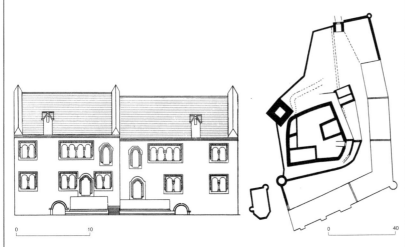

Münzenberg/Wetterau, Ministerialenburg, Palas von der Hofseite, um 1160. Rekonstruktion. Portale von niedrigen Freitreppen aus zugänglich; Einzelfenster mit Kleeblattbogen, Zwillingsfenster und Arkaden rundbogig.

Burg Ehrenberg am Neckar, staufisch. Übereck stehender Bergfried außerhalb des inneren Burghofs. Zugang zur Hauptburg durch den Zwinger. Die Kapelle wurde später außerhalb der Burganlage gebaut (Frühbarock).

nes exponierten Burgteils
- eine Mauer, die als zweite Schale in geringem Abstand um den Bergfried führt oder
- eine Mauer, die zusätzlich vor solche Außenmauern randständiger Gebäude gebaut ist, die eigentlich die Ringmauerfunktion erfüllen könnten (Münzenberg, 303*).

Die Schildmauer (Scharfeneck, 303*)
- ist ein selbständiger Verteidigungsbau an besonders gefährdeter Stelle der Burg, bis 5 m dick und 15 bis über 30 m hoch
- übernimmt oft auch die Aufgaben des Bergfrieds
- hat wie dieser einen stark erhöht liegenden Eingang und ein inneres Treppensystem
- wird manchmal von vorgelagerten, niedrigeren Mauern und Türmen gegen Mauerbrecher, Minen und Artilleriebeschuß geschützt (Burgschwalbach, 303*)
- ist nach oben offen oder von einem Wehrgang bedeckt, dessen Enden als Scharwachttürme ausgebildet sein können (Berneck/Württ.)
- wird auch von Türmen flankiert

Der Ringmauer wird seit dem 12. Jh. häufig eine weitere Mauer (Zwingmauer) vorgelagert. Sie verwehrt den unmittelbaren Angriff auf die Haupt-(Ring-)mauer. Oft umschließt sie nicht die gesamte Burganlage, sondern nur besonders gefährdete Teile. Der Raum zwischen den beiden Mauern heißt Zwinger. In ihm werden Turniere veranstaltet, Wildschweine, Hunde oder Bären gehalten oder bei Gefahr das Vieh und die beweglichen Güter der Umwohner untergebracht. Oft enthält er auch den Burggarten. Im Barock wird er gelegentlich zum festlichen Rahmen für Lustbarkeiten umgebaut (Dresden, Zwinger, 328*).

Fenster
Wie bei allen Bauten einer Burganlage, so geht auch bei den Fenstern der Verteidigungswert über den der Wohnlichkeit. Gekuppelte, oft reich verzierte Fenster kommen nur in den Obergeschossen von Palas, Kemenate, selten auch im Bergfried oder Wohnturm vor. Die übrigen Fenster sind klein. Windladen (auskragende Holz- oder Steinrahmen) auf der Wetterseite und schließbare Holzläden mit Pergament-

Stadtburg   **Ganerbenburg**

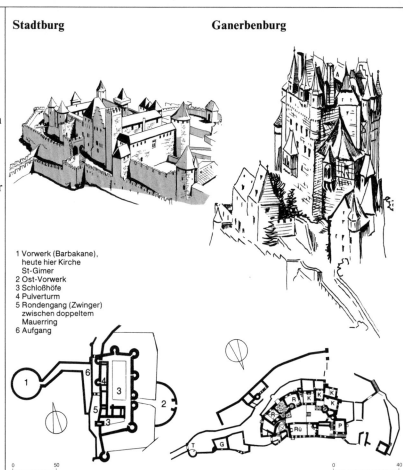

1 Vorwerk (Barbakane), heute hier Kirche St-Gimer
2 Ost-Vorwerk
3 Schloßhöfe
4 Pulverturm
5 Rondengang (Zwinger) zwischen doppeltem Mauerring
6 Aufgang

Carcassonne/Südfrankreich, Burg, 12./13. Jh., über einer römischen Befestigungsanlage. Burg und Stadt, von einem doppelten Mauerring umschlossen, haben ihren mittelalterlichen Charakter bewahrt.

Burg Eltz an der Mosel, 12.–16. Jh. Ganerbenburg = von mehreren Familien in verschiedenen Häusern derselben Anlage bewohnte Burg. T äußerer Torbau; P Platteltz; K Kempenicher Häuser; R Rodendorfer Häuser; Rü Rübenacher Haus; G Goldschmiedehäuschen. Der Innenhof zeigt am deutlichsten die architektonische Gebäudevielfalt. U: Sogenannter Fahnensaal mit rechteckigem Kapellenerker, Kamin und spätgotischem Sterngewölbe im ersten Obergeschoß des Rodendorfer Palas, vor 1540.

Ordensburg

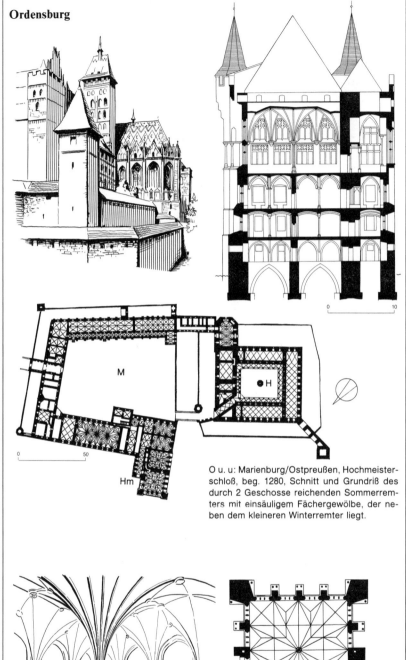

O u. u: Marienburg/Ostpreußen, Hochmeisterschloß, beg. 1280, Schnitt und Grundriß des
durch 2 Geschosse reichenden Sommerrem-
ters mit einsäuligem Fächergewölbe, der neben dem kleineren Winterremter liegt.

Marienburg, Ordensburg des Deutschritterordens, H Hochschloß, beg. 1280 (Abb. oben li),
62 × 52 m; rechteckiger Innenhof; Kapelle und Kapitelsaal im N, Dormitorium im O, Remter im
W. – M Mittelschloß, bis E. 14. Jh.: 3 Flügel, großer Remter im W = 3-Säulen-Saal mit Sterngge-
wölbe. – Hm Hochmeisterschloß, im Obergeschoß Sommerremter (Abb. re o u. u) und Winterremter (Abb. u li). – Re: Prag, Hradschin, Wladislawsaal, 1502, B. Rieth, Schlinggewölbe; 62 × 16
m, größter stützenloser Saalraum des nordalpinen Kontinents bis München, St. Michael, 1597.

oder Tierhautfüllung vermindern in
frühen Bauten den ohnehin geringen
Lichteinfall. Schon vor dem 15. Jh. sind
→ Butzenscheiben verbreitet. Größere
Maßwerkfenster markieren in der
Spätgotik den Übergang zum unbe-
wehrten Schloßbau.
Auch die meist einflügeligen Türen
sind schmal und niedrig, nach außen
mit Kopfnägeln oder Eisenbändern
gegen Axthieb bewehrt, innen durch
Querbalken zu verrammeln.

Gußöffnungen, Aborterker
Über Toren und anderen gefährdeten
Maueröffnungen werden kleine, nach
unten offene Erker angebracht (Pechnase, Gußloch, Gußerker, 297*). Sie
ermöglichen das Hinabgießen von hei-
ßem Wasser, Pech oder Öl, von Steinen, aber auch von Löschwasser für
Holztore.
Im Wehrgang entstehen solche Öffnungen durch herausnehmbare Bodenbretter im Bereich der Vorkragung
oder durch Maschikulierung, ein sy-
risch-palästinensisches Verfahren, das
Kreuzfahrer im 12. Jh. zuerst nach
Frankreich übertragen: Zwischen steinernen Konsolen (= Corbeaux), welche die steinerne vorgekragte Brustwehr tragen, bleiben Bodenöffnungen
(Maschikulis) frei (296*), die sich den
gesamten Wehrgang entlangreihen.
Aborterker sind auf zwei Kragsteinen
aufliegende, nach unten geöffnete Vor-
bauten aus Stein oder Holz. Sie sehen
den Gußerkern ähnlich, sind aber höher als diese und selbstverständlich nie
über anderen Maueröffnungen angebracht (297*). Von innen her durch die
Mauern führende Rinnen sind selten.

Schießscharten, 297*
sind schmale Öffnungen in Ringmauern und Türmen, aus behauenen Steinen ausgespart. Diese bilden den äußeren Abschluß von breiten Mauerni-
schen, deren Gewände einen großen

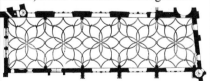

Schußwinkel zulassen und die oft mit
seitlichen Sitzbänken ausgestattet sind.
Die Formen der Scharten richten sich
nach den Waffen. Man unterscheidet
– Schlüssel-, Schlüssellochscharte =

senkrechter Schlitz mit einer oder mehreren gerundeten Ausweitungen
- Maulscharte = waagerechter Schlitz mit Ausweitung(en)
- Schlüsselmaulscharte = Kombination der beiden vorigen Formen
- Kreuzscharte = kreuzförmig, auch mit Schlüssel- und Maulscharten-form kombiniert
- Hosenscharte, vorwiegend in Turm-mauern, erlaubt das Schießen in mehrere Richtungen.

Gräben

Der Halsgraben ist meist künstlich an-gelegt und isoliert die am Ende eines Bergrückens liegende Burg vom übri-gen Teil des Berges. Er ist manchmal identisch mit dem Torgraben und kann wie dieser überbrückt sein.
Ein Abschnittsgraben trennt Haupt- und Vorburg (Abschnittsburg: Châ-teau Gaillard*).
Sind die Gräben der Höhenburgen sel-ten mit Wasser gefüllt, so ist dies die Regel bei Niederungsburgen (Wasser-burgen), deren Ringgraben die gesamte Anlage umgibt (Hagenwil, 300*; Sully, 311*).

Baumaterial

- Bruch-, Hau- und Ziegelstein, seit dem 10. Jh. auch schon Buckelqua-der für Palas und Bergfried oder auch nur für das Bossenwerk zur Ver-stärkung der Kanten; »Long-and-short-work« in England (58 f.*)
- die übrigen Gebäude gewöhnlich aus Feld-, Bruch-, Kieselsteinen, oft mit Bossenwerk
- Hartholz für die oberen Stockwerke, Wehrgänge, Haus- und Turmgebälk sowie für Bauteile im geschützten Hof
- Kalkmörtel unterschiedlichster Härte, gelegentlich mit Kies zu einer Art Beton gemischt; Zusatz von Harz aus Tannenzapfen-Absud zu Här-tung und Kapillar-Verschluß gegen Schäden durch Spaltenfrost; Kalbs-haare bewehren den Mörtel (»Haar-kalkmischung«)
- dünner, steinsichtiger Verputz der Bruch- und Kieselstein-Fugen, seit dem 10. Jh. auch für Innenmauer-Wände
- durchschnittliche Mauerstärken: 0,6 m für Innenwände; 0,8–1,5 m für Ringmauern; 1,5–3 m für Schild-, Palas- und Bergfried-Mauern.

Unregelmäßige Burg- und Palastanlage

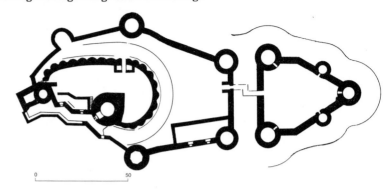

Rouen, Château Gaillard, beg. 1196, Abschnittsburg: die durch einen Graben getrennten Teile der Burg sind einzeln zu verteidigen.

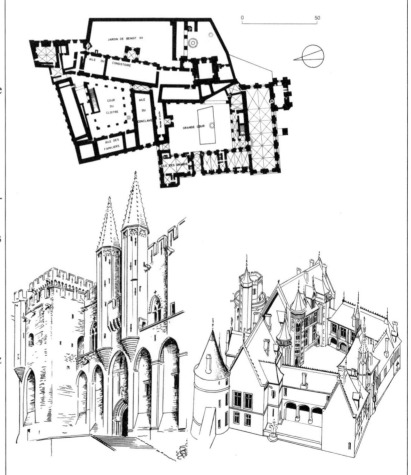

Avignon, Papstpalast, 170 × 115 m. Unterge-schoß und Ansicht der SW-Front. N-Teil z. Zt. des Pontifikats Benedikts XII. erbaut, 1334–42; SW-Teil »Neues Palais« z. Zt. Urbans V., 1362–70.

Bourges, Palais Jacques-Cœur, 15. Jh.; Wohn-palast und Handelslager eines bürgerlichen Kaufmanns auf den Grundmauern der römi-schen Stadtmauer. Reiche Innen- und Außen-zier; spätgotische Privatkapelle.

Fundamentierung auf Lagunengrund. P Pfähle, bis in S Sand- und L Lehmschicht gerammt, mit Sch Schwellrost aus Holzbrettern abgedeckt, darauf F Fundament aus Istria-Steinen. Backsteinmauerwerk oberhalb des Wasserspiegels. A. Zorzi

Venedig, Ca'd'Oro, 15. Jh. Gotischer Palast, durch 3geschossige Loggien neben geschlossener Wandfläche kontrastreich gegliederte unsymmetrische Fassade (unvoll.). Der Innenhof ist in venezian. Palästen sonst nicht üblich.

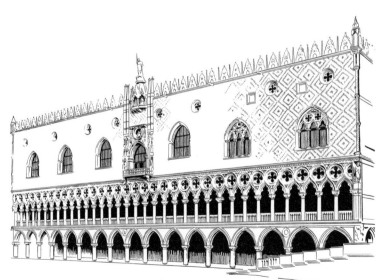

Mi re und u:
Venedig, Dogenpalast, 1309–1442, mit außerordentlicher Pracht gestaltete und eingerichtete Anlage um einen Innenhof. Am äußeren Bau kontrastieren die zierlichen Arkaden des Laubenganges und der Loggien des 1. Obergeschosses mit der weitgehend geschlossenen, inkrustierten Wandfläche darüber. Nach dem Brand von 1483 im alten Stil erneuert.

VENEZIAN. PALAZZI
der Gotik und Renaissance

Ihr Urbild ist der Fondaco dei Turchi, das Kaufhaus der Türken, um 1200 am Canale Grande erbaut, seit dem 19. Jh. durch Renovierung entstellt.

– Leichte Mauern und große Maueröffnungen wegen der schwierigen Gründung in der Lagune

– die Schauseite ist dem Wasser, selten einem Platz zugekehrt, sie betont die Dekoration stärker als die strenge Gliederung. Die Öffnungen sind selten gleichmäßig gereiht, sondern meist in Gruppen zusammengefaßt. Unsymmetrie ist häufig, die symmetrische Fassade des Palazzo Vendramin, 308*, wirkt in ihrer Umgebung relativ langweilig

– Fenster, Loggien-Öffnungen und die zahlreichen Säulchen – oft unmotiviert und selbst an den Gebäudeecken angebracht – tragen reiches Steinmetzdekor

– schmalhohe Rundbogen-Öffnungen (Frühgotik), Spitzbogen und Eselsrücken, »venezianische Spitzbogen« = Kielbogen mit Nasen an den Innenseiten der Bogenschenkel (Gotik), runde und gekuppelte Zwillingsfenster mit Überfangbogen und durchbrochenem Tympanon (Renaissance) werden unbefangen auch nebeneinander verwendet

– farbiger Putz und Backsteinmauerwerk herrschen vor, Rustika ist selten; Verblendungen aus kostbaren orientalischen Steinsorten und Marmor, Majolika-Medaillons, auch Vergoldung (Ca'd'Oro*!) sind beliebt

– begehbare Flachdächer sind entgegen verbreiteter Meinung selten

– das Untergeschoß ist Warenlager, ein hoher Flur führt von der Anlegestelle aus durch das ganze Haus, von hier gehen das Treppenhaus und Seitenräume aus, die oft durch ein Zwischengeschoß geteilt sind

– der Saal im Obergeschoß nimmt die gesamte Tiefe des Hauses ein, seine Fenster liegen oft hinter einer Loggia; ein oder zwei weitere Geschosse wiederholen die Fassadenordnung des 1. Obergeschosses

– im Hof befindet sich immer ein Brunnen, oft eine Freitreppe zu den Wohnräumen im Obergeschoß

– Innenhof fehlt fast immer.

RENAISSANCE
ITALIEN: Palastbau

Frührenaissance. Hochburgen der Entwicklung sind die Toscana (Florenz) und mit einigem Abstand Venedig. Die Bauformen des Sakralbaus werden nur zögernd auf den Palast übertragen: Die Pilastergliederung des Pal. Rucellai*, 1451, und sogar noch die Fensterverdachungen des Pal. Bartolini in Florenz, 1520, d'Agnolo, werden als für Profanbauten unpassend gerügt.

– Überwindung der komplizierten einander durchdringenden Bauformen der Gotik; statt dessen klare Zuordnung jedes Bauteils zu deutlich begrenzter Aufgabe

– geschlossener, breit gelagerter, kubischer, meist 3geschossiger Baukörper von klar gegliederter Monumentalität

– Gesimse in Fensterbankhöhe verstellen allerdings die einheitlichen oder nach oben hin abnehmenden Geschoßhöhen (bis zu 12 m)

– oft niedrige Zwischengeschosse (»Mezzanin«) mit kleinen, unscheinbaren Fenstern

– weit ausladendes Kranzgesims nach römisch-antikem Vorbild, wegen fehlender Auflast kompliziert verankert

– Rustika-Mauerwerk, oft bossiert, oder Putz

– die dünnwandigen Mauern wirken scheibenartig, die runden oder spitzen Keilsteinbogen über den Fenstern und die Mauerquader florentinischer Paläste oft nur wie eingeritzt (Pal. Strozzi*) und sind gelegentlich auch nur aufgemalt (Pal. Guadagni)

– regelmäßig verteilte, gleichgroße

Fenster (bis 7 m Höhe); durchbrochene Rundbogen-Tympani über den rundbogigen Zwillingsfenstern, später halbrund oder waagerecht abschließende Öffnungen

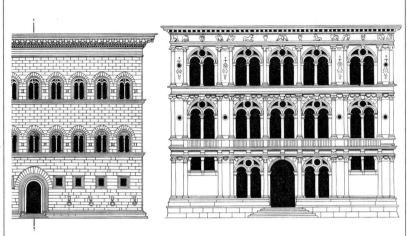

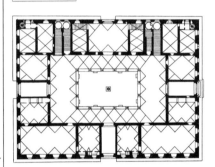

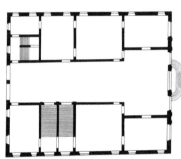

Venedig, Palazzo Vendramin-Calergi, vormals Loredan, um 1500, Coducci und Lombardo. Mittlere Fenstergruppe mit 3 × 3 Öffnungen; je 1 seitliche Fensterachse.

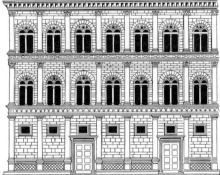

Florenz, Palazzo Strozzi, beg. 1489, B. da Maiano. Blockhafter Baukörper, 3geschossig mit Mezzanin und durchgehender Rustika. Breites Kranzgesims, Gurtgesimse in Fensterbankhöhe. U: Innenhof. – Li: Florenz, Palazzo Gondi, 1498, Hof.

Florenz, Palazzo Rucellai, 1446–51, Alberti. Die 7 Joche des unvollendeten Palastes sind durch sehr flache Pilaster und – erstmals seit der röm. Antike – mit den 3 klassischen Säulenordnungen übereinander gegliedert. Alle Maße aus dem Verhältnis 1:2 entwickelt.

Rom, Palazzo Farnese, Untergeschosse 1534, Sangallo d. J.; Obergeschoß 1548, Michelangelo. Mächtiger Baukörper mit betonten Fensterbrüstungen; Verdachungen mit Dreiecks- und Segmentgiebeln. – Li o: Innenhof nach antiken Theatern mit Säulenbogen in klassischen Ordnungen. – Mi re: Detail vom Kranzgesims.

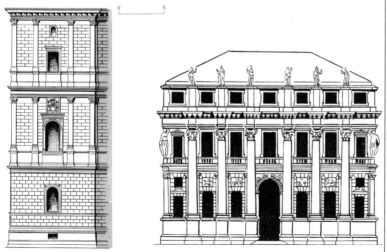

Rom, Palazzo della Cancelleria, 1486–96, unbekannter Architekt. Der langgestreckte, rustizierte Bau hat 14 Achsen und ist in den Obergeschossen mit rhythmisch gruppierten, flachen Wandpilastern zwischen den Fenstern gegliedert.

Vicenza, Palazzo Valmarana, 1566, Palladio. Pilaster in Kolossalordnung fassen Erd- und Obergeschoß zusammen. Attikageschoß über dem Kranzgesims und Hausecken werden von Plastiken geschmückt. Das Obergeschoß wird durch Fensterbrüstungen betont.

- senkrechte Pilastergliederung mit Gebälk, erstmals am Pal. Rucellai, 308*, in der klassischen Reihenfolge dorisch-ionisch-korinthisch
- rhythmisch gruppiert in Rom (Pal. della Cancelleria*; Pal. Giraud, 1496–1504)
- die wenig logisch aufgereihten Räume sind untereinander oft nicht geöffnet (Pal. Strozzi, 308*) und nur von den offenen Loggien des atriumähnlichen Innenhofs her erschlossen

Hoch- und Spätrenaissance. Die Toscana verliert ihre führende Stellung an Rom und Norditalien (Venedig, Vicenza, Verona, Mantua, Bologna).

Vermehrte Dekorationen verleihen den Bauformen massivere Körperlichkeit. Die Fassade wird in Breite und Höhe reicher gegliedert, in die Tiefe hinein stärker gestaffelt. Die flache, mehr graphische als plastische Gliederung der frühen Fassaden wird abgelöst und erweitert durch

- Verdoppelung und rhythmische Reihung der Wandpilaster (Rom, Belvedere des Vatikan, beg. 1503, Bramante)
- Halbsäulen, zuerst in Rom, Pal. Caprini, 1517, Bramante oder Raffael
- Vollsäulen, schon um 1500 in Venedig, Pal. Vendramin, 308*; vgl. auch den norditalienisch beeinflußten Klosterpalast von Tomar, 231*
- offene Loggien und Brüstungen im Obergeschoß (Montepulciano, Pal. Tarugi, um 1545, Sangallo oder Vignola; Vicenza, Pal. Chiericati, 1550–57, Palladio)
- Verbindung von Bogenreihungen mit den klassischen Ordnungen (Rom, Pal. Farnese, Hof*)
- Giebelverdachungen über den Fenstern, erstmals in Urbino, Pal. Ducale, beg. 1465, Laurana; ab 1520 die Regel (Florenz, Pal. Bartolini, 1520, d'Agnolo; Florenz, Pal. Pandolfini, 224*, Raffael; Rom, Pal. Farnese*)
- Kolossalordnung (Vicenza, Pal. Valmarana*)
- häufig unechte Rustika aus verputztem Backstein, bes. in Vicenza (Pal. Chiericati u. a.) und Mantua (Pal. del Tè, 1525, G. Romano, 310*)

Im **Manierismus** führt die dekorative Überfüllung zu unklaren Gliederungen (Rom, Pal. Spada, 225*).

ITALIEN: Villa und Schloß

Die Grundrisse der römischen Villen verlassen die strenge Reckteckform des städtischen Palazzo.

Raffaels (1483–1520) Villa Madama in Rom, um 1516, wird als erste mit Gartenanlage geplant. Sie ahmt antikrömische Thermenanlagen nach. Ihre Dekoration ist der Malerei von Neros »Goldenem Haus« nachgebildet, die in grottenähnlichen Ausgrabungsstellen gefunden und von denen die Bezeichnung »Groteske« abgeleitet wurde.

Die Rückseite der Villa di Papa Giulio* hat eine halbkreisförmig offene Säulenhalle an der Gartenseite.

Die Villa Farnesina* und der manieristische Palazzo del Tè in Mantua* nehmen Formen der antiken Villa suburbana auf.

Die etwa 60 Villen Palladios, 1508–80, im weiten Umkreis von Vicenza sind bis weit ins 18. Jh. hinein Vorbild und Anregung für Hunderte von Landhäusern in Oberitalien und England (vgl. 332 ff.*). Hauptmerkmale sind
– symmetrischer Kernbau mit zentralem
– Portikus, erstmals auf Wohnbauten übertragen, da Palladio sie irrtümlich an römischen Wohnbauten vermutet; freistehend (Villa Rotonda*) oder an die Fassade gebunden; auch gesamte Fassade als Tempelfront ausgebildet (Quinto, 1550; Maser, 1560)
– gerade oder viertelkreisförmig nach vorn in die Landschaft schwingende Seitenflügel
– profilierte oder ungerahmte Fenster
– dreiteilige Loggia im Obergeschoß
– vollkommene Übereinstimmung von äußerem Baukörper und innerer Raumgestalt
– alle Maßverhältnisse nach den Regeln der »Harmonischen Proportion« → Proportionslehre

Monumentale Schloßbauten in freier Landschaft sind selten, weil die militärische Macht bei den Stadtherrschern liegt. So gehört der festungsartige, aber nur scheinbar wehrhafte Palazzo Farnese in Caprarola* eher dem phantastischen Manierismus an.

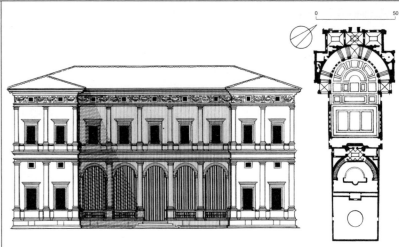

Li: Rom, Villa Farnesina, beg. 1509, B. Peruzzi. Der Schüler Raffaels baut wie dieser zunächst in Renaissance-, später manierist. Formen; er folgt hier der Form der antik-röm. Villa suburbana mit vorspringenden Seitenflügeln (vgl. Nennig, 292*). Das Piano nobile ist betont. Flache dorische Pilaster gliedern die 2geschoss. Fassade. – Re: Rom, Villa di Papa Giulio, 1550–52, Vignola u. a.

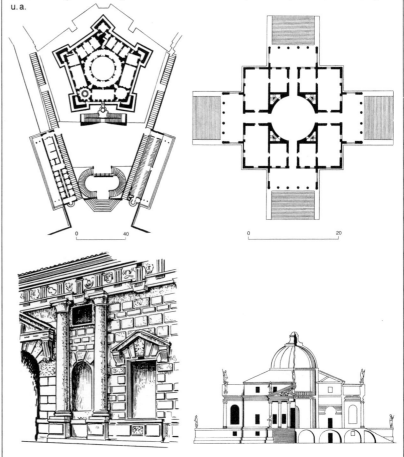

Mi: Caprarola, Pal. Farnese, beg. 1559, Vignola. – U: Mantua, Pal. del Tè, 1525–31, G. Romano. Detail. Unterschiedliche Quader, abrutschende Triglyphen, unharmonische Maße der Nischen und Verdachung sind eine bewußte Parodie der Klassik (Manierismus).

Vicenza, Villa Rotonda (Villa Capra), beg. 1553, Palladio. Säulenportiken an jeder Seite des quadratischen Baus, dessen Mitte ein überkuppelter Rundsaal mit Galerie bildet. Umzeichnung nach »I Quattro libri dell'architettura«.

FRANKREICH

Frührenaissance = Ire Renaissance

Die Burgen Frankreichs werden bis 1453, dem Ende des Hundertjährigen Krieges gegen England, gebaut oder verstärkt, nach dem Abzug der Engländer zu Schlössern umgestaltet. Charles VIII, 1483–98, beruft nach seiner Rückkehr aus Italien, 1495, ital. Baumeister und Kunsthandwerker an seinen Hof. Sie vollenden u. a. das spätgot. Schloß Amboise und führen dabei ital. Dekormotive ein, z. B. Laubwerk, Eierstab, Herzblatt. Louis XII, 1498–1515, läßt in Blois (Grundriß*) einen italianisierenden Flügel bauen (Hau-, Backstein, Flachbogen). Aber erst unter Franz I., 1515–47, wird die ital. Renaissance in Frankreich heimisch, allerdings mit 100jähriger Verspätung. Denn zu dieser Zeit beginnt in Italien bereits der Manierismus. Dessen Formen vermischen sich in Frankreich mit got. Reminiszenzen zu einem frz.-manieristischen Stil:
– meist 4 runde Ecktürme
– Dächer steil, oft höher als die kegelförmigen oder geschweiften Turmdächer; reich dekorierte Giebel
– Lukarnen (= Dacherker, 225*), die das Kranzgesims durchbrechen (Martainville*, Chantilly*) oder überragen (Blois*, Chambord, 312*)
– zahlreiche Schornsteine
– Wandgliederung mehr graphisch als körperhaft: flache, schmale Gesimse; Pilaster als Fensterrahmung oder mit Fenstern und Lukarnen senkrechte Streifen bildend. Säulchen sind selten
– rechteckige, noch spätgot. Kreuzstock-Fenster, selten rundbogig

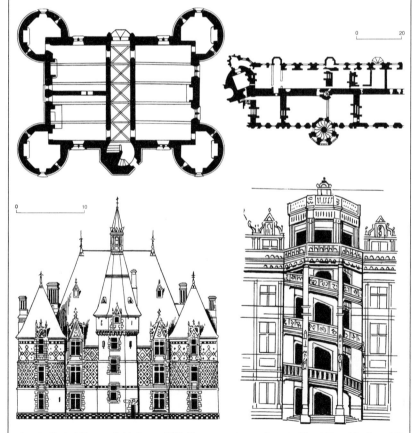

Sully–sur–Loire, Wasserschloß, 14./15. Jh. Wohnpavillon A. 17. Jh. Die Schauseite des rechteckigen gotischen Hauptbaus mit 4 runden Ecktürmen zeigt auf einen ummauerten Hof mit Torbau. Flankentürme am Torbau.

Chantilly, Schloß, Hofgebäude zum kleinen Schloß, 1515–78, J. Bullant (nach Ducerceau). Unitalienische Fassade: Pilaster durchbrechen das Fensterbankgesims, Fenster das Kranzgesims in der Art gotischer Wimperge.

Martainville bei Rouen, Schloß, um 1500. Regelmäßige Anlage mit 2 Treppen- und 4 Ecktürmen; gotischer Dekor im Übergang zur Renaissance. Das Schloß gehört zu einer Gruppe reich inkrustierter normannischer Polychrombauten.

Blois/Loire, Schloß. Flügel Franz' I., Grundriß und achteckiger Treppenturm, 1515–24. Die überwölbte Treppe öffnet sich zum Hof in Turniertribünen, die rückwärtige Außenfront des Flügels in italianisierenden Arkaden-Loggien.

Azay-le-Rideau/Loire, Wasserschloß, 1518–29. Maschikulierter Pseudo-Wehrgang, zierliche Zwerchgiebel und Rundtürmchen markieren die Reduktion der befestigten Burg zum offenen Landsitz, den der bürgerliche Finanzmann G. Berthelot errichten ließ.

– Korbbogen über Loggien, Toren und
Arkaden ist häufiger als Rundbogen
– Kassettendecken in Holz/Stein, 219*
– außerordentlicher Schmuck-
reichtum, der niemals schwer wirkt:
Obelisk, Volute, Baluster, Baluster-
Säule, Kartusche, Emblem (Lilie,
Kordel, Tier, Initialen, Krone u. a.),
Putte, Muschel-Nische, Hängeknauf
(»Cul-de-lampe«, 223*), Bildnis-Me-
daillon, dünnstielige, arabeskenhaft
geschwungene, symmetr. Wandfeld-
und Pilasterfüllung aus Bändern und
naturalistischen Pflanzen, Putten,
Grotesken, Trophäen
– Kapitell mit Füllhorn, Laub, Putten,
Büsten unter geschweiftem Kämpfer.

Der Hof, der sich gern in den Jagd-
gebieten des Loire-Tales aufhält, setzt
hier für Um- und Neubauten Maßstäbe, die, von Adel und reichen Bürgerlichen übernommen, zu ungewöhn-
licher Dichte von Schloßbauten führen
(Sully, 311*; Azay-le-Rideau, 311*;
Chambord*).

In der »Schule von Fontainebleau« vereinigt Franz I. seit 1526 Florentiner
Manieristen (Rosso, Primaticcio, seit
1540 Serlio aus Bologna) und frz. Meister (Lebroton) in der Art der ital. Mu-
senhöfe. Ihr Dekorationsstil hat großen Einfluß auf Frankreich: elegante
Linien, kassettierte Flachdecke; plastische Stuckornamente (Rollwerk!) und
Figuren verbinden sich – erstmals in
Frankreich – mit den Malereien der
Decken- und Wandfelder, beengen
diese aber auch. Hauptwerke: Fontainebleau, Galerie Francois Ier; Schloß
Ancy-le-Franc, 289*.

Hochrenaissance = IIe Renaissance
Mitte des 16. Jhs. lösen frz. Baumeister
die italienischen ab und begründen einen nationalen, rhythmisch gegliederten Baustil. Hauptvertreter sind die
auch als Theoretiker bedeutenden Ph.
de l'Orme, 1510–70, J. A. Ducerceau,
1515–84, P. Lescot, 1510–78. Merkmale: Trimphbogen-Motiv, klassische
Säulenordnungen (Anet*), Fensterverdachungen (Chantilly, 311*), aber auch
unitalienisch gerundete Giebel, steile
Dächer mit Aufsätzen (Louvre*), leere
Nischen, gelängte Voluten, flache Reliefs, Roll- und Beschlagwerk, insgesamt schmale, gelängte Proportionen.

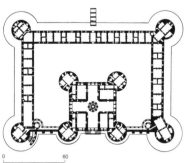

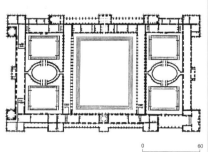

Chambord/Loire, Schloß, 1519–33, P. Nepveu,
gen. Trinqueau. Die doppelläufige Wendeltreppe (217*) und die Dachterrasse des Don-
jons mit phantastisch dekorierten, hausartigen Kaminen, die eine begehbare Miniatur-
stadt bilden, sind eindeutig manieristisch.

Mi: Paris, Tuilerien-Schloß, Grundriß, beg.
1564, Ph. de l'Orme, 1572 eingestellt. Die
axiale Anlage mit Risaliten, fast 100 m langen
Galerien, 5 rechteckigen und 2 elliptischen
Binnenhöfen sah Wohntrakte für mehrere
Tausende Personen vor. 1871 zerstört.

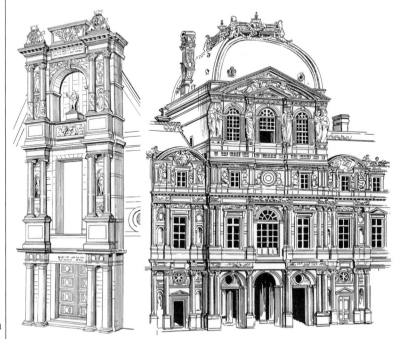

Anet, Schloß, 1548–59, für Diane von Poitiers,
Ph. de l'Orme. Detail des Hofes. Die 3geschos-
sige Fassade mit den klassischen Ordnungen
bedeutet eine Wende von der italienischen zur
national-französischen Renaissance. – Torbau
triumphbogenartig (nicht abgebildet).

Paris, Louvre-Flügel, 1546 beg., P. Lescot.
Trotz ital. Palazzo-Vorbilder sind die ausgegli-
chenen Vertikalen und Horizontalen, das Steil-
dach und das Attikageschoß der Beginn einer
bis ins 20. Jh. gültigen französischen Tradition.
Bildhauerarbeiten von Jean Goujon.

SCHLÖSSER IM LOIREGEBIET

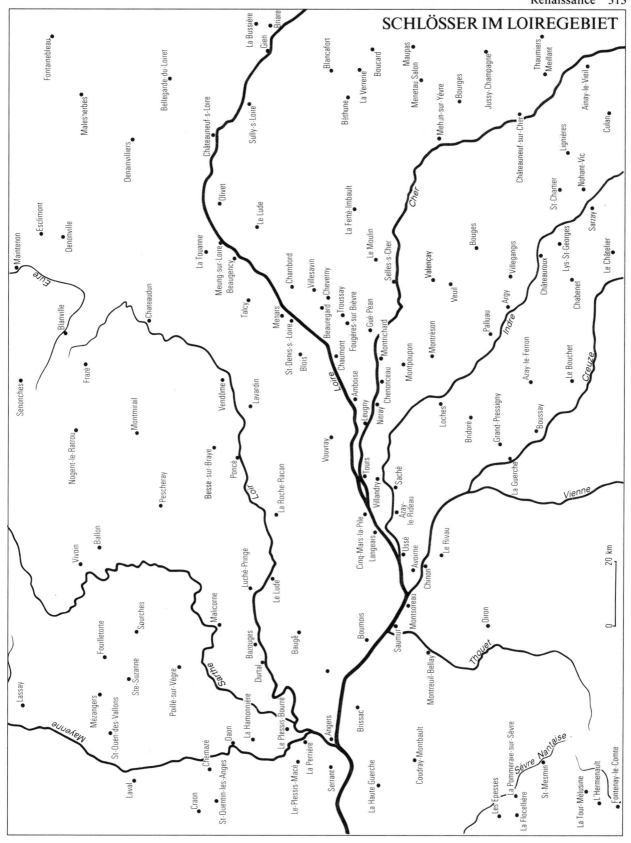

20 km

Fontainebleau
Malesherbes
Denainvilliers
Esclimont
Denonville
Maintenon
Eure
Blanville
Senonches
Frazé
Montmirail
Nogent-le-Rotrou
Pescheray
Besse-sur-Braye
Vendôme
Chateaudun
La Touanne
Olivet
Meung-sur-Loire
Beaugency
Talcy
Lavardin
Menars
St-Denis-s.-Loire
Blois
Chaumont
Amboise
Loir
La Roche-Racan
Poncé
Vouvray
Tours
Leugny
Nitray
Chenonceau
Villandry
Azay-le-Rideau
Saché
Ussé
Avoirne
Chinon
Cinq-Mars-la-Pile
Langeais
Le Rivau
Le Lude
Luché-Pringé
Ballon
Vivoin
Sourches
Fouilletorte
Ste-Suzanne
Poillé-sur-Vègre
Malicorne
Bazouges
Durtal
Baugé
Boumois
Saumur
Montsoreau
Montreuil-Bellay
Oiron
Lassay
Mézangers
St-Ouen-des-Vallons
Laval
Craon
St-Quentin-les-Anges
Chemazé
Daon
La Hamonnière
La Perrière
Le Plessis-Mâcé
Le Plessis-Bourré
Serrant
Angers
Brissac
La Haute Guerche
Coudray-Montbault
Les Epesses
La Flocellière
La Pommeraie-sur-Sèvre
St-Mesmin
L'Hermenault
La Tour-Mélusine
Fontenay-le-Comte
Sèvre Nantaise
Mayenne
Sarthe
Chambord
Villesavin
Cheverny
Troussay
Fougères-sur-Bièvre
Beauregard
Gué-Péan
Montrichard
Montpoupon
Montrésor
Loches
Bridoré
Grand-Pressigny
Boussay
Azay-le-Ferron
Le Bouchet
Chabenet
Châteauroux
Argy
Villegangis
Palluau
Veuil
Bouges
Valençay
Selles-s-Cher
Le Moulin
La Ferté-Imbault
Bâthune
La Verrerie
Boucard
Maupas
Menetau Salon
Mehun-sur-Yèvre
Bourges
Jussy-Champagne
Thaumiers
Meillant
Ainay-le-Vieil
Culan
Lignières
St-Chartier
Nohant-Vic
Lys-St-Georges
Sarzay
Le Châtelier
Châteauneuf-sur-Cher
Blancafort
La Bussière
Gien
Briare
Bellegarde-du-Loiret
Châteauneuf-s-Loire
Sully-s-Loire
Le Lude
La Guerche
Vienne
Creuse
Indre
Cher
Thouet
Loire

SPANIEN

Die wuchernde Dekorationsfülle des
Mudéjar-, Platero-, Isabell- und Ma-
nuel-Stils auf der Iberischen Halbinsel
reicht bis ins 16. Jh. (180 f.*). Die Wendung zur strengen römischen Hochrenaissance vollzieht Karl V., 1519–56.
Er manifestiert seine Legitimation als
Bewahrer der von Karl dem Großen
verkörperten mittelalterlichen Reichs-
und Kaiseridee in dem – unvollendeten – Palast, den er bewußt in die Alhambra von Granada* einbaut. Folgerichtig sind die Formen römisch-klas-
sisch und höchstens durch ihre Monumentalität unitalienisch.

O u. li außen: Escorial bei Madrid, 1563–89, J. B. de Toledo und J. de Herrera. Vorhof, Kirche und Wohnpalast in der W-O-Achse mit Blick vom Bett des Königs zum Altar; Kloster im S; Palast, Schule und Hofhaltung im N. Erste streng axial-symmetrische Klosteranlage (Vorbild: Toledo, Alcázar).

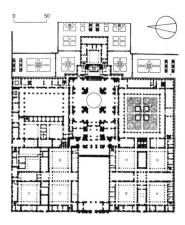

Den 2. Weg zur Renaissance geht Philipp II., 1556–98, der den Escorial zum
Wahrzeichen der Gegenreformation
macht. Dessen kühle, nüchtern ausge-
wogene und geordnete Proportionen, die nackten Fassaden sind das
Idealbild des schmucklosen »Desornamentado«; seine gleichzeitigen Funktionen als Palast, Kloster, Universität,
Museum, Seminar und Hospital bilden
die architektonische Entsprechung der
span. Auffassung von der Komplexität
von Religiosität und monarchischem
Gottesgnadentum; seine Kolossalität
und bauliche Organisation wirken sich
bis auf den schloßartigen Klosterbau
im süddeutschen Barock aus.

DEUTSCHLAND

Frührenaissance. Die Renaissance wird
zuerst vom humanistisch gebildeten
süddeutschen Bürgertum übernommen
und auf Städte wie Augsburg und
Nürnberg lokalisiert.

Granada, Palast Karls V. inmitten der Alhambra, beg. 1526, P. Machuca. Der kreisrunde Innenhof hat 2 Umgänge mit dorischen (unten)
und ionischen Säulen (oben).

Torgau, Schloß Hartenfels, Ostflügel mit Wendeltreppe zum großen Saal, 1532–44, K. Krebs.
Gotischer Vorhangbogen, Renaiss.-Giebel
und -Ornamentik. Ursprünglich unverglast.

O u. Mi re: Heidelberg, Schloß, gewachsene Burg- und Schloßanlage, von Verteidigungs- und Bodenbedingungen abhängig (vgl. Escorial: konstruierter Grundriß in der Ebene). 1 Ottheinrichsbau, beg. 1556, niederl. Baumeister. (O: Detail des Obergeschosses.) 2 Friedrichsbau (Abb. unten li.)

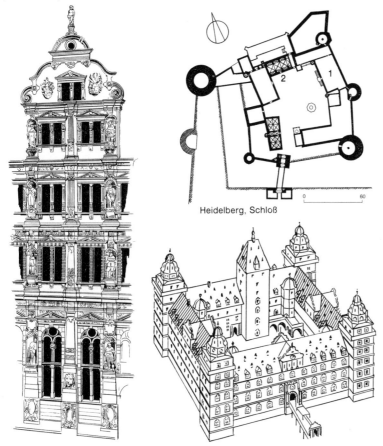

Heidelberg, Schloß

Heidelberg, Schloß, Friedrichsbau, 1601–04, Schoch. Detail. Stärkere Betonung der Senkrechten; verkröpftes Gebälk; Fürstenbildnisse in den Wandnischen. Manierismus.

Aschaffenburg, Schloß, 1605–14. Symmetrische Vierflügel-Anlage um einen quadratischen Innenhof nach frz. Vorbildern. 4 Treppentürme in den Hofecken, 4 Ecktürme.

Süd- und ostdt. Fürsten, bes. die Habsburger und die bayer. Herzöge, lassen gelegentlich »italienische« Schlösser von ital. Architekten und Künstlern bauen (Landshut, beg. 1536, Meister aus Mantua im manierist. Stil G. Romanos, vgl. Pal. del Tè, 310*; Prag, Belvedere, beg. 1553, della Stella).

Bes. die reformierten Fürsten Mittel- und Norddeutschlands demonstrieren ihre geistigen Neuerwerbungen: Humanismus und Reformation, durch Bauten, die ihre spätgot. Grundformen mit den eleganten Einzelformen der oberital. Renaissance bedecken, u. a.
– Kiel-, Vorhang-, Rundbogen (Torgau, 314*)
– venezian. Halbkreisgiebel (Celle)
– lombard. Terrakotta (Wismar)
– überreicher Relief- und Figurenschmuck (Brieg, Piastenschloß, ital. Steinmetze).
Sie wetteifern dabei mit den Bürgerbauten (Görlitz, 364*).
Diese Dekorationen sind aber ihrerseits schon »kuriose Brechungen der Renaissance« (H. Koepf) und geraten unter den Händen deutscher Baumeister, die sie vorwiegend aus Musterbüchern kennen, oft zu naiver, zur Überfüllung neigender Skurrilität.

Hoch- und Spätrenaissance. Seit Mitte 16. Jh. dringt der italienische Manierismus ins südliche, der niederländische ins mittlere und nördliche Deutschland ein. Er bestimmt die dekorative Formenwelt des Schloßbaus in gleicher Weise wie die des Bürgerbaus (ausführlich 363 ff.*).

Die 4flügelige Anlage setzt den kastellartigen Burgentyp mit Ecktürmen fort (301*). Das späte Aschaffenburger Schloß* verzichtet bereits auf die bis dahin üblichen Hofarkaden, das dänische Schloß Frederiksborg, 1602–20, H. und L. Steenwinkel, bereitet mit seiner geöffneten Vorderfront das 3flügelige Barockschloß vor. Wie im Rathausbau (Augsburg, 365*) werden Riesensäle gebaut: flach mit Stuck- oder Holzkassetten gedeckt (Ambras/Tirol, 1570) oder mit monumentalem Tonnengewölbe (München, Antiquarium der Residenz, 1569, italienischen Vorbildern nahestehend, mit Groteskenmalerei).

BAROCK
ITALIEN

In Rom entwickelt der Palastbau
E. 16. Jh. kolossale Ausmaße und Formen. Die Fassade wird reicher und bewegter gegliedert.

War in den kubischen Blöcken des 15.
und frühen 16. Jhs. noch eine lose Aufreihung der Säle üblich, so gewinnt die
Raumfolge jetzt flüssige, logischere,
reichere Ordnung:
- Hauptsaal in der Mitte des Hauptge-
  schosses; auf ihn sind Größe und
  Dekoration der Nebenräume abge-
  stimmt
- Ausbildung eines reicheren Raum-
  zusammenhangs im Untergeschoß:
  Vestibül oder offene Vorhalle vor der

Rom, Villa Borghese, Casino, 1613–15, G. Vasanzio (J. van Santen aus Utrecht). In der Anlage ähnlich wie die Villa Farnesina, 310*, jedoch schließt die Galerie die Öffnung zwischen den Sei-tenflügeln. Der zurückliegende Mitteltrakt ist überhöht und zeigt im 1. Obergeschoß gesprengte Segmentgiebel mit Büsten, darüber kleine Fenster und Figurennischen.

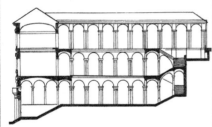

Genua, Universität, Schnitt durch die Treppenanla-
gen

Durchfahrt zum Hof, hallenartiger
Empfangsraum und Treppe zur Hofseite, erstmals in Rom, Pal. Barberini, 317*
- die gerade, zweiläufig gegenläufige
  Podesttreppe des 15. Jhs. wird ersetzt
  durch monumentale Treppen, die
  um einen offenen Schacht oder an
  den Wänden rechteckiger bzw. elliptischer Treppenhäuser entlangge-
  führt sind. Ihre Entwicklung geht
  von der Stadt Genua aus (Pal. Ca-
  rega-Cataldi, beg. 1560, G. Alessi),
  die an steilem Hang erbaut ist. Die
  Verbindungstreppen zur Straße werden seit etwa 1620 mit den Vorhal-
  len- und Stockwerkstreppen zusam-
  menkomponiert (Pal. Durazzo-Palla-
  vicini, 1619; Universität*, 1623, B.
  Bianco); erste röm. Ellipsentreppe
  im Pal. Barberini
- die barocke Vorliebe für scheinper-
  spektivische Illusion zeigt sich wie
  in der Deckenmalerei, 248*, so u. a.
  auch in den konischen Verengungen
  des Treppenlaufs der Scala Regia*,

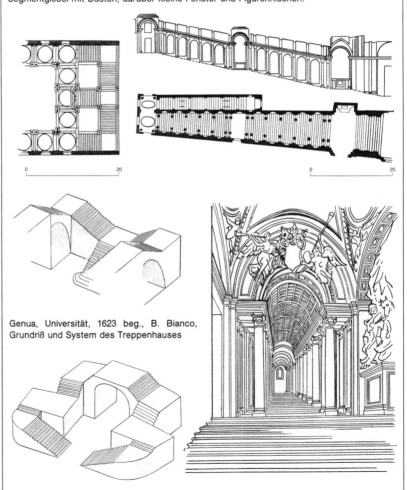

Genua, Universität, 1623 beg., B. Bianco,
Grundriß und System des Treppenhauses

Bagheria/Sizilien, Villa Palagonia, System des Treppenhauses. Jede Treppenhälfte folgt zu-nächst der Rundung der vorspringenden Fas-sade, beschreibt sodann 3 rechte Winkel.

Rom, Vatikan, Scala Regia, 1656–57, Bernini. Scheinbare Verlängerung des Treppenlaufs durch konische Verengung der Treppe und Verkürzung der Interkolumnien.

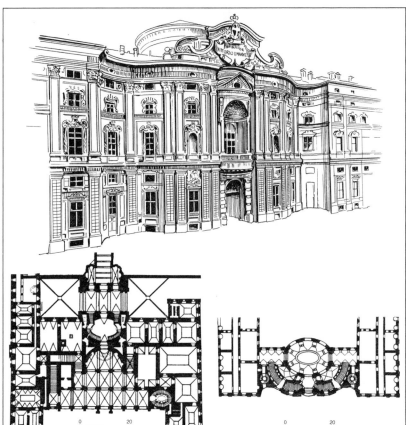

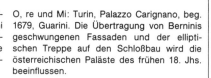

Mi: Rom, Palazzo Barberini, beg. 1628, Grundriß von Maderna; Eingangsfront von Bernini mit klassischen Säulen- und Pilasterordnungen. Dem elliptischen Treppenhaus ist eine mehrachsige Halle mit halbrunder Nische vorgebaut.

O, re und Mi: Turin, Palazzo Carignano, beg. 1679, Guarini. Die Übertragung von Berninis geschwungenen Fassaden und der elliptischen Treppe auf den Schloßbau wird die österreichischen Paläste des frühen 18. Jhs. beeinflussen.

des Korridors im Pal. Spada, 1635, Borromini, sowie an den Bogenöffnungen des Obergeschosses am Pal. Barberini, 1632, Bernini

– eine Galerie schafft Beziehung zum jetzt obligatorisch werdenden Garten (zuerst Caprarola, 310*; Rom, Pal. Farnese, Anbau von della Porta, 1589)

– Risalitbildung erst im 18. Jh. nach frz. Vorbild allgemein üblich

– die plastische Gliederung der Fassade erreicht im Hochbarock ihre höchste Körperlichkeit und Bewegtheit; geschweifte Fassaden beziehen wie bei Kirchenbauten (Rom, Santa Maria della Pace, 243*) den freien Außenraum mit in die Komposition ein (Turin*; Rom, 367*), figürliche Plastiken schmücken Wand, Dachgesims und Park; sie nehmen in Apulien und Sizilien (Bagheria) gelegentlich die manieristischen Gestalten von Ungeheuern, Fabeltieren und Kretins an.

Italien verliert ab Mitte 17. Jh. seinen Einfluß auf das übrige Europa.

1668 werden Berninis Entwürfe für die Ostfassade des Louvre* als zu barock abgelehnt und durch den des Franzosen Perrault, 319*, ersetzt. Dieses Ereignis markiert den Übergang der maßgebenden Entwicklung nach Frankreich.

Berninis Projekte für die Ostfassade des Louvre, 1668. Bernini wird als berühmtester Architekt seiner Zeit von Louis XIV zur Erweiterung des Louvre von Rom nach Paris gebeten. Aber seine Entwürfe werden von der Pariser Akademie abgelehnt zugunsten des heutigen Kolonnadenbaus von Perrault, Le Vau, Le Brun und d'Orbay. Vgl. 319*

FRANZÖSISCHE KLASSIK

LOUIS XIII 1610–43

In der Zeit zwischen dem Regierungsbeginn Heinrichs IV., 1594, und dem Tode Ludwigs XIV., 1715, entwickelt Frankreich einen eigenen klassizistischen Barock, der später in ganz Europa aufgenommen wird. An seinem Beginn stehen die Baumeister und Bauten der »Deuxième Renaissance« (312*). Die Kontinuität der Entwicklung wird u. a. durch einige Baumeisterfamilien gewahrt, in deren Händen die frz. Architektur im wesentlichen liegt: Ducerceau, Métezeau, Mansart, Le Vau.

Der Style Louis XIII stützt sich noch stark auf Italien und den niederländischen Manierismus:

Türbekrönung. Paris, Hôtel de Sully, 1624–40, gelängte Voluten, vegetabiles Dekor.

1. Obergeschoß

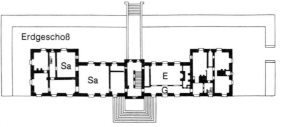

Erdgeschoß

- florentin. Bossenwerk; niederl. Kartuschen mit Roll- und Knorpelwerk (»Fledermausflügel«, »Hundeohren«, vgl. Cheverny, Tür*), auch in gelängter (frz.) Form*, Löwenkopf, Büsten-Medaillon, Palmzweig, Fruchtgehänge, gelängte Voluten; Verdachungen* halbrund oder gesprengt, Volutengiebel mit Büsten-Bekrönung
- langgestreckte Bauten mit Mittel- und Eckpavillons, kein Innenhof
- jeder Gebäudeteil mit separatem Dach: steil, auch gebrochen (Mansart-Dach) oder geschwungen
- zartes Dachgesims, Kreuzstock-Fenster, Lukarnen mit Ochsenaugen, flache Pilaster und Fensterprofile
- Mischung von Ziegel- und Haustein (vgl. Place des Vosges, 368*), Putz und waagerechte Fugenschnitte (Cheverny*)

LOUIS XIV 1643–1715

Die frühen Bauten suchen noch eher nach der architektonischen und dekorativen Sonderlichkeit als nach der Eleganz, die man nach dem Bau von

Cheverny, Schloß, um 1630–95, B. de Blois, gen. Jacques Bougier. Westteil der Südfassade und Tür des Waffensaales. G Galerie; Sa Salon; E Eßzimmer; W Waffenarsenal; S Schlafzimmer des Königs.

Mi: Kartusche, gelängt. Paris, St-Gervais, und Fontainebleau. – U: Portalaufsatz. Château-d'If. Gesprengter Giebel, Büste, Girlande (ital.); Fledermausflügel mit Rollwerk (flämisch).

Louis XIV

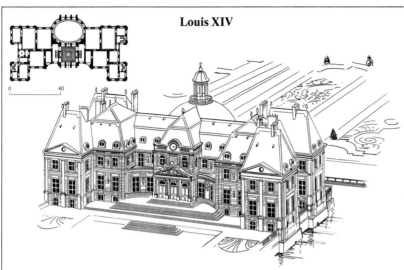

Vaux-le-Vicomte, Schloß, 1657–58, ein Gesamtkunstwerk von L. Le Vau (Architekt), Ch. Le Brun (Maler) und A. Le Nôtre (Gartenanlage bis 1660).

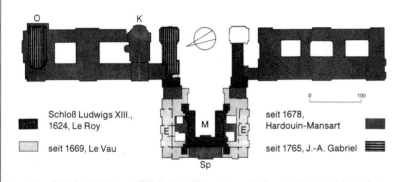

Schloß Ludwigs XIII., 1624, Le Roy

seit 1669, Le Vau

seit 1678, Hardouin-Mansart

seit 1765, J.-A. Gabriel

Versailles, Schloß, 1624 bis um 1765, Ludwig XIV. und verschiedene Architekten (sh. o.). Gartenanlagen von Le Nôtre u. a. – E Enfiladen der königlichen Empfangsräume (N) und des Königin-Flügels (S); Sp Spiegelsaal; O Oper; K Kapelle; M Marmorhof.

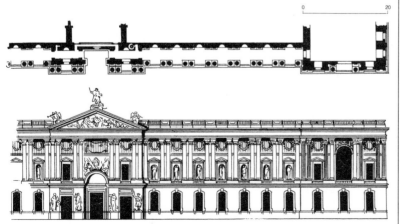

Paris, Louvre, Ostfassade, 1667–74, C. Perrault, Le Vau, d'Orbay und Le Brun. Wenn auch in manchen Details von dem abgelehnten Entwurf Berninis, 317*, beeinflußt, so ist die grandiose Kolonnade aus paarigen Säulen doch ein Markstein für den eigenständigen barocken Klassizismus Frankreichs. Der Sockel ist durch Aushub eines Grabens neuerdings wieder sichtbar gemacht worden.

Versailles in ganz Europa mit der frz. Klassik assoziiert. Vaux-le-Vicomte* blickt sozusagen mit der vielfach verspringenden Stadtfassade nach Italien, während die ruhigere Gartenfront trotz ihrer schweren Kuppel und Pilaster auf die (gotische) Flächigkeit weist, die alles Französische vom Italienischen unterscheidet. Die Disposition seiner Räume ist in Italien vorgebildet (Pal. Barberini, 317*). Sie verbindet den Zentralismus (Achse aus Vestibül und elliptischem, zum Garten vorspringenden Saal) mit der logischen Aufreihung der Wohnräume (Enfilade der gartenseitigen Zimmer) und wird für den frz. Schloßbau maßgebend. Nur die Flügel folgen noch nicht diesem System, auch liegt das quergestreckte Schloß noch auf einer künstlichen Insel im Park. Die irrationalen Reste dieser Entwicklung sollen durch bewußte Rückwendung zur röm. Antike und zur ital. Renaissance aufgehoben werden – allerdings in eigenständig frz. Abwandlungen: Bedeutende Theoretiker kritisieren Rollwerk, Knorpelwerk und Kartusche (Fréart, 1650) und die Unbequemlichkeit der Palladio-Grundrisse (1673). Zugleich setzen Perraults klassische Vitruv-Ausgabe von 1673 und seine »Ordonnance des cinq espèces de colonnes«, 1676, neue Maßstäbe, praktizierbar gemacht u. a. in F. Blondels »Cours d'architecture«, 1675–83.

Von äußerster Wichtigkeit werden Ludwigs Gründungen der Akademien in Rom und 1671 in Paris. Hier wird der theoretische Unterbau für die neuen Stilformen erarbeitet und ihre Verbindlichkeit für das Herrschaftsgebiet Ludwigs gesichert. Für ihre Verbreitung in den Nachbarländern sorgt der Glanz des Sonnenkönigs, aber auch die Auswanderung der protestantischen Hugenotten.

Mit der Erweiterung des kleinen väterlichen Schlosses von Versailles, 1624 beg., führt Ludwig XIV. ab 1668 den ländlich-intimen frühbarocken Schloßbau ins Monumentale. Der neue Bau ist ursprünglich als Rahmen für königliche Feste konzipiert, wird aber später für 35000 Menschen und 6000 Pferde erweitert. Er ist Ausdruck einer speziellen Form des Absolutismus: Die Macht des Adels wird gebrochen, indem der König ihn in seine unmittel-

bare Nähe zwingt und in der Gefan-
genschaft von Etikette und Hofintrigen
hält.

Versailles gibt das Maximalprogramm
des hochbarocken frz. Schloßbaus an.
– Dreiflügel-Anlage mit Ehrenhof,
  4. Seite durch Gitter geschlossen
– weitere Flügel in Quer- und Längs-
  richtung
– Innenhöfe
– Hofkapelle und Hoftheater
– rechteckige und Rundbogenfenster
– Parkseite: der vorgerückte Mitteltrakt und die Seitenflügel haben je
  3 Risalite, die im Piano nobile durch
  ion. Säulen geschmückt sind; die zu-
  rückliegenden Teile durch ion. Pilaster gegliedert; Untergeschoß Rustika; Balustraden-Postamente des
  Attikageschosses durch Vasen und
  Trophäen bekrönt; verdecktes Dach
– Stadtseite: Dächer der Ehrenhof-
  und Königshof-Flügel mit Mansart-
  Dach
– Spiegelgalerie an der Gartenseite
– Enfiladen
– Fortsetzung der Architektur in einen
  riesigen, streng geometrisch geplanten Park mit Kanälen, Wasserspielen, Statuen, Bosketten, Broderie-
  Parterre und Nebengebäuden

Das Dekor der 1. Phase des Style
Louis XIV geht großenteils auf Stiche
von A. Lepautre, um 1620–82, zurück.
Antiker Herkunft sind freiplastische
oder reliefierte Trophäen*, Schilde,
Helm mit Eichenlaub oder Lorbeer,
lesbisches und ionisches Kymation
(Herzblatt und Eierstab), Zahnschnitt,
schwere Girlanden usw.; personenbe-
zogen sind u. a.: Sonne im Medaillon*
= Emblem Ludwigs XIV., mythologische Gottheiten, Monogramm aus 2
verschlungenen L, Fleur de lis auf einer Königskrone.
Die spektakuläre Loslösung von der
barocken italienischen Fassade wird
markiert durch die Entscheidung der
Akademie gegen Berninis und für Perraults Entwurf für die Ostfassade des
Louvre, 319*, vgl. 317*.

Die 2. Periode des Style Louis XIV beginnt gegen 1687 mit der Dekoration
des Grand Trianon (J. Bérain, J. Lepautre): schlichtere Formen, Abkehr
von der Mythologie, statt dessen Arabesken, Chinoiserien.*

Dekoration Louis XIV

Helme, Krone und Sonnenmedaillon als Attribute des Sonnenkönigs. Versailles, Türfüllung
im Salon d'Hercule, 1681, Caffiéri.

Trophäe. Köcher als Kriegsattribut, wird im
Louis XVI zum Liebessymbol (323). Versailles,
Schloßpark, vor 1680, J. Lepautre.

Chinoiserie-Grotesken, Entwurf für eine Zim-
merdecke. Château de la Ménagerie, 1709, C.
Audran. Beeinflußt Régence und Rokoko.

Dekoration Régence und Louis XV

Li: Espagnolette, weibliche Büste mit Feder-
schmuck; in Spiegel- und Möbelecken. – Re:
Konsole, unsymmetrisch dekoriert.

Flammenbordüre, oft anstelle einer Wellenbordüre; hier als Randzier einer Muschel mit Palmette, um 1750.

Rocaille, im Style Louis XV entwickelt und
meist Teil einer Wellenbordüre, aber viel seltener als im süddeutschen Rokoko.

Louis XV
Rokoko

O u. u: Paris, Hôtel de Soubise, nach 1726, De-lamair. Die Dekoration von G. Boffrand, 1735, gilt als Höhepunkt des frz. Rokoko. – Mi: Idealer Grundriß eines Hôtels mit seitl. Galerie (li), Kapelle (re u), 1738, Blondel.

Mi: Stuttgart, Schloß Solitude, 1763–67, de la Guêpière. 1geschoss. Hauptgebäude auf breitem Terrassenbau mit 4 kurvigen Freitreppen, ornamentaler Grundriß. Vgl. 327* – U: Bruchsal, 1720–32, v. Welsch. Süddt. Rokoko.

RÉGENCE
LOUIS XV (ROKOKO)

Der steife Pomp, das unnatürliche Zeremoniell, Intrigen und die ungesunden Wohnverhältnisse im hoffnungslos überfüllten Schloß von Versailles (Liselotte von der Pfalz: »Die Divertissementer sind voller contrainte«) bewegen den Adel, A. des 18. Jhs. in Stadtpalais (»Hôtels«) auszuweichen. Hier entwickelt er eine unheroische, natürlichere Lebensart und wandelt den schweren höfischen Barock schnell in den »häuslicheren« Régence- und Rokoko-Stil um:

- bequeme Zweckmäßigkeit der Anlage (»maîson entre cour et jardin«)
- U-förmiger Grundriß bevorzugt, Ehrenhof zur Straße abgeschlossen
- bescheidene klassizist. Fassade
- Freitreppe an der Gartenseite führt durch ein Vestibül in einen Saal (Umkehrung des Systems von Vaux, 319*)
- Galerie in einem der beiden Flügel
- intime Wohnräume ohne Pilaster, Säulen und antikes Gebälk, statt dessen zartes Dekor. Die Wand besteht aus einer Folge schmaler, zimmerhoher Einzelelemente: Tür mit So, Fenster, Kamin mit Spiegel, paneelierte Wandfelder (»Panneaux«). Sie sind mit geschweiften, fein verflochtenen Leistenrahmungen überrankt (»Boiserie«), die Wandfelder mit idyllischen Garten-, Theater-, Chinoiserie-Motiven in Pastellfarben bemalt oder mit Grotesken gefüllt (bereits 1699 von C. Audran für Ludwigs Ménagerie, 320*, und von P. Lepautre für die Neuausstattung der königlichen Gemächer in Marly entwickelt!)
- hoher Kaminspiegel mit geschweifter, später runder Abschlußkurve und zarter Rahmenleiste
- die zunehmende Beliebtheit von Muschelformen (»Rocaille«, in Deutschland mehr als in Frankreich), naturalistischem Blatt- und Blumenornament, vor allem die betonte Asymmetrie kennzeichnen die Wandlung zum **Rokoko**, das mehr als der Régence-Stil auf das übrige Europa wirkt
- Decke mit stuckierten Arabesken aus Girlanden, verschlungenen Bändern, auch uni-pastellfarben, oder – schon seit 1700 – nur mit zentraler Rosette

VOM LOUIS XV   1723–74
ZUM LOUIS XVI   1760–1800

– später Auflösung der Kanten zwischen Wand und Decke durch geschwungene Leisten, von denen aus sich Bandelwerk, Rocailles, Putten und Malereien über die Randzonen der Decke spinnen
– höchste Blüte des Rokoko in Deutschland (Bruchsal, 321*), wo selbst der Grundriß den kunstvollen Schwung eines Ornaments annimmt (Stuttgart, 321*).

Auch nach dem Tod des Sonnenkönigs, 1715, läuft die Welle der französischen Klassik ungebrochen weiter und wirkt noch immer auf ganz Europa. Von Italien losgelöst, von der Akademie streng überwacht, in der 1. H. des 18. Jhs. noch ganz von der Ausstrahlung J. Hardouin-Mansarts, 1646–1708, beeinflußt, bestimmt sie auch während Régence und Louis XV die Extérieurs der Hôtels, die das Rokoko ihrer Inneneinrichtungen umgehen.

Mansarts Schüler und Nachfolger verändern die Stadtbilder von Paris: Champs-Elysées, Faubourg St-Germain; Ecole Militaire, 1751, und Place de la Concorde, 1752 (beide von J.-A. Gabriel, 1698–1782) und der Provinz: Place des Armes in Metz (J.-F. Blondel, 1705–74), Place Royale in Bordeaux (Gabriel Vater und Sohn), Straßburg (de Cotte, 1656–1735) und am bedeutendsten in Nancy* (E. Héré, 1705–63).

Mit dem Petit Trianon (323*) in Versailles, 1761–68, schafft J.-A. Gabriel den frühklassizist. Formenkanon des Style Louis XVI (dem schon die letzten 15 Jahre vor dessen Regierungszeit, 1774–92, zugerechnet werden!). Er ist geprägt von der Archäologie (Ausgrabungen in Pompeji seit 1748; »Recueil d'antiquités égyptiennes, étrusques et romaines«, 1752, Caylus) und der engl. Frühromantik.
– Eleganz und Vornehmheit werden wieder ernster als das Rokoko, die symmetrischen Bauformen schlichter, geradlinig; die blockförmigen Baukörper, von Balustraden bekrönt, die das Dach verdecken, bleiben je-

Louis XV

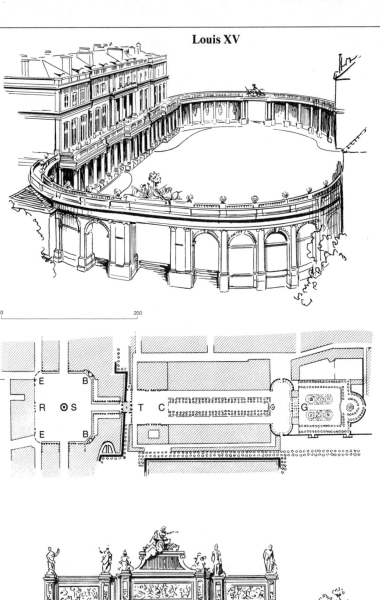

Nancy, Place Royale, 1752–55, E. Héré de Corny. S Place Stanislas mit Denkmal des vormaligen polnischen Königs Stanislas Lescinsky; R Rathaus; E schmiedeeiserne Tore von J. Lamour; B →Brunnen*; T Triumphbogen*; C Place de la Carrière; G Gouverneurspalast mit Garten und elliptischem Kolonnaden-Vorhof*. Die Gesamtanlage nimmt städtebauliche Vorstellungen des Hellenismus auf.

Louis XVI

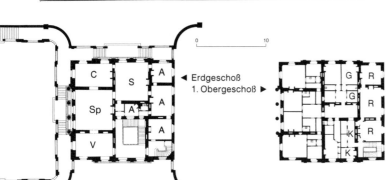

◄ Erdgeschoß
1. Obergeschoß ►

Dekoration Louis XVI

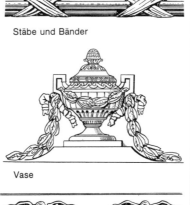

Stäbe und Bänder

Vase

Girlande.

Versailles, Petit Trianon, 1762–68, J.-A. Gabriel. Trotz Gabriels Vorliebe für die italienische Renaissance und die französische Klassik des 17. Jhs. dem englischen Palladianismus nahestehend. A Appartement der Königin, S Salon (Tür•); C Kabinett; Sp Speisezimmer; V Vorzimmer; R Appartement des Königs; K Kammerdiener; G Kommandant der Leibwache.

doch abhängig von der Klassik Perraults, 319*
– die Bauten der Endphase gehören dem robusten Revolutionsstil an (vgl. 372*) und bleiben ohne Einfluß auf die höfische (Palast-)Architektur
– der engl. Landschaftsgarten wird adaptiert (Hameau = künstl. Dorfweiler im Park des Petit Trianon, 1783, R. Mique, →Gartenkunst*)

Innendekoration Louis XVI
1. Phase = Louis XVI z. Zt. Louis XV:
– verfeinerte Erneuerung des Louis XIV-Ornaments, absolute Symmetrie der Einzelform
– rechteckige Wand- und Türfelder mit breiten Leisten aus ionischem und lesbischem Kymation oder aus Halbkugel-Reihungen
– Bronzerosetten in den gebrochenen Ecken
– Felder sonst leer
– oder mit strengem Laubornament gefüllt: gerades und entrelacierendes Lorbeer- und Olivenlaub mit gekreuzten Schleifen und wehenden Bändern, »falsche« = einläufige Laubkränze
– elliptisches Medaillon. Früchte- und Stoff-Feston, Faszienstäbe
– stilisierte griechische Vase mit Deckel und eckigen Henkeln
– Sopraporte im idyllischen Stil Watteaus mit Schäfer- und erotischen Szenen bemalt
– Liebes-Attribute: Köcher mit Pfeilen, Rosen-Kranz, Flambeau, Pfeil
– bäuerliche Attribute: Ackergerät, Weiden- und Bienenkorb
2. Phase = Louis XVI z. Zt. Louis XVI: dieselben Motive, aber oft als lockere, kleinteilige Reihungen aus Amphore, Lyra, naturalistisch-perspektivischen Laubkränzen, Bändern, Schleifchen, Blättern und Blüten, z. B. parallel zu den jetzt schmaleren Leisten angeordnet
3. Phase gegen Ende der Regierungszeit: anmutig-stilisiertes, dünnliniges Ornament im pompejanischen Stil, vgl. Directoire

DIRECTOIRE 1795–99

Diese kurze Phase des Klassizismus verläuft parallel zum Ende des Style Louis XVI. Als Übergangserscheinung verbindet sie die Anmut des Louis XVI-Stils mit der Erstarrung des Empire. Die Wohnbauten pfropfen einiges Dekor des Louis XVI auf Fassaden, die sich im Sinne der Revolutions-Architektur in kraftvoller, oft gewalttätiger Weise antiker Elemente bedienen. Im Palastbau wirkt sich das Directoire nur als Dekorationsstil aus:
– Ornamentik, gemalt oder flach reliefiert, aufs stärkste von pompejanischen Wandmalereien inspiriert
– gelängte rauten- und mandelförmige Mittelteile auf den schmal-rechteckigen Türfüllungen
– Götter, Masken, Palmetten- und Puttenfriese (auch schon in industriellem Eisenguß) in Schwarz oder Silber auf blauem Grund oder weiß auf Alabaster
– Säulchen mit geriefeltem Schaftunterteil
– gemalte oder stuckierte Schabrakken, Lünetten und Rosetten
– größere Flächen, besonders hinter weißen Plastiken, werden pompejanisch-rot mit pompejanisch-grünem Mittelfeld gestrichen

EMPIRE 1804–30

Die Architektur erstarrt in trockener Kopie antiker Vorbilder mit gewissen Konzessionen an die Aktualität und Zweckmäßigkeit: Paris, Madeleine, 270*, nach dem Tempel des Mars in Rom; Arc du Carousel* nach dem Triumphbogen des Septimius Severus, Rom, mit Soldaten der frz. Armee als Statuen. Dekoration nach pompejan. und ägypt. Vorbildern; Ornamente gold auf weiß. Schwan, Amphore, Greif, Pfau, Sphinx, nach oben verbreiterte Säulchen mit Lotoskapitell, Herme, Karyatide, Nike, Flambeau, Lorbeerkranz, Lyra, Vogel in grazilen Linien oder als Relief (Stuck, Bronze, oft vergoldet) stehen kühl und aufgeklebt wirkend auf Wand, Decke und Mobiliar.

Das »Deuxième Empire« zur Zeit Napoleons III. bezeichnet den Stil der → Gründerzeit in Frankreich.

Directoire

Paris, Stadtpalais, 1798, F. J. Bélanger. Die kühl-korrekte Fassade zeigt die Herbheit der Revolutionsarchitektur. Ihre 3fach geöffnete Attika ist typisch für den Directoire-Stil; das Fächer-Motiv (»en éventail«) ist dem Adam style entlehnt und bezeugt Bélangers englische Ausbildung.

Empire

Bronzeornament

Paris, Arc de Triomphe du Carousel im Hof des Louvre-Palastes, 1806–08, Ch. Percier und P. F. L. Fontaine. Die Lieblingsarchitekten Napoleons gelten als Begründer des Empire-Stils. Der Triumphbogen, die Rue de Rivoli und Umbauten verschiedener königlicher Schlösser sind für ihren Stil kennzeichnend.

Paris, Boudoir im Hôtel Gôuthière. F. J. Bélanger (vgl. Abb. o) wird der eleganteste Architekt des Louis XVI und Directoire. Berühmt sind seine Englischen Gärten in Frankreich. Die zarte Flächigkeit seiner Innendekoration folgt den pompejanischen Intentionen seines Vorbildes R. Adam (334*).

Paris, Salon im Empire-Stil von Ch. Percier und P. F. L. Fontaine (vgl. Abb. o). Ihre Hauptleistung liegt in der Innendekoration. Ihr charmant-graziler Stil in der Pompeji-Nachfolge sticht wohltuend von dem offiziellen napoleonischen Dekor ab, das ohne Intimität und Grazie ist. Sopraporte in Lünettenform.

KLASSIK IN FRANKREICH

Ausschnitt: vgl. S. 313

1 Epiais-Rhus
2 Pontoise
3 Écouen
4 Wideville
5 Sceaux

0   50   100 km

BAROCK DEUTSCHLAND UND ÖSTERREICH

Der deutsche Barock ist gekennzeichnet

1. von der – groben – Teilung in einen katholischen, vom italienischen Barock dominierten Süden und einen protestantischen Norden, der dem frz.-niederl. Klassizismus anhängt

2. von der Zersplitterung des Reichsgebiets in über 350 mehr oder weniger souveräne Territorien, auch katholische im Norden und protestantische im Süden, auch süddeutsch-katholische unter norddeutsch-protestantischen Herren und umgekehrt

3. von den rasch wechselnden politischen Allianzen und künstlerischen Geschmäckern der Landesherren

4. von den wenigen Ausbildungen deutscher Barock-Formen wie z. B. dem friderizianischen Rokoko.

Die Glanzzeit **Österreichs** beginnt nach dem Türkensieg, 1683, und dauert bis 1730. Das gewaltige Projekt Fischer von Erlachs für Schloß Schönbrunn wird 1694–1749 vereinfacht gebaut, es sollte Versailles übertrumpfen und steht ihm formal auch nahe: Pilastergliederung, Mittelrisalit mit Säulen, Balustraden-Abschluß. Fischers Nachfolger seit 1723, J. L. v. Hildebrandt, ist Halbitaliener mit italienischer Muttersprache. Er zeigt Fontanas und Guarinis, später Borrominis Einfluß (Unteres Belvedere, 1715 voll.; Oberes Belvedere, 1723 voll., 286*) und wird wegen der größeren Eleganz – besonders seiner ellipt. und 8eckigen Räume und noblen Treppenhäuser – berühmt. 290*

Bayern hält sich bis A. 18. Jh. an ital. Baumeister und ihren Stil. Kurfürst Maximilian II. Emanuel, seit 1706 im frz. Exil, bringt 1714 von dort auch den frz. Geschmack nach München: J. Effner, 1687–1745, bei G. Boffrand in Paris ausgebildet, wird sein Hofarchitekt, gefolgt von des Fürsten ehem. Hofzwerg Fr. Cuvilliés, 1695–1768, den er 1720–24 bei J. F. Blondel, dem größten frz. Rokoko-Architekten, ausbilden läßt. Der Geschmackswechsel zeigt sich an Cuvilliés' »maisons de plaisance« im Nymphenburger Park: Badenburg, 1718, mit Schwimmbad und

Zuschauergalerie, vor allem an seinem überschäumenden, verfeinerten, alles Französische weit übertreffenden Rokoko (Amalienburg*; Residenztheater, 1751–53), der Wandel ist aber auch an den Baugeschichten des Schlosses Nymphenburg oder der Theatinerkirche, vgl. 250*, abzulesen.

An den Schlössern des **Rheinlandes** und **Westfalens** arbeiten in französischem Geschmack
Franzosen: de Cotte (Poppelsdorf*), N. de Pigage (Benrath*, Mannheim, Schwetzingen), Cuvilliés (Brühl); Deutsche: B. Neumann (Treppenhäuser in Brühl und Bruchsal*), J. K. Schlaun (Brühl, Münster*, Clemenswerth [→ Jagdstern*] für Clemens August, 1700–61, den bayerischen Kurfürsten von Köln und Sohn Maximilians II. Emanuel, sh. Bayern);
und selbst der Venezianer M. Alberti gestaltet Bensberg*, 1703–10, nach dem Vorbild von Versailles.

Franken, das wie **Böhmen** von den Dientzenhofer und B. Neumann dominiert wird, zeigt in Würzburg, 327*, komplizierte Verhältnisse, in die sich unter der zusammenfassenden Kraft B. Neumanns alle Beteiligten schicken müssen: der Mainzer M. v. Welsch, 1671–1745, die Franzosen de Cotte und Boffrand, der »Italiener« Hildebrandt aus Wien, der Maler G. B. Tiepolo und der Stukkateur A. Bossi.

Das preußische **Brandenburg** wird vom Westen geprägt. Die frühen Schloßbauten in Potsdam (Stadtschloß, 1660; Fortunaportal, 1701, de Bodt) und Charlottenburg (beg. 1695, J. Nering, 1659–95) zeigen niederländisches und Pariser Flair; A. Schlüters Berliner Stadtschloß, 1695–1706, orientiert sich aber schon an Berninis Louvre-Projekt (317*). Schließlich zeitigt der Eklektizismus Friedrichs des Großen, 1740–86, beim Potsdamer Sanssouci (1745–47, Knobelsdorf) eine französische »maison de plaisance« mit Karyatiden und Atlanten à la Dresdner Zwinger (328*), während der Palazzo Barberini (317*), Howard-Castle (332) und Palladio die Paten seines Neuen Palais, 1763–69, sind.

Im **sächsischen Dresden** muß man den Kirchenbau in die Problemsicht einbeziehen. Zur Zeit des – konvertierten! – August des Starken werden gebaut:

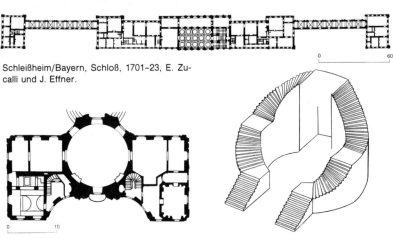

Schleißheim/Bayern, Schloß, 1701–23, E. Zucalli und J. Effner.

München, Nymphenburg: Amalienburg, 1734–39, F. Cuvilliés. Rundsaal zwischen konvexer und konkaver Fassade. Eingeschossig.

Bruchsal, Schloß, Treppenhaus-Schema, 1731–32, B. Neumann. Aus einem Grottenraum elliptisch emporsteigend.

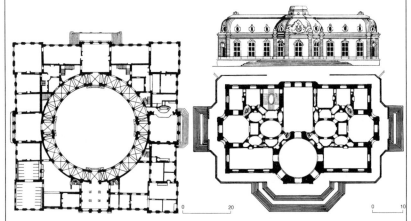

Bonn, Schloß Poppelsdorf, nach 1717, de Cotte. Eck- und Mittelpavillons, quadratische Anlage, kreisrunder Arkadenhof.

Benrath, Schloß, 1755–69, N. de Pigage. Verkörperung der »commodité«, der zweckmäßigen Anordnung aller Räume.

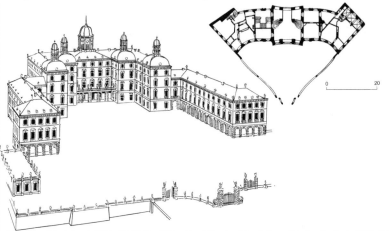

Bensberg/Rheinland, 1703–10, M. Graf Alberti. 5 Dachtürme markieren die Grundrißstaffelung der zentralen Bauten eines umfangreichen Gebäudekomplexes.

Münster/Westfalen, Erbdrostenhof, 1754–57, J. K. Schlaun. Die konkav-konvexe Fassade aus Haustein (Mittelrisalit) und Backstein (Flügel) schneidet eine Straßenecke.

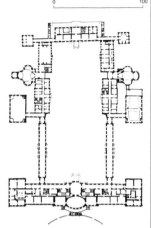

Würzburg/Franken, Residenz. Das Treppenhaus von Balthasar Neumann hat eine sog. »Kaisertreppe«: dreiläufig-zweiarmig mit gemeinsamem Antritt.

Ludwigsburg/Württemberg, Schloß, 1704–33, P. J. Jenisch, J. F. Nette, D. G. Frisoni, L. Retti. 18 Bauten mit über 400 Räumen. Nach 1803 innen weitgehend im Sinne des napoleonischen Empire umgestaltet.

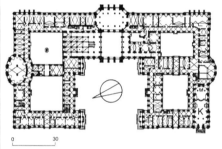

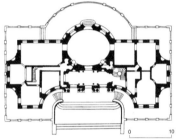

Würzburg, Residenz, 1719–46, B. Neumann, Assistenz von de Cotte, Boffrand, Hildebrandt, Welsch. Breite Flügelbauten mit je 2 Innenhöfen, Eck- und konvexen Mittelrisaliten. Vom Ehrenhof Zugang zum rechteckigen Vestibül (darüber Weißer Saal) und achteckigem Gartensaal (darüber 2geschossiger Kaisersaal). K Kapelle im SW, Gesamtansicht 288*.

Ludwigsburg, Schloß Monrepos, beg. 1764, de la Guêpière. Der Baukörper ist ähnlich wie Schloß Solitude (sh. u) einem Sockelbau mit Terrasse aufgesetzt, schwingt aber – ähnlich wie die Amalienburg, 326* – an der Vestibülseite konkav ein und dringt mit dem überkuppelten Rundsaal konvex in den Garten vor. 1804 von Thouret z. T. klassizist. umgebaut.

Würzburg, Residenz, Gartenpavillon. Dekorationen von Hildebrandt. Daneben verbinden 2geschossige Kolossalordnungen je ein Haupt- und ein Mezzaningeschoß.

Stuttgart, Schloß Solitude, 1763–67, de la Guêpière. Grundriß 321*. Eingeschossiges, symmetrisches Gebäude mit Eckrisaliten und elliptisch überkuppeltem Hauptsaal.

– die katholische Hofkirche, 1738–56, G. Chiaveri, im römisch-barocken, aber von der Versailler Schloßkapelle beeinflußten Stil
– die protest. Frauenkirche, 1725–38, G. Bähr, als norddeutscher Zentralbau (257*)
– der Zwinger, 1709–16, M. D. Pöppelmann, in italienischer und süddeutscher Manier (328*).

Dennoch wird die Homogenität der Einzelbauten wie der barocken Gesamtanlage schon von den Zeitgenossen bewundert.

Der barocke Schloßbau wird in Italien erfunden, in Frankreich zur Klassik entwickelt, in Deutschland finden beide Prämissen ihre Konkordanz.

KLASSIZISMUS UND HISTORISMUS

DEUTSCHLAND

In **Schwaben** kommt die Anregung zu der 1704 begonnenen gewaltigen Ludwigsburger Schloßanlage* noch von Versailles, während P. J. Jenisch, J. F. Nette und ab 1714 die Italiener D. G. Frisoni (1683–1735), L. Retti (1700–52) sowie der Stukkateur D. Carlone immer neue, barocke Ideen beisteuern. Jedoch erhalten einige der bedeutendsten Schlösser durch den Franzosen P. Guêpière (1715–73) den Charakter des späten Rokoko bzw. frühen Louis XVI: Stuttgart, Solitude* (Grundriß: 321*), und Neues Schloß, bis 1768; Ludwigsburg, Monrepos*, 1764–67.

Die Louis XVI-Phase heißt in Deutschland »Zopfstil« und ist die ungenaue und umstrittene Bezeichnung für den Übergang vom Rokoko zum Klassizismus, 1755–80/90, abwertend vor allem auf die trockene Pedanterie der Ornamentik gemünzt. Er geht auf die Forderungen der Aufklärung nach Vernunft und natürlicher Einfachheit zurück und wird von Adel und Bürgertum gleichermaßen getragen. Verbreitet vor allem in Südwestdeutschland, Österreich und Ungarn. Hauptmerkmale:
– stereometrische Grundformen der einfach gegliederten Räume vermitteln den Eindruck statischer Festigkeit
– Wandgliederung durch Pilaster und Lisenen statt Wandpfeilern und Säulen

- Deckendekoration (Gemälde und Stuck) wieder deutlich von der Wand getrennt
- schmale Relief-Friese; Weiß bevorzugt
- flache Deckenwölbung bzw. Flachdecke
- antike und manierist. Ornamente als flach stuckierte Einzelformen: Lorbeergirlande, Blattzopf, Feld- und Schuppenfries, Rosette, Medaillon, Palmwedel, aber auch Rollwerk

Frühklassizistische Landsitze und Wohnbauten stützen sich gern auf englisch-palladianische Bau- und Gartenvorbilder (Wörlitz*).

Den Revolutions-Klassizismus (372) erklärt H. Gentz, 1766–1811, als er seine Berliner Münze verteidigt: »Der denkende Architekt soll den Charakter seines Gebäudes aus seinem Innern und seiner Bestimmung entwickeln und wird sich und das Publikum nicht damit amüsieren, . . . eine Kopie eines römischen oder griechischen Hauses dem Urbild seiner Überlegungskraft vorzuziehen.« Solche voraussetzungslosen »Urbilder« sind Ledoux' und Boullées glattwandige Kuben, Kugeln, Zylinder und Pyramiden (Paris, 372*), aus denen auch der Berliner F. Gilly, 1772–1800, seine nie realisierten Entwürfe zusammengesetzt (Berlin, Nationaltheater, 373*). Erst die nächste Generation modifiziert ihre Herbheit zunächst in der dorischen Strenge des Brandenburger Tors von Langhans, 1788–91, auch noch in Schinkels Neuer Wache, 1816 (373*), und dem schlichten Schloß Charlottenhof* in Potsdam, 1826–29. Bald folgen aber gefälligere, die Eleganz der ionischen Ordnung bevorzugende Bauten (Stuttgart, Schloß Rosenstein, 1825–29).

L. v. Klenzes Palais Leuchtenberg in München, 1816, steht am Beginn der historisierenden Neurenaissance, gefolgt von seinem Königsbau, 1826–35, nach dem Vorbild des Pal. Pitti. Das Schweriner Schloß, beg. 1844, Demmler und Stüler, treibt die Neurenaissance ins Pittoreske, während die bayer. Schlösser und Projekte Ludwigs II., 1864–86, romantische Verklärungen eklektizistischer Visionen vom Byzantinismus bis zum Rokoko darstellen (Neuschwanstein, Linderhof u. a.).

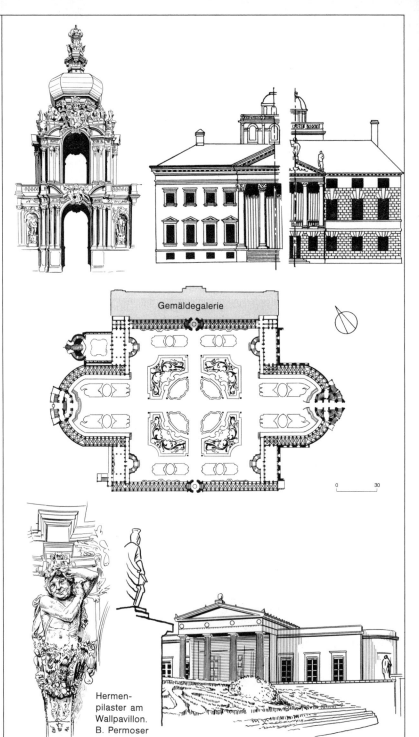

Hermenpilaster am Wallpavillon. B. Permoser

Dresden, Zwinger, 1711–22, D. Pöppelmann. Fest- und Turnierplatz für August den Starken. Eingeschossige Arkaden-Galerien verbinden die 4 Saalbauten an den Ecken, die 2 Pavillons in den Scheiteln der Rundnischen und das Kronentor* an der SW-Langseite. Statt der geplanten NO-Arkaden Gemäldegalerie (gerastert), 1847–55, G. Semper.

O: Wörlitz, Schloß, 1769–73, F. W. v. Erdmannsdorf. Portikus-Bau mit Kuppellaterne. Die Gegenüberstellung mit dem Carlton House, 1661, des I. Jones-Schülers J. Webb (rechte Hälfte) zeigt die Verwandtschaft mit dem engl. Palladianismus. – U: Potsdam, Schloß Charlottenhof, 1826–29, K. F. Schinkel, im Stil einer römischen Villa aus Pompeji.

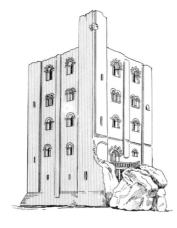

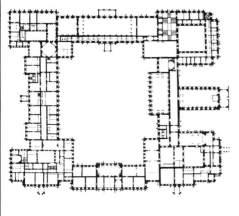

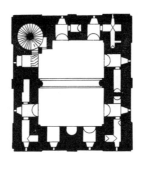

O: Zarskoje-Selo, Katharinenpalast, 1752–56, Rastrelli. Barock. – Mi: St. Petersburg, Winterpalais, 1754–62, Rastrelli. Barock.
U: Moskau, Haus Paschkow, 1784–86, W. Bashenow, Seitenflügel. Klassizistisch.
Der russische Klassizismus stimmt zeitlich und qualitativ mit der westeuropäischen Entwicklung überein.

Hedingham/Essex, normannischer Keep, 1. H. 12. Jh. Grundriß und Innenansicht des 1. Obergeschosses: durch einen Schwibbogen geteilter, holzgedeckter 2 geschossiger Raum mit tonnengewölbten Fensternischen und mit Mauerlaufgängen. Zickzackfriese schmücken die Bogenstirnen, strebepfeilerartige Lisenen gliedern die Außenmauern.

RUSSLAND

Peter d. Gr., 1682–1725, gründet 1703 St. Petersburg (seit 1712 Hauptstadt) und öffnet Rußland auch kulturell dem Westen. Den zunächst noch provinziellen Barock repräsentieren der Italo-Schweizer D. Trezzini, 1670–1734 (Reihen-Holzhäuser, Peter- und Pauls-Festung seit 1703, Sommerpalast in holl. Barock, 1711–14) und deutsche Baumeister: G. Schädel (Palais Menschikow, beg. 1714), G. J. Mattarnovi (Bibliothek und Raritätenkabinett der Peter- und Pauls-Festung).

Die zweite Phase z. Zt. der Zarin Elisabeth, 1741–62, steht ganz im Zeichen des Italieners B. F. Rastrelli, 1700–71, der im Stil eines überreifen frz. Rokoko arbeitet (Sommerpalast, 1741–44; Anitschkow-Palais, 1744; Gr. Palast in Peterhof mit luxuriöser Einrichtung; Gr. Palast = Sommerpalast und Pavillons in Zarskoje-Selo, 1749–56; Winterpalais in Petersburg*, 1754–62).

Die dritte, klassizistische Phase prägt Petersburg am stärksten und beginnt mit der Akademie, 1765, Vallin de la Mothe, und dem Marmorpalais im italienischen Stil, 1768–72, bei dem A. Rinaldi zum erstenmal in der Baukunst Eisenträger verwendet. Danach bestimmen Russen die Baukunst, u. a. W. P. Stasow, 1769–1848.

BURG UND PALAST IN ENGLAND

NORMANNISCHE UND GOTISCHE BAUKUNST

In England finden sich
– der frühe »Motte«-Ringburgtyp keltisch-sächsischen Ursprungs, vor 1100 meist aus Holz, danach Steinbauten (Hedingham*). Keep 300*
– bes. in der Edwardian-Epoche, 1275–1350, in Wales und Schottland die Typen der byzantinisch-arabischen Burganlage (Beaumaris, 330*) und der
– unregelmäßigen Burganlage (Conway, 330*), die in ganz Mitteleuropa verbreitet ist, in England aber keinen Bergfried aufweist.

Penshurst Place (330*) zeigt den Typ des mittelalterlichen großen Hauses:

Herrschafts- und Wirtschaftsflügel schließen sich beidseits an die zentrale große Halle an, in der alle Bewohner gemeinsam essen. Bei späteren Bauten treten auch separate Toranlage, zahlreiche Gebäude, Höfe und Anlagen dazu, die mehr dem Repräsentationsbedürfnis als der strukturellen Notwendigkeit dienen und zu hypertrophen Anlagen wie Hampton Court Palace führen.

Das Baumaterial richtet sich nach den landschaftlichen Bedingungen:
- grobes Mauerwerk (Yorkshire, Westmorland, Derbyshire)
- feines Mauerwerk im Kalksteingebiet zwischen Dorset und Lincolnshire
- Fachwerk (»timber framing«) ohne oder mit steinernem Unterbau

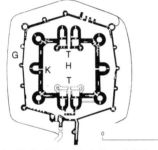

Beaumaris, 13. Jh. (Edwardian). Byzantinisch-arabischer Burgtyp. H Innenhof; T Toranlagen; K Kapellenturm; G Graben (»moat«).

(»Half-timber work«) in den holzreichen westlichen Midlands, Kent und Cheshire (Little Moreton Hall* und Chester, Stanley Palace, 366*)
- Backstein in Ostengland.

ELIZABETHAN UND JACOBEAN

Die Rosenkriege, 1455–85, stärken die königliche Zentralgewalt und beenden die feudale Anarchie. Der nachfolgende Friede und die Verbreitung der Feuerwaffen machen befestigte Adelssitze überflüssig. Die letzten Burgen baut Heinrich VIII., 1509–47, zum Schutz der Häfen. Der Kirchenbau kommt nach der Reformation im 16. Jh. fast zum Erliegen. Statt dessen baut der Landadel eine Fülle kleiner Landhäuser und etliche große Schlösser.
- Umbau und Erweiterung mittelalterlicher Gebäude

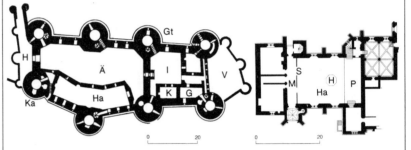

Conway Castle, 1283–87 (Edwardian). 8 Rundtürme. H Haupttorweg; Ä äußerer Burghof; I innerer Burghof; V östl. Vorhof; Ka Kapellenturm; Gt Gefängnisturm; Ha Halle; K Königshalle; G königliches Gemach. Stahlhängebrücke mit historistischen Pylonen, 1820–26.

Penshurst Place, um 1340 beg.; H-Plan. Ha große Halle mit H off. Herd und P Podium (»dais«) für die Familie an der Seite des Privatflügels, S hölzerne Trennwand (»screen«) vor einer Passage unter der M Musikertribüne (Abb. o), dahinter Wirtschaftsflügel.

Little Moreton Hall, 1559–80, Übergang vom Tudor style zum Elizabethan style. »Half-timber work« = Fachwerk auf steinernem Unterbau. Hohlkehlenartig ausgebildete Vorkragungen, dekorativ gestaltete Anordnung von Ständern, Riegeln und Streben. Große Fensterbuchten in den Obergeschossen mit dreireihigen Sprossenfenstern.

Conway, Plas Mawr, 1577, frühelizabethanisch. Queen's Parlour Room. Typische Deckenstukkatur. Initialen in den Wandtäfelungen: E(liza-beth)R(egina) und R(obert) W(ynne = Erbauer).

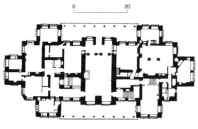

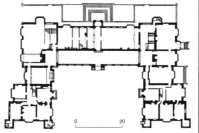

Hatfield House/Hertfordshire, 1607–11, Jacobean style. E-förmiger Plan, der sich in den Flügelfronten wiederholt. Offene Galerie an der Südseite, deren Mitte durch einen 3geschossigen Portalbau mit Doppelsäulen in den klassischen Ordnungen betont wird

Hardwick Hall/Derbyshire, 1590–97, R. Smythson. Elizabethanisches Schloß, H-förmiger, symmetr. Grundriß. 4 Türme an den Enden der Langseiten, 2 auf den Schmalseiten. 50 m lange Galerie = Hauptempfangsraum (ital. Vorbild). »Hardwick Hall, more glass than wall«, auch für das ähnlich strukturierte, aber aufwendiger dekorierte Wollaton Hall, Nottingham, gereimt.

– Neubauten, deren Grundrisse im wesentlichen auf mittelalterlichen Strukturen beruhen
– E-förmiger Grundriß seit 1550 (Hatfield House*), daneben – und zur jakobinischen Zeit vorherrschend – H-Form (Hardwick Hall*, vgl. den noch unsymmetrischen Plan von Penshurst Place, 330*)
– Innenhof nur noch bei großen Schlössern üblich
– Aristokraten dilettieren seit 1575 als Architekten (Lord Burgley u. a.)
– geringe Klassizität im Sinne der italienischen Renaissance
– statt dessen, angeregt durch Reisen nach Frankreich, Flandern und Deutschland, rein dekorative Anwendungen der Musterbücher von Serlio, der Manieristen de Vries (fläm. Rollwerkdekoration, Floris-Stil) und W. Dietterlin sowie Elementen des Stils der Loire-Schlösser
– häufig auch lediglich schlichtes Mauer- oder Fachwerk
– Wohnräume oft im Norden, weil die Südseite als ungesund gilt
– hohe Halle als Zentrum, Decke kunstvoll gezimmert (Wollaton Hall) oder mit geschwungenen Graten stuckiert (Conway, Plas Mawr*)
– Galerie als Hauptempfangsraum, auch als Kegelbahn oder Fechtboden
– Küche und Eßzimmer von der Halle getrennt (vgl. Penshurst Place)
– große Sprossenfenster aus Glas
– Fensterbuchten (»bay windows«)
– offener Kamin wird nach 1500 allgemein üblich

PALLADIANISMUS
17. und 18. Jh.

England wendet sich erst zu einer Zeit nach Italien, als dort die Renaissance längst vorüber ist: Inigo Jones, 1573–1652, verschafft sich zwischen 1613 und 1614 durch das Studium von Palladios »Le antichità di Roma« und durch eigene Anschauung der römischen Ruinen sowie der Bauten Palladios in Vicenza und Umgebung Kenntnisse, die in England einzigartig sind. Nach seiner Rückkehr wird er 1615 königlicher Bauinspektor. Seine Bauten brechen radikal mit dem manieristisch-halbgotischen Jacobean style und begründen den Begriff des »Palladianismus«.

Queen's House* wird der erste
streng-klassische Bau im Sinne der italienischen Renaissance: eine schlichte,
schmucklose Nachbildung einer norditalienischen Villa mit palladianischer
Loggia im Obergeschoß nach dem Muster des Palazzo Chiericati in Vicenza.
Aber wie Jones' Hauptwerk, die Banqueting Hall*, ist sie in den Details
zwar palladianisch, aber »keineswegs
eine bloße Nachahmung. Alles wurde
subtil umgesetzt, und das Ergebnis ist
unmißverständlich englisch: verläß-
lich, eigenwillig und ziemlich phlegma-
tisch« (Pevsner).

NIEDERLÄNDISCHER PALLADIANISMUS

Gleichzeitig entstehen in holz- und
steinarmen Gebieten zahlreiche kleine
und etliche große Backsteinbauten.
Ihre niederländisch beeinflußte Fassadendekoration mischt Backstein-Pila-
ster und Holborn-Giebel, 371*, mit
klassischen Elementen (Kew Palace,
1631; Swakeleys, 1629; Raynham Hall,
333*).

In der 2. Hälfte des 17. Jhs. wird in den
Bauten von H. May, 1622–84, (nach
dessen holländischem Exil während
des englischen Bürgerkrieges) bereits
der undekorative niederländische
Backstein-Klassizismus als »niederländischer Palladianismus« imitiert (Eltham Lodge, 371*). Er wird bis in den
Viktorianischen Stil des 19. Jhs. das
Bild vieler englischer Städte prägen.

BAROCK

Auch der Barock beginnt in England
erst 100 Jahre später als in seinem Ursprungsland Italien. Chr. Wrens
(262 f.) Gehilfe, N. Hawksmoore,
1661–1736, und der Autodidakt J. Vanbrugh, 1664–1726, sind seine bedeutendsten Vertreter im Profanbau. Als
Partner bauen sie das riesige Howard-
Castle, 1699–1712, und nach ähnlichem Plan Blenheim Palace*. Deren
monumentale Ausmaße und massive,
malerisch-gigantische Ausführung zeugen in besonderem Maß von Vanbrughs kraftvoller, prachtliebender,
theatralischer und – nach eigenem
Wunsch – männlicher Eigenart.

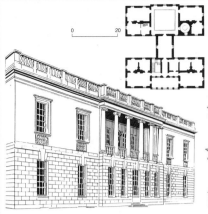

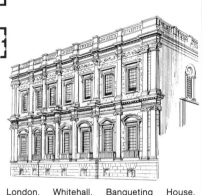

Greenwich, Queen's House, 1616–18 und
1629–35, I. Jones; geplant als 2 symmetrische
kubische Gebäude mit Verbindungsbrücke
über einer Straße. Erste englische Villa im italienischen Stil. Untergeschoß mit Quadern;
Loggia im Obergeschoß; Dachbalustrade.

London, Whitehall, Banqueting House,
1619–22, I. Jones. Kubischer Bau im Palladio-
Stil. Mitteljoche durch Säulen, Seitenjoche mit
Pilastern geteilt. Segment- und Dreiecksgie-
bel-Verdachung im Untergeschoß. Mittel- und
Kranzgesims stark verkröpft. Rustika.

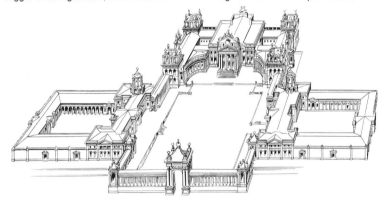

Blenheim Palace, 1705–24, Vanbrugh und
Hawksmoore. Geschenk der Nation für Marl-
borough. Kompakte Bauformen. 2 Flügel mit
Höfen und rustizierten Ecktürmen sind durch
Kolonnaden und Viertelkreisbauten mit dem
Hauptbau (u re) verbunden. – U li: Küchentor.

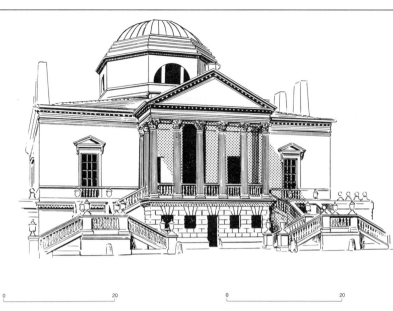

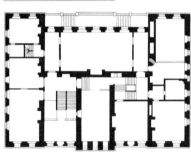

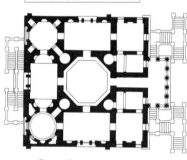

Th. Archer, 1668–1743, in Rom an Borromini geschult, übernimmt dessen bewegte Formsprache, während J. Gibbs, 1682–1754, Schüler des spätbarocken C. Fontana, sich mehr dem Wrenschen Klassizismus zuwendet. Vgl. 263*.

Epigonen bauen noch bis nach Mitte des 18. Jhs. in Hawksmoores, Vanbrughs und Archers Manier, als sich in London längst der **Neopalladianismus** der **Georgian-Epoche** durchgesetzt hat. Er ist ausschließlich Sache der Aristokratie, die zur Whig-Partei im politischen Umfeld der Hannoveraner Könige gehört.
Zur Wiederentdeckung palladianischer Prinzipien führen
– die obligat gewordenen Italienreisen junger Adliger
– C. Campbells »Vitruvius Britannicus«, 1715,
– G. Leonis Londoner Neuausgabe von Palladios »I Quattro libri dell'architettura«, 1717
– Kents »Zeichnungen von Inigo Jones«, 1727.
Sie werden zum Programm der neuen Bewegung, die im 18. Jh. für die englische Profanarchitektur bestimmend bleibt und deren Führer für 30 Jahre Lord Burlington, 1694–1753, wird. Zusammen mit W. Kent, 1685–1748, baut er etwa ein Dutzend Landhäuser, vermeidet aber Palladios manieristische Effekte. Dadurch erscheinen sie puritanisch-gelehrt und trocken. Palladios Villa Rotonda, 310*, wird in mehreren Variationen nachgebaut (u. a. Mereworth Castle, 1723, C. Campbell; Chiswick House*), sein Plan für eine Siegesbrücke erfährt durch Lord Pembroke, 1693–1751, miniaturhafte Realisationen in den Gärten von Wilton House, 334*, und Stow House.

Solche Landschaftsgärten, die das Haus umgeben, sind die eigentliche Erfindung dieser Architektengeneration, zu der auch H. Flitcroft, I. Ware, J. Vardy, R. Morris und Brettingham gehören. Ihre »Follies« – künstliche maurische, chinesische, gotische und antike Ruinen, Tempel und Pavillons – sind oft wie Theaterkulissen nur einseitig ausgebaut. Sie sollen Gefühle und Stimmungen philosophisch assoziieren und stehen in ihrem unverblümten Historismus gewollt befremdlich, ja paradox neben der klassischen

Mi u. u: Raynham Hall/Norfolk, 1635, Jones oder Webb. »Niederländischer Palladianismus« (sonst meist bei bescheideneren Häusern): Hau-, Backstein und »Holborn-Giebel« sind eklektizistisch an einen Mittelrisalit mit rustiz. Erd- und klass. Obergeschoß gefügt.

Bauten von Lord Burlington und W. Kent. O u. Mi: Chiswick House, 1726. Palladios Villa Rotonda variiert: nur 2 gleiche Fassaden, innen unsymmetrisch. Erster Englischer Landschaftsgarten. – U: Holkham Hall, 1734, kombiniert eine röm. Basilika mit Vitruvs ägypt. Halle.

O u. Mi. re: Kedleston Hall/Derbyshire, Südfassade, 1765, Robert Adam. Seitenflügel nicht
gebaut. Geschwungene Freitreppe, freistehende Kolossalsäulen, mit Figuren bekrönt,
vor dem fein gegliederten Mittelrisalit. Giebelverdachungen der Piano-nobile-Fenster. Innendekoration ähnlich Syon House.

Li: Brentford, Syon House, 1760–69. Elizabethanisches rechteckiges Haus, innen von Robert Adam umgestaltet. Rotunde des Innenhofs nicht gebaut. Im »Ante-room«* 12 freistehende Marmorsäulen, palmettengeschmückte
Architrave mit vergoldeten Figuren.

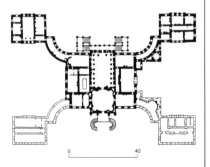

Strenge des Haupthauses. Allerdings
beschränkt sich auch dessen klassische
Innendekoration häufig auf Eingang
und Treppenhaus, während für die
Zimmer Rokoko und Chinoiserien bevorzugt werden.

Die zweite Generation des Neopalladianismus baut weniger puristische
Hausfassaden. Ihr gelingt es, die Bewegung ins Volk zu tragen (J. Wood, 371).

Die 3 Brüder Adam kreieren den **Adam
style,** 1760–90, dessen etruskisch, griechisch und pompejanisch inspirierte
Innendekorationen in größerer Harmonie zur Fassade stehen (Syon House*
und Kedleston Hall*).

Li: Wilton House/Wiltshire, Palladian Bridge im Landschaftsgarten, 1736, R. Morris und Earl of
Pembroke. Nach Palladios nicht ausgeführtem Plan für eine monumentale Triumphbrücke in
kleinem Maßstab errichtet.
U: Brighton, Royal Pavilion, 1815, J. Nash. Indisch-islamisch-byzantinische Stilmischung unter
starker Verwendung von Gußeisen. Der geniale Städteplaner (London, Regent's Park und Regent Street) ist als Meister des pittoresken Stils in allen Stilepochen zu Hause.

ENGLISCHE BURGEN

⌂ Palast

0　　　50　　　100 km

Norham
Bamburgh
Chillingham
Dunstanburgh
Alnwick
Warkworth
Belsay
Newcastle upon Tyne
Carlisle
Chester le Street
Durham
Kirkoswald
Cockermouth
Raby
Brougham　Brough
Egremont　Appleby　Bowes　Barnard Castle
Richmond
Bolton
Halton　Middleham
Pickering　Scarborough
Lancaster
Sheriff Hutton
Scripton
Burnley
Pontefract
Liverpool
Conisbrough
Sheffield
Castleton
Lincoln
Beaumaris　Conway
Caernarvon　Denbigh　Chester
Llanberis　Hawarden　Haddon Hall　Bolsover
Criccieth　Ruthin　Bolingbroke
Harlech　Chirk　Llangollen
Nottingham　Folkingham
Eccleshall　Tutbury　Belvoir
Acton　Stafford
Burnell　Ashby　Oakham　Castle Bytham　Castle Rising
Montgomery　Stokesay　Bridgnorth　Leicester　Castle Acre　Norwich　Burgh Castle
Aberystwyth
Clun　Dudley　Bunghay
Ludlow　Stoneleigh　Wolston　Fotheringhay
Warwick　Northampton　Kimbolton　Framlingham
Cambridge　Orford
Newcastle　Hedingham
Emlyn　Llandovery　Hay　Brackley
Llhaden Palace　Carmarthen　Brecon　Grosmont　Bishop's Stortford　Colchester
Haverfordwest　Llanstephan　Abergavenny　Goodrich　Berkhamsted
Pembroke　Kidwelly　Usk　Monmouth
Swansea　Chepstow　Raglan　Berkeley
Caerphilly　Newport　Tower of London
Castell Coch　C. Combe　Westminster　Richborough
Cardiff　Devizes　Windsor　Richmond　Rochester
Nunney　Ludgershall　Maidstone　Chilham　Walmer
Dunster　Odiham　Farnham　Dover
Bridgwater　Penshurst Place
Bodiam
Winchester　Bishop's Waltham　Herstmonceux
Wayford Manor　Southampton　Portchester　Arundel　Bramber　Hastings
Lewes　Pevensey
Tintagel　Launceston
Lostwithiel　Compton　Corfe

KLASSIZISMUS UND HISTORISMUS

Das Erscheinen von Stuarts und Revetts Stichwerk »Antiquities of Athens«, 1783, bewirkt stärkere Anlehnung an griechische Vorbilder. Römische Rundbogen, Gewölbe, Kuppeln werden als Verfallserscheinungen der griechischen Architektur angesehen; Kolossalordnung, ja überhaupt Mehrstöckigkeit wird abgelehnt.

Daneben lebt in der 2. Hälfte des 18. Jhs. eine pittoreske Form der Gotik auf (Strawberry Hill, 1748–77, Sir H. Walpole; Fonthill Abbey*), und bereits am Beginn des Historismus steht das Stil- und Materialgemisch von Nashs Royal Pavilion, 334*.

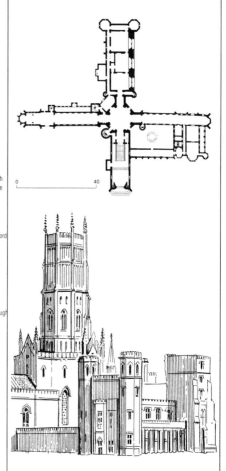

0　　　　40

Fonthill Abbey, 1796–1813, Wyatt. Spätgeorgianische pittoreske Abwandlung gotischer Vorbilder, Reduktion der mittelalterlichen Bauformen auf Mauerdetails. Im Grundriß Verlust des gotischen Raumflusses. Abgebrochen.

Vicenza, Teatro Olimpico, 1580 beg., A. Palladio

BÜRGER- UND KOMMUNALBAUTEN

BÜRGERLICHER WOHNUNGSBAU

Soziale und wirtschaftliche Voraussetzungen

Die Behausung der Armen hat wenig zur Stilbildung beigetragen. Stilbildend ist in der Regel das Haus des Wohlhabenden, und weil es meist aus widerstandsfähigerem Material gebaut ist, hat es sich häufiger erhalten als die Unterkunft der Unterschicht.

Noch bis in die späte Gotik stehen die wenigen Wohntürme und vornehmen Stein- und Fachwerkhäuser in krassem Kontrast zu den armseligen, heute längst zerfallenen Hütten, die meistenorts die Mehrheit der Stadtbebauung ausmachen. Es wäre also falsch, aus den erhaltenen und häufig genug durch spätere Eingriffe veränderten Wohnhäusern von der Antike bis ins späte Mittelalter auf die allgemeine Wohnkultur der Menschen ihrer Zeit zu schließen.

Erstarrung ebenso wie Wandel von Sozialstruktur und Wirtschaftsordnung wirken zu allen Zeiten auf die Entwicklung des Stadthauses. Die Grundstücke der Ackerbürger, die innerhalb der alten Städte Landwirtschaft treiben, werden durch Erbschaft und Verkauf zerstückelt. In neueren, geplanten Städten werden die Baulose gleichmäßiger verteilt.

Mit dem Fortschreiten der Gotik trennt sich das durch Handwerk und Handel wohlhabend gewordene, emanzipierte und gebildete Bürgertum immer deutlicher vom gemeinen Volk. In den Zünften lebt die byzantinische Tradition wieder auf, Handwerker gleichen Gewerbes in einer Straße zusammenzuziehen. Die Rivalität zwischen Zünften und Patriziat führt zu wettbewerbsähnlichen Anstrengungen im Wohnhausbau. Die Klassenunterschiede verwischen sich; in Einzelfällen wird das Bürgerhaus zum Palast (Palais Jacques Cœur, 306*) und bricht so in die Wohndomäne des Adels ein.

Neben dieser Ambivalenz von sozialem Anspruch und Zubilligung werden die Typenbildungen in den verschiedenen Ländern und Städten von den örtlichen Traditionen bestimmt. Auf den langen, schmalen Parzellen oberdeutscher Städte entsteht ein Hofhaus-Typ, der bald mehr, bald weniger in ganz Mitteleuropa zu finden ist. Bei ihm werden ein Vorder- und ein Hinterhaus durch einen Hof getrennt und durch einen schmalen Verbindungsbau an einer Hofseite – oft mit Arkaden – wieder verbunden (351 f.*). Im nordwestlichen Europa entwickelt sich aus germanischen Urformen das Hallenhaus mit einer mittleren Diele, zu deren beiden Seiten sich Wohn-, Werkstatt- und Stallräume befinden (353*). Das Klima begünstigt in südlichen Ländern die Tradition schattenspendender Bauten, die sich um einen Hof gruppieren (342*, 346*). Das Flachdach bietet oft zusätzliche Wohnfläche. Die Schrägdächer des Nordens entlasten das Haus vom Schneedruck, sie ummanteln die oberste Decke und machen sie so ebenfalls bewohnbar. Die Notwendigkeit, ein Haus zu beheizen, beeinflußt in höchstem Maß die Bautechnik, die Anordnung der Räume und nicht zuletzt die Einrichtung – den Teil des Hauses, der am entschiedensten den persönlichen Lebensstil bestimmt.

Zu solchen Traditionen gehören auch die unterschiedliche Bevorzugung von Giebel- oder Traufenhaus – dieses häufig mit Quergiebeln –, der Anbau von Erkern und Utluchten, von Lauben und Beischlägen, farbiger Gestaltung und plastischem Dekor.

Daneben stellen die Rücksichten auf verfügbare Baustoffe ihre Ansprüche an den Baustil und führen zur Prägung großer Landschaften durch Fachwerk-, Hau- oder Backsteinbauten (330).

Schließlich wirken sich die örtlichen Bauvorschriften aus, die sich auf Verteidigungsfähigkeit, gerechte Bauplatzverteilung, Gewährleistung des Straßenverkehrs, Hygiene, vor allem aber gegen den gefährlichsten Feind, die Zerstörung durch Feuer, richten.

Unser heutiger Begriff vom Bürgerhaus verbindet sich mit klaren Vorstellungen von menschenwürdigem Wohnen, von familiengerechter Behaglichkeit. Seit der Antike waren aber nur einer wohlhabenden Oberschicht solche Ansprüche bekannt. Es bedurfte eines Mindestmaßes an Demokratisierung und Eigentumsstreuung, um sie überhaupt im Volk zu verbreiten. Diese Bedingungen sind erstmals in der frühen Renaissance gegeben, die mit der späten Gotik Nordeuropas zeitgleich ist.

Mit der zunehmenden Freizügigkeit des Handels in Spätgotik und Renaissance wird auch bürgerlicher Wohnstil exportiert. Von den italienischen Republiken her dringt mit den Ideen des Humanismus auch das Bedürfnis nach menschlicherer Behausung in das übrige Europa. Zünfte und Gilden und die zahlreichen am Handel Beteiligten haben jetzt jenen Wohlstand und jenes Selbstbewußtsein erreicht, das seinen repräsentativen Ausdruck im Wandel von der Hütte zum Haus und in der Ausstattung dieses Hauses mit Möbeln, kunstgewerblichen Geräten und Kunstgegenständen sucht. Aber erst den Bürgern der Niederlande gelingt es im 16. und mehr noch im 17. Jahrhundert, diese Sammlungen von Prestigegegenständen in warme Häuslichkeit umzumünzen. Die politischen Verflechtungen mit der spanischen Krone bewirken, daß Philipp II. flämische Bau- und Wohnformen nach Spanien übertragen läßt. Dennoch bildet sich im Frankreich des 17. Jahrhunderts der Typ des Wohnhauses aus, der am deutlichsten in die moderne Zeit hineinwirken wird. Die Abfolge der Räume wird funktionaler, sie werden besser heizbar und gewinnen bequeme Behaglichkeit für Bewohner und Gäste. Nicht ohne Grund beginnt jetzt die Zeit der berühmten Pariser Salons. Allerdings verhindert die repräsentativ-steife Raumdekoration der Hochadelsbauten jene Gemütlichkeit, die dem auf Nützlichkeit bedachten, weniger geschmückten Bürgerhaus mit seinen kleinen, funktionalen Räumen eigen ist.

Industrialisierung und Arbeiterwohnung

Im 18. Jahrhundert nehmen vornehme Stadthäuser Formen und Dekor von Adelspalais an. Insgesamt geht aber die Bedeutung des selbständigen Bürgerhauses stark zurück. Das Miethaus tritt in den Vordergrund. Die Industrialisierung des ausgehenden 18. Jahrhunderts in England und des 19. Jahrhunderts auf dem Kontinent zeitigt einerseits vornehme, geräumige Villen, oft mit Parks, mit Vorliebe an den Rändern der Ausfallstraßen großer Städte, aber auch im Zentrum der Kleinstädte und auf dem Lande. Dabei werden klassizistische und andere historisierende Bauformen bevorzugt. Andererseits entstehen für das Heer der Arbeiter Massenunterkünfte, die in der Regel hinter eklektizistischen Fassaden dürftigen Wohnraum bieten. Daneben entwickelt sich ein eigener Arbeiterwohnungs-Stil in Siedlungen mit Ein- und Mehrfamilienhäusern.

Die Bemühungen um Besserung der Wohnverhältnisse für **Arbeiter** gehen von England aus; Frankreich, Deutschland, Dänemark, die Niederlande und Belgien folgen z. T. zögernd nach (378 f.*; 417*):

1) Gesetzgebung. England, Torren's and Cross Acts, 1868–82; Belgien, Gesetz über Comités de Patronage, 1889.

2) Gemeindehilfe. Baulandnachweis, Erschließung.

3) Arbeiterfürsorge. Deutschland: Dauerhafte Eigentumsbildung durch Baudarlehn gelingt nur bei den wenig mobilen Bergarbeitern und führt z. B. in Mülhausens Cité ouvrière durch Spekulation zu Fremdbewohnung. – Vermietung fabrikeigener Wohnungen wird üblich. – Der Holländer v. Marken übergibt 1870 die Arbeiterkolonie »Agnetapark«, Delft (379*) seinen Arbeitern als gemeinschaftliches Eigentum (AG) und verhindert so Spekulation.

4) Selbsthilfe durch Genossenschaften. 1870 hat England 2000 Building Societies. Deutsche Baugenossenschaften gehen aus den obengenannten Gründen von der Eigentumsvermittlung zur Vermietung über.

5) Gemeinnützige Bautätigkeit mit (gewinnlosem) Stiftungscharakter. England: Peabody-Stiftung; Octavia-Hill-Stiftung mit starken volkserzieherischen Absichten unter den Ärmsten. – Deutschland: Förderung durch Kapitalanlage der seit 1883 geschaffenen Sozialversicherungsträger.

6) Private Bautätigkeit.

Die Forderung nach verbesserten Kreditverhältnissen, steuerlichen Begünstigungen und staatlichen Subventionen für Bedürftige haben im 20. Jahrhundert zum Erfolg geführt und damit die Belastungen auf den Staat verlagert, während sich die übrigen Prinzipien nicht wesentlich verändert haben.

Moderne Strömungen

Die Verbindung der Baukunst mit der technischen Entwicklung besonders im Stahlgerüst- und Betonbau, dazu die neuen, auf ein Gesamtkunstwerk zielenden Bestrebungen des Jugendstils zeigen gegen Ende des 19. Jahrhunderts künstlerische Auswege aus dem Historismus auf. Diese Befreiung zieht in rascher Folge eine große Zahl von revolutionären »Ismen« nach sich, die durch kämpferische Manifeste angekündigt und meist von wenigen Künstlern getragen werden. Ihre Resultate schlagen sich häufiger in der Malerei und Plastik, seltener in Literatur oder Musik nieder. Aber die Baukunst ist ihrer Natur nach zu sehr zweckgebunden, ihrer Technik nach zu langsam, als daß sie allen – oft kurzlebigen – Strömungen der Kunst folgen oder ihnen mehr als die Aufgabe der Dekoration überlassen könnte. Bei ihr geht der Streit der Meinungen im wesentlichen um die Entscheidung zwischen organischer und funktionaler Bauweise, den der Geldmangel meist schnell zugunsten des Funktionalismus beendet. Die Intentionen der neuen Kunststile finden deshalb ihren exemplarischen Niederschlag eher in großen Bauten finanzkräftiger Industrien und Kommunen, in wenigen individualistischen Wohnhäusern und vereinzelten Großobjekten des Massenwohnungsbaus (380 ff.). Der private Wohnungsbau des 20. Jahrhunderts nimmt in seiner Breite an diesen Strömungen nicht teil. Hier setzt sich der rationale geometrische Stil ohne Dekoration und Profile allgemein durch. Bei aller Heftigkeit, mit der die Auseinandersetzung um die zahlreichen Kunstrichtungen geführt wird, trägt der allgemeine Geschmack trotz des Trends zum individuellen Einfamilienhaus international überwiegend konventionell-funktionalistischen Habitus. Auch die Inneneinrichtung wird internationalisiert und zeigt neben gemäßigter Moderne deutliche Reminiszenzen an historische Formen.

Zu großer Bedeutung gelangen allerdings die Bemühungen um menschenwürdige Wohnformen in einer Garten- und Gartenvorstadt. Sie gehen seit der Jahrhundertwende von England aus (E. Howard: Garden Cities of Tomorrow«, 1898/1902. Letchworth, beg. 1903, wird die erste Gartenstadt) und setzen sich im Städtebau inzwischen international durch. Seit den siebziger Jahren wird die private Gartenanlage vermehrt zum neuen bürgerlichen Statussymbol.

Stadtsanierung und Denkmalpflege

Die Zerstörungen des 2. Weltkriegs, aber auch die Abtragung noch erhaltener Gebäude, vor allem des lange Zeit ungeliebten Historismus, durch Stadtsanierungen oder Grundstücksspekulation haben vieles an unmoderner, aber historisch wertvoller Bausubstanz vernichtet. Im Zuge eines neuen Umweltschutz-Bewußtseins seit den späten 60er Jahren treten beim Ersatz alter Häuser zwei Verfahren in den Vordergrund: 1. Neubau des Hauskerns bei Erhaltung der alten Fassade; 2. (und weniger glücklich) Neubau mit moderner Fassade, die sich durch historisierende Versatzstücke wie Fachwerk, Backstein, Spitzgiebel, Erker dem alten Stadtbild anbiedert. Grundstücksspekulationen beim Bau von Geschäfts- und Wohnhochbauten an der Stelle alter, noch bewohnbarer Wohngebäude führen seit den 70er Jahren zu sozialen Unruhen.

KOMMUNALBAUTEN

Mit zunehmender Stadtbevölkerung und wachsendem Handel entsteht auch vermehrter Bedarf an Gebäuden für die Verwaltung. Ihre klassischen Formen sind Rathaus und Markt. Sie haben sich in der Antike gebildet und ihre Funktion bis in die neueste Zeit behalten.

Ambivalenz des Bürger- und Kommunalbaustils

Stilistisch folgen die Kommunalbauten bis ins 19. Jahrhundert dem örtlichen oder landschaftlichen Stil des zeitgenössischen Bürgerbaus, den sie zwar meist repräsentativ überhöhen, dem sie aber selten oder nie voraneilen. Vielmehr beziehen sie ihr Dekor gern von etablierten Bauformen, meist vom Sakralbau, seit der Renaissance auch vom Palastbau. Ihre wichtigsten Gebäudetypen und stilistischen Veränderungen sind auf den folgenden Seiten dargestellt.

Glanz und Elend des modernen Kommunalbaus

Die Differenzierung der Bevölkerung hat besonders seit der Industrialisierung steigende soziale Bedürfnisse und Ansprüche und eine entsprechend ausgeweitete Verwaltung zur Folge. Die Stadtverwaltungen zählen heute in der Regel zu den größten Arbeitgebern innerhalb der Kommune, und ein Studium ihrer kiloschweren Haushaltspläne zeigt die Verästelung ihrer Einflußbereiche. So gut der Kindergarten und die Sparkasse, das Schwimmbad und die Verkehrsbetriebe städtisch sind, gehören auch der Kiosk im Stadtgarten und die öffentlichen Toiletten zu den Kommunalbauten. Aber auch manche Schloßanlage samt Park, manches Kloster aus alter Zeit haben nur überlebt, weil sie als ausgelagerte Nebenstelle der Stadtverwaltung oder als Altersheim benutzt werden. Es ist deshalb nicht mehr möglich, einen landschaftlichen, ja auch nur einen örtlich einheitlichen Baustil für Kommunalbauten zu erwarten oder anzustreben. Statt dessen verlagert sich das stilistische Bemühen auf die verwaltete Stadt und betätigt sich mit unterschiedlichem Glück auf den Gebieten der Stadtplanung, Bauaufsicht, Stadtsanierung und des Denkmalschutzes. Fehler sind schon allein wegen der mechanischen Haltbarkeit solcher Baumaßnahmen schwer korrigierbar.

Dennoch ist die Kommune neben Industrie und Staat gewichtiger Auftraggeber für Architekten. Das fehlende Postulat stilistischer Einheitlichkeit eröffnet ihnen die Chance, alle programmatischen und technischen Möglichkeiten phantasievoll durchzuspielen, die die erste Hälfte des 20. Jahrhunderts im wesentlichen schon erschlossen hat (382 ff.*). In zahlreichen Varianten finden nach dem 2. Weltkrieg die Ideen des Werkbundes, die Kuben des Bauhauses, die Flächen der Stijl-Bewegung, der Expressionismus Mendelsohns und die Erfindungen der großen Einzelgänger wie Le Corbusier und A.

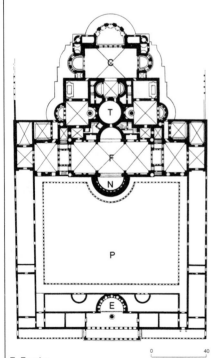

0   40

E Exedra
P Palaestra (Turnhof)
N Natatio (Schwimmbad)
F Frigidarium (kaltes Bad)
T Tepidarium (lauwarmes Bad)
C Caldarium (heißes Bad)

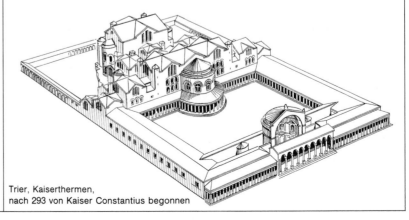

Trier, Kaiserthermen,
nach 293 von Kaiser Constantius begonnen

Aalto ihre mehr oder weniger würdige Nachfolge. Wirklich Neues ist selten. Auch wer die bewußt nach außen verlegten konstruktiven Gerüste und Versorgungsleitungen des Pariser Centre Pompidou befremdlich findet, kann ein Vorbild – wenn auch mit statischen Aspekten – im gotischen Strebewerk erkennen, das sich nicht weniger unverhüllt darbietet. Nach Form und Bauvolumen Ungewöhnliches wird – nicht anders als schon in der Antike (Trier, 340*) – vor allem an Massentreffpunkten populär (Rom*).

Megalomanische Patzer und seelenloser Funktionalismus sind dabei ebensowenig ausgeschlossen wie erdrückender Brutalismus und schlichter Kitsch. Nur selten sind moderne Kommunalbauten ein Gewinn für die Wohnqualität einer Stadt. Mehr noch: Seit die rationalistischen Architekten von Loos bis Gropius die Stadt zum Funktionsgefüge für Produktion erklärten, wird der reguläre Wohnraum durch die Stadtplanung immer mehr reduziert. Die Innenstadt, längst die Domäne von Kaufzentren und gewerblicher Verwaltung, wird mit kommunalen Einrichtungen für Bildung (Schulen, Theater), Verkehr (Busbahnhof), Erholung (Sportanlage, Freizeitpark) zusätzlich vollgestopft. Die Menschen ziehen in die Vorstädte und aufs Land. Die moderne Stadt ist nach Feierabend tot. So gesehen, sind die Probleme der kommunalen Architektur viel mehr sozialer als baustilistischer Natur. Aber strenggenommen waren sie das schon immer. Nur daß die städtische Baukunst in den Zeiten des guten alten, allen Bedürfnissen gerechten Rathauses diese Probleme mitlöste und nicht mitschuf.

Der Funktionalismus behauptet weithin das Feld. Die statischen und materialtechnischen Möglichkeiten scheinen ausgereizt. An die Stelle der Neuerung tritt oft das Spektakuläre. Denn Originalität ist – wie bei aller modernen Kunst – die Voraussetzung für einen Platz in der Kunstgeschichte.

O: Postmoderne. Stuttgart, Neue Staatsgalerie, Detail, 1979–84, James Stirling. Die manieristische Attitüde ist gewollt: Der Bezug auf den klassizistischen Historismus des 19. Jhs. als Vermittler zu älteren klassischen Formen wird in dem »Hommage à Weinbrenner« genannten Eingangsportal in der Rotunde deutlich gemacht (»Manierismus des Historismus«). Verfremdungen u. a. durch Aufstellungsort (Portal innerhalb statt außerhalb der Rotunde), rotorange eiserne Drehtür zwischen den dorischen Säulen, die Travertin-Verblendung der runden Mauern ist dem Betonkörper erkennbar vorgehängt, die Stichbogen-Fenster waren ursprünglich gotisierend spitzbogig konzipiert. Architekten wie Stirling, Ungers, Rafael Moneo, Aldo Rossi gelten als Klassizisten, die Auswege aus dem »Bauwirtschafts-Funktionalismus« (Heinrich Klotz) der Nachkriegszeit, aber auch aus der bunten »Comic-Pop-Moderne« (Michael Mönninger) aufzeigen. — U: Friedrich Weinbrenner, Entwurf zu einem Zeughaus, 1795. ▶

Seit dem Beginn der 80er Jahre hat sich die **Postmoderne** durchgesetzt. Der Name ist eine Negation des Begriffs »Moderne«. Als Baustil bedient sich die Postmoderne eklektizistischer Versatzstücke, jedoch nicht als ernstgemeinte Nachahmung, sondern durchaus in einem kosmopolitisch-pluralistischen Sinne. Ursprünglich als Gegenbewegung zum Funktionalismus gedacht, formt sie doch meist unverhohlen bauhistorische Zitate nahezu spielerisch in zeitgemäße Funktionalität um oder ein. Dadurch unterläuft ihr gelegentlich Beschaulichkeit oder nostalgische Anbiederung, oft gelingt ihr – im Unterschied zum Historismus des 19. Jhs. – ein geistvoll-witziger, auch ironischer Abstand vom zitierten Vorbild.

Postmoderne ist eine Spielart des Manierismus. Manierismus (217 ff.*) nährte sich immer von den technischen Mitteln einer vorangegangenen klassischen Epoche, jedoch ohne gleichzeitig deren Gläubigkeit an allen symbolhaften Hintersinn des benutzten Formenvokabulars zu übernehmen. Und wie allem Manierismus haftet auch der Postmoderne eine antiklassische, geistreiche Künstlichkeit an.

Genaugenommen ist die Postmoderne der Manierismus des Historismus des 19. Jhs. (vgl. 268, Abs. 5, und Wien, 416). Machte der Historismus die klassische Form zum Symbol, so wird diese Form in der Postmoderne mit heiterer, oft prunkvoller Unbefangenheit, aber auch als exaltierter Gag versetzt.

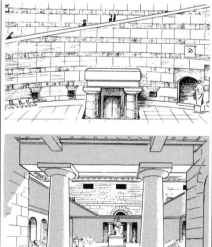

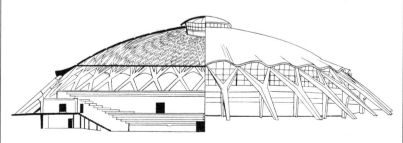

Rom, Palazzetto dello Sport, 1960, Nervi und Vitellozzi

ÄGÄIS, GRIECHENLAND UND HELLENISMUS

Hausbau

Frühzeit: Einzelgebäude liegen oft labyrinthisch nebeneinander. Kephali*

Troja II*, etwa 2500–2150 v. Chr., und **Tiryns*,** 15.–12. Jh. v. Chr. Das Megaron mit Vorhalle mündet auf einen Hof. Dieser Typ bleibt lange erhalten.

Streifenstädte der frühen Kolonisation des 8.–7. Jhs. und der Klassik. Nahezu quadratische, gleichgroße Parzellen mit z. T. variablen Typenhäusern werden zu unterschiedlich langen 2reihigen Insulae bis zu 18 Parzellen addiert. Himera, 476 v. Chr., Kassope, um 360 v. Chr. Bes. Olynth* bringt wesentliche Elemente in das **Hippodamische System** (ausführlicher 392*), nach dem Städtebauer Hippodamos, geb. um 510 v. Chr., benannte orthogonale Stadtpla-

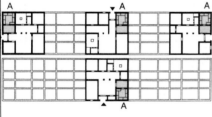

Peristylhaus

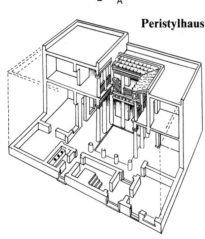

Das Peristylhaus steht in der Regel frei. Es wirkt auf das italische Haus voraus (346*).
Delos, hellenist. Peristylhaus, 2. Jh. v. Chr. Frei stehend, völlig 2geschossig. Enger Hof; vergrößerte Prunkräume, Küche, Toilette im UG. Säulen bis >4 m.

Labyrinth, Megaron, Prostashaus

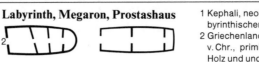

1 Kephali, neolithische Siedlung nach dem labyrinthischen System, um 2800 v. Chr.
2 Griechenland und Kleinasien, um 2500 v. Chr., primitive Vorformen des Megaron; Holz und ungebrannte Ziegel.
3 Troja II, Megarongruppe, um 2150 v. Chr., Gesamtplan 291*

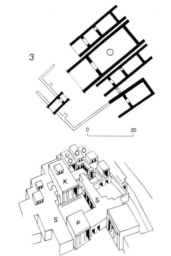

Tiryns, Megarongruppe der Dynastenburg, 14. Jh. bis 1150 v. Chr. (vgl. 291*). Ö östliche, ältere Megarongruppe in Parallelstellung; westliche Baugruppe labyrinthisch; K Königsmegaron, P Propylon, S Säulenhallen.

◄ Olynth. Typenhaus-Varianten bei genormter Anordnung tragender Mauern. Hier: A Andron (Größe gesetzl. festgelegt) samt Vorraum sind in jeder Ecke eines jeden Hauses einer Insula möglich.

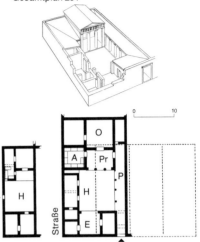

4. Jh. v. Chr. **2. Jh. v. Chr., beide hellenist.**

Priene, Prostashaus 33 (vgl. 392*) nach Zusammenlegung von 2 Parzellen einer Insula. Megaron aus O Oikos und Pr Prostas = Vorhalle, 2 Säulen in antis, P Pastas = Erschließungsgang zum H Hof; E Exedra; A. Andron.

Pastashaus (nach Hoepfner/Schwandner)

Olynth, 432 v. Chr. gegr., Streifenstadt (»per strigas«) der Klassik, z. T. auf älteren Fundamenten, 349 v. Chr. durch Philipp von Makedonien zerstört. Rekonstruktion einer Insula mit schmalem Trennpfad zwischen 2 × 5 = 10 Pastas-Typenhäusern. H Hof, P Pastas, Korridor, (Erschließungs-)Halle; O Oikos, Wohnraum; V Vorrat, Werkstatt, Laden; A Andron, Männerraum mit Klinen; B Bad; G Gynaikonitis, Frauenraum (?); T Thalamos, Schlafraum; K Kaminraum.
U: Feldsystem einer Parzelle mit pythagoräischer Teilung der Flächen.

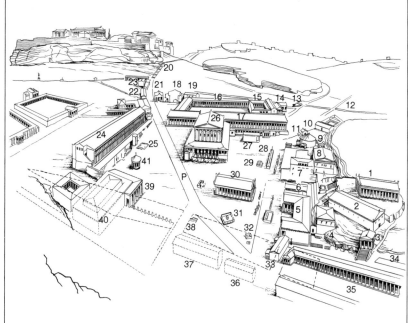

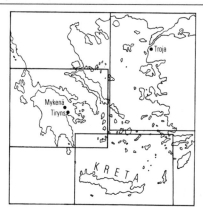

Kulturbereiche der Ägäis:

Troja	2600–1250	v. Chr.
Kreta		**Griech. Festland**
Frühminoisch	2600–2000	Frühhelladisch
Mittelminoisch	2000–1600	Mittelhelladisch
Spätminoisch	1600–1500	Späthelladisch I
		= Frühmykenisch
	1500–1400	Späthelladisch II
		= Mittelmykenisch
	1400–1100	Späthelladisch III
		= Spätmykenisch

Athen, Agora im 2. Jh. n. Chr. Seit 6. Jh. vor Chr. oft verändert und erweitert. P Panathenäen-Straße (Panathenaios) zur Akropolis. 1 Hephaistos-Tempel (Theseion), 2 hellenistisches Gebäude, 3 Tempel der Aphrodite Urania, 4 Heiligtum des Demos und der Chariten, 5 Stoa des Zeus Eleutherios, 6 Tempel des Apollon Patroos, 7 Metroon, 8 Neues Bouleuterion, 9 Tholos, 10 Strategeion (?), 11 Latrine, 12 zum Piräus-Tor, 13 dreiseitiges Heiligtum, 14 Südwest-Brunnenhaus, 15 Heliaia, 16 Süd-Stoa, 17 Mittel-Stoa, 18 Nymphaion, 19 Enneakrounos, 20 Südwest-Stoa, 21 Südost-Tempel, 22 Pantainos-Bibliothek, 23 Südost-Stoa, 24 Attalos-Stoa, 25 Bema, 26 Odeion des Agrippa, 27 Südwest-Tempel, 28 Denkmal der Eponymen Heroen, 29 Altar des Zeus Agoraios, 30 Ares-Tempel, 31 Zwölf-Götter-Altar, 32 Quelle, 33 Stoa Basileios, 34 zum Heiligen Tor, 35 zum Dipylon-Tor, 36 Hermen-Stoa, 37 Stoa Poikile, 38 Hippomachia-Tor, 39 Nordost-Stoa, 40 Basilika, 41 rundes Brunnenhaus. (Nach J. Travlos)

nung mit gleichgroßen Häuserblocks = Insulae und Parzellen, aber unterschiedlichen Typenhäusern, v. a. **Pastashaus,** Olynth, 342*; **Prostashaus,** Priene, 342*.

Kommunalbauten
– Agora (sh. unten)
– Buleuterion = Rathaus (344*)
– Prytaneion für hohe Beamte
– Strategeion für Feldherren
– Gymnasion und Palaistra (345*) = Bauten und Plätze für sportliche Übungen
– Stoa* als Treffpunkt, Ladenstraße, Verwaltungsgebäude, Ausstellungs- und Schulraum
– Bibliothek seit hellenistischer Zeit
– Tor- und Verteidigungsbauten (344*)
– Brunnen, Speicher, Leuchtturm, Uhrgebäude (Turm der Winde, 345*)
– Arsenal = Schiffsdocks (345*)

AGORA

= Marktplatz, Mittelpunkt des öffentlichen Lebens. Läden, Magazine, Kommunalbauten und Tempelfronten bilden seinen Architekturrahmen. Zunächst in loser Reihung, werden sie später durch Säulenhallen (= Stoa), meist aus privater Stiftung, strenger geordnet (Athen*), im geplanten Städtebau in das Raster der Insulae eingefügt (Milet, Priene, 392*).

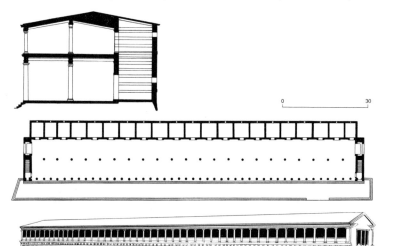

Athen, Stoa des Attalos, um 140 v. Chr. unter dem letzten König von Pergamon, Attalos III. Philometor, gebaut. 2geschossiger Hallenbau von 116,5 m Länge; hellenistisch. Frontsäulen des Untergeschosses dorisch, im Obergeschoß ionisch. Dahinter Läden. Grundriß des Erdgeschosses und Vorderansicht. Die Stoa begrenzt die Agora im O; an der S- und W-Seite des Marktplatzes verlaufen weitere Säulenhallen. – Re: Schnitt

BULEUTERION

TURM, TOR

Während die höchsten städtischen Beamten der griechischen Stadt ihren Sitz im Prytaneion haben, tagt der Senat = bulé im Buleuterion, dem Rathaus. Dieses liegt meist nahe beim Markt = Agora.

1. Archaische Stadt:
   Langraum mit Mittelstützen (Olympia, 6. Jh. v. Chr., 30 x 14 m, mit apsidialer Rückwand) oder Säulensaal, langrechteckig oder quadratisch, mit ansteigenden Sitzreihen an zwei gegenüberliegenden Seiten (Athen, Altes Buleuterion).

2. Klassische und hellenistische Stadt: gelegentlich Propylon als Eingang zu einem Vorhof, dahinter das eigentliche Buleuterion, ein rechteckiger oder quadratischer Bau mit Holzdecke, die von Säulen gestützt wird. Die ansteigenden Sitzreihen sind halbkreisförmig (Milet*; Athen, Neues Buleuterion, E. 5. Jh. v. Chr.; Assos) oder bilden eine U-Form (Priene*). Der Redner steht auf dem Fußboden oder einer Tribüne. Ein Altar befindet sich innerhalb des Gebäudes (Priene) oder – ungewöhnlich – im Vorhof (Milet).

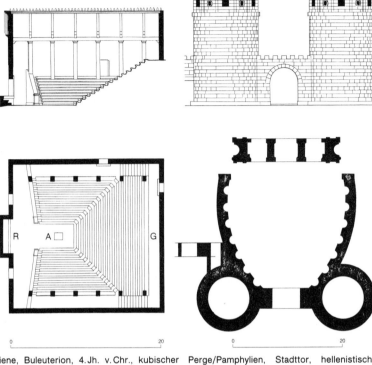

Priene, Buleuterion, 4. Jh. v. Chr., kubischer Rathausbau, 18 × 20 m. A Altar; G Galerie mit 2 × 6 Dachstützen; R Rednertribüne. Die Sitzstufen sind in den Hang gebaut. Sitzplätze für 640 Personen.

Perge/Pamphylien, Stadttor, hellenistische Zeit. Die Wehrtürme springen fast in voller Rundung aus der Mauer hervor. Der ummauerte Torhof wird von einem römischen Triumphbogen mit 3 Öffnungen begrenzt.

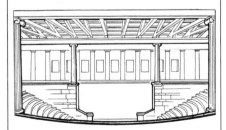

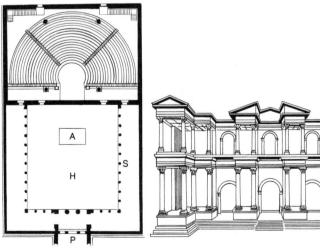

Milet, Buleuterion, 4. Jh. v. Chr.; P Propylon; H Hof mit S Säulengang; A Altar. Im Innern des Buleuterions bieten halbrunde, ansteigende Sitzreihen Platz für 500 Personen. Die 4 ionischen Säulen tragen den offenen Dachstuhl des Gebäudes. – Li: Schnitt.

Milet, Markttor, röm. mit hellenist. Elementen, um 120 n. Chr. Zweigeschoss. Bau mit 3 Rundbogen-Portalen im Untergeschoß, darüber 3 rundbogige Nischen. Seitlich des Mitteltores je 2 Säulenvorbauten, gesprengter Mittelgiebel. Korinthische Säulen.

BIBLIOTHEK

WASSERUHR

SCHIFFSARSENAL

EHRENMAL

GYMNASION

THEATER 26*, 36*

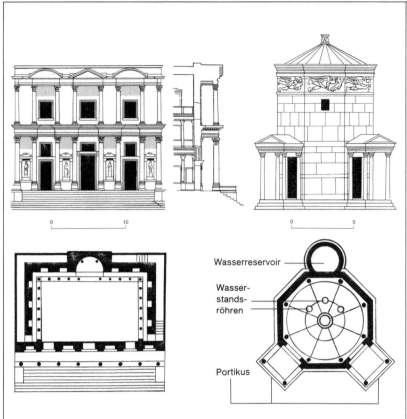

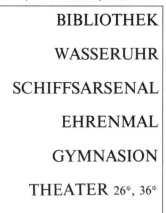

Wasserreservoir

Wasser-
stands-
röhren

Portikus

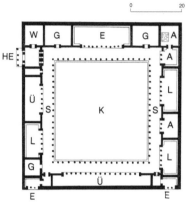

Ephesos, Celsus-Bibliothek, nach 117 n. Chr., röm. mit hellenist. Elementen; im Untergeschoß 4, dazw. versetzt im Obergeschoß 3 Ädikulae mit Segment- bzw. Dreiecksgiebelverdachung und Simsverkröpfungen. Innen je 2 Galerien an 3 Seiten. Korinthische Säulen.

Athen, Turm der Winde, 1. Jh. v. Chr. Das Achteck weist auf die Himmelsrichtungen; Sonnenuhr an jeder Seite; darüber Reliefs der 8 Winde. Innen Wasseruhr. Wetterfahne auf dem Dach (Triton mit Dreizack). Marmorquadern.

Olympia, Palaistra (Ringerschule), 3. Jh. v. Chr.; HE Haupteingang mit Propylon; E Eingang; S. Säulenhalle; K Kampfplatz; Ü Übungshalle; E Ephebensaal; L Lehrsaal; W Waschraum; A Aufenthaltsraum; G Geräteraum. Quadratische Anlage.

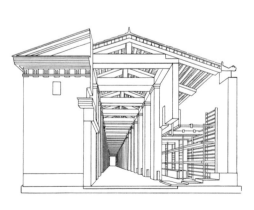

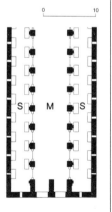

O: Piräus, Arsenal, Rekonstruktion, 346–330 v. Chr., Reparaturwerkstätte für Kriegsschiffe. M Mittelgang = Transportweg; S Seitengänge = Materiallager. Am Außenbau dorische Sakralbauelemente. – Re: Athen, Lysikratesdenkmal, 4. Jh. v. Chr., choregisches Monument für den Sieger des Dionysos-Festspiels. Dreifuß = Siegespreis = Bekrönung des korinthischen Rundtempels auf 4 m hohem Sockel. Reliefs stellen den Inhalt des Gesangs dar, mit dem Lysikrates siegte.

ROM

Wohnhaus

Das Atrium ist der Mittelpunkt des **italischen Hauses.**
- Fauces = Eingang mit Hausflur
- seitlich 2 (Miet-)Läden, die nicht vom Atrium aus zugänglich sind
- Atrium, ursprünglich wohl geschlossen mit Herd, deshalb rauchgeschwärzt = ater. Später mit 4eckiger Öffnung = Compluvium. Regenwasser wird durch das nach innen geneigte Dach in ein Wasserbecken = Impluvium geleitet = atrium impluviatum. Später Vergrößerung des Compluviums.
  Stützenlos = etrusk. = tuscanicum; viersäulig = tetrastylicum; vielsäulig = korinthisch genannt; mit nach außen geneigtem Dach = Displuvium: atrium displuviatum
- Kammern umgeben das Atrium
- 2 Flügel = alae
- Tablinum vor dem Garten = Hortus

Italisches Peristylhaus, im vorderen Teil dem Atriumhaus ähnlich, jedoch
- Vestibulum = äußerer Hausflur vor den Fauces
- Räume neben dem Eingang vom Haus her zugänglich
- vermehrte Räume seitl. des Atriums
- an die Stelle des Hofs tritt das Peristylium (auch: Cavaedium) = Säulenhalle mit seitlichen Gemächern, dahinter die Exedra = Saal. Das P. geht auf hellenist. Einfluß zurück.

Miethaus

Im 2. Jh. v. Chr. wirken sich in der Stadt Rom Landflucht, Bodenspekulation und Proletariatsbildung (12 m² Stadtfläche pro Person!) und fehlende Stadtplanung folgenschwer aus:
- Atriumhaus nur noch für Wohlhabende
- Aufstockung der Atriumhäuser in den Insulae zu Miethäusern (bis 17,6 m), Atrium wird zum Lichthof
- Läden, Werkstätten im Untergeschoß

In Städten mit Stadtplanung (z. B. Ostia) entstehen in den Insulae neue Miethaustypen aus Backstein mit Treppenhaus und Zimmerfluchten seitlich von Mittelflur oder Trennwand; oder Zweifassadenhaus mit 2 symmetrischen Wohnungen; oder Komforthäuser wie die Casa di Serapide*.

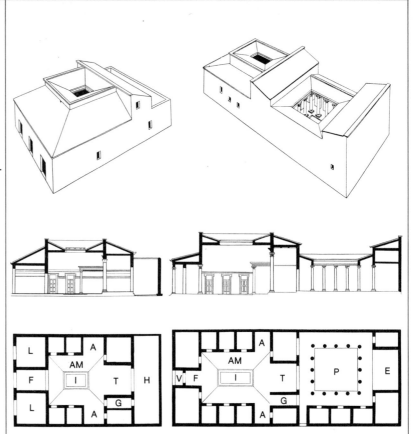

Pompeji, italisches Haus, 2.–1. Jh. v. Chr. F Fauces; L Laden; AM Atrium; I Impluvium; A Ala; G Gang zum Hof; T Tablinum; H Hortus. Das altpompejan. Haus gleicht dem altröm. Typ. Nach Luckenbach.

Italisches Peristylhaus, 2.–1. Jh. v. Chr. V Vestibulum vor den F Fauces; AM Atrium mit I Impluvium; A Ala; G Gang; T Tablinum; P Peristyl(ium) anstelle des Hofs, von Wohnräumen flankiert; E Exedra. Nach Luckenbach.

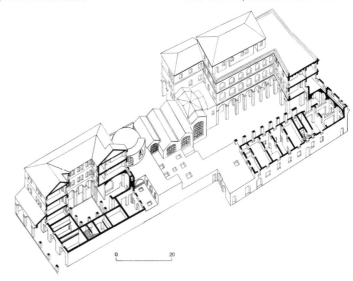

Ostia, Casa di Serapide (li) und Casa degli Aurighi (re), dazwischen eine gemeinsame Thermenanlage. Beispiel für eine luxuriöse Insula. Zentrale Treppenhäuser. Der Innenhof bietet in den Arkadengängen des Untergeschosses und in den darüberlaufenden Fluren Zugang zu den Wohneinheiten. An der Hauptstraße Arkadenreihe vor den Läden.

Trier, Porta Nigra, 2.–4. Jh., größte erhaltene Toranlage. Doppeltor mit repräsentativem Charakter, überragt die Mauer um mehrere Geschosse. Linkes Obergeschoß zerstört.

Obergeschoß   Untergeschoß

Rom, Trajansmarkt für 150 Läden und Magazine, um 110 n. Chr. Halbkreisförmig um eine der Exedren des Trajansforums gruppiert. T Trajansforum; M Markthalle; L Läden.

Römische Toranlagen, Schemata. O: Köln; die seitlichen quadratischen Türme erhöhen den Schutz des Tores. – U: Arles, konkav eingezogene Mauern zwischen den Rundtürmen.

Pozzuoli, Markt (»Serapeion« wegen einer dort gefundenen Serapis-Statue), 1.Jh. v.Chr. H Hof; B Brunnenhaus; C Cella; L Ladenreihen an 3 Seiten hinter Säulengängen; La Latrinen.

Kommunalbauten

STADTBEFESTIGUNG

Mauer

1. Das archaische mörtellose Polygonalmauerwerk,
2. das regelmäßige Quadermauerwerk (griechisch) und
3. das zweischalige Mauerwerk mit Erd- und Steinfüllung sowie quer durch die Füllung gespannte Steinbalken als Klammern (griechisch-hellenistisch)

werden schon durch Etrusker und Italiker vervollkommnet (Pompeji; Rom, Servianische Mauer); Backsteinmauern und Gußmauerwerk zwischen Schalen aus Backstein bzw. Mischmauerwerk werden neu entwickelt (Rom, Aurelianische Mauer).

Wehrgänge

Türme seit dem 3. Jh. v. Chr., nach dem Vorbild griechischer Städte. Rechteckig, später rund oder halbrund.

Stadttor mit Tonnengewölbe, an Hauptfahrstraßen als Doppeltor (Trier*)
– oft 1 bis 2 gewölbte Nebenpforten
– innen Torflügel und ummauerter Hof
– außen Fallgatter
– Flankentürme
– 1 oder mehrere Obergeschosse überragen die Mauer
– diese wird gern beidseitig konkav oder winklig nach außen vorgezogen (Arles*; Rom, Porta Appia).

MARKT

Nach griechischem Vorbild rechteckiger Platz mit umlaufenden Läden (Tabernae) und Speichern (Horrea), auch Kaufhäusern für Lagerung, Verkauf, Verwaltung (Ostia, Horrea Epagathiana). Einzelne Branchen haben eigene Gebäude (Pompeji: Lebensmittelmarkt = Macellum und Tuchmarkt = Eumachia). Bedeutendste und größte Anlage ist der Trajansmarkt in Rom*, dessen 6 gestaffelte Geschosse und Markthalle sich um die halbkreisförmige Exedra des Trajansforums gruppieren.

BASILIKA   (vgl. auch 42 f.*)

- Repräsentativer Mehrzweckbau (Markt, Börse, Gerichtssaal), meist am Marktplatz gelegen, später regelmäßig Bestandteil des Forums*, 349*
- vermutete griechische Vorbilder sind nicht sicher bezeugt
- mehrschiffiger Bau mit überhöhtem und belichtetem Mittelschiff, das durch Säulen- oder Pfeilerstellungen von den Seitenschiffen getrennt ist
- Apsis oder Nische an einer oder beiden Stirnseiten, gelegentlich auch an der Langseite, für Marktaufsicht, Tribunal o. ä.
- selten auch als Breitbau (Cosa, M. 2 Jh. v. Chr.; Fano, 27 v. Chr., Vitruv)
- erste Basiliken seit etwa 200 v. Chr. in Rom und den ital. Kolonien, vor allem in Campanien (Pompeji, 42*)
- Basilica Julia, 1. Jh. v. Chr., letzter großer Hallenbau am Forum Romanum; 349,9*
- Basilica ulpia*, 2. Jh. n. Chr., 5schiffig; einzige Basilika der Kaiserforen, 349*; nicht mehr Einzelbau, sondern integrierter Bestandteil des Trajansforums. Querbau mit 2 vom Innenraum getrennten Exedren an den Stirnseiten. Vorbild vieler Basiliken an Provinz-Foren (z. B. Augusta Raurica*)
- das Bauprinzip der Basilika in Aspendos, 43*, als eindeutiger Richtungsbau mit geräumiger Vorhalle und Apsis wird vom frühchristl. Kirchenbau fortgeführt
- Caldarien und Frigidarien der großen Thermen (Trajanstherme!) werden seit 1. Jh. n. Chr. als Basiliken gebaut: hoher Mittelraum mit großen Kreuzgewölben; Obergaden und Stirnseiten durchfenstert; Seitenräume mit Quertonnen
- Maxentius-Basilika*, 306 n. Chr. beg. (Maxentius), voll. 312 (Konstantin), Typ der großen Thermensäle, aber freistehend; 84 × 58 m innen; großflächige Außen- und Innenstruktur; kreuzgewölbtes Mittelschiff; Seitenschiffe mit Quertonnen; Säulen nicht mehr als Träger der Scheidmauern, sondern als gewölbetragende Wandvorlage

- für die christlichen Basiliken (Lateransbasilika, 313 beg., erste christliche Großkirche) schreibt Konstantin Verzicht auf Gewölbe vor (43 f.*).

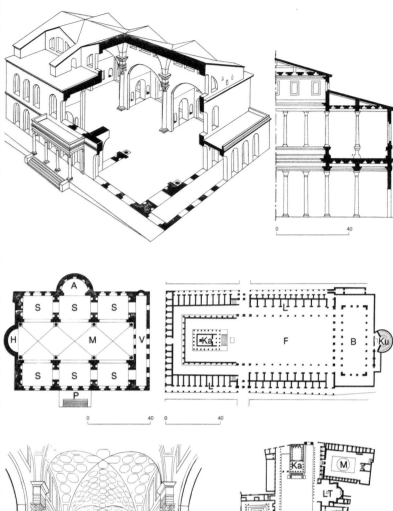

Rom, Maxentius-Basilika (Basilika des Konstantin), 306–312; vgl. Plan des Forum Romanum, 349,20* Rekonstruktion

V Vorhalle
M Mittelschiff
S Seitenschiffe
H Hauptapsis
A konstantin. Apsis
P konstantin. Portikus

O re: Rom, Trajansforum, Basilica ulpia, Schnitt

Mi re: Augusta Raurica bei Basel, Forum, 2. Jh. n. Chr., axial-symmetr. Anlage

F Forum
Ka Kapitol
B Basilica
Ku Kurie, später angebaut
L Läden

U re: Pompeji, Forum, 6. Jh. v. Chr. bis 1. Jh. n. Chr., Ausbau des zunächst unregelmä-

ßigen Marktplatzes nach hellenist. Muster, wobei die wenig geordneten Fronten der umstehenden Gebäude von den 2geschossigen umlaufenden Säulenhallen verdeckt werden.

F Forum
M Macellum (Lebensmittel-)
E Eumachia (Tuchmarkt)
Ku Kurie
B Basilica
Ka Kapitol
AT Apollo-Tempel
LT Laren-Tempel
VT Vespasians-Tempel

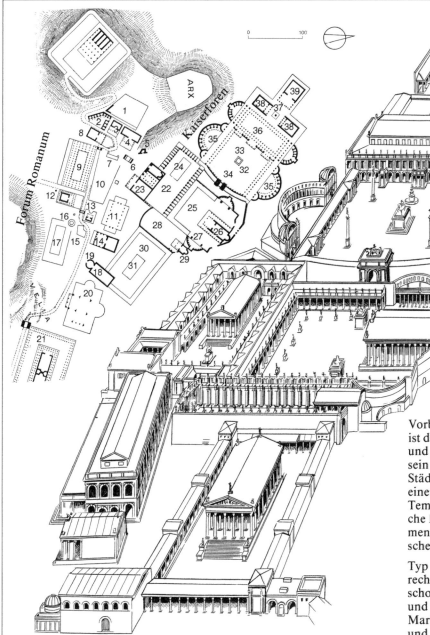

FORUM

Vorbild des römisch-italischen Forums ist die griechische Agora. Jede Stadt und jedes Castell des Imperiums hat sein Forum. Es wird beim späteren Städtebau als symmetrischer Platz mit einem dominierenden Bauwerk (meist Tempel) mitgeplant. Seine ursprüngliche Funktion als Markt wird zunehmend von gesellschaftlicher und politischer Repräsentation verdrängt.

Typ Pompeji (348*): Um einen lang-rechteckigen Platz (= Forum) mit 2ge-schossigen Säulenhallen an 3 Seiten und Tempel an der 4. Seite sind Lager-, Markt-, Zunft- und Ladengebäude und Heiltümer zwanglos angeordnet.

Typ Augusta Raurica (348*): Axial-symmetrische Anlage, Kapitol (Jupi-Fortsetzung Seite 350

Weitere Kommunalbauten:
- → Therme*, 340*
- → Theater*, 36*
- Amphitheater, 36*, → Theater*
- Brücke, → Aquädukt*
- Brunnen, Nymphäum, 292*
- Platz, Verwaltungsgebäude, Arsenal, Schule, Circus. Markt, 347*
- Bibliothek, 345*

Rom, Forum Romanum, 6.–1. Jh. v. Chr.

1 Tabularium
2 Porticus deorum consentium
3 Vespasians-Tempel
4 Concordia-Tempel
5 Carcer (Gefängnis)
6 Sept.-Severus-Bogen
7 Rostra (Redner-Bühne)
8 Saturn-Tempel
9 Basilica Julia
10 Forum
11 Basilica Aemilia
12 Castor-Tempel

13 Aedes D. Julii
14 Antonius-Faustina-T.
15 Regia
16 Vesta-Tempel
17 Vesta-Atrium
18 Templum sacrae urbis
19 Templum Romuli
20 Maxentius-Basilika
21 Venus- u. Roma-T.

Kaiserforen, 1. Jh. v. Chr. bis 2. Jh. n. Chr.

22 Forum Julium Caesaris
23 Curia regia
24 T. d. Venus Genetrix

25 Forum Augusti
26 T. Martis Ultoris
27 Exedren
28 Forum Nervae
29 T. Minervae
30 Forum Pacis
31 T. Pacis
32 Forum Trajani
33 Reiterstandbild
34 Triumphpforte
35 Exedren
36 Basilica ulpia mit Exedren (Apsiden)
37 Trajanssäule
38 Bibliotheken
39 T. Trajani (Nach Luckenbach)

ROMANIK UND GOTIK

Wohnhaus

Die spärlich erhaltenen Steinhäuser und Wohntürme der städtischen Oberschicht sind nur wenig typisch für das Bild der mittelalterlichen Stadt, in der bis zum 15. Jh. die Hütte vorherrscht.

ITALIEN

Der Casone aus Venetien* ist der Nachfahre eines primitiven italischen Hüttentyps aus mittlerem Portikus und 2 seitlichen Räumen, strohgedeckt und noch ohne Kamin.

Decken und Treppen steinerner Häuser werden nach jedem Brand neu eingezogen, deshalb wissen wir heute wenig Sicheres über die innere Aufteilung.

Steinhaustypen des 14./15. Jhs.
- Turmhaus mit oder ohne Zinnen oder mit weit vorkragendem Dachgesims
- bewehrtes Haus mit Loggia im Dachgeschoß, Rund- oder Spitzbogenfenstern, oft Rustika-Mauerwerk (Florenz, Palazzo Davanzati*)
- Haus mit Erkern unter Balken oder Strebemauern
- Ladenhäuser: unten Laden/Werkstatt/Taverne, dahinter Magazin; oben Wohnräume (Florenz, Ponte Vecchio)
- dasselbe mit Hof
- dasselbe mit seitlichem Korridor

Fortsetzung von Seite 349
tertempel), querstehende Basilika und Kurienrotunde (Ratssaal mit ansteigenden Sitzreihen, vgl. Buleuterion, 344*) liegen in der Achse, Säulenhallen und Läden bilden den Rahmen.

Forum Romanum, 349*: Vom 6. bis 1. Jh. v. Chr. entstehen um einen Platz zwischen Kapitol, Quirinal und Palatin Verwaltungs-, Gerichts-, Markt- und Tempelgebäude ohne Gesamtplanung (Karte S. 37).

Kaiserforen (349*): Seit 51 v. Chr. (Julius-Forum) bis A. 2. Jh. n. Chr. als Gruppe selbständiger, streng voneinander abgetrennter Foren mit jeweils eigener Symmetrieachse und Dominante. Höchste Vollendung und Zusammenfassung ihrer Bauideen finden sie in ihrem spätesten Bau, dem Trajansforum.

Venezianischer »Casone«, 19. Jh., Nachfahre mittelalterlicher Hütten

Serravalle bei Venedig, spätgot. Laubenhaus mit Laden. Quader und Backstein

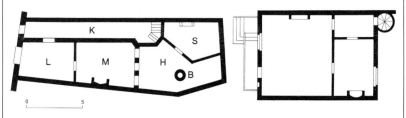

Italienische Wohnhäuser des Mittelalters. Li: 12. Jh. (vgl. Cluny, 351*). K Korridor; L Laden; M Magazin; H Hof mit B Brunnen; S Stall. – Re: 14. Jh. Besser genutzte Wohnfläche durch Außentreppe und verkürzten, bewohnbaren Korridor.

Florenz, Palazzo Davanzati, 14. Jh. Wehrhafte Anlage, Rustika und Backstein. Massive Tore, enge Rundbogenfenster. Vestibül = Wachstube, Loggia mit vorkragendem Dach. Innenraum mit reicher Wandmalerei, kunstvoller Holzdecke. Toiletten für jedes Schlafzimmer. Wenige solcher Gebäude zwischen zahlreichen bescheidenen Häusern und Hütten sind typisch für das mittelalterliche Stadtbild.

FRANKREICH

Mit der Entstehung zahlreicher Städte im 12. Jh. entwickelt sich auch das französische Stadthaus. Es ist einfach und wirtschaftlich. Erhalten sind Holzhäuser (Fachwerk) des 15. Jhs. und Steinhäuser des 12. Jhs. Ihr innerer Aufbau bleibt bis ins 16. Jh. im wesentlichen immer gleich:

– schmale Giebel- oder Traufenfront
– Deckung mit Stroh oder gewölbten Ziegeln
– 1 bis 4(!) Geschosse, Keller ist häufig
– Raum hinterm Hauseingang hat bei primitiven Häusern vielfältige Funktionen: Wohn-, Eß-, Empfangsraum, Küche, auch Werkstatt oder Laden. Nebenräume seitlich oder hintereinander gelagert, so daß jeder nur durch einen anderen zu erreichen ist. Der hintere heißt »gefangener Raum«
– oft seitliche Treppe bzw. Korridor, der sich als offene Galerie ein- oder zweigeschossig am Hof oder einem weiteren Raum vorbeizieht und in einen rückwärtigen Gebäudeteil führt (Cluny*)
– nach dem 100jährigen Krieg (1338–1453) komfortablere Häuser, aufwendiger geplant, oft mit verspielten Variationen des sakralen Dekors geschmückt

St-Gilles/Südfrankreich, romanisches Haus, teilweise verändert

Erdgeschoß

Obergeschoß

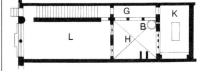

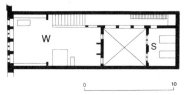

Cluny, roman. Haus, nach 1159. Pultdach; 2 Eingänge (burgundisch-roman. Spitzbogen); L Laden, Werkstatt (?); darüber W Hauptwohnraum mit Küche; S Schlafraum; H Hof mit B Brunnen und G Laubengang; K Küche oder Werkstatt. Reich dekorierte und profilierte Fenster.

Provins, Hôtel de Vauluisant, got., 13. Jh. Zweischiffiges gewölbtes Untergeschoß, Obergeschoß entsprechend, aber mit dekorativer Balkendecke. Maßwerkfenster, Sitzbänke in den Leibungen. Seitl. Eingänge später verändert.

Laval, Fachwerkhaus, 15. Jh. Typisch engstehende Ständer, anfänglich in voller Haushöhe, später stockwerkhoch (ermöglicht Vorkragung) und auf steinernem Untergeschoß. Ausfachung mit Lehm oder (Back-)Stein.

DEUTSCHLAND

Das vornehme Bürgerhaus ist mehrstöckig, im Erdgeschoß ganz oder
größtenteils als Halle (Diele, Fleet)
ausgebildet, häufig auch mit Mittelpfosten (Rothenburg, 353*). Die Wohnräume liegen dahinter oder meist in
den Obergeschossen.

– Auch stark gegliederte Bauten, vor
  allem in reichen Städten wie Köln
– Wohntürme, Geschlechtertürme für
  den streitbaren Stadtadel (Regensburg, 353*; Trier; Metz u. a.) nach
  italienischen Vorbildern (Bologna;
  San Gimignano; Florenz). Das repräsentative Erdgeschoß hat oft keine
  Verbindung zu den Obergeschossen,
  die wie Bergfriede (296*, 299) nur
  über einziehbare Treppen o. ä. zu erreichen sind
– gegen Ende des Mittelalters Miethäuser für Beamte, Arzt, Notar usw.
– die Mehrheit der bürgerlichen Reihenhäuser ist schlicht, klein, aus
  Fachwerk, oft hüttenähnlich. Die
  Fülle der Einzellösungen des Grundrisses tendiert aber zu einem Typ, der
  sich fast deckungsgleich von der
  Schweiz über französische Städte in
  Norddeutschland bis Danzig und bis
  Thüringen und Schlesien finden läßt
  (Colmar*, Lübeck*), je nach Grund-
  stücksgröße auch mit rückwärtigem,
  oft winzigem Hof (Breslau*)
– Steinwerk, Steinkammer, Steinhaus,
  Turm oder Feuersaal wird seit 1200
  ein kleiner, stark ummauerter Bauteil
  genannt, der dem Fachwerkbau angefügt ist und bei Brand für Gut und
  Leben Schutz bietet (Goslar, 353*;
  Osnabrück, 353*)
– norddeutsches Ackerbürgerhaus:
  Mitteldiele (Fleet), zu beiden Seiten
  Wohnräume und Stallungen (Beverungen, 353*)
– in spätgotischer Zeit Zwischengeschoß nach flämisch-niederländi-
  scher Art (354*)
– Fassade landschaftlich unterschiedlich:
  Giebel ohne oder mit Staffeln;
  Backstein mit straffer Pfeilergliede-
  rung (Hannover);
  Blendgliederung und derber Staffelgiebel (Rostock, Lübeck, Lüneburg*), Fachwerk/Halbfachwerk mit
  Vorkragungen, Erker, manchmal reiches Dekor; Laubengang aus Holz
  oder Stein (Bern, 353*)

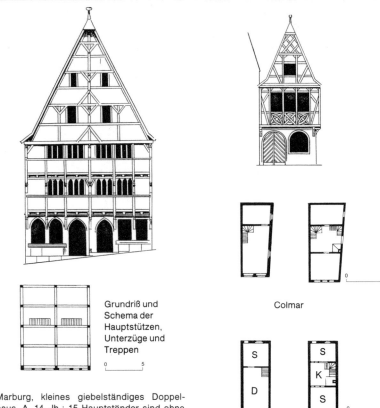

Grundriß und
Schema der
Hauptstützen,
Unterzüge und
Treppen

0   5

Marburg, kleines giebelständiges Doppel-
haus, A. 14. Jh.; 15 Hauptständer sind ohne
Schwelle in den Steinsockel eingestellt. 3 Vorkragungen, je etwa 0,5 m. Zwei bewohnbare
Dachgeschosse.

Colmar

Lübeck

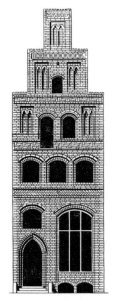

Lüneburg, spätgotisches Wohnhaus, Backstein mit phantasievollen Verbänden. Hohe
Halle im Erdgeschoß, darüber ein Wohn- und 2
Dachgeschosse, typische Stichbogenfenster
und Staffelgiebel.

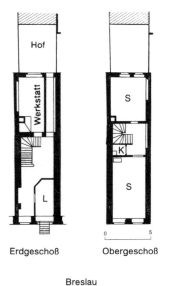

Hof

Werkstatt

Erdgeschoß

S

K

S

L

Obergeschoß

0   5

Breslau

O: Colmar, kleines Bürgerhaus, Fachwerk,
spätgotisch. – Zum Vergleich Grundrisse aus
Lübeck und Breslau. Verbreitung dieses Haus-
typs bis in die Schweiz. S Stube; D Diele; L Laden; K Küche.

Steyr, spätgotisches
Wohnhaus, vor 1445 beg.
H Höfe mit 2geschossigen
Säulenumgängen
nach südeuropäischen
Vorbildern.

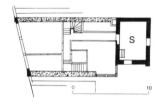

Regensburg, Hochapfelscher Turm, 13./14.
Jh., einer der sog. »Streittürme«, 7,4 × 9,9 m,
über 30 m hoch. Untergeschoß rippengewölbt,
ohne Verbindung zu den 6 schlichten Obergeschossen (Rekonstruktion).

O: Goslar, Steinwerk; Schnitt und Grundriß
des Erdgeschosses. – Darunter: Osnabrück,
Haus Kromschröder, Fachwerk mit Brandmau-
ern aus Bruchstein; rechts der S Steinwerkan-
bau an der Hofseite.

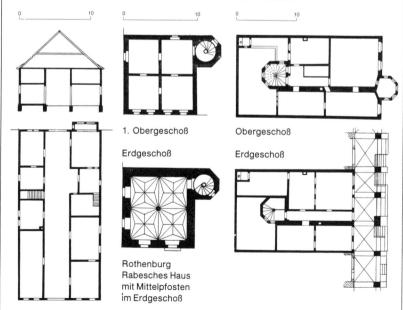

1. Obergeschoß

Erdgeschoß

Obergeschoß

Erdgeschoß

Rothenburg
Rabesches Haus
mit Mittelpfosten
im Erdgeschoß

Li: Beverungen, Ackerbürgerhaus, spätgotisch. Der durchgehende Mittelraum ist zugleich Einfahrt und Diele und reicht bis zum Dachboden; Zwischengeschoß über den seitlichen Wohn-
und Stallräumen. Utlucht an der Straßenseite. – Re: Bern, Wohnhaus in einer Häuserzeile mit
fortlaufendem, gewölbtem Laubengang nach südlichem Vorbild. Zwischen den Pfeilern Keller-
treppen. Erker beginnt im 1. Obergeschoß.

ENGLAND

Das sächsische Einheitshaus enthält
meist nur einen Großraum für Menschen und Vieh.

Primitive Form: »Cruck-construction«.
Die Hälften eines der Länge nach ge-
spaltenen, gebogenen Stammes
(»crucks«) werden spitzbogig aneinan-
dergefügt, oben durch einen Querbalken verbunden und ausgefacht (bis
13. Jh.), 354*.

Entwickelte Form: Steinmauern tragen
statt der Crucks das Dach.

Manor-house (Rittersitz) der frühen
Gotik, aus dem sächsischen Großraum
entwickelter rechteckiger Saal, an einem Ende Estrade für die Familie des
Hausherrn, am anderen halbhohe hölzerne Windschutzwand vor Wirtschaftsräumen und Haustür. Bei einigen Steinhäusern liegt die Wohnung
des Hausherrn im Obergeschoß (Little
Wenham Hall, 1260; Penshurst Place,
14. Jh., 330*).

14./15. Jahrhundert:
– zwei Stockwerke hohe Halle
– Nebenräume in Anbauten, die im
  15./16. Jh. zu H-förmigem Grundriß
  führen
– die Querdächer über den Flügeln
  und das Hauptdach schließen mit
  Spitzgiebeln ab
– Stein, Fachwerk, »Half-timber«
  (Fachwerk auf Steinsockel)

Stadthäuser:
– im ganzen Mittelalter mehrstöckig,
  meist aus Holz
– Laden in Straßenhöhe
– Obergeschosse oft vorgekragt
– Sprossen-Fenster mit Mittelpfosten
  (»mullioned window«) und einer
  oder mehreren Querstreben sind besonders typisch für die Tudor-Zeit
  um 1500

BELGIEN,
NIEDERLANDE

– Romanisches Steinhaus durch Simse
  am oberen und unteren Fensterrand
  deutlich waagerecht gegliedert. Staffelgiebel (Gent, Haus Borluut, 1175)
– der Handel führt in Flandern im
  14. Jh., in den N-Niederlanden erst
  ab 1450 zu Reichtum und Wohnkom-
  fort. Ziegeldeckung wird Vorschrift

- dennoch bis 15. Jh. – wie auch im übrigen Europa – meist keine innere Unterteilung des einstöckigen, langgestreckten Grundrisses
- im 15. Jh. mehrere Stockwerke, deren vorderer, gewerblich genutzter Teil (»voorhuis«) durch Holzwand vom hinteren (Wohn-)Raum abgetrennt ist und eine Wendeltreppe zum Obergeschoß aufweist (vgl. Colmar 352*, u. a.)
- später Zwischenstockwerk (Edam*) im hinteren Teil des »voorhuis«, das sich mit der Zeit über den ganzen Laden ausweitet (bis Niedersachsen verbreitet)
- schmale Fassade mit Treppengiebel, auch Zinnen über First und Traufe
- roter Backstein mit gelblich-weißem Kalkstein
- im allgemeinen vertikale Gliederung
- Mechelner Typ mit horizontaler Gesimsaufteilung der Fassade wird jedoch zum Charakteristikum der Renaissance
- Stabfenster mit 1 oder 2 Querstreben (vgl. England), oft als Fensterbänder
- Dekor vom Sakralbau adaptiert
- aufwendige Innenausstattung (Eiche)

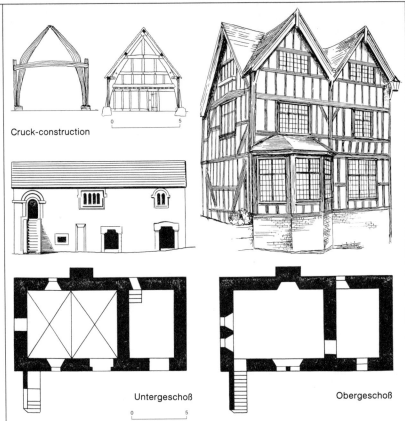

Cruck-construction

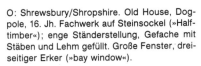

Untergeschoß   Obergeschoß

Boothby Pagnell/Lincolnshire, Manor-house, um 1180. Steinhaus am Übergang zur Gotik. Im Untergeschoß gewölbte Halle, obere Halle flachgedeckt, Außentreppe. Wirtschaftsräume im rechten Teil.

O: Shrewsbury/Shropshire. Old House, Dogpole, 16. Jh. Fachwerk auf Steinsockel (»Halftimber«); enge Ständerstellung, Gefache mit Stäben und Lehm gefüllt. Große Fenster, dreiseitiger Erker (»bay window«).

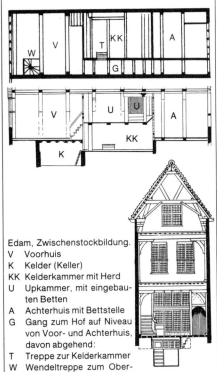

Edam, Zwischenstockbildung.
V Voorhuis
K Kelder (Keller)
KK Kelderkammer mit Herd
U Upkammer, mit eingebauten Betten
A Achterhuis mit Bettstelle
G Gang zum Hof auf Niveau von Voor- und Achterhuis, davon abgehend:
T Treppe zur Kelderkammer
W Wendeltreppe zum Obergeschoß

Brügge, spätgotisches Bürgerhaus hinter dem Rathaus. Backstein. Staffelgiebel; elegant zusammengefaßtes Blendmaßwerk über den Fenstern in Korb-, Rund-, Spitzbogen.

Löwen, Haus van't Sestich, 1445. Vertikale Fassadenunterteilung; das reiche Blendmaßwerk des Giebels wird spitzbogig zusammengefaßt. Giebelfenster später eingebrochen.

STADTTOR

Das Schema des antiken Stadttors mit 2 Flankentürmen (Trier, Porta Nigra, 347*) und einem oder zwei Durchgängen wird in den romanischen Ländern, aber auch in Nordeuropa lange beibehalten (Lübeck, Holstentor*; Köln, Hahnentor). Der Einturm ist jedoch häufiger (Stendal*). Dem Stadttor wird gelegentlich ein Vortor mit 2 Flankentürmen vorgebaut (Basel, Spalentor). Nach der Erfindung der Feuerwaffen wird dem Stadttor ein Bollwerk oder eine ringförmige Barbakane vorgelagert, die mit Schießscharten versehen ist und ihrerseits das Stadttor schützen soll (Nördlingen; Carcassonne, 304*). Einzelformen (Fenster, Türmchen) und Dekor übernehmen Elemente des Kirchenbaus.

1. Obergeschoß

0   10

Lübeck, Holstentor, 1466–78, norddeutscher Backsteinbau. 2 Rundtürme sind durch eine 3geschossige Brücke mit eigenem Giebel und 3 durchgehende Reihen von offenen und blinden Fenstern verbunden.

Gelnhausen, Vilicus-Haus (f. kaiserl. Beamten), roman., um 1180. Später Rathaus. Sokkelbau mit Altan (Gerichtsplatz?), zweischiff. Saal im Untergeschoß (Grundriß). Wendeltreppe zum Saal im Obergeschoß 15. Jh.

Stendal, Ünglinger Tor, 1. H. 15. Jh. Backstein. Einturm-Stadttor. Der quadratische Unterbau mit Ecktürmchen und Zinnen trägt einen zinnenbewehrten Rundturm.

Piacenza, Rathaus, gotisch-lombardisch, 1281. Untergeschoß weitgehend offene Halle, Marmor. Obergeschoß aus Backstein mit Rundbogenfenstern; ghibellinische Zinnen.

RATHAUS

Nach dem Untergang der antiken Ordnung existiert zunächst keine städtische Selbstverwaltung. Diese entsteht erst wieder mit dem Aufblühen der Städte. Aufgaben: Ordnung von Handel und Markt, städtische Gerechtsame, Verwaltung der Allmende, Gerichtswesen, Polizei, Straßenbau, Wohlfahrt.

– Markt-Hallenbauten (»Lobia fori«) werden in Deutschland im 12. Jh., in Italien und Frankreich schon früher erwähnt. Sie sind zunächst von den Verwaltungsgebäuden getrennt und häufiger als diese: Bürgerversammlungen unfreier Städte werden nämlich oft auf dem Hof des Stadtherrn oder in Klosterräumen abgehalten. Soest hat schon vor 1120 ein Rathaus (Domus civium, Domus consulum)
– bald werden Kaufhaus-Markthalle und Bürgersaal-Rathaus zu einem Gebäude vereinigt. Regelmäßig dient sein Untergeschoß als Markt, das Obergeschoß der Bürgerversammlung

- in der frühen Form (Gelnhausen, 355*) fehlen noch Kanzleiräume
- Italien hält länger an der offenen Markthalle im Untergeschoß fest (Piacenza, 355*), verlegt sie aber auch in einen offenen Innenhof oder Laubengang
- auch der Norden kennt die offene Hallenform (Michelstadt*; Ledbury*; Shrewsbury, 366*), auch als Gerichtslaube (Münster*), bevorzugt aber geschlossene Räume, deren Läden sich – ebenfalls nach südeuropäischem Vorbild – zu einer wetterschützenden Laube hin öffnen
- unfreie Städte mit beschränkter Selbstverwaltung regiert ein Beamter in kleinem Amtshaus mit Gerichtssaal oder -laube, aber meist ohne Bürgersaal (Tangermünde)
- Geldwesen statt Naturalwirtschaft, Überwachung des Handwerks und Verkehrs, Steuer- und Kriegswesen steigern den Raumbedarf der Kanzleien, der durch Einbeziehung von benachbarten Bürgerhäusern (Lemgo; Ochsenfurt), Anbau (Lübeck; Duderstadt) oder Neubau gedeckt wird. Nürnberg überläßt 1330 das gesamte Rathaus dem Handel als Tuchhaus und errichtet ein neues, das mehrmals erweitert wird. Es enthält u. a. im Obergeschoß: Großer Saal, Ratsstuhl, Losungsstube = Steueramt; im Untergeschoß: Folterkammer, Gefängnis, Küche, Schmiede, Bad; außen Hof mit Freitreppe

Als Repräsentationsbau spiegelt das Rathaus bis heute in Ausmaß und Gestaltung den Bürgerstolz und Reichtum der Stadtbewohner wider. Es bildet keinen eigenen Stil aus, sondern steigert repräsentativ die örtlichen oder landschaftlichen Stilformen des Bürgerbaus. Sofern nicht aus Fachwerk, übernimmt es gern den Dekor des Kirchenbaus (Münster*; Löwen*). In Norditalien (Siena*; Florenz) und den Niederlanden konkurrieren seine Türme häufig mit den örtlichen Kirchtürmen (→ Turm*). Deutschland zieht den turmlosen Bau vor. Häufig steht er frei auf einem Platz, seltener ist er in eine Straßenzeile eingebunden (Münster).

O: Michelstadt, Rathaus, 1484. Laube und Obergeschoß in Fachwerk. Eckerker mit Helmdach flankieren das Krüppelwalmdach. –
Mi: Ledbury/Herefordshire, Rathaus mit Markthalle im Erdgeschoß. Tudor.
Beide Rathäuser stehen frei auf einem Platz.

Münster, Rathaus, um 1335. Erdgeschoß: L Gerichtslaube, K Kaufhaussaal, darüber der gleichfalls 2schiffige Bürgersaal; R Ratslaube, Anbau des 15. Jhs. Prächtige Schauwand: Maßwerkfenster, 7teilig. Giebel mit Maßwerk- und Fialenbekrönung.

Löwen, Rathaus, 1447–63, spätgotisch wie die meisten flandrischen Rathäuser. Quergestellter, mehrgeschossiger Saalbau mit 10achsiger Reihung überreicher Ornamentik.

Siena, Palazzo Pubblico, 1289. Monumental gesteigerte Form des Wohnhauses, zinnenbewehrt auch der Turm in der Art der mittelalterlichen Geschlechtertürme. Vgl. 400*

GILDE-, ZUNFTGEBÄUDE

sind Gemeinschaftsleistungen einer Zunft (norddeutsch: Gilde), oft nach Größe und Dekoration den Rathäusern ähnlich und insofern auch Zeichen der Rivalität gegenüber den Patriziern um die Sitze im Stadtrat. Zunftstube, in der die Zunftlade steht, Halle, Trinkstube, Verwaltungsräume gehören zur Ausstattung. Neben Großbauten für den Großhandel (Ypern*) gibt es bescheidenere Anlagen für den örtlichen Bedarf: Schuh-, Kornhaus, Brotbank, Fleischhalle.

KAUFHAUS, MARKT

Die Großhandelsstädte begegnen der Enge der Markthalle im Untergeschoß des Rathauses durch
– Vergrößerung des Rathauses
– Bau eines neuen Rathauses und Überlassung des alten an den Handel (Nürnberg)
– Beibehaltung des Rathauses als Verwaltungsgebäude und Neubau von Kaufhäusern, meist 2geschossigen, gestützten Saalbauten in der Art der ältesten Rathäuser. Oft bedeutende Innen-Abmessungen:
Valencia, Lonja della seda (Seidenhalle), 1483–98, 39 × 22,5 m; Ypern, Tuchhalle, 133 m lang; Brügge, 1284 bis 14. Jh., 84 × 43,5 m, Turm 107 m hoch; Mainz, Kaufhaus, 1313 vollendet, 42 × 21 m; Konstanz, Kaufhaus, sog. »Konzilsgebäude«, 48 × 32 m, 3schiffig.

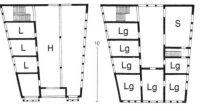

Untergeschoß   Obergeschoß

Hildesheim, Knochenhaueramtshaus, 1529. H 2schiffige Halle, 2 Geschosse hoch; L Läden, zur Straße und nach innen offen; Lg Lager- und Kontorraum, auch in den Obergeschossen; S Trinkstube (?). Prachtvolles Fachwerk mit Vorkragungen und Schnitzereien.

Köln, Kaufhaus Gürzenich, 1442 beg. In beiden Geschossen befindet sich je ein 2schiffiger Saal von 60 × 23 m und 7 m Höhe. Abb.: Fassade der Schmalseite und Grundriß des Obergeschosses. Außentreppe, keine Nebengebäude. Blendmaßwerk, Zinnen, Ecktürmchen.

Ypern/Belgien, Tuchhalle, 1302–80. Saalbau von 133 m; der Mittelturm ist städtischer Belfried und Waffenarsenal. Vergleichbare Tuch- und Fleischhallen in Brügge, Gent, Löwen.

Glastonbury/Somersetshire, Market cross, um 1500. Markthalle für Kleinvieh und Geflügel. Ähnliche Beispiele aus Stein in Chichester, Salisbury, Winchester; andere sind aus Holz.

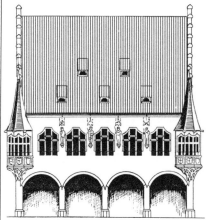

Freiburg/Breisgau, Kaufhaus, 1524–32. Laube vor einer Kaufhalle; im Obergeschoß ein Saal, dessen Fenster mit Vorhangbogen zwischen Baldachinfiguren und Eckerker gereiht sind.

UNIVERSITÄT

Zurückgehend auf die Klosterschulen, in denen die 7 Freien → Künste gelehrt wurden, und lange Zeit in hoffnungsloser Konkurrenz zu den arabischen Hochschulen in Spanien entstehen Universitäten: im 11. Jh. in Italien (Ravenna, Bologna, Padua, Salerno), im 12. Jh. in Frankreich (Paris), seit 13. Jh. in England (Oxford), im 14. Jh. in Deutschland (Prag, 1348), die großen englischen Colleges in Oxford und Cambridge zur Tudorzeit um 1500. Als »universitas magistrorum et scholarium« = Körperschaft von Lehrern und Schülern hat jede »Nation« (Landsmannschaft) zunächst eigene Professoren und Rektor sowie gemeinsame Wohngebäude, die Kollegien oder Bursae (davon »Bursche«); in englischen Colleges im Prinzip bis heute üblich. E. 13. Jh. treten die Professoren aus den »Nationen« aus und

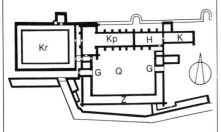

Oxford, New College, 1379 gegr., erste einheitliche Collegeplanung. Unterschiede zum ähnlichen Klosterbau: 1. College-Kirche wird i. d. R. zuletzt gebaut; 2. Wohn-/Studierzimmer für je 4 Studenten statt des klösterlichen Gemeinschafts-Dormitoriums (bzw. der späteren Einzelzellen) und des gemeinsamen Studiums im Kreuzgang. G Gate = Portal, Z Zimmer, Q Quadrangle = Innenhof, Kp Kapelle, H Halle, K Küche, Kr Kreuzgang/Friedhof.

vereinigen sich nach ihren Lehrfächern zu den 3 Fakultäten Theologie, Jurisprudenz, Medizin mit eigenen Hörsälen und Kirche. Die verwaisten Nationen bilden mit den »Artisten«, den Lehrern der 7 Freien Künste, die 4. Fakultät (Philosophie). Das führt zu zwei unterschiedlichen Anlageprinzipien:
– über die Stadt verstreute Bursen und Kollegienhäuser mit Sälen (Erfurt*)
– klosterartige Anlage mit Hof-Umgang, Kirche, Wohnungen für Professoren und Schüler (Paris, Collège de Cluny; englische Colleges in Cambridge, Oxford*. Krakau*)

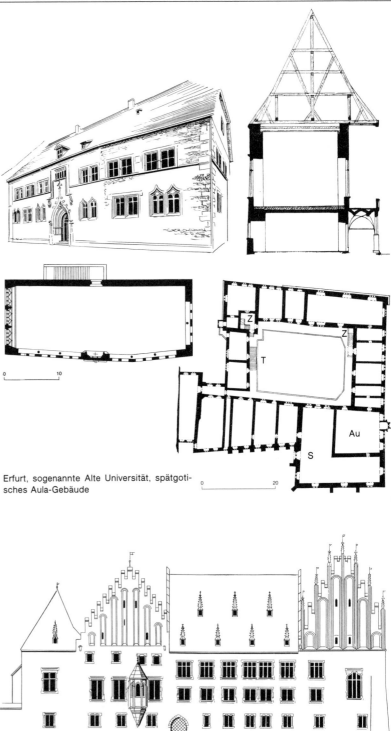

Erfurt, sogenannte Alte Universität, spätgotisches Aula-Gebäude

Krakau, Collegium Jagellonicum, 1364 beg. Zusammenhängende Anlage, Backstein. Der Schnitt (o) zeigt den doppelten Umgang der Hofseite, die Ansicht der O-Seite (u) die ursprünglichen Dächer und Giebel, durch die jeder Gebäudeteil einzeln abgeschlossen war. – Grundriß des Obergeschosses: Z Treppe zum Zwischengeschoß; T Treppe zum Obergeschoß; Au Aula mit Erker (Chörlein); S Schlafsaal (?). Untergeschoß: Wohnungen für Professoren und Schüler

HOSPITAL

(lat. hospes = Gast), auch »Gottsleut-
haus«, »Gutleuthaus« (Süddeutschland), »Hôtel-Dieu« (Frankreich),
»Almshouse« (England) als Krankenhaus oder Altersheim in Stadt oder
Kloster, häufig auch Stiftung reicher
Bürger oder Zünfte.

- Anlage mit klösterlichem Grundriß,
  der den Bedürfnissen der Kranken-
  pflege angepaßt ist (Cues an der
  Mosel*)
- große Krankenhausanlage mit riesigem Krankensaal und angeschlosse-
  ner Kapelle, Nebengebäude mit
  Wohnräumen für Personal, Küche,
  Apotheke, z. T. Landwirtschaft. Die
  offenen Dachstühle französischer
  Krankensäle bestehen oft aus spin-
  nenabweisendem Kastanienholz
  (Tonnere/Burgund; Beaune*)
- kleine Anlage für Pfründner mit win-
  zigen Einzelzellen, aber fast immer
  großem Saal oder Diele (Goslar*)
- große Alterswohnanlage wie das
  Heilig-Geist-Spital in Lübeck*,
  Backsteinbau. 3schiffige, nur 2 Joche
  tiefe Hallenkirche, dahinter das
  »Lange Haus«, eine große Halle, in
  der zellenartige Häuschen zu beiden
  Seiten von schmalen Gassen angeordnet sind
- die »Almshouses« in England sind
  geschlossene Siedlungen aus gereihten ein- bis zweistöckigen Häuschen
  mit Kirche und Verwaltung

Obergeschoß
mit
Laufgang

Untergeschoß

Goslar, Heiligkreuzspital, 1253. D gepflasterte
Diele; K Kapelle mit durchbrochenem L Lettner; S Schlafräume, 2,25 × 4 m, 2geschossig,
alle Räume unbeheizt; T Treppe zum Laufgang
vor dem Obergeschoß; W Wärmestube.

Lübeck, Heilig-Geist-Spital,
2. H. 13. bis 15. Jh.

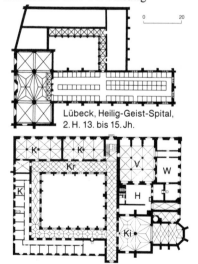

Cues a. d. Mosel, Hospital. Ki Kirche; H Hof und W
Wohnungen sowie V Versammlungsraum des Pflege-
personals; Kr Kreuzgang; K zwei zweischiffige
und ein langer, rechtwinklig geknickter Saal mit
abgetrennten Zellen für die Kranken.

Beaune/Burgund, Hôtel-Dieu, 1443 gestiftet, bis 1948 belegt. H und Abb. o: Hof mit Brunnen
und 2geschossigen offenen Wandelgängen an 2 Seiten; tief heruntergezogenes, mit farbigen
Ziegeln in Rautenformen gedecktes »burgundisches« Dach. K und Abb. u: Krankensaal mit offenem Spitztonnen-Dachstuhl, Alkovenreihen an den Langseiten, dahinter Bedienungsgang,
davor Besucherplätze; Kanzel vor dem L Lettner, dahinter Kp Kapelle; R Refektorium.

RENAISSANCE

Wohn- und Kommunalbauten

ITALIEN

Das Stadthaus unterliegt stärker dem städtischen Reglement: Das Verbot von Erkern, die die Straßenhelligkeit mindern, Bestimmungen über Feuerschutz und Straßenbegradigung bezeugen eine größere Systematisierung der Stadt- und Hausplanung. Entdeckungsreisen und Welthandel importieren auch exotische Wohn- und Einrichtungsideen. Vor allem die arabische Wohnkultur färbt in Loggien, Säulengängen, Balkonen, Wasserspielen auf Südeuropa ab. Über sie gelangt auch der eigentlich römische Innenhof wieder zu steigender Bedeutung. Der Wohlstand trennt die Klassen immer deutlicher, Paläste (307 ff.*) werden häufiger und damit stärker stilbildend. Das Volk wohnt nach wie vor in Hüttenslums, die, weil rufschädlich, oft vom Stadtherrn eingeebnet und neu bebaut werden, es lebt in Ruinen antiker Bauten oder in Mietskasernen, deren Wohnungen außen oder innenhofseitig von umlaufenden Galerien erschlossen werden. Der wohlhabende Mittelstand löst sich vom Ein- oder Zweizimmerhaus (Albergo dell'Orso*) und findet zu differenzierterer Verteilung von Zimmern, Galerien, Balkonen. Hier wird der Übergang zum Palazzo fließend (Casa Cocchi*).

In allen romanischen Ländern wird aber »vor allem das Bewußtsein des klassischen Geistes, das die einheitliche Kulturbasis bildet, zum Fundament der neuen Architektur« (Ettore Camesasca), am deutlichsten, weil repräsentativ, in Kirche und Palast, aber oft nicht minder im Kommunalbau.

Beispielhaft für die Rathäuser, Markthallen, Theater, Hospitäler, Münzen, Loggien, Universitäten, Verwaltungsgebäude der reichen Städte stehen hier die Bibliothek des Sansovino in Venedig* und die Basilika (Markthalle und Rathaus) in Vicenza*. Die bedeutendsten zeitgenössischen Architekten arbeiten im Dienste der reichen Stadtstaaten. Dort wandeln sie die wiederentdeckten Gesetze der antiken Baukunst zu Formen, die der eigenen Individualität wie auch dem Temperament der Auftraggeber angepaßt sind.

Rom, Albergo dell'Orso, 14. Jh. früheste Renaissance. Noch wenig differenzierter Grundriß: alle Gäste unter einem Gewölbe, aber schon klassische Intentionen: Rundbogen-Loggien mit Säule und Kapitell. Portikus zerstört.

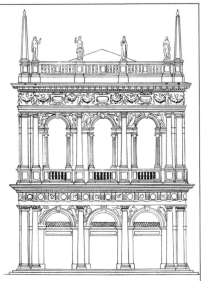

Venedig, Bibliothek San Marco, 1553, Sansovino. Dem Dogenpalast gegenüberliegende Platzbegrenzung aus 21 Achsen in dorischen und ionischen Säulenbogenstellungen; reiche Dekoration der Geschosse und Simse. Hier: Schmalseite.

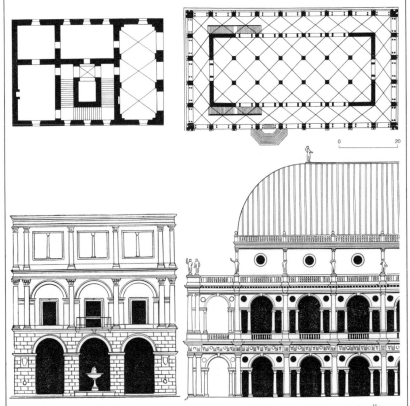

Florenz, Casa Cocchi (Casa Serristori), um 1500. Rustika-Erdgeschoß. Obergeschosse durch Pilaster mit korinthischem Kapitell, Blendbögen und Gebälk unterteilt. Klarer Grundriß; repräsentative gewölbte Halle hinter 3 Bögen, großzügiges Treppenhaus.

Vicenza, Basilika, beg. 1546, Palladio. Älterer Saalbau mit 2geschossigen Arkadengängen umbaut. Sogen. »Palladio-Motiv« = Bogen, der von 2 rechteckigen Öffnungen durch je 2 Säulen getrennt ist (schon von Serlio aus dem »syrischen Architrav« entwickeltes System).

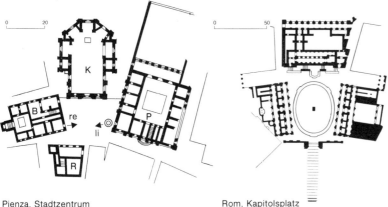

Pienza, Stadtzentrum. Eine Schöpfung von Papst Pius II. ist die Neugestaltung seines Geburts-
ortes, beg. 1459. K Kathedrale, B Bischofspalast, P Palazzo Piccolomini und R Rathaus sind
unsymmetrisch um einen Platz gruppiert. Straßen führen von allen Seiten auf die Platzränder.
Jeder Standort gewährt wechselvolle, harmonische Anblicke. – Mi li: Grundriß des Platzes.
Pfeile = Blickrichtungen der beiden perspektivischen Abbildungen oben. (Nach Yarwood und
Millon-Frazer)

Pienza, Stadtzentrum   Rom, Kapitolsplatz

Rom, Kapitolsplatz, 1540–1644. Entwurf von Michelangelo, 1475–1564. Symmetrische Anlage
um das Reiterstandbild Marc Aurels (das irrtümlich für eine Darstellung des Kaisers Konstantin
gehalten wurde). Eine Treppe führt auf den Kapitolshügel und endet gegenüber dem Senato-
renpalast. Kapitols- und Konservatorenpalast bilden Seiten eines Trapezoids, das Michelangelo
durch eine ellipsenförmige Pflasterung abschwächt. Erstmalige Verwendung der → »Kolossalordnung«. (Nach Yarwood und Millon-Frazer)

ITALIENISCHE STADTPLANUNG UND PLATZGESTALTUNG

Mit der Wiederentdeckung der Antike
beginnt auch eine neue Stadtplanung
nach römischen Vorbildern. L. Alberti
(1404–72) entwirft Radial-Städte mit
regelmäßigen, geometrischen Wohnflächen. Sein Zeitgenosse Filarete (Antonio di Averlino, 1400–69) geht in seinem Buch »Trattato d'architettura«
(Vasari: »das absurdeste Buch, das je
geschrieben wurde«) z. T. auf Alberti
zurück. Er theoretisiert aber auch uto-
pisch über die Idealstadt »Sforzinda«*
mit allen Bequemlichkeiten, u. a. einem
10geschossigen »Turm der Tugenden
und des Lasters« mit Sternwarte im
Dach und Bordell im Erdgeschoß.
Leonardo plant kreuzungsfreie Städte
mit mehrstöckigen Straßenzügen. Nur
wenige Pläne werden realisiert. Vin-
cenzo Scamozzis (1552–1616) Palmanova bei Triest, nach einem römischen
Plan entwickelt und 1590–1603 gebaut,
ist eine dieser Ausnahmen. Hierzu
404 f.*

Um so größere Bedeutung kommt der
Gestaltung von Plätzen zu. Lagen die
geschlossenen Plätze der Antike
(Agora, 343 f.*; Forum, 348 f.*) noch
abseits vom Verkehr, so werden sie nun
repräsentativ und monumental genutzte Raumelemente der Stadtbaukunst. Als Treffpunkt der Bürger,
Schauplatz öffentlicher Handlungen,
Markt, vor allem aber als Freiraum vor
städtischen Gebäuden soll der Platz
möglichst aus allen Blickwinkeln die
Schönheit der rahmenden Bauten wie
ihre Harmonie untereinander erkennen lassen. Viele der geschlossenen
Platzanlagen haben die Wirkung eines
Innenraumes. Ihre Bedeutung ist so
groß, daß z. B. in Venedig nur der Mar-
kusplatz »Piazza« genannt werden
darf. Hierzu 402 f.*

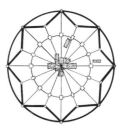

Sforzinda, Idealplan von Filarete, um 1455. Sternförmige Straßen durchschneiden die Plätze der
Ringstraße. Schwarz = öffentliche Gebäude.

BELGIEN, NIEDERLANDE

Frankreich liefert zwar die Muster des Kirchen- und Schloßbaus, aber der Privat- und Kommunalbau bewahren zäh heimische Traditionen:

– Der Holzbau verschwindet nur langsam
– belgische Rathäuser bevorzugen bis 17. Jh. den mittelalterlichen Hallenbau (Ypern, Rathaus)
– im Norden hält sich das mittelalterliche Giebelhaus bis ins 17. Jh.
– die Dekoration wird zunächst stärker von der italienischen Renaissance ergriffen als die Architektur
– bis 1550 wird sie aber noch unfrei, äußerlich und deshalb genauer nachgeahmt: kannelierte Säulen, klassisches Gebälk, Konsolen, Felder- und Rankenornamente (Brügge, Kanzlei)
– Cornelis Floris (de Vriendt), 1514–75, Erbauer des Antwerpener Rathauses, entwickelt in seinem

Posen, Rathaus. L Loggia; T Treppe zum G Großen Saal; K Königszimmer = Gerichtssaal; R Ratsstube ▶

Buch »Inventionen« neue Ornamente: Beschlag- und Rollwerk, Kartusche, Masken und stereometrische Körper, Pyramide und Kugel, die im wesentlichen die Formensprache des nordischen Manierismus bilden
– die gotischen Staffelgiebel werden durch Voluten verschleift (Häuser in Amsterdam) und mit → Beschlagwerk verziert
– besonders in den Nordprovinzen Kombination von Backsteinflächen mit Hausteinen für die konstruktiven Glieder, Simse, Tür- und Fensterrahmen; Bossen- und Quaderwerk führen gelegentlich zu derben antiklassischen Fassaden (Leiden, Rijnlandhuis*), in freier Verbindung mit klassischen Elementen zu hypertrophen Häufungen (Leiden, Rathaus*)
– während Flandern im 17. Jh. begierig den Barock aufnimmt, gelingen in Nordholland klassizistisch-ruhige Lösungen (Amsterdam, Rathaus*)

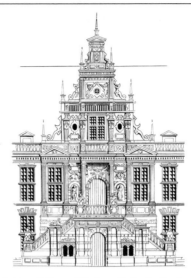

Leiden, Rathaus, Mittelbau, E. 16. Jh. Quaderbau (Ausnahme!), einfache Flügel, aber reichste Häufung klassischer und niederländisch-manieristischer Elemente am Mittelgiebel. Freitreppe. Phantasievoller Turm.

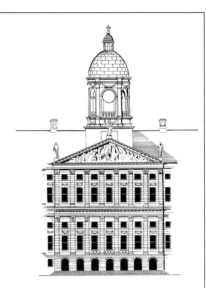

Amsterdam, Rathaus, jetzt Königlicher Palast, 1648 beg., v. Campen. Der Bürgersaal verläuft – wie in Augsburg – mittig, aber zwischen 2 Höfen. Klassische Fassade mit zweifacher Kolossal-Pilasterordnung.

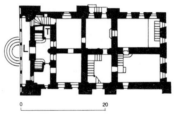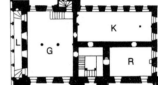

Untergeschoß ◀

1. Obergeschoß ▶

Leiden, Rijnlandhuis, 1612, L. de Key. Der Staffelgiebel weist auf gotische Tradition zurück, die maßlose Fensterdekoration und die raffinierte Asymmetrie bezeugen deutlich de Keys antiklassische, manieristische Absichten.

Posen, Rathaus, 1536 beg., G. B. di Quadro. Nach dem Brand von 1536 werden dem stehengebliebenen Teil 3geschossige Loggien, Türmchen und eine bemalte Blendmauer vorgebaut, die das Dach verdeckt. Turm um 1700, Freitreppe im 19. Jh. verändert.

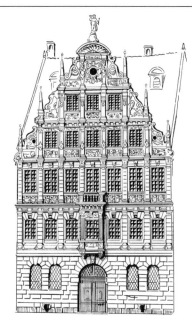

Köln, Rathausvorhalle, 1569–73, Vernucken. Zweigeschossig mit Kreuzrippengewölbe, untere Arkaden rund-, obere spitzbogig (Rücksicht auf das gotische Rathaus). Nach vorn verkröpfte Mittel- und Seitenachsen.

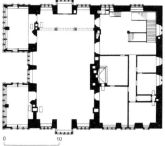

Paderborn, Rathaus. Obergeschoß nach der Restauration von 1726

Paderborn, Rathaus, 1612–16. Fensterbänder in Kernbau und Laubenerkern; typisch für »Weser-Renaissance« sind die derben Säulen unter Rustikabögen, Säulchen als Fensterrahmung, besonders aber das niederländisch-manieristische Schweifwerk.

Nürnberg, Pellerhaus, 1592, Wolff. Rustika-Pilaster an der Straße. Trotz schmalen Grundstücks reich gegliederte und dekorierte Hofanlage mit dreigeschossigen Arkadengängen, die in der Mitte der Hofseiten kanzelartig vorspringen. Schweifwerk-Giebel.

DEUTSCHLAND

Frührenaissance, 15. bis Mitte 16. Jh. Holzschneider, Kupferstecher und Maler adaptieren E. 15. Jh. das italienische Renaissance-Ornament. In Bildhintergründen erscheinen italienische Säulenstellungen.

– Um 1500 bauen italienische Baumeister im Auftrag deutscher und slawischer Fürsten und Städte in rein italienischem Stil (Augsburg, Fuggerhaus; Posen, Rathaus, 362*). Mehr als die weltläufigen Fürsten halten die konservativen Reichsstädte als Auftraggeber an heimischer Tradition fest und bleiben so stärker landschaftlich geprägt. Nur wenige deutsche Baumeister studieren in Italien. Die meisten lehnen sich naiv an oberitalienische (auch französische) Musterbücher, die treu kopiert werden.

– Das Giebelhaus bleibt während der gesamten Renaissance im städtischen Bau dominierend. Unsicherheit zeigt sich vor allem in der Lockerung des formellen Zusammenhangs der Bauglieder: die Dekoration einzelner Bauglieder wird bevorzugt (Portal, Erker, Giebel), so daß sie aus dem Gesamtorganismus herausfallen (vgl. Liebenstein, 232*).

– Niederrheinische Steinbauten zeigen Verwandtschaft mit den benachbarten Niederlanden, bilden aber auch italienische Motive klar aus (Köln, Rathausvorbau*)

– Backstein wird in Norddeutschland häufig mit hellem Haustein für Sims, Portal, Fensterrahmung gemischt (vgl. Niederlande).

– In Süddeutschland übernehmen Hausteinbauten am deutlichsten die italienische Steinmetzdekoration.

– Fachwerk spielt immer eine bedeutende Rolle in Deutschland, Frankreich, England, weniger in den Niederlanden. Franken, Schwaben und Niedersachsen sind seine deutschen Hochburgen (Höxter, 364*; auch Hildesheim, 357*, an der Schwelle zur Renaissance).

– Seine alte, gotische Konstruktion ändert sich nicht wesentlich, aber die Dekoration unterscheidet deutlicher tragende und füllende Bauglieder. Sie übernimmt Zahnschnitt, Eierstab, Volutenkonsolen, Grotesken, gestaltet Ständer als Pilaster und liebt kräftige Polychromierung.

Hochrenaissance, ab Mitte 16. Jh. Allgemeine Bemühung, den neuen Stil durch eigenwillige Ornamentik mit eigenem Bauempfinden zu verbinden (seit der Romantik »altdeutsch« genannt).

– Beschlag-, Roll- und Schweifwerk, Obelisk, Kartusche, Maskaron, später Knorpel- und Ohrmuschelwerk aus der Schule des Cornelis Floris (→ Floris-Stil) werden begierig aufgenommen und plastisch umgesetzt (Paderborn, Rathaus, 363*; Nürnberg, Pellerhaus, 363*).

– Säule auf hohem Sockel, geriefelt, im unteren Teil reich ornamentiert, im Oberteil balusterartig ausgebaucht (Baluster-, Kandelabersäule, 220*).

– Übertragung materialtypischer Formen in andere Materialien: Beschlagwerk (Imitation von Eisenband und -nagel) in Stein oder Holz; tempelartige Türbekrönung, klassisches Gebälk in Holz geschnitzt (Hildesheim, Ratsapotheke).

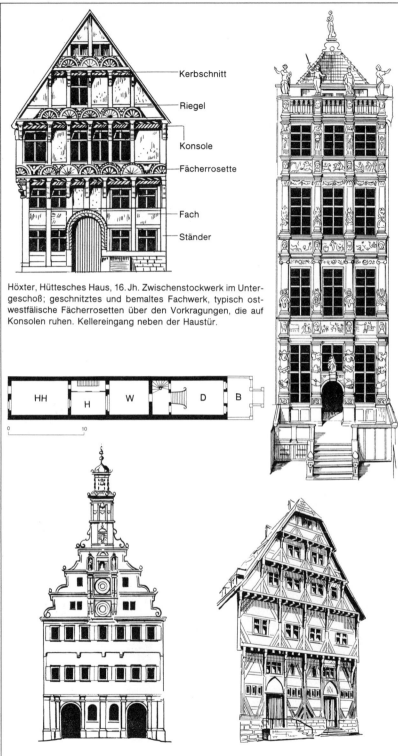

Höxter, Hüttesches Haus, 16. Jh. Zwischenstockwerk im Untergeschoß; geschnitztes und bemaltes Fachwerk, typisch ostwestfälische Fächerrosetten über den Vorkragungen, die auf Konsolen ruhen. Kellereingang neben der Haustür.

Labels on upper image: Kerbschnitt · Riegel · Konsole · Fächerrosette · Fach · Ständer

Floor plan labels: HH · H · W · D · B — scale 0 ... 10

Görlitz, Rathaus, 1537, W. Roßkopf. Der Schüler von B. Rieth (vgl. Kuttenberg, 184*; Prag, Wladislawsaal, 305*) häuft in diesem liebenswürdig-dekorativen, malerischen Treppenbau eine Überfülle von Renaissance-Ornamentik an, die norditalienische Einflüsse zeigt.

O re u. Mi: Danzig, Stephenshaus, E. 16. Jh. Pilastergliederung und Dachbalustrade, Beischlag in der gesamten Hausbreite. B Beischlag; H Hof; D Wohndiele; W Wohnzimmer; HH Hinterhaus mit Einfahrt von der Hintergasse her.
U: Eßlingen, Rathaus, um 1600, Schickhardt. Einem älteren Fachwerkbau (15. Jh.) wird eine steinerne Giebelfront mit astronom. Uhr und Glockentürmchen vorgelegt. Voluten-Knickgiebel, dessen 4 Simse die Waagerechte der unteren Fensterreihen fortführen. Re: Rückseite.

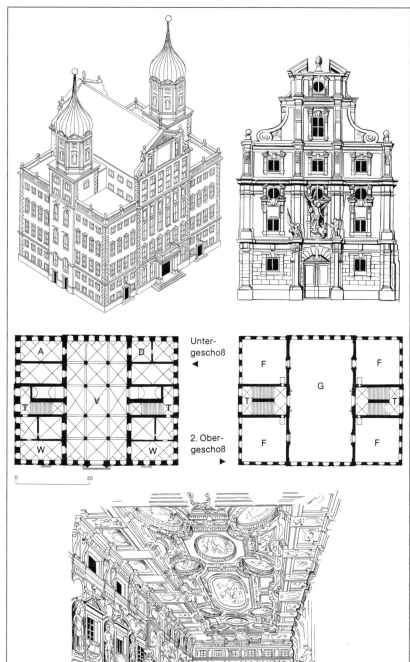

Untergeschoß ◄

2. Obergeschoß ►

0   20

Augsburg, Rathaus, 1615–23, E. Holl. Kubischer Baukörper mit überhöhtem Mittelteil, darin über 2 durchgehenden Hallen der »Goldene Saal« (Abb. u.) mit reichstem Kassetten- und Schnitzwerk. 2 Flankentürme als Treppenhäuser. Nüchternes Äußeres. V Vorhalle (»unteres Pfletsch«), Kreuzgewölbe, 8 rote Marmorpfeiler; T Treppen, steigende Tonnen, Podeste kreuzgewölbt; W Wachtraum; A Archiv; D Durchgang; G Goldener Saal, durch 2 Stockwerke reichend; F Festsäle (»Fürstenstuben«).

– Aus der Fassadenmitte versetzte, häufig prächtig verzierte Erker verstärken den manieristischen Zug zur Asymmetrie.
– Fassadenmalerei in Süddeutschland und der Schweiz hat ihren Ursprung in Norditalien.
– Eigenart zeigen die Danziger → Beischläge an den holländisch beeinflußten Bürgerhäusern, 364*; sie nehmen die ganze Hausbreite ein, deshalb Zufahrt von einer schmalen Hintergasse.
– Nord- und Mitteldeutschland überwinden selten die gotische Tradition der (Staffel-)Giebel, die auch großen Schaudächern als Zwerchgiebel vorgesetzt werden (Rathäuser in Bremen und Breslau).

◄

Augsburg, Zeughaus, 1602–07, E. Holl. Monumentale Fassade, vertikal und horizontal ausgeglichen. Gesprengter Volutengiebel. Pinienzapfen = Stadtsymbol. – Übergang zum Barock.

– In Franken und Schwaben trotz schmaler Grundstücke »italienische« Innenhöfe mit umlaufenden Galerien (Nürnberg, Pellerhaus, 363*). Rothenburgs als typisch deutsch geltende Architektur bleibt doch provinziell, ebenso wie die bemühte Fülle der Görlitzer Rathaustreppe, 364*.
– Gegen E. 16. Jh. größter Schmuckreichtum bei geringster Stileinheit.

Spätrenaissance, ab 1600. Immer mehr deutsche Baumeister bilden sich in Italien, vor allem an Palladio. Italiens Vorbild gewinnt neue, jetzt aber theoretisch fundierte Macht. Die von dort übernommenen Bau- und Schmuckteile werden derber, z. T. barock (Augsburg, Zeughaus*), die Konzeption ruhiger (Eßlingen, Rathaus, 364*). Das Augsburger Rathaus* atmet die Ruhe italienischer Palazzi, verzichtet aber auf Schmuck und Säulen. Seine Nüchternheit entspricht dem neuen Geschmack: Zwei frühere Entwürfe von E. Holl im Stil der venezianischen Hochrenaissance wurden vom Rat abgelehnt. In Augsburg beginnt und endet die deutsche Renaissance.

ENGLAND

Elizabethan und Jacobean style
1550–1625

England ist fast ohne Beziehung zum katholischen Italien; englische Adelige lernen auf ihren Bildungsreisen vorwiegend französische und flämische, seltener italienische zeitgenössische Architektur kennen. Eigenarten englischer Bauten des Elizabethan und Jacobean style:

– vorwiegend große Landhäuser mit funktionalen, typisch englischen Grundrissen (330 f.*)
– Vorbilder für Außenbau: französische Loire-Schlösser, flämischer Manierismus, italienische Renaissance
– Beibehaltung des (gotischen) Giebelhauses, der Asymmetrie, des großen, vielfältig senkrecht und waagerecht unterteilten Fensters (»mullioned window«)
– Fachwerk auf Steinsockel (»Halftimber«) ist beim Stadthaus besonders häufig. Enge Ständerstellung mit rautenförmigen oder gerundeten Streben

Chester, Stanley Palace, 1591. Frühelizabethanisches »Black + white«-Halbfachwerk, 7 Quergiebel, typische gerundete Verstrebungen und große, stark unterteilte Fenster.

Chester, Bishop Lloyd's House, um 1600, Jacobean style. Steinernes Erdgeschoß mit Läden. Darüber – typisch für Chester – Galerie mit Läden und rückwärtigen Wohnungen. Vorzügliche Zimmerarbeit, feines Schnitzwerk, große Fensterflächen mit Sprossenfenstern.

Shrewsbury, Old Market Hall, 1595. Schwerer, langgestreckter Steinbau mit Quaderverblendung. Das Untergeschoß bildet eine Markthalle, im N und S durch Arkaden aus Säulen und Rundbögen, an den Schmalseiten durch gemauerten Rundbogen geöffnet. Nordeingang für den Magistrat, Südeingang für das Publikum. Kreuzstockfenster im Obergeschoß, Innenaufteilung mehrfach verändert. Zinnenattika vor der Dachzone. Spitzgiebel mit Eckzier an Schmalseiten und Treppenrisaliten.

Rom, vornehme Wohnhausgruppe, 1727/28, Riguzzini. Die Konkavschwünge der Fassaden sind barocken Kirchen nachempfunden und bilden eine theatralische Rahmung des Platzes gegenüber St. Ignazio. – Darüber: Grundriß eines der 2 seitlichen Gebäudeteile.

Disco (Lecce)/Apulien, Haus des 18.Jhs. an der barocken Pfarrkirche (im Hintergrund). Das mediterrane Schema eines kubischen Baus mit Mitteleingang, das seit der Antike besteht, wird sparsam und sachlich dem späten Barock bzw. frühen Klassizismus angepaßt.

Untergeschoß   Zwischengeschoß

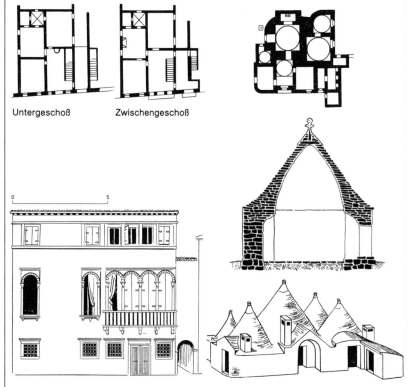

Venedig, Casa Torni, 18. Jh. Asymmetrische Fassade; gleichartige Fenster sind zu horizontalen Bändern gereiht und links durch große Freiflächen unterbrochen. – Darüber: Grundrisse von 2 Stockwerken eines ähnlichen venezianischen Gebäudes in San Vio.

Alberobello/Apulien, Trullo, 17.–19.Jh. Aus Steuergründen Wiederaufnahme der frühgeschichtlichen mörtellosen Bauweise; scheingewölbtes Kegeldach (wie bei den mykenischen Kuppelgräbern). Heute existieren noch über 1000 Trulli in Alberobello.

– im Grundriß an die Enge der Stadt und die gotische Tradition gebunden, spielt sich »Renaissance« vorwiegend ab in der Zufügung der manieristischen Ornamentik aus den Musterbüchern des Flamen Floris (→ Floris-Stil) und des Deutschen W. Dietterlin mit seiner skurrilen Phantastik (»Architectura«, Nürnberg 1591)

BAROCK

ITALIEN

Im 17. und 18. Jh. zeitigen Landflucht und als deren Folge Grundstücksverknappung in den Städten neue Wohnviertel mit mehrstöckigen Reihenhäusern. Bauherren sind Private und häufig auch religiöse Orden.

– Renaissance-Formen bleiben maßgebend, aber Zeitgeschmack und unregelmäßige Grundstücksmaße führen oft zu absonderlichen Gebäuden (Wohnhausgruppe bei St. Ignazio*)
– bürgerliche Großbauten sind im Innenausbau wie Paläste konzipiert, werden jedoch in 2 bis 4 Zimmer große Eigentumswohnungen aufgeteilt, die von zahlreichen Treppen erschlossen werden
– dennoch überwiegend bis Mitte 18. Jh. elende Wohnquartiere, auch hinter den schönen Fassaden breiter Straßen
– die Verbreitung von Baumusterbüchern fördert in der 2. Hälfte des 18. Jhs. vernünftigere Grundrisse. Eßzimmer, Küche, Salon sind getrennte Räume; Schlafzimmer im Obergeschoß
– eine Sonderform bilden die apulischen Trulli*, in denen die frühgeschichtliche Bauweise des mörtellosen Bauens mit scheingewölbten Kegeldächern aus Gründen der Besteuerung wieder auflebt

Gegen Ende des 18. Jhs. erscheint bis nach Süditalien ein Haustyp, dessen dezent spätbarocke Fassadenelemente sich mit dem mediterranen Haus-Kubus zusammen zu ausgesprochen häuslichem, frühklassizistischem Eindruck vereinen (Disco*).

FRANKREICH (Klassik)

17. Jh. Auch in Frankreich Übervölkerung der Städte; besonders in Paris entstehen neue Vororte für arm und reich. Die Bodenspekulation floriert.
– Der Königshof richtet sich bis in die 70er Jahre nach italien. Vorbildern
– beim Wohnhausbau werden die Regeln der italien. Spätrenaissance (Palladio) nüchtern an die eigenen Bedürfnisse (z. B. Heizung) und die finanziellen Möglichkeiten angepaßt
– hohes Dach mit zahlreichen großen Kaminen
– regelmäßige Verteilung der Fenster- und Bogenöffnungen. Dadurch entstehen allerdings innen unbequeme durchgehende Räume, deren Türen in einer Flucht liegen (»Enfilade«)
– Schmalhäuser: Vorderhaus mit seitlichem Korridor, Hof und Hinterhaus (369*)
– sparsame Anwendung antiker Ornamente
– Fassadengliederung durch Simse, Pilaster (Paris, Hôtel Lully*), lisenenartige Quaderfügung zwischen den Fenstern (Place des Vosges*), Rustikasockel
– großes Dach mit Gaupen oder ornamentierten Lukarnen

18. Jh. Praktische Grundrisse: Wegfall der Zimmerflucht; Zwischenstockwerke machen die Zimmer niedriger und besser heizbar
– weitere Spezialisierung der Räume eines Appartements; auch Bad und Garderobe
– barockes Dekor zeigt vor allem das Kunstgewerbe, das den gewaltigen Möbelfundus herstellt, der heute zu den wertvollsten Antiquitäten zählt, während die Fassaden klassisch bleiben, ja puristischer werden. Mansardendach und Attika, die oft auch nur als Eisengitter ausgebildet ist
– französische Architektur wird im 18. Jh. für Europa (besonders Belgien, Spanien) tonangebend

RUSSLAND

Nach der Bildung der russischen Staatseinheit und seiner wirtschaftlichen Blüte entstehen im 17. Jh. Ziegelhäuser nach den tradierten Plänen von Holzhäusern mit 2–4 Zimmern, die beidseits eines durchgehenden Mittelkorridors liegen. Das 1. Obergeschoß

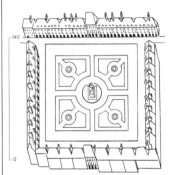

O li: Paris, Pal. Richelieu, Nr. 21, Place des Vosges.
Mi: Place des Vosges, älteste große Platzanlage von Paris, 1605–12 als Place Royale gebaut (Heinrich IV.). 1800 umbenannt. Geschlossene Anlage aus 36 Häusern, bis heute unverändert. Pavillon du Roi und Pavillon de la Reine in der Mitte der Nord- und Südseite. Laubengang. Darüber lisenenartige Quadern zwischen großen Fenstern. Hohes Gaupendach.

O: Paris, Maison le Ménestrels, 1670. Der Aufbau der Fassade stellt eine nüchterne Umformung der italienischen Renaissance dar, den Bedürfnissen des Nordens angepaßt (Kamine!). Sparsame Dekoration der Fensterverdachungen. Reiche Möbelausstattung.

Paris, Haus des Komponisten Lully, 1671, Gittard. Untergeschoß mit Rustika-Verblendung, darüber korinthische Pilaster in Kolossalordnung zwischen großen Fenstern mit Zierbalkonen. Glückliche Aufteilung der Flächen. Hohes Dach mit barocken und klassizist. Lukarnen.

Paris, Rue du Faubourg St-Denis, 1719. An der Grundstücksspekulation beteiligen sich auch die Orden (hier: Lazaristen). Einheitliche, nüchterne Fassaden mit spärlichem Schmuck im Stil Louis XIV. (Simsgehänge), aber komfortable, gesunde Eigentumswohnungen.

Erdgeschoß   1. Obergeschoß 0 _____ 10

Französischer Wohnhausentwurf für ein 6 m breites Haus, 1647, Le Muet. Grundriß vgl. Cluny, 351*, und Nürnberg, 363*. W Wohnzimmer; K Küche; Ko Korridor; H Hof; S Stall; G Garderobe; Gl Galerie. O: Straßen- und Hinterhausfassade.

Biala Podlaska bei Warschau, Westseite des Marktplatzes, 1777, M. Takimowicz. Beispiel spätbarocker Planung für eine Mittelstadt im Umkreis einer fürstlichen Residenz. Die beiden Gasthäuser an den Enden der Zeile sind im Erdgeschoß und am Quergiebel durch Pilaster gegliedert, alle Dreiecksgiebel tragen Rokoko-Vasen als Bekrönung. Der Mitteltrakt enthält Kaufmannswohnungen und -läden, deren Verkaufstische nach mittelalterlicher Tradition an der Straße liegen. Öfen stehen im Zentrum jedes Hauses.

wird – im Sinne der Beletage – zum festlichen Salon. Auch 3 Geschosse, Freitreppe und sogar eine hauseigene Kirche sind nicht selten. Der Grundriß ist quadratisch oder lang-rechteckig, wobei sich – anders als bei den westeuropäischen Giebelhäusern – die bis zu 30 m lange Traufenseite der Straße zukehrt.

Die Stadtplanung St. Petersburgs, seit 1712 Hauptstadt, bestimmt
- Verbot von Holzhäusern zugunsten der Ziegelbauweise
- Einsatz der besten Architekten für die Planung von typisierten Standardhäusern, je nach Vermögen für Handwerker, niedere, höhere Beamte, Reiche, Adlige (bis Mitte 19. Jh. üblich)
- Dachpfannen, Gipsdecken und gewölbtes Erdgeschoß als Brandschutz
- rationelle, bequeme Raumplanung, z. T. reiche Ausstattung nach westlichen Vorbildern, aber auch in stilistisch eigenständigem Geschmack
- Kachelöfen nach holländ. Vorbild
- geschlossene Fassadenreihen mit Barockdekoration nach westeuropäischem Muster, gelegentlich stark farbig.

POLEN

Giebelständige, schlichte Häuserzeilen mit Wageneinfahrt, 2–3 Räume tief, unbelichtete Küche in der Hausmitte, kennzeichnen die Armut des Landes im 17. und 18. Jh. Die Stadtplanung beschränkt sich auf fürstliche Residenzstädte (Biala Podlaska*).

NIEDERLANDE

Nach der oft pittoresken manieristischen Periode, die bis ins 17. Jh. reicht, steht das Amsterdamer Rathaus von 1648 am Anfang einer klassizistischen Epoche, in der das italienische Vorbild eigenständig umgedeutet wird (362*). Bei geringem Bedarf an Kommunalbauten steht das Kaufmannshaus im Vordergrund.
- Hohes Kellergeschoß als Lagerraum
- Fassade mit Voluten- oder Dreiecksgiebel, auch Knickgiebel
- weiße Lisenen oder Pilaster, oft in Kolossalordnung, gliedern die roten Backsteinmauern; Blumen-

Amsterdam, Häuserzeile, 17. Jh.

girlanden unter Fenstern (Mauritshuis*) oder an den Giebelrändern
(Amsterdam*)
- Voorhuis (Edam, 354*) wird zum
  Vestibül
- aufwendige Einrichtung (vgl. Inte-
  rieurs von Vermeer, de Hooch u. a.)
- starker Einfluß auf die südengli-
  sche Architektur der Restauration
  (vgl. 371*; Raynham Hall, 333*)

Der **flandrische Barock** ist üppig,
schwer, oft schwülstig. Die 29 Stapelfassaden der Gildehäuser an der
Grand' Place in Brüssel* zeigen gegen 1700 das ganze Arsenal manieristischen und barocken Dekors.

DEUTSCHLAND

Die alten Holzhäuser werden durch
Steinhäuserzeilen mit 3–4 Stockwerken und ausgebautem Mansardendach
ersetzt. Anders als in Frankreich stehen sie aber meist unabhängig nebeneinander, Stockwerke und Traufhöhen
sind unterschiedlich hoch.
- Das schmale Einfamilienhaus hat
  in der Beletage = 1. Obergeschoß
  die vornehmen Wohnräume und die
  Küche
- im Appartement-Haus wiederholen
  sich die Grundrisse der übereinan-
  derliegenden Wohnungen
- wie im Sakralbau ist der norddeutsche Wohnhaus-Barock (Lübeck*)
  kühler und nüchterner als der süddeutsche, dieser liebt im Spätbarock
  und Rokoko Fassaden von geringer
  Klassizität, die mit Bandel- und
  Laubwerk phantasievoll stuckiert
  oder mit »Lüftlmalerei« geschmückt
  sind (Wasserburg*)

Den Haag, Mauritshuis, 1633–44, v. Campen.
Backstein mit hellen ionischen Pilastern in Kolossalordnung, Dreiecksgiebel als Frontispiz
und Fensterverdachungen, Blumengirlanden,
flankierte Freitreppe.

Lübeck, Buddenbrook-Haus, Fassade von
1758. Gemäßigter norddeutscher Barock;
Knickgiebel mit Voluten, darauf Allegorien.
Große Stich- und Rundbogenfenster zwischen
kräftigen Simsen. Innenaufteilung verändert.

Brüssel, Grand' Place ▶

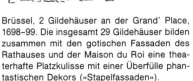

Brüssel, 2 Gildehäuser an der Grand' Place,
1698–99. Die insgesamt 29 Gildehäuser bilden
zusammen mit den gotischen Fassaden des
Rathauses und der Maison du Roi eine theaterhafte Platzkulisse mit einer Überfülle phantastischen Dekors (»Stapelfassaden«).

Wasserburg am Inn, Kernsches Haus, 1780,
Rokoko. Breiter Dachüberstand, Erker mit geschwungenen Dächern und trompenartigen
unteren Abschlüssen, Laubengang und bemalte Stuckdekoration geben dem massigen
Baukern die heitere süddeutsche Note.

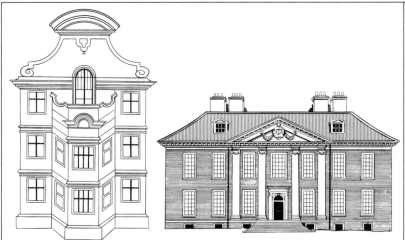

Holborn, London, Lady Cooke's House, nach niederländischem Vorbild; hier: J. Smythsons Zeichnung, 1619, begründet die Verbreitung des niederländischen »Holborn-Giebels«, besonders in Südengland.

O u. Mi: Eltham Lodge/Kent, 1664, H. May. »Niederländischer Palladianismus« (vgl. Mauritshuis, 370*). Rechteckbau, hohes Kellergeschoß. 2 Mittelportale führen zum Piano nobile, darüber Schlafräume.

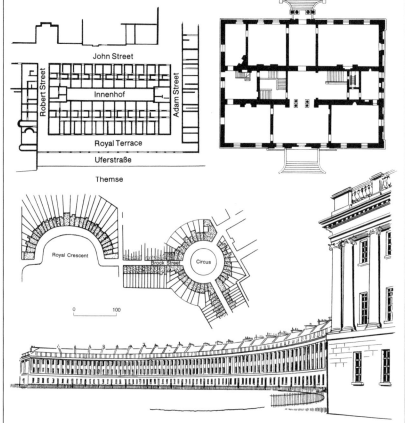

Mi li: London, Royal Terrace, 1768–74, gen. Adelphi (griech. = Brüder) nach den 3 Architekten-Brüdern Adam; nach diesen sind auch die Straßen benannt. Von Arkaden getragene Terrasse über dem Themse-Ufer, darauf 4geschossiges Gebäudecarrée. Der Zentralhof senkt sich bis zur Uferhöhe ab. 1937 zerstört. → Adam style.
U re: Bath, Circus, 1754 beg.; li und Perspektive: Royal Crescent, 1767–75, 30 Häuser mit 114 ionischen Säulen in Kolossalordnung. Beide von Vater und Sohn J. Wood. Vgl. 414*

ENGLAND (Palladianismus)

1. Phase: Inigo Jones (1573–1652) entdeckt auf Italienreisen Palladio und wird bis zur Jahrhundertmitte sein englischer Interpret beim Bau großer Adelshäuser. Er bewirkt damit eine große geschmackliche Wende in einer immer noch im wesentlichen gotischen Welt (vgl. 332*). Auch seine Nachfolger, Wren (1623–1732), Hawksmoore, Nash, Archer widmen sich vorwiegend dem Bau von Kirchen und großen Adelshäusern. Der kleinere Bürgerbau, aber auch etliche Landsitze lehnen sich indes – besonders in Südengland – in der Zeit Karls I. (1625–49) an den niederländischen Klassizismus an (vgl. 332*).
– Kombination von Backstein und Ziegel (Eltham Lodge*, vgl. mit Den Haag, Mauritshuis, 370*)
– klassischer Mittelteil der Fassade mit Säulen oder Pilastern, meist in Kolossalordnung mit Dreiecksgiebel
– typischer ist allerdings der »Holborngable«* = Giebel aus einem Segmentgiebel über 2 breiten Voluten. Er wird seit 1618 von John Smythson verbreitet und bezeichnet den Anfang niederländischen Einflusses (vgl. Raynham Hall, 333*). Die 2geschoss. Fensterbucht (»bay window«) der Abb. ist elizabethan. Ursprungs (vgl. Shrewsbury, 354*)
– Zeltdach mit breiten Dachtraufen, Dachgaupen, bei größeren Häusern Attika-Balustrade, die das Dach verdeckt, und Kuppellaterne in der Dachmitte (Carlton-House, 328*)
– komfortable Innenarchitektur
2. Phase: Neopalladianismus. Ihre Führer Burlington, Campbell, Gibbs, Kent bauen Landsitze im »Georgian style« (333*). Die bürgerliche Variante dieses Stils zeigt sich am markantesten in dem neuen Typ von Wohnhäusern, die zu einem einheitlichen Komplex gereiht sind, dem »Terrace house«. Im Rechteck um einen Platz gelagert wird es »Square«, halbmondförmig gebogen »Crescent«, kreisrund »Circus« genannt. Gleichförmige Reihung klassischer Motive (Säule, Pilaster, Dreiecksgiebel, Fensterverdachung, Arkadenlaube) verleiht ihnen Einheit. Die berühmtesten werden von den beiden John Wood (Vater, 1704–54, und Sohn, 1728–81) in Bath* gebaut, aber auch London* und Edinburgh zeigen bedeutende Beispiele (bis 1830).

KLASSIZISMUS

Wohn- und Kommunalbauten

Paris, Barrière St-Martin, 1784–89, Ledoux. Kubus, Quader und Zylinder durchdringen einander. Flache Giebelportikus mit schweren Säulen bilden die Seitenmitten; den zylindrischen Oberbau umgeben Arkaden mit Doppelsäulenstellungen.

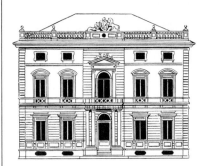

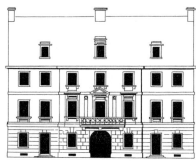

Der Louis XVI-Stil (in Deutschland »Zopfstil«) vereinfacht zwar das Rokoko, ist aber noch eine sehr frühe Form des Klassizismus und wirkt – unter englischen Einflüssen – vorwiegend auf die Innendekoration. Vgl. 322 f.*, 327.

Der »archäologische« Klassizismus der Mitte des 18. Jhs. (Winckelmann, Ausgrabungen Pompeji, Beginn der Ägyptologie) ist die Gegenbewegung zu Vorromantik und höfischem Rokoko. Im Rationalismus der Aufklärung sind seine geistigen Wurzeln.

Die Französische Revolution von 1789 sieht in den altrömischen Bürgertugenden die Heilung von der Frivolität des »ancien régime« und erklärt die römische Antike zum Vorbild ihrer Architektur. Der »archäologische« wandelt sich so zum »revolutionären« oder »romantischen« Klassizismus. C.-N. Ledoux, 1736–1806, entwickelt schon in den siebziger und achtziger Jahren Gebäude im Sinne des Postulats »L'architecture doit se régénérer par la géométrie«, das 1793 vor dem Konvent aufgestellt wird: städtische Monumentalbauten (Besançon, Theater, 1775–84; Chaux, Salinentor, 1774; Paris, Barrière St-Martin*) und ideale Stadtplanungen. L.-E. Boullée, 1728–99, verwendet kompromißlos Kubus, Kugel, Zylinder, Pyramide in manchmal utopischen megalomanen Plänen (Kenotaph für Newton, 1784).

Der private Wohnungsbau wird davon wenig berührt. Mit geringen nationalen Abweichungen verbreitet sich ein we-

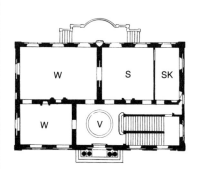

Ital. Modell für Einfamilienhaus, 19. Jh. (Paravia, »Manuale des Baumeisters«). Eklektizistische Fassade, dem mittleren Bürgertum angepaßte Großzügigkeit: im Piano nobile V Vestibül mit Treppenhaus; W Wohnzimmer; S Speisezimmer; SK Speisekammer, darüber 3 Schlafzimmer, aber nur eine Toilette.

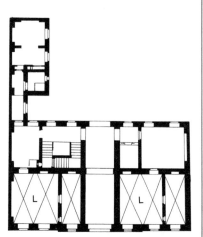

Warschau, Wohnhaus, um 1800, B. Zug. Der Klassizismus gelangt in den Städten Europas nur selten in reiner Form bis zum einfachen Bürgerhaus. Meist reicht es nur zu einem eklektizistischen Stilmisch wie bei diesem Wohnhaus mit 2 L Läden und dahinterliegenden Wohnungen.

Haarlem, vornehmes Wohnhaus, 1794, Salon. Stuckierte Palmettenbordüre und kannelierte ion. Pilaster, pompejan. Erotengruppen auf schwarzem Grund in den Lünetten der Sopraporten, strenge Feldaufteilung der Türen und Empire-Möbel ergeben eine noble niederländisch-englisch-französische Stilmischung.

Basel, Christsches Gut, um 1810. Die kühl komponierten Flächen, die Pilaster und der Girlandenfries, Kamin mit Stutzuhr und Spiegel bezeugen den Geschmack des frz. Empire. Die gußeisernen Figurenreliefs in den Sopraporten sind bereits fabrikmäßig hergestellt und weit verbreitet.

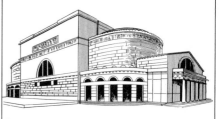

Berlin, Schauspielhaus, 1818–21, Schinkel. Dem kubischen Baugefüge mit antiken Giebeldächern ist ein ionischer Tempelportikus vorgelagert. Durch Pfeiler unterteilte Fensterbänder geben dem Bau Strenge, die von sparsamer Plastik gelockert wird.

Berlin, Neue Wache, 1816–18, Schinkel. Schlichter Kubus mit 4 Eckpylonen, Sockel- und Kranzgesims, darüber eine niedrige Attika. Der griech.-dor. Portikus mit skulptiertem Tympanon wird außen von 6, innen von 4 Säulen zwischen 2 Anten getragen.

Berlin, Nationaltheater, 1800, F. Gilly. Der unausgeführte Entwurf verarbeitet Pariser Theaterbauten, vor allem aber die geometrisch-»kubistische« Formensprache der französischen Revolutionsarchitektur in souveräner Weise.

Paris, Rue des Colonnes, 1797, B. Poyet. Die Revolution von 1789 konnte zwar das ancien régime, aber nicht dessen Hinwendung zur Antike vertreiben, deren Bürgertugend zum Ideal des revolutionären Bürgertums erkoren worden ist. Von keiner Institution gemäßigt, kann die Verwaltung Baupläne vorschreiben, die großgriechisch-dorische Säulen und Eckpfeiler mit ägyptisierendem Dekor vermischen. Die Fassaden sind nüchtern, ohne Schmuck. Die gedrückten Arkadengänge finden sich später in napoleonischen Straßenzügen wieder (Rue de Rivoli).

niger trockener, dafür komfortablerer Eklektizismus über ganz Europa (Warschau, Italien 372*). Wo der neue Stil in Frankreich behördlich angeordnet wird, gerät er zwischen 1790 und der Wiedereinrichtung der »École des Beaux-Arts«, 1806, zum unkontrollierten Eklektizismus der »Revolutionsarchitektur« (Paris, Rue des Colonnes*). Dennoch entstehen mehr oder weniger reine klassizistische Lösungen am ehesten in Kommunalbauten und aus großräumigen Stadtplanungen. Napoleons cäsarischer Legitimationsanspruch adaptiert den Klassizismus als offizielle Staatskunst in Frankreich (Paris, Arc du Carousel, 324*, und Arc de Triomphe → Triumphbogen*, beide 1806 beg.) und in Italien (Mailand, Forum Bonaparte, 1806 beg., unvollendet; Neapel, Oper, 1809). Papst Pius VII. läßt die Piazza del Popolo, 402*, und den »Braccio Nuovo« (1817) im Vatikan (fertig-)bauen. In Padua entsteht das berühmte »Caffé Pedrocchi«.

Preußens Klassizismus repräsentieren K. G. Langhans, 1732–1808 (Brandenburger Tor, 1789), F. Gilly, 1772–1800 (Entwurf für das Denkmal Friedrichs d. Gr., 1796, und für das Berliner Nationaltheater*), H. Gentz (Münze, 1798–1800), K.-F. Schinkel, 1781–1841 (Neue Wache*, Schauspielhaus* mit »modernen« Anklängen in den Achsendurchdringungen der kubischen Baukörper und den doppelten Fensterreihen). F. Weinbrenner, 1766–1826, plant eine großartige Erweiterung für

Fortsetzung Seite 376

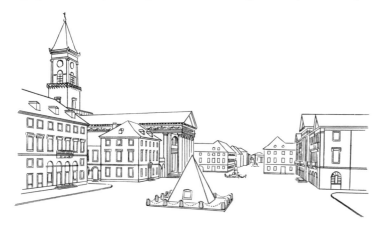

Karlsruhe, Marktplatz, beg. 1803, Weinbrenner. Was Schinkel für Berlin und Klenze für München sind, ist Weinbrenner für den badischen Raum. Links evangelische Stadtkirche, 1807–16, flachgedeckte Emporenhalle, davor ein korinthischer Säulenportikus, zu beiden Seiten Höfe mit profanen Flügelbauten; rechts Rathaus, 1805–25, ebenfalls um 2 Innenhöfe gruppierte Anlage, deren Mittelrisalit und Turm Gegengewichte für Portikus und Turm der gegenüberliegenden evangelischen Stadtkirche bilden; vorn Grabpyramide des Markgrafen Karl-Wilhelm, die ein Wahrzeichen der Stadt geworden ist.

HISTORISMUS, EKLEKTIZISMUS
Wohn- und Kommunalbauten

Bielefeld, Rathaus, 1901 beg.; Neurenaissance, ursprünglich von einer verkleinerten Nachbildung des Hermannsdenkmals bekrönt.

Brüssel, Justizpalast, 1866–88, J. Poelaert. Eckrisalit, Mittelportal und Kuppel. Der riesige Gebäudekomplex ist eines der wichtigsten Beispiele des Neubarock. Schwere Elemente des Barock in übersteigerten Formen und Dimensionen türmen sich pyramidenartig übereinander und gipfeln in einem massigen zentralen Turm mit Kuppel. Auf einem großen Platz stehend, mit gewaltigem, hohem Unterbau versehen und überdies auf einem Hügel gebaut, überragt seine Silhouette die Stadt.

Englands Vor- oder Präromantik beginnt Mitte des 18. Jhs. und ist vorwiegend literarisch und mit dem deutschen und schweizerischen Sturm und Drang ebenso verwandt wie mit Rousseaus »Zurück zur Natur«. Das neue Naturgefühl findet architektonischen Ausdruck im Landschaftsgarten, der sich als »Englischer Garten« in Europa verbreitet. Die englische Gotik, die nie ganz verschwindet (»Survival«), bringt schon im 18. Jh. vereinzelt »Neogothic«-Landhäuser hervor (Strawberry Hill, 1748–77, Sir Horace Walpole) und setzt sich über die Viktorianische Epoche bis ins 20. Jh. in zahlreichen »Gothic Revivals« fort. Dem neugotischen Parlamentsgebäude, London, 1855 beg., folgen zahlreiche andere öffentliche Gebäude in Europa (Rathäuser München, 1867, Wien, 1872; Parlament Budapest, 1855). Öffentliche und private Gebäude zeigen dabei oft erheblichen dekorativen Aufwand und konsequente Inneneinrichtung (Neugotisches Zimmer*). Im 19. Jh. bauen Nash (Cronkhill, 1802) und Barry (London, Traveller's Club, 1829; Reform Club, 1837) erste Häuser im italienischen Stil, bevor dieser zwischen 1860 und 1870 in Mode kommt.

Neugotisches Zimmer der viktorianischen Epoche. Aus einer Streitschrift von A. W. Pugin, 1841, der die Gotik zur christlichen Architektur schlechthin erklärt, deshalb zum Katholizismus übertritt und die Profanierung gotischer Formen bekämpft: »Ein Mensch, der ohne Schaden aus einem modernen gotischen Zimmer herauskommt, soll sich glücklich preisen.« – Der Historismus kennt auch Zimmereinrichtungen in romanischem, ägyptischem, etruskischem, griechischem, römischem Stil.

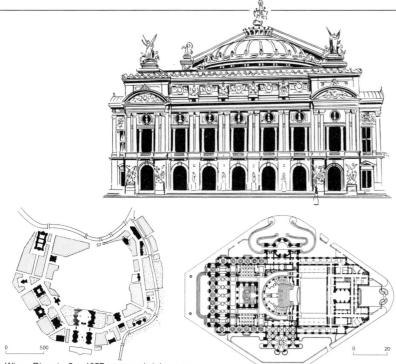

Wien, Ringstraße, 1857 ausgeschrieben, monumentale, gewollt historisierende Architektursynthese öffentlicher Gebäude (schwarz), u.a. gotische Kathedrale (273*), barocker Palast (Hofburg), gotisches Rathaus, antikisches Parlament, Renaissance-Oper. – Ausführlicher 416*

Paris, Opernhaus, 1861–74, Ch. Garnier, im Zuge der Sanierung und Neugestaltung der Stadt durch Napoleon III. und seinen »schöpferischen Mitarbeiter« G. E. Haussmann gebaut. Italienische und französische Renaissance-Paläste werden zu barocker Schwere umgedeutet. Über den Eingangsarkaden erheben sich Doppelsäulen in Kolossalordnung, Attika und Kuppel (Eisenkonstruktion). Einem hufeisenförmigen Auditorium sind ein opulentes Foyer, Vestibül und das berühmte Marmor-Treppenhaus* vorgelegt.

In **Frankreich** beginnt nach 1830 die Nachahmung der eigenen Renaissance (Paris, Hôtel de Ville). – Die Konservatorenarbeit des Viollet-le-Duc, 1814–79, kommt nicht ohne phantasievolle Neuschöpfungen im historisierenden Sinne aus, wo die Zerstörung zu weit fortgeschritten ist (Carcassonne, 304*). Andererseits erkennt er als erster die Übereinstimmung der statischen Wirkung des gotischen Strebewerks und der modernen Eisenskelettkonstruktion und schlägt z.B. eiserne Gewölberippen vor.

Der pompöse Neubarock beginnt im Frankreich Napoleons III., 1852–70. Er kulminiert in der Pariser Oper* und im Brüsseler Justizpalast, 374*.

Die Neurenaissance beginnt in **Deutschland** mit L. v. Klenzes Palais Leuchtenberg, 1816, und Residenz, 1826, beide München. F. v. Gärtners Feldherrnhalle entsteht 1841–44 nach Florenz, Loggia dei Lanzi. Nach dem Krieg 1870/71 findet das vaterländische Bewußtsein zur sog. »Deutschen Renaissance« zurück, worunter vorwiegend deren manieristische Phase verstanden wird (Bielefeld, Rathaus, 374*). Durch französische Reparationsleistungen nach dem Sieg von 1871 und durch zahlreiche florierende Firmengründungen wächst der Neureichtum, der den »Gründerstil«, die deutsche Variante des Neubarock, hervorbringt (Berlin, Reichstagsgebäude, 1884–94, Wallot; zahlr. Bankgebäude).

Bei der Wahl der Stile wird diesen gern eine moralisch-assoziative Bedeutung beigemessen, z.B. Romanik = Justiz; Gotik = Rathaus, Schule; Antike = Verwaltung, Parlament; venezianisch = Handel (vgl. Wien, Ringstraße*).

Geringere Entfaltung läßt eine großherzogliche Verfügung für Neubauten in Baden-Baden zu: Sie legt 30% der Bausumme für die Fassadengestaltung fest und bestimmt als Vorbild den (eklektizistischen) Bahnhof der Stadt.

Eigenständige Leistung bringt der Baumeister des Historismus ein, wenn er »die alten Stile den neuzeitlichen Bedürfnissen seines Bauobjekts anverwandelt« (Hauberrisser über sein neugotisches Münchner Rathaus).

Fortsetzung von Seite 373

Karlsruhe und baut u. v. a. den Markt-platz, 373*; L. v. Klenze, 1784–1864, gestaltet in 5 Jahrzehnten München neu: 30 Bauten für Ludwig I., neue Straßenzüge, Museen (Glyptothek), aber auch die Parthenon-Kopie der »Walhalla« bei Donaustauf, 1831 beg., – mit eisernem Dachstuhl.

G. F. Laves, 1788–1864, prägt das Stadtbild Hannovers (Leineschloß, 1817; Oper, 1843).

G. Semper, 1803–79, Kritiker des Hi-storismus, baut in Dresden (Oper, 1834 und nochmals nach Brand 1868), Zü-rich und Wien.

Athen wird zwischen 1832 und 1862 (Otto v. Wittelsbach = griech. König) von Klenze, Gärtner und den Dänen H. C. und T. E. Hansen klassizistisch neugestaltet.

Bedeutende Beispiele des Klassizis-mus entstehen auch in St. Petersburg durch italienische, französische und russische Baumeister (329*).

Finnland leistet mit dem gebürtigen Berliner C. L. Engel, 1787–1840, Däne-mark mit C. F. Hansen, 1756–1845, in Zusammenarbeit mit dem Bildhauer Thorvaldsen Hervorragendes (Kopen-hagen, 264*).

Die Niederlande nehmen französische, vor allem englische Stilformen auf. Ihre bürgerlich-luxuriösen Häuser und Wohnungen üben fast keinen interna-tionalen Einfluß mehr aus (Haarlem, 372*).

Über Stadtplanung und Achsenbildung 267* und 405*

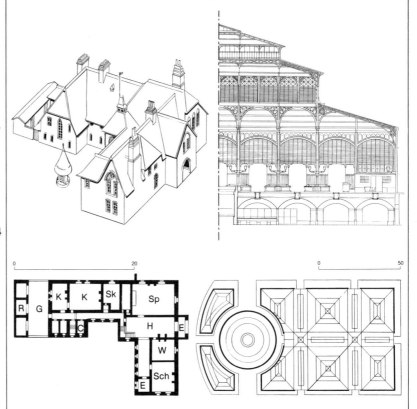

Bexley Heath/Kent, Red House, 1859, Webb, für W. Morris. Roter Backstein und Strohdek-kung als bewußter Kontrast zum ital. Villenstil. E Eingang; Sch Schlaf-; W Warte-; Sp Speise-raum; H Halle; Sk Speisekammer; C WC; K Kü-che; G Küchengarten; R Remise. Kein Bad.

Paris, Les Halles Centrales, 1851–59, Baltard, sind der runden Kornhalle von 1811, der späte-ren Börse (Ballangé), vorgebaut. Sie weisen auf die außerordentlichen Möglichkeiten des Eisenskelettbaus für die Industrie hin. Aufriß der Eisenkonstruktion und Grundriß.

Manchester, Baumwollfabrik in der Union Street, 1830. Die Industrialisierung im England der 1. H. d. 19. Jhs. fördert einen Fabrikbaustil, der äußerst sachliche, kubische Formen aufweist, die auf Bauten des 20. Jhs. hindeuten. In anderen Städten dagegen sehen die Schauseiten von Textilfabriken der spätviktorianischen Zeit wie neugotische Paläste aus (Nottingham).

VOM HISTORISMUS ZUM EISENSKELETTBAU

Politische, gesellschaftliche und technische Wandlungen im 19. Jh. und ihre Folgen für die Architektur:

1. Industrielle Revolution – in England seit 2. H. 18. Jh., Kontinent seit 19. Jh. – und Welthandel verlangen funktionale Bauten: Fabrik, verkehrstechnische Anlagen wie Brücke, Tunnel, Eisenbahn, Bahnhof, Schiff, Dock, Hafen, Kran.

2. Soziale Problematik, Landflucht, Arbeiterfrage fordern Stadtplanung, Massenwohnungs- und Verwaltungsbau.

3. Wechsel der Kulturträger. Fürst und Kirche als Mäzene werden abgelöst von Staat, Stadt, Industrie- und Wirtschaftsmagnaten. Konkurrenz der Nationalstaaten. Bedarf: Parlamentsgebäude, Verwaltung, Museum, Universität, Denkmal, Villa, Weltausstellung.

4. Neue Materialien: Eisen, Glas, später Beton.

5. Neue Techniken: Stahlguß, Eisenskelettbau, Vervollkommnung der baustatischen Berechnung führen zu vorgefertigten Bauelementen, Glas-Rasterflächen.

6. Ingenieur- und Architektenberuf werden getrennt, manifestiert durch entsprechende Schulgründungen.
Für Ingenieure: Society of Engineers, London, 1793, und École Polytechnique, Paris, 1794;
für die staatliche Pflege der Architektur: École des Beaux-Arts, Paris, 1806.

0 ___ 100

0 ___ 20

London, Kristallpalast, 1851, Paxton. Vom Erbauer, einem Gärtner, wie ein riesiges Treibhaus für die Weltausstellung konzipiert (540 × 140 m!) und in 9 Monaten aus vorgefertigten Eisenskelettteilen von 1,2 m Länge montiert, die in Holzriegel eingesetzt sind.

Brüssel, Maison du Peuple, 1896–99, Horta. Die geschwungene Fassade aus Glas und Eisen, die große Halle mit eiserner Konstruktion und Dekoration, bes. aber die freie Grundrißgestaltung weisen über den Jugendstil hinaus ins 20. Jh. Schnitt und Obergeschoß–Grundriß.

◄ London, Tower Bridge, 1866–94, J. Wolfe-Barry und Horace Jones. Klappbrücke mit »Upper walkway«. Die gußeisernen Pylonen werden von viktorianisch-neugotischen Türmen kaschiert.

◄ Hamburg, Straßenbrücke über die Norderelbe, 1884–88, F. A. Meyer, W. Hauers und Pieper. Die neugotischen Brückenköpfe bilden zusammen mit der Gußstahlkonstruktion der Brücke eine Synthese aus der historischen Architektur und der Ingenieurbaukunst. Die historistischen Formen sind als symbolhafte Überhöhung der reinen Funktion gedacht.

19. JAHRHUNDERT ARBEITERWOHNUNG

Der Bau von Arbeiterwohnungen versucht folgende Aufgaben zu lösen:

– gesunde Lage, freier Zutritt von Licht und Luft, gutes Wasser, Abfallbeseitigung
– abgeschlossene Wohnungen mit eigener Toilette

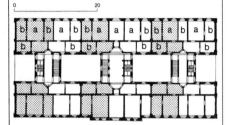

– ausreichender, zugleich billiger Wohnraum. Für ländliche Verhältnisse: Küche, Wohn-, Schlafzimmer, 1–2 Dachkammern, Keller, Bodenraum, Stall. – In Städten wie Berlin und Frankfurt drückt der Mietpreis die Wohnfläche häufig auf Stube und Küche zurück. Größere Wohnungen sind oft nur durch Schlafstellenvermietung zu halten. Läden im Erdgeschoß sollen den Mietertrag des Hauses zugunsten der Wohnungen erhöhen
– Rücksicht auf landschaftliche Gepflogenheiten: Küche wird z. B. im Ruhrgebiet als Wohnraum benutzt und muß deshalb größer sein; der dunkle Alkoven des niederländischen 4-Familien-Modells (Delfter 4-Familien-Haus, 379*) kann sich schon im benachbarten Westdeutschland nicht durchsetzen
– größere Wohnungen in den ersten Geschossen sollen den großen Stadthäusern »den ausschließlichen Charakter einer Arbeiterkaserne nehmen«.

Als ideale (»opulente«) großstädtische Lösungen gelten Anlagen wie in Leipzig-Lindenau* und Dresden*: große Höfe als zweckmäßige Gartenanlage mit Spiel- und Trockenplatz, Brunnen, Kinderhort, Waschhaus, bepflanzte Straße.

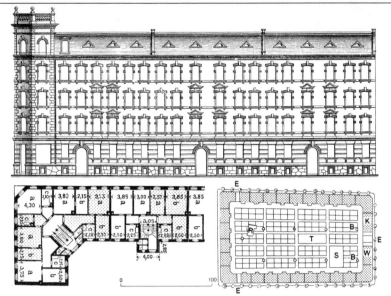

Leipzig-Lindenau, Miethäuser mit billigen Wohnungen für Werksangehörige des Bibliographischen Instituts, 3. Viertel 19. Jh. Rechteckige Anlage mit Ecktürmen und eklektizistischem Dekor. 2- und 3-Zimmer-Wohnungen mit kleinen Räumen; Toilette auf halber Treppe. Gärten, T Trocken- und S Spielplatz, B Brunnen im Innenhof. a Stube; b Kammer; c Küche; K Kinderhort; W Waschhäuser; R Rollhaus = Kaltmangel; E Einfahrt.
Li: Dresden, Häuser des Gemeinnützigen Bauvereins, 3. Viertel 19. Jh. Treppen und Toiletten in den Spangen zwischen den Höfen. (Nach Meyers Konversationslexikon, 1893.)

Lenton/Nottinghamshire. Typische engl. Reihenhäuser (»Terrace«) für Arbeiter, paarweise symmetrisch. Fensterbucht-Vorbau (»bay window«) an der Straßenseite. Anbauten im Hof: K Küche mit Kamin für den gemauerten Waschofen, T Toilette, Ko Kohlenraum. W Wohnzimmer, E Eßzimmer, S Speisekammer (»pantry«); Schlafzimmer im Obergeschoß. – Grundriß li u.: Treppenhaus in einem Korridor hinter der Haustür; Toiletten und Kohlenräume als zusammenhängende Schuppenreihe hinter dem Hof. (Nach Don Gibson, Broxtowe)

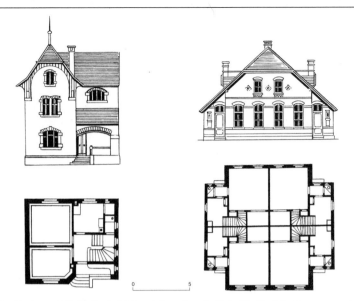

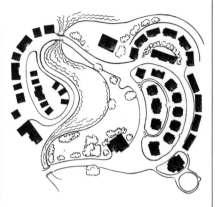

Li: Einfamilienhaus, 2. H. 19. Jh., freistehend, 2geschossig. Beischlagähnliche Terrasse an der Haustür, Stichbogenfenster und Schmuckgiebel. 2 Zimmer und Küche im Erdgeschoß (Grundriß); 3 Zimmer im Obergeschoß.
Re: Delft, Agnetapark, um 1870, Lageplan. Die Villa des Stifters van Marken liegt inmitten der Siedlung, die von Wasserläufen umgeben ist. – Mi: Vierfamilienhaus im Agnetapark, Delft. Die Wohnungen sind vertikal getrennt, haben eigene Eingänge. Die 4 kleinen Räume zwischen den Treppen sind Alkoven mit sog. »anderthalbschläfigen« = 1,20 m breiten Betten.

Abb. Dresden, 378* zeigt die Gruppierung der Wohnungen um Hinterhöfe. Arbeiterwohnungen finden sich auch im Keller- oder Mansardengeschoß reicher Häuser: Paris*.

Die Fassaden sind meist eklektizistisch gestaltet.

Weit häufiger als das freistehende Einfamilienhaus* sind auf dem Land und in den Vororten der Städte das Zwei- oder Vierfamilienhaus* mit vertikaler oder horizontaler Wohnungstrennung. Ein-, Zwei-, Vier-, Acht- und Mehrfamilienhäuser bilden meist geschlossene Häuserzeilen (Lenton, 378*).

Siedlungen sind gegen 1900 und später häufiger, besonders für Bergarbeiter. Selten erreichen sie den Standard der Agnetapark-Siedlung in Delft*. Die Kruppschen Kolonien bei Essen beherbergen 1891 25 800 Familien. Vgl. 338 f.

Selten gelingt es Arbeitern, in ein städtisches Miethaus für gehobene Ansprüche einzuziehen (Paris*), es sei denn als Hausmeister o. ä. oder zum mietzinsfreien oder -begünstigten »Trockenwohnen« eines Neubaus.

Li: Menaggio am Comer See, 19. Jh. Ein Haustyp, der sich über ganz Italien verbreitet hat. Laden im Gewölbe des Untergeschosses; Außentreppe und Balkon, z. T. bis zum Fußboden reichende Fenster.
Re: Paris, eklektizist. Haus im Madeleine-Viertel, A. 19. Jh. auf Anordnung Napoleons I. beg., von daher die strenge Ordnung der Fenster; Balkons mit röm. Volutenkonsolen zwischen Pilastergliederung. Flachbogen über Portal = Frührenaissance; Fensterumrandung = Louis XVI.

JUGENDSTIL

Wohn- und Kommunalbauten

Einen Ausweg aus dem Historismus des 19. Jhs. sehen Webb (Red House, 376*), Shaw (Leyswood) und andere Architekten ihrer Generation in sehr persönlich gestalteten und funktional gerichteten Häusern im Stil der Zeit vor der Renaissance. Ihre Landhäuser wirken – besonders im Vergleich zum viktorianischen Schwulst – eher gewachsen als konstruiert und trotz gotischer Reminiszenzen zeitlos.

Red House wird für William Morris, 1834–96, gebaut. Statt mit unbefriedigender Handelsware gestalten er und seine Freunde die Inneneinrichtung nach eigenen Entwürfen. Aus diesen Anfängen entwickelt sich die Firma Morris, Marshall, Faulkner & Cie., deren Erzeugnisse den Beginn des Jugendstils markieren. Dieser versucht eine neue Einheit von Baukunst, Malerei, Plastik, Kunstgewerbe im Sinne eines Gesamtkunstwerks herzustellen. Deshalb Rückkehr von der Spezialisierung des 19. Jhs. (vgl. 377,6) zur ganzheitlichen Gestaltung von Architektur, Einrichtung und Dekor aus einer Hand. Der Belgier van de Velde, der Spanier Gaudí und der Italiener Michelazzi u. v. a. gestalten Häuser samt Einrichtung bis zum Eßbesteck. Solche unikaten[1] Wohnsets sind zu teuer, ihr Geschmack zu esoterisch, ihre weltanschaulich-erzieherische Absicht zu unverständlich für die Breite des Volkes. Der Anspruch, alle Bereiche der Kultur zu durchdringen und zu reformieren, bleibt deshalb unerfüllt und wird nur im Kunstgewerbe populär. Schlichtere Wohnbauten vermischen gern sanfte Giebelschwünge, Erkertürmchen und andere historisierende Elemente mit farbigen Glasfenstern und Jugendstildekor (Gütersloh, 381*). Großstädtische vielstöckige Miethäuser zu Beginn des 20. Jhs. überfüllen ihre Fassaden oft mit Jugendstilelementen in Gründerstil-Manier.

[1] Die unbegrenzt reproduzierbaren Entwürfe für Gebrauchsgegenstände und Möbel von van de Velde tendieren stark zur Neuen Sachlichkeit.

Merkmale des Jugendstils:
– wellig fließende Linien und Formen nach dem Vorbild organischer Pflanzen (Wasserpflanzen, Magnolie, Li-

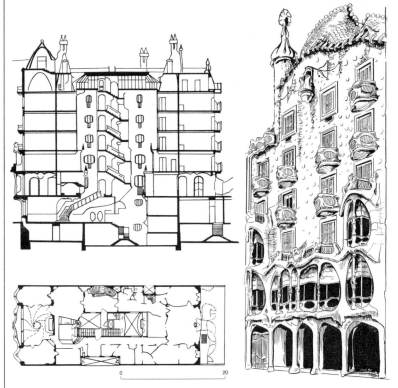

Barcelona, Casa Batlló, 1902–07, A. Gaudí. Kein Neubau, sondern Umbau eines schon bestehenden Hauses. Die Fassade und das Dach sind als Skulptur aufgefaßt, die inneren Trennwände bilden zumeist kurvige Linien, die durch Farben vereinheitlicht und auf einander bezogen werden. Auch Treppenstufen, Geländer, Tür, Türgriffe usw. sind in den Gesamtbau integrierte individuelle Kunstwerke.

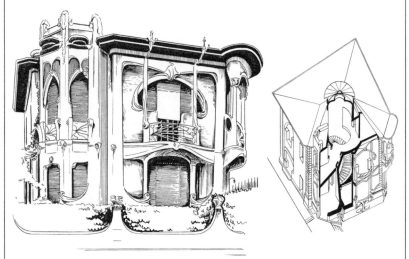

Florenz, Haus des Schneiders Caraceni, um 1900, G. Michelazzi. Anregungen von Horta und Guimard werden in glücklicher Weise verarbeitet. Sensible Feinheit des Fassadendekors. Die Idee einer inneren Wendeltreppe stellt einen Wandel in der herkömmlichen Hauskonzeption dar und zwingt jeden Raum zu individueller Form.

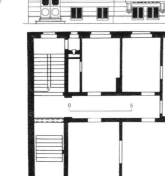

O: Nancy, Eingang des Hauses Huot, 1903, E. André, eines der schönsten Beispiele der »École de Nancy«. – U: Paris, Metro-Eingang, Detail, 1899–1904, H. Guimard, barocker als seine »Gesamtkunstwerk«-Häuser.

Gütersloh/Westfalen, Bürgerhaus, 1902. Jugendstil-Elemente in Eckfenstern, Haustür, Balkon und floraler Ornamentik sind mit landschaftsbedingten historisierenden Adaptationen gemischt (Weserrenaissance, Barock).

lie), auch Schwan, Kranich, Flamme, wehendes Haar usw., schattenlos als Graphik für Buch, Tapete, Stoff, plastisch bei der Durchformung von Fassade, Innenraum und Möbeln
– Formen aus früheren Stilen (Gotik!) werden auf ursprüngliche, »gewachsene« Linien zurückgeführt
– (Sitz-)Möbel werden den organischen Bewegungsfunktionen des menschlichen Körpers angepaßt

Hauptzentren des Jugendstils:

England (Modern style, Liberty): Die Arts and Crafts-Bewegung folgt der Kunsttheorie von W. Morris. Hauptvertreter: A. H. Mackmurdo, 1851–1942; C. F. A. Voysey, 1887–1941; C. R. Ashbee, 1851–1942; W. R. Lethaby, 1857–1931. – Der Schotte C. R. Mackintosh, 1868–1928, verwirklicht als Baumeister und Innenarchitekt die Welt um Oscar Wilde, den Protest gegen den viktorianischen Konformismus: Möbel als integraler Bestandteil des Raumes, Bevorzugung der Vertikale, wieder verfestigte rechteckige Formen, sanfte Farben in rein weißem Rahmenwerk.

Belgien (Art nouveau): Paul Hankar, 1861–1901, baut 1897 das berühmte Haus Rue Delfacque, 48, Victor Horta, 1861–1947, die Hotels Tassel, 1892, van Eetvelde, 1898, und die Maison du Peuple (377*) mit reichlicher Verwendung von Eisen für Konstruktion und Dekoration (alle Brüssel).

Frankreich (Art nouveau): H. Guimard, 1867–1942; sein dekorativer Aufwand überwuchert die Notwendigkeiten der Konstruktion (Metro-Eingang*). E. André, 1871–1933 (Nancy*) und E. Vallin, 1856–1922 (Nancy*) bestimmen die architektonische, E. Gallé, 1846–1904, und Ant. Daum, 1864–1930, die kunstgewerbliche Eigenart des Art nouveau in Nancy.

Deutschland: H. Obrist, 1863–1927. J. M. Olbrich, 1867–1908 (Darmstadt, Mathildenhöhe). R. Riemerschmied, 1868–1957, Hauptverdienst: strenge, körpergerechte Möbel. A. Endell, 1871–1925, verlangt »Leichtigkeit, Schärfe, Geschwindigkeit« von Architektur und Dekor (München, Atelier Elvira, 1896). Der Belgier H. van de Velde (1863–1957) bringt die Morris-Prinzipien in den Deutschen Werkbund ein (382).

Spanien (Modernismo): A. Gaudí, 1852–1926, schafft Unvergleichbares durch Einheit von plastisch empfundener Architektur, üppigster Phantasie und »organischer« Funktionalität des Details (Barcelona, 380*). Sein Rivale L. Demènech baut 1905–08 den Palast der katalanischen Musik, Barcelona.

Italien (Liberty): wenige gute Beispiele (Florenz, 380*), meist nur äußerliche Nachahmung, besonders der Belgier Horta und van de Velde. R. d'Aronco entwirft 1902 den Zentralpavillon der Turiner Kunstgewerbeausstellung in einer Jugendstil-Version des Barock.

Österreich (Sezessionsstil): Wiener Architekten übernehmen Prinzipien von Mackintosh und entwickeln daraus eine Formenwelt, die mit der Betonung von Quadrat und Kubus für das 20. Jh. typisch wird (Hoffmann, Loos).

Nancy, Eßzimmer, 1903–06, E. Vallin (neben dem Glaskünstler A. Daum und dem Kunstschreiner Majorelle im Vorstand der 1901 gegründeten »Ecole de Nancy«. Präsident = E. Gallé, Glaskünstler). Das Speisezimmer ist einschließlich Türen, Täfelung und Plafond ein hochkarätiges Ensemble mit gotischen Nachklängen und der typisch übermäßigen Holzbearbeitung.

MODERNE

DEUTSCHER WERKBUND

1907; Österreich 1910, Schweiz 1913, beide nach deutschem Vorbild

»Ziel des Werkbundes ist die Veredelung der gewerblichen Arbeit im Zusammenwirken von Künstler, Industrie und Handwerk ... Er ist Sammelpunkt für alle, die fähig und gewillt sind, Qualitätsarbeit zu leisten« (Satzung in Anlehnung an die Ideen von W. Morris, 380). Hauptvertreter der mehr als 2000 Mitglieder: P. Behrens (1868–1940), J. M. Olbrich (1867–1908), Bruno Paul (1874–1968), W. Gropius (1883–1969), H. van de Velde (1863–1957), B. Taut (1880–1938), J. Hoffmann (1870–1956), gefördert von progressiven Fabrikanten.

Absicht: dem Maschinenzeitalter entsprechende funktionsgerechte Bauten ohne historisierende Rücksichten und mit modernem Material (Backstein, Beton, Glas, Stahl). 1914 Werkbundausstellung in Köln mit Baubeispielen u. a. zu Fabrik-, Festsaal-, Theaterbau. Besondere Beachtung findet die Musterfabrik von Gropius, die Einfluß von F. L. Wright zeigt.

FRANK LLOYD WRIGHT

1869–1959

»Der größte amerikanische Architekt der 1. Hälfte des 20. Jhs.« (Pevsner). Der Fülle seiner Ideen und Anregungen kann eine Auswahl nicht gerecht werden. Dem Typ des glattlinigen Wolkenkratzers der Ostküste setzt er seine frühen »Präriehäuser« (1900–08) entgegen, die über Gropius und die holländische »Stijl«-Bewegung stark auf Europa wirken.
– Niedriger, weitflächer Bau
– Größe und Anordnung der Räume sind von ihrer Funktion bestimmt
– Halle, Eß- und Wohnraum nicht mehr getrennt, sondern ineinander übergehend
– Räume ragen weit aus einem mehr oder weniger zentralen Körper heraus (Willits House*) und bestimmen das Außenbild, dessen meist flache

Berlin, Turbinenfabrik der AEG, 1909, P. Behrens. Reine Zweckformen: Stahlbetongerüst, dazwischen Fensterbänder und unornamentierte Wandflächen. Der Werkbund löst das handwerklich orientierte Kunstgewerbe (England: Arts and Crafts) durch Maschinenbaukunst ab.

Alfeld, Faguswerk, Schuhleistenfabrik, 1911, W. Gropius. Kubische Form. Leicht geböschte Backsteinpfeiler nuancieren den Schatten der eisernen Fensterprofile in den vollverglasten Feldern. Stützenlose Ecken. Auch die Einrichtung stammt z.T. von Gropius.

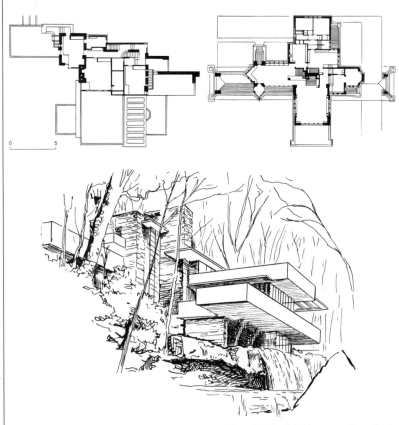

Mi re: Illinois, Highland Park, Haus Ward Willits, 1902, F. L. Wright. Präriehaustyp. Kreuzförmig von einer zentralen Kaminanlage ausgehende Räume. – Mi li und u: Bear Run/Pennsylvania, Haus überm Wasserfall, 1936, F. L. Wright. Integration in die Landschaft. Freier Grundriß. Kuben werden durch überkragende Dächer und Terrassen bewußt zerstört. Das Untergeschoß steht auf Pfeilern und enthält Wohnräume, das Obergeschoß Schlafräume.

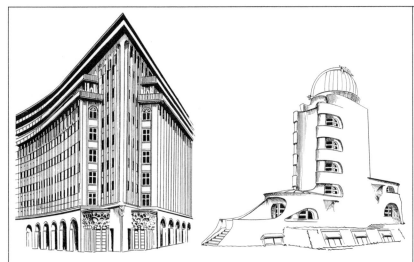

Hamburg, Chilehaus, 1921, F. Höger. Ausnutzung eines unregelmäßigen Bauplatzes mit doppelt gekurvter Seite und spitzem Winkel. Die oberen Stockwerke treten zurück und verstärken die Absicht der Expressionisten, weder geometrisch noch kubisch zu bauen.

Potsdam, Einstein-Turm, Observatorium, 1917–21, E. Mendelsohn. Der plastisch modellierte Bau (»elastische Kontinuität«) zeigt die Verwandtschaft zwischen Jugendstil und Expressionismus. In Beton konzipiert, wegen Materialmangels mit Ziegelkern gebaut.

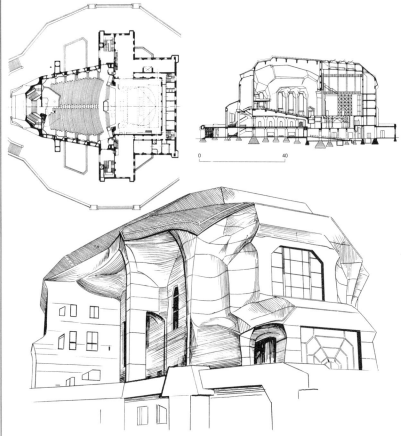

Dornach bei Basel, Goetheanum II, 1924–28, R. Steiner. Nach dem Brand des Goetheanum I, einem hölzernen Doppelkuppelbau, fertigt Steiner 1924 ein Modell des Goetheanum II an, das nach seinem Tod (1925) von E. Aisenpreis ausgeführt wird. Die Fachwerk-Stahlbetonbinder über der Bühne, unterschiedliche Rahmenbinder über dem großen Saal und die vielfach verwundenen Flächen stellen höchste Ansprüche an Statik und Schalungsbau.

Kuben durch überkragende Dächer Verbindung mit der Landschaft gewinnen (japan. Einfluß)
- auch Terrassen und Gärten verschmelzen ineinander
- Verwendung von Beton, Glas, Stahl und Naturstein, später auch Betonfertigteile, die zugleich die Außenflächen dekorativ gestalten
- alle Bauelemente werden streng aus ihrer architektonischen Funktion konstruiert und haben keine weitere Verkleidung.

EXPRESSIONISMUS
1910–25

Expressionistische Architektur geht u. a. aus dem Jugendstil hervor. Zu ihr gehört auch R. Steiners anthroposophischer »Goetheanismus« (Dornach*).
- Funktionale Bauten, die den Eindruck abstrakter monumentaler Plastiken machen
- zunächst rundplastische Formen (Potsdam, Einsteinturm*)
- bald Stalaktitendecke und orgelpfeifenförmige Gebilde (Salzburg, Festspielhaus, 1920; Berlin, Reinhardt-Theater, 1919–20, H. Poelzig
- später spitzwinklige, die Horizontale überbetonende Bauten (Hamburg, Chilehaus*)

Auswirkungen besonders nach Skandinavien (Kopenhagen, Grundtvig-Kirche, 283*, 1913–26, Klint, mit neugot. Einschlag) und den Niederlanden (Scheepvarthuis in Amsterdam, 1911, van der Mey, und Wohnbauten). Der Expressionismus wird gegen 1925 vom »Internationalen Stil« abgelöst.

BAUHAUS

1906–24 Weimar, 1924–30 Dessau, 1930–33 Berlin

»Architekten, Bildhauer, Maler . . . müssen zum Handwerk zurück . . . Das Endziel aller bildnerischen Tätigkeit ist der Bau!« (Gropius, 1919, Manifest).

Bedeutendste Kunstschule des 20. Jhs. (Pevsner), 1906 vom Großherzog von Weimar als Kunstgewerbeschule gegründet, Leitung: H. van de Velde. Durch seinen Nachfolger Gropius

(1883–1969) 1919 Reorganisation und Name »Bauhaus« im Sinne der mittelalterlichen Bauhütten-Gemeinschaft. Gleiche Grundausbildung für alle Künstler und Handwerker im »Vorkurs« über Form, Material, Farbe unter Leitung von J. Itten.

Die Ideen von Morris (vgl. 380) und des Expressionismus werden jedoch bald verlassen: Unter dem Eindruck der »Ästhetik der Maschine« (T. v. Doesburg, 1921) Gestaltung von Industrieprodukten in streng kubischen Formen und Primärfarben, darin der klaren und logischen Formensprache der Stijl-Bewegung, 386, und dem auf das Praktische gerichteten Suprematismus (sh. Konstruktivismus) folgend.

1924 Umsiedlung nach Dessau. Das Bauhausgebäude von Gropius wird zum Architektur-Programm der Schule und zum wesentlichen Bestandteil des »Internationalen Stils«, 387:
– klare kubische Blöcke
– an den Bauecken keine sichtbaren Träger
– gläserne → Curtain walls (Vorhangfassade).

1928–30 H. Meyer, 1930 bis zur Schließung 1933 Mies van der Rohe als Leiter.

FUTURISMUS

Italien, 1909 (F. T. Marinetti)

Im Gegensatz zu Morris' maschinenfeindlicher Einstellung begeistern sich die futuristischen Maler (Carrà, Balla) für die neue Technik und Dynamik der Großstadt: »Ein aufheulendes Auto, das wie auf Kartätschen zu laufen scheint, ist schöner als die Nike von Samothrake . . . Wir wollen den Krieg verherrlichen – diese einzige Hygiene der Welt –, den Militarismus, . . . die Vernichtungstat der Anarchisten . . . und die Verachtung des Weibes« (Marinetti, Manifest von 1909). A. Sant'-Elia wird der führende Theoretiker futuristischer Architektur: »Die Berechnung der Materialfestigkeit, die Verwendung von Eisenbeton und Eisen machen eine ›Architektur‹ im klassischen und herkömmlichen Sinn unmöglich . . . Die futuristische Stadt . . .

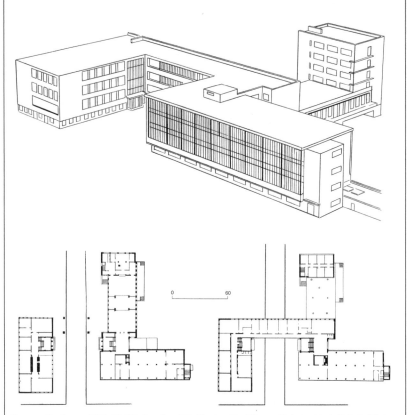

Dessau, Bauhaus, 1925–26, W. Gropius. 3 L-förmige Baukörper (Schule, Modellfabrik, Wohnheim), über der Zufahrtstraße durch einen Brückentrakt verbunden. Spiegelglaswände als »Curtain walls« = Vorhangfassaden am Werkstattgebäude; Fensterbänder am Berufsschulgebäude; turmartiges Ateliergebäude mit 28 Appartements. Pilzdecke (vgl. Maillart, 387*; 281*) im Untergeschoß.

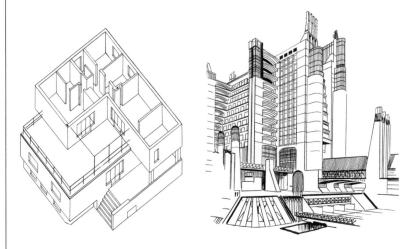

Dessau, Wohnhaus für Gropius, 1925–26, W. Gropius, aus einer Gruppe von 4 Häusern für Bauhaus-Lehrer. Die L-förmig angeordneten Kuben aus vorgefertigten Betontafeln zeigen das Interesse an Bau-Standardisierung und werden Vorbild für zahlreiche Wohnbauten.

»La Città Nuova«, Entwurf, 1912–14, A. Sant'Elia. In 16 Blättern für die Mailänder Ausstellung »Nuove Tendenze« zeigt Sant'Elia eine futuristische Stadt mit mehrgeschossigen Straßen und monumentale »Bewegungsfuttrale«.

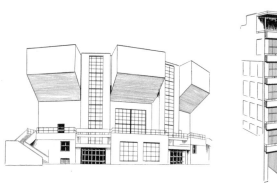

Moskau, Rusakow-Club, 1927–29, K. Mjelnikow. Der zahnradförmige Grundriß symbolisiert die Arbeiterclubs als »soziale Kraftwerke« (El Lissitzky). Ihr Bau soll für die schlechten allgemeinen Wohnverhältnisse entschädigen.

Moskau, Iswestija-Gebäude, 1925–26, G. Barchin. Das formalistische Betonskelett wirkt durch die Vertikale des Treppenhauses, die Rundfenster des Obergeschosses und die unregelmäßigen Balkone weniger streng.

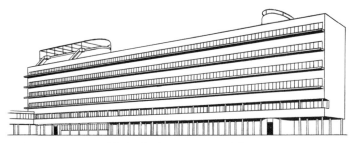

Moskau, Appartementhaus, 1928–29, M. Ginsburg. 1- bis 3-Zimmerwohnungen im Maisonnette-Stil mit Innentreppe, Korridorstraße und Pilotenstützen – vor Le Corbusier! Er vermeidet aber dessen schachtartige 2geschossige Wohnräume (vgl. 388*): Korridor zwischen 2 niedrigeren Schlafräumen auf einer Seite entsprechen 2 höhere Wohnräume auf der anderen Seite. Zentralküche und Kindergarten in besonderem Flügel.

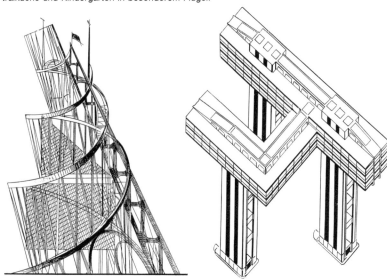

Denkmal für die III. Internationale, Modell, 1919–20, W. Tatlin. Das Bauwerk sollte größer als der Eiffelturm werden. Stereometrische Körper: Zylinder, Tetraeder, Halbkugel als Kosmos-Symbole, zugleich als Nutzräume gedacht. Stahl-Eisen-Konstruktion.

»Wolkenbügel«, Entwurf, 1924, El Lissitzky. Moskauer Verwaltungsgebäude, bei dem das »Notwendige« (= Türme mit Aufzügen) vom »Nützlichen« (= Büros) getrennt und das Fundament (= Erdgebundenheit) ästhetisch überwunden ist.

muß einer großen, lärmenden Werft gleichen und in allen ihren Teilen flink, beweglich, mechanisch sein; das futuristische Haus muß wie eine riesige Maschine sein« (1914).

Seine Baupläne für Wohnblocks, Villen, Fabriken, Flugzeug-, Versammlungshallen und Stadtplanungen, 384*, gehen über seine Vorbilder F. L. Wright und den Wiener O. Wagner hinaus, sie wirken auf Le Corbusier und die Stijl-Bewegung ein; es wird aber kein futuristisches Bauwerk realisiert.

KONSTRUKTIVISMUS IN RUSSLAND
zwischen 1920 und 30

Konsequenzen aus Futurismus, Stijl und Werkbund:
- Architektur im Dienst einer neuen Gesellschaftsordnung
- 3-Sektoren-Stadtplanung: 1. Verwaltungszentrum, 2. Produktionszentrum, 3. Erziehungszentrum für eine klassenlose Gesellschaft in einem wirtschaftlich und industriell entwikkelten Land
- Ablehnung der veralteten ästhetischen und der kapitalistischen Bauformen (z. B. Wolkenkratzer)
- Integration der Künste (Tatlins Denkmal für die III. Internationale*, 1920, ist Architektur in der Form konstruierter Skulptur, hierin z. B. dem Eiffelturm ähnlich)
- Malewitsch entwickelt im Rahmen seines universalen Systems der kommunistischen Kultur Wohnbauten der Zukunft: suprematistische »architectona« und schwebende »planiten« (1923)
- Lissitzky entwirft 1924 »Wolkenbügel«*, das sind Hochhäuser, durch brückenähnliche Querhäuser verbunden.

Die schlechte wirtschaftliche Lage Rußlands ermöglicht nur teilweise die Verwirklichung von meist monumentalen Wohn-*, Arbeiterclub-*, Sport-, Waren- und Bürogebäuden*, z. T. mit symbolischem Grundriß: Zahnrad, 5zackiger Stern usw. Ende der 20er Jahre arbeiten auch westliche Architekten in Rußland (Ernst May, Le Corbusier u. a.).

DE STIJL

Niederländische Maler- und Architektengruppe seit 1917. »Es war ein entscheidender Fehler von Ruskin und Morris, daß sie die Maschine in Mißkredit brachten« (J. Oud, 1917).
». . . ein ausgeglichenes Verhältnis zweier Gestaltungselemente, z. B. von Farbe und Raum, von Form und Farbe – klar und ungemischt . . .« (Th. v. Doesburg, 1924). ». . . die Notwendigkeit von Maß und Zahl, Klarheit und Ordnung, Standardisierung und Serienherstellung, Perfektion und beste Ausführung . . .« (Oud, 1926).

Bekanntester de-Stijl-Bau ist das Schröder-Schräder-Haus, Utrecht, 1924–25 (G. Th. Rietveld, 1888–1964):
– bis ins Detail der Inneneinrichtung durchgestaltet im Sinne einer Integration der Künste
– geometrische Abstraktion: Umsetzung der malerischen Prinzipien Mondrians* (»Konkrete Malerei« aus rechteckigen Flächen) in kubistische Architektur, d. h. jede Fläche entspricht einem Bauglied (Stützen, Fenster, Geländer, Regenrinne, Wand)
– aber Anordnung in unterschiedlich tiefen Raumschichten
– farbige Fassung der Einzelkörper (weiß, grau für Flächen, schwarz, gelb, rot, blau für Stäbe)
– Backstein, Beton, Stahlelemente, Holzbalkendecke
– Kleinräume im Untergeschoß
– Großraum im Obergeschoß mit Wohn-, Eß-, Musikzone, durch Schiebewände in 7 Räume teilbar.

De Stijl gewinnt nach 1920 neue Mitglieder. Theo van Doesburg, 1883–1931, versucht mit C. van Eesteren, geb. 1897, die Übertragung alter und neuer Prinzipien des »Stijl« auf die Architektur: Straßburg, Kino-Restaurant »Cabaret Aubette«, 1926–28, nüchtern flächige Formen mit Wand-Dekor, das Mondrians horizontal-vertikale Farbfelder auf eine Spitze stellt und so zu »dynamischen Diagonalen« kommt (»Elementarismus«, führt zu Mondrians Austritt aus der Gruppe!).

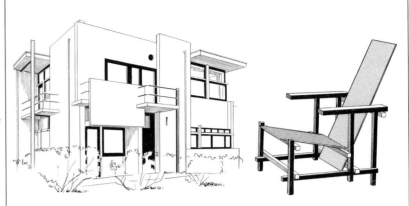

Li: Utrecht, Schröder-Schräder-Haus, 1924–25, G. Th. Rietveld. – Re: Blauroter Stuhl, 1917, Rietveld. Rahmen schwarz, Sitz blau, Rücken rot, Rechteckformen. Anwendungen von Mondrians Form- und Farbschema.

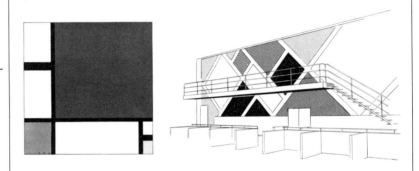

Li: Komposition in Rot, Gelb, Blau, 1930, Piet Mondrian, Öl. – Re: Straßburg, Kino-Restaurant Aubette, 1928, v. Doesburg. Die Dekoration aus retikulaten Rechtecken hat eine beunruhigend-dynamische Wirkung. Sie demonstriert den Stil des von v. Doesburg verkündeten »Elementarismus«.

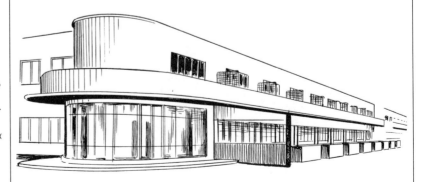

Hoek van Holland, Arbeitersiedlung, 1924, J. J. P. Oud. Nach Verlassen der Stijl-Gruppe gelangt Oud auch von deren rechtwinklig-kubischen zu fließenden Formen. Die Ausnutzung des zur Verfügung stehenden Raumes stellt eine »technisch-rentable Lösung« im reinsten Sinne des Funktionalismus dar.

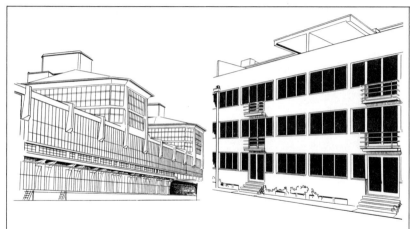

Li: Beeston, Boots Pharmazeutische Fabrik, 1930–32, W. Williams. Pilzpfeiler unter Betonskelettbau mit gläsernen Vorhangfassaden. Der Bau hat großen Einfluß auf den engl. Funktionalismus. – Re: Stuttgart, Weißenhofsiedlung, Appartementhaus, 1926–27, Mies van der Rohe.

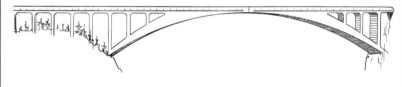

Schiers in Graubünden/Schweiz, Salginatobel-Brücke, 1930, R. Maillart. Keine Dekoration. Jeder Bauteil ist funktioneller Bestandteil der Brücke. 90 m Spannweite. Die zahlreichen Brückenbauten Maillarts geben dem Beton durch schwungvolle Eleganz neue Ästhetik und werden häufig nachgeahmt.

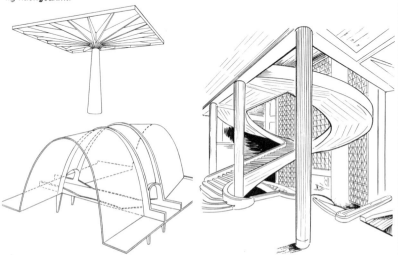

Li o: Turin, Palazzo di Lavoro, 1960/61, P. L. Nervi, Pilzdecke. – Li u: Zürich, Zementhalle, Schweizer Landesausstellung, 1939, R. Maillart. – Re: Paris, Musée des Travaux Publics, 1937, A. Perret. Elegante neoklassizistische Formen, auf den dezenten frz. Stil des 18. Jhs. zurückgehend, aber in stützenlosem Spannbeton.

INTERNATIONALER STIL

Architekturstil des 2. Viertels des 20. Jhs., benannt nach dem Buch »The International Style, Architecture since 1922« von H.-R. Hitchcock und Ph. Johnson, New York, 1932. Er bezeichnet die Summe der kompositorischen Errungenschaften, die z. T. schon vor 1914 von F. L. Wright, A. Perret, Th. Loos, W. Gropius u. a. geschaffen und seit den 20er Jahren in Europa (Stuttgart*) und später in Amerika allgemein angenommen werden, insbesondere
– Asymmetrie in Grund- und Aufriß
– kubische Bauformen, Skelettbau
– breite Fensterbänder, Curtain wall
– weißer Putz
– Verzicht auf Ornament und Profil
Für Zweckbauten bis in die jüngste Zeit vor allem im Werkhallenbau üblich (Beeston*).

Schweiz. R. Maillart (seit 1905 Brücken in Graubünden*, Fabriken im revolutionären Rußland) schaltet – lange vor Gropius, Mies v. d. Rohe und Le Corbusier – bei Decken und Brücken »alle passiven Elemente aus, jeder Teil werde ein aktiver Bestandteil der Konstruktion« (Giedion). Hauptleistungen: Beton-»Pilzdecke«* (unterzuglose Deckenplatte auf pilzförmig gespreizter Stütze), und parabolische selbsttragende Stahlbeton-Schalendecke (Zürich*). Nach 1918 steht die Schweiz nach Zahl und Qualität ihrer Architekten neben Deutschland an der Spitze Europas. Vorwiegend Kirchen-, Schul- und Wohnsiedlungsbauten (Basel, Antoniuskirche, 1927, K. Moser; Zürich, Freudenberg-Schule, 1958, J. Schader; Bern, Halen-Siedlung, 1957–61, Gruppe »Atelier 5«).

Frankreich. Die französische Architektur bleibt bis in die 20er Jahre i. a. konservativ. Auch die Bauten von A. Perret (Theater der Champs Elisées, Kirchen von Raincy [283*], 1922–23, und Montmagny, 1924–25) tragen z. T. noch neoklassizist. Charakter. Erst Freyssinets Brücken und die Luftschiffhallen von Orly, 1916–24, 300 m lang, 62,5 m hoch, lösen sich ganz von der Unterordnung der Technik unter die Form (281*); sie bilden integrale Tragwerke aus Spannbeton, die ausschließlich selbsttragende, unverkleidete Strukturteile sind und selber die äußere und innere Form bilden (Paris*).

LE CORBUSIER

Eigentlich C. E. Jeanneret, 1887–1965, Schüler von A. Perret (Paris) und P. Behrens (Berlin), beeinflußt von F. L. Wright, H. van de Velde, E. Freyssinet. Bauten u. a. in Frankreich, Rußland, Deutschland, Brasilien, Nordafrika, Japan. Architekt, Maler und Bildhauer. Eifriger Publizist. In seiner Zeitschrift »L'Esprit Nouveau«, 1920, und seinem Buch »Vers une architecture«, 1923, kulminieren die Ideen der Futuristen, des Deutschen Werkbundes, der Stijl-Gruppe und des russischen Konstruktivismus. Starkes soziales Engagement führt zu Plänen für Massenherstellung von Wohnhäusern nach 5-Punkte-Plan, 1925:
1. freistehende Stütze (»Pilote«)
2. freier Plan (vgl. Wright, 382*)
3. vom Skelett unabhängige Wände
4. Vorhang-Fassade, breite Fenster
5. Flachdach mit Dachgarten
Sie werden verwirklicht in Großbauten wie der Unité d'Habitation, Marseille*, 1952, mit »Einheiten« aus Appartements von je 1½ Stockwerken mit je 2,26 m Höhe, ineinandergeschoben und zum zentralen Korridor führend. Maßeinheit ist der »Modulor«* (1951).

Vollendete Übertragung der Prinzipien auch auf das luxuriöse Einzelwohnhaus. Villa Savoye* beeinflußt eine ganze Architektengeneration.

Nach 1947 auch weniger lehrhafte als »poetische« Bauten wie die Wallfahrtskirche von Ronchamp, 284*, mit plastischen Formen und willkürlichen Fensterlöchern.

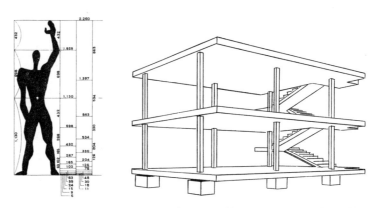

Li: »Modulor« = Proportionssystem von Le Corbusier, 1951, auf den Körpermaßen (1,83 bzw. 1,75 m) und dem Goldenen Schnitt beruhende Maßreihen, u. a. für die 4 »Unités« in Marseille, Nantes, Meaux, Berlin. – Re: »Dom-ino-Haus«, 1914–15, Konstruktionsschema. Strukturgerüst für vorgefertigte Stahlbetonbauten mit variabler Innengliederung und Curtain walls.

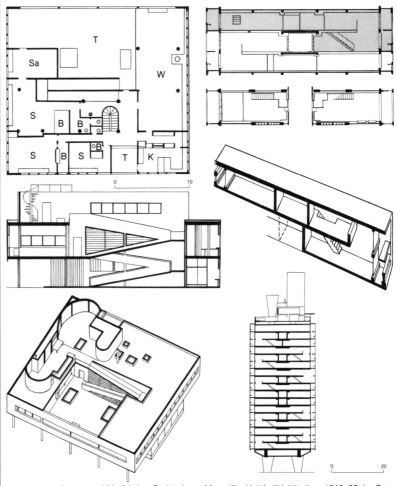

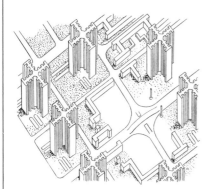

Stadtplanung für menschenwürdigeres Wohnen: symmetrisch in einem Park angeordnete Hochhäuser zwischen kleineren Gebäuden und Straßennetz (Stadtplan für 3 Mio Einw., 1922; Plan voisin*, 1925; Ville Radieuse, 1935; Plan für Algier, 1935).

Poissy, Villa Savoye, 1929–31, Le Corbusier, auf Piloten ruhend, dazwischen Parkplätze. Rampen führen zu Wohnebene und Dachgarten. Grundriß des Obergeschosses: W Wohnzimmer, Sa Salon; S Schlafraum; B Bad; T Terrassengarten; K Küche.

Marseille, Unité d'Habitation, 1946–52, Le Corbusier, für etwa 400 Familien. Zentrale Korridore erschließen Appartements von 1½ Stockwerken. 2 × Modulor von 2,26 m = 4,52 m hoch und breit, 15 m lang. Pilotenstützen. Ladenstraßen.

O: Wohnhausprojekt, 1941, H. Häring. Die »organische« Architektur eines »bewohnbaren Körpers«, im 3. Reich verpönt, ist Gegenpol zur rationalen Geometrie des Bauhauses und Le Corbusiers; beeinflußt Scharoun, aber nach dem Krieg ohne Breitenwirkung auf den Wohnungsbau. K Küche; E Eß-, W Wohn-; Sch Schlafzone; B Bad; T Toilette. – Mi: Bazoches bei Paris, Maison Carrée, 1956–58, A. Aalto. Alle Räume führen auf die zentrale Halle.

O u. Mi: Berlin, Philharmonie, 1963, H. Scharoun. Scharoun setzt nach dem Krieg die Konzeption des freien, ungeometrischen Stils fort, der auf seinen Lehrer Hugo Häring zurückgeht (dessen Haus Baensch in Berlin, 1935–36, führt im 3. Reich zur Verfemung des Bauherrn und des Architekten!). Die Sitzplätze des Aufführungssaals sind allseitig um die gerundeten Stufen des Orchesterpodiums angeordnet. Zeltartige Dächer und Decken.

DAS ÜBRIGE EUROPA

ist mehr durch geniale Einzelpersönlichkeiten als durch Bewegungen gekennzeichnet.

Belgien: Siedlung »Cité Moderne« in Berchem-Ste-Agathe, Brüssel, 1922–25, V. Bourgeois.

Schweden: Architekturschule, 1910, von Lewerentz, Bergsten und Asplund.

Dänemark: Expressionistische Grundtvig-Kirche, 283*, mit neugotischem Einschlag in Kopenhagen, 1913–26, Klint; Polizeihauptwache in Kopenhagen, 1925, Kampmann.

Finnland: Hauptbahnhof in Helsinki, 1910–14, E. Saarinen. Die Bauten von Alvar Aalto (Paimio-Sanatorium, 1933; Rathaus in Säynätsalo, 1950; Kirche von Vuoksenniska, 1958; Neue Oper, Essen, 1959) sind ausgezeichnet durch
– Funktionalität
– Anpassung an die Landschaft
– Verwendung von Backstein und Holz (1932: »Artek«-Möbel aus gebogenem Sperrholz; Holzbinder)
– geschwungene Wände, Pult- und einhüftiges Dach

Zahlreiche europäische Architekten wandern vor und nach dem 1. Weltkrieg nach Amerika aus. Über die Tendenzen nach dem 2. Weltkrieg: 339 ff.

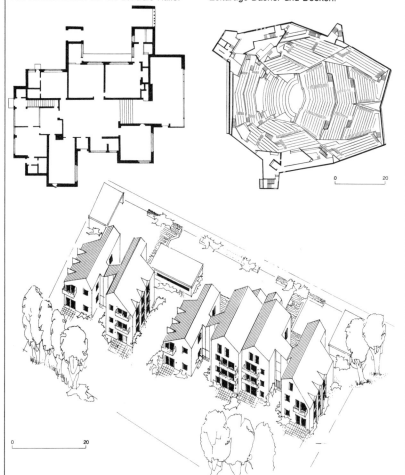

Gütersloh, Einzelhäuser-Ensemble, 1977, H. Zurmühlen. Transparente Treppenhäuser als Spangen zwischen den Wohntrakten, giebelständige Dach-»Landschaft«, um der Monotonie der Traufenständigkeit zu entgehen. Die Grundrißstruktur reicht vom Appartement bis zur Maisonnette-Wohnung und fördert die soziale Lebendigkeit durch Nutzung von Einzelperson bis zu Familie mit Kindern. Durchgehender parkähnlicher Garten, für jedermann nutzbar als Kommunikationsraum.

Maisonnette im Obergeschoß der mittleren hohen Bauten. Untergeschoß: Diele, WC, Wohnraum, Küche, Balkon, Eßplatz. Obergeschoß: Bad, Ankleide, Studio, durch Glaswand vom Schlafraum getrennt (beide Zeichnungen Horst Zurmühlen).

STADTENTWICKLUNG

KULTURBEREICHE DER ÄGÄIS
Bronzezeit

Hierzu auch: 291*; Karte Kulturbereiche der Ägäis S. 343

Im 3. und 2. Jtd. v. Chr. unterscheidet man im ägäischen Raum 4 Kulturen
1. trojanisch: kleinasiatische Küste, vorgelagerte Inseln
2. minoisch: im Bereich Kretas
3. mykenisch: vom griechischen Festland aus
4. helladisch: vorgeschichtliche Kultur auf dem griech. Festland
An ihre Stelle tritt in Griechenland um 1100, in Troja um 900 die Kultur der griechisch-geometrischen Zeit.

Zu 1: **Troja**, 291*
Zu 2: Die spätminoischen **Palaststädte auf Kreta** liegen auf dem Hochufer oder an Berghängen. Unbewehrt und ohne geplante Stadtgrenzen wachsen sie terrassenförmig um den zentralen Palast. Bereits um 1500 v. Chr. geht die kretisch-minoische Kultur durch Naturkatastrophen und – vermutlich – den Einfall der Mykener zugrunde. Zentrum der ägäischen Kultur wird fortan bis 1100 v. Chr. die mykenische Kultur des griechischen Festlandes.
Knossos, 291*
Gourniá* ist die am besten erhaltene Siedlung, um 1600 entstanden, um 1500 zerstört, im 13. Jh. z. T. erneut besiedelt. Beispielhafter Urtyp der verschachtelten mittelmeerischen Kleinstadt.
Zu 3: **Mykenische Burg-Stadt Tiryns**, 291*, 342*
– Zentrum ist die Höhenburg, deren beherrschender Bautyp das Megaron
– in diesen Merkmalen Troja (291*) ähnlich, zugleich von der unbewehrten und labyrinthischen Palast-Stadt Kretas unterschieden. Von dort ist aber die Anordnung von Baugruppen um Höfe beeinflußt
– Unterstadt unbefestigt.
Malthi* in Messenien/W-Peloponnes ist das einzige ergrabene Beispiel einer vermutlich achäisch-mykenischen Stadt.

Griechische Stadt der geometrischen und archaischen Zeit
Kultbezirke Sh. auch 12
Landbewohner verlassen ihre Dörfer und siedeln sich – oft mit anderen Stämmen (Synoikismos) – im Schutz
a) eines zentralen Heiligtums oder
b) einer Burg an.

Solche Städte zeigen
– ungeplantes Wachstum, deshalb
– Fehlen einer geometrisch angelegten Stadtbegrenzung; in früher Zeit oft

M Markt = Repräsentations-Zentralhof mit nördlicher Schautreppe; Palast mit
H Hof inmitten der
W Wohn- und
V Vorratsmagazin-Trakte;
He Heiligtum;
S unregelmäßige, gepflasterte N-S-Straßenzüge, Quer- und Stichstraßen erschließen die Wohnblocks der Handwerker, Fischer, Händler. Außenwände der vorwiegend O-W-gerichteten Häuser aus Stein; gemeinsame Außenmauer benachbarter Gebäude; Innenwände aus ungebrannten Ziegeln; Lichteinfall durch Höfe, Fenster (!) und durch Oberlichtbänder, die wegen der Terrassenversetzung der Häuser möglich werden.

Gourniá/Kreta

Starke Befestigung eines breiten und eines schmalen Burghofs im N, natürlicher Schutz der übrigen Seiten durch Steilhänge; Häuser einzeln oder in Zeilen; unregelmäßige Straßen und Gassen.
E Nordeingang
B Burghof
F Haus des Fürsten
A Apsidenhaus, vermutlich später

Malthi b. Messene/W-Peloponnes (Eg)

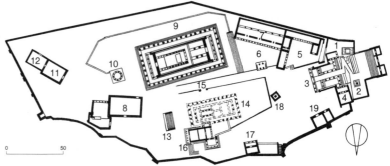

Athen, Akropolis
1 Athena-Nike-Tempel, 13*, 19*
2 Agrippa-Monument
3 Propyläen, 477*
4 Pinakothek
5 Brauronion
6 Propylon des Parthenon

7 Chalkothek
8 Heiligtum des Zeus Polieus
9 Parthenon, 16*
10 Rundtempel der Roma
11–12 Heroon des Pandion
13 Altar der Athena Polias
14 Archaischer Tempel der

Athena Polias (Hekatompedon)
15 Propylon
16 Erechtheion, 17*, 19*
17 Haus der Arrhephoren
18 Standbild der Athena Promachos
19 Magazine

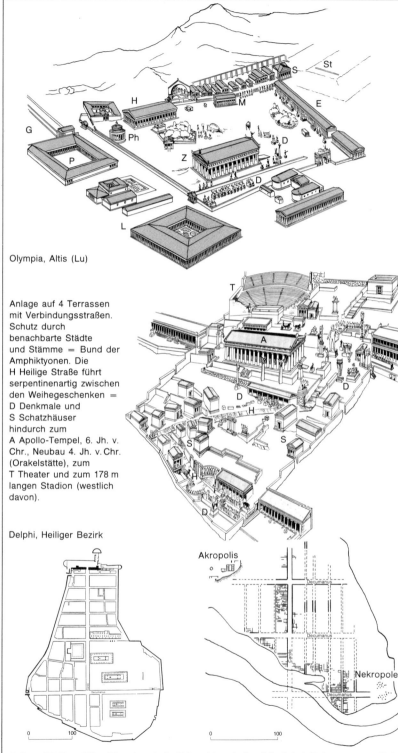

Olympia, Altis (Lu)

Anlage auf 4 Terrassen
mit Verbindungsstraßen.
Schutz durch
benachbarte Städte
und Stämme = Bund der
Amphiktyonen. Die
H Heilige Straße führt
serpentinenartig zwischen
den Weihegeschenken =
D Denkmale und
S Schatzhäuser
hindurch zum
A Apollo-Tempel, 6. Jh. v.
Chr., Neubau 4. Jh. v. Chr.
(Orakelstätte), zum
T Theater und zum 178 m
langen Stadion (westlich
davon).

Delphi, Heiliger Bezirk

Akropolis

Nekropole

Selinunt/Sizilien, 628 v. Chr. als griech. Kolonie gegr., nach Zerstörung durch Karthago,
409, neu gegründet. Plan von Hermokrates
von Syrakus. Die W-O-Richtung der Tempel
bestimmt die schachbrettartige Ordnung der
Straßen und Wohnviertel. Ähnlich: Paestum.

Marzabotto (Misa) bei Bologna, vermutlich
um 500 v. Chr. gegr. etruskische Stadt. Schematischer Stadtplan mit Insulae (früher als
das Hippodamische System!). Stadtmauern,
Straßenpflasterung, Abwasserkanäle, Tempelbezirk an zentraler, erhöhter Stelle.

keine eigene Befestigung
– Agora und Tempelbezirk sind getrennt, die jeweils zugehörigen Gebäude bleiben planerisch unverbunden, ihre Standorte werden nach topographisch günstigen Kriterien bestimmt (vgl. Athen, Agora, 343*)
– Symmetrie nur am Einzelgebäude
– Häuserzeilen entstehen durch Bebauung entlang von Höhenlinien
– Wohnhausbau schlicht, oft primitiv.

Athen. Akropolis, 390*, zunächst mykenische
Fluchtburg, im Haus des Königs Verehrung der
Götter. Ende des Königtums mit dem Untergang
der myken. Epoche, Verlegung des Stadtzentrums vom Burgberg in die nahe Umgebung. Zuzug von Bewohnern aufgelassener Dörfer. Akropolis seit Ende der geometrischen Zeit (E. 8. Jh.
v.Chr.) nur noch Kultstätte mit wachsender
Bedeutung, aber – weil an heilige Plätze gebunden – ohne erkennbare Ensemble-Planung. Vgl.
10*; Parthenon, 16 D*; Nike-T., Erechtheion, 19*.
– Ebenso frei die Entwicklung der **Stadt** und ihrer
Straßenzüge innerhalb eines unregelmäßigen
Mauerrings. Selbst die Panathenäen-(Prozessions-)Straße von der Agora zur Akropolis, 343*,
ist nicht als Stadtachse gestaltet. Zentren sind
Markt, Tempel, Plätze, Theater am Berghang,
Heiligtümer an z. T. tradierten Verehrungsorten.

Olympia, Altis*, Austragungsort der alle 4 Jahre
stattfindenden Olympischen Spiele von 776
v.Chr. bis zum Verbot durch Kaiser Theodosius I.
393 oder 394 n. Chr. Verehrungsort für den olympischen Zeus und für Hera, Gä, Pelops u.a. Auf
einer Terrasse vor dem Kronoshügel S Schatzhäuser, um 6. Jh. v. Chr. In der Talebene innerhalb
der ummauerten Altis: H Hera-T., um 600 v. Chr.;
Z Zeus-T., 5. Jh. v. Chr., 18*; M Metroon = Heiligtum der Kybele, um 400 v. Chr.; Ph Philippeion,
4. Jh. v. Chr.; E Echohalle, 4. Jh. v. Chr.; D Weihedenkmale. Außerhalb östl.: St Stadion, 8.–4. Jh.
v. Chr., und Hippodrom; im W das G Gymnasium,
3.–1. Jh. v. Chr.; P Palästra, 3. Jh. v. Chr.; L Leonideion, 330 v.–150 n. Chr.
Olympia hat zwischen den Festspielen nur wenige Bewohner, deshalb weder Markt noch
Wohnkomplexe.

Delphi, panhellenisches Orakelheiligtum des
Apollon seit 8. Jh. v.Chr., Plünderungen durch
Sulla, 86 v.Chr., und Nero, 67 n. Chr.

Griechische Klassik
Um der Übervölkerung mit ihren hygienischen und wirtschaftlichen Problemen zu entgehen, gründen auch kleine
Städte Kolonien im gesamten Mittelmeerraum. Hier vor allem setzen sich
planmäßige Stadtanlagen durch **(Selinunt*)**, die im Zweistromland und
Ägypten (Kahun, 1900 v.Chr., 392*,
Amarna, 14. Jh. v.Chr., u. a.), aber auch
in Etrurien **(Marzabotto*)** vorgebildet
sind und von Hippodamos von Milet
im 5. Jh. v. Chr. systematisiert werden.

SPÄTKLASSIK UND HELLENISMUS

Hippodamisches System. Hierzu 342*! Das Rastersystem, das Hippodamos von Milet in der 2. H. des 5. Jh. v. Chr. entwickelt haben soll (daher auch: Milesianisches System), wird auf dem griech. Festland wegen seiner verteidigungstechnischen Schwächen nur in der von Hippodamos geplanten Hafenstadt **Piräus** angewandt. Dagegen werden von etwa 500 v. Chr. bis weit in den Hellenismus bes. die neuen Kolonialstädte nach dem demokratischen (ebenfalls hippodamischen) Grundsatz der Isonomia = Gleichverteilung geplant. Merkmale gegründeter Städte der **Klassik:**

– unregelmäßige Stadtgrenzen
– Raster aus rechteckigen Insulae = Baublocks mit Typenhäusern auf gleichgroßen Parzellen
– alle Rechteckseiten stehen in glatten Zahlenverhältnissen im Sinne der pythagoräischen → Proportionslehre. Milet*
– strenge Funktionalität (hierzu Olynth, 342*): Feldsystem mit genormten Raumflächen und -höhen ermöglicht zahlreiche Varianten; Hof zwischen 2geschossigem Haupthaus und flachen Flügelbauten; Wechsel von Sattel-, Pult-, Flachdächern (Regenwasserablauf!); alle Häuser in der Regel nach S gerichtet
– Verarmung führt später zur Grundstücksteilung in 2 Wohnungen, Wohlhabenheit zur Zusammenlegung zweier Parzellen (Priene, 342*)
– Markt-, Tempelplatz, Agora sind rechteckig durch Nichtbebauung insulagroßer Flächen. Dadurch Gleichrichtung der Tempel und Firste
– Straßen führen tangential an die Agora
– Theater in einer Hangmulde, 26*, 36*
– Kommunalbauten, 343 ff.*
– Insula, Haustypen 342*

Es gibt auffallende Parallelen zwischen den griechisch-antiken und den amerikanischen Rasterstädten seit dem 18. Jh., in denen jeweils Kolonisten demokratische Gleichheitsprinzipien realisieren. Vgl. auch 419*

Die zahlreichen Städtegründungen des **Hellenismus** werden notwendig, um das riesige Reich Alexanders d. Gr. zu verwalten und gegen die unterworfenen Fürsten zu sichern (Karte S. 28 f.). Merkmale hellenist. Stadtanlagen:

– Perfektion des Hippodamischen Systems
– breite Hauptstraßen, schmale Nebenstraßen
– zur horizontalen Gliederung treten gestaltete Platzräume und vertikale Staffelungen durch Terrassen, kleinere und monumentale Treppen, Einzelgebäude auf freien, von Säulenhallen umstandenen Plätzen.

Ideales, von der Topographie begünstigtes Beispiel ist **Pergamon,** 25*. Gebäudetypen und Bauprinzipien 24, 26

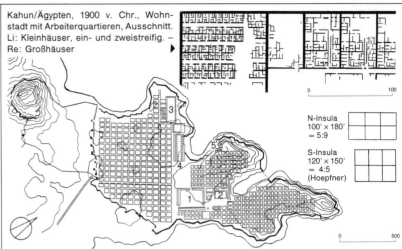

Kahun/Ägypten, 1900 v. Chr., Wohnstadt mit Arbeiterquartieren, Ausschnitt. Li: Kleinhäuser, ein- und zweistreifig. – Re: Großhäuser ▶

N-Insula
100' × 180'
= 5:9

S-Insula
120' × 150'
= 4:5
(Hoepfner)

Milet, Wiederaufbau nach 479 v. Chr. nach dem Hippodamischen System. Hippodamos gelingt die Synthese und theoret. Formulierung der Erfahrung vieler Jahrhunderte und Reiche. Die Stadtpläne von Piräus, 476 v. Chr., und Thurioi, 443 v. Chr., werden ihm zugeschrieben. Wird der etrusk. Plan von Marzabotto, 391*, noch kurze Zeit vor dem Wirken des Hippodamos ausgeführt, so wurde Kahun* in Ägypten schon fast 1500 J. vorher nach strengem Modul erbaut. Die Abb. zeigt das jüngere, frühhellenist. Raster der Diadochenzeit um 300 v. Chr. 1 S-Agora, 2 N-Agora, 3 W-Agora, 4 Stadion, 5 Theater, geomorphisch in den Hang gebaut. Die unterschiedlichen Größen der N- und S-Insulae (hier nach Gerkan, 1924) werden 1986 von Hoepfner angezweifelt, der gleiche Grundflächen der Insulae*, aber unterschiedliche Ausrichtung der Grundstücke errechnet. Typenhaus-Bebauung ungewiß, weil nicht ergraben.

A Agora
G Gymnasion
Th Theater, B Buleuterion
T Athena-Tempel
S Stadion
M Stadtmauer
33 Haus 33 der N-Straße, vgl. 342*
Ausschnitt sh. Abb. unten

Priene nach 350 v. Chr. Hippodamisches System. Heilige Bezirke auf Terrassen, Athena-Tempel als Bekrönung der Stadt ergeben plastische Höhenstaffelung der Baukörper im Geist des Hellenismus (die Stadt wurde durch Alexander gefördert!).

Priene, Insulae um Agora, Theater und Athena-Tempel. Überwindung der steilen Hanglagen durch Treppen, d. h. Ordnung ohne Rücksicht auf das Gelände. (Gr) Vgl. Anpassung ans Gelände im archaischen Delphi, 391*.

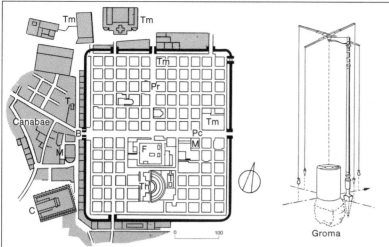

Timgad (Thamugadi)/N-Afrika, Lager der 3. Legion, Stadtgründung um 100 n. Chr. Vgl. Römisches Castell, 293*. Römische Neugründungen liegen immer in der Ebene. Das Achsenkreuz der Hauptstraßen wird mit der Groma* festgelegt. **Cardo** (etrusk., urspr. N-S-Achse der Stadt) = Pr Via Praetoria (im Militärcastrum) = Via Cardinalis (in der Bürgerstadt); **Decumanus** (etrusk., urspr. O-W-Achse) = Pc Via Principalis (im Militärcastrum) = Via Decumana (in der Bürgerstadt). Mit dem Pflug markiert der Gründer die Castrum- bzw. Stadtgrenze und einen vorgelagerten Landstreifen, das pomerium, vereinfacht von promoerium = vor der Mauer. Das ist militärisch von Nutzen, behindert aber die organische Stadterweiterung. Der städtebauliche Wildwuchs der Canabae = Vorstädte kontrastiert zu den Insulae der Innenstadt. F Forum; Th Theater; T Tempel; M Markt; Tm Thermen; C Capitol; sog. B Trajansbogen

Pavia/Lombardei. A Römisches Castrum Ticinum als Kern der B unregelmäßigen Stadt des Mittelalters; C Stadt des 16. Jhs. mit Festungsanlagen. (Mo)

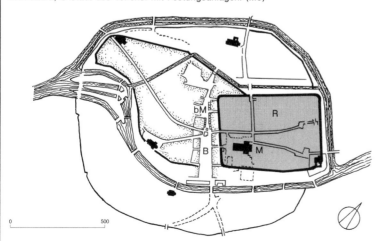

Straßburg. R Römisches Castrum Argentorate. Erweiterungen im frühen MA: M Münster, 1015 beg.; B bischöflicher Markt; ein zweiter, bM bürgerlicher Markt erst nach Erlangung der Stadtfreiheit E. 13. Jh. (Gr,O)

ROM. VOM CASTRUM ZUR STADT

Rom. Trotz mehrerer Versuche, die gewachsene Struktur der Stadt einer strengeren Systematik zu unterwerfen (z. B. durch Einteilung in 4 Regionen um 600 v. Chr. unter Tarquinius Priscus; mehrere Mauerbauten und -erweiterungen; die Lex Julia Municipalis zur Infrastruktur und Hygiene u. a.), erreicht die Stadt nie die planvolle Ordnung, die für röm. **Kolonialstädte** zum Standard wird (Karte S. 37).

Vorbilder dieser Stadtpläne kommen aus Etrurien, Griechenland und den hellenistischen Städten.

Etruskische Stadtbaukunst verwirklicht kultische Vorstellungen. Ein ummauertes Quadrat oder Rechteck wird von rechtwinklig einander kreuzenden Hauptstraßen gegliedert: N-S-Straße = Cardo (= Weltachse) und O-W-Straße(n) = Decumanus. **Marzabotto, 391***

Die demokratische Selbstverwaltung der vorklass. griech. Polis und ihre entsprechend lockere, ungeplante Stadtgliederung widersprechen dem Zentralismus der röm. Kaiserzeit, die orthogonale Symmetrie des Hellenismus entspricht ihren Vorstellungen.

So werden die etruskischen und griech.-hellen. Vorbilder im gesamten röm. Reich vor allem unter den Aspekten der Staats-Repräsentation, der hierarchischen Verwaltung und der militärischen Sicherung der eroberten Gebiete zum **Castrum Romanum** umgeformt. Der neue Städtetyp wird zum Schema für Militärlager (ausführlicher 293*), Veteranen- und Provinzstadt. Dort werden auch die Bautypen der Vorbilder pragmatisch umgedeutet:
- aus der griech. Agora, dem Staats- bzw. Handelsmarkt (343*), wird das Forum (349*)
- der römische Tempel erhält generell eine Schauseite und wird auf ein Podium mit einer frontseitigen Freitreppe gestellt (30*)
- neue Bautypen: Aquädukt, Amphitheater, Thermen, Triumphbogen u. a.
- Wohnbauten, Markt u. a., 346 ff.

Ergrabene Beispiele des Castrum-Typs sind **Ostia, Timgad***, **Xanten** (Castra Vetera). In modernen Stadtplänen erkennbar: **Split**/Jugoslawien (Spalato), Kaiserpalast, 293*; **Pavia***/N-Italien (Ticinum); **Straßburg*** (Argentorate); **Köln** (Colonia Claudia Ara Agrippina), 394*

URSPRÜNGE GERMA-NISCHER STÄDTE

Für den Städtebau des frühen MAs bis etwa 1000 n. Chr. bleibt die spätantike Teilung Europas in
– ehemals römische Gebiete und
– von Rom nicht eroberte Gebiete bestimmend. Erst seit dem 9. Jh. kann von einem europäischen Abendland gesprochen werden, in dem sich mittelmeerische Antike und Germanentum durch den christl. Glauben vermischen. Dennoch bleiben Italien von Rom, Spanien vom Islam und Venedig von byzantin. Einflüssen geprägt.

I Situation nach der Völkerwanderung
1. In den ehemals **römischen Gebieten** werden viele Städte während der Völkerwanderung zerstört, oder sie verfallen.
– Ordnung und Monumentalität des Castrum geraten in Vergessenheit.
– In den Stadtresten schrumpfen mit der Verringerung der Bevölkerung auch die bewohnten Teile; die Stadtmauern werden verkürzt. Zwischen dem 5. u. 10. Jh. wird oft nur der verteidigungsfähige alte Stadtkern neu befestigt (Florenz, Augsburg, Paris und mehr als 50 andere gallische Städte).
– Die übrigen Stadtteile werden landwirtschaftlich genutzt oder überwachsen z. T. Das ma'liche Trier entsteht auf einer 4 m dicken Schuttschicht der spätröm. Stadt. Selbst in Duisburg, das erst seit der Karolingerzeit besiedelt wurde, hat man am Alten Markt 18 Bauschichten ergraben.
2. **Germanien** hat keine städtebauliche Tradition. Der Adel bewohnt in merowingischer Zeit Burgen und ländliche Höfe. Könige und Kaiser ziehen ohne bleibenden Wohnsitz von Pfalz zu Pfalz (Karte S. 295).

II Aufstieg des ma'lichen Stadtwesens
Deshalb entwickeln sich die meisten Städte des frühen MAs aus röm. Tradition auf ehemals röm. Territorien.
1. Germanische Fürsten und Könige bauen Römerstädte als **Residenzen** und **Pfalzen** aus. Beispiele:
– 493 Theoderich in Ravenna. Vgl. 44*
– 572 Langobardenherzöge in Pavia (Ticinum), 393*
– um 700 Merowinger in Köln (Colonia Agrippina)
– 765 Karolinger in Aachen (Aquisgranum).

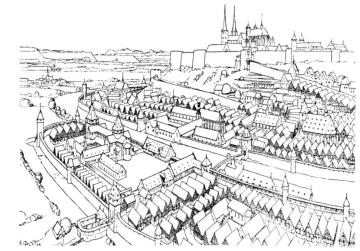

Idealform einer Bischofsstadt mit außerhalb liegendem Bischofssitz. (Gr, O)

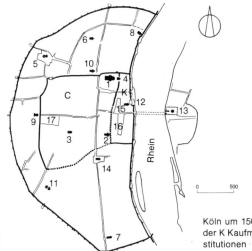

1 Dom
2 Maria im Kapitol
3 St. Cäcilien
4 St. Maria ad Gradus
5 St. Gereon
6 St. Ursula
7 St. Severin
8 St. Kunibert
9 St. Aposteln
10 St. Andreas
11 St. Pantaleon
12 Groß St. Martin
13 St. Heribert
14 St. Georg
15 Alter Markt
16 Heumarkt
17 Neumarkt

0   500

Köln um 1500: C Castrum und Einbeziehung der K Kaufmannsstadt und der kirchlichen Institutionen in die neue, halbrunde Stadtmauer. (Bs)

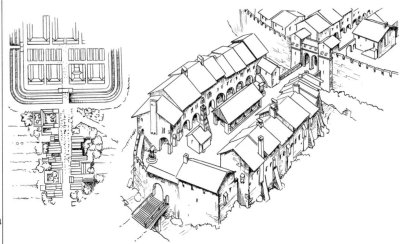

Li: Canabae vor einem römischen Castell. (Vo) – Re: Bürgerliche Vorstadt = Burgum des MAs vor einer Stadt = Civitas. (Gr)

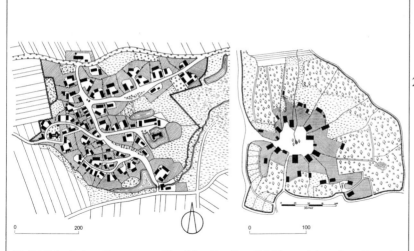

Haufendorf, planlose Gruppen von Einzelhöfen, auch durch Hecken getrennt. Ländereien auf einzelne Gewanne verteilt. In die gewundene Dorfstraße münden Neben- und Sackgassen. Gensa b. Merseburg (Lu, O)

Rundling. Gehöfte umstehen einen Platz, der nur durch e i n e Straße zugänglich ist und auch als nächtlicher Viehpferch dient. Keilförmige Baumgärten zw. Hof und Hecke, die das Dorf umgrenzt. Witzeetze b. Lüneburg (Lu, O)

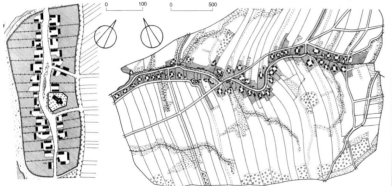

Li: Straßenangerdorf. Gehöfte stehen eng und rechtwinklig an der sehr breiten und geraden, aber kurzen Straße. In deren Mitte ein Anger; Kirche und Friedhof darauf oder an der Straßenseite. Trebnitz b. Merseburg. – Re: Reihendorf. Jedes Gehöft steht zugleich an der Dorfstraße und auf dem zugehörigen Ackerstreifen. Spätmittelalter. Frankenau/Sachsen (Lu, O)

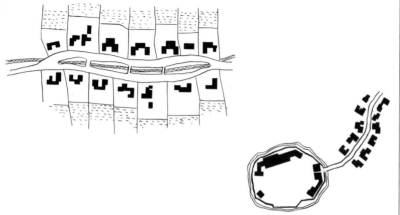

O: Waldhufendorf, dem Reihendorf ähnlich. Die Ackerstreifen enden in zugehörigen Waldstükken. (Lu, O) – U: Canabae-ähnliche Ansiedlungen folgen oft dem Verlauf der Zugangsstraße von Burg oder Kloster. Vgl. Bern, 397*. Daraus entstehen im 10. und 11. Jh. die meisten deutschen Städte.

Sie legitimieren sich damit als Nachfolger des römisch-antiken Kaisertums. Bei Pfalzen wachsen neue Städte (Aachen, Ingelheim u. a.).

2. Das Konzil von Nicäa, 325, verpflichtet die Bischöfe zum Verbleib in ihren röm. Städten. Bischöfe verstehen sich als Fortführer der röm. Administration. Kern dieser **Bischofsstädte** werden Dombezirk und Markt (Straßburg, 393*; Worms u. a.). Das immer wiederkehrende Residenzprogramm aus Dom mit – nördlich der Alpen seit 9. Jh. immer, südlich gelegentlich – Kreuzgang für die Kanoniker, Hospital und Friedhof wird bes. in Italien vielerorts auch nach dem Machtverlust der Bischöfe von den Städten gebaut (Pisa, 401*; Pistoia; Parma). Nur selten können ähnliche frühchristl. Ensembles unversehrt übernommen werden (Torcello, Ravenna), öfter werden ihre Reste in die neuen Bauten integriert (Trier; Aquileia). In Deutschland übertragen die Sachsenkaiser im 10. Jh. den Bischöfen Verwaltungs- und Grenzschutzaufgaben in neu **gegründeten oder erhobenen Bischofsstädten** (Hamburg, Brandenburg, Meißen, Merseburg, Bamberg, Eichstätt). Mainz, Trier und Köln bleiben bis 1806 Kurfürstentümer. Residenzen stehen auch außerhalb der Stadt (Würzburg, Prag, Halberstadt, Laon). Ideale Bischofsstadt, 394*.

3. **Einbeziehung von Klöstern und Stiften,** die **außerhalb der röm. Stadtmauer** autarke stadtähnliche Anlagen bilden. Beispiele: Reims integriert die Klosterstadt St-Remi durch Brückenbauten. Köln, 394*, holt die 13 auswärtigen kirchlichen Institutionen durch einen großzügigen Mauerring ins Stadtgebiet, das außerdem die Kaufmannsstadt zwischen Castrum und Rhein umfaßt. Zürich bezieht 2 außerhalb liegende Stifte in den neuen Mauerring ein. Vor den Mauern Segovias liegen dagegen noch heute Klöster auf freiem Feld.

4. **Burgum,** 394*, it. Borgo, frz. Faubourg, nennt man eine aus meist traufenständigen Häuserzeilen gebildeten Vorstadt der Handwerker in der Art röm. Canabae, durch äußere Hausmauern, auch durch ein Tor ge-

schützt. In Burgund entwickelt, sind sie in Frankreich (Paris, Lyon u. a.) und Italien verbreitet und hier im Unterschied zu N-Europa immer rechtlich zur Stadt gehörig (Florenz; Pisa; Pavia, 393*; Rom zwischen Vatikan und Tiber). Burga finden sich auch z. B. als sog. »Niederburg« in Konstanz und als Stadterweiterungen einiger Zähringerstädte des 12. Jhs. Größeres Burgum = Suburbium.

5. **Dorfanlagen,** 395*, wachsen sich durch Entwicklung oder Zuzug von Handel und Gewerbe und Erlangung des Marktrechts oft zu Städten aus.

6. **Kloster als Stadt.** Der Plan von **St. Gallen** von 820/30 (68*) zeigt eine autarke Klosterstadt, innerhalb deren Umfassungsmauern alle nur denkbaren Tätigkeiten eines benediktinischen Konvents durch entsprechende Bauten abgedeckt sind:
Kirchen mit Kreuzgängen, Wohnungen der Mönche, der Schüler und Gäste, Hospital, Werkstätten und Wirtschaftsgebäude, Garten und Friedhof. Dieses Bauprogramm umfaßt zugleich alle Bautypen der späteren ma'lichen Stadt, wenn man das Rathaus im Kapitelsaal vorgebildet sieht.

7. **Kloster als Stadtkern.** Wissembourg/Elsaß* hat sich um ein Benediktiner-Kloster gebildet. Der langgestreckte Straßenmarkt mit Rathaus gehört zur staufischen Stadterweiterung.

8. **Stiftsstadt.** Im Unterschied zur strengen klösterlichen Bau- und Wohneinheit leben die weltlichen Chorherren eines Stifts in eigenen Häusern rund um die Stiftskirche mit Kreuzgang. Das Idealbild einer Stiftsstadt* zeigt diese offene Bauweise des Stiftsbezirks. Die lange Marktstraße mit Verkaufsständen und 2 Toren ist – im Unterschied etwa zu Straßburg, 393* – nicht mehr Teil der kirchlichen Umwelt, sondern bürgerliche Gründung. Stiftsstädte: Wimpfen i. T., Ellwangen, Naumburg, Xanten.

9. **Gegründete Bürgerstadt** in Deutschland. Über Entstehung und Entwicklung einer idealen Stadt ausführlicher 410–413*.

Kloster als Stadtkern. Weißenburg (Wissembourg)/Elsaß im MA. (Sc, O)

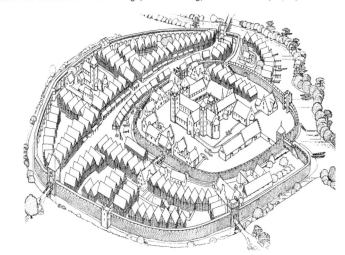

Stiftsstadt. Idealbild. (Gr, O)

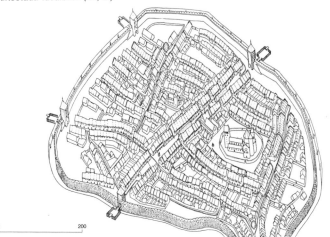

Gegründete, typische ma'liche Stadt: Freiburg/Br., um 1200 (vgl. Zähringerstadt, 397). »Zähringer Achsenkreuz« der Hauptstraßen mit Straßenmarkt, planmäßige Parzellierung, ein- oder zweiseitig erschlossene Gebäudeblöcke. Pfarrkirche, später Münster, abseitig inmitten des Kirchhofs, »Stadtbächle« noch heute als Straßenreinigung. (Gr, O)

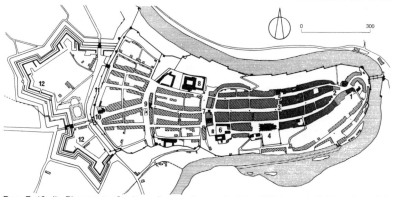

Bern E. 18. Jh. Phasen der Stadterweiterung der gegründeten Zähringerstadt (hier ohne »Zähringer Kreuz« wegen der Lage in einer Aare-Schlinge) bei einer Burg.
1 ehem. Burg Nydegg; 2 Gründungsstadt; 3 erster Wehrgürtel; 4 Stadtkirche; 5 drittes Rathaus; 6 Franziskaner; 7 zweiter Wehrgürtel nach 1191 am W-Ende; parallele Straßenmärkte mit beidseitigen Arkadengängen; 8 Dominikaner; 9 dritter Wehrgürtel 1265; 10 ehem. Hl.-Geist-Spital; 11 vierter Wehrgürtel 1345; 12 fünfter Wehrgürtel 1622–44. (Br, O)

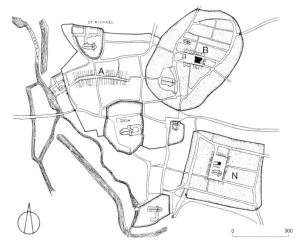

Hildesheim im MA. Stadterweiterung durch Ummauerung verschiedener Siedlungen. B Bischöfl. Marktsiedlung (Vicus), um 1000; A Altstadt, 1125; N Neustadt, 1250. (Gr, O)

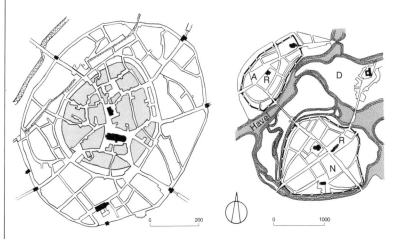

Li: Rundstadt mit radialer Erweiterung. Nördlingen. – Re: Bildung einer Doppelstadt. Brandenburg. A Altstadt, 1170; N Neustadt, 1196; D Dominsel; R Rathaus. Stadtmauer um 1350. (Ge, Pl)

Hauptepoche: 12. und 13. Jh.; Ursachen und Zwecke sind
- die Blüte des Fernhandels. Vorbilder sind die norditalien. und flandrischen Städte (Gent, Brügge u. a.)
- das Bestreben der Landesherren, aus ihren ländlichen Besitzungen größeren Gewinn zu ziehen
- Kolonisierung der Ostgebiete, sh. 398. Die stadtpolitische Entwicklung tendiert zur Selbstverwaltung durch Stadtrechte: Marktrecht, Ratsverfassung, Zunftrecht, Selbstverteidigungsrecht. Sie werden vom Kaiser verliehen, seit 1220 auch von geistlichen Fürsten (»Confoederatio cum principibus ecclesiasticis« Friedrichs II.).

Stadtgründungen der Zähringer des 12. Jhs. in Baden-Württemberg (Freiburg, 396*; Offenburg; Breisach-Neuenburg; Villingen; Rottweil) und der Schweiz (Fribourg, Bern, Thun, Murten u.a.). Nach ihrem Vorbild entstehen auch Neugründungen im Elsaß (Schlettstadt = Sélestat, Haguenau, Colmar, Weißenburg = Wissembourg) und in N-Deutschland (Friedberg, Brandenburg, Freiberg u. a.). Das Konzept des Straßenmarkts führt zum Zentralmarkt = großer rechteckiger Platz.

III Stadterweiterung im Mittelalter

Während das röm. Castrum keine Erweiterung zuließ, ist die ma'liche Stadt zwar weniger streng geplant, läßt aber individuelle Phantasie und organisches Wachstum zu.
1. Nachdem sich außerhalb der Mauer einer Stadt neue Stadtteile gebildet haben, werden diese von neuen Mauern umschlossen (Bern*).
2. Außerhalb liegende Klöster und Stifte werden in den Stadtbereich integriert (Köln, 394*); ihre Mauern bilden gelegentlich einen Teil der neuen Stadtbefestigung.
3. Mehrere selbständige Siedlungen werden durch eine gemeinsame Mauer zu einer Stadt vereinigt (Hildesheim*).
4. Um einen älteren Stadtkern legen sich ringförmig Neustädte mit neuen Mauern (Nördlingen*).
5. Die Neustadt entwickelt sich räumlich unabhängig von der Altstadt, z. B. auf dem gegenüberliegenden Flußufer (Münster und Überwasser jenseits des Flusses) und wird separat befestigt. Es entsteht eine Doppelstadt (Brandenburg*), bes. im Raum der Ostkolonisation, vgl. 398.

GEPLANTE STADT DES MITTELALTERS

Ostkolonisation. Phasen:

1. 8.–11. Jh. von Bayern aus in der Donauebene und den Ostalpenländern
2. 10. Jh. ottonische Gründung von Missionsbistümern (vgl. Bischofsstädte, 395) im mittelelbischen Raum
3. (hier:) 12.–Mi 14. Jh. NO-Kolonisation östlich Saale und Elbe durch dt. Fürsten der Grenzländer Sachsen, Brandenburg, Schauenburg, Magdeburg. Bis etwa 1200 als Eroberung, danach mit Slawen vertraglich geregelter Städte- und Dörferbau, z. T. durch »locatores« (vgl. 410). Dennoch teilweise Verdrängung der slawischen Bevölkerung. Zwecke:
   - dt. und slawische Fürsten wollen die einträglichere dt. Rechts- und Wirtschaftsverfassung (Lübecker oder Magdeburger Stadtrecht)
   - dt. Siedler aus übervölkerten Gebieten erwarten wirtschaftliche Vorteile und persönliche Freiheit im Siedlungsland
4. 1225. Der Deutschritterorden kolonialisiert und christianisiert O- und W-Preußen. Insges. 93 Stadtgründungen.

Italien

Weder West- noch Ostgoten gründen während der Völkerwanderung eigene Städte. Die von Langobarden seit 600 besiedelten geschrumpften römischen Städte bleiben zumeist unverändert: Pisa, Pavia (393*), Padua, Parma, Piacenza, Savona, Mantua. Erweiterungen durch Borgo-Bildungen = Vorstädte, die noch heute so genannt werden. Vgl. 395. Franken bringen nach N-Italien, Normannen nach S vor allem den Burgenbau als Gegenpole zu den aufsässigen alten Städten, deshalb nur wenige geplante Stadtgründungen. Kultur, Literatur, Medizin der Antike und das historische Bewußtsein ehemaliger antiker Größe bleiben vorwiegend in Klöstern wach. Sie beeinflussen das Bild der neuen Städte, die einheimische Siedler seit dem 10. Jh. um Klöster und Burgen bauen.

Frankreich

Nach der Vertreibung der Römer durch die Merowinger um 500 vermischen sich die german. Eroberer schnell mit der romanischen = keltischen Bevölkerung und nehmen deren Lebensweise

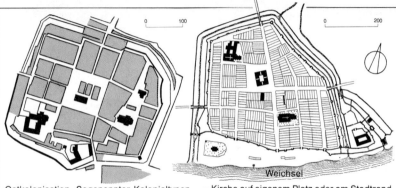

Weichsel

Ostkolonisation. Sogenannter Kolonialtypenplan (Neu-Brandenburg, Strehlen*, Gleiwitz, Guhrau, Reichenbach u. a., alle 1240–50):
- Umriß nahezu rechteckig oder oval
- Straßen orthogonal
- Marktplatz rechteckig durch Aussparung von Baublocks
- Rathaus frei auf dem Marktplatz, von Verkaufsbuden umstellt, bildet mit umstehenden Häusern den »Ring«

- Kirche auf eigenem Platz oder am Stadtrand
- Stadterweiterung auch durch Doppelstädte, vgl. Brandenburg, 397*
- Städte bei Ordensburgen mit separaten Mauern (Thorn*; Rheden, 301*; Marienburg, 305*; Elbing u. a.).

Li: Strehlen/Schlesien. – Re: Thorn/W-Preußen. Tore auch an den Enden der zum Fluß führenden Straßen. (Eg; Th, O)

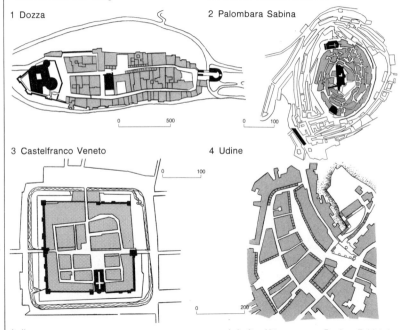

1 Dozza

2 Palombara Sabina

3 Castelfranco Veneto

4 Udine

Italien.
- Üblicherweise Hügelstädte (1 Dozza*, 2 Palombara Sabina*),
- entspr. den geomorphen Bedingungen rund (4 Udine/Friaul*, radiale Marktstadt des 14. Jhs.) oder langgestreckt; geplant: rechteckig (3 Castelfranco Veneto/Lombardei*, 1119);
- fast immer bewehrt.
- Unterschiedliche Straßensysteme: Straßen und Häuserzeilen unregelmäßig rund (Aversa/Neapel), spiralförmig (Palombara Sabina), radial (Rivolta d'Adda; Udine), parallel (Dozza) oder rechtwinklig (Castelfranco Veneto)
- das Stadtzentrum bildet ein Platz mit Kloster, Kirche oder Castell (dieses auch am Stadtrand oder außerh. m. eigener Mauer)

- wehrhafte Häuser aus Back-, Feldstein; Granit (Assisi, S. Gimignano u. a.), Untergeschoß oft nur vom Hof belichtet, später Laubengänge vor Kaufläden
- Wohntürme als Hausburgen und Warenlager, bis über 50 m hoch; verbreitet in der Toscana (S. Gimignano, von 56 noch 13 erhalten; Florenz urspr. 150), Lombardei (Pavia urspr. 100), Emilia (Bologna urspr. 180 Türme).
- Plastische Stadtbilder durch unterschiedliche Haushöhen und Fassadengestaltung, krumme Straßenzüge, überraschende pittoreske Durchblicke, Brunnen u. a. (Mo; Fa)

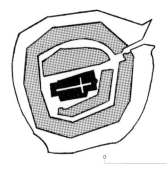

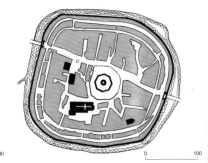

Frankreich.
Li: Sarrant, Ville enveloppée = ummantelte Stadt mit Kirche als Kern. – Re: Eguisheim/Elsaß, ummantelte Stadt mit Burg als Kern. Die spätere Erweiterung wird an der kreisförmigen Häuserzeile zwischen 2 Straßen erkennbar. (Eg; Hi)

1 Carcassonne

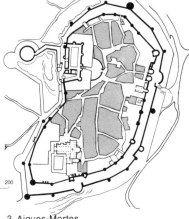

2 Montpazier

3 Aigues-Mortes

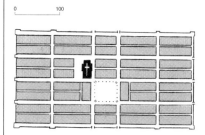

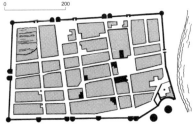

1 Carcassonne/Aude. Höhenstadt röm. Ursprungs mit Burg. Nach der Weigerung der Bürger, am Kreuzzug gegen die Albigenser teilzunehmen, von der Zentralmacht Ludwigs IX. des Heiligen 1262 verwüstet (vgl. 304*). Die neue Ville-Basse, schachbrettartig in polygonaler Grenze, mußte von der Bevölkerung zwangsweise jenseits des Flusses als ihre eigene Gefängnisstadt erbaut werden. (Vi)
2 Montpazier/Périgord, 1284 für den engl. König Richard III. gegr., Bastide, extremste ma'liche Stadtplanung nach hellenistischem System. (Eg)
3 Aigues-Mortes (Vi), Kreuzfahrer-Hafen und Bastide, 1240 gegr. als Sammelpunkt und Einschiffungshafen für die Kreuzzüge Ludwigs IX. des Heiligen. Orthogonales Straßensystem: 3 Hauptstraßen und 5 Querstraßen tei-

len die Stadt in 6 Quartiere. Mauer mit 15 Türmen und 10 Toren nach dem Vorbild der Landmauer von Konstantinopel erst seit 1272 unter den Nachfolgern Philipp dem Kühnen und Philipp dem Schönen. Burg im NO. Das ma'liche Stadtbild blieb erhalten, weil die Kreuzfahrten, denen die Stadt Gründung und Subventionen verdankte, nach dem mißglückten Versuch von 1270 aufhörten und der Hafen versandete. Damit endete auch die Fortentwicklung der Stadt. Sie teilt dieses Schicksal mit zahlreichen anderen europ. Städten, »die für bestimmte politische, militärische, wirtschaftliche, selbst pädagogische Aufgaben geplant und erbaut worden waren, jedoch ihren Daseinsgrund verloren, sobald sich eben diese Aufgabe nicht mehr stellte« (Braunfels).

an (Romanisierung). Siedlungsformen:
1. 500–1000 (Wieder-)Besiedlung gallo-römischer Städte als
a) **ville unifiée** = ma'liche Wiederbesiedlung von Teilen oder der gesamten antiken Stadt als Sitz von Königen und Bischöfen. Antiker Stadtplan wird dabei meist unkenntlich (Paris: Besiedlung des MAs nicht von einem Castrum, sondern von der Ile de la Cité aus!)
b) **ville repliée** = antike Stadt bleibt erkennbarer Kern der ma'lichen Stadterweiterung: Straßburg, 393*; Rouen; Orleans u. a.
c) **ville multipliée** = antike Stadt mit ma'lichen Vorstädten: Fauxbourg, vgl. Burgum, 395 (nach Egli)

2. Ab 11.–14. Jh. Neugründungen
a) **ville neuve** = Neustadt-Gründung durch Fürsten als deren Willens- bzw. Gnadenakt. Erkämpfung bürgerlicher Stadtrechte (vgl. Deutschland, 396), 1220 durch eine Charta für alle Städte gesichert.
– Feudale Stadtkerne: Kloster, Burg (Villeneuve-lès-Avignon) bzw.
– nichtfeudale, jedoch topographisch günstige Kerne: Kreuzung von Handelsstraßen, Markt, Hafen
– Raster- oder Radialstadt in Ebenen; den Höhenlinien angepaßte Hügelstädte.
b) **ville enveloppée** = ummantelte Stadt, typisch frz. Stadtform aus kleinem Stadtkern mit Schutzfunktion (Burg, Kloster, Bischofssitz) und Mänteln aus Stadtringen (Sarrant*). Weiterentwicklung:
geplante Rundstadt (Eguisheim/Elsaß*).
c) **Bastidenstädte des 13. Jhs.:** streng geometrisch geplante Garnison- und Zwingstädte bes. im südfrz. Gebiet der Interessenkonflikte zwischen der frz. Krone, den engl. Königen und den Herzögen von Toulouse. Die Bürger sollen durch Wirtschafts- und militärische Kampfkraft die Macht der jeweiligen Landesherren stützen. Jedoch »die fiskalischen Vorausberechnungen sind nirgendwo aufgegangen« (Braunsfeld), weil keine motivierenden Sonderrechte gewährt wurden. Allerdings hat die ausgebliebene städt. Entwicklung zum Erhalt der historischen Stadtbilder geführt: Carcassonne*, Montpazier*, Aigues-Mortes*, Montréal, Sauveterre, Vianne u. v. a.

STADTSTAATEN DES HOHEN MITTELALTERS UND DER NEUZEIT

Frankreichs Zentralgewalt, Spaniens Reconquista und die Normannen in England und Süditalien lassen den Städten nur wenig Freiheit zur Selbstgestaltung.

Ober- und Mittelitalien

verdanken ihren städtebaulichen **Aufstieg** zwischen 13. und 15. Jh.

– der Machtschwäche von Kaiser und Papst im Investiturstreit und den Kämpfen zwischen papsttreuen Guelfen = Welfen und Ghibellinen = Kaisertreuen

– dem Verfall der deutschen Kaisermacht bei gleichzeitigem Zerfall Italiens in autonome Fürstentümer und Stadtstaaten: Kirchenstaat, Mailand, Verona, Florenz, Ferrara und Seestädte Genua, Venedig, Pisa, Lucca

– der wissenschaftlich-pragmatischen Behandlung von politischen (Machiavelli) und ökonomischen Problemen

– unterschiedlichen Rechtsverfassungen, aber immer strengen Regeln der Verwaltung mit weitgehender Systematisierung der Stadterneuerung und minutiöser Reglementierung der Bauordnung, vgl. Florenz, Siena, Pisa. Andererseits entstehen oft größte Leistungen der Stadtarchitektur durch Stadtherren oder Baumeister, die ihre legitimen Rechte überschreiten

– der Machtverlagerung von den aristokratischen Geschlechtern auf die bürgerlichen Stadtregierungen im 13. Jh., dadurch verstärkte Errichtung städtischer Verwaltungsbauten und Verminderung des Palastbaus, vgl. Florenz

– der Demonstration politischer Macht durch monumentale Stadtgestaltung; dabei sind die Leistungen des zu Geld und Macht gekommenen Bürgertums meist eindrucksvoller, als es die der aristokratischen Stadtherren waren.

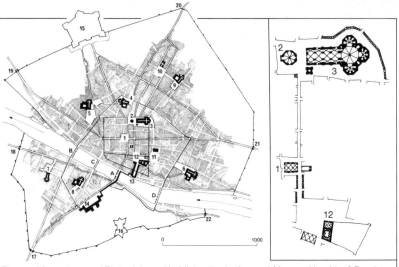

Florenz, Mauerringe und Einbeziehung kirchlicher Institutionen. 1 Mercato Vecchio, 2 Baptisterium, 3 Dom, 4 S. Lorenzo, 5 S. Maria Novella, 6 S. Croce, 7 S. Maria del Carmine, 8 S. Spirito, 9 SS. Annunziata, 10 S. Marco, 11 Bargello, 12 Pal. Vecchio, 13 Uffizien, 14 Pal. Pitti, 15 Fortezza di Basso, 16 Fortezza di Alto, 17 Porta Romana, 18 Porta S. Frediano, 19 Porta Prato, 20 Porta S. Gallo, 21 Porta S. Croce, 22 Porta S. Nicolo. A Ponte Vecchio, B Ponte alla Carraia, C Ponte S. Trinità, D Ponte alle Grazie. (Br, O)

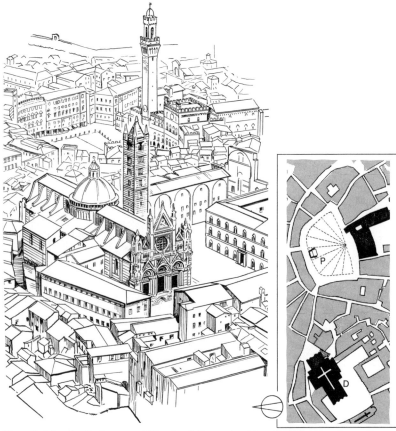

Siena. Parteienstreit im Innern und Kämpfe mit Florenz begleiten das Mühen um das »vollkommene Regiment« (deren Allegorie von A. Lorenzetti im Pal. Pubblico). Höchste Blüte der Stadt 1289–1355 unter den »Nove Buoni Mercanti di Parte Guelfe«, den »Neun«. Verbindung der 3 Stadtteile, Schaffung des zentralen Platzes (P Piazza del Campo) am tiefsten Punkt der Stadt und dessen Bezug zum höher gelegenen D Dom werden mit Hilfe von Hunderten präziser Erlasse für Planung, Details und Finanzierung aller Bauvorhaben geschaffen (im Stadtarchiv).

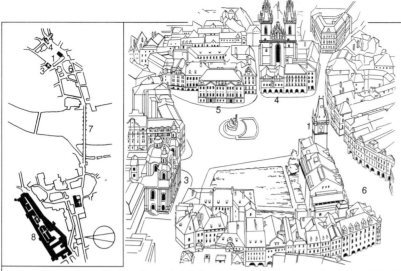

Prag, Altstädter Ring, heutiger Zustand. 1 Rathaus mit got. Chorerker und astronom. Uhr; 2 Teyn-Kirche, 184*; 3 St. Nikolaus; 4 Teyn-Schule; 5 Palais Kinsky, 6 Karlsgasse. Die barockisierten Fassaden haben meist got. Kerne. Der Platz diente neben städtischer, kirchlicher und feudaler Repräsentation als ein Knotenpunkt des mittel- und osteurop. Verkehrs. Die 7 Karlsbrücke verbindet die Altstadt mit der Kleinseite. 8 Hradschin mit Veitsdom, 184*.
Nach der Vereinigung der 4 Stadtteile 1784 keine umfassende Stadtplanung mehr. (Co)

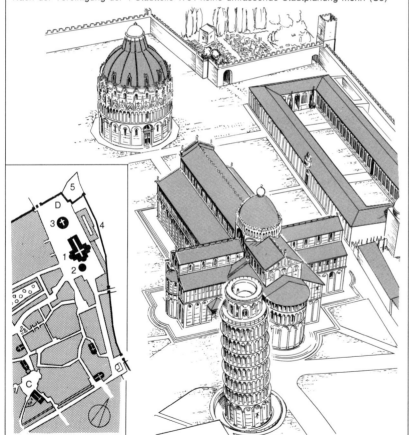

Pisa. Monumentale Achse oder auch nur planvolle Straßen fehlen zwischen D Domplatz (Piazza dei Miracoli) und Regierungszentrum an der relativ bescheidenen C Piazza dei Cavalieri (Stelle des antiken Forums). Den Ruhm der Stadt nach ihren Siegen über Araber, Genua und Lucca demonstriert das unübertroffene Ensemble des 11.–14. Jhs. aus 1 Dom, 134*; 2 Campanile, 100*, 3 Baptisterium, 4 Camposanto (Friedhof); durch Marmor-Stadtmauer erst E. 12 Jh. ins Stadtgebiet einbezogen. Der 5 Judenfriedhof bleibt außerhalb.

Der **Niedergang** ist begründet in
– den kriegerischen Rivalitäten, Einverleibungen besiegter Städte und deren ländlicher Territorien. Seit 1555 sind nur noch Florenz und Lucca selbständig
– Zerstörung von Bauten der gegnerischen Parteien. Beispiel:

In Florenz werden 1260 vor dem Auszug der Guelfen zur Schlacht von Montaperti gegen die sienesischen Ghibellinen deren Florentiner Türme abgebrochen. Die Ghibellinen gewinnen aber die Schlacht und legen nun ihrerseits 47 Paläste, 198 Häuser und 59 Türme der Guelfen in Florenz und weitere 464 Gebäude auf dem Land nieder.

– Mit dem Verlust der Freiheit schwindet in der Regel auch die organisatorische und architektonische Produktivität.

Schwerpunkte der innerstädt. Entwicklung:
Florenz, 400*
– Stadtmauer wird sechsmal erweitert, erst die 4. Mauer umfaßt wieder das antike Castrum, dazu Dom und Bischofspalast; die 6. Mauer, 1284–1333, erschließt ein Gelände weit über den augenblicklichen Bedarf hinaus
– sie nimmt auch 4 von insges. 6 außerhalb gebauten Großklöstern auf (vgl. Köln, 394)
– im 12. Jh. Einteilung des Castrum in 4 Quartieri, danach der gesamten Stadt in 24 Pfarreien
– Zünfte verdrängen die Parteien nach der Schlacht von Montaperti und werden politisch entscheidende Kraft. Ihr Regiment, der »Secondo Popolo«, entwickelt 1282 außer dem Mauerbau den monumentalen Plan der Achse* zwischen Dom und Piazza della Signoria (Niederlegung großer enger Wohngebiete). Ausführung bis E. 14. Jh.
– Sie demonstriert polit. und wirtschaftl. Macht der Zünfte: keine Paläste, aber Mitfinanzierung des Dombaus. Die räumliche Trennung von Dom-, Stadt- und Marktplatz ist in ihrer Eingebundenheit in e i n e n Plan Sinnbild weltlichen Wohlstands und geistlich-überweltlicher Absicherung (ein Hauptproblem des MAs!)
– 1434 Beginn der Medici-Herrschaft, erneute Blüte des Palastbaus, der Straßen- und Platzräume, die Individualbauten perspektivisch verbinden; d. i. aber zugleich das Ende repräsentativer Planung der Kommune.

Siena, 400*
Pisa*

In **Pistoia** haben sich auf dem Platz des antiken Forums die roman. Bauten des ma'lichen bischöflichen Residenzprogramms in Verbindung mit Markt, Pal. del Commune, 1294, und Palazzo del Podestà, 1367, erhalten.
Lucca hält den Dombereich am südl. Stadtrand, das alte Forum, als polit. Zentrum (ohne Stadtpalast, jedoch mit Stadtkirche als frühem Tagungsort des Stadtrats!) und das antike Amphitheater als Markt weit auseinander. Stadtpalast erst im 15. Jh.! Die Stadt läßt noch sowohl das Castrum als auch die Festung von 1504 erkennen, die für die Festungsbaukunst vorbildlich und seit A. 19. Jh. Wallpromenade wurde.

Seestädte und Seemächte

Nicht alle bedeutenden Seestädte haben es zur Eigenstaatlichkeit wie Venedig, Genua, Neapel oder Ragusa gebracht. An politischer Bedeutung kommen ihnen die Hansestädte N-Deutschlands am nächsten. Brügge, Amsterdam, La Rochelle erreichen neben wirtschaftlichem Erfolg höchsten städtebaulichen Rang. Andere Merkmale verbinden oder unterscheiden sie:

– Herrschaftsformen: Aristokratie, Ständestadt, -staat, Republik. Primat der Machtpolitik wie in Venedig oder der religiösen Gesinnung wie im kalvinistischen Amsterdam (dennoch hier kein Bischof, wie auch in Brügge, Danzig)

– direkte Zufahrt für Schiffe in die Stadt bis vor die Lagerhäuser und Kontore (Venedig, Brügge, Amsterdam, Hansestädte; nicht: Genua)

– Gründung überseeischer Kolonien durch Amsterdam, Venedig u. a.

– Fähigkeit zur Stilprägung: Venedig exportiert Lebensstil und Bauformen in alle Niederlassungen; Lübeck wirkt durch Stadtsystem und -recht in die Ostkolonisation, vgl. 398.

Hansestadt Lübeck* um 1300

Die Lage ist vergleichbar mit Bern: auf einem Höhenrücken, der auf 3 Seiten von Wasser umschlossen ist.

– Zwei parallele N-S-Straßen

– erst 1160 Bischofssitz, Dombezirk deshalb südlich an die bereits bestehende Bürgerstadt angegliedert

– deren geistliches und weltliches Zentrum auf der höchsten Stelle sind: Stadtkirche auf dem Kirchhof (Marienkirche, 175*) und der Markt, beide von Krambuden der Handwerker umgeben und durch einen breiten Baublock voneinander getrennt, der aus Handwerkerhäusern sowie Tuchhalle und Rathaus besteht, die später als großes Rathaus vereinigt werden

– 5 Straßen mit Häusern der reichsten Familien binden die Schiffslände der Trave im W an dieses Wirtschaftszentrum an.
Ähnlich in Danzig und Elbing. Sh. auch 175*, 352*, 355*, 359*

Im Barock wird die Trave durch einen Festungsgürtel in die Stadt integriert, Schiffe ankern fortan im Schutz der Stadt. Dieselbe Schutzfunktion boten alle Hansestädte der Ostsee: **Rostock, Stralsund, Danzig, Riga, Reval, Kopenhagen, Stockholm.**

Venedig ist städtebaulich charakterisiert durch
– Canale Grande und das Geflecht von Kanälen, Gassen und Brücken
– die zahlreichen Inseln
– die Stilvielfalt der Palazzi (ausführlich 307* f.), der – heute – 103 Kirchen, v. a. der Basilika S. Marco, 133*, mit ihrer Synthese byzantinischer, romanischer und gotischer Elemente
– die Piazza S. Marco*

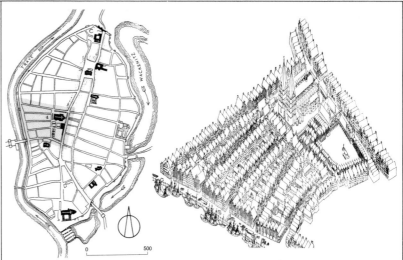

Li: Lübeck im Mittelalter. Gerastert: Stadtmitte. – Re: Vogelschau der Stadtmitte (Gr, O)

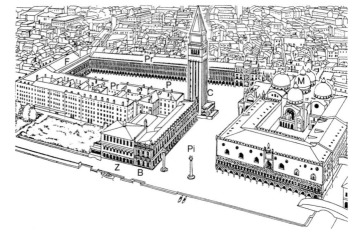

Venedig. P Piazza S. Marco; Pi Piazzetta; M Basilika S. Marco, 133*; C Campanile; B Bibliothek, 360*; Pr Procuratien an der N- und S-Seite; F Fabbrica, sog. Napoleonischer Flügel, 1807; Z Zecca = Münze (Co)

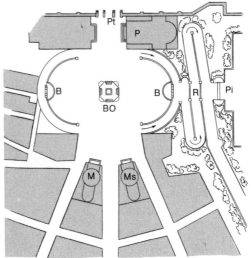

Pt	Porta del Popolo
P	S. Maria del Popolo
M	S. Maria dei Miracoli
Ms	S. Maria di Montesanto
B	Brunnen
BO	Brunnen mit Obelisk
R	Rampe
Pi	Monte Pincio

Rom, Piazza del Popolo, 1585–1813, Ausgangspunkt der Straßendurchbrüche Sixtus' V. (St)

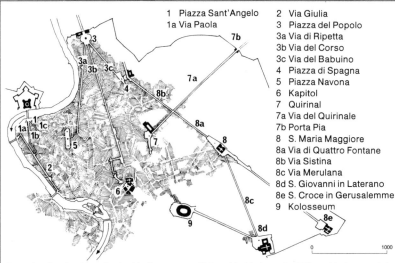

1 Piazza Sant'Angelo
1a Via Paola
2 Via Giulia
3 Piazza del Popolo
3a Via di Ripetta
3b Via del Corso
3c Via del Babuino
4 Piazza di Spagna
5 Piazza Navona
6 Kapitol
7 Quirinal
7a Via del Quirinale
7b Porta Pia
8 S. Maria Maggiore
8a Via di Quattro Fontane
8b Via Sistina
8c Via Merulana
8d S. Giovanni in Laterano
8e S. Croce in Gerusalemme
9 Kolosseum

Rom, Straßendurchbrüche im 16. Jh. zur geradlinigen Verbindung der 7 Hauptkirchen und der Hauptplätze durch befahrbare Prozessionsstraßen, 1585 von D. Fontana im Auftrag von Papst Sixtus V. begonnen. (Br, O)

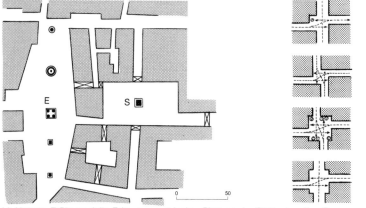

Li: Verona, E Piazza delle Erbe, symmetrischer Platz an der Stelle des röm. Forums, und die rechteckige S Piazza dei Signori. (St) – Re: Unterschiedliche Kreuzungen und verkehrstechnische Planungen, 1909, R. Unwin.

Reichsstädte und Freie Reichsstädte sind innerhalb des Heiligen Römischen Reiches »die merkwürdigsten Gebilde gewesen, und das mehr durch ihre Rechtsstellung als durch die Baugestalt« (Braunfels). Wie die ital. Stadtstaaten können die **Reichsstädte** in dem Machtvakuum entstehen, das der Auflösung des Kaisertums der Staufer im 13. und 14. Jh. folgte, wenn an dessen Stelle keine starken Landesfürsten traten. Reichsstädte gibt es v. a. in Schwaben (u. a. Ulm), Franken (Nürnberg), im Elsaß (Straßburg, 393*), der Schweiz (Bern, 397*), im Rheingebiet (Frankfurt), in den Niederlanden (Utrecht) und im norddt. Küstengebiet (Lübeck, 402*).

Freie Reichsstädte sind ursprünglich bischöfliche Städte, bis sie die geistliche Herrschaft im 13./14. Jh. abschütteln (Köln, Worms, Speyer, Bremen, Regensburg, Augsburg). Die Unterschiede zu Reichsstädten verwischen sich allmählich. Ihre Gesamtzahl schwankt zwischen 146 und 51.
Unterschiede zu ital. Stadtstaaten:
– keine Kriege gegeneinander
– Neigung zu Städtebünden gegen Übergriffe von Landesfürsten (Schwaben) oder zur wirtschaftlichen Optimierung (Hanse)
– Rivalität durch Wirtschaftskraft, eigenständige, selten importierte Kunst
– städtebauliche Entwicklung nach 1648 am stärksten in den Reichsstädten, die absolutistische Haupt- oder Residenzstädte geworden sind.

PLATZGESTALTUNG

Plätze und Platzfolgen haben seit der Antike praktische Zwecke als Markt, Versammlungsort, Verkehrsknoten, Teil von Achsenbildung. Daneben sind sie aber auch Mittel zu repräsentativer (Selbst-)Darstellung religiöser, politischer und wirtschaftlicher Macht. Seit dem 17. Jh. zeigt sich eine Ambivalenz von Gartenbaukunst und Städtebau bei Achsenzügen und Platzfolgen (Richelieu, 405*). Sternanlagen mit zentralem Platz finden sich bei fast allen idealen und verwirklichten Radialstadtplanungen der Renaissance und des Barock, 404 f.*.

IDEALSTADT: UTOPIE UND VERWIRKLICHUNG

»Das Ende der mittelalterlichen Stadt-
blüte zeichnete sich ab, als die Verstär-
kung des Territorialgedankens und der
mit ihm verbundene Prozeß der ›Refeu-
dalisierung‹ eine neue Epoche einlei-
ten. Diese brachte die Konsolidierung
der landesherrlichen Macht und er-
reichte ihren Höhepunkt im Absolutismus mit seiner höfisch orientierten Gesellschaft und seiner merkantilistischen
Wirtschaftsstruktur.« (Grassnick)

Ein Ausdruck dieser Entwicklung der
Renaissance und des Barock sind die
Idealstädte. In der **Renaissance** sind
aber fast alle Planer Theoretiker, die
sich häufig auf Ideen aus den 10 Bän-
den »De Architectura« von Vitruv,
88–26 v. Chr., stützen. Weil die alten
großen Städte in Italien und Deutschland ihre städtebaulichen Kräfte auf
die innere Neuordnung konzentrieren
(400 f.), werden von den zahlreichen
Entwürfen der Theoretiker nur wenige
realisiert (Palmanova*; 100 J. später
das unbefestigte Grammichele/Sizi-
lien; Freudenstadt, 405*; alle erhalten).
Leonardos Ideen einer Stadt* mit mehrgeschossigen Straßen und Kanalisation
werden erst im 19./20. Jh. aufgegriffen
und weiterentwickelt (Paris, 415). Im
Barock wird dagegen der Bau idealer
Städte von absolutistischen Herrschern
gewollt und gefördert. So verwirklichen
sich auch meist erst im Barock die in
der Renaissance entwickelten weit-
schauenden Absichten:
- Stadt als rational durchkalkuliertes,
  funktionelles, einheitliches Gesamtkunstwerk
- unternehmerische Nutzung landesherrlichen Grundbesitzes, der als
  reine Landwirtschaft nicht stärker be
  steuert werden kann
- Stadt als Residenz, Garnison, Pre-
  stige-Objekt
- Entlastung von Städten, deren z. T.
  sprunghafter Bevölkerungsanstieg
  durch Mauererweiterungen nicht
  mehr aufgefangen werden kann
- Regelmäßigkeit des vorwiegend sym-
  metrisch-polygonalen Plans, oft in
  Fortführung von Ideen Vitruvs

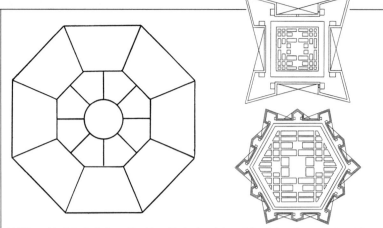

Li: Vitruv, Idealstadt, 1. Jh. v. Chr. Vom Marktplatz führen 8 Radialstraßen zwischen 8 Sektoren
zur 8eckigen, türmebewehrten Mauer. Der Hygiene dient die Ausrichtung nach den Windrich-
tungen, der Wirtschaft die vorgesehene Hafennähe. – Re: Pietro Cataneo, 16. Jh., füllt befestigte 4–12eckige Stadtformen mit orthogonalem Straßensystem. Auch seine Idealstädte sehen
oft Hafennähe vor, 409* (Hs, Ro)

Leonardo da Vinci, 1452–1519, kreuzungsfreie Straßensysteme in mehreren Verkehrs-
ebenen und Niveauüberwindung durch Treppen; Kanalisation.

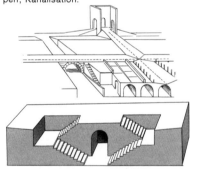

Palmanova (Palma nuova), 1593–95 nach Plänen von V. Scamozzi und B. Longhena gegen
Österreich erbaute venezian. Festungsstadt. Das regelmäßige Neuneck wird von 6 Radialstraßen erschlossen, die vom Zentralplatz (mit Zisterne) ausgehen. Barocke Stadt nach Renais-
sance-Schema. Vgl. Sforzinda, 361*

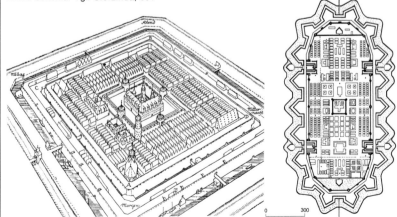

Die deutschen Utopisten A. Dürer, 1471–1528, und D. Specklin, 1536–89, erarbeiten grundsätzli-
che Vorstellungen befestigter Städte. Li: Dürer, Stadt eines Königs. (Gr, O) – Re: Im Sinne
bürgerlichen Lebensstils geht die langgestreckte »Gewerb-Statt« von J. Furttenbach,
1591–1667, mit Schule, Bad, Erholungseinrichtungen, Bootsteich, Wald, innerstädtischen
Baumplätzen und einheitlicher Wallbepflanzung weit über zeitgenössische Pläne hinaus. (Bö)

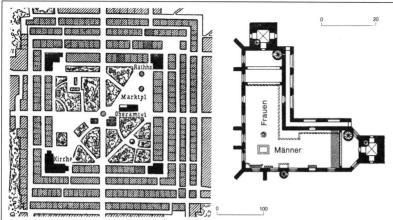

Freudenstadt/Schwarzwald wurde ab 1599 von Herzog Friedrich I. von Württemberg für steirisch-protestant. Auswanderer gegr. (Zuwachs an Untertanen!), nach Brand neu erbaut, 1632, H. Schickhardt. Mühlespielartig gewinkelte Häuserreihen zwischen 4 Hauptstraßen, die vom Hauptplatz ausgehen. In den Winkeln des Platzes Verwaltungsgebäude und die 2flügelige Kirche (Abb. re). Der quadrat. Platz urspr. für ein Schloß vorgesehen. (St, O)

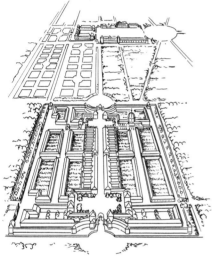

Richelieu/Indre-et-Loire, 1635 von J. Lemercier nach genauen Angaben des Kardinals Richelieu neben dessen Schloß und Park erbaut. Symmetrie der rechteckigen Anlage, völlig gleichartige Häuser in Zeilen; die Reihung der Plätze setzt die Systematik der Höfe und Parkräume des Schlosses fort. (Hs)

Karlsruhe, 1715. Das Zentrum bilden Schloß und Schloßturm; abgewinkelte Schloßflügel. 32 Radialstraßen führen in Stadt und P Wildpark. Hofbeamte wohnen am inneren Zirkel im S, südlich davon hinter der W-O-Achse im »Dörfle« die unteren Stände. Weinbrenners klassizistische Gestaltung der N-S-Achse, 1803 beg., mit Rund- und Rechteckplatz (heutiger Markt, 373*) wird »eine der folgerichtigsten axialen Raumfolgen Deutschlands« (Gruber). (St, O)

– Gründung möglichst in der Ebene (Verteidigung!) und angebunden an Fluß, Hafen, wichtige Verkehrs- und Handelsstraßen
– Zuweisung aller Bevölkerungsteile und ihrer Funktionsstätten an optimale Orte der Stadt
– Funktionalität innerstädtischer Verkehrswege, fahrzeuggerechte schachbrettartige oder radiale Straßen, Bürgersteig
– bastionäres Verteidigungssystem entsprechend der fortschreitenden Verbesserung der Waffentechnik
– Sicherung der Bürger, deren Zahl und wirtschaftliche wie militärische Effizienz Grundlage der Macht des Landesherrn bedeuten
– maximale Aufsicht durch den Landesherrn

Elemente, die der Barock verstärkt oder neu einbringt:
– Palast, Schloß, Zitadelle als gesonderte Anlage, als Zentrum oder Ausgangspunkt der Stadt. Renaiss.: Dürers »Stadt eines Königs«, 404*; Cataneos Idealstadt, 409*; Freudenstadt*, urspr. Plan. – Barock: Karlsruhe*; Mannheim, 409*; Rastatt; Arolsen u. a.
– Gartenanlagen beim Schloß oder in der Stadt. Verwandtschaft von Park- und Stadtstrukturen (M.-A. Laugier, 1753: »Wer einen Park gut zu planen versteht, kann auch eine Stadt planen.«). Vgl. Richelieu*
– Platzräume zwischen repräsentativen Fassaden, vgl. 413*
– neue Bautypen für Verwaltung, Gericht, Beamte; Mietshäuser, Gebäude für das Berufsheer, das an die Stelle der Bürgerwehr tritt: Kaserne, Stallungen, Zeughaus, Exerzierplatz
– gleiche Formen für Gebäude gleichen Zwecks, bes. für Wohnhäuser, z. B. in Richelieu*; sh. auch Place des Vosges, 368*; Bath und London, 371*
– Trennung von Geschäftshaus/Werkstatt und Privathaus

Die Neugründung von **Karlsruhe** 1715 gilt als das »vollendetste Beispiel einer Fürstenstadt... monumentalste Auswirkung des Zentralstadtgedankens in Deutschland... reinste Verkörperung des Absolutismus« (Gruber).
St. Petersburg (329*, Plan 415), 1703 von Peter d. Gr. auf Sumpfgelände gegr., seit 1712 Residenz, erfolgreichste Neugründung des Barock. Sie repräsentiert das Reformstreben des Zarentums (Ostseehafen nach Amsterdamer Vorbild, Anschluß an westl. Kultur und Wirtschaft), aber auch seinen despotischen Absolutismus.

FESTUNG, VESTE

Die Festung ist ein im Frieden befestigter Ort (Stadt, Heerstraße, Fluß-, Gebirgsübergang, Landesgrenze, Küste), der auch gegen einen nach Zahl und Waffen überlegenen Gegner verteidigt werden kann. Ziele sind die Schaffung
– günstigster Bedingungen für den Gebrauch der Waffen
– geschützter Unterkünfte für Streitkräfte, Kampf- und Lebensmittel.

Die ma'lichen Stadtmauern, Türme und Bastionen sind zwar oft sturmfrei, d. h. mit Leitern nicht zu ersteigen, aber sie stehen ungedeckt im Feuer der neu entwickelten Geschütze. Die ital. Kriege des 15. und 16. Jhs. machen daher Stadtbefestigungen nach den gewandelten waffentechnischen Verhältnissen notwendig. Deshalb werden Festungsmauern unter den Bauhorizont versenkt, indem man den Aushub eines tiefen und breiten äußeren Grabens hinter der Mauer zu einer deckenden Brustwehr mit dahinterliegendem Wallgang aufschüttet. Dort und auf flachen, dicken Türmen, den Bastionen, mit gerundetem, später winkligem Grundriß, finden Kanonen Platz.

Die Idealstädte der Renaiss. und des Barock sehen in der Regel Befestigungsanlagen vor. Auch die utopischen Ideen schweben keinesfalls im luftleeren Raum, wie die Verwandtschaften mit späteren Gründungen zeigen (409*). Der anfängliche Typ mit Eckbastionen, entwickelt von Alberti, 1404–72, vgl. 406,2*, wird bald durch Mittelbastionen verbessert (bastionierte Grundrisse). Der spätere sternförmige (tenaillierte) Typ wird in Frankreich mit verstärkten Bastionen kombiniert. Eine Zitadelle oder zumindest ein Rückzugswerk (Réduit) im Innern der Festung bilden letzte Zuflucht. Ein Grundschema, wie es etwa Cataneos Entwurf, 404*, zeigt, wird bis zum späten 19. Jh. durch zahlreiche über- und untergeordnete Anlagen, Bastionen und Schanzen (407*), zu höchst komplizierten Systemem erweitert (Schema 408*).

Bedeutende Festungsbaumeister:
Italien: Fr. di Giorgio Martini, 1439–1502; Fr. de Marchi, 1504–77;
Frankreich: S. Vauban, 1633–1707, Festungsbaumeister Ludwigs XIV., wendet traditionelle Bauelemente genial in schwierigem Gelände an (Mont-Louis/Pyrenäen, Schloß Queyras/Savoyen). Er plant Städte mit zugehörigen Festungen (Neu-Breisach), 406,4*. (Fortsetzg. S. 408)

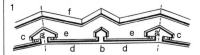

1 Frühes italienisches System, 15./16. Jh. a Bastion, b kleine Mittelbastion, c Flanke, d Mittelwall (Kurtine), e Rondengang, f Glacis

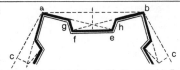

3 Bastionierte Front, frz., A. 17. Jh. a und b Bastionsspitzen, ab, ac und bc Polygonseiten, Fronten, ae und bf Defenslinien, ag und bh Bastionsfacen, g und h Schulterpunkte, gf und he Flanken, fe Kurtine

2 Italienische Front des 16./17. Jhs. a Bastion, b Ravelin, c Kavalier zur Aufstellung von Geschützen, d gedeckter Gang, e Waffenplätze

4 Vaubansches System, 1. Manier, 2. H. 17. Jh. a Ravelin, b Grabenschere, c gedeckt. Gang, Bankett, d Traverse, Schulterwehr, e Lünette

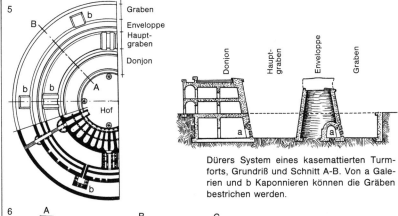

Dürers System eines kasemattierten Turmforts, Grundriß und Schnitt A-B. Von a Galerien und b Kaponnieren können die Gräben bestrichen werden.

5 Graben, Enveloppe, Hauptgraben, Donjon, Hof

6 Schnitt durch die Bewehrung einer Festung nach M. Coehoorn, 1685. A Hauptwall, B Niederwall (Faussebraie), C Couvreface (Contregarde), G Hauptgraben, n nasser Graben, W gedeckter Weg

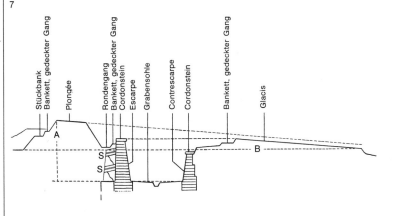

7 Stückbank, Bankett, gedeckter Gang, Plongée, Rondengang, Bankett, gedeckter Gang, Cordonstein, Escarpe, Grabensohle, Contrescarpe, Cordonstein, Bankett, gedeckter Gang, Glacis

Schnitt durch die Bewehrung einer Festung nach O. Mothes, 1882. A Aufzug = Gesamthöhe über Grabensohle, B Bauhorizont, S Strebepfeiler, Brechbogen

Bastionen und offene Schanzen

1 Halbrunde Bastion zum Schutz der Brücken, des Stadttores und der Ufermauer. Metz, Moseltor

2 Halbkreisförmige Bastei (Rondell), aus der Stadtmauer vorspringend. Von ihr aus können die Gräben vor den anschließenden Mauerabschnitten (Kurtinen) mit Geschützfeuer bestrichen werden. Verona, 1560

3 Schulterwehr mit stumpfwinkligen Flanken

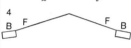

4 Zange aus zwei stumpfwinklig vorspringenden F Facen und B Blockhäusern an deren Schultern

5 Zange aus zwei Facen, die einen einspringenden Winkel bilden (Tenaille)

6 Redan, Flesche aus zwei ausspringenden Facen, die nach italienischer Methode spitzwinklig aufeinandertreffen

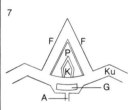

7 Ravelin, größere Form des Redan, hier ebenfalls mit spitzwinkliger P Pünte zwischen den F Facen. Im K Kessel häufig ein Blockhaus als Redoute. G Grabenschere, Koffer zum Schutz der A Ausfallpforte. Diese liegt in der Mitte der Ku Kurtine = Mittelwall, dem Teil des Hauptwalls zwischen den Flanken zweier Bastionen

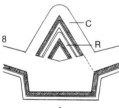

8 Dem R Ravelin können C Contregarden vorgebaut sein, deren Facen parallel zu denen des Ravelin verlaufen

9 Spitzwinklige Bastion mit eingebogenen Flanken (»Ohren«). Geschütze in der Pünte (etymologisch: Kutterschiff der N- und O-See; schweizerisch: Pünt = eingefriedeter Garten). Italienisch, 16. Jh.

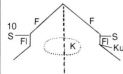

10 Bastion mit stumpfwinkliger Spitze, erstmals in Verona 1527, dennoch frz. Bastion genannt, weil im frz. Festungsbau bevorzugt. F Facen, S Schulterpunkt, Fl Flanke, Ku Kurtinenpunkt, K Kessel

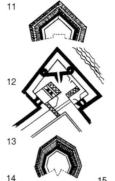

11 Lünette, detachierte Bastion, Brille oder Halbmond nennt man ein bastionähnliches Ravelin oder ein Redan mit kurzen eingewinkelten Flanken, die mit den Kurtinen durch einen gedeckten Gang verbunden sind

12 Lünette, Verona, 1533–35

13 Offene Redoute, Polygonalschanze mit 6/8-Grundriß.

Halboffene Schanzen mit Flankierung

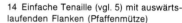 

14 Einfache Tenaille (vgl. 5) mit auswärtslaufenden Flanken (Pfaffenmütze)

15 Einfache Tenaille mit eingezogenen Flanken (Schwalbenschwanz)

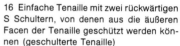

16 Einfache Tenaille mit zwei rückwärtigen S Schultern, von denen aus die äußeren Facen der Tenaille geschützt werden können (geschulterte Tenaille)

17 Doppelte Tenaille

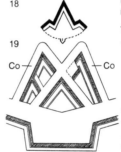

18 Geschulterter Redan (vgl. 6)

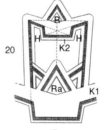

19 Tenaillon (große Tenaille), zwei einhüftige Co Contregarden sind einem Ravelin vorgebaut. Hier: die linke Contregarde ist so geteilt, daß an der Kurtine ein Redan entsteht

20 Hornwerk. Die Kehle der K1 Festungskurtine wird durch zwei weit vorgeschobene H Halbbastionen zwischen einer kurzen K2 Kurtine geschützt. Die Abb. zeigt zusätzlich ein Ra Ravelin vor der Kehle und R Redan vor der kurzen Kurtine

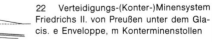

21 Kronwerk, durch eine vorragende L Lünette erweitertes Hornwerk. Hier: zusätzlich ein Kehlravelin sowie je ein Redan vor den kurzen Kurtinen

Konterminensystem

22 Verteidigungs-(Konter-)Minensystem Friedrichs II. von Preußen unter dem Glacis. e Enveloppe, m Konterminenstollen

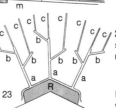

23 System zu 22. a Hauptstollen, b Zweigstollen, c Horchgänge, R Reverscaponnière

Nach G. Binding, A. Demmin, Meyers Konversations-Lexikon, 1894, u. a.

Deutschland: A. Dürer, 1471–1528, seine 2 Entwürfe für eine quadratische »Stadt des Königs«, in deren Mitte das Schloß steht, zeigen ein Sperrfort, aber ohne Flankierung (404*, 406,5*). Er schuf die Grundlagen für die Befestigungen von Wien und Padua.

D. Speckle (Specklin), 1536–89, erfindet kombinierte Bastions- und Flankierungssysteme, auf denen Vaubans frz. Festungswesen des 17. Jhs. aufbaut. »Architectura von Vestungen«, 1589. Friedrich II. von Preußen, 1712–86, führt in einigen seiner eigenen Pläne z. B. für Neiße, Schweidnitz, Glatz, Silberg und Graudenz detachierte (vorgeschobene) Forts und Minengänge unter den Glacis ein (407,22 u. 23*).

Niederlande: M. v. Coehoorn, 1641–1704, neben Vauban bedeutendster Ingenieur seiner Zeit. Sein Festungsbausystem basiert jedoch wesentlich auf den Bodenverhältnissen seiner niederl. Heimat. »Niewe vestingbouw«, 1685 (406,6*).

Der stilbildende Einfluß Ludwigs XIV. auf die europäischen Fürsten erstreckt sich auch auf die Übernahme des militärischen Sprachgebrauchs.

Das entwickelte Profil einer Umwehrung von 1882 (406,7*) zeigt das im Winkel von etwa 15° abfallende Vorfeld (Glacis), dahinter einen gedeckten Gang. Der anschließende Graben ist geböscht (dossiert), seine Mauern (Escarpe und Contrescarpe) sind von einem Mauerkranz bedeckt (Cordonstein, Tablette). Kleine Erdwerke (Caponnièren), mit Schießscharten und Überdeckung versehen, können halb in die Grabensohle oder in die Escarpeböschung eingelassen werden, um die Gräben zu bestreichen. Schmale Außenwerke (Enveloppes) teilen gelegentlich einen breiten Graben in Vor- und Hauptgraben (Dürer, Turmfort, 406*) oder werden an die Contrescarpe gelegt. Eine gedeckte Brustwehr (Bankett, chemin couvert) für vorgeschobene Infanterieschützen und ein tiefer gelegener Rondengang zwischen Escarpe und Wall werden von gemauerten Strebepfeilern oder Brechbogen gestützt. An

Schema einer idealen Festung nach W. Chambers, 1786

a Glacis
b Bankett, gedeckt. Weg
c Contrescarpe
d einfache Tenaille
e doppelte Tenaille
f Hornwerk
g gedeckter Gang

h Graben
i Ravelin oder Redan
k Redan, Flesche
l Kronwerk
m doppelte Tenaille
n Contregarde

o Bastion, Lünette Brille, Halbmond
p Bastion, Lünette mit gerundeten Flanken
q Escarpe
r Kurtine
s Brücke

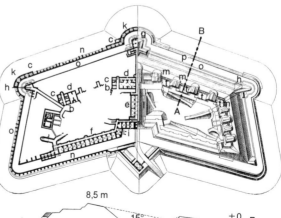

a Kriegspulvermagazin
b Ladestelle
c Verbrauchspulvermagazin
d Laboratorium
e Vorratsräume
f Kehlkaserne
g Saillant-Caponnière
h Schulter-Caponnière
i Flankenbatterie
k Reversgalerie
l Kapitaltraverse
m Traversen
n Contrescarpe
o freistehende Escarpenmauer
p Rondengang
t Geschützbänke

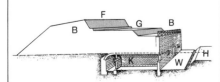

Belgisches Fort des 19. Jhs., Querschnitt. B Brustwehr; F Feuerlinie; G Geschützbank; R Rondengang; W Wallstraße; H Hof; K Kasematte

Detachiertes Fort des 19. Jhs.; Grundriß und Schnitt von A nach B durch die rechte Face. Ein Fort hat in der Regel die Form einer stumpfwinkligen Lünette mit bastionierter Front und an der Rückseite eine polygonal geschlossene Kehle; das bedeutet allseitige Sturmfreiheit.

Idealpläne und ihnen ähnliche Gründungen

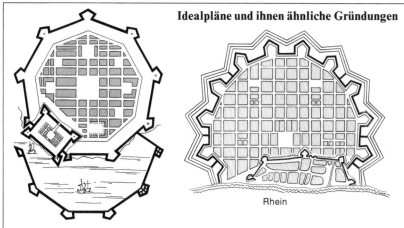

Li: Idealer Entwurf einer befestigten Meereshafenstadt mit Zitadelle. P. Cataneo, 1554. – Re: Mühlheim b. Köln, Plan von 1612. Befestigte Stadt. Einbeziehung der älteren Rheinschanzen. Symmetrische, aber dezentrale Anordnung der städtischen Gebäude und Plätze beidseitig des Marktes.

Li: Idealplan einer Festungsstadt mit gesondert befestigter Zitadelle. Anonymus, um 1600. – Re: Mannheim, Hugenottengründung von 1606 mit den Befestigungen nach Speckle. Hier: Plan von 1622 nach den Zerstörungen des 30jährigen Krieges. Radialstraßen in der Zitadelle, geschlossene Baublocks zwischen rechtwinkligen Straßen in der Stadt.

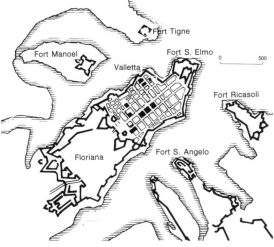

La Valletta/Malta, Stadt und Festung des Johanniter-(Malteser-)Ordens, 1566 gegr., Plan von F. Laparelli da Corona. Beispiel einer monumentalen Barockanlage unter geomorphologisch schwierigen Umständen: stark unebene Felsenzunge zwischen riesigen natürlichen Hafenbecken, die von mehreren Forts geschützt werden. Nie erobert, 1798 kampflos an Napoleon übergeben. Vollständig erhalten. (Bs)

ihre Stelle können ein- oder mehrgeschossige gewölbte Gänge und Räume (Kasematten) für die Unterbringung von Soldaten, Geschützen und Munition treten. Der Wall hat eine beidseitig geböschte Brust(wehr)krone (Bonnette, Rechute), deren obere Schräge (Plongée) mit dem Glacis bündig ist. Dahinter verlaufen ein inneres Bankett mit Brustwehr für die Infanterie und die Stückbank (Barbette). In den Körper der Stückbank oder der Brustwehr werden Stückscharten = Schießscharten (Emplacements) für Geschütze eingeschnitten, oder sie stehen auf erhöhten Plattformen (Kavaliere). Wall- und Grabenverlauf müssen so gewinkelt (gebrochen) werden, daß von den vorspringenden Bastionen aus alle Mauerabschnitte (Kurtinen) mit Feuerwaffen bestrichen werden können. Grundriß und Aufbau der Bastionen und Schanzen haben zahlreiche Veränderungen erfahren (407*).

Die Deckung des Mauerwerks gegen Sicht von außen wird durch die Erfindung der gezogenen Geschütze mit großen Reichweiten und indirektem Beschuß weitgehend entwertet. Den Beweis dafür lieferten vor allem die Erfolge der deutschen Belagerungsartillerie im Krieg von 1870/71. Sie bewirkten in fast allen europ. Ländern eine Neuordnung des Festungsbaus. Dazu gehört ein Gürtel von vorgeschobenen (detachierten) **Forts,** 408*, das sind kleine selbständige Festungen etwa 500 m – 20 km vor der Hauptumwallung (Enceinte) der Festung. Sie sollen deren Beschießung und Einschließung verhindern, indem sie den Schwerpunkt der Verteidigung in die Fortlinie als einer vorgeschobenen Enceinte legen. Der Hauptwall kann deshalb vereinfacht werden oder ganz entfallen wie in Dijon, Reims, Warschau, Rom. **Sperrforts** dienen zur Verteidigung von Engpässen wie Verkehrs- und Angriffswegen oder Hafeneinfahrten und Grenzen. **Panzerforts** haben betonierte und stahlgepanzerte Anlagen.

Im 19. Jh. ist die Befestigung der Hauptstadt umstritten. Rom und Paris sind Festungen, Berlin und Wien nicht.

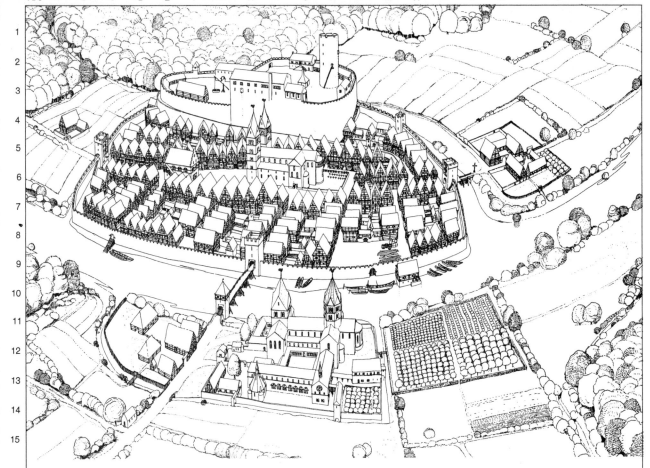

IDEALE STADTENTWICKLUNG

am Beispiel einer erdachten süddeutschen Stadt (Abb. nach Karl Gruber, Eine deutsche Stadt, Bilder zur Entwicklungsgeschichte der Stadtbaukunst, München, 1914)

Pfarrkirche J 5
Rathaus G 4/5
Kornhaus KL 7
Pfarrkirche I 5
Rathaus F 5/6
Burg K 3
– Bergfried K 2
– Pallas H 3
– Kapelle J 3
– Küche J 2/3
– Wohnbauten J 2, KL 3
– Vorburg G 3
Tortürme C 5, H 9, Q 6
Stapelplatz L 8/9
Mühle N 9
Kirchhof K 6
Herbergen B 4, Q 5
Hospital mit Kapelle R 5
Benediktinerkloster J 12
– Kirche J 11
– Paradies, Atrium HI 11

– Kreuzgang J 12
– Dormitorium K 13
– Refektorium I 13
– Küchenbau HI 13
– Hospital L 13
– Abtshaus I 12/13
– Gasthaus GH 13
– Torbau G 12
– Laienkapelle GH 12
– Latrinen GH 14
– KL 14, M 12/13
– Wirtschaftshof E 12

I **Zustand um 1250.** Späte Romanik. Kulturträger sind Ritter und Mönch. Die **Höhenburg** steht auf einer Landzunge neben der Einmündung eines Nebenflusses. Lockere Anordnung von Bergfried, Palas mit Kapelle, Küche, Wohn- und Wirtschaftsgebäuden (vgl. Münzenberg, 303*, Zustand im 12. Jh.).

Das **Benediktinerkloster** liegt am gegenüberliegenden Flußufer, es ist eine Stiftung des Landesherrn. Eine Mauer umschließt den Klosterbezirk.

Burg und Kloster entstanden früher als die **Stadt der Bürger**. Das königliche Marktprivileg bewog den Landesherrn (z. B. Landgraf), locatores = Gründer durchs Land zu schicken, um mercatores personati = Kaufleute (so die Freiburger Gründungsurkunde) anzuwerben und sie am Fuße des Burgberges anzusiedeln, Gewerbe und Kaufbuden zu betreiben, dafür Zins zu zahlen und Kriegsdienste zu leisten. Auch viele nicht erbberechtigte Bauernsöhne strömen in die inzwischen ummauerte Stadt (»Stadtluft macht frei!«). Städtische Bauvorschriften bestimmen Größe und Verteilung der Parzellen, ein- oder zweireihige Baublöcke, Feuerschutz (z. B. Ziegeldeckung, Hausabstand = Bauwich), Baumaterial, Zahl der Stockwerke, Fenstermaße, Dachneigung usw. Die städtische Wirklichkeit spiegelt im krassen Nebeneinander von Haus und Wohnhütte aber auch die sozialen Unterschiede der Bürger wider (vgl. 350* ff.). Auf dem **Marktplatz,** einer Verbreiterung der Hauptstraße, stehen das **Rathaus** als Stein- oder Fachwerkbau mit Gerichtslaube, Stadtwaage, Bürgersaal (vgl. 355* f.) und die **Pfarrkirche** inmitten des ummauerten Kirchhofs.

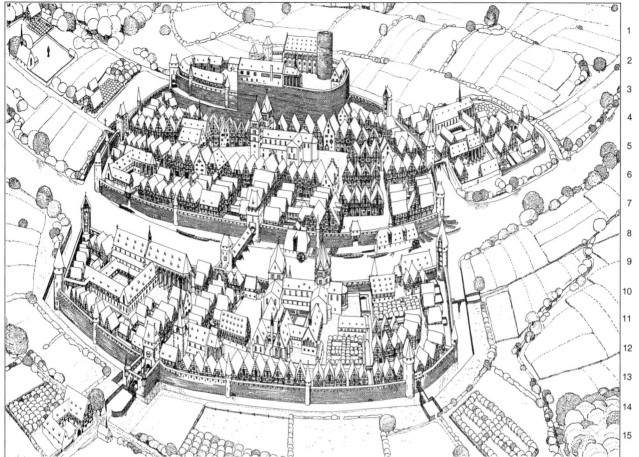

II **Zustand um 1350.** Übergang von der Hoch- zur Spätgotik. Kulturträger ist der Bürger (vgl. 149). Um das Kloster hat sich eine **Vorstadt**
als eigenes Gemeinwesen mit Rathaus, Pfarrkirche und eigener Befestigung gebildet. Die Stadt-Tortürme auf beiden Seiten der verbinden-
den Brücke erlauben auch, sich gegeneinander abzuschließen (vgl.
Prag, Altstadt-Kleinseite; Groß- und Klein-Basel).
Eine bürgerlich-zünftige, jetzt gotische Baukunst bestimmt Errichtung
und künstlerische Gestaltung der **Rathaus- und Burgerweiterung,** der
neuen **Pfarrkirche,** oft auch der **Klöster** der Franziskaner und der vornehmen Dominikaner (vgl. Bettelordenskirchen, 176*). Mit diesen
Anfang des 13. Jhs. gegründeten Predigerorden reagiert die Kirche
auf die veränderten sozialen Bedürfnisse in den neuen Städten. Üblicherweise liegen ihre Klöster am Rand der Altstadt oder in der Vorstadt. Im **Nonnenkloster** am südwestlichen Altstadtrand ist die Klau-
sur so an die Kirche angebaut, daß die Nonnen ungesehen vom
Schlafsaal direkt auf die Prieche = Nonnenempore gehen können.
Zu den bedeutendsten Sozialeinrichtungen der mittelalterlichen Stadt
gehört das **Hospital** (vgl. 359*) als Kranken- und Alterswohnanlage.
Die großen Volksseuchen des 14. Jhs. zwingen dazu, außerhalb der
Mauern einen neuen **Friedhof** mit Totenleuchte und Beinhaus = Karner anzulegen.
Nach den Erfahrungen der Kreuzfahrer mit den **Befestigungssystemen**
des Nahen Ostens wird die heimische Maueranlage modernisiert. Zu
den Tortürmen des 12. Jhs. treten aus der Mauer vorspringende Flankierungstürme, die eine seitliche Bestreichung der Mauer erlauben.

Pfarrkirche J 5
Rathaus G 4/5
Kornhaus KL 7
Hochzeitshaus G 5/6
Steinerne Häuser
GH 5, KL 5
Burg K 2
– Bergfried KL 2
– alter Pallas I 2/3
– Kapelle J 2/3
– neuer Pallas J 2
– Wohnbau L 2/3
Vorburg H 3
Rathaus der Vorstadt
F 10/11
Pfarrkirche der Vorstadt
G 12
Benediktinerkloster J 11
(in Deutschland im
14. Jh. meist noch ge-
ringer weiterentwickelt)
– Kirche J 10
– Kreuzgang J 11
– Dormitorium K 11
– Refektorium J 12
– Küche IJ 11
– Haus der Laienbrüder,
  später Abtswohnung
  J 12
– Gästehaus I 9/10
– Hospital G 12

– Kornspeicher H 11,
  M 10
– Klostermühle O 9
Dominikanerkloster E 9
– steinernes Dormitorium
  E 9/10
– provisorischer Fach-
  werkbau C 10
– Latrine B 10
Franziskanerkloster P 4
Nonnenkloster DE 6
Hospital mit Kirche Q 5
Herbergen C 3, B 14
Friedhof mit Kapelle und
Totenleuchte A 2
Leprosenhaus A 1
Mühlen JK 8, N 8
Tortürme D 4, E 12, Q 5
Flankierungstürme
DE 3/4, FG 3, K 14
hohe Ecktürme C 6,
AB 10, BC 8, N 13,
OP 9, OP 7

III **Zustand um 1550.** Renaissance. Die Kultur wird getragen vom Bürger und dem absolutistischen Landesherrn. Das äußere Bild der Stadt wird von den neuen, verstärkten **Befestigungsanlagen** geprägt (vgl. 406 ff.*). Vor den mittelalterlichen Mauerring mit seinem Graben wurde ein breiter Wall mit niedrigen Batterietürmen und Rondellen gebaut, der einheitlich beide Stadtteile umfaßt. An der Westseite verstärkt ein modernes italienisches Hornwerk den Schutz der Stadt. Die Burg wird zum **Schloß,** einem einheitlichen Vierflügelbau. Schon um 1400 hatten die meisten **Klöster** das gemeinsame Dormitorium aufgegeben zugunsten eigener Zellen für jeden Mönch. Sie reihen sich im Obergeschoß der drei Bautrakte, die den Kreuzgang umstehen. Die Tendenz zur Vereinheitlichung der Baukörper seit der späten Gotik zeigt sich besonders im **Kirchenbau.** Hallen- und Saalkirchen werden bevorzugt (vgl. 172 ff.*). So wurden auch die Seitenschiffe der beiden Pfarrkirchen auf die Höhe des Mittelschiffs hochgezogen und von einem riesigen Einheitsdach überdeckt. Die Basilika der Benediktiner erhält nur einen hohen Hallenchor. Das deutsche **Bürgerhaus** bleibt lange Zeit beim tradierten Giebel- oder Traufenstand vor hohem Dach und wird mit antikisierenden ornamentalen Versatzstücken geschmückt (vgl. 363 ff.*). **Rathaus, Ball-** und **Hochzeitshaus, Herberge, Hospital, Siechenhaus, Friedhof** und die Einrichtungen für Handel und Gewerbe, also **Mühle** und **Korn-haus, Stapelplatz, Gildehaus, Kaufhaus, Marktplatz** und **-halle** erhalten ihre zweckmäßigsten Bauformen nach landschaftlicher Tradition, städtischer Ordnung, aber auch in landesherrlicher Abhängigkeit.

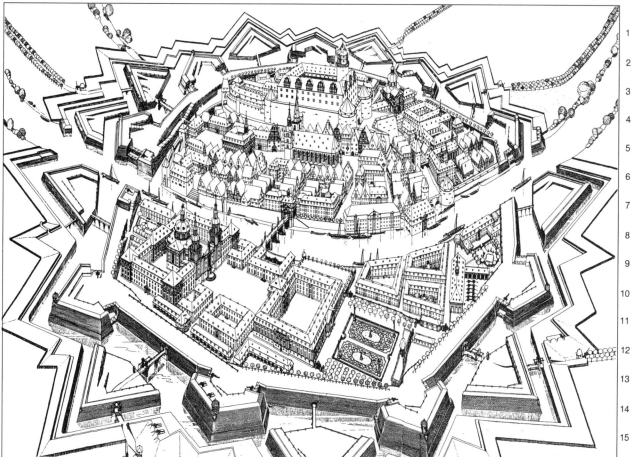

IV Zustand um 1750. Barock. Nach den Zerstörungen und Leiden des Dreißigjährigen Krieges 1618–48 zeigt sich Deutschland unfähig, sich als starke Zentralmacht zu etablieren. Das Land zerfällt in mehr als 300 selbständige Territorialstaaten. Auch unsere erdachte Stadt verliert ihre Selbständigkeit als Verwaltungs-, Wirtschafts- und Verteidigungseinheit. Sie untersteht nunmehr als Residenz des Landesfürsten dessen absolutistischer Herrschaft. Er ernennt die Beamten und stationiert Regimenter in der Stadt, die eine moderne **Festung** im landesfürstlichen Verteidigungssystem geworden ist.

In der vom Krieg zerstörten Altstadt baut der Fürst sein neues **Residenzschloß** mit Garten und Orangerie an der Rückseite und dem Cour d'honneur, der zum – ebenfalls residenzartigen – **Jesuitenkolleg** zeigt. So werden – hier wie z. B. auch beim Rathaus – die Prunkfassaden zugleich zu Wänden architektonisch einheitlich gestalteter Höfe, Plätze und Parks, die als äußere Räume konzipiert sind und in denen sich die Pracht der Innenräume fortsetzt. In diesem Repräsentationsstil gleichen sich Sakral- und Profanbau. Gelegentlich gibt z. B. die Schloßkirche mit Rücksicht auf die Platzgestaltung ihren sakralen Charakter äußerlich völlig auf (Würzburg, Bruchsal, Karlsruhe). Dadurch verwischt sich oft die Polarität des Sakralen und Profanen, die der mittelalterlichen Stadt ihr künstlerisches Gepräge gegeben hatte. Aber auch **Zeughaus, Marstall, Wachhaus,** neue Verwaltungsgebäude und die **Manufakturen** verändern das Bild der Stadt, so wie sich ihre Gesellschaft durch neue Menschentypen wie Beamte, Offiziere, Soldaten und Arbeiter gewandelt hat.

Pfarrkirche K 5
Rathaus HI 4/5
Altes Schloß K 3
Neues Schoß K 10
Jesuitenkollegium EF 9
Jesuitenkirche G 9
Orangerie NO 12
Zeughaus P 9
Marstall I 12
Wachhäuser FG 11, OP 11, OP 11/12
Spital mit Kirche P 5
Minoritenkloster OP 4
Neues Tor J 7
Neue Pfarrkirche N 3
Nonnenkloster G 6
Bastionen C 10, H 13, O 14, S 9
– Gesicht oder Face H 14
– Flanke G 13, I 14
– Ohren GH 13, I 13
Kurtine (Mauer) E 11
Ravelin C 6, D 13, L 15, R 13, T 6
gedeckter Weg T 14
Waffenplätze F 14/15, ST 11
Glacis F 15/16

STADTERNEUERUNGEN, -ERWEITERUNGEN UND -UMBAUTEN DES 17.–19. JHS.

Der Absolutismus des Barock, aber auch das restaurative und das republikanische 19. Jh. ordnen unter gewaltigen Anstrengungen zahlreiche Städte neu. Daß dabei die Residenz- und Hauptstädte an erster Stelle stehen, entspricht den Notwendigkeiten verbesserter Verwaltung, nicht minder aber dem Bedürfnis nach Repräsentation. Beispiele für
– Erneuerung (London, Lissabon)
– Erweiterung (Bath, München, Wien, St. Petersburg)
– Umbau (Paris)
dokumentieren die wichtigsten

Absichten:
– Schaffung von Wohn- und Arbeitsstätten für die stark wachsende Bevölkerung, von 1800–1900 in Europa zwischen 38% (Frankreich) und 200% (England)
– Sanierung der übervölkerten Altstadtviertel durch Abriß oder durch Straßenschneisen in gewachsene Viertel als geometrische Verbindung von Bauten und Plätzen
– Bebauung niedergelegter Festungsanlagen (München, 415*; Wien, 416*)
– leistungsfähiges Verkehrsnetz innerhalb der Stadt und nach außerhalb, auch unter militärischen Aspekten (Paris nach den Aufständen von 1848). Erste U-Bahn in London 1863
– Trennung von Wohnvierteln für Arbeiter und Oberschicht
– Bindung einer wohlhabenden Oberschicht an die Regierung; Arbeit und Brot für Arbeiter
– optimale Verteilung von Einrichtungen für Verwaltung, Versorgung, Verkehr, Fabrikation, Handel, Sicherheit (Polizei, Militär), Bildung, Erholung
– Monumentalität durch Achsen und Platzfolgen, breite Straßen, Alleen, Avenuen mit Points de vues (Paris, 415*; München, 415*, sh. auch Turin und London, 267*)
– Anwendung strenger Bauvorschriften zur Einheitlichkeit von Bau-, Geschoßhöhe, Baustil, Fassaden u. a.

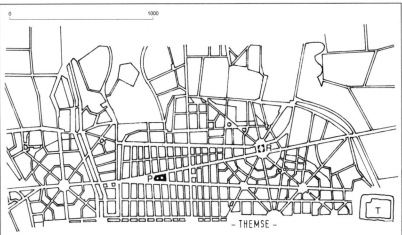

London, Plan von Chr. Wren für den Wiederaufbau nach dem Brand von 1666. P St. Paul's Cathedral, R Royal Exchange, T Tower. (Mo, O)

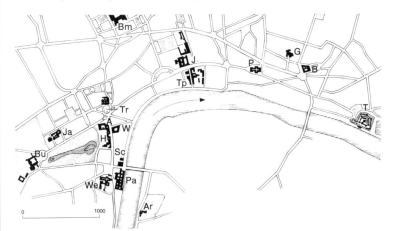

London heute. Verbindungen der öffentlichen Gebäude. T Tower, B Bank of England, G Guildhall, P St. Paul's, Tp Temple, J Courts of Justice, Tr Trafalgar Square, Ja St. James's Palace, Bu Buckingham Palace, A Admiralität, W War Office, H Horse-Guards, Sc Scotland Yard, Pa Parlament, We Westminster Abbey, Ar Archbishops Park, Bm British Museum. (BS, O)

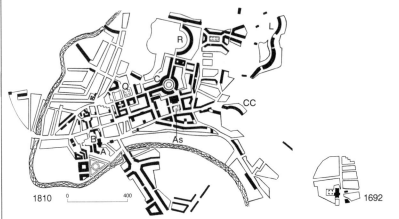

Bath/England. Re: Zustand 1692. – Li: Entwicklung zwischen 1728 und 1810. A Bath Abbey, beg. 1499, B Roman Baths und Pump Room, R Royal Crescent, C Circus, Q Queen's Square, As Assembly Rooms, CC Camden Crescent, L Lansdown Crescent. Der Circus ist Angelpunkt einer Folge von Straßen, geschlossenen und offenen Platzräumen (Crescents), die in die freie Landschaft führen. (Bc)

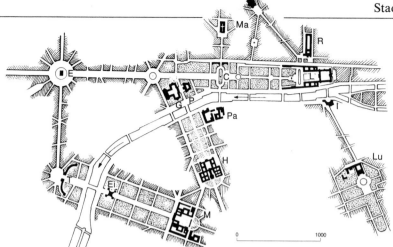

Paris nach den Straßendurchbrüchen von Haussmann, 2. H. 19. Jh. Königsachse: L Louvre – C Place de la Concorde – E Etoile; Querachsen: R Palais Royale – I Institut de France – Lu Luxembourg; Pa Parlament – Ma Madeleine (vgl. 270); G Grand Palais – P Petit Palais – H Hôtel des Invalides; T Trocadero – Ei Eiffelturm – M Ecole Militaire. (Bs, O)

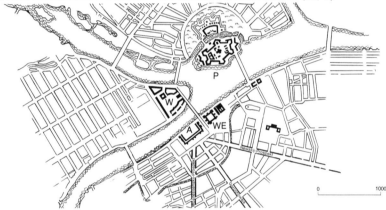

St. Petersburg, 1703 von Peter d. Gr. an der Newa-Mündung gegr.; Zentrum gegenüber der P Peter-und-Paul-Festung und der W Wassili-Insel mit den 12 Kollegien = Regierungsgebäuden: WE Winterpalais und Eremitage, A Admiralität. Von dort gehen strahlenförmig 3 große Achsen aus, 1717–40. Sh. auch 329* und 405.

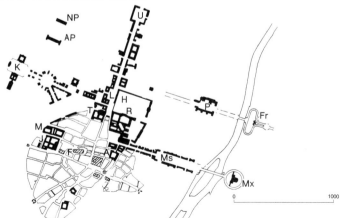

München, Bürgerstadt und staatliche Monumentalbauten. F Frauenkirche, J Jesuitenkolleg und -kirche, M Maxburg, A Alter Hof, R Residenz, T Theatinerkloster und -kirche, H Hofgarten, L Ludwigstraße, K Königsplatz, U Universität, AP Alte Pinakothek, NP Neue Pinakothek, P Prinzregentenstraße mit Bayerischem Nationalmuseum, Fr Friedensengel, Ms Maximilianstraße, Mx Maximilianeum. (Bs, O)

Negative Folgen bes. im 19. Jh.:
– Grundstücksspekulation
– höchstmögliche Bebauungsdichte, eintönige Bauzeilen
– Massenmiethäuser (Mietskasernen) mit Hinterhöfen und spezifischem Proletariat

London. Nach dem Londoner Brand von 1666 (262*) mit 70000 Obdachlosen werden 3 Pläne für den Wiederaufbau erarbeitet. Chr. Wrens Plan*, angenommen, aber nicht ausgeführt, stützt sich auf Ideen der Theoretiker des 16. Jhs. (vgl. 404 f.) und wie diese auf römisch-antike Vorstellungen. Er ist nach Moholy-Nagy »sozusagen die Endsumme der gesamten Planungstradition: ein römisches Schachbrett, hellenistische Prunkstraßen und 10-, 8-, 6- und 4zackige Sternplätze, deren größter nicht die Kathedrale oder das Königliche Schloß, sondern die Börse im Zentrum hat, genau wie Platos Atlantis das Schatzhaus«.
Bath, schon zur Römerzeit Thermalbad, seit dem 18. Jh. Stadt mit internationalem Zuspruch, aber nicht aus Initiative des Landesherrn, sondern aus privatwirtschaftlichen Erwägungen und mit erlesenem georgianischen Geschmack erweitert. Vgl. 371*.
Paris*. Die Straßendurchbrüche Haussmanns von 1853–71 bewirken
– Repräsentation des Kaiserreichs Napoleons III.
– Erweiterung des Stadtgebiets von 3400 auf 7800 ha
– Sanierung und Dezentralisierung der beengten, ungesunden Stadtkerne, Abbruch von 28000 Häusern
– Steigerung der Bodenpreise und dadurch der Steuerabgaben
– erste moderne Kanalisation in Europa, 1859–73 auch London, 1873–83 Berlin
– leistungsfähiges Verkehrsnetz für Fahrzeuge (etwa 24 m breite Straßen, Brücken) und Fußgänger (Bürgersteige, begrünte Boulevards. Ein erstes Boulevardsystem hatte bereits Ludwig XIV. 1664 anstelle der abgebrochenen Befestigung anlegen lassen). 60 ha Parkanlagen
– den Bau von Kasernen an den Sternplätzen und freie Schußfelder zum schnellen Eingreifen bei Aufständen in den alten Quartieren, die seit 1789 immer befürchtet und 1831 und 1871 (»Commune«, Zerstörung der Tuilerien) niedergeschlagen werden
– Belebung des Handels (Markthallen, Kaufhäuser, Börse, Büros u. a.)
– durchgängig großzügige historisierende Bebauung der insges. 95 km neuen Prachtstraßen
St. Petersburg*
München*. Die Teilung der Stadt in eine geschlossene Bürgerstadt im S und eine Königsstadt im N wird durch die Achsen und Monumentalbauten des 18. und 19. Jhs. betont.
– Schon die frühen absolutistischen Herrscher der Renaissance und des Barock verdrängten zahlreiche Bürgerhäuser für Jesuitenkolleg, 1559–97, Maxburg und Residenz, die zur Stadt hin verschlossen bleibt und für deren Hofgarten sogar die Befestigung ausgeweitet wird.
– E. 18. Jh. nach Entwertung der Stadt als Festung Baubeginn des Residenzprogramms an den neuen Prachtstraßen und Plätzen und deren Blickpunkten (Maximilianeum, Friedensengel, Königsplatz) und im Englischen Garten.

– Die bayerischen Könige des 19. Jhs. verstehen sich als Bildungsmäzene und München als Kunststadt (Museen, Universität, Musikakademie, Staatsbibliothek, -archiv u. a.). Stilistisch herrschen Klassizismus (Glyptothek, Propyläen, Staatsgalerie, Nationaltheater, Pinakothek, Fassaden der Ludwigstraße), eklektizistischer, aber auch kopierender Historismus vor (Siegestor/Konstantinsbogen, Feldherrnhalle/Loggia dei Lanzi in Florenz).

Lissabon*. Nach dem Erdbeben von 1775 mit 30000 Toten von insg. 170000 Einwohnern und 9000 zerstörten Häusern verhindert der Marques Pombal die Abwanderung (»Die Toten begraben, Lebende versorgen, die Häfen sperren«). Er forciert den Wiederaufbau nach den Plänen von E. dos Santos de Cervalho, die sich an der Hippodamischen Stadt Piräus orientieren (392): Talebene mit 8 Längs-, 9 Querstraßen, von Plätzen unterbrochen, pro Handwerk eine Straße. Am Fluß der glanzvolle Praça do Comércio (Handelsplatz). Altstadt und Park am Berghang.

Wien, Ringstraße, ein Hauptwerk des Historismus und der Gründerzeit. Die niedergelegten Wallanlagen werden in eine breite Promenadenstraße umgewandelt und aufgrund einer Ausschreibung des Kaisers Franz Joseph, 1848–1916, seit 1858 mit Repräsentationsgebäuden besetzt.

– Gesamtplanung von L. Forster, Bayreuth
– Architekten: Fr. Schmidt, Köln; Th. Hansen, Dänemark; G. Semper, Dresden; E. van der Nüll und H. v. Ferstel, Wien
– 3 Hauptabschnitte des Ringgeländes: 1. Hofburg – Museen, 2. Rathaus – Burgtheater – Parlament – Universität, 3. Bankverein – Börse
– der Adel wohnt in der Nähe der Hofburg, das Großbürgertum bei der Börse
– Plätze und Parks mit zahlreichen Denkmälern sind nicht mehr Raumkörper mit Platzwänden (vgl. 413*), die Gebäude stehen isoliert, »Raum ist jetzt ein aus unbestimmter Ferne dringendes Element, das durch Architektur kaum noch gestaltet wird« (W. Pehnt)
– prunkvoller Historismus ist Bedingung für die Architekten; die Gesamtheit der Bauten wird das monumentalste Freilichtmuseum dieses zugleich konservativen und fortschrittsgläubigen offiziellen Stils der Gründerzeit. Hierzu 375. Dabei sollen die historischen Vorbilder moralisch-philologische Assoziationen wecken; griechisch-römisch für Demokratie (Parlament), gotisch für Bürgerstolz (Votivkirche, Rathaus), Renaissance für humanistische Bildung (Museen, Oper, Burgtheater, Universität), Regierung (Hofburg), venezianische Formen für Handel (Börse).

Siehe auch klassizistische Stadterneuerung, 267 ff.* und 373*

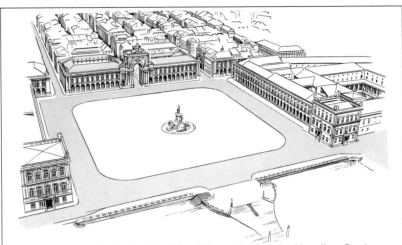

Lissabon, Praça do Comércio, 200 × 175 m, bühnenartig über eine hier offene Durchgangsstraße zum Tejo-Ufer geöffnet, von Ozeanschiffen erreichbar. In der Platzmitte Reiterstandbild von José I. mit Plakette des Marques Pombal. Umstehende Gebäude 2½geschossig, Untergeschoß mit Arkadengängen. Gewollte Synthese bedeutender europ. Plätze: Place Royale, Piazzetta u. a. Hinter dem Triumphbogen die Unterstadt (Cidade Baixa), von E. dos Santos de Cervelho 1756 nach dem Hippodamischen System entworfen.

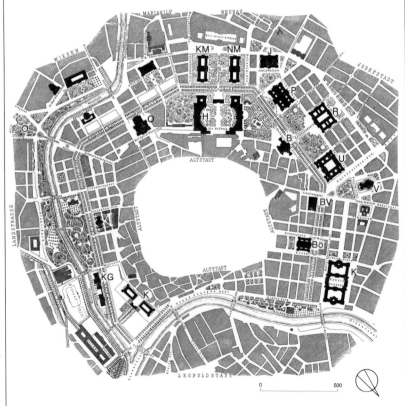

Wien, Ringstraße, beg. 1858. (St, O)

V Votivkirche	P Parlament	BV Bankverein
H Neue Hofburg	U Universität	Bö Börse
KM Kunsthistorisches Museum	J Justizpalast	K Kaserne
NM Naturhistorisches Museum	B Burgtheater	KG Kunst- und Gewerbeschule
R Rathaus	O Oper	

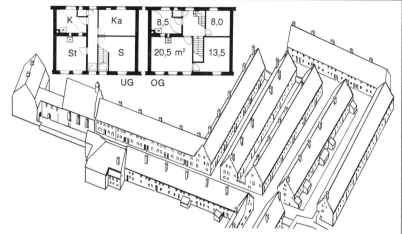

Augsburg, Fuggerei, 1516–25, Stiftung von Jakob Fugger dem Reichen für schuldlos verarmte katholische Bürgerfamilien. Soziale, noch nicht reformatorische Einrichtung, aber auch kein Hospital. in 53 Häusern je 2 Wohnungen zu 60 m², jede mit eigenem Eingang, Haushalt, Gärtchen. Dadurch Erhaltung persönlicher Freiheit und Unabhängigkeit. Jahresmiete (bis heute) 1 Rheinischer Gulden. Eigene Krankenbetreuung. Die Kirche hat ihren eigenen Geistlichen. K Küche, Ka Kammer, St Stube, S Schlafzimmer.

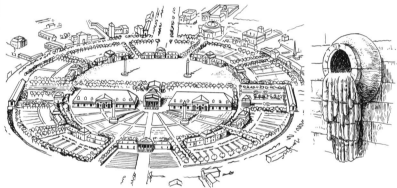

Chaux (Arc et Senans) »Königliche Saline«, 1774, Ledoux. Vollendet nur die Hälfte der Ellipse mit radial angeordneten Wohn-Pavillons für Arbeiter und Angestellte, auf dem Mittelstreifen Direktorenhaus zwischen 2 Sudhäusern. Portale im revolutions-klassizist. Stil (vgl. 265, 372), Meilerform der Köhlerhäuser, auslaufende Salzfässer an den Sudhäusern* u. a. sind Symbole für das Verhältnis der Menschen zu spezifischen Berufen.

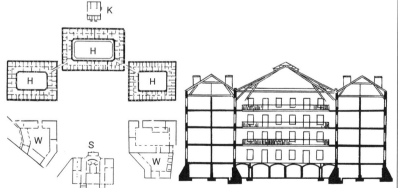

Familistère, »Palais sociale« in Guise/N-Frankreich, 1859–85, J.-B. A. Godin. Sozialpaternalistische Arbeitersiedlung, Genossenschaft mit Gewinnbeteiligung. 1968 aufgelöst (Museum). Glasüberdachte H Innenhöfe (re: Schnitt) als Begegnungszentren; eiserne Laubengänge erschließen von dort die Wohnungen. K Küche und Kinderkrippe; S Schule; W Wirtschaftsgebäude. Außerdem Theater, Schwimmbad, Wäscherei, Kasino, Gaswerk. Vorbildhaft für das »Rote Wien«, 420f.*

SOZIALREFORMERI-SCHE STADTPROJEKTE

Die Ideen für sozial gerichtete Wohnungen und Arbeitsstätten des 18./19. Jhs. stammen fast nie von Landesherren oder Architekten, sondern fast immer von Laien, also Bürgern, Kaufleuten oder Fabrikanten (378 f.*). Die Gesetzgebung wird oft erst durch sie in Gang gesetzt und hinkt den Bedürfnissen der Arbeiter in den übervölkerten Städten, aber auch den bereits realisierten Baumodellen meist nach (338 f.). Voraussetzungen für das neue Denken schufen vor allem
– das Elend der frühindustriellen Arbeiterschaft
– die Weckung sozialen Gewissens bei Literaten (z. B. Bettina von Arnim, 1785–1859, »Dies Buch gehört dem König«, 1843, über Pauperismus und soziales Elend; Gogol, Marx, Tolstoi u. a.), Kirche (Don Bosco, Leo XIII., Kolping) und Unternehmern (A. Bebel, Fr. Krupp, van Marken, 379*, u. a.).
– der Zurück-zur-Natur-Trend der Aufklärung und Romantik
– die emanzipatorischen Ideen der Französischen Revolution für den 3. Stand
– die veränderte Bedeutung der Landschaft: vom Barockpark zum Landschaftsgarten (333 und → Gartenkunst*); analog dazu: von der früheren ummauerten Idealstadt zur »ville sociale« für Arbeiter nahe ihrer Fabrik und in einer offenen, ländlichen Gartenstadt.

Daraus entstehen im wesentlichen 4 Konzepttypen:
1. **Ville sociale** = menschenwürdige Verbindung von Arbeitsplatz und Wohnung innerhalb einer Neusiedlung mit einer alle Bedürfnisse abdeckenden Infrastruktur
2. **Gartenstadt** = eigenständige Siedlung im Sinne einer ville sociale, aber mit ländlichem Charakter
3. **Gartenvorstadt** = durchgrünte Bebauung wie Gartenstadt, aber berufs- und verwaltungsabhängig von einer nahen City oder Industrie
4. **Arbeitersiedlung.**

Allen Konzepten sind volkspädagogische Absichten gemein.

Zu 1: Frühe Projekte im Sinne einer »Ville sociale«:

Lichtenwörth-Nadelburg/Niederösterreich, unter Maria Theresia nach 1753 gegr., Metallwaren- und Messingnadelfabrik mit ummauerter Arbeitersiedlung aus 50 Häusern und Kirche. Der vorher durch Türken- und Kuruzenkriege völlig verarmte Ort konnte so bis zum 2. Weltkrieg überleben. Eines der wenigen Beispiele fürstlicher Initiative.

Chaux/Arc-et-Senans, 417*. »Funktionelle Raumaufteilung, strenge geometrische Formen, Anlage und Ausstattung der Gebäude spiegeln Ledoux' Auffassung vom Leben des Menschen, seiner Arbeit und Freizeitgestaltung wider... symbolisieren den Wunsch, eine bessere Welt zu schaffen« (Delpal).

Kombinierte Wohn-/Produktionskomplexe:

Phalanstère, 1829, Ch. Fourier, ein 1,2 km langes, im Grundriß Versailles ähnliches Kollektivgebäude für 1620 Menschen.

Familistère, 417*, 1859, Ofenfabrikant A. Godin, insges. 180 m lange Anlage aus 3 versetzten Blöcken für 465 Familien (Name!), Innenhöfe mit Glasdach.

Entscheidende Ideen gehen von England aus, wo auch die Industrialisierung am frühesten begonnen und in gewucherten Städten das soziale Problem der Slums geschaffen hat.

Owenite villages*
Saltaire*

Zu 2, 3: Gartenstadt, Gartenvorstadt

Gartenstädte sollen keine cityabhängigen Vorstädte im Grünen, sondern eigenständige, durchgrünte Städte in ländlicher Umgebung sein. Ebenezer Howard, 1850–1928, entwickelt das Konzept ländlicher Wohnsiedlungen*, die »auch Fabriken und alle kulturellen Annehmlichkeiten beherbergen« (Pevsner). In »Tomorrow«, 1898, Neuauflage: »Garden Cities of Tomorrow«, 1902, systematisiert er seine Ideen und die Erfahrungen aus früheren Versuchen einiger Großindustrieller mit Garten**vor**städten wie

Port Sunlight/Cheshire für die Seifenfirma Lever Bros., 1888 beg.;

Bourneville/Manchester für den Kakaofabrikanten Cadbury, 1895 beg., eine gewinnreiche Anlage; wegen ihrer Hygiene und ästhetischen Form vorbildlich.

Howards Gartenstadt soll das Gleichgewicht zwischen Stadt und Land herstellen durch
- Vereinigung der jeweiligen Vorteile
- Ausschluß der Nachteile
- Neugründungen von Städten bis 30 000 Einwohner

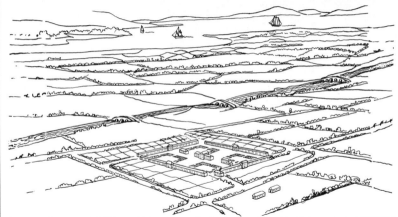

Owenite villages, seit 1817 vom Unternehmer R. Owen gegr. Industriedörfer von etwa 1200 Bewohnern, »von Landwirtschaft umgeben – Einheit von Fabrik, Wohnungen, Kirche, Schule, Verteilung der Lebensnotwendigkeiten wie Essen, Kleidung usw.; eine Sozialutopie ersten Ranges« (Grassnick). Die Dörfer scheitern schließlich, weil die Bewohner die idealistischen Ideen nicht mittragen können, nämlich menschliche Architektur in Verbindung mit verordneter Charakterbildung, u. a. Eltern/Kinder-Trennung zur Verhütung schlechter Beispiele.

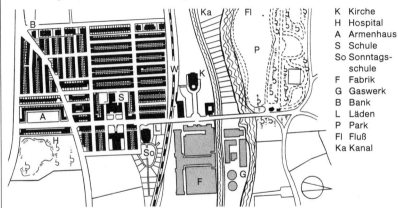

K	Kirche
H	Hospital
A	Armenhaus
S	Schule
So	Sonntagsschule
F	Fabrik
G	Gaswerk
B	Bank
L	Läden
P	Park
Fl	Fluß
Ka	Kanal

Saltaire, 1852 vom engl. Fabrikanten T. Salt erbaut, ist erfolgreicher. Bewundert werden die Lage im Grünen, die vorbildliche Fabrik, die niedrigen Häuserzeilen mit Gärtchen und die wohldurchdachten Versorgungs-, Bildungs- und Erholungsanlagen mit städtischem Anspruch (Eisenbahnanschluß!). Vermeidung von Luft- und Wasserverschmutzung und die Hoffnung auf »wohlgenährte zufriedene, glückliche Arbeiter« sind Salts erklärte Absichten.

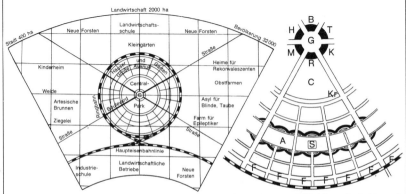

Ebenezer Howard, Konzept einer Gartenstadt aus 6 Ringsektoren, 1898. Hier: ein Sektor mit innerem G Rundgarten (2 ha), umstanden von R Rathaus, T Theater, B Bibliothek, H Hospital, M Museum, K Konzerthaus. Um den C Centralpark (50 ha) ringförmiger Kr Kristallpalast für Fachgeschäfte; Wohnviertel mit Hausgärten zwischen radialen Boulevards, getrennt durch die 130 m breite A Avenue, auf der Kirchen, 6 Schulen, S Spielplätze stehen, begrenzt durch F Fabriken vor der Eisenbahn. Alle anderen Einrichtungen auf dem umgebenden Land.

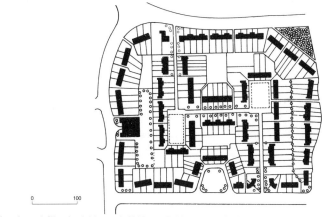

Letchworth/Hertfordshire, seit 1903 von R. Unwin und B. Parker angelegt, realisiert und modifiziert das Gartenstadt-Ideal von Howard. Änderungen betreffen vor allem stärkere und gleichmäßigere Begrünung, dadurch entsteht ein mißverständlicher Schrebergarten-Eindruck, verstärkt durch geringere durchschnittliche Wohndichte und schwächere Hervorhebung des Zentrums als bei Howards Konzept. Hier: Pixmore Hill, 170 Wohneinh., 510 Einw.

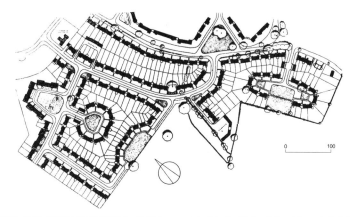

Welwyn, die 2. Gartenstadt, 1918, L. de Soissons, ist wirtschaftlich erfolgreicher als Letchworth, u. a. durch Anbindung der im N konzentrierten Industrie an die Bahn, beliebter wegen der anspruchsvollen Park-Avenue (vgl. Howard!), der einheitlichen Architektur und glaubwürdig durch Howards Anwesenheit bis zu seinem Tod 1928.

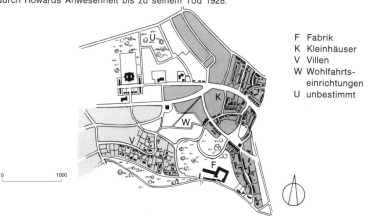

F   Fabrik
K   Kleinhäuser
V   Villen
W   Wohlfahrts-
    einrichtungen
U   unbestimmt

Hellerau, Bebauungsplan. Neugründung 1908–13, 3,5 km von Dresden, politisch selbständige Gemeinde. Trennung von Fabrik-, Versorgungs- und Wohnflächen unter Berücksichtigung der Topographie, ebenso getrennte Siedlungen für sozial Schwächere (Kleinhäuser, minimal 55 m² Nutzfläche: Wohnzimmer und Küche unten, 2 Schlafzimmer oben, dazu Speicher, Waschküche, Keller; 250 Mark Jahresmiete) und sozial Stärkere (Villenviertel, meist frei stehende Häuser, 600–2000 Mark Jahresmiete). (H. Gundlach und Mu)

– 50 km von größerer Stadt entfernt, Verbindung durch öffentliches Verkehrssystem
– Bildung geschlossener Einheiten mit Wohn-, Arbeits-, Versorgungs-, Dienstleistungseinrichtungen
– Gemeinnützigkeit als Schutz gegen Spekulation und Ausbeutung
– humane Lebensform, Ausgleich von nachbarschaftlichem Umgang und möglichem Rückzug in abgeschlossene Wohnung
– bes. wichtig: eigenes Gartenstück

In der Folge entstehen zeitlich parallel mehrere Garten- und Gartenvorstädte.
Letchworth*
Welwyn*
Hellerau* b. Dresden ist die erste deutsche Gartenstadt, 1908 Bebauungsplan von R. Riemerschmid, 1909 beg., Idee (und Finanzierung) von K. Schmidt nach engl. Vorbildern und entspr. der Satzung der Deutschen Gartenstadt-Gesellschaft: »…dauernd im Obereigentum der Gesellschaft… daß jede Spekulation mit dem Grund und Boden dauernd unmöglich ist.« Anpassung an die Landschaft, Telefon, Straßenbahn, Eisenbahnanbindung, (Auto-)Verkehrsstraßen und beruhigte Zonen sind moderne Merkmale der Stadt.

Auch Unwins **Gartenvorstädte** haben größeren Erfolg als sein Letchworth.
Besonders der 1907 bei London begonnene **Hampstead Garden Suburb** »muß als Ideal der Gartenstadtprinzipien bei der Planung von Wohnbauten und öffentlichen Gebäuden angesehen werden, mit seinem regelmäßigen Zentrum – die beiden Kirchen und das Institut von Lutyens entworfen –, seinem Muster aus geraden Hauptstraßen und gewundenen Nebenstraßen, gelegentlich auch reinen Fußgängerwegen, den sorgfältig ins Stadtbild einbezogenen alten Bäumen…« (Pevsner).
Ciudad Lineal, 420*

Zu 4: **Arbeitersiedlung,** sh. auch 338 f. Der Gartenstadt-Gedanke wird bald populär, aber auch von Spekulanten für simple Vorstadtsiedlungen mit Hausgärten mißbraucht. Gerade diese Umdeutung bewirkt jedoch, daß Arbeitersiedlungen – nun auch ohne räumliche Nähe zur Fabrik – sensibler als zur Zeit der Mietskasernen geplant und gebaut werden. Der Hausgarten fand sich bescheiden schon in der Fuggerei des 16. Jhs., er liegt auch hinter den Wohnungen von Chaux, und fast keine spätere Reformplanung verzichtet auf ihn.

Seit der Londoner Weltausstellung 1851 werden regelmäßig neue Entwicklungen von Arbeitersiedlungen gezeigt. Das Baumaterial reicht von Backstein und Holz über das Fertighaus aus Pappe (Paris 1889) zum doppelwandigen Stahlhaus (Duisburg-Laar, 1926) und Betonbau der Zeit nach 1945.

Leipzig, Dresden, Lenton, Delft u. a., 378 f.*
Die **Kruppschen Werks-Wohnsiedlungen,** Dahlhäuser Heide* in Essen, 1907–11, oder Kiel-Gaarden, 1917, zeigen gängige Elemente solcher Anlagen:
– topographische Anpassung
– Länge der Bauzeilen wird durch Querstraßen bestimmt
– »Grünfläche« wird zu stehendem Begriff auch für den Städtebau
– Gärten für jede Wohneinheit zwischen parallelen Langblocks
– Frei- und Spielplätze zwischen rechteckigen oder quadratischen Anlagen
– 1–2geschossige Wohneinheiten

Ein Beispiel zur großstädtischen Problematik und ihrer Lösung:
Kommunaler Wohnungsbau im »Roten Wien« 1919–1934

Das Wohnungselend der Arbeiter war unbeschreiblich. Die Wohnungszählung 1917 ergab:
– 92 % der Wohnungen ohne eigenes Klosett
– 95% ohne eigene Wasserleitung
– Arbeiterwohnung durchschnittlich 20 m²
– 58 % der Menschen in Arbeiterfamilien haben kein eigenes Bett
– Mietzinshäuser* mit 85 % Grundverbauung; 4–5geschossige Lichtschächte oft 3 × 4 m
– »Gangküchenhäuser«* ohne direkte Belüftung und Belichtung; auch fensterlose Zimmer, → Gefangene Räume
– Mietzins etwa 25 % des Einkommens
Das umfassende städtische Wohnsiedlungsprogramm zur Zeit der sozialdemokratischen Gemeindeverwaltung von 1919–34 (das »Rote Wien«) will – trotz Wirtschaftsdepression und beginnendem Faschismus – eine »Insel des Sozialismus« schaffen. Das bedeutet u. a. solidarisierte Arbeiterschaft in geschlossenen Wohnanlagen. Ein Gürtel aus Gemeindebauten soll zur »Ringstraße des Proletariats« werden. Als Voraussetzungen werden mühevoll geschaffen
– neue Gesetzgebung zur Sozial-, Gesundheits-, Schul-, Finanz-, Kultur-, Wohnungspolitik
– Steuerhoheit Wiens durch politische Abtrennung als selbständiges Land vom »schwarzen« Niederösterreich (1922)

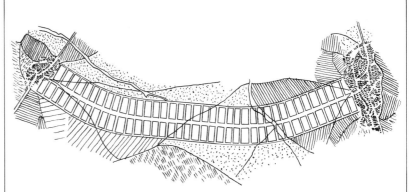

Ciudad Lineal (Bandstadt), 1894 als Ring um Madrid von Soria y Mata geplant, will die älteren äußeren Stadtteile durch bewohnte Stadtgürtel parallel zu Schnellverkehrswegen miteinander verbinden: erste Vorstadtplanung mit Vorherrschaft des motorisierten Verkehrs, aber mit der Absicht, das Land zwischen den Siedlungen zu erhalten. (Ch)

Essen, Kruppsche Siedlung Dahlhauser Heide, 1907–11.

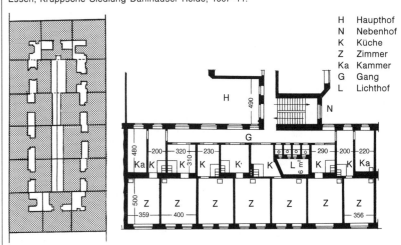

H Haupthof
N Nebenhof
K Küche
Z Zimmer
Ka Kammer
G Gang
L Lichthof

Li: Wien, II. Bezirk, Mietzinshaus mit engen Lichthöfen. Gründerzeit.
Re: Sog. »Bassena«-Wohnhaus (Bassena = gemeinsame Wasserleitung), Gangküchenhaus mit indirekt belichteten und belüfteten Küchen (auch für Schlafgänger), meist 1 Zimmer, gemeinsamen Aborten. Gründerzeit.

Li: Wien. Randverbauung mit parkartigem Hof. »Bebel-Hof«, 1925, K. Ehn.
Re: Gartenstadt-Siedlung »Am Tivoli«, XII. Bezirk, 1927–29, W. Peterle. Villenartige Kolonie, 4-Familien-Häuser mit 404 Wohnungen. Malerische Straßenführungen, architektonisch romantische Plätze. Zentral: Wäscherei, Kindergarten, Badeanstalt u. a.

V Verkaufspavillon
W Wäscherei, Bad
K Kindergarten
B Bibliothek
A Altbauten

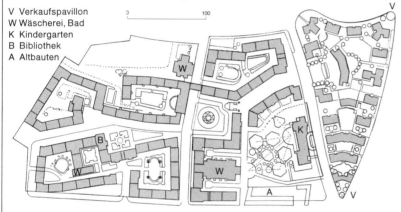

Wien, Sandleiten, 1924–28, E. Hoppe u. a., größte Wohnhausanlage Wiens, 1587 Wohnungen. Vermeidung von Achsen. Pittoreske, organisch gewachsene Stadt in der Stadt, dichtes Netz von geraden und gekrümmten Wohnstraßen mit gekurvten, gestaffelten Hausfronten, Lauben und Grünanlagen zwischen umbauten Höfen; unsymmetrische Plätze; zentrale Wasch- und Badeanlagen. Außerordentlich abwechslungsreiche städtebauliche Wirkung.

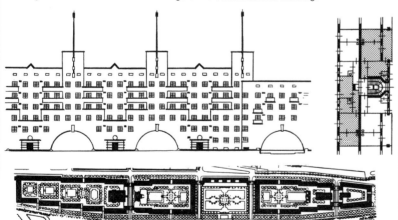

Wien, Karl-Marx-Hof, 1927–30. K. Ehn. Geschlossene Wohnanlage, 1382 Wohnungen, 23% Verbauung, riesige Gartenhöfe. Fassade klar gegliedert (»Ein Kilometer Art Déco«), aber auch auf Kosten der Wohnfläche. Zahlr. Loggien. 16 m breite Torbögen, z. T. als Durchweg Bahnhof–Fußballstadion. Bäder, Zahnklinik, Apotheke, Post, Läden, Gastlokale, Krankenkasse u. a.

– Wohnungsvergabe nicht nach Familieneinkommen (kapitalistisch), sondern nach objektiver Dringlichkeit (sozialistisch) mit Punktesystem für Familienumstände, bisherige Wohnverhältnisse, Gesundheitszustand, Geburt in Wien (Schutz vor ausländ. Zuwanderung!)
– Mietzins etwa 4 % des Einkommens für 38 m², Zimmer – Wohnküche – Vorraum – WC, Gasherd, Wasser-, Gas-, Stromanschluß. Keine Kapitalverzinsung, weil nicht nach Baukosten berechnet, sondern nur nach Instandhaltungs- und Betriebskosten (politischer Preis).

Insgesamt entstehen weit über 200 Wohnanlagen mit 72 000 Wohnungen, dazu Infrastrukturleistungen wie Bäder, Sportanlagen, Krankenanstalten, Kindergärten und -spielplätze, Jugendhorte, Pflegeheime, Volksbibliotheken, Kulturvereine, Elektrifizierung der Straßenbeleuchtung, Straßenbahnen, Brücken- und Straßenbau usw.

Die **Großform** wird städtebauliches Prinzip. Bautypen:
1. unregelmäßige Blockverbauung (Sandleiten*)
2. reine Randverbauung (Bebel-Hof*) oder Randbebauung mit Hoftrakt bei kleineren Hofanlagen (Wiedenhofer-Hof)
3. axiale Riesen-, Superblocks (Karl-Marx-Hof*)
4. aufgelockerte Superblocks der Spätphase (Washington-Hof) mit gartenstadtähnlichem Einschlag im lokalen »Heimatstil«
5. Baulückenschließung mit hinterem Hoftrakt
6. Streusiedlung selten, weil teuer und von der Gemeinschaft (Kollektiv) ablenkend
7. zweizeilige Reihenhausverbauung, Einfamilien- und Doppelhäuser mit eigenem Wirtschaftsgrundstück (Stadtrandsiedlungen)

Das Rote Wien kreiert keinen neuen Baustil, fügt aber den zeitgenössischen Baustilen (Historismus, Jugendstil, Expressionismus, Kubismus, Symbolismus, Neue Sachlichkeit, Stijl, Heimatstil) eigene Ausformungen hinzu: von der Stadtrandidylle bis zur pathetischen Monumentalität etwa des Karl-Marx-Hofs.

Die »Charta von Athen« der Congrès Internationaux d'Architecture (CIAM) statuiert 1933 Grundsätze des funktionellen Städtebaus. Sie beeinflussen Städteneubau und -erweiterung nach 1945, die Planung von Trabantenstädten und englischen New Towns.

Beispiele zu I:
1a) **Radburn/New Jersey*, USA,** wurde in den 1920er Jahren erbaut. Neu ist die Trennung der unterschiedlichen Verkehrsarten. So bleiben stark begrünte Wohnbereiche mit Gehwegen weitgehend ungestört, weil sie von Autos durch ein System von Durchgangs-, Zufahrts- und Stichstraßen entlastet werden. Kreisverkehr (Roundabout) an den wenigen Kreuzungen verringert Unfallgefahr. Die allgemein steigende Verkehrsdichte macht das Radburn-System fragwürdig.
Nachfolge: Vällingby b. Stockholm; Cumbernauld/Schottland, eine der New Towns; Sennestadt, 1956, und Wulfen, 1962, in Deutschland.

1d) **28 New Towns in England.**
Milton Keynes, 423*, zählt wegen seiner Größe (für 250 000 Einw. ausgelegt) aber auch zu den **New Cities** (I 4). Kritisiert werden v. a.
– modernistische Architektur des Zentrums
– einseitig autogerechte Stadt
– High-Tech-Betriebe dominieren Kleinbetriebe.

2) **Villes Nouvelles in Frankreich,** 423*. Stagnierende Bevölkerungszahlen, geringe Geburtenraten seit M. 18. Jh., traditionell vorrangige Agrarwirtschaft, fehlende Sanierung (Erhebung von 1950: 75% »wohnunwürdige« Wohnungen) behindern Städtewachstum im 19. Jh.; nur Großstädte wie Paris, Marseille, Lyon wachsen überproportional (zus. ⅕ der Gesamtbevölkerung). Nach dem 2. Weltkrieg steigen Geburten und Verstädterung sprunghaft an, beides wird in den 50er Jahren zu schnell aufgefangen durch Grands Ensembles (sh. u.). Günstigere Lösungen zeigen die V.N., die seit den 60er Jahren v. a. die 3 Metropolen entlasten sollen, z. T. mit Howards Gartenstadt-Ideen.

– 30000–50000 Einwohner, geringer Altersdurchschnitt
– Eigenständigkeit der kulturellen, sozialen und technischen Versorgung. In den V.N. um Paris konnte wirtschaftliche Selbständigkeit im Sinne allgemein angestrebter Dezentralisation nicht erreicht werden
– Integration älterer Siedlungen

20. JH. TYPOLOGIE NEUER STÄDTE

nach ihren Funktionen. Überschneidungen bleiben unvermeidbar.

I Weitgehend **autonome neue Städte** durch Angebot von Einrichtungen zur Deckung aller Bedürfnisse wie Wohnen, Arbeiten, Einkaufen, Gesundheit, Kultur, Freizeit, Erholung. Dazu zählen:
1. New Towns, a) staatlich geplante englische Gartenstädte, 417 ff.*; in den USA: Radburn/New Jersey*
b) Entlastungsstädte um Metropolen von 1946–50, insg. 13, davon 8 um London; Expansionszentren für Industrie und Bevölkerung
c) 1961–66: regionale Wachstumskerne zur wirtschaftlichen Förderung von Midlands, Merseyside, Zentralschottland, vgl. 6
d) 1967 ff.: 6 weitere N. T. zur Entlastung der Großstädte und wirtschaftlichen Förderung von SO-England, zweite Generation der Gartenstädte, aber bis 260 000 Einwohner im Sinne der New Cities, vgl. 4. Milton Keynes, 423*
2. **Villes Nouvelles,** französische Variante der New Towns. 422 f.*
3. **New Communities,** in den USA von privaten Organisationen oder Firmen geplant und gebaut. Columbia/Maryland; Reston/Virginia
4. **New Cities,** neue Städte mit mehr als 250 000 Einwohnern und weitgehender Autonomie durch »Angebot aller Daseinsfunktionen« (P. Merlin). Brasilia; Milton Keynes, 423*
5. **Monofunktionale Städte** sind einseitig auf bestimmte Zwecke ausgerichtet. a) Wirtschaft: Bergbaustädte Kanadas; Wulfen als neuer Siedlungsschwerpunkt des westfälischen Bergbaus, 1962 gegr.; Neu-Gablonz b. Kaufbeuren, Glas- und Schmuckwaren, 1946; Wolfsburg, Volkswagenstadt, 1938; Togliattigrad/USSR, Kraftfahrzeugbau Lada, Schiguli, 1964; b) Wissenschaft: Akademgorodok/USSR, 1958; c) Versorgung: Rentnerstädte der USA; La Grande Motte/S-Frankreich, Ferienstadt, 1974
6. **Entwicklungsstädte,** Ausgangspunkte staatlich geplanter oder geförderter Entwicklung wenig erschlossener Räume. **Wachstumszentren** zur Förderung wirtschaftlich schwacher Regionen durch gezielte Ansiedlung neuer Arbeitsplätze. Vgl. I1c, d

II **Abhängige neue Städte**
1. **Satellitenstadt,** neue Stadt, die eine übervölkerte Großstadt entlastet, aber wirtschaftlich und meist auch kulturell völlig von ihr abhängig bleibt. Grands Ensembles, 423
2. **Neue Wohnstädte/Wohnviertel.** Sozialistische Stadt, 423*
3. **Neue Stadtteile** haben darüber hinaus eigene Arbeitsplätze und Versorgungseinrichtungen, bleiben aber abhängig von der Großstadt. Mannheim-Vogelstang; Köln-Chorweiler; München-Neu Perlach.
Nach P. Merlin, 1976; G. Niemz, 1986; U. Theißen, 1989, u. a.

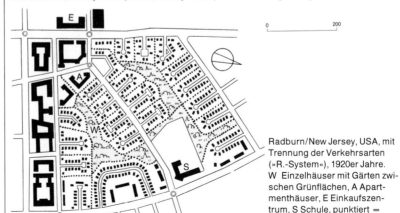

Radburn/New Jersey, USA, mit Trennung der Verkehrsarten (»R.-System«), 1920er Jahre. W Einzelhäuser mit Gärten zwischen Grünflächen, A Apartmenthäuser, E Einkaufszentrum, S Schule, punktiert = Fußwege, Kreis = Kreisverkehr.

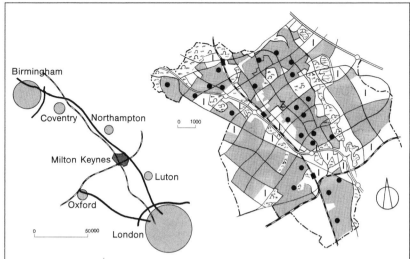

Milton Keynes, beg. 1967, New Town zwischen London und Birmingham, entlastet die Agglomerationen beider Städte. Im Unterschied zu gewachsenen Städten nur gering durchmischte Wohnungs-, Arbeits-, Versorgungs- und Erholungsgebiete. Rasternetz der Hauptstraßen. Z Verwaltungszentrum, I Industrie, Gewerbe; gerastert = Wohnfläche; Punkte = lokale Zentren. (Nach I. Mose und N. Lanfer)

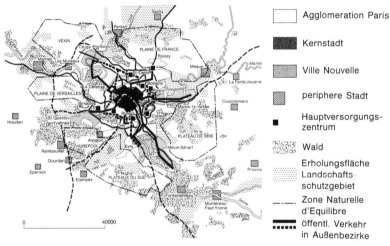

□	Agglomeration Paris
■	Kernstadt
▨	Ville Nouvelle
▨	periphere Stadt
■	Hauptversorgungszentrum
▨	Wald
⣿	Erholungsfläche Landschaftsschutzgebiet
—·—·—	Zone Naturelle d'Equilibre
▪▪▪▪▪	öffentl. Verkehr in Außenbezirke

Die 5 Pariser Villes Nouvelles liegen in der »Grande Couronne«, dem äußeren Ring der Agglomerationen, eingebettet in die »Zones Naturelles d'Equilibre«. (Pt, O)

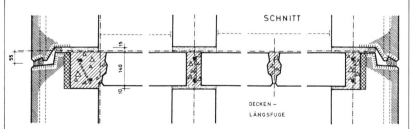

Sozialistischer Städtebau. Montage- und Wandbausystem für Plattenbauweise. Außenwände aus Leichtzuschlag-Beton mit äußerem Schwerbetonvorsatz; Innenflächen nachträglich verputzt. Ortbeton-Ringanker. Außenwand-Fugen: Kittfuge a) senkrecht: Dichtungsstrick im Kitt, Mörtel, Dichtungsbinde, Dämmstreifen; b) waagerecht: Fuge fallend profiliert, Hohlraum mit Plastikschläuchen abgeschlossen, außen Kittverstrich. Nach L. Wiel, E. Krause, D. Radig.

– Gleichgewicht von Industrie-Wohnzonen und Grünzonen (»Zones Naturelles d'Equilibre Z.N.E.«)
– Industrieparks in jeder V.N., dadurch verkürzte Arbeitsanfahrten
– Verkehrsanbindung für Pendler
– Hochschulen
Folgen:
– etwa 65% arbeiten am Ort, bis 3 Std./Tag Fahrzeit für Pendler
– Zufriedenheit mit Wohnqualität der Blocks, die sozialen Mängel wie bei den Grands Ensembles werden aber häufig nicht überwunden

Beispiele zu II:
1) **Grands Ensembles** seit den 1950er Jahren in Frankreich. Ansammlungen riesiger Baublocks an den Stadträndern, monotone Architektur, oft von schlechtester Bausubstanz, primitiv eingerichtet. Folgen:
– bei großer Entfernung zu Arbeitsplätzen schlechte Verkehrsanbindung
– soziale, schulische, gesundheitliche Versorgung sowie Kultur- und Freizeitangebot sind mangelhaft
– dadurch soziale Isolation, Wegzug der sozial Stärkeren, Gettobildung der ärmeren Schicht, Alkoholismus, Vandalismus. Grigny b. Paris, ein G.E. der 50er Jahre, hat die höchste Selbstmordziffer in Frankreich

2) Die **»Sozialistische Stadt«*** als Neugründung oder neuer Stadtteil soll »durch Struktur und Lebensführung die politischen und gesellschaftlichen Ideale des Sozialismus ins Bewußtsein der Bürger tragen« (Rainer Koch).
Ziel: Kollektives Wohnen, Sich-Versorgen, Sich-Bilden, Sich-Erholen.

– Reine Wohnstädte für Pendler zu benachbarten Industriezentren, z. B. Eisenhüttenstadt, Hoyerswerda
– Grundeinheit ist der sozialistische Wohnkomplex mit Versorgungseinrichtungen, Schulen und Sportanlagen für 5000–28 000 Einw. Er wird in Wohngruppen für 1000–3000 Einw. unterteilt. Mehrere Wohnkomplexe werden zu Wohnbezirken bis 60 000 Einw. zusammengefaßt
– zentraler Platz mit großzügigen, weiträumigen Repräsentationsbauten: Kulturpalast, Gewerkschafts-, Parteizentrale
– Magistrale = Geschäfts-, Hauptverkehrs- und Demonstrationsstraße
– einheitliches, oft monotones Straßenführungs- und Gebäudebild, meist 5- und mehrgeschossige, oft bis über 200 m lange Blocks aus vorgefertigten, rastergerechten, raumwand- und deckengroßen Betonplatten bis $3,6 \times 7,2$ m
– wenige Wohnungstypen. Im Durchschnitt 60 m² incl. Bad, WC; Blocks für »altengerechtes Wohnen« mit Krankenbetreuung
– geringe Mieten erlauben weder Verzinsung noch Sanierung der Altbauten und werden hoch subventioniert
– keine Kirchenneubauten
– Stadtrand-Eigenheime meist für verdiente Führungskräfte aus Politik und Wirtschaft

BILDLEXIKON

Ädikula. Rom, Pantheon

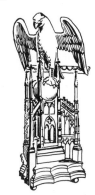

Adlerpult. Aachen, Dom. Gotik

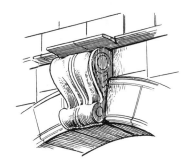

Agraffe

Akanthus. Griechische Antike

Übersetzung in eine Fremdsprache
Alle deutschen und fremdsprachigen Stichwörter sind alphabetisiert und durchnumeriert. Die Nummern der deutschen Stichwörter stehen in Kästchen ⬜ Die Nummern, unter denen sie in den einzelnen Übersetzungen zu suchen sind, befinden sich in den schmalen senkrechten Seitenspalten (englisch unter E, französisch unter F usw.). Durch *kursive Schrift* sind solche Unterbegriffe kenntlich gemacht, die zusätzlich übersetzt wurden. In den Seitenspalten ist deshalb auf der Höhe dieser Unterbegriffe eine weitere Ziffer angegeben. Diese Ziffer ist auch unterhalb des übersetzten Stichworts wiederzufinden. Hinter ihr steht der übersetzte Unterbegriff.

Übersetzung ins Deutsche oder von Fremdsprache in Fremdsprache
Im Übersetzungsteil ist *hinter* jedem Stichwort im Kästchen die Nummer wiederholt, unter der es im deutschsprachigen Teil zu finden ist. Will man von einer Fremdsprache in eine andere übersetzen, sucht man nach dieser Nummer im deutschsprachigen Teil und findet in der betreffenden Seitenspalte den Standort des Stichworts in der gesuchten Sprache.

	E	F	S	I
⬜1 **Abakus,** quadratische Deckplatte des antiken Kapitells. 16*	1	1	1	1
⬜2 **Abfasen** → Fase*	163	160	5	741
⬜3 **Abhängling** → Schlußstein 2*	592	199	182	175
⬜4 **Aborterker,** nach unten geöffnete Abtritterker an der Außenseite von Wehrmauern. 305, 297 f.*	455	458	488	437
⬜5 **Abtei,** → Kloster, dem ein Abt oder eine Äbtissin vorsteht.	2	2	542	2
⬜6 **Abwalmen** → Dachformen 3	407	819	12	749
⬜7 **Accoudoir** → Chorgestühl*	54	6	121	115
⬜8 **Adam style,** späte Stilphase des engl. Georgian style von 1760–90, benannt nach der Architektenfamilie Adam. Der eigentliche Schöpfer des Stils ist Robert, 1728–92. John, 1721–92, und James, 1732–94, sind seine Brüder; William, 1689–1745, ist sein Vater (Palladianist). 334*; London, Royal Terrace, 371*	6	732	292	9
⬜9 **Ädikula*** (lat. Häuschen, gemeint ist Haus Gottes), vielseitig gebrauchte Bez. 1. für einen kleinen Aufbau in römischen Tempeln zur Aufstellung einer Statue; – 2. in christlicher Frühzeit für ein Grabgebäude; – 3. im Mittelalter für Privatkapelle; – 4. heute allg. für ein kleines offenes (Giebel-)Gebäude von geringer Tiefe, das von Stützen getragen und mit der Rückseite an eine Wand gebaut ist; – 5. → Altar.	10	288	258	276
⬜10 **Adlerpult*,** Lesepult in Form eines Adlers (vielleicht nach dem Symbol des Evangelisten Johannes), dessen ausgebreitete Schwingen das Buch tragen. Im → Chor, auf dem → Lettner oder → Ambo zu finden.	282	475	92	441
⬜11 **Adorant** (lat.) Anbetender zu Füßen Christi oder Mariä. Oft auf Gemälden, → Grabmälern oder → Epitaphien. Vgl. → Orans*				
⬜12 **Adyton** (griech. das Unzugängliche), auch Abaton, das Allerheiligste des griechischen Tempels, Standort des Kultbildes, nur für Priester zugänglich. 1. Nische an der Rückwand der Cella; – 2. Kammer in der Cella kleinasiatischer Tempel (Didyma, 26*) entsprechend der Barkenkammer = Sekos des ägypt. Tempels; – 3. nur zur Cella geöffneter, unbelichteter Raum, bes. großgriechischer Tempel (Selinus, 13, 9*).	9	8	9	10
⬜13 **Agnus Dei** → Symbole 1; → Attribut*	11	9	10	14

E	F	S	I	
12	10	11	15	[14] **Agora** (griech. Markt), Platz der griechischen Stadt mit vielfältigen Aufgaben. 343*
13	11	123	16	[15] **Agraffe***, schlußsteinartig ausgebildete Volute zwischen Rundbogenscheitel und Gebälk.
4	5	4	5	[16] **Akanthus***, oft irrt. mit Distel oder Bärenklau übersetzter Name einer Pflanze, deren Arten A. spinosus L. und A. mollis L. wegen ihrer schönen Blattformen in der Bauplastik, bes. beim griech. Akroterion, 14*, beim korinth. Kapitell, 15*, und dessen röm. Abwandlungen, 32*, nachgebildet werden. Die Romanik stilisiert den A. oft stark um, Renaiss. und Barock nehmen ihn in seiner antiken Form wieder auf.
5	7	6	8	[17] **Akroterion** →Bauplastik; 14*
15	12	15	17	[18] **Alae** (lat. Flügel, Einz. ala), gegen das Atrium des römischen Wohnhauses geöffnete Seitenräume. 42*; 346*
16	13	17	19	[19] **Alkoven** (arab. al-qobbah = Gewölbe, das Hohle), fensterlose Raumnische, meist als Schlafstelle. Beaune, 359*; Delft, 379*
18	16	18	20	[20] **Allegorie*** (griech. allegoria; all-egorein = etwas anderes sagen), Personifikation oder bildhafte Darstellung eines abstrakten Begriffs in erkennbarem Bezug zum Gemeinten, z. B. ein alter Mann, der sich am Feuer wärmt, für »Winter« (im Unterschied zum →Symbol). →Tugenden und Laster*; die Sieben Freien →Künste*; die sieben Werke der →Barmherzigkeit*; Fürst der →Welt*; →Musen*; →Ecclesia und Synagoge*
704	17	24	611	[21] **Al secco** →Malerei-Techniken
357	623	759	22	[22] **Altan*** →Balkon
20	83	25	23	[23] **Altar*** (lat. alta ara, vulgär altare = erhöhte Op-
1	1	1	1	ferstätte). Die notwendigen Teile des A.s sind: *Mensa**
2	2	2	2	(lat. Tisch) = Altarplatte; *Stipes**(lat. Klotz) = Unter-
3	3	3	3	bau; *Sepulcrum* (lat. Grab) = Reliquienraum. Zur zu-
4	4	4	4	sätzlichen Ausstattung gehören: *Tabernakel** oder → *Ädikula** = Gehäuse auf der Mensa zur Aufbewah-
5	5	5	5	rung des Allerheiligsten; →*Antependium** oder *Frontale* = Behang oder Vorsatztafel, die den Stipes ver-
6	6	6	6	hüllen; *Retabel* = Altaraufsatz, mit Gemälden oder Skulpturen geschmückte Rückwand, die im Mittelalter mit der Mensa fest verbunden ist und in der Gotik
7	7	7	7	zum Flügelaltar erweitert wird; *Altarblatt* = Gemälde
8	8	8	8	als Mittelstück des Retabels; das *Ciborium** = Über-
9	9	9	9	bau aus 4 Ecksäulen, auf denen ein Dach ruht; →*Baldachin* = Überdachung, die über dem A. aufgehängt ist. Zu unterscheiden sind:
10	10	10	10	a) nach der Aufstellung: der *Hochaltar* = Fronaltar
11	11	11	11	(A. des Herrn) vor oder in der →Apsis; die *Nebenaltäre,* die den Heiligen geweiht sind;
12	12	12	12	b) nach ihren Formen: der *Tischaltar** aus Platte und
13	13	13	13	Stützen; *Kastenaltar** mit großem Reliquiengrab im
14	14	14	14	Innern des Stipes; *Blockaltar** mit blockartigem Stipes
15	15	15	15	und vorgekragter Mensa; *Sarkophagaltar** (seit Antike) in der Form oder unter Verwendung eines Sar-
16	16	16	16	kophags. Der *Flügelaltar** hat seine Blütezeit im 15.–16. Jh., bes. in Deutschland, den Niederlanden,
17	17	17	17	NO-Frankreich, Skandinavien. Bei ihm dient eine *Predella** (Altarstaffel auf der Mensa) als Reliquiengrab
18	18	18	18	und als Untersatz für den feststehenden *Altarschrein**.

Allegorie. Totentanz der Frauen, Holzschnitt, Gyot Marchant, E. 15. Jh.

Altan. Trier, Kurfürstliches Schloß, 1754–68. Barock

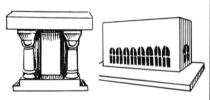

Li: Tischaltar. Regensburg, Allerheiligenkapelle, 12. Jh. Romanik
Re: Kastenaltar. Regensburg, St. Stephan, 10. Jh.

Blockaltar. Italien. Romanik

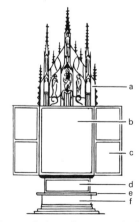

Flügelaltar, gotisch. a Gesprenge; b Schrein; c Flügel; d Predella; e Mensa; f Stipes

Ciborium über einem Sarkophagaltar. San Clemente di Casauria, 12. Jh.

Tragaltar, Portatile. Paderborn. Franziskanerkirche, E. 11. Jh.

Altartabernakel, modern

Antependium, sog. Baseler A., 11. Jh. Paris, Musée de Cluny. Romanik

Ambo. Typ des 6. Jhs., im 11. Jh. aus altem Material zusammengesetzt. Castel Sant'Elia bei Nepi/Italien

Antefix als Verkleidung des Gebälks unterm Traufrand

Diesem sind links und rechts Flügel* angesetzt. Schrein, Flügel und meist auch Predella werden mit geschnitzten (Schnitzaltar) oder gemalten Bildern versehen. Mit mehreren Flügelpaaren lassen sich die Ansichten abwandeln *(Wandelaltar)*. Spätgotische Schreine tragen ein *Gesprenge*, eine zierlich-durchsichtige Anordnung von dünnen Stäben, mit Krabben besetzten → Fialen, auch Konsolfiguren unter Baldachinen. **19 19 19 19 / 20 20 20 20**

c) nach ihrer Ortsgebundenheit: der *feste A. (altare fixum)* und der *Tragaltar* *(altare portatile)* als kleiner Reisealtar in der Form eines Tisch- oder Blockaltars oder als Klappaltärchen (Diptychon, → Triptychon*). **21 21 21 21 / 22 22 22 22**

☐24 **Ambo***, auch → Bema, Brüstung mit Lesepult an altchristlichen Chorschranken; an der S-Seite für die Lesung der Epistel, an der N-Seite für die Verlesung des Evangeliums. Vorform der → Kanzel; im modernen Kirchenbau gelegentlich wieder aufgegriffen. **23 19 28 27**

☐25 **Amorette** → Bauplastik* **26 21 31 30**

☐26 **Amphiprostylos**, antike Tempelform mit Säulenvor- und -rückhalle. Nike-Tempel, 13,6*, 19* **28 22 33 32**

☐27 **Amphitheater** → Theater*. 36* **29 23 34 33**

☐28 **Amphorengewölbe** → Kuppel; 41* **232 887**

☐29 **Angstloch**, Deckenöffnung eines → Verlieses. **558 792 115 41**

☐30 **Ante**, vorspringende Seitenwand des antiken Tempels. 10; Eleusis, 18*. Die verstärkte Stirnseite heißt Antenpfeiler. **35 29 38 35**

☐31 **Antefix*** (lat. vorn befestigt), Mz. -a. 1. → Stirnziegel. – 2. bemalte Tonplatte, verkleidet das Gebälk unter dem Traufrand griech. und etrusk. Tempel. **36 27 40 36**

☐32 **Antentempel**, griech. Tempelform ohne Ringhalle mit verlängerten Cellawänden (= Anten), diese bilden eine Vorhalle (Pronaos), in deren Öffnung 2 Säulen eingestellt sind. 13,3* – Der Doppel-A. weist auch eine entspr. ausgebildete Rückhalle (Opisthodomos) auf, die aber keinen Zugang zur Cella hat. 13,4* **773 764 247 814**

☐33 **Antependium*** → Altar **37 28 43 39**

☐34 **Anthemion**, antikes Ornament. 14* **38 30 41 37**

☐35 **Anuli** (Einz. Anulus), schmale Ringe am dorischen Kapitell. 16* **33 26 37 40**

☐36 **Apodyterium**, Umkleideraum → Thermen **39 31 47 42**

☐37 **Apostel***, oft an den Mittelschiffsäulen oder am mittelalterlichen Kirchenportal dargestellt, wobei Paulus stets für den fehlenden Judas Ischarioth auftritt. Matthias, der für diesen nachgewählt wurde, wird dagegen selten gezeigt. Für Petrus, Paulus und Johannes werden bald feste Typen gebildet, seit dem 13. Jh. kann man schon alle A. an ihren → Attributen erkennen. Die Waffen stellen dabei die Werkzeuge ihres eigenen Martyriums dar. Die → Evangelisten unter den A.n treten hier nicht mit ihren Evangelistensymbolen auf. **40 32 50 43**

☐38 **Apotropäische Plastik** (griech. apotropaion = Unheil abweisender Zaubergegenstand), bes. in der → Bauplastik roman. Kirchen – häufig nach N oder W gerichtete – dämonische Tiere, Fratzen, verschlungene Ornamente u.a.; 101* **42 79 282 711**

☐39 **Apsis*** (griech. Bogen, Krümmung [vom Rad des Sonnenwagens]), auch Apside, Koncha, Exedra, Tribuna, Presbyterium. Altarnische am äußersten **44 4 3 4**

Andreas
schräges Kreuz
(Andreaskreuz)

Bartholomäus
Messer,
geschundene Haut

Jacobus major
Pilgertracht mit
Muschel

Jacobus minor
Fahne oder
Walkerstab

Johannes
bartlos, Kelch
und Schlange

Judas Thaddäus
Keule

Matthäus
Winkelmaß, Beil,
Hellebarde

Paulus
Schwert

Petrus
ein oder zwei
Schlüssel

Philippus
Kreuzstab
(Antoniuskreuz)

Simon
Säge

Thomas
Winkelmaß oder
Lanze

E	F	S	I	
				Chorende (Chorhaupt). Ihre halbrunde Form stammt aus dem röm. Sakral- und Profanbau. Seit der karolingischen Zeit wird ihr das Chorquadrat vorgelagert.
1	1	1	1	*Hauptapsis* am Mittelschiff mit dem Hochaltar, *Nebenapsiden* an Seiten- und Querschiffen. Die Gotik
2	2	2	2	bildet die A. zum polygonalen Chorschluß aus (→Chor*)
45	36	7	7	40 **Aquädukt*** (lat. aquae ductus = Wasserleitung), römisch-antike Anlage, im besonderen eine Bogenbrücke, mit der eine Wasserrinne offen oder verdeckt im natürlichen Gefälle des Wassers in eine Siedlung geleitet wurde. Bes. in der römischen Campagna, S-Frankreich (Nîmes), Spanien (Segovia).
46	37	51	46	41 **Arabeske*,** stilisiertes Rankenornament des Hellenismus und der Renaissance, naturalistischer als die → Maureske, 84*.
52	53	69	56	42 **Architrav** (griech. epistylion), der waagerecht auf den Säulen aufliegende Balken in der antiken Baukunst und in den von ihr abhängigen Baustilen. 16*
53	55	71	58	43 **Archivolte*** (it. vorderer Bogen), 1. die Stirn und die Laibung eines Rundbogens (→ Bogen), als ein zum Halbkreis gebogener →Architrav über Stützen zu verstehen (Antike, Romanik, Renaissance, Barock); – 2. im roman. und got. Gewändeportal jeder Bogenlauf, der die Gliederung der →Gewände fortsetzt, in der Romanik oft in Form eines →Rundstabes. Diese A.n sind häufig mit Bänderfriesen (bes. in der Romanik) oder Figuren (Gotik) besetzt.
48	40	53	52	44 **Arkade*** (lat. arcus = Bogen), Bogenstellung oder eine fortlaufende Reihe von Bogen auf Pfeilern oder Säulen. A. nennt man auch einen Laufgang, dessen Seite(n) durch mehrere Bögen geöffnet ist (sind)
1	1	1	1	= Bogengang. Die *Blendarkade** öffnet die

Haupt- und Nebenapsiden. Li: Schnitt durch die Hauptapsis. Hildesheim, St. Michael, 11. Jh.

Li: Römischer Aquädukt. W Wasserrinne. Nîmes, Pont-du-Gard, um 19 v. Chr.
Re: Arabeske, naturalistisches Blatt- und Rankenwerk, auch figürliche Elemente

	E	F	S	I

Ornamentierte Archivolten in einem romanischen Gewändeportal. Saintes, W-Frankreich, 12. Jh.

Arkade. a Blendarkade; b Zwergarkade, -galerie Köln, St. Aposteln, um 1200. Romanik

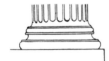

Attische Basis

Attribut Johannes des Täufers: Lamm Gottes (Agnus Dei) mit Kreuzfahne (Labarum). Chartres, Nordportal der Kathedrale, 13. Jh. Gotik

Wand nicht, gliedert sie nur dekorativ. Dagegen bilden die *Zwergarkaden* unter dem Hauptgesims roman. Choranlagen einen nach außen geöffneten Laufgang, die *Zwerggalerie**. → Laube*

	E	F	S	I
	2	2	2	2
	3	3	3	3

[45] **Arsenal**, Schiffsdocks. Piräus, 345*

| | 55 | 61 | 72 | 69 |

[46] **Arte preromanico**, spanische Vorromanik, 57*

| | 56 | 71 | 78 | 76 |

[47] **Artesonado**, span. Name für maurische Täfeldecken und -türen aus zahlreichen, oft farbigen Hölzern, die kunstvoll verschlungene geometrische Muster mit vertieften Feldern (artesón = Becken) bilden. Auch aus Stuck. 87*

| | 57 | 65 | 81 | 77 |

[48] **Arts and Crafts**, engl. Bewegung zur Verwirklichung der Kunsttheorie von William Morris (380), benannt nach der A. a. C. Exhibition Society, 1888. Beeinflußt Jugendstil und den Deutschen Werkbund, 382*.

| | 60 | 72 | 83 | 79 |

[49] **Aspis** → Symbole 2*

| | 63 | 74 | 85 | 81 |

[50] **Astragal**, Perlstab, antikes Ornament. 14*

| | 64 | 76 | 86 | 83 |

[51] **Astwerk**, spätgotisches Dekorationsmotiv aus unbelaubten, knorrigen Ästen. Chemnitz, 165*. Besonders in Deutschland, Spanien, Frankreich zwischen 1480 und 1525

| | 653 | 121 | 697 | 420 |

[52] **Atlas, Atlant** → Bauplastik*

| | 65 | 77 | 90 | 84 |

[53] **Atrium**, 1. zentraler, meist nach oben geöffneter Raum antiker Wohnhäuser. 346*; – 2. → Narthex*.

| | 66 | 78 | 93 | 85 |

[54] **Attika**, 1. niedrige Wand über dem Haupt- → Gesims eines Gebäudes, mit der das Dach verdeckt werden soll, oft mit Figuren bekrönt; – 2. im Innenraum die schmale Wandfläche, die zwischen zwei Gesimsen verläuft und sich so zwischen das (meist Tonnen-)Gewölbe und die Stützen schiebt. Antike, Renaissance (München, 232*), Barock, Klassizismus. *Attikageschoß* heißt ein niedriges Geschoß über dem Hauptgesims, bes. ital. Spätrenaissance (Pal. Valmarana, 309*) und frz. Barock.

| | 67 | 80 | 89 | 86 |
| | 1 | 1 | 1 | 1 |

[55] **Attische Basis***, Säulenfuß der attisch-ionischen Säule aus 2 Wülsten (Torus = Wulst) und dazwischenliegender Hohlkehle (Trochilus), im Gegensatz zu den kleinasiatischen Formen ohne → Plinthe. 15*

| | 68 | 102 | 108 | 102 |

[56] **Attribut*** (lat. attributum = das Hinzugefügte), Gegenstand, der einer figürlich dargestellten Person als Kennzeichen beigegeben ist und sich auf deren Stellung, auf Wunder oder auf bes. Ereignisse in ihrem Leben bezieht, z.B. Dreizack des Neptun, Schlüssel des hl. Petrus. → Apostel*; → Musen*; → Nothelfer

| | 69 | 81 | 91 | 87 |

[57] **Auflager**, eine Fläche, auf der das Endstück eines tragenden Baugliedes aufliegt, z.B. → Konsole* für einen Balken, Widerlager für einen → Bogen*.

| | 761 | 246 | 761 | 45 |

[58] **Aureole** → Heiligenschein*

| | 70 | 396 | 94 | 89 |

[59] **Auskragung***, das Vorspringen, »Vorkragen« aus der Bauflucht 1. eines Bauteils, z.B. Kragsteins (→ Konsole*), → Gesimses*, → Erkers*; – 2. eines Fachwerkgeschosses, um den Wohnraum zu erweitern oder/und als Gegengewicht (Konterlast) für Zwischendecken-Belastungen.

| | 561 | 674 | 844 | 13 |

[60] **Auslucht***, bes. an den Wohnhäusern der niedersächsischen Renaissance üblicher erkerartiger Vorbau des Erdgeschosses oder mehrerer Geschosse an einer oder beiden Seiten der Haustür.

| | 91 | 87 | 528 | 92 |

E	F	S	I	
73	643	97	82	◻61 **Axonometrie,** Parallelprojektion. Caen, St-Etienne, 112*
74	88	98	592	◻62 **Azulejo** → Kachel
122	221	200	234	◻63 **Backsteinbau*,** ein aus gebrannten Ziegeln

(=Backsteinen) aufgeführter Bau, dessen Außenseite oft unverputzt und unverkleidet bleibt. Im Abendland zuerst von den Römern angewendet (→Mauerwerk II* und IV*), wird der Backstein von den Byzantinern übernommen und teils im Wechsel mit Naturstein verwendet, teils zu reinen Backsteinbauten aufgeführt. Das Vorbild der lombardischen B.ten des 10. und 11. Jh. wird für die bedeutende mittelalterliche B.-kunst in der norddeutschen Tiefebene und in den Niederlanden maßgebend. In N- und NO-Deutschland entwickelt der B. seit dem 12. Jh. bis in die späteste Gotik hinein seine schönsten Möglichkeiten (175*). Dabei werden die zerbrechlichen gotischen Zierformen meist vermieden oder vereinfacht und die gekrümmten Profile des Maßwerks, der Fenster- und Portallaibungen aus Formsteinen* (in bes. Formen gebacken) zusammengesetzt. Der herb-gewaltige Eindruck dieser Bauten rührt von den glatten Riesenflächen her, die großlinig von Blendspitzbögen, Zier- und Quergiebeln (→Zwerchgiebel*) aufgelockert werden. Dunkle Glasursteine zeichnen architektonisch wichtige Stellen aus und beleben den sonst einfarbig roten Bau.

Li: Auskragungen an Obergeschoß und Erker eines Fachwerkhauses. Wiedenbrück, 16. Jh.
Re: Ausluchten zu beiden Seiten eines Wohnhauseingangs. Lüneburg, um 1500

| 123 | 401 | 414 | 379 | ◻64 **Backsteingotik,** 175* |
| 78 | 92 | 101 | 97 | ◻65 **Baldachin*** (urspr. kostbarer Seidenstoff aus |

Baldacco = ital. Bezeichnung für Bagdad), 1. Prunkhimmel aus Stoff über Thron, Bischofsstuhl, →Altar, Bett (→Lambrequin*) oder – an Stangen tragbar – über dem Allerheiligsten bei Prozessionen; – 2. das kleine steinerne, schirmartige Schutz- und Prunkdach über (got.) Statuen und über Kanzeln.

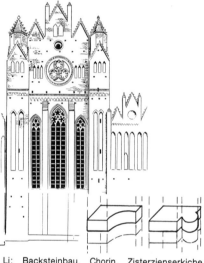

Li: Backsteinbau. Chorin, Zisterzienserkiche, E. 13. Jh. bis 1334. Norddeutsche Backsteingotik. Zahlreiche →Rüstlöcher in der Fassade.
Re. Formsteine

| 363 | 260 | 404 | 365 | ◻66 **Balkenkopf,** 1. Geisipodes = Zahnschnitt am |

Gebälk des antiken Tempels. 17*; – 2. →Fachwerk*

| 77 | 91 | 100 | 95 | ◻67 **Balkon*** (frz.), offener Austritt mit Brüstung am |

Obergeschoß. Ruhen die Stützen der Kragplatte auf

1	1	1	1	dem Boden, heißt er *Altan* oder *Söller* (lat. solarium).
80	93	99	93	◻68 **Baluster*** (Docke, Togge) rundes oder vieleckiges Säulchen aus Stein oder Holz, meist stark geschwellt und profiliert, das eine Brüstung oder ein
1	1	1	1	Geländer trägt. Eine solche Anlage heißt *Balustrade**

und wird von Postamenten flankiert.

| 85 | 390 | 332 | 393 | ◻69 **Bandelwerk,** barockes Ornament. 248* |
| 81 | 535 | 570 | 230 | ◻70 **Bandrippe,** Gewölberippe der Spätromanik, mit |

rechteckigem oder abgefastem Profil. →Gewölbe*

| 83 | 97 | 102 | 107 | ◻71 **Baptisterium*** (lat. Taufgebäude), selbständiger, |

häufig achteckiger Zentralbau, der in altchristlicher und mittelalterlicher Zeit (4.–15. Jh.) meist westlich von einer Bischofskirche errichtet wird. Er ist Johannes d. T. geweiht. Im Taufbecken (→Piscina, in der Mitte des Raumes) wird der Täufling untergetaucht. Mit dem Verschwinden dieser Sitte setzt sich der →Taufstein* (101*) durch, der seitdem in der Kirche steht.

Li: Baldachin über einer Statue. Gotik
Re: Balkone. Bordeaux, um 1800. Klassizismus

| 84 | 98 | 106 | 99 | ◻72 **Barbakane,** Vorwerk einer Burg. Carcassonne, 304* |
| 499 | 502 | 531 | 484 | ◻73 **Barmherzigkeit, die sieben Werke der,*** Darstellungszyklus der christlichen Kunst seit dem 12. Jh. Ur- |

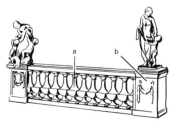

Balustrade. a Baluster; b Postament

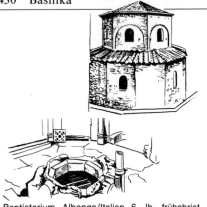

Baptisterium. Albenga/Italien, 6. Jh., frühchristlich. Außenansicht; Innenansicht mit Piscina.
Grundriß 46*

Das 5. Werk der Barmherzigkeit: Kranke besuchen. Basel, Münster, Galluspforte am Nordquer-
haus, E. 12. Jh.

Li: Atlas. Prag, Portal des Clam-Gallas-Palais,
1707, M. Braun-von-Braun
Re: Karyatide, Kore. Athen, Erechtheion, 420–410
v. Chr.

Herme. Li: freistehend. Herrenhausen, Schloßpark, um 1700. Barock
Re: als Atlant an einem Pilaster. Dresden, Zwinger, 1709, B. Permoser. Barock

sprünglich 6 Werke: Hungrige speisen, Dürstende
tränken, Nackte bekleiden, Obdachlose beherbergen,
Kranke besuchen, Gefangene erlösen. Seit dem 13. Jh.
kommt dazu: Tote bestatten (wohl als Folge der großen Epidemien). In neuerer Zeit treten zu diesen 7
»leiblichen« die 7 »geistlichen« W. d. B.: Sünder zu-
rechtweisen, Unwissende lehren, Zweifelnden recht
raten, Betrübte trösten, Lästige geduldig ertragen, Be-
leidigungen gern verzeihen, für Lebende und Tote be-
ten. Vgl. Matthäus 25,34 ff.

	E	F	S	I
74 **Basilika** (griech. stoá basílike = Königshalle), 1. vermutlich ursprünglich das Amtsgebäude des Archon Basileus auf der Agora von Athen; – 2. röm. Markt- oder Gerichtshalle, die gewöhnlich von Seitenschiffen flankiert ist und zuweilen in einer halbrunden Tribuna (→Apsis) endet. 348*; – 3. christlicher Kirchenbau: Langbau mit einem Mittelschiff, das höher als die Seitenschiffe ist und eine Fensterzone (Obergaden) über deren Dächern aufweist. Altchristliche B.: 42 f.*. Die Weiterentwicklung der B. und ihre Bereicherung geschehen durch →Krypta, →Vierung, Chorhaus (→Chor), →Gewölbe, Türme (→Turm), →Stützenwechsel, →Empore, →Triforium, →Westwerk u. a. In der Spätgotik verliert die B. durch die →Hallenkirche, in Renaissance und Barock durch →Zentralbau und →Saalkirche an Bedeutung.	88	103	109	103
75 **Basis,** Säulenfuß (→Säule*), Pfeilerfuß	87	101	107	101
76 **Bauhütte,** ursprünglich die Werkstatt, später die Gemeinschaft der Bauleute und Steinmetzen an einem mittelalterlichen Kirchenbau (in Deutschland, Frankreich, England seit dem 13. Jh.). Aus dem Zusammenwirken von Architekt, Maurer und Bildhauer erklärt sich der einheitliche Eindruck mittelalterlicher Kathedralen. Aus den deutschen Haupthütten in Straßburg, Köln, Wien, Regensburg und Bern und ihren zahlreichen unterstellten kleineren B.n gehen die Anfänge der »Freimaurer« (Zunftfreiheit!) hervor. Mit dem Rückgang des Kathedralbaus im 15. Jh. wird die B. von den Zünften verdrängt. Sh. auch 150.	490	161	773	458
77 **Bauplastik*,** im Zusammenhang mit der Architektur stehende Plastik am Außenbau oder im Bauinnern. Reine Ornamente (z. B. Friese) oder plastische Gliederungen des Baus (Lisenen, Maßwerk usw.) gehören zur Ornamentik. Von ihr unterscheidet sich die figürliche Darstellung, die sowohl als Statue = Standbild wie auch als Relief auftritt. Blütezeiten der B. sind Antike, Spätromanik, Gotik und Barock. Seit dem Klassizismus wird sie von der Einzelplastik (= Freiplastik) verdrängt, die ihre Beziehung zur Architektur mehr oder weniger aufgegeben hat.	701	703	283	712
Häufig vorkommende Formen der figürlichen B. sind: *Akroterion* (griech. höchster Teil), Akanthusranke, Palmette (als solche zur Ornamentik gehörend!) oder plastische Figur (Löwe, Sphinx usw.) als Giebelverzierung von Tempeln und Grabmälern. Antike, Renaissance, Klassizismus. 14*	1	1	1	1
Atlas, Atlant, Mz. Atlanten, nach dem antiken Träger des Himmelsgewölbes genannte kraftvolle Männerfigur, die statt Pfeilern oder Säulen das Gebäude trägt.	2	2	2	2
Karyatide(griech.), das langgewandete weibliche Ge-	3	3	3	3

4	4	4	4	genstück zum Atlas. Wegen der verräterischen Haltung des Dorfes Karyai im Perserkrieg wurden die Dorfmädchen in die Sklaverei geführt. Daher: Karyatide = Sklavin. Karyatide ist dasselbe wie *Kore*. Antike und seit Renaissance.
5	5	5	5	*Herme**, obwohl eigentlich eine antike Freiplastik (Hermeskopf auf rechteckigem Schaft), nennt man seit der Renaissance auch eine atlasähnliche Halbfigur vor Pfeilern oder Pilastern Herme.
6	6	6	6	*Amorette**, meist geflügelter kleiner Knabe als Liebesgott in weltlichen Szenen bes. des Rokoko nach dem Vorbild der antiken Eroten.
7	7	7	7	*Eroten**, Kinder mit Flügeln als kleine Erosgestalten. Im Hellenismus als Zugabe zu Plastiken beliebt, auch in Wandmalereien (Pompeji). Nach ihrem Vorbild entstanden die got. Kinderengel und die Putten in Renaissance und Barock.
8	8	8	8	*Putten** (it. putto = kleines Kind, Mz. putti), nackte kleine Knaben mit oder ohne Flügel, sind eine Umformung der got. Kinderengel und bevölkern seit der Frührenaissance, bes. aber im Barock Altäre, Bilder, Orgeln, Wände, Decken und Galerien der Kirchen. Ihre Tätigkeiten sind meist symbolische Wiederholungen des Hauptthemas, dem sie beigesellt sind.
9	9	9	9	*Neidkopf* (von althochdeutsch nîd = Haß), Menschen- oder Tierkopf-Relief zur Abwehr böser Geister an Häusern, in roman. Kirchen, an → Taufsteinen und → Chorgestühl. 101*. → Apotropäische Plastik *Konsolenplastik* zeigt Motive → apotropäischen, porträthaften, religiösen und humanistischen Inhalts. → Konsole*; → Meisterzeichen*. 160*
10	10	10	10	*Hüttenplastik**, alles, was in den Bauhütten des Mittelalters für den Kathedralbau im Sinne der B. geschaffen wurde. Dazu muß man auch die B. seit der frühen Romanik zählen, die noch meist von Mönchen stammt. In Frankreich mehr auf Portal und Fassade, in Deutschland stärker in die Kirche hinein verlagert.
11	11	11	11	*Relief** (frz. erhabene Arbeit), Plastik, die aus einer Fläche heraus entwickelt wurde und noch spürbare Beziehung zu ihr hat. Hauptformen nach dem Grad
12	12	12	12	des Hervortretens der Figuren: 1. *versenktes Relief**, die Figuren werden in die Fläche hinein vertieft und
13	13	13	13	treten nirgends aus ihr hervor; – 2. *Flachrelief** (frz.
14f.	14f.	14f.	14f.	basrelief); – 3. *Halbrelief**; – 4. *Hochrelief**. Beim strengen Relief stehen die Figuren klar isoliert vor dem Grund, im *malerischen* Relief verschmelzen sie mit dem Grund, der oft wiederum architektonischen oder landschaftlichen Hintergrund zeigt. Unter den
16	16	16	16	antiken Reliefs sind bes. berühmt die *Metopen-Reliefs* (viereckige Reliefplatten unter der Traufrinne dorischer Tempel, die im Wechsel mit Triglyphen Metopen-Friese ergeben, 16*) und die *Giebel-Reliefs* in den
17	17	17	17	dreieckigen Giebelfeldern antiker Tempel.
129	604	643	596	**78 Baustein**
1	1	1	1	1. *Bruchstein* = natürlicher oder gewachsener B., unbehauen, von unregelmäßiger Gestalt
2	2	2	2	2. *Feldstein,* Fundstein, Findling
3	3	3	3	3. *Haustein,* Werkstein = zu regelmäßiger Form zugehauen, z. B. als *Quader* = rechteckiger, massiver Block
4	4	4	4	

Hüttenplastik. Verkündigungsgruppe: Erzengel Gabriel und Maria. Reims, Kathedrale, mittleres Westportal, 2. H. 13. Jh. Gotik

Hüttenplastik. Pythagoras. Chartres, Kathedrale, Archivolte des Westportals, 1145–55. Frühgotik

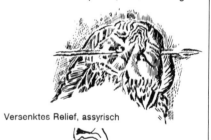

Versenktes Relief, assyrisch

Amorette. Rokoko

Li: Erote, griechisch. – Re: Putto an der VI. Kreuzwegstation: Veronika reicht Jesus das Schweißtuch. Birnau, um 1750, Feichtmayr. Rokoko

Bronzerelief. Untere Hälfte: Flach- und Halbrelief; Oberkörper: Hochrelief; Hintergrund: malerisches Relief. Hildesheim, Dom, Bernwardstür, 1015. Ottonik

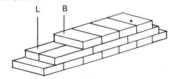

Baustein. B Binder; L Läufer

Beichtstuhl. Marienmünster, Abteikirche, 1720. Barock

Schweifwerk, Sulzfeld/Main, 1609, P. Meurer

	E	F	S	I
4. *Backstein,* Ziegelstein, Ziegel, aus Ton oder Lehm wetterfest gehärtet (gebrannt);	5	5	5	5
Formstein = Backstein, aus dem die unregelmäßigen Bauglieder (Bogenlaibungen, Maßwerk der Backsteingotik usw.) gebaut werden und der deshalb in bes. Formen gebacken werden muß. → Backsteinbau*	6	6	6	6
Lohstein = durch Beimengung von Gerberlohe, die beim Brennen Hohlräume hinterläßt, bes. leichter Backstein, in der Gotik für Gewölbe verwendet.	7	7	7	7
In der Mauer kehrt der *Binder** seine Schmalseite nach außen, der *Läufer** zeigt seine Langseite.	8 9	8 9	8 9	8 9
Weitere Verwendungen der B.e → Mauerwerk*				
79 **Beichtstuhl***, Sitz zum Beichthören, seit etwa 1600 in der heutigen Form: dreiteiliges Holzgehäuse, im Mittelteil sitzt der Geistliche, durch Gitter von den Beichtenden getrennt, die abwechselnd in den Seitenteilen knien.	211	217	197	212
80 **Beischlag,** Terrasse mit Brüstung und Freitreppe in der ganzen Frontbreite des Hauses an der Straßenseite. Ersetzt im Ostseeraum, bes. Danzig, 364*, den Garten des Stadthauses und schützt Erdgeschoß und Hauseingang mit Diele vor Überschwemmungen.	601	770	731	820
81 **Beletage** (frz. schönes Geschoß), Piano nobile, Geschoß, in dem sich die Repräsentationsräume befinden, meist 1. Obergeschoß. Seit Barock.	604	325	677	590
82 **Bema*** (griech. Stufe, Richterstuhl), 1. das erhöhte Presbyterium im Chorraum der frühchristlichen Basilika; – 2. → Ambo*; – 3. der von der → Ikonostase abgeschlossene Altarraum der Ostkirche; – 4. Lesekanzel der → Synagoge.	96	20	112	110
83 **Benediktinerchor,** Staffelchor mit Öffnungen zwischen Mittelraum und Seitenräumen. → Chor* (Chorformen)	98	182	209	221
84 **Bergfried,** Hauptturm einer Burg. 299 f.; 296*; 298* (auch Belfried, in den Niederlanden und Belgien bes. für städtischen Repräsentationsturm; → Turm*.)	443	104	803	109
85 **Bering,** Zingel, Ringmauer einer Burg. 303; 298*	671	309	554	197
86 **Beschlagwerk,** auf C. Floris und die Musterbücher des V. de Vries zurückgehende reliefartige Flächenornamente, die durch imitierte Nagelköpfe angeheftet erscheinen; in Verbindung mit eingerollten Bändern = Rollwerk, 222*, mit Voluten = Schweifwerk*, 232*. Deutsche und niederländische Renaissance nach 1570. → Floris-Stil	752	346	431	252
87 **Beton** (frz.), 1. → Mauerwerk IA, opus incertum*; III*; – 2. Gußmauerwerk aus festen Zuschlagstoffen, Zement und Wasser; – 3. Stahl-B. aus B. und Eiseneinlagen (Bewehrung). 277, 280 f.*	209	106	439	123
88 **Bettelordenskirche,** 176*	346	298	450	182
89 **Biedermeierstil***, scherzhafte Verbindung von V. v. Scheffels »Biedermann« und »Bummelmaier«, zwei deutschen Philistertypen (1848 in den »Fliegenden Blättern«). Bez. für den Lebens- und Wohnstil im deutschen »Vormärz« (1815–48). Das Biedermeier entwickelt zwar keine eigene Architektur oder Großplastik, wohl aber eigene Möbelkunst und Malerei. Das klassiz. Empire-Möbel wird zweckmäßig vereinfacht, vorzügliche Verarbeitung gemaserter Hölzer	100	731	294	765

(Kirsche, Mahagoni, hell getönt) und gestreifter oder geblümter Bezugsstoffe sowie ein weicher Schwung der Linien geben ihm das bis heute beliebte Gepräge. In der Malerei vertreten Spitzwegs gütiger Kleinstadt-Humor, Waldmüllers unpathetische Naturbilder und Oldachs Bildnisse gediegener Bürgertypen den B.

Bema. Griechenland, 10. Jh., Rekonstruktion

E	F	S	I	
830	66	77	75	**☐ 90 Bildende Kunst,** im engeren Sinne (von »abbilden«) nur Plastik, Malerei und Graphik; der Sprachgebrauch rechnet aber meist auch Architektur und Kunstgewerbe zu den bildenden Künsten.
702	699	281	710	**☐ 91 Bildhauerkunst*,** Bildnerei, seit den Anfängen der Geschichte vorhandene körperbildende Kunst. *Formen:* Vollplastik und Relief (→ Bauplastik). *Materialien:* Bronze, Stein, Holz, Ton, Elfenbein, Wachs, Edelmetalle, Kunststoffe u. a. Die wichtigsten *Techniken* sind:
1	1	1	1	I. *Bronzeguß* (von lat. aes brundisium, den Metallwerkstätten von Brindisi in Italien). Ein vorgearbeitetes Modell kann auf 2 Weisen gegossen werden: 1.
2	2	2	2	*Guß mit verlorener Form**. Das Lehmmodell wird durch Glühen gehärtet und bildet den Kern (K) des Gusses. Er wird mit einer Wachsschicht (W) von der Dicke des zukünftigen Bronzemantels überzogen. Mit einem Formmantel (F) aus Lehm umschließt man Kern und Wachsschicht. Metallstäbchen (M) werden bis in den Kern, Röhrchen (R) bis in die Wachsschicht gesteckt. Durch Erwärmen der Form fließt das Wachs aus den Röhrchen ab, die Stäbchen verhindern Verschiebungen von Kern und Mantel, und in den Hohlraum fließt durch eine Eingußröhre (E) die flüssige Bronze (9 T. Kupfer, 1 T. Zinn). Nach dem Erkalten wird der Formmantel zerschlagen und der Kern aus
3	3	3	3	dem Bronzemantel herausgekratzt. 2. Beim *Sandformverfahren* wird der Formmantel aus Gips nach dem Guß nicht zerschlagen, sondern in Teilstücken abgenommen, die als Negativform erhalten bleiben. Moderne Verfahren verwenden auch flexible Kunststoffmäntel, die sich auch aus Hinterschneidungen herauslösen lassen.
4	4	4	4	II. *Steinplastik.* Nach einer Tonskizze (it. bozzetto) wird meist ein Gipsmodell in natürlicher Größe geformt, nach diesem wird freihändig oder unter Kontrolle von Meßgeräten das Original aus dem Stein geschlagen. Die halbfertigen Teile der Steinplastik nennt
5	5	5	5	man »in der Bosse«* stehend. Beim *Steinguß* wird ein Bildwerk aus pulverisiertem (meist Kalk-)Stein gegossen, so z. B. in der (süddeutschen) Spätgotik.
6	6	6	6	III. *Holzplastik.* Nach Zeichnung oder Modell (Gips, Ton) wird die Form aus einem grob vorgesägten oder gefrästen Holzblock mit Schnitzmessern oder Hammer und Holzmeißel herausgearbeitet. Bis zur Renaissance meist bemalt; → Faßmalerei.
7	7	7	7	IV. *Stuck,* Gemisch aus Gips, Kalk und Sand, gut formbar, aber schnell erhärtend, wird für Plastiken und plastische Wanddekoration verwendet. V. Marmorimitationen, bes. des Barock:
8	8	8	8	*Marmorstuck* wird mit Marmorstaub gefärbt und mit
9	9	9	9	Marmoradern bemalt. *Stucco lustro* = mit heißem Eisen gebügelter dünner Überzug aus Alabastergips, Marmorstaub und Weißkalk mit Farblasur.

Biedermeier. Sofa und Sekretär

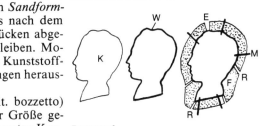

Bronzeguß

Steinplastik, Skulptur. Die unvollendeten Teile stehen noch »in der Bosse«. Florenz, Galleria dell'Accademia, »Erwachender Sklave«, nach 1519, Michelangelo

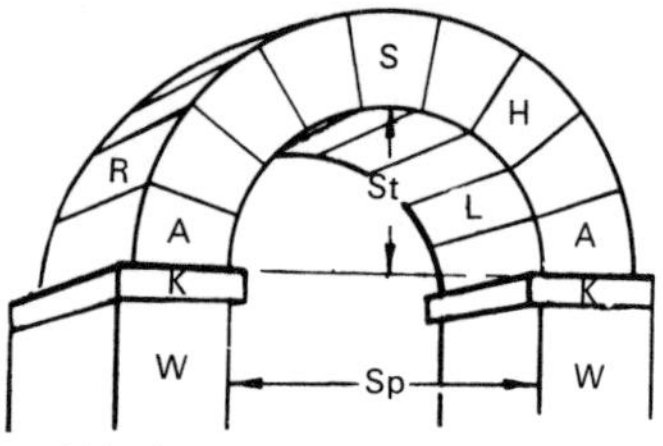

	E	F	S	I

Bogen. Abb. 1

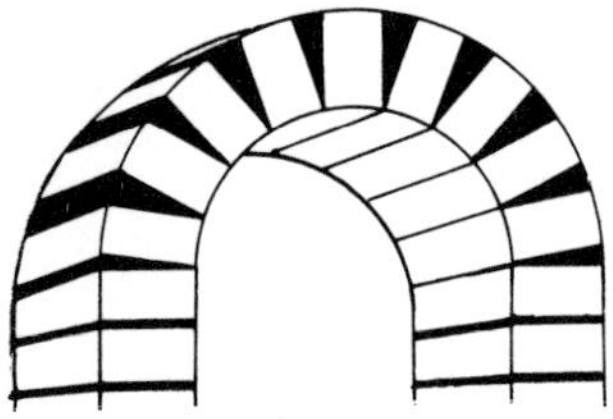

Abb. 2

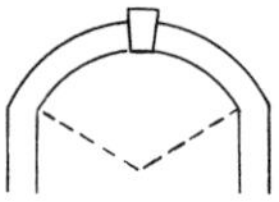

Flach-, Stich-, Segmentbogen

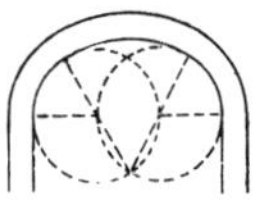

Korbbogen

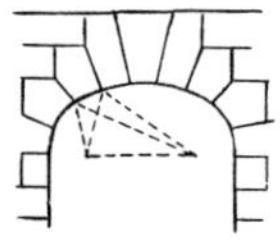

Elliptischer Bogen

Schulter-, Kragsturz-, Konsolbogen

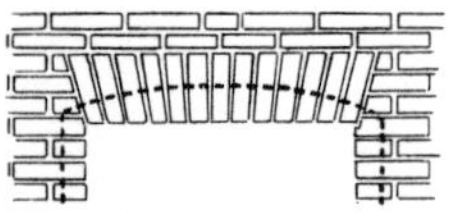

Scheitrechter Sturz, auch: Sturzbogen. Stützlinie gestrichelt

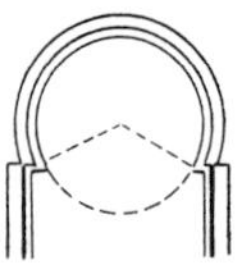

Hufeisenbogen

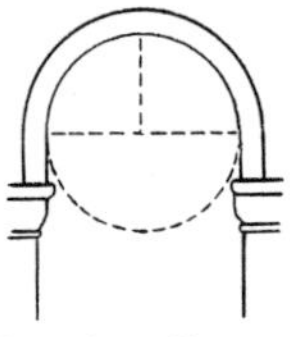

Gestelzter Bogen

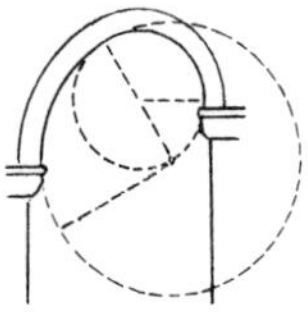

Einhüftiger Bogen

Kluge und Törichte Jungfrau. Freiburg, Münsterportal, 1280–90. Gotik

Entry	E	F	S	I
92 **Binder** → Baustein*	397	120	794	597
93 **Birnstab** → Gewölbe Abb. 3b	544	534	539	231
94 **Bischofsstuhl** → Kathedra*	102	150	757	721
95 **Blaker** → Leuchter 7*	698	110	141	257
96 **Blatt,** in einen Kreis oder ein krummlinig begrenztes Drei-, Vier- oder Vieleck eingesetztes Element des gotischen → Maßwerks aus 3 oder mehr Ogiv-Formen zwischen Nasen. 162*	329	464	342	309
97 **Blattfries,** Laubfries, Ornament. 95*; 166*; 200*	331	343	381	329
98 **Blattmaske,** 160*	333	486	513	466
99 **Blattwelle** → Kymation. 14*	243	447	176	502
100 **Blendbogen,** ein der Mauer dekorativ oder gliedernd vorgebauter Bogen, der jedoch keine Maueröffnung umschließt. Oft zur Blendarkade gereiht. 95*	105	41	56	60
101 **Blendfassade,** Fassade, die einem unbefriedigend proportionierten Bau dekorativ vorgeblendet ist. Sie überragt diesen oft seitlich oder in der Höhe (= vorgeschildet).	111	337	323	290
102 **Blendgiebel,** 1. als zierender und gliedernder Zwerchgiebel der Traufseite eines Daches vorgeblendet; – 2. Giebel der → Blendfassade.	106	339	388	350
103 **Blendmaßwerk** → Maßwerk	109	672	807	849
104 **Blendnische,** Ziernische, täuscht die Weiterführung einer Öffnung (Fenster o. ä.) in einer Reihe vor (z. B. romanischer Obergaden).	107	538	574	522
105 **Blendtriforium** → Triforium	110	340	819	862
106 **Bogen*,** gewölbte Konstruktion in einer Maueröffnung oder Halle, die die Last abfängt bzw. auf Stützen (Pfeiler, Säule) überleitet. Er wird aus keilförmigen (Abb. 1) oder rechteckigen Steinen mit keilförmigen Mörtelfugen (Abb. 2) gebaut. Auf den → Widerlagern (W) sitzen die Kämpfer (K, oft mit einem → Kapitell verbunden), der erste Stein des B.s ist der Anfänger (A), der letzte (oben in der Mitte) der → Schlußstein (S). Spannweite (Sp) heißt der Abstand der Widerlager, Stich(Pfeil-)höhe (St) der Abstand vom Scheitel zur Kämpferlinie. Haupt (H) oder Stirn heißen Vorder- und Rückfläche, Laibung (L) nennt man die Innenfläche, Rücken (R) die obere Außenfläche.	49	39	55	59
	1	1	1	1
	2	2	2	2
	3	3	3	3
	4	4	4	4
	5	5	5	5
	6	6	6	6
	7	7	7	7
	8	8	8	8
	9	9	9	9
Bogenformen:				
Rundbogen*	10	10	10	10
Flach-, Stich-, Segmentbogen*	11	11	11	11
Elliptischer Bogen*	12	12	12	12
Korbbogen*	13	13	13	13
Schulter-, Kragsturz-, Konsolbogen*, 162,11*	14	14	14	14
Spitzbogen, flach, gedrückt, 162,1*	15	15	15	15
Spitzbogen, normal, gleichseitig, 162,2*	16	16	16	16
Spitzbogen, überhöht, 162,3*	17	17	17	17
Lanzettbogen, 162,3*, 196,1* und 2*	18	18	18	18
Kleeblatt- oder Dreipaßbogen, rund, 162,4*	19	19	19	19
Kleeblatt- oder Dreipaßbogen, spitz, 162,5*	20	20	20	20
Fächer-, Zackenbogen, 85*	21	21	21	21
Kielbogen, 162,6*	22	22	22	22
Eselsrücken, 162,7*	23	23	23	23
Flammenbogen, 162,8*	24	24	24	24
Vorhangbogen, 162,9* und 10*	25	25	25	25
Tudorbogen, 162,12*	26	26	26	26
Hufeisenbogen*, 85*	27	27	27	27
Gestelzter Bogen*	28	28	28	28

E	F	S	I	
29	29	29	29	*Einhüftiger Bogen**
				Gestelzt wird ein Bogen durch eine vertikale Verlänge-rung zwischen Kämpfer und Krümmung. Beim *stei-genden* oder *einhüftigen B.* liegen die Kämpfer ver-
30	30	30	30	schieden hoch. – *Überfangbogen* → Fenster II, Abb. 3. – *Entlastungsbogen* 31,4 /5*
820	815	792	830	107 **Bogenfeld** → Portal 2*
51	371	357	322	108 **Bogenfries**, roman. und got. Ornament. 95*
53	55	71	58	109 **Bogenlauf** → Archivolte 2*
112	112	116	806	110 **Boiserie** (frz.), mit Flachreliefs geschmücktes → Täfelwerk, bes. des Régence und Rokoko. 321*
683	116	725	120	111 **Bosse**, 1. → Mauerwerk I Dd*; 2. Bildhauerk.*
651	115	62	120	112 **Bossenwerk**, 1. Bauwerkecken-Verstärkung aus Quadern. Aschaffenb., 221*. – 2. → Mauerwerk I Dd
124	634	669	620	113 **Brauttür**, Seitenportal an der Nordseite einiger got. Kirchen; vor ihr wurde die Trauung vollzogen. Die B. ist oft mit den biblischen Figuren der Klugen und Törichten Jungfrauen* geschmückt, die den Bräu-tigam erwarten (Matth. 25, 1–12).
291	125	117	670	114 **Broderie**, -parterre → Gartenkunst*
126	358	391	355	115 **Bronzeguß** → Bildhauerkunst 1*
341	357	390	313	116 **Brunnen***, in seinen vielfältigen Schmuckfor-men ein seit der Antike beliebtes dekoratives Element der Baukunst. Wichtige Formen: Aus Quellen oder Verteilungsstellen des vom → Aquädukt* kommenden Wassers bauen die Römer die oft gewaltigen Anlagen
1	1	1	1	des *Nymphäums, 292** (griech. nymphaion), das den Nymphen geweiht ist. Im Atrium des christlichen → Basilika und im Kreuzganghof des → Klosters steht
2, 3	2, 3	2, 3	2, 3	oft der *Schalenbrunnen**. Das Wasser des got. *Stock-brunnens** fließt seitlich aus dem reichgeschmückten, oft mit Figuren und Gesprenge verzierten Brunnen-stock in ein rundes oder eckiges Becken. Als »Schöner B.« steht er auf den Marktplätzen mittelalterlicher Städte. Die Renaissance bleibt in Deutschland beim Stockbrunnen – jetzt ohne Gesprenge –, zieht aber in den roman. Ländern den klassischen Schalenbrunnen vor. Barock-B. oft mit Gestalten der antiken Meeres-mythologie: Poseidon, Tritonen, Meerrosse; der Park-
4	4	4	4	brunnen wird zur *Wasserkunst* mit Kaskaden und Springbrunnen. Ziehbrunnen 299*, 359*
127	107	167	167	117 **Brutalismus** (von frz. béton brut), Verwendung von Beton ohne Verputz, Verblendung und oft auch ohne Bemalung (Sichtbeton). Ronchamp, 284*; Wien und Liverpool, 285*
128	126	124	319	118 **Bukranionfries**, Ornament. 31*
131	118	118	121	119 **Buleuterion**, Bouleuterion (griech. bulē = Rat), städtischer Versammlungsraum, Rathaus der griechi-schen und hellenistischen Antike. 344*
152	169	158	681	120 **Burg**, 286 ff*
132	826	228	312	121 **Butzenscheibe***, meist runde, grünliche Glas-scheibe in Bleifassung und mit einer Verdickung (»Butzen«) in der Mitte. Im 15./16. Jh. als Fensterver-glasung. Daher noch heute Fenster-»Scheibe« auch für rechteckige Gläser.
134	62	73	70	122 **Byzantinische Kunst**, die christliche Kunst des oström. Reiches und seiner Einflußgebiete, 38 ff*. Mit-telpunkt ist Byzanz (= Konstantinopel). Die B. K. ver-schmelzt altchristliche, kleinasiatische und alexandri-nische Elemente ausschließlich zu religiösen Schöp-

Li: Schalenbrunnen. Bückeburg. Romanik
Re: Stockbrunnen. Süddeutsche Gotik

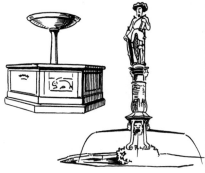

Li: Schalenbrunnen. Amboise, Schloß, 16. Jh. Französische Renaissance
Re: Stockbrunnen. Deutsche Renaissance

Li: Barock-Brunnen. Nancy, 18. Jh.
Re: Klassizistischer Brunnen. Basel, 1784

Butzenscheiben

Ikone: Johannes Ev., russisch

O: Ikone: Madonna »Eleusa« (griech. »Rührung«),
14. Jh., russisch.

U: Kanon (= Kompositionsschema) des Kopfes.
Maßeinheit ist die Nasenlänge

Chippendale-Stuhl

fungen. Ihre Entwicklung wird gewöhnlich in 3 Hauptepochen unterteilt:

1. erster Höhepunkt unter Kaiser Justinian (526–65), Bau der Hagia Sophia (Hauptkirche Ostroms in Konstantinopel). Der Bilderstreit (726–843) = Ikonoklasmus wird für die in Frage gestellte Verehrung christlicher Bilder entschieden. Ihm folgt

2. neue Blüte unter den mazedonischen Kaisern (mazedonische Renaiss., 9.–12. Jh.) und Ausstrahlung nach Venedig (Markusdom) und Rußland, das bis in die neueste Zeit hinein der B.n K. verpflichtet bleibt.

3. Letzter künstlerischer Aufschwung zur Paläologen-Zeit (1261–1453). 1453 erobern die Türken Konstantinopel, seitdem lebt die B. K. im griechisch-orthodoxen Christentum bis heute fort. In der deutschen und frz. Romanik und Gotik sowie in der »maniera greca« oder »bizantina« der ital. Kunst des 13. Jhs. sind ihre Einflüsse spürbar.

Bevorzugte Architekturformen sind der → Zentralbau mit Kuppeln und die Kuppelbasilika (z. B. Hagia Sophia und Markusdom). Die Vollplastik tritt zurück, statt dessen blüht bes. das Elfenbeinrelief. Die Malerei zeigt Meisterleistungen in Mosaik, Miniatur und Ikone*. Die statuarische, weihevolle Strenge der Figuren, ganz in die Fläche eingebunden (meist ohne Landschaft), entspringt dem jahrhundertelangen Festhalten an einem starren Konstruktionskanon* (→ Proportionslehre), der zwar eine auffällige Entwicklung verhindert, der B.n K. aber über anderthalb Jahrtausende ihr Bestehen sichert – eine in der Kunstgeschichte einmalige Erscheinung.

	E	F	S	I
123 **Caldarium** →Thermen	136	130	128	124
124 **Calvaire** →Kalvarienberg*	137	132	129	126
125 **Campanile** →Turm 1	139	133	135	132
126 **Campo santo** (it. heiliger Acker), Bezeichnung für Friedhof	140	134	136	135
127 **Canabae,** Zivilsiedlung außerhalb eines römischen Castells oder Militärlagers. 293, 393 ff.*	141	135	137	136
128 **Castell,** Kastell (lat. castellum), 1. befestigtes röm. Militärlager (Castrum Romanum, 293*, 393 f.*, 397, 401); – 2. selten für → Westwerk. Lorsch II, 66,7*; – 3. befestigte Burg- oder Schloßanlage.	152	148	158	156
129 **Cavaedium** →Peristyl	156	151	163	584
130 **Cavea** →Theatron. 36*	157	152	162	164
131 **Cella** (lat. Kammer; griech. naos), fensterloser Hauptraum antiker Tempel, in dem das Götterbild stand. Auch: Mönchszelle. 13,3*	158	153	165	165
132 **Celosia,** Fensterabschluß aus durchbrochenem Holz, Stein oder Stuck, islamische Herkunft. 86*. Vgl. → Transenna	160	154	166	367
133 **Cherub** →Engel 3	174	178	693	172
134 **Chinoiserie** (frz.), Nachahmung ostasiatischer Dekorations- und Bauformen in der europäischen Architektur des 17. und 18. Jhs. 320*	176	179	171	195
135 **Chippendale*,** engl. nationaler Möbelstil um 1750, genannt nach dem Möbeltischler Thomas Chippendale (1709–79). Im Ch. verbinden sich Elemente und Zierformen des engl. Barock, frz. Rokoko, der Gotik und Chinas zu bequemer Zweckmäßigkeit. Mahagoni ist bevorzugter Werkstoff.	178	180	172	189

E	F	S	I
179	181	206	220

136 Chor* (griech. choros), ursprünglich Platz für Tanz und Sänger im antiken Griechenland. In der christlichen Kirche der Ort für den Chor der Geistlichen. Seit der karolingischen Zeit Bez. für die Verlängerung des Mittelschiffs über die → Vierung hinaus *(Chorhaus)*, die häufig quadratischen Grundriß hat *(Chorquadrat)*. Schließt sich eine → Apsis als Chorschluß an, heißt der gesamte Komplex aus Chorhaus und Apsis Chor. In ihm befinden sich Hauptaltar (→ Altar), → Sakramentshaus*, → Piscina*, → Chorgestühl*, → Dreisitz*, evtl. Bischofsstuhl (→ Kathedra*). Der Chor ist meist um einige Stufen, bei darunterliegender → Krypta sogar erheblich über das Niveau der

1	1	1	1

Kirche erhöht. Seit der Romanik führt oft ein *Chorumgang** (Deambulatorium) um den Chor herum, mit dem dieser durch offene Bogenstellungen verbunden

2	2	2	2

ist. Diesem Umgang sind oft als halbrunder *Kapellenkranz** angeordnete Chorkapellen angeschlossen, die sich gegen den Chorumgang als Altarräume öffnen und meist auch am Außenbau erkennbar sind. Schneiden sich ihre Achsen in einem Punkt, spricht

3	3	3	3

man von *Radialkapellen*. Gegen Chorumgang oder Nebenchöre ist der Chor im Mittelalter häufig durch

4	4	4	4
5	5	5	5
6	6	6	6

→ *Chorschranken**, gegen das Mittelschiff durch einen → *Lettner** abgegrenzt, der im Barock durch ein kunstvoll geschmiedetes *Chorgitter* (Doxale) ersetzt wird. Der Chorschluß (Chorabschluß) wird nach der geometrischen Figur des östlichen Abschlusses benannt:

7, 8	7, 8	7, 8	7, 8

1. *runder Chorschluß** (bes. Romanik); – 2. *gerader, flacher, platter Chorschluß** (Zisterzienserkirchen),

9	9	9	9

engl. Gotik); – 3. *eckiger (polygonaler) Chorschluß**, je nach der Anzahl der Segmentteile im Grundriß z. B. 5/8-, 7/10-, 9/16-Schluß (bes. Gotik). Die Chorformen haben ihren Namen nach dem Verhältnis des Chorraums zu den ihn umgebenden Bau-

10	10	10	
11	11	11	11

teilen: 1. *eingezogener Chor**, schmaler als das Mittelschiff; – 2. *Staffel-Chor** (vgl. → »Benediktinerchor«), Hauptchor und stufenweise sich verkürzende Neben-

12	12	12	12
13	13	13	13

chöre; – 3. *Chor mit Chorumgang und Kapellenkranz** (roman., got.); – 4. *Dreikonchenchor**, *Kleeblattanlage*, griech.: Trikonchos (roman. 102 f.*, got.: Marburg, 168*), die Querhausarme enden wie der Hauptchor in

14	14	14	14

Apsiden. Tetrakonchos → Kapelle*. – 5. *doppelchörige Anlagen* (karoling.; dt. Romanik) haben auch im W einen Chor, daher keine W-Fassade. – 96*, 157*

181	722	749	757

137 Chorgestühl*, an beiden Chorseitenwänden aufgestellt, meist in zwei ungleich hohen Reihen, zum Sitzen und Knien für die Geistlichen in Kloster-, Bischofs- und Stiftskirchen (seit 13. Jh.). Oft reich geschnitzt, in der Gotik auch mit Baldachin versehen.

1	1	1	1
2, 3	2, 3	2, 3	2, 3

Der Einzelsitz ist die *Stalle,* vom Nebensitz durch das *Accoudoir* (Armlehne) getrennt. *Dorsale* (lat. dorsum = Rücken) heißt die Rückwand. Beim Stehen wird der Sitz hochgeklappt, dann dient die vorn unterm Sitz

4	4	4	4

angebrachte *Miserikordie** (lat. misericordia = Barmherzigkeit) »aus Barmherzigkeit« als Gesäßstütze.

5	5	5	5

Diese wie auch die *Wangen,* die als hohe Seitenwände die Sitzreihen abschließen, sind oft mit derben weltli-

6	6	6	6

chen *Drôlerien* (frz. drôle = lustig) geschmückt.

553	563	528	878

138 Chörlein → Erker*. Krakau, 358*

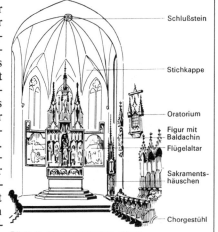

Blick in einen gotischen Chor.
Blaubeuren, Klosterkirche, 15./16. Jh.

Schlußstein
Stichkappe
Oratorium
Figur mit Baldachin
Flügelaltar
Sakramentshäuschen
Chorgestühl

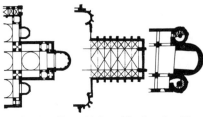

Li: Runder Chorschluß. – Mi: Gerader Chorschluß. – Re: Eingezogener Chor

Li: Staffelchor. – Mi: Dreikonchenchor. – Re: Polygonaler Chorschluß. 7/10-Schluß im Hauptchor, 5/10-Schluß in den Nebenchören

Chorumgang (Deambulatorium) mit Kapellenkranz (Radialkapellen). Clermont-Ferrand, Notre-Dame-du-Port

Chorgestühl, zweireihig mit Baldachinen; hoch-
geklappte Sitze mit Miserikordien. Ulm, Münster,
1440–74, J. Syrlin d. Ä.

Miserikordie
mit Drôlerie

Chorschranken mit Ambo-
nen. Rom, S. Clemente, 11.
Jh., Verwendung von Mate-
rial und Anordnung des 6.
Jhs.

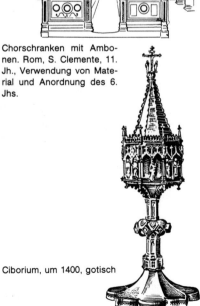

Ciborium, um 1400, gotisch

|139| **Chorquadrat** → Chor, → Querhaus Abb. 3

|139| **Chorscheitelrotunde,** runder oder polygonaler Zentralbau in der Achse des Chores. 93; Reichenau, 78*; Dijon, 142*

|140| **Chorschranken*,** in der frühchristlichen Basilika niedrige Steinbrüstungen oder Gitter, die den Raum für die Chorsänger gegen den Laienraum abgrenzen, gelegentlich mit Ambonen (→ Ambo*) versehen. Im Mittelalter mehrere Meter hoch, in Kirchen mit Chorumgang umziehen sie oft den ganzen Chor und tragen gegen den Umgang hin reiche Reliefbildnerei. Hildesheim, 79* — 180 203 139 659

|152| **Chronogramm,** Inschrift in lat. Sprache, bei der alle darin vorkommenden Buchstaben, die zugleich röm. Ziffern sind (I, V, X, L, C, D, M), zusammengezählt die Jahreszahl des Ereignisses ergeben, auf das sich die Inschrift bezieht.
ChrIstVs saLVator noster est, fVIt, erItqVe, fortIs, pIIs pIVs et Vere MIrabILIs In sIgnIs saCratI panIs. CIVLVVIIVIIIIIVVMIILIIIICII = 1345 (Inschrift am Beginenhof Amsterdam). — 184 186 216 242

|143| **Churriguerismus,** von José Churriguera (1650–1723) geschaffener barocker Dekorationsstil in Spanien. Die scheinbar regellos überladenen, alle Bauglieder überwuchernden Formen stehen in der Tradition des spätgotisch-spanischen → Platero-Stils. 248* — 185 187 173 190

|144| **Ciborium*** (lat. von griech. kibōrion = Gehäuse), 1. steinerner Altarüberbau auf Säulen (→ Altar*); – 2. Kelch für die geweihten Hostien (Weihbrotgefäß) mit Deckel, der in der Gotik gelegentlich die Form eines Turmhelmes hat; – 3. → Tabernakel 3. — 186 189 174 192

|145| **Cinquecento,** Kunst des 16. Jhs. in Italien — 187 192 178 196

|146| **Columbarium** (lat. columba = Taube), 1. Taubenschlag (Les Baux in der Provence); – 2. Begräbnisstätte mit taubenschlagähnlichen Wandnischen, in denen Leichen, Knochenreste, Aschenurnen beigesetzt werden. Seit frühchristl. Zeit bis heute, bes. im südl. Europa. Abb. S 461. Katakombe, 41* — 201 207 186 201

|147| **Commodité,** Vorrang der zweckmäßigen, bequemen Anordnung aller Räume eines Schlosses vor der Repräsentation. Benrath, 326* — 204 213 192 207

|148| **Compluvium,** Öffnung des antiken Atriums. — 207 215 194 209

|149| **Confessio,** Raum mit Heiligengrab unter dem Altarraum einer frühchristlichen Kirche, oft von einem halbkreisförmigen Stollen aus durch eine Wandöffnung zu besichtigen. Vorform der → Krypta. 41* — 210 216 198 213

|150| **Corps de logis** (frz.), Hauptbau mit der Herrschaftswohnung an der Stirnseite des Ehrenhofs eines Barockschlosses. — 221 230 211 225

|151| **Cosmaten-Arbeit,** Marmorinkrustationen einer Künstlergruppe des 12.–14. Jhs. in und um Rom und Neapel, bei deren Signaturen der Name Cosmas häufig auftritt. — 222 231 580 228

|152| **Cour d'honneur,** von 3 Flügeln umschlossener Ehrenhof an der Stadtseite des Barockschlosses. Würzburg, 327* — 224 235 625 227

|153| **Curtain wall,** Vorhangfassade, nichttragende Fassadenverkleidung, oft aus Metall oder Glas, die dem konstruktiven Skelettbau vorgehängt ist. 281* — 237 521 556 246

E	F	S	I	
680	361	345	315	**154** **Dachformen*.** 1. *Pultdach**, einseitig abge-schrägt; – 2. *Satteldach**, zweiseitig abgeschrägt; – 3.
1,2	1,2	1,2	1,2	
3	3	3	3	*Walmdach**, allseitig abgewalmt, jedoch mit Firstlinie (abwalmen = Herunterführen des Dachs über die
4	4	4	4	Giebelseiten); – 4. *Krüppelwalmdach**, der Giebel wird nur im unteren oder oberen Teil durch Dachflä-
5	5	5	5	chen ersetzt (z. B. Schwarzwaldhaus); – 5. *Zeltdach**, Pyramidendach, die allseitigen Walmflächen treffen sich in einem Firstpunkt; quadratischer, rechteckiger, vieleckiger Grundriß. Bei großer Höhe im Verhältnis
6	6	6	6	zur Traufenlänge heißt es Turmdach; – 6. *Mansard-dach** (nach dem frz. Architekten J. H. Mansart, 1648–1708), ermöglicht schräge Dachräume (= Man-
7	7	7	7	sarden); – 7. *Sägedach**, Sheddach (engl. shed =
8	8	8	8	Schuppen), erlaubt lichtreiche Werkräume; – 8. *Helm-dach**, steiles Turmdach, pyramiden- (a), kegelförmig
9	9	9	9	(b), auch hauben- (c) oder kuppelförmig; – 9. *Zwiebel-*
10	10	10	10	*dach**, bes. Süddeutschland, Österreich; – 10. *Welsche Haube**, Vorform des Zwiebeldachs, aber im Unterteil konkav; oft Unterbau für mehrfach geschweifte Auf-bauten, die gelegentlich in einer Laterne enden (Ba-
11	11	11	11	rock); – 11. *Faltdach**, über vier- oder vieleckigem
12	12	12	12	Grundriß in Falten gelegt; – 12. *Rautendach**, Rhom-bendach, aus rautenförmigen Dachseiten zusammen-
13	13	13	13	gesetzt; – 13. *Querdächer**, Überdachung von Seiten-schiffen durch mehrere parallele Satteldächer quer zur Längsachse der Kirche; →*Zwerchhaus**; – 14.
14f.	14f.	–,15	14f.	*Schalendach*, 281*; – 15. *Hängedach*, 281*.
269	469	501	3	**155** **Dachgaube*,** -gaupe, kleiner Dachausbau mit Fenster hinter der Hausflucht.
670	456	490	433	**156** **Dachreiter*,** schlankes (meist Holz-)Türmchen auf dem Dachfirst. Von den Zisterziensern im 13. Jh. eingeführt, dann auf →Predigerkirchen, ersetzt bei den got. Kathedralen manchmal den Vierungsturm, weil der Turmbau auf die Westfassade konzentriert wird.
246	253	234	247	**157** **Damaszierung** →Inkrustation
25	255	235	249	**158** **Deambulatorium,** (mittelalterlicher) Chorum-gang, →Chor*
94	638	840	854	**159** **Deckenbalken** →Fachwerk
248	403	237	766	**160** **Decorated style,** zweite Phase der englischen Gotik. 188 ff*
254	265	329	260	**161** **Degagiert** nennt man freistehende oder nur von →Wirteln gehaltene Vorlagen einer Wand, Säule, ei-nes Pilasters oder Pfeilers. Early English, 199*
249	256	236	250	**162** **Dekoration** (lat. decorare = schmücken), Ge-samtheit aller zur Ausschmückung dienenden Gegen-stände und Ornamente, auch die Gesamtheit der schmückenden Einzelmotive, die für einen Einzelge-genstand wie eine bestimmte Fassade, einen bestimm-ten Innenraum usw. angeordnet werden. Bei kerami-schen Erzeugnissen spricht man von *Dekor.*
1	1	1	1	**163** **Denkmal*,** Monument, im engeren Sinne ein
512	508	546	499	Werk der Baukunst oder Plastik zur Erinnerung an be-stimmte Ereignisse oder an Personen. Sonderfor-men sind: →Grabmal, →Epitaph, Siegessäule, →Triumphbogen, figürliches D. als Statue oder Rei-terstandbild.
496	295	448	186	**164** **Denkmalkirche,** 51*
253	263	295	768	**165** **Desornamentado-Stil** →Herrera-Stil

1 Pultdach   2 Satteldach

3 Walmdach   4 Krüppelwalmdach mit F Fußwalm

5 Zeltdach   6 Mansarddach

7 Sägedach, Sheddach   8 Helmdächer

9 Zwiebeldach 10 W Welsche Haube 11 Faltdach
a) vermittelt   mit L Zwiebel-
b) unvermittelt   laterne

12 Rautendächer   13 Querdächer

Dachgaube. Li: Schleppgaube. – Mi: Walmgaube. – Re: Fledermausgaube

Dachreiter. Altenberg, Zisterzienserkirche, go-tisch

	E	F	S	I

Li: Nationaldenkmal. Hermannsdenkmal, Detmold, 1838–75, E. v. Bandel
Re: Dienst. a. alter Dienst; j junge Dienste

Directoire. Stuhl, Hemdkleid

Docke an einer Chorgestühl-Wange. Ulm, Münster, J. Syrlin d. Ä.

166 **Deutsches Band,** Zahnschnitt, Zahnfries aus Backsteinen, deren Vorderkanten in der Bauflucht liegen. 95*	424	259	239	802
167 **Deuxieme Renaissance,** frz. Hochrenaissance. 312*	255	267	241	254
168 **Diamantfries,** Ornament. 95*	525	376	379	332
169 **Diazoma** (griech.; lat. Praecinct), Gürtelring, Gürtelgang im antiken Theater. 36*	257	269	243	256
170 **Dielenkopf** →Mutulus. 16*	524	523	559	509
171 **Dienst*,** Viertel-, Halb- oder Dreiviertelsäule, die einem tragenden Element (Pfeiler, Mauer) vorgebaut ist und sich in die Rippen des →Gewölbes hinein fortsetzt, dessen Last der D. eigentlich trägt. Mit größerem Durchmesser (*»alter« D.*) unter den Quergurten der Gewölbe; unter den Längsgurten und Diagonalrippen (Kreuzrippen) schwächer (*»junger« D.*). 159*	713 1 2	258 1 2	188 1 2	727 1 2
172 **Dipteros** (griech. der Zweigeflügelte), antike Tempelform mit doppeltem Säulenring. 26*	258	270	245	258
173 **Directoire*,** nach dem Revolutions-Direktorium 1795–99 in Frankreich benannte Spätphase des Klassizismus. 324*	259	271	246	259
174 **Dirnitz,** Dürnitz, 1. ein- oder zweischiffiger heizbarer Saal im →Palas einer Burg. 302; – 2. Kemenate. 302	380	171	16	693
175 **Docke*,** Togge (= Puppe), 1. die einzelne Stütze einer Balustrade (→Baluster*); – 2. der meist figürlich geschnitzte Aufsatz am Seitenabschluß (Wange) von Kirchen- oder Chorgestühl.	79	94		94
176 **Dom** (lat. domus Dei = Haus Gottes), Bischofskirche, in Deutschland auch Hauptkirche einer Stadt ohne Bischof. In Süddeutschland auch →Münster genannt. →Kathedrale.	155	273	161	270
177 **Domikalgewölbe** →Gewölbe 3	264	830	120	888
178 **Donator** →Stifterbild	266	274	248	263
179 **Donjon,** Wohnturm einer Burg. 298 f; 300*	443	275	249	468
180 **Doppelantentempel** →Antentempel. 13,4*	27	765	32	815
181 **Doppelchörige Anlage,** Kirche mit O- und W-Chor. 97*	273	289	449	788
182 **Doppelkapelle*,** Doppelkirche, bis zum 12./13. Jh. vorkommende Verbindung zweier übereinander liegender Kapellen, bes. in Pfalzen und Burgen; die untere als Altarraum und fürs Gesinde, die obere mit Herrschersitz gegenüber der →Apsis. Eine Öffnung im Fußboden erlaubt den Durchblick vom Herrensitz zum Altar.	819	163	146	142

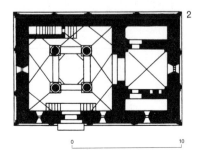

Doppelkapelle. 1 u. 2: Eger, Pfalz, E. 12. Jh., Schnitt, Grundriß der Unterkapelle. – 3: Nürnberg, Burg, E. 12. Jh., Obergeschoß mit Herrscher-Empore und quadratischer Öffnung zum Untergeschoß. – 4: Untergeschoß

E	F	S	I	
267	557	594	539	**183** **Dorische Ordnung,** griech. Säulenordnung. 16*
				184 **Dorischer Eckkonflikt,** Triglyphenkonflikt. 16*
270	278	250	265	**185** **Dormitorium** (lat.), Schlafsaal eines Klosters. Maulbronn, 140
75	277	251	266	**186** **Dorsale** →Chorgestühl*
441	413	703	386	**187** **Doxale** →Chor
276	280	662	558	**188** **Draperie*,** 1. die wirkungsvolle Anordnung von Stoffen und Gewändern in Plastik und Malerei. Zur Vorbereitung dienen *Gewandstudien;* – 2. das Ausklei-
1	1	1	1	den von Räumen mit Stofftapeten.
805	798	816	860	**189** **Dreiblatt** →Blatt. 162*
810	807	823	865	**190** **Dreifaltigkeit*,** Trinität. Gott Vater, Sohn (= Christus) und Hl. Geist (»in 3 Personen ein Einziger«) werden seit dem frühen Mittelalter verschieden darge-

Draperie. Versailles, Büste Ludwigs XIV., 1665, Bernini

stellt: als 3 nebeneinander sitzende Personen (seit 10. Jh.); als eine Gestalt mit 3 Köpfen oder 3 Gesichtern (seit 13. Jh.); später als 2 Personen mit Taube (= für den Hl. Geist) oder symbolisch als 3 Kreise, die sich schneiden, oder als gleichseitiges Dreieck mit dem Auge in der Mitte (nach 15. Jh.). →Symbol 5*. →Gna- denstuhl*

E	F	S	I	
806	293	453	790	**191** **Dreikonchenanlage** (griech. Trikonchos), Drei- konchenchor →Chor*; 102 f.*
805	805	822	864	**192** **Dreipaß** →Paß. 162*
432	809	821	866	**193** **Dreischenkel,** gotisches Maßwerkelement. 162*
781	799	833	848	**194** **Dreischneuß** →Schneuß. 162*
706	721	756	162	**195** **Dreisitz*,** Levitenstuhl, dreiteiliges Gestühl, meist an der südlichen Chorseitenwand, auf dem der Priester und seine 2 Diakone ausruhen, während der Chor das Gloria und Credo singt. Aus Holz und in der Art des →Chorgestühls geschnitzt oder als Nische in der Wand, 198*

Dreifaltigkeit. Ste-Trinité/Südfrankreich, Altarpla- stik. Barock

E	F	S	I	
782	211	649	203	**196** **Dreiviertelsäule,** Säule (→Dienst*), die nur zu Dreivierteln aus Pfeilerkern oder Wand hervortritt.
116	512	105	488	**197** **Dreiviertelstab** →Rundstab*
383	281	253	269	**198** **Drôlerie** →Chorgestühl*
283	402	254	271	**199** **Early English,** englische Frühgotik. 188 ff*
285	300	256	183	**200** **Ecclesia und Synagoge*** (lat. ecclesia = Kirche, griech. synagōgē = Versammlung), 1. Allegorien des Neuen (= christlichen) und Alten Testaments (des »verblendeten« Judentums). Als weibliches Figuren- paar dargestellt, entsprechend der Lehre, daß das AT die Vorbereitung und Prophezeiung, das NT deren Er- füllung bedeutet: S. mit Augenbinde und zerbroche- ner Lanze, die Gesetzestafeln entgleiten ihren Hän- den; E. als aufrechte Siegerin mit Krone, Kreuzfahne und Kelch; – 2. →Synagoge.*

Dreisitz, Levitenstuhl

E	F	S	I	
287	284	272	274	**201** **Echinus,** Teil des dor. und ion. Kapitells. 16 f.*
31	412	849	308	**202** **Eckblatt, -sporn,** Verzierungen in den Zwickeln zwischen der kreisförmigen Grundfläche der Säulen- basis und der quadratischen Plinthe. Hauptsächlich Romanik und Gotik. 98*
224	235	625	227	**203** **Ehrenhof** →Cour d'honneur
289	568	540	331	**204** **Eierstab,** ionisches Kymation. 14*
823	461	832	874	**205** **Einhorn** →Symbole 6*
288	285	257	273	**206** **Eklektizismus,** →Historismus, hier bes. die Ver- mischung von Elementen verschiedener historischer Stile an einem einzigen Bauwerk.
483	740	303	772	**207** **Emanuel-Stil,** Manuelischer Stil, Manuel-Stil, portugiesisch-spätgotischer Stil zur Zeit von König

Ecclesia und Synagoge. Straßburg, Südportal des Münsters, um 1230. Gotik

Empire. Tischbein, Sessel, Bronzevase

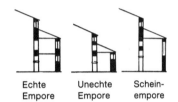

Echte   Unechte   Schein-
Empore   Empore   empore

Empore. O Obergaden; E Empore; A Arkaden
des Mittelschiffs. Gernrode, Nonnenstiftskirche,
961–83. Ottonik

Empore einer Wandpfeilerkirche. Süddeutscher
Barock

Manuel I. d. Gr., 1495–1521, parallel zum spanischen → Isabell-Stil. Üppige Wand-, Pfeiler-, Maßwerk- und Portaldekorationen, gewundene Pfeiler, reiche Gewölbebildungen, Inkrustationen. 181*. Belém, 300*

207 Emblem (griech. eingesetztes Stück), in der Antike Metallverzierung symbolischer Art, später allgemein Bez. für Sinnbild, → Attribut, → Symbol, Abzeichen.

290 306 259 277

208 Empire* (lat. imperium = Kaiserreich [Napoleons I.]), Schlußphase des Klassizismus, verbreitet sich zwischen 1800 und 1830 von Paris aus über Europa. 324*

292 308 300 403

209 Empore*, Tribüne oder → Galerie im Kirchenraum, die entweder die Bodenfläche vergrößert, bestimmte Gruppen der Gemeinde absondert – z. B. Frauen, höfische Gemeinde, Nonnen *(Nonnenchor = Prieche,* gewöhnlich im W), Kirchenchorsänger –, die Orgel aufnimmt (meist im W) oder vornehmlich die Wand gliedert. Bes. in der Romanik öffnen die E.n die Langhausmauern und treten als drittes rhythmisches Element zwischen die Arkadenstellungen des Erdgeschosses und die Fensterreihe des Obergadens. In den Emporenkirchen der Renaissance und des Barock reicht sie oft bis ins Gewölbe und gewinnt zugleich größere Raumbedeutung. Die E. ist jedoch kein unerläßlicher Bestandteil des Kirchenraumes. Sie befindet sich im Zentralbau über dem Umgang, in der Basilika über den Seitenschiffen, im Querschiff (Hildesheim, 79*) oder über dem W-Eingang, in Hallen- oder Saalkirchen steht sie auf einem eigenen Gerüst und wurde oft erst nachträglich eingebaut, vor allem in evangelisch gewordenen Kirchen. Man unterscheidet 1. die *echte Empore** = ausgebautes Obergeschoß; – 2. die *unechte Empore** = Öffnung, die nur in den Dachstuhl führt; – 3. die *Schein-Empore** = bloße Wandöffnung, die in keinen eigenen Emporenraum führt.

358 802 395 469

1 1 1 1

2 2 2 2
3 3 3 3
4 4 4 4

211 Emporenhalle → Kirchenbauformen. 118*; 121

356 294 447 181

212 Enfilade (frz. Einfädelung, Aufreihung), Zimmerflucht, deren Türen in einer Achse liegen und Durchsicht durch alle Zimmer erlauben. Um 1650 in Frankreich entwickelt, im barocken Schloßbau verbreitet. Versailles, 319*; 368

297 312 732 278

213 Engel* (griech. ángelos = Bote), im biblischen Sinn geschlechtslose reine Geister, Vermittler zwischen Gott und den Menschen, seit dem Frühchristentum meist als Jünglinge, geflügelt und mit → Heiligenschein dargestellt; in der ital. Renaissance auch als Mädchenengel.

30 25 35 34

Aufsteigende Rangfolge der 9 Engelchöre nach Dionysius Areopagita, 1. Jh., in der Fassung des 6. Jhs. (deutsch, griech., lat.):
III. Hierarchie: 1. Engel, Angeloi, Angeli; – 2. Erzengel, Archangeloi, Archangeli; – 3. Fürstentümer oder Urbeginne, Archai, Principatus; –
II. Hierarchie: 4. Mächte, Exousiai, Virtutes; – 5. Kräfte, Dynameis, Potestates; – 6. Herrschaften, Kyriothetes, Dominationes; –
I. Hierarchie: 7. Throne, Thronoi, Throni; – 8. Cherubim (hebr., Einz. Cherub); – 9. Seraphim (hebr., Einz. Seraph).

E	F	S	I		
1	1	1	1	Besondere Bedeutung und entsprechende Kennzeichen erhielten: 1. die 4 *Erzengel*: Gabriel (→ Bauplastik: »Verkündigung«* nach Lukas I,19 und 26–38); Michael* (Daniel 12,1); Raphael* (Tobias 5,18); Uriel oder Ariel (nach dem Midrasch); –	
2	2	2	2	2. die *Schutzengel** (Matthäus 18,10); –	
3	3	3	3	3. die *Cherubim** (Einz. Cherub), menschliche Grundgestalten mit 4 augenbesäten Flügeln (seit 8. Jh. 6 Flügel) und 4 Köpfen (griech. Tetramorph = viergestaltig, nach der Vision des Ezechiel I,5–14) der vollkommensten Geschöpfe: Adler, Löwe, Stier, Mensch. Seit 8. Jh. Vorbild der Symbole der → Evangelisten*. In der Kunst meist nur mit menschlichem Gesicht dargestellt. Symbolfarbe: rot; –	

Li: Erzengel Michael. Süddeutscher Barock
Re: Erzengel Raphael mit Tobias. Spätgotische Malerei

E	F	S	I		
4	4	4	4	4. die *Seraphim** (Einz. Seraph, hebr. leuchtende Schlange), nach Jesaias 6,2 und 6,6 Engel am Throne Gottes, die Angesicht und Füße mit je 2 Flügeln bedecken und mit 2 weiteren Flügeln fliegen. Symbole der Schnelligkeit, mit der Gottes Wille vollzogen werden soll. Symbolfarbe: blau; –	
5	5	5	5	5. *Putten* → Bauplastik*.	
298	442	469	372	[215] **Englischer Garten** → Gartenkunst*	
301	315	264	279	[216] **Entasis** (griech. Anspannung), mehr oder weniger sanfte Schwellung der → Säule* bis etwa zur Schaftmitte (Antike und davon abhängige Stile).	
431	318	268	418	[217] **Entrelacs,** Flechtband-Ornament. 95*	
302	232	478	435	[217] **Epistelseite,** die vom W-Eingang aus rechte (= südliche) Seite der Kirche und des Altars, weil auf dieser Seite die Epistel verlesen wird. Sie wird auch Männerseite genannt, weil seit dem Mittelalter dort gewöhnlich die Männer sitzen. Ggs.: → Evangelienseite.	

Schutzengel. Autun, Kathedrale, Tympanon des Portals, 12. Jh. Romanik

E	F	S	I		
303	319	270	281	[218] **Epistyl,** Epistylion, → Architrav. 16*; 17*	
497	320	271	282	[219] **Epitaph** (griech. Grabinschrift), seit dem 14. Jh. vorkommendes Gedächtnismal für einen Verstorbenen in Form einer Platte, die innen oder außen an der Kirchenwand, an einem Pfeiler oder im Kreuzgang senkrecht aufgestellt wird. Das E. ist aber kein → Grabmal, weil sich weder dahinter noch darunter ein Grab befindet. 2 Hauptformen: 1. Die Platte zeigt wie ein aufrecht gestellter Grabstein eine Inschrift und häufig das Abbild des Verstorbenen; – 2. später wird um das Abbild eine Szene aufgebaut: es kniet z. B. als → Adorant (gelegentlich als 33jähriger = Jesusalter), oft mit Familie, zu Füßen des Kreuzes Christi. In Renaiss. und Barock wächst das E. auch zu mehrstöckigen, prunkvollen Aufbauten mit geistreichen symbolischen Bedeutungen an. 223*	

Cherub. Cefalù/Sizilien, Mosaik im Gewölbe der Dom-Apsis, um 1150

E	F	S	I		
481	185	458	272	[220] **Erbärmdebild,** Christus als Schmerzensmann, mit Dornenkrone, Wundmalen, Lendenschurz, oft mit Mantel und Handfesseln. Seit 14. Jh. bes. in Deutschland. → Martersäule*	
554	311	529	96	[221] **Erker*,** ein geschlossener Ausbau an der Fassade oder Hausecke. Er ist meist ohne Verbindung mit dem Erdboden, kann aber über mehrere Stockwerke reichen. Eingeschossig ist das *Chörlein** an süddeutschen, bes. Nürnberger Wohnhäusern, das aus dem	
1	1	1	1	Altarraum der Burgkapelle entstanden ist (ein Kirchengebot verbietet Wohnräume über dem Altar). In	

Seraph. Clermont-Ferrand, Notre-Dame-du-Port, E. 11.–12. Jh., Südportal. Romanik

Erker. Li: Gotisches Chörlein. Prag, Karolinum, 2. H. 14. Jh.
Re: Renaissance-Erker. Nürnberg, Topler-Haus, 1605

Evangelistensymbole. In der Mitte Christus als Pantokrator in der Mandorla. Chartres, Kathedrale, Westportal (Königsportal), 1145–55

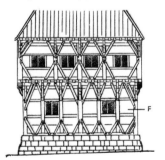

Fachwerk. Deutsche Renaissance. F Fach = Feld

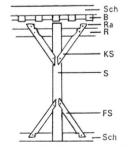

Alemannisches »Männle«. Sch Schwelle; B Balkenkopf; Ra Rahmen; R Riegel; KS Kopfstrebe; S Ständer; FS Fußstrebe

	E	F	S	I
Spätgotik, Renaissance und Neubarock (19. Jh.) ist der E. als Schmuckstück des Hauses bes. beliebt.				
222 **Erote** →Bauplastik*	234	249	230	285
223 **Erzengel** →Engel 1*	50	48	54	51
224 **Estilo Isabel** →Isabell-Stil	437	68	301	771
225 **Estrade** (frz.), Erhöhung des Bodens um eine oder mehrere Stufen im Rauminnern, z. B. vor einem Thron (→Kathedra*), Altar, Grabmal, im Erker usw.	305	324	314	615
226 **Evangelienseite,** die vom W-Eingang aus linke (= nördliche, in frühchristlicher Zeit also den Heiden zugewandte) Seite der Kirche und des Altars, von der aus das Evangelium verlesen wird. Sie wird auch Frauenseite genannt. Ggs.: →Epistelseite.	372	233	479	436
227 **Evangelisten*,** die Verfasser der 4 Evangelien des Neuen Testaments: Matthäus, Markus, Lukas, Johannes, von denen Matthäus und Johannes auch Apostel waren. Seit dem 4. Jh. werden sie durch ihre geflügelten Symbole: Mensch (= Matthäus), Löwe (= Markus), Stier (= Lukas), Adler (= Johannes) dargestellt, oder diese Kennzeichen werden den figürlichen Darstellungen der E. als Attribute beigegeben (nach Ezechiel I,5–14). Bis zum 13. Jh. auch in einer einzigen	306	328	318	287
Gestalt, dem *Tetramorph* (griech. Viergestalt), zusammengefaßt.	1	1	1	1
228 **Ewiges Licht** →Leuchter 6	693	471	502	452
229 **Exedra** (griech. abgelegener Sitz), 1. →Apsis*; – 2. rückwärtiger Saal des antiken Wohnhauses. 346*	307	329	319	286
230 **Ex voto** →Votivtafel	308	331	321	288
231 **Fach** →Fachwerk*	571	574	111	707
232 **Fachwerk*,** Skelett-Bauweise, bei der die tragenden Rahmenwerkteile der Wände aus Holzbalken gebildet, die Fächer dazwischen mit Lehm oder Ziegelsteinen gefüllt werden. Bes. in Deutschland, Frankreich und England verbreitet, seit 1. H. 7. Jh. bezeugt, Blüte im 16. und einem Teil des 17. Jhs.	786	206	265	233
Hauptteile:				
Schwelle, unteres Querholz eines Stockwerks (Bundschwelle)	1	1	1	1
Ständer, Stiel, Säule, senkrechter Pfosten auf der Schwelle; Eckpfosten und Bundsäulen (vor Innenwänden) sind dicker als Tür-, Fenster- und Zwischenpfosten;	2	2	2	2
Rähm, Rahm(en)holz, Oberschwelle, Bundbalken ist ein Balken, der waagerecht auf den Ständern liegt;	3	3	3	3
Riegel, Zwischenriegel verbinden die Pfosten quer, Sturzriegel liegen über einer Fensteröffnung, Brustriegel liegen darunter;	4	4	4	4
Streben verspannen die Pfosten diagonal, Fuß- und Kopfstreben, -büge, -bänder verbinden die Ständer mit Schwelle und Rähm;	5	5	5	5
Fach, Gefach, Feld heißt jeder offene Zwischenraum des Skeletts. Er wird mit Lehm oder Backstein gefüllt;	6	6	6	6
Deckenbalken liegen quer auf dem Rähm und tragen die Bodenbretter;	7	7	7	7
ihre *Balkenköpfe* kragen oft vor;	8	8	8	8
Knaggen (→ *Konsole*) stützen die Balkenköpfe. →Auskragung*; Cruck construction, 354	9	9	9	9
233 **Fallgatter,** 1. hölzernes Sperrgatter an befestigten Toren. 296*; 298*; – 2. Emblem* der Tudor-Familie.	620	420	671	697

E	F	S	I	
330	709	661	412	[234] **Faltwerk***, 1. Flächenfüllung aus senkrechten, enganliegenden Falten, in Holz geschnitzt (an got. Möbeln und Paneelen); – 2. Steindraperie als Sockel-Dekoration. Spätgotik und Renaissance.
163	160	169	742	[235] **Fase***, Schmiege, abgeschrägte Kante an Bauteilen, z. B. Pfeilern, Kämpfern.
309	332	322	289	[236] **Fassade** (lat. facies = Gesicht), die Schauseite eines Bauwerks. Manche Gebäude haben 2 F.n (Barockschloß mit Stadtseiten- und Gartenseiten-Fassade; Querschiffsfassaden an got. Kathedralen, jedoch der W-Fassade untergeordnet; auch bei Wohnhäusern, die an 2 Straßen liegen). Meist spiegelt sie die innere Gliederung des Gebäudes wider: sie zeigt die Stockwerke, Anzahl der Schiffe, wölbt sich im Barock mit der Ellipse des Innenraums nach außen.
562	628	656	241	[238] **Faßmalerei,** das farbige »Fassen« = Bemalen bzw. Vergolden von Stein- und Holzplastiken, um sie zu schmücken und zu konservieren. Das Holz wird vor dem Fassen mit Gips- oder Kreidegrundierung oder mit Leinwand überzogen, gelegentlich auch direkt mit Ölfarbe bemalt. Die F. ist mit wenigen Ausnahmen (Riemenschneider!) bis zum Ende des Barocks allgemein üblich und der Beruf des Faßmalers entsprechend verbreitet.
458	768	834	268	[238] **Fastentuch***, Hungertuch, Palmtuch, Fastenvelum, in Niedersachsen und Rheinland »S(ch)machtlappen«, ein großes Leinentuch, das in quadratischen Feldern mit Passionsszenen oder → Passionswerkzeugen bemalt, bedruckt oder gewirkt ist. Zur Fastenzeit wird es zwischen Chor und Schiff aufgehängt (14.–18. Jh., heute selten).
313	334	326	292	[239] **Faszie** (lat. fascia: Band, Mz. Faszien, Fasciae), leicht vorspringendes waagerechtes, bandartiges Bauglied am ion. und korinth. Architrav. 17*, 32*
314	335	326	295	[240] **Fauces,** Eingang des römisch-antiken Wohnhauses. 346*
843	341	835	303	[241] **Fenster*** (lat. fenestra).
1	1	1	1	I. Hauptteile: 1. *Laibung* (Leibung), die Schnittfläche, die entsteht, wenn das F. senkrecht in die Mauer geschnitten wird (Abb. 1); – 2. *Gewände,* die Schnittfläche, die entsteht, wenn das F. schräg in die Mauer geschnitten wird (Abb. 2); – 3. *Sohlbank,* untere Fläche der Laibung oder des Gewändes (Abb. 1, 2); – 4. → *Sturz,* waagerechter oberer Abschlußbalken (Abb. 1); – 5. → *Profil*,* Rahmung durch Rundstäbe, Pilaster oder Säulen; – 6. *Stabwerk,* Aufgliederung des got. F.s durch schmale, senkrechte Steinstäbe; – 7. → *Maßwerk;* – 8. *Verdachung* (→Giebel*); – 9. die von Mittelpfosten (Setzholz) und waagerechter Sprosse (Querholz) bewirkte Teilung bildet das *Fensterkreuz.*
2	2	2	2	
3	3	3	3	
4	4	4	4	
5	5	5	5	
6	6	6	6	
7	7	7	7	
8	8	8	8	
9	9	9	9	
10	10	10	10	II. Formen: 1. *Rundbogen-Fenster,* oben halbkreisförmig abgeschlossen; – 2. *Gekuppeltes Fenster** (= gekoppeltes F.), durch eine Mittelsäule in zwei Öffnungen *(Zwillingsfenster)* oder durch zwei Säulen in drei Öffnungen gegliedert *(Drillingsfenster,* 99*). Oft durch Blendbogen *(Überfangbogen)* zu Gruppen zusammengefaßt; – 3. *Rundfenster,* 99*; in der Gotik, 197*, meist mit Maßwerk; *Paß-*, Kleeblatt-*und Schlüssellochfenster*,* spätromanisch; *Ochsenauge** (»œil de bœuf«), rund oder elliptisch; barock; – 4. *Radfenster,* Rund-
11	11	11	11	
12	12	12	12	
13	13	13	13	
14	14	14	14	
15	15	15	15	
16	16	16	16	
17	17	17	17	
18	18	18	18	

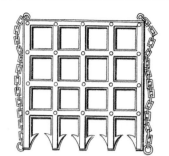

Fallgatter. Hier: Emblem der Tudor-Familie

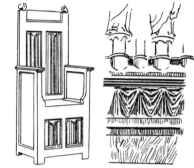

Li: Faltwerk an einem gotischen Kastenstuhl.
Re: Steinernes Faltwerk. Reims, Kathedrale, Sockel des mittleren Westportals, 2. H. 13. Jh. Gotik

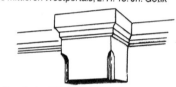

Fase. Abgefaster Pilaster

Fastentuch, Ausschnitt. Telgte/Westfalen, 1623

Fenster. Abb. 1, Laibung   Abb. 2, Gewände

	E	F	S	I

Abb. 3, gekuppeltes Fenster (Zwillingsfenster) mit Überfangbogen

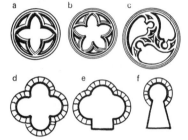

Abb. 4. Obere Reihe: Rundfenster mit Maßwerk. a Vierblatt; b Fünfblatt; c Dreischneuß. – Untere Reihe: d Vierpaß-F.; e Kleeblatt-F.; f Schlüssellochfenster. Spätromanik

Abb. 5. Li: Ochsenauge (»Œil de bœuf«). Versailles, Schloß, 1701. Barock. – Re: Lanzettfenster

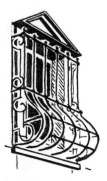

Fensterkorb   Flambeau, Fackel

fenster, das durch speichenartige Stäbe oder Säulen gegliedert ist. Vorläufer der Fensterrose. Romanik, 99*; – 5. *Fensterrose,* Rosette, Rosenfenster, kreisrund, mit Maßwerk gefüllt, oft mit riesigem Durchmesser, häufig über Portalen und an Querschiffgiebeln der Gotik, 163*; – 6. *Lanzettfenster*, meist zu Gruppen geordnete, lange, schmale F. der engl. Frühgotik; – 7. *Maßwerkfenster,* 163*; 196 f.*; – 8. *Giebelfenster,* mit einem Giebel verdacht (→Giebel*); – 9. *Segmentfenster,* mit Kreisabschnitt (= Segment) verdacht (→Giebel*). Verdachungen können verkröpft oder gesprengt sein; – 10. *Blendfenster,* Wandgliederung in Form eines F.s, das aber keine F.-Öffnung hat oder eine kleinere F.-Öffnung optisch ausweitet.

	19	19	19	19
	20	20	20	20
	21 f.	21 f.	21 f.	21 f.
	23	23	23	23
	24	24	24	24

242 **Fensterkorb*,** seit der Renaissance oft kunstvoll geschmiedetes, korbartiges Gitter vor den Fenstern. — 239 | 342 | 138 | 409

243 **Feston*,** Girlande, Fruchtgehänge. 323* — 316 | 344 | 331 | 298

244 **Fiale** (griech. phiale = Gefäß), schlankes, spitzes gotisches Ziertürmchen als Pfeileraufsatz, an Türmen und →Wimpergen. Sie besteht 1. aus dem vier- oder achteckigen *Leib* oder *Schaft,* der meist die Form eines →Tabernakels hat, mit →Maßwerk verziert und mit Satteldächlein über jeder Seite abgeschlossen ist; – 2. aus dem pyramidenförmigen *Helm* oder *Riesen* (mittelhochdeutsch rîsen = emporsteigen), meist mit Krabben besetzt und von einer Kreuzblume bekrönt. Reims, 161*; Köln, 165* — 610 | 616 | 13 | 395 ... 1 | 1 | 1 | 1 ... 2 | 2 | 2 | 2

245 **Filigran*** (lat. filum = Faden, granum = Korn), seit 2000 v. Chr. aus Troja bekannte Goldschmiedetechnik. Glatte, gekörnte oder gezwirnte Drähte aus Gold oder Silber werden in Ziermustern auf einen mit Gold- oder Silberkörnchen bedeckten Metallgrund gelötet. In neuerer Zeit gern ohne Unterlage zu einem feinen, durchbrochenen Gespinst geflochten und nur an den Berührungspunkten gelötet. →Goldschmiedekunst — 317 | 348 | 335 | 302

246 **Fisch** →Symbole 7* — 320 | 627 | 641 | 585

247 **Fischblase** →Schneuß. 162* — 812 | 821 | 833 | 879

248 **Flambeau*,** Fackel — 321 | 349 | 337 | 299

249 **Flamboyant,** die flammenartig gelängten →Schneuß-Formen des →Maßwerks. »Style flamboyant« heißt die letzte Phase der frz. Gotik. 172* — 322 | 350 | 336 | 300

250 **Flankenturm,** 1. →Turm 2; – 2. seitlicher Befestigungsbau eines bewehrten Tores. 301; 296* — 323 | 786 | 804 | 840

251 **Flechtband-Fries,** 64* — 387 | 318 | 380 | 327

252 **Fleur de lis*,** Ornament, als »Bourbonische Lilie« seit 1179 im französischen Königswappen. — 324 | 352 | 338 | 373

253 **Floris-Stil,** nach Cornelis Floris (eigentlich de Vriendt), 1514/20–75, flämischer Dekorateur, Bildhauer und Architekt des Manierismus. Hauptwerk: Antwerpen, Rathaus, 1561–66. 217, 222* — 325 | 734 | 296 | 307

254 **Flucht,** 1. Fluchtlinie, im Bebauungsplan die Grenzlinie (Bauflucht), bis zu der an Straßen und Plätzen gebaut werden darf. Abfluchten heißt in gerade Linie bringen; – 2. Zimmerfolge an einer Achse (Zimmerflucht). →Enfilade. — 17 | 14 | 20 | 21

255 **Fluchtpunkt** →Perspektive* — 824 | 626 | 690 | 644

256 **Folly** (engl. Narretei), gewollt unpassende oder phantastische Architektur im Englischen Landschaftsgarten als Blickfang mit ironischem Hintersinn. — 334 | 355 | 343 | 311

E	F	S	I	
715	123	644	434	**257 Formstein** → Baustein; → Backsteinbau*
340	362	346	317	**258 Forum,** römisch-antiker Marktplatz. 348 ff.*
559	598	275	701	**259 Freitreppe*,** der Hausfassade vorgelegte Treppe ohne Dach, in Renaissance und Barock bes. repräsentativ gestaltet. Betont oft die Symmetrie des Gebäudes.
345	363	347	11	**260 Fresko-Malerei** → Malerei-Techniken
347	366	349	318	**261 Fries,** schmaler Streifen, der Flächen begrenzt oder teilt, häufig ornamentiert. 14*; 31*; 57*; 95*;
348	365	348	344	**262 Frigidarium** → Thermen [130*; 166*; 200*
37	28	386	346	**263 Frontale,** Altar-Vorsatz, → Antependium*
350	378	387	347	**264 Frontispiz** (frz.), Giebeldreieck über einem Mittelrisalit (→ Risalit*).
352	58	64	762	**265 Funeralwaffen*** (lat. funus = Leichenbegängnis), über einem Rittergrab angebrachte Waffen. Zu ihnen gehört der *Totenschild,* seit dem 13. Jh. bekannt.
1	1	1		
188	193	695	576	**266 Fünfblatt** → Blatt. 162*
188	661	696	577	**267 Fünfpaß** → Paß. 162*
351	356	297	353	**268 Funktionalismus,** moderne Stilrichtung der Architektur mit der Absicht, im Gegenzug zum → Historismus die Form eines Bauwerks ganz aus seinen Funktionen abzuleiten. Seine Devise »Form follows function« wurde von Dankmar Adler geprägt und von L. H. Sullivan 1896 veröffentlicht.
357	383	394	358	**269 Galerie*** (frz.), 1. langgestreckter Repräsentationsraum im Barockschloß; – 2. wegen ihrer Helligkeit oft als Ausstellungsraum für Kunstwerke. Heute bedeutet G. = größere Kunstsammlung (Kabinett = kleinere Sammlung); – 3. oberster Theaterrang; – 4. eingebaute → Empore; – 5. offener Laufgang an Kirchen (Zwerggalerie → Arkade) oder Wehrbauten (143*).
355	388	399	357	**270 Galiläa** → Narthex*
215	170	159	158	**271 Ganerbenburg,** von mehreren Familien in verschiedenen Häusern bewohnte Burg. 299; Eltz, 304*
453	64	67	71	**272 Gartenkunst*,** zwei Hauptformen:
1	1	1	1	1. der *architektonisch-geometrisch gestaltete Garten*. Seit den terrassenförmigen »hängenden Gärten« Babylons bekannt; in der griech. und röm. Antike bereits mit Bildwerken ausgestattet. Vom bescheidenen mittelalterlichen Kloster-, Burg- und Wohnhausgarten um 1500 zu größeren Renaissance-Anlagen* erweitert und mit Springbrunnen, Statuen, Gartenhäusern reich geschmückt (Italien, frz. Schloßgärten). Höchste Blüte
2	2	2	2	im *Barock-Park* (seit Mitte 17. Jh.). Seine Hauptachse ist meist die verlängerte Mittelachse des Schlosses, den Gegenpol bildet oft ein weiteres Schlößchen bzw.
3	3	3	3	ein *Gartenpavillon (»Gloriette«*)* oder ein Gewächs-
4	4	4	4	haus *(»Orangerie«).* Dazwischen begleiten Alleen, Wasserkünste, Kanäle und Wälle mit Treppen, Brunnen und Statuen meist symmetrisch den Hauptweg. Der unmittelbar am Schloß gelegene ebene Gartenteil *(Parterre*)* ist durch geschnittene Hecken *(Bosketts*,* auch für: Lustwäldchen), Blumen und Kies als stickereiähnlicher Teppich *(Broderie*)* gestaltet. Besondere Parkgebäude (Nymphenbad, Belvedere usw.) bilden abseits des Hauptweges eigene, selbständige architektonische Mittelpunkte von Parkteilen; –
5	5	5	5	2. der *Englische* (Landschafts-)*Garten*, so genannt, seit sich Anfang des 18. Jhs. von England aus der unre-

Feston, Girlande, Fruchtgehänge

Goldfiligran, russisch. Völkerwanderungszeit

Fleur de lis, »Bourbonische Lilie«, seit 1179 im französischen Königswappen

Freitreppe. Stuttgart, Schloß Solitude, 1763–67. Spätbarock

Funeralwaffen. Hier: Totenschild, wurde bei der Bestattung dem Toten vorangetragen. Heiligenberg/Württemberg, Schloßkapelle, 16. Jh. Renaissance

Galerie im spätgotischen Hallenchor von St. Lorenz, Nürnberg, 1439–77

	E	F	S	I

Gartenkunst. Heckenschnitt (Bosketts) im Renaissance-Garten von Schloß Villandry/Frankreich, um 1540

Broderie-Parterre. Schloß Vaux-le-Vicomte/ Frankreich, vor 1660, Le Nôtre. Frühbarock

gelmäßige, der freien Natur nachgebildete Gartentypus ausbreitete. Die scheinbare Zufälligkeit seiner Anlage wird von Bauten und Denkmälern belebt, die ganz bestimmte, oft sentimentale Gefühlswerte ausdrücken: künstliche Ruinen (Vergangenheit), neugot. Eremitagen (Einsamkeit), Bauernhaus* (Schlichtheit), chinesische Brücken und Tempel (Ferne) usw. Oft an bestehende Barockparks angegliedert. → Folly.

Li: Gloriette in Form eines Monopteros. Wörlitz, Schloß, 1769–73. Klassizismus.
Re: Englischer Garten. Versailles, künstlicher Dorfweiler (»Hameau«) im Park des Petit Trianon, 1783, R. Mique. Louis XVI-Stil

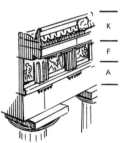

Gebälk an einem griechisch-dorischen Tempel. A Architrav; F Metopenfries mit Triglyphen; K Kranzgesims

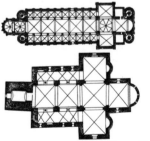

Gebundenes System. O: Normalform. Worms, Dom, 12./13. Jh.
U: Gebundenes System mit kleinen, häufig vorkommenden Maßverschiebungen. Lügde, St. Kilian, 2. H. 12. Jh.

Gekuppelte Säulen

	E	F	S	I
273 **Gaupe,** Gaube → Dachgaube*	269	469	501	3
274 **Gebälk*,** 1. beim griech. Tempel die Gesamtheit von Architrav, Fries und Kranzgesims. 16 ff.*; – 2. bei einzelnen Kapitelltypen das Bauglied zwischen Kapitell und Kämpfer. Hildesheim, 76*; – 3. Gesamtheit einer hölzernen Decken- und Dachkonstruktion.	300	314	263	844
275 **Gebundenes System*,** quadratischer Schematismus, häufiges Grundrißschema der roman. Basilika, dessen Maßeinheit das Vierungsquadrat ist (→ Vierung). Dieses Quadrat kehrt – gelegentlich mit kleinen Abweichungen – als Chorquadrat im → Chor, in den → Jochen des Mittelschiffs und in den Querhausarmen wieder. Die quadratischen Seitenschiffsjoche haben die halbe Seitenlänge. *Hauptstützen* tragen die Ekken der Mittelschiffsquadrate, dazwischen stehen	8	619	754	404
schwächere *Nebenstützen.* 102*	1	1	1	1
276 **Gebust** → Gewölbe 3	2	2	2	2
277 **Gedrehtes Tau,** Taufries. 130,7*	138	751	631	68
278 **Gefangener Raum,** der letzte von hintereinander liegenden (Wohn-)Räumen, der nur durch den vorletzten zu betreten ist.	135	783	203	321
279 **Geisipodes,** Zahnschnitt, Balkenkopf am Gebälk des antiken Tempels. 17*	362	259	402	364
280 **Geison,** Kranzgesims des griech. Tempels. Der Schräggeison begleitet die Giebelschräge. 16 f.*	220	391	405	366
281 **Gekuppelt*,** gekoppelt heißen gleichartige Bauteile, die durch ein gemeinsames Glied verbunden sind, z. B. 2 Säulen mit gemeinsamer Basis oder Deckplatte, Rundbogenfenster mit gemeinsamer Mittelsäule (→ Fenster*).	223	392	611	368
282 **Genius*** (lat., Mz. Genien), persönlicher Schutzgeist eines Mannes oder eines Ortes (G. loci) im antiken Rom. Er ist eine → Allegorie der Zeugung und wird als Schlange, Jüngling oder nacktes geflügeltes Kind in der Art von Eroten (→ Bauplastik*) dargestellt. Die Schutzgöttin einer Frau heißt *Juno.*	364	393	407	369
	1	1	1	1

E	F	S	I
365	395	298	769
517	228	205	219
1	1	1	1
2	2	2	2
3	3	3	3
4	4	4	4
5	5	5	5
6	6	6	6
7	7	7	7
611	236	214	224
125	440	2	415
572	113	262	678
439	602	240	785
1	1	1	1
825	829	119	886
1	1	1	1
2,3	2,3	2,3	2,3
4	4	4	4
5	5	5	5
6	6	6	6
7	7	7	7
8	8	8	8

283 Georgian style, die englische Baukunst zur Regierungszeit der Hannoveraner Könige: Georg I. 1714–27; Georg II., 1727–60; Georg III., 1760–1820. Endphase zeitgleich mit dem → Regency style.

284 Gesims*, Sims, aus der Mauer hervortretender waagerechter Streifen zur Betonung der waagerechten Bauabschnitte. 1. *Sockel-Gesims**, oberes Abschlußprofil am Sockel; – 2. *Gurt-Gesims** zwischen den Geschossen; – 3. *Kaff-, Kapp-Gesims** (Gotik), abgeschrägtes (gekapptes) G., läuft unter den Fenstern hin und wird um die Strebepfeiler (→ Strebewerk) herumgekröpft; – 4. *Kranz-, Haupt-Gesims** (im griech. Tempelbau = *Geison*) zwischen Wand und Dach oder Attika. Oft durch Kragsteine (→ Konsolen) gestützte, weit ausladende Hängeplatte mit Wasserschräge darüber und Wassernase (Tropfleiste, die die Fassade vor Wasser schützt) darunter; – 5. je nach Bauteil auch *Tür-, Fenster-Gesims*.

Verkröpft* (gekröpft) ist ein G., wenn es mit seinem ganzen Profil winklig um Mauervorsprünge herumgeführt ist = → *Verkröpfung*; 247*.

285 Gesprenge → Altar b*

286 Gesprengt → Giebel*

287 Getäfel → Täfelwerk

288 Gewände, Schnittfläche, die entsteht, wenn ein Fenster oder Portal schräg in die Wand geschnitten wird. Durch senkrechten Einschnitt entsteht eine *Laibung* (Leibung). Das roman. und got. Gewändeportal ist oft reich verziert und mit Gewändefiguren ausgestattet. → Fenster I, 2*; → Portal*

289 Gewölbe, gekrümmte, aus Holz, Stein, Beton, Glas, Metall gebaute Decke über einem Raum. Die → Widerlager (Mauern, Pfeiler usw.) fangen Druck und Schub des G.s auf.

1. *Tonnengewölbe.* Sein Querschnitt ist ein Halbkreis (Abb. 1a) oder Kreissegment, er kann auch spitzbogig gebrochen sein (Abb. 1b). Stellt man sich über den Diagonalen des Grundrisses senkrechte Schnitte durch das Tonnengewölbe vor, so ergeben sich 4 Teile: 2 *Kappen* (K) an den Stirnseiten, 2 *Wangen* oder *Walme* (W) an den beiden Widerlagerseiten. Der Druck der Kappen liegt auf den Ecken, die Wangen belasten die gesamten Widerlagsmauern. Eine *steigende Tonne* hat einen steigenden Scheitel (bes. über Treppen). Ein G., das quer zur Achse eines Hauptgewölbes verläuft und sich mit diesem verschneidet, bildet eine *Stichkappe* (bes. häufig über Fenstern, die in die Gewölbezone reichen. 246*). Bei gleicher Scheitelhöhe der beiden Gewölbe entsteht ein Kreuzgewölbe.

2. Das *Kreuzgratgewölbe* (Abb. 2a) entsteht, wenn 2 Tonnengewölbe gleicher Höhe sich rechtwinklig schneiden, d.h. es setzt sich aus 4 Tonnenkappen zusammen. Die Schnittstellen heißen *Grate* (Abb. 2b, Gr). Den Druck fangen die Stützen auf, den Seitenschub die Widerlagsmauern bzw. die Strebepfeiler.

3. Beim *Kreuzrippengewölbe* (Abb. 3a) werden zunächst an der Stelle der Grate *Rippen* gespannt, die in den verschiedenen Stilepochen unterschiedliche Profile zeigen (Abb. 3b). Sie tragen die Last und führen sie in die Pfeiler ab. Die Kappen bestehen aus

Genius mit Füllhorn bei einem bewaffneten Prätorianer. Römisches Grabrelief

Gesims. Kranzgesims an einem dorischen Tempel

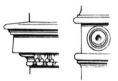

Antike Gurtgesimse

Gotisches Kranzgesims

Gotisches Kaffgesims

Gotisches Sockelgesims

Verkröpftes Gesims

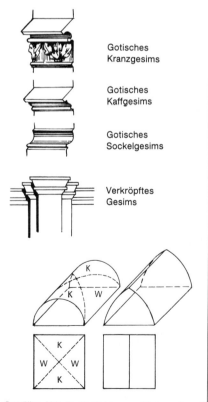

Gewölbe. Abb. 1a, 1b. Tonnengewölbe, rund- und spitzbogig

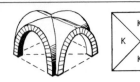

Abb. 2a. Kreuzgratgewölbe. K Kappe

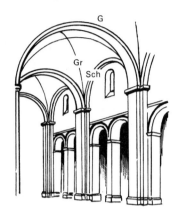

Abb. 2b. Jochbildung. G Quergurt; Sch Längsgurt über der Schildmauer; Gr Grat

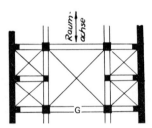

Abb. 2c. Joch (vgl. →Travée*). G Quergurt

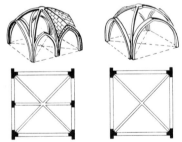

Abb. 3a. Kreuzrippengewölbe. Li: sechsteilig. – Re: vierteilig

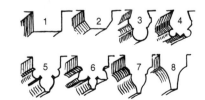 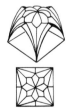 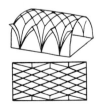 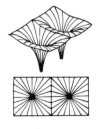

Abb. 3b. Rippenprofile. 1, 2 Band. Romanik, 11./12. Jh. – 3 Rundstab. – 4 Abwandlung aus 2 und 3. Frühgotik. – 5, 6, 7 Birnstab. Gotik. – 8 Kehlstab. Spätgotik

Abb. 4a
Sterngewölbe

Abb. 4b
Netzgewölbe

Abb. 5a
Fächergewölbe

	E	F	S	I

leichtem Mauerwerk (z. B. Lohstein → Baustein III, 3). *Jochbildung:* Lange G. werden oft durch *Gurtbögen* (Abb. 2b, c, G), die quer zur Hauptachse des Raumes verlaufen (Quergurte), in einzelne → *Joche* = → *Travéen* (Abb. 2c) zerlegt. Längsgurte verlaufen in Achsenrichtung und begrenzen das Joch seitlich (Abb. 2b, Sch). *Rhythmische Travée* heißt ein z. B. durch Wechsel von Pfeiler und Säule (→ Stützenwechsel*) in sich rhythmisch gegliedertes Joch.

Gebust oder *busig* ist ein G., wenn seine Kappen leicht ansteigen (Abb. 3a), so daß der Scheitelpunkt des Kreuzgewölbes höher liegt als die Scheitel der Längs- und Quergurte. Ein kuppelartig gebustes 8teiliges Rippengewölbe (4 Kreuz-, 2 Querrippen zwischen Kämpfern und Schlußstein, 2 Scheitelrippenabschnitte) heißt *Domikalgewölbe.* Vgl. 151,5: »angevinisches Gewölbe«.

4. *Figurierte Gewölbe* heißen G., deren Rippen Figuren bilden (Stern- und Netzgewölbe der Spätgotik). Die Rippen des *Sterngewölbes* bilden sternförmige Figuren. Die Jocheinteilung bleibt gewahrt (Abb. 4a). Durch Aufgeben der Einteilung in Einzeljoche entstehen die Reihungen des *Netzgewölbes* (Abb. 4b).

Das *Fächergewölbe,* Trichter-, Kelchgewölbe breitet seine Rippen von *einem* Punkt aus fächerförmig aus. Bes. in der engl. Spätgotik verbreitet (Abb. 5a,b), in der Form der Abb. 5a auch auf dem Kontinent (Remter der Marienburg, 305*). Bei Stern-, Netz- und Fächergewölbe können freie Kombinationen aus mehreren Rippenarten auftreten (sh. Liernengewölbe, 194*): a) Hauptrippen (Kreuz-, Quer- und Scheitelrippe); b) Tiercerone, Einz. Tierceron (Rippen 2. Grades, die von den Kämpfern der Jochecken zur Scheitelrippe aufsteigen, manchmal auch zur Querrippe führen, sh. Lincoln, 194*, aber den Hauptschlußstein nicht berühren); c) Liernen (Rippen 3. Grades, die die Jochecken nicht berühren).

Zellengewölbe sind eine Sonderform des Netzgewölbes in der norddeutschen Backsteingotik (→ Backsteinbau). Sie bilden kerbschnittförmige Räume zwischen den Rippen oder gratähnlichen Stegen (Abb. 6).

Von *gewundenen Reihungen* spricht man, wenn die Rippen eines (spätgot.) Stern- oder Netzgewölbes auch in ihrem Grundriß gekrümmt sind (Abb. 7).

5. Das *Klostergewölbe* besteht aus 4 oder mehr Wangen einer Tonne. Es belastet die Mauern allseitig. Oft über polygonalem Grundriß (Abb. 8; Aachen, 69*).

The table values (aligned to column headers E, F, S, I):

	E	F	S	I
	9, 10	9, 10	9, 10	9, 10
	11	11	11	11
	12	12	12	12
	13	13	13	13
	14	14	14	14
	15	15	15	15
	16	16	16	16
	17	17	17	17
	18	18	18	18
	19	19	19	19
	20	20	20	20
	21	21	21	21

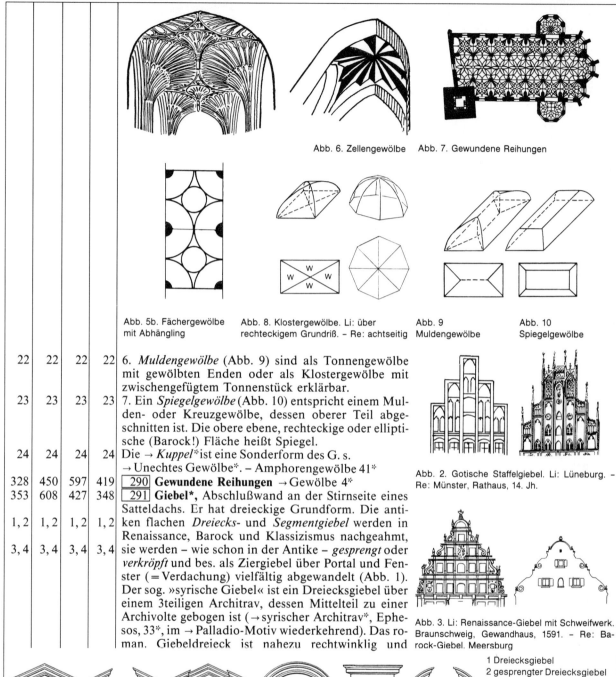

Abb. 6. Zellengewölbe   Abb. 7. Gewundene Reihungen

Abb. 5b. Fächergewölbe
mit Abhängling

Abb. 8. Klostergewölbe. Li: über
rechteckigem Grundriß. – Re: achtseitig

Abb. 9
Muldengewölbe

Abb. 10
Spiegelgewölbe

E	F	S	I	
22	22	22	22	6. *Muldengewölbe* (Abb. 9) sind als Tonnengewölbe mit gewölbten Enden oder als Klostergewölbe mit zwischengefügtem Tonnenstück erklärbar.
23	23	23	23	7. Ein *Spiegelgewölbe* (Abb. 10) entspricht einem Mulden- oder Kreuzgewölbe, dessen oberer Teil abgeschnitten ist. Die obere ebene, rechteckige oder elliptische (Barock!) Fläche heißt Spiegel.
24	24	24	24	Die → *Kuppel**ist eine Sonderform des G. s. → Unechtes Gewölbe*. – Amphorengewölbe 41*
328	450	597	419	290 **Gewundene Reihungen** →Gewölbe 4*
353	608	427	348	291 **Giebel*,** Abschlußwand an der Stirnseite eines Satteldachs. Er hat dreieckige Grundform. Die antiken flachen *Dreiecks-* und *Segmentgiebel* werden in Renaissance, Barock und Klassizismus nachgeahmt,
1, 2	1, 2	1, 2	1, 2	
3, 4	3, 4	3, 4	3, 4	sie werden – wie schon in der Antike – *gesprengt* oder *verkröpft* und bes. als Ziergiebel über Portal und Fenster (= Verdachung) vielfältig abgewandelt (Abb. 1). Der sog. »syrische Giebel« ist ein Dreiecksgiebel über einem 3teiligen Architrav, dessen Mittelteil zu einer Archivolte gebogen ist (→ syrischer Architrav*, Ephesos, 33*, im → Palladio-Motiv wiederkehrend). Das roman. Giebeldreieck ist nahezu rechtwinklig und

Abb. 2. Gotische Staffelgiebel. Li: Lüneburg. – Re: Münster, Rathaus, 14. Jh.

Abb. 3. Li: Renaissance-Giebel mit Schweifwerk. Braunschweig, Gewandhaus, 1591. – Re: Barock-Giebel. Meersburg

1 Dreiecksgiebel
2 gesprengter Dreiecksgiebel
3 verkröpfter Dreiecksgiebel
4 Segmentgiebel
5 Ohrenrahmung unter waagerechter Verdachung
6 gesprengter Segmentgiebel
7 Wellengiebel
8 Wellengiebel
9 Halbkreisbogen-Verdachung
10 Volutengiebel
11 Volutengiebel mit Bekrönung
12 Rokokogiebel mit reicher Dekoration

Giebel. Abb. 1. Giebelverdachung 16.–18. Jh.: 1–4 Renaissance; 5–12 Barock, Rokoko. Nach H. Weigert

Glasmalerei. Abb. 1, Abb. 2

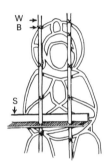

Abb. 3

Abb. 4. Betonglas-Fenster. 1960

Gnadenstuhl. Soest, Maria zur Wiese. Gotik

schmuckarm. Got. Kirchen-G. sind steiler, oft mit Rosenfenster und Blendmaßwerk versehen, mit →Fialen und →Krabben besetzt und mit einer →Kreuzblume bekrönt. Aus der norddeutschen Backsteingotik stammt der *Treppen-* oder *Staffelgiebel* (Abb. 2), dessen Stufen in der deutschen Renaissance mit Pyramiden, →Obelisken* und →Voluten* verschleift werden (Abb. 3). In Renaissance und Barock kommen *Knickgiebel* (Florenz, 228*) und geschweifte Formen vor (Abb. 3). – Holborn-Giebel, 371*. →Frontispiz

	5	5	5	5
	6			6

☐292 **Girlande** →Feston*. 323*

| 315 | 417 | 426 | 371 |

☐293 **Glasmalerei*.** Der »Karton« (originalgroßer Künstlerentwurf) zeigt die hauptsächlichen Umrisse des Bildes an. Nach diesen Linien werden Glasstücke ausgeschnitten, die entweder in der Masse gefärbt *(musivische G.)* oder mit einem dünnen, gefärbten Glas überfangen sind *(Überfangglas)*. Heute werden Farbgläser fabrikmäßig hergestellt. Mit *Schwarzlot,* einer dunklen Deckfarbe aus Glaspulver und Metalloxiden, wird die Zeichnung aufgemalt und ins Glas eingeschmolzen. *Bleiruten,* die an den Berührungsstellen verlötet werden, verbinden die Glasstücke (Abb. 1, 2). Den Winddruck halten waagerechte *Sturmstangen* (Quereisen, Windeisen; Abb. 3 S) ab. Sie sind über senkrecht laufende *Windruten* (W) und *Bleihaften* (B; Drähte, die auf das Bleinetz aufgelötet und um die Windruten herumgeschlungen werden) mit dem Fenster verbunden. *Betonglas** besteht aus dicken, durchgefärbten Glasstücken, die nicht mit Blei gefaßt, sondern deren Zwischenräume mit Beton oder Kunststoff ausgegossen werden (Abb. 4). 20. Jh.

| 740 | 825 | 838 | 612 |

	1	1	1	1
	2	2	2	2
	3	3		3
	4	4	4	4
	5	5	5	5
	6, 7	6, 7	6, 7	6, 7
	8	8	8	8

☐294 **Gloriette** →Gartenkunst*

| 367 | 397 | 410 | 187 |

☐295 **Gloriole** →Heiligenschein*

| 368 | 540 | 409 | 524 |

☐296 **Gnadenstuhl*,** Darstellung der →Dreifaltigkeit* seit dem 12. Jh.: Gottvater auf dem Thron hält mit beiden Händen das Kreuz mit Christus (oder im Schoß Christi Leichnam), der Hl. Geist wird durch eine schwebende Taube dargestellt.

| 622 | 812 | 827 | 871 |

☐297 **Gobelin** →Wandteppich

| 369 | 399 | 411 | 49 |

☐298 **Goldener Schnitt** →Proportionslehre*

| 370 | 542 | 739 | 733 |

☐299 **Goldschmiedekunst,** künstlerische Gestaltung von Geräten oder Schmuck aus Gold, Silber, Platin, auch in Verbindung mit Email und Edelsteinen. *Techniken:* 1. Guß (selten) wie Bronze (→Bildhauerkunst 1); – 2. Treiben oder Hämmern (Treibarbeit, Toreutik): eine dünne Platte aus dehnbarem, zähem Metall wird von der Rückseite her mit dem Treibhammer kalt bearbeitet; – 3. die Oberfläche wird gern mit Feile, Meißel, Stichel, Punze und Stempel durch →*Gravieren* (eingraben) und *Ziselieren* (Treibarbeit von der Außen- zur Innenseite) verziert. *Granulieren* heißt das Auflöten von feinen Goldkörnchen. →Filigran*

| 371 | 560 | 470 | 543 |

	1	1	1	1
	2	2	2	2
	3	3	3	3

☐300 **Gotico florido,** Vereinigung des →Platero-Stils und des →Isabell-Stils in der spanischen Spätgotik, bei der die Flächen mit üppigstem, spitzenartigem plastischem Schmuck bedeckt werden. 173

| 375 | 405 | 416 | 378 |

☐301 **Gótico oceânico,** »ozeanische Gotik« in Portugal, um 1500. Belém, 300*

| 376 | 406 | 417 | 380 |

☐302 **Gotischer Schwung*.** Im Unterschied zum →Kontrapost* sind seit dem 13. Jh. bei vielen got. Fi-

| 374 | 305 | 846 | 739 |

377	407	654	394	303 **Gouache-Malerei** → Malerei-Techniken
787	780	547	729	304 **Grabmal***, oft eigenes Gebäude (Grabtempel, -kapelle, Mausoleum, Pyramide, Turmgrab usw.); in größerer Zahl sind künstlerische Grabmäler in Kirchen, Kreuzgängen und auf Friedhöfen erhalten.
1	1	1	1	Hauptformen: 1. in den Fußboden eingelassene *Grabplatte* aus Stein oder Bronze (frühes Mittelalter); – 2.
2	2	2	2	*Tumba**, rechteckiger, verzierter Grabaufbau, der die Grabplatte, oft mit Liegefigur des Toten, trägt. Sie hat manchmal baldachinartigen Überbau; Rittergräber
3	3	3	3	oft mit → Funeralwaffen* (Mittelalter); – 3. *Sarkophag** (griech. »Fleischfresser«, nach Plinius ein Alaunschiefer aus Troas, der angeblich die Verwesung beschleunigt), meist verzierter Sarg aus Stein, Ton, Holz, Metall in Haus-, Wannen-, Kastenform, trägt oft
4	4	4	4	die Liegefigur des Toten; – 4. → *Epitaph;* – 5. *Keno-*
5	5	5	5	*taph** (griech. Kenotaphion = leeres Grab), Grabmal für einen Verschollenen oder an anderer Stelle Bestatteten.

Gotischer Schwung. Köln, Dom, sog. »Mailänder Madonna«, um 1320

Römischer Volutensarkophag, 3. Jh. v. Chr. Rom, Vatikanische Museen

378	410	420	385	305 **Granulieren** → Goldschmiedekunst
382	56	61	521	306 **Grat,** 1. → Gewölbe 2*; – 2. → Kannelierung*
299	411	419	407	307 **Gravieren,** Einschneiden von Zeichnungen in Stein und Metall (→ Goldschmiedekunst) mit Grabstichel, Punze, Meißel, Graviernadel, in Glas durch Schleifrädchen.
381	414	422	387	308 **Grisaille** (frz. gris = grau), Malerei aus grauen Farbtönen, häufig zur raffiniert vorgetäuschten Darstellung von Plastiken und Stuck verwendet.
383	415	421	389	309 **Groteske*,** Ornament mit zartem Rankenwerk und phantasievollen Menschen-, Tier-, Fabelwesen, römisch-antiken Ursprungs. Um 1500 an grottenartigen Ausgrabungsstellen wiederentdeckt (Rom, Domus aurea des Nero), seit Raffael bis zum 19. Jh. oft verwendet. 310

Li: Römischer Kenotaph. St-Remy/Südfrankreich. E. 1. Jh. v. Chr.
Re: Romanischer Sarkophag. Hildesheim, St. Michael, 1022

385	704	423	390	310 **Gründerzeit,** Folge der Aufhebung der Zünfte im 19. Jh. mit wachsendem Neureichtum in Industrie und Handel durch zahlreiche florierende Firmengründungen in Deutschland, bes. nach dem Sieg von 1871. Sie sucht ihren künstlerischen Ausdruck in der Ablehnung des Klassizismus und in massiv-pompösem, mißdeutendem *Neubarock* (Pariser Oper, Bankgebäude usw.). Der *Gründerstil* gehört zum → Historismus des 19. Jhs. 374f.*

Altchristlicher Sarkophag mit Relief der Arche Noah; Deckplatte fehlt. 5. Jh. Trier

386	416	425	392	311 **Guarineske,** 246*, 261*
799	45	327	66	312 **Gurtbogen,** Verstärkungsbogen, der quer zur Längsachse eines Tonnengewölbes oder einer Gewölbereihung verläuft, markiert die Jocheinteilung. Längsgurte begrenzen die Joche seitlich. 159*; → Gewölbe*
120	122	482	111	313 **Gußerker,** Pechnase, nach unten offener Erker an der Außenseite einer Wehrmauer zum Hinabgießen von heißem Öl, Pech o. ä. 305; 296*; 298*
388	408	412	396	314 **Guttae,** Einz. Gutta, Teil des dor. Gebälks. 16*
389	418	408	397	315 **Gymnasion** (griech. gymnos = nackt), griechisch-antiker Sport- und Ausbildungsplatz für Kna-

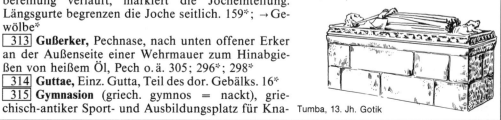

Tumba, 13. Jh. Gotik

Groteske. Rom, um 1500, Raffael

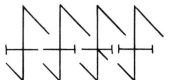

Hausmarke mit 3 Abänderungen

Quadratischer Nimbus

Gloriole, Nimbus

Kreuznimbus

Aureolen

Heiliges Grab. Rodez/Frankreich, Kathedrale. Spätgotik

Hellenistische Kunst. Laokoon-Gruppe, um 50 v. Chr.

	E	F	S	I
ben, Epheben, Jünglinge, später durch →Stoa, Bad, Palaistra (Ringerschule, 345*), Stadion (Laufbahn) und Lehrsäle erweitert.				
316 **Halbsäule** → 1. Dienst*; – 2. →Pfeiler*	251	257	190	726
317 **Hallenkirche,** Langbaukirche, deren Seitenschiffe die gleiche oder annähernd gleiche Höhe des Mittelschiffs haben (im Unterschied zur →Basilika). Die Schiffe tragen entweder 1. ein hohes Einheitsdach, 2. parallele Dächer oder 3. Längsdach überm Mittelschiff, Querdächer über den Seitenschiffen (152*). Der Obergaden entfällt, die hohen Seitenschiffenster belichten auch das Mittelschiff. Querschiff fehlt häufig. Blüte im 13. und 14. Jh. 154 f.*, 174*	393	302	455	398
318 **Halsring,** trennt Säulenschaft vom Säulenhals. Römisch-toskanische Ordnung. 32*	530	75	185	199
319 **Hängeknauf,** 1. →Schlußstein*; 2. frei hängendes Zierglied unter einer Hängesäule. Chambord, 223*	592	200	182	175
320 **Hausmarke*,** auch Hauszeichen, Hofmarke, -zeichen, meist erstgeburtsrechtlich erbliches Eigentumszeichen an Haus oder Hof, oft rechtsverbindlich anstelle der Unterschrift. Die jüngeren Söhne fügen dem Stammzeichen je einen neuen Strich zu. Oft ins Wappen aufgenommen.	485	482	721	462
321 **Haustein** →Baustein 3; →Mauerwerk IC*	62	605	645	211
322 **Heilige** sind in der Regel an ihren →Attributen zu erkennen.	690	688	733	695
323 **Heiligenschein,** 1. *Gloriole** (auch Nimbus, Glorie), Lichtscheibe oder -kreis um oder über dem Haupt von Heiligen und Engeln; – 2. *Kreuznimbus*,* Gloriole mit Kreuz um das Haupt Gottvaters, Christi oder der Taube des Hl. Geistes; – 3. *Aureole*,* H., der die ganze Gestalt einer göttlichen Person (bes. des auferstandenen Christus) oder Marias kreisförmig umfließt; – 4. *Mandorla* = Aureole in Mandelform (→Evangelisten*); – 5. *Quadratischer Nimbus** für noch lebende Personen mit bes. priesterlicher oder aristokratischer Würde (6. Jh. bis zur Gotik).	395 / 1 / 2 / 3 / 4 / 5	82 / 1 / 2 / 3 / 4 / 5	95 / 1 / 2 / 3 / 4 / 5	88 / 1 / 2 / 3 / 4 / 5
324 **Heiliges Grab*,** 1. meist als Rundbau angelegte Kapelle in Erinnerung an die Grabstätte Jesu in Jerusalem (4.–18. Jh., bes. zahlreich im Mittelalter); – 2. Plastikgruppe aus Stein oder Holz in Kirchen: Sarkophag mit Christi Leichnam, den Engeln, den 3 Marien und schlafenden Wächtern (seit 14. Jh.).	411	689	734	696
325 **Hellenistische Kunst*,** 24 ff.*	398	67	76	74
326 **Heraldik** →Wappen*	401	419	429	47
327 **Herme** →Bauplastik*	402	420	430	284
328 **Herrera-Stil,** nach Juan de Herrera, 1530–97, benannter offizieller Baustil zur Regierungszeit Philipps II., eine strenge Version der italienischen Renaissance, der wegen seines sparsamen Dekors auch »Desornamentado-Stil« genannt wird. Hauptwerk: Escorial, 314*.	403	735	299	770
329 **Hippodamisches System,** nach Hippodamos von Milet, geb. um 510 v. Chr., benannte Stadtplanung. 342*, 392*; Lissabon, 416*	406	754	753	738
330 **Hirsauer Reform,** 108 f.*	408	665	702	673
331 **Historismus*,** Rückgriff auf Stile und Künstler vorausgegangener Zeiten, bes. im 19. Jh. zwischen Klassizismus (der selber historisierende Absicht zeigt)	409	423	257	784

und Jugendstil. Seit 1930 findet sich eine erneute Hinwendung zum Klassizismus (Neoklassizismus), nach dem 2. Weltkrieg zu den Stilen aus dem 1. Viertel des 20. Jhs. (Neojugendstil, -Gaudí, -expressionismus, -bauhaus usw.).

| 699 | 698 | 278 | 708 |

332 Hohlkehle, konkaves Gegenstück zu Stab oder Wulst an → Rippe, → Gesims, Decke, Säule (z. B. der Trochilus der → Attischen Basis), auch an Möbeln.

| 410 | 424 | 437 | 399 |

333 Holborn-Giebel, 371*

| 847 | 700 | 771 | 716 |

334 Holzplastik → Bildhauerkunst III

| 412 | 426 | 440 | 400 |

335 Hortus, Garten des römischen Wohnhauses. 346*

| 413 | 427 | 441 | 401 |

336 Hôtel (frz. von lat. hospes = Gast), Stadtpalais des französischen Adels. 321*

| 262 | 261 | 362 | 253 |

337 Hundszahn, Ornament der engl. Gotik. 200*

| 458 | 768 | 834 | 268 |

338 Hungertuch → Fastentuch*

| 703 | 547 | 284 | 714 |

339 Hüttenplastik → Bauplastik*

| 415 | 429 | 435 | 816 |

340 Hypäthraltempel (griech. hypaithros = unter freiem Himmel), antiker Tempel mit dachloser Cella. 26*

| 416 | 430 | 436 | 421 |

341 Hypokausten* (griech. Heizung von unten), Warmluftheizung unter dem Fußboden von Wohn- und Baderäumen in der Antike, in mittelalterl. Burgen und Klöstern. Ähnl. System weist die sog. »Kunst«* im Schwarzwald und in der Schweiz auf.

| 417 | 431 | 442 | 422 |

342 Hypotrachelion, Säulenhals der antiken Säule. 16*

| 418 | 432 | 443 | 402 |

343 Ikonostase, Ikonostasis (griech. Standplatz des Bildes), in orthodoxen Kirchen die mit Ikonen geschmückte Schranke zwischen Chor und Gemeinderaum. Stiris, 48*

| 420 | 434 | 459 | 405 |

344 Impluvium, Wasserbecken im Atrium des römischen Wohnhauses. 346*

| 213 | 394 | 75 | |

345 Ingenieurskunst, die vorrangig unter technischen, weniger unter ästhetischen Aspekten entstandene Architektur.

| 422 | 436 | 461 | 408 |

346 Inkrustation (lat. crusta = Rinde), Einlegearbeit von farbigen Steinen in Stein, bei der z. B. heller und dunkler Marmor wechseln (bes. in Wänden und Fußböden). Blütezeit: Antike, Byzantinische Kunst, Italien vom Mittelalter bis Barock. 134*

| 1, 2 | 1, 2 | 1, 2 | 1, 2 |

Intarsia sind Holzeinlagen in Holz. *Marketerie* ist die I. von Möbeln und Holzgegenständen mit Holz, Perlmutter, Elfenbein, Schildpatt, Metall (bes. im Barock).

| 3 | 3 | 3 | 3 |

Tauschierung nennt man die I. von Metall in

| 4 | 4 | 4 | 4 |

Metall. *Damaszierung* (von Damaskus, Hauptherstellungsort arabischer Waffen) bezeichnet das Tauschie-

| 5 | 5 | 5 | 5 |

ren von Waffen. Das Muster heißt »Damast«. *Niello* heißt eine Metallgravur, die mit erhitztem Schwefelsilber, Kupfer oder Blei ausgefüllt wird.

| 428 | 438 | 463 | 410 |

347 Insula (lat. Insel), 1. Häuserblock des → Hippodamischen Systems. 342*; – 2. römisch-antiker Miethausblock. 346*

| 429 | 439 | 776 | 413 |

348 Intarsia → Inkrustation

| 430 | 316 | 464 | 414 |

349 Interkolumnium* (lat.), Abstand zweier Säulen, von Achse zu Achse gemessen und durch den unteren Säulendurchmesser = 2 Moduli (→ Model) geteilt. Dieser wird so zur Maßeinheit für das I. Das I. bestimmt wesentlich die Wirkung einer Säulenreihe.

| 436 | 558 | 595 | 541 |

350 Ionische Ordnung, griech. Säulenordnung. 17*

Romantischer Historismus. Schloß Neuschwanstein, 1869–90

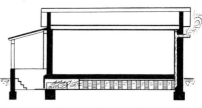

Hypokausten-Heizung, System. Römisch. Warmluft fließt zwischen Steinpfeilern, die den Fußboden tragen

Hypokausten. Schwarzwälder »Kunst«, mundartl. »Chunscht« oder »Chauscht« (von griech. kausis = Brand), vom Nebenraum her beheizter Kachelofen mit Sitzbank. 20. Jh.

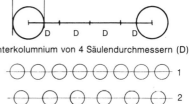

Interkolumnium von 4 Säulendurchmessern (D)

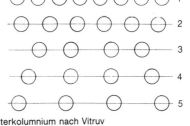

Interkolumnium nach Vitruv

1 pyknostylos = dichtsäulig = 1,5 D
2 systylos = gedehnt = 2 D
3 eustylos = schönsäulig = 2,25 D
           Mitte = 3 D
4 diastylos = weitsäulig = 3 D
5 aräostylos = lichtsäulig = 3,5 D

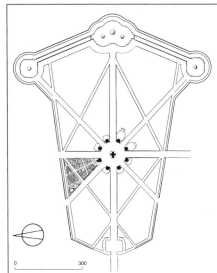

Jagdstern. Clemenswerth, 1737 beg., J. K. Schlaun. Im Zentrum von 8 Alleen umstehen 8 Pavillons das eigentliche Jagdschloß. Kloster mit französischem Garten im NW. Spätbarock

Jesuitenkirche. Avignon/Südfrankreich, Lyzeumskirche, 17. Jh.

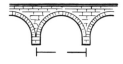

Brückenjoch

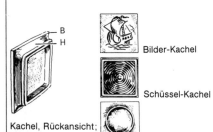

Kachel, Rückansicht; B Blatt, H Hals

B H

Bilder-Kachel

Schüssel-Kachel

Teller-Kachel

	E	F	S	I
351 **Isabell-Stil**, »estilo Isabel«, üppiger spätgotischer Ornamentstil Spaniens, dessen Formen von textilen Spitzen abgeleitet scheinen. 1480–1510	437	68	301	771
352 **Jagdstern***, Sonderform des barocken Jagdschlosses im Zentrum eines mehrstrahligen Schneisensystems. Blütezeit 1720–40.				
353 **Jerusalemsweg** →Labyrinth*	448	174	131	130
354 **Jesuitenstil***, 1. Stil der von Jesuiten in Lateinamerika gebauten Barockkirchen. Oft dekorativ überladen; – 2. an das Muster von Il Gesù in Rom (218*, 230*) angelehnter Barockstil der Jesuitenkirchen bes. des 17. Jhs.	440	763	302	767
355 **Joch***, 1. Gewölbeabschnitt (bzw. der einem Gewölbeabschnitt zugehörige Raum, auch: dessen Grundfläche), der durch Gurte und Stützen von den benachbarten Gewölbeabschnitten bzw. Raumteilen abgegrenzt ist. →Travée; – 2. Brückenabschnitt* von einem Pfeiler zum andern.	90	794	808	133
356 **Jugendstil**, europäische Kunstströmung um 1900. 274 ff.*; 380 f.*	508	70	533	443
357 **Jungfrauen, Kluge und Törichte** →Brauttür*	828	823	842	877
358 **Kachel***, gebrannte, meist glasierte Tonfliese als Wand-, Fußboden- oder Ofenbelag. Berühmt sind die kobaltblau bemalten Delfter K.n, die islam.-span. Azulejos (span. azul = blau, arab. al zulaich = kleiner Stein), 87, und die K.n des engl. Mittelalters.	366	142	98	470
359 **Kachelofen***. Schon die ältesten erhaltenen, spätgot. Kachelöfen zeigen die im allgemeinen bis zu den heutigen kubischen Formen gültige Grundform: 4seitiger Grundbau mit Füßen, Oberteil mit kleinerem Durchmesser, oft mit Bekrönung. Die Renaissance bringt immer reichere Ausstattung und Farbigkeit (Majolikaöfen seit 16. Jh.). Delfter Kacheln kommen im nordischen Barock des 17. Jhs. in Mode. Das Rokoko liebt geschwungene, ornamentierte Formen in Weiß. Der Klassizismus formt den Oberteil zylindrisch und ziert mit Terrakottarelief die Ofenmitte.	785	625	317	792
360 **Kalotte***, gekrümmte Fläche eines Kugelabschnitts, in der Architektur fälschlich auch eines Kugelsegments, z. B. die Halbkuppel einer Rundapsis.	390	131	157	125
361 **Kalvarienberg***, gemalte oder plastische Darstellung der Kreuzigung Christi mit vielen Figuren. Bes. bekannt sind die K.e (Calvaire) in der Bretagne (Skulpturengruppen im Freien).	137	132	129	126
362 **Kalymatie**, Füllelement des griech. Gebälks zum Zwecke der Kassettenbildung. 19; 14*	442	446	471	424
363 **Kamin**, offene Feuerstelle im Haus, architektonisch gerahmt, neuerdings auch auf Wohnhaus-Terrassen. Seit der Romanik künstlerisch gestaltet (Gelnhausen, Kaiserpfalz). Prächtig verzierte Marmor- und Sandstein-K.e in der Renaissance. Im Barock und Rokoko auch als Zierkamin mit Spiegel, 321*. Zubehör: Feuerhunde für die Holzscheite, Feuerzange, -haken, -schaufel. Leuchter, Kaminuhr, Vasen usw. auf dem Sims (→Sturz).	319	176	170	129
364 **Kämpfer***, 1. Querstab aus Holz oder Stein, der Fenster (oder Tür) unterteilt, bildet mit dem senkrecht teilenden Setzholz das Fensterkreuz; – 2. vorspringende Tragplatte zwischen Stütze (Mauer, Pfeiler, Säule, Kapitell) und Bogen oder Gewölbe; → Bogen	798	435	460	406

E	F	S	I		

Abb. 1; – 3. Aufsatz über frühchristl. (40*) und karoling. Kapitellen (64*) als Pyramidenstumpf; – 4. K.gesims = Gesims in der Kämpferzone.

| 143 | 137 | 140 | 137 | |
| 326 | 138 | 315 | 703 | |

⬜365 **Kandelaber** → Leuchter 1*

⬜366 **Kannelierung*** (griech.-lat. canna = Rohr), Rillen = Kanneluren im antiken Säulen- oder Pfeilerschaft. Bei der dorischen Säule (16*) stoßen die Rillen in scharfen Graten aneinander, bei der ionischen und korinthischen (17*) sind sie durch Stege getrennt.

| 144 | 139 | 142 | 140 | |
| 146 | 140 | | | |

⬜367 **Kanon** → Proportionslehre*

⬜368 **Kantoniert*** sind Pfeiler oder Mauern, deren abgefasten Kanten Halb- oder Dreiviertelsäulen vorgelegt sind.

| 640 | 156 | 688 | 641 | |

⬜369 **Kanzel*** (lat. cancellus = Schranke), aus dem frühchristlichen → Ambo weiterentwickelte Predigt- und Lesebühne. Seit dem 13. Jh. sowohl auf dem → Lettner als auch freistehend an einem Pfeiler der → Vierung oder des Langhauses. In kleinen (meist evangelischen) Kirchen gelegentlich mit dem Altar zum *Kanzelaltar* vereinigt. Die streng gegliederte Ordnung der K. (*Fuß,* polygonale *Brüstung,* Treppe, *Schalldeckel*) wird oft reich verziert und im Barock figurativ aufgelöst. Sonderformen: *Schiffskanzel* (seit 1725, von Frankreich nach O bis Polen verbreitet) in Schiffsform (nach Luk. 5); *Außenkanzel,* bes. in Italien, auch an Wallfahrtskirchen.

	1	1	1	1
	2, 3	2, 3	2, 3	2, 3
	4	4	4	4
	5	5	5	5
	6	6	6	6

| 166 | 162 | 144 | 145 | |

⬜370 **Kapelle*** (lat. capa = Mantel), nach dem Mantel des hl. Martin von Tours, dessen Aufbewahrungsort im Betraum der Königspfalz zu Paris (seit dem 7. Jh.) allein »Cappella« hieß. Später allg. Bez. für kleinere selbständige (Tauf-, Totenk., → Karner; Pfalzk., 294*; Burgk., 302 ff.; Schloßk., 232*) und nicht selbständige christliche Beträume (Chork. → Chor*; Scheitelk., 78*, 93; Seitenschiffsk. = Flankenk.; Einsatzk. zwischen den Strebepfeilern (Albi, 175*); Votivk. = kapellenartiges Memorial mit Altar, 198*.

| 652 | 164 | 148 | 223 | |
| 148 | 166 | 149 | 141 | |

⬜371 **Kapellenkranz** → Chor*

⬜372 **Kapitell** (lat. capitellum = Köpfchen), Kopf von → Säulen, → Pfeilern, → Pilastern am Treffpunkt von Stütze und Last.
Akanthus-K. 15*
Akanthus-Abwandlung 76*
Almohadisches K. 86*
Anten-K. 15*
Bestien-K. 98*
Bild-K. 98*
Blatt-, Laub-K. 160*, 199*
Bossen-K. 76*
Buckelblatt-K. 160*
Byzantin.-frühchristliches K. 40*
Dorisches K. 15*
Dorisch-tuskisches K. 32*
Falten-K. 98*
Figuren-K. 98*
Ionisches K. 15*
Ionisches Eck-K. 17*
Ionisierendes K. 64*
Kelchblock-K. 98*
Kelch-K. 64*, 160*
Knospen-, Knollen-K. 160*

Kachelofen. Augsburg, Rathaus, um 1630

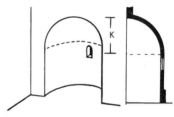

Kalotte (K) einer Rundapsis

Kalvarienberg. »Calvaire« in Trenoën/Bretagne, 17. Jh.

Kämpfer über einer Säule. Kä Kämpfer; G Gebälk; K Kapitell. Hildesheim, St. Michael, A. 11. Jh. Ottonik

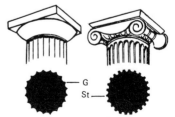

Kannelierung. Li: dorisch. – Re: ionisch. G Grat; St Steg

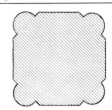

Kantonierter Pfeiler, Querschnitt

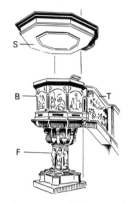

Kanzel. S Schalldeckel; B Brüstung; T Treppe; F
Kanzelfuß. Deutsche Renaissance

Komposit-K. 32*
Korinthisches K. 15*, 247*
Korinthisierendes K.: karoling. 64*, ottonisch 78*
Laub-, Blatt-K. 160*, 199*
Palmetten-K. 98*
Pfeifen-K. 98*
Phantasie-K., barock 247*
Pilaster-K. 64*, 247*
Pilz-K. 76*
Polygonal-K. 199*
Renaissance-K. 220*
Römisch-dorisches K. 32*
Römisch-ionisches K. 32*
Römisch-korinthisches K. 32*
Sächsisches K. 58*
Scheibenwürfel-K. 98*
Schilf-K. 15*
Stalaktiten-K. 86*
Teller-K. 199*
Tier-K. 98*
Tuskisches K. 32*
Voluten-K. 15*
Würfel-K. 64*, 76*, 98*
Yeseria-K. 86*
Ziegel-Würfel-K. 98*

	E	F	S	I
373 **Kapitelsaal** → Kloster	167	691	728	692
374 **Kappe** → Gewölbe*	147	204	785	873
375 **Karner,** Kerner, Gerner (lat. carnarium = Bein-	168	566	600	144

haus), meist zweigeschossige Friedhofskapelle, deren
Untergeschoß ausgegrabene Gebeine, deren Obergeschoß den Altarraum enthält. In der Romanik Zentralbau mit Ostapsis, in der Gotik auch als langgestreckte
(Michaels-)Kapelle. 185*

Kapelle. Montmajour/Südfrankreich, Kapelle
Ste-Croix, E. 12. Jh. Tetrakonchos = Vierkonchenanlage

	E	F	S	I
376 **Karnies*** (ital. cornice = Fries, Rahmen),	242	758	538	377

»Glockenleiste«. S-förmiges, also konkav-konvex
profiliertes Bauglied. Nach seiner Funktion am Bau-

	E	F	S	I
körper *tragendes* [t] K. (als Zwischenglied) oder *bekrö-*	1,2	1,2	1,2	1,2

nendes [b] K. (als oberer Abschluß, etwa bei Gesimsen). Nach der Anordnung des konvexen Profilteils

	E	F	S	I
steigend [st], wenn er oben (z. B. bei Säulenkapitellen),	3	3	3	3
fallend [f], wenn er unten angebracht ist.	4	4	4	4
377 **Kartause** → Kloster*	169	167	153	170
378 **Kartusche*,** Zierrahmen, oft um Wappen. Re-	149	146	152	151

naissance, Barock.

	E	F	S	I
379 **Karyatide** → Bauplastik*	150	144	151	149
380 **Kasematten,** überwölbte Schutzräume einer be-	151	147	154	153

festigten Anlage für Besatzung, Geschütze und Munition. Tiryns, 291*; belgisches Fort, 408*

	E	F	S	I
381 **Kassette,** kastenförmig vertieftes Feld einer fla-	197	129	80	430

chen oder gewölbten Decke (»Kassettendecke«) oder
einer Bogenlaibung, die »kassettiert«, d. h. in rechtek-
kige, vieleckige oder gerundete Felder aufgeteilt ist.
Die K. kann leer oder mit Ornamenten, Farben oder
Gemälden ausgefüllt sein. Bes. in der Antike, der Renaissance und im Barock. 14*; 219*. → Artesonado

	E	F	S	I
382 **Kastell** → Castell	152	148	158	156
383 **Kathedra*** (griech. Sitz), Bischofsstuhl in der	154	150	160	160

Kirche. In altchristlicher Zeit im Scheitel der → Apsis
hinter dem Altar, seit dem Mittelalter erhöht auf der
→ Evangelienseite im Chor, meist prächtig verziert

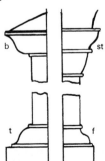

Karnies. t tragend; b bekrönend; f fallend; st stei-
gend

und mit →Baldachin*. »Ex cathedra (Petri)« (lat. vom Stuhle Petri herab) werden die irreformablen und unfehlbaren päpstlichen Dogmen verkündet.

E	F	S	I	
155	149	161	161	☐ 384 **Kathedrale,** Bischofskirche einer Stadt, in Norddeutschland →Dom, in Süddeutschland →Münster genannt.
274	368	252	320	☐ 385 **Kegelfries,** normann.-engl. Ornament. 95*
699	698	278	708	☐ 386 **Kehle** →Hohlkehle
177	310	770	411	☐ 387 **Keilschnitt*,** Kerbschnitt, ornamentale Holzschnitzerei als versenktes Relief
846	157	48	374	☐ 388 **Kemenate** (lat. caminata), auch: Dirnitz, heizbarer Wohnraum, auch für Frauengemach einer Burg. 302
162	155	168	169	☐ 389 **Keramik*** (griech. keramos = Töpferton), Sammelbegriff für Tonwaren. Man unterscheidet Grob-K. (Ziegel, Röhren, Baukeramik) und Fein-K. (Geschirr, Gefäße, kunstgewerbliche Gegenstände). Die Porosität des Scherben wird aufgehoben durch Sinterung des Tons bei hoher Brenntemperatur und durch Glasur.
1	1	1	1	*Fayence* (frz., von Faenza, ital. Töpferstadt): der vorgebrannte, meist farbige Scherben wird mit Zinnglasur bei Scharffeuer überschmolzen.
2	2	2	2	*Majolika* (vermutlich nach der Insel Mallorca): ital. Name für Fayence.
3	3	3	3	*Porzellan* (ital. porcellana = Porzellanschnecke von lat. porcellus = Schweinchen) aus Kaolin und Feldspat und einer Glasur aus ähnlicher Masse. Häufig bemalt: 1. Unterglasurmalerei vor dem zweiten Brand (haltbarer, aber nur mit den wenigen Scharffeuerfarben möglich, z. B. Kobalt [Zwiebelmuster!]); – 2. Aufglasurmalerei durch schwachen dritten Brand eingebrannt (weniger haltbar, aber reichere Palette).
4	4	4	4	*Steingut,* weiß gebrannter, nicht verglaster Scherben mit Bleiglasur (aus England 1720).
5	5	5	5	*Steinzeug,* seine glänzende Glasur entsteht durch Verdampfen von Salz während des Brennens bei hoher Temperatur. Wenige Farben: Kobalt, Manganviolett; Braun durch Raucheinwirkung in den Brennraum (Schmauchung). (Ostasien; Köln, Kannebäckerland).

Kartusche mit Rollwerk. Renaissance

Kartusche, unsymmetrisch. Rokoko

Kathedra auf einer Estrade. Avignon/Südfrankreich, Notre-Dame-des-Doms, E. 12. Jh.

Kerbschnitt, Keilschnitt

Terrakotta-Zier. Etrusk. Grabfassade. Norcia/Umbrien

Keramik. Etruskischer Stirnziegel. Terrakotta

Fayence-Vase mit Chinoiserien. Delft, 18. Jh.

Porzellan-Vase. China, 18. Jh.

Terrakotta. Tanagra/Griechenland, um 320 v. Chr.

	E	F	S	I

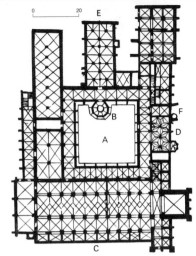

Zisterzienserkloster Maulbronn, 13. Jh.

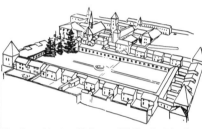

Kartäuserkloster Valbonne/Südfrankreich, beg. 1203. Im Hintergrund Kirche und Wirtschaftsgebäude, vorn die Einzelhäuschen mit ihren Gärten rings um den Kreuzgang. Gotik

Kreuzgang. Arles/Südfrankreich, St-Trophîme. Romanik und Gotik

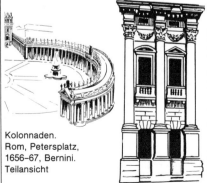

Kolonnaden. Rom, Petersplatz, 1656–67, Bernini. Teilansicht

Kolossalordnung. Vicenza, Palazzo Porto-Breganze, unvollendet, 1570–80, Palladio

Terrakotta (lat. terra = Erde, ital cotta = gebrannt), Tonerde, die durch den Brand weiß, gelb, braun oder rot wird. Wegen ihrer Wetterbeständigkeit oft als Bau-K. (Tempelgiebel, Stirnziegel) oder zu Tonbildwerken verwendet (altgriech. Tanagrafigürchen*; in der Renaissance bes. durch Donatello, Robbia angewandt).   **6 | 6 | 6 | 6**

390 **Kerbschnitt** →Keilschnitt*   **177 | 310 | 770 | 411**

391 **Kerkides,** von Treppen begrenzte Segmente der Cavea (→Theatron) im antiken Theater. 36*   **445 | 248 | 472 | 425**

392 **Kirche, Allegorie der** →Ecclesia und Synagoge*   **182 | 290 | 444 | 177**

393 **Kirchenbauformen.** Hauptformen: **183 | 816 | 344 | 832**
I. *Zentralbau,* um einen Mittelpunkt konstruiert. 45 f.*. – II. *Langbau,* an einer Längsachse ausgerichtete Konstruktion. Nach Querschnitt und Belichtung unterscheidet man (alle genannten Formen: 154 f*)
1. Basilika, 42 f.*
   Emporenbasilika
   Staffelbasilika
2. Hallenkirche
   Staffelhalle
   Pseudobasilika
   Emporenhalle
3. Saalkirche
   Wandpfeilerkirche
→Staffelung

394 **Kirchenburg,** Wehrkirche des Mittelalters. 143*   **339 | 301 | 446 | 184**

395 **Klausur** →Kloster   **159 | 202 | 164 | 198**

396 **Kloster*** (lat. claustrum = das Verschlossene).   **510 | 505 | 543 | 492**
Die K.-Anlage wird verständlich aus dem Bestreben Benedikts von Nursia (519 in Monte Cassino) und anderer Ordensgründer, die mönchische Einsiedelei durch die Gemeinschaft der Mönche unter einer strengen Regel zu ersetzen. Um einen viereckigen, offenen Hof, den *Kreuzgang** A (Anlehnung an das Peristyl des hellenist. Wohnhauses; der Name »Kreuzgang« von der um den Hof führenden Kreuzprozession), mit   **1 | 1 | 1 | 1**
Brunnenhaus B (→Tonsur) gruppieren sich die übrigen Räume: die *Kirche* C, meist an N- od. S-Seite, der *Kapitelsaal* D (Versammlungsraum, oft neben der Kirche), das *Refektorium* E (Speisesaal, bei den Deutschordensrittern Remter genannt), das *Parlatorium* F (Sprechzimmer) und im Obergeschoß das *Dormitorium* (Schlafsaal) oder die *Klausuren* (Mönchszellen). Vgl. auch St. Gallener Idealplan, 68*   **2 | 2 | 2 | 2**
3 | 3 | 3 | 3
4 | 4 | 4 | 4
5 | 5 | 5 | 5
6 | 6 | 6 | 6
7 | 7 | 7 | 7
8 | 8 | 8 | 8
Während die Benediktiner gern auf Bergen, die Zisterzienser (seit 1100) in Tallage bauen, siedeln sich die Bettelorden (seit 13. Jh.) gern in oder bei Städten an, weil sie ihre Aufgabe weniger in der Beschaulichkeit als in der Seelsorge sehen. Die Kartäuser (seit 12. Jh.) leben in Einzelhäuschen, die sich um einen großen Kreuzgang reihen. Ihre Klöster heißen Kartause*. Die Ordensburgen der Deutschordensritter (seit 13. Jh.) waren zugleich deren Klöster (Marienburg, 305*). Die Barockklöster nähern sich in der großzügigen Gesamtplanung dem Schloßbau (Weingarten, 252*).

397 **Knagge** →Konsole*   **119 | 220 | 523 | 475**

398 **Knorpelwerk,** Ornament des niederländischdeutschen Manierismus. 222*   **664 | 145 | 512 | 251**

399 **Kollegiatkirche** →Stiftskirche   **198 | 205 | 184 | 200**

E	F	S	I	
199	208	191	205	☐ 400 **Kolonnade*** (frz. colonne = Säule), Säulengang mit waagerechtem Gebälk (Architrav) im Unterschied zur → Arkade.
200	555	592	537	☐ 401 **Kolossalordnung*** (griech. kolossos = Riesenbildsäule), Säulenordnung, die über mehrere, meist zwei Stockwerke greift. Von Michelangelo und Palladio (215 f.) entwickelt.
201	207	186	201	☐ 402 **Kolumbarium*** → Columbarium
205	184	210	217	☐ 403 **Kommunizierende Nebenchöre*,** Nebenchöre mit durchbrochenen Trennwänden zum Hauptchor.
208	218	196	210	☐ 404 **Konche,** Koncha (griech. konchē, lat. concha = Muschel), im Grundriß halbrunde Nische, Apsis, genauer: deren halbkuppelige → Kalotte*. Trikonchos → Chor 4*. Tetrakonchos → Kapelle*.
359	386	397	360	☐ 405 **Königsgalerie*,** eine Reihe von (28) Königsfiguren, wahrscheinlich Vorfahren Christi, die quer über die Westfassade einiger französischer und englischer Kathedralen verläuft.
212	219	522	476	☐ 406 **Konsole*,** aus der Mauer vorspringender Trag-
1	1	1	1	stein (Kragstein) für Balkone, Figuren, Balken, Dienste usw., beim Holzbau (→ Fachwerk) auch *Knagge** genannt. Oft ornamental oder mit – häufig grotesken – Figuren geschmückt. 160*; 309*
214	223	202	215	☐ 407 **Kontrapost*** (ital. contrapposto = Gegensatz), Gestaltung des Gleichgewichts des stehenden menschlichen Körpers, der steigenden und sinkenden Kräfte. Stellung und Bewegung der Glieder werden durch die
1, 2	1, 2	1, 2	1, 2	Stellung von *Stand-* und *Spielbein* bestimmt. Die waagerechten Achsen sind gegensinnig verschoben (z. B. ist das Becken über dem Standbein erhöht, die Schulter darüber gesenkt) und heben die Körperbewegung zu spannungsvoller Ruhe auf. Der K. ist eine Sonderform der → Ponderation, der harmonischen Verteilung von Massen. Vgl. → Gotischer Schwung*.
150	226	474	426	☐ 408 **Kore** (griech. Jungfrau), Kanephore, Karyatide → Bauplastik*
219	556	593	538	☐ 409 **Korinthische Ordnung,** griech. Säulenordnung. 17*
227	238	385	363	☐ 410 **Krabbe,** Kriechblume auf den Kanten von got. Turmhelmen, Fialen, Wimpergen. 166*
216	225	522	476	☐ 411 **Kragstein,** Kraft-, Balken-, Ankerstein → Konsole*
226	718	213	235	☐ 412 **Krepis,** Krepidoma, der oberirdische Teil des → Stereobats = meist 3stufiger Unterbau des griechischen Tempels. 15*

Kolumbarium. Rom, Katakomben. Frühchristlich

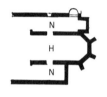

Kommunizierende Nebenchöre. H Hauptchor; N Nebenchöre. Waldsee, 1479 beg.

Königsgalerie. Reims, Kathedrale, Westfassade

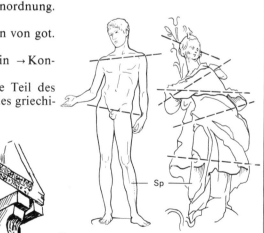

Kontrapost. Li: »Idolino«, um 420 v. Chr., griechisch, römische Kopie. – Re: »Immaculata«, um 1750, Feichtmayr. Rokoko. Die kontrapostischen Linien (gestrichelt) bezeichnen die Verschiebungen der ursprünglich waagerechten Achsen von Knien, Becken, Schultern, Augen. Die mittlere Linie ist nur durch die Draperie bestimmt. Sp Spielbein. Birnau, Wallfahrtskirche

Konsole. Li: Steinkonsole unter Gewölberippen. Arles/Südfrankreich, St-Trophîme, Kreuzgang. Gotik.
Re: Geschnitzte Fachwerkkonsolen mit Darstellungen der Verkündigung und Heimsuchung. Wiedenbrück, 1559. Renaissance

	E	F	S	I

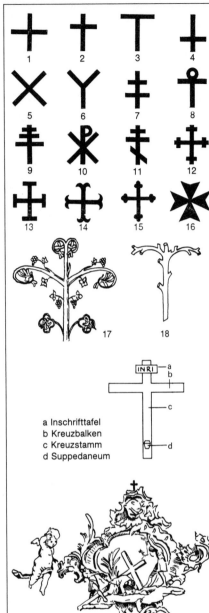

1 2 3 4
5 6 7 8
9 10 11 12
13 14 15 16

17 18

INRI — a
— b
— c
— d

a Inschrifttafel
b Kreuzbalken
c Kreuzstamm
d Suppedaneum

Kreuzweg. IX. Station: Jesus fällt zum 3. Male unter dem Kreuze. Birnau, Wallfahrtskirche, um 1750, Feichtmayr

Künste. Geometrie. Steinrelief am Ratserker in Lemgo, 1565–89. Renaissance

413 **Kreuz*** (lat. crux), seit ältesten Zeiten in vielen Kulturen vorkommende Symbol- oder Zierform, im Christentum Sinnbild des Leidens bzw. der Person Christi. Bei der Darstellung seiner Kreuzigung (Kruzifix) wird der Kreuzstamm mit der Inschrifttafel (INRI = Iesus Nazarenus Rex Iudaeorum) und oft mit dem Suppedaneum (Fußstütze) versehen.

Hauptformen des christlichen Kreuzes sind: 1. *Griechisches K.*, bevorzugte Grundrißform des byzantin. Sakralbaus; – 2. *Lateinisches K.* (crux immissa), im abendländischen Sakralbau des Mittelalters vorherrschende Grundrißform; – 3. *Tau-, Antonius-K.* (crux commissa), oft für die Schächer; – 4. *Petrus-K.*, Petrus wurde kopfunter gekreuzigt; – 5. *Andreas-K.*, so wurde der Apostel Andreas gekreuzigt; – 6. *Gabel-, Schächer-, Deichsel-K.*; – 7. *Lothringisches K.*; – 8. *Henkel-K.* (crux ansata), ursprünglich ägyptisches Lebenssymbol; – 9. *Päpstliches K.*, die Balken entsprechen dem Priester-, Lehr- und Hirtenamt; – 10. *Konstantinisches K.*, Christusmonogramm aus den griech. Buchstaben X (= Chi) und P (=Rho), den Anfangsbuchstaben des Wortes CHRistus; – 11. *Russisches K.*, der Schrägbalken vermutlich für das Suppedaneum; – 12. – *Wieder-K.*, die Balkenenden ergeben »wieder« ein K.; – 13. *Krücken-K.* nach der Krückenform der 4 Balken; – 14. *Anker-K.*; – 15. *Kleeblatt-K.*; – 16. *Malteser- oder Johanniter-K.*; – 17. *Baum-K.:* Lebensbaum mit Blättern, Blüten oder Früchten; – 18. *Ast-K.* ohne Zweige.

414 **Kreuzarme** oder -flügel, die Arme des Querhauses.

415 **Kreuzblume,** ornamentale Bekrönung got. Fialen, Wimperge, Turmhelme. 166*, 201*

416 **Kreuzbogenfries,** Ornament islamisch-normannischer Herkunft. 95*

417 **Kreuzfahne,** Labarum, Siegeszeichen des auferstandenen Christus über den Tod: Wimpel an einem langschäftigen Kreuz. → Attribut*

418 **Kreuzgang** → Kloster*

419 **Kreuznimbus** → Heiligenschein*

420 **Kreuzweg*,** Darstellung des Leidensweges Christi von der Verurteilung durch Pilatus bis zur Grablegung in 14 Einzelbildern (Stationen). In kath. Kirchen an den Wänden umlaufend, auch im Freien in 14 einzelnen Häuschen.

421 **Kriechblume** → Krabbe. 166*

422 **Kruzifix** (lat. crucifixus = der Gekreuzigte), gemalte oder plastische Darstellung Jesu am Kreuz. Crux = → Kreuz ohne den Leib Christi.

423 **Krypta** (griech. bedeckter Gang). Aus der frühchristlichen → *Confessio* (Heiligengrab-Raum unter dem Altarraum, 41*) entwickelter halbunterirdischer Raum unter dem Chor zahlr. roman. und gotischer Kirchen zur Aufbewahrung von Reliquien oder als Grabstätte für Heilige und weltliche Würdenträger. Frühe Formen: *Ringkrypta* = halbkreisförmiger Gang, Grabkammer im Bogenscheitel, *Stollenkrypta* = ein oder mehrere, einander kreuzende Stollen. Von Italien kommt im 9. Jh. die *Hallenkrypta*. Ihr meist 3schiffiges Gewölbe ruht auf Säulen und erstreckt sich

Nr.	E	F	S	I
413	228	241	221	237
	1	1	1	1
	2	2	2	2
	3	3	3	3
	4	4	4	4
	5	5	5	5
	6	6	6	6
	7	7	7	7
	8	8	8	8
	9	9	9	9
	10	10	10	10
	11	11	11	11
	12	12	12	12
	13	13	13	13
	14ff.	14ff.	14ff.	14ff.
	17	17	17	17
	18	18	18	18
414	630	240	122	114
415	318	353	340	305
416	433	370	359	323
417	82	448	475	428
418	195	201	180	188
419	230	541	577	525
420	744	173	837	884
421	227	238	385	363
422	232	243	220	238
423	233	244	215	236
	1	1	1	1
	2	2	—	2
	3	3	3	3
	4	4		4

E	F	S	I	
61	73	79	78	
235	234	231	244	
1	1	1	1	
2	2	2	2	
3	3	3	3	
4	4	4	4	
5	5	5	5	
6	6	6	6	
7	7	7	7	
8	8	8	8	
9	9	9	9	
10	10	10	10	
236	250		245	
243	447	175	427	
448	449	476	429	

zuweilen weiter als bis unter die → Vierung. Wegen ihrer Höhe muß der Chor höhergelegt werden. 70*

424 Künste, die Sieben Freien* (lat. artes liberales), seit der karolingischen Zeit häufig dargestellte sieben weibliche Figuren mit → Attributen. Sie personifizieren 1. das Trivium (daher »trivial«): Grammatik, Dialektik, Rhetorik, 2. das Quadrivium: Geometrie, Arithmetik, Musik, Astronomie.

425 Kuppel*, Überwölbung runder, vier- oder vieleckiger Räume in regelmäßigen Krümmungen. Der Übergang von polygonalen Grundrissen zur Rundung des K.-Grundrisses wird durch *Hänge-(Eck-)zwickel* (Abb. 1, H) oder *Pendentifs* (Abb. 2, P) bewirkt. Beide sind sphärische Dreiecke und unterscheiden sich nur durch ihre Anwendung: 1. Wenn der Fußkreis der K. die Ecken des Grundrisses umschreibt, werden die Hängezwickel zu Teilen der K. Sie heißt dann *Hängekuppel* und bildet eine seitlich senkrecht beschnittene Halbkugel (Abb. 1 und 6); – 2. Wenn der Fußkreis der K. dem des eckigen Unterbaus einbeschrieben ist, werden die Pendentifs zu selbständigen Konstruktionsteilen dieser *Pendentifkuppel* (Abb. 2). Bei der *Trompenkuppel* werden die oberen Ecken eines viereckigen Unterbaus durch → *Trompen* (nach einem gleichnamigen altfrz. trichterförmig. Blasinstrument) = halbe Hohlkegel überbrückt und in ein Oktogon übergeführt. Auf diesem stehen die Kappen des 8tlg. Klostergewölbes (Abb. 3) bzw. der Fußkreis der Rundkuppel (Abb. 5). Zwischen Pendentifs (bzw. Trompen) und K. befindet sich oft ein zylindrischer (bzw. achteckiger) *Tambour* (Trommel), der auch von Fenstern durchbrochen sein kann (Abb. 4 und 11). Gelegentlich endet die K. oben mit einer kreisrunden Lichtöffnung, dem *Auge* (Opaion, Opaeum), oder einem kleinen durchbrochenen Aufbau, der *Laterne.* Große K.n werden oft *zweischalig* gebaut, d. h. sie haben eine innere Raum- und eine äußere Schutz-K. (Abb. 11). Auch 3schalige K.n kommen vor (London, 245*). Weitere K.-Formen: Böhmische Kappe, Stutzkuppel (Abb. 6); Flachkuppel (Abb. 7); Halbkuppel → Kalotte*; Spitzkuppel (Abb. 8); Zwiebelkuppel (Abb. 9); Faltkuppel (Abb. 10); Rippenkuppel, 41* und 85*; Kassettenkuppel, Rom, Pantheon, 34*. Bei der Amphorengewölbe-K. (Hohlkuppel) sind zur Entlastung vasenförmige Tonrohre spiralförmig in die Kuppelschale eingebettet, 41*.

426 Kurie, römischer Ratssaal. Pompeji, 348*

427 Kymation, Kyma (griech. Welle), Blattwellen-Fries; 14*. 1. Dorisches K., meist nur gemalt auf unterschnittenem Stab; – 2. ionisches K. mit plastischen Ovalformen (Eierstab) und Pfeilspitzen, konvexer Stab; – 3. lesbisches K. mit plastischem Herzlaub (Wasserlaub) und Spitzen, konvex-konkaves Profil.

428 Labyrinth* (griech. labyrinthos, von labrys = Doppelaxt, kretisch-minoisches Kultsymbol; der Palast von Knossos, 291*, mit seinem unübersichtlichen Grundriß hieß »Haus der Doppelaxt« und gilt als ein Urbild aller L.e), Jerusalemsweg, in den Fußboden mancher got. Kathedralen eingelegte geometrische Figur aus hellen und dunklen Steinen. Diesen Weg

Kuppel. Li: Abb. 1. Hängekuppel. H Hängezwickel; F Fußkreis
Re: Abb. 2. Pendentifkuppel. P Pendentif; F Fußkreis

Li: Abb. 3 Trompenkuppel. T Trompe; Kl 8teiliges Klostergewölbe. Sh. auch 41*, 85*
Re: Abb. 4. Rundkuppel mit Tb Tambour. P Pendentif, F Fußkreis. Sh. auch 41*, 85*

Abb. 5. Rundkuppel

Abb. 6. Stutzkuppel, Böhmische Kappe

Abb. 7. Flachkuppel

Abb. 8. Spitzkuppel

Abb. 9. Zwiebelkuppel

Abb. 10. Faltkuppel

	E	F	S	I

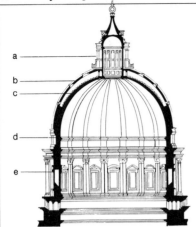

Abb. 11. Zweischalige Kuppel. a Laterne; b äußere Schale; c innere Schale mit Treppe; d Attika; e Tambour. Rom, St. Peter

Labyrinth, Jerusalemsweg. Li: St-Omer/Nordfrankreich, St-Bertin, 13. Jh., zerstört. – Re: Chartres, Kathedrale, 13. Jh. Gotik

Lambrequin. Frankreich, um 1800. Klassizismus

Laube. Münster/Westfalen, Prinzipalmarkt. Wiederaufbau nach den Zerstörungen des 2. Weltkriegs

durchrutschten die Gläubigen als Bußübung auf den Knien von der Peripherie bis zur Mitte. – L.e mit ausweglosen Weggabelungen gibt es erst seit dem Manierismus, z. B. bei labyrinthischen Gartenboskets.

	E	F	S	I
429 **Lady Chapel** (engl. Kapelle Unserer Lieben Frau), Marienkapelle in engl. Kathedralen, meist mit rechteckigem Grundriß und meist an den Scheitel des Ostchores angesetzt (Scheitelkapelle). Salisbury, 206*	450	451	145	143
430 **Laibung,** Leibung, Schnittfläche, die entsteht, wenn eine Öffnung senkrecht in die Mauer geschnitten wird. → Bogen*; → Fenster*; → Gewände; → Portal*	438	441	467	417
431 **Lambrequin*** (frz. Bogenbehang), oberer Abschluß eines Fensters, Betthimmels, einer Tür in Form eines Behangs mit Spitzen oder Quasten (Barock). Der L. wird auch oft aus Stuck oder Stein nachgebildet.	451	452	484	267
432 **Lambris** (frz.), Wandverkleidung, meist aus Holz (z. B. Fußleiste), auch aus Marmor, Stuck.	833	453	485	677
433 **Lamm Gottes** → Symbole 1; → Attribut*	11	9	10	14
434 **Langhaus,** der Teil der (Langbau-)Kirche zwischen Fassade und Chor bzw. Querhaus.	529	528	563	515
435 **Lang- und Kurzwerk,** Wechsel von waagerechten und senkrechten (Bossen-)Steinen, bes. in der sächsischen Baukunst Englands. 58*	466	467	495	451
436 **Laterne** → Kuppel*	454	455	490	432
437 **Laube*,** offener, oft gewölbter Bogengang (→ Arkade) als Teil des Erdgeschosses bes. von Wohn- und Rathäusern, auch dem Erdgeschoß vorgelagert. Die *Pergola* (ital.) ist eine L. aus Pfeilern oder Säulen, die eine offene Holzdecke mit Rankengewächsen tragen.	47	384	760	450
438 **Laubfries,** Blattfries, Ornament. 95*; 166*; 200*	332	369	364	329
439 **Laufender Hund,** griechisches Mäander-Ornament in der Form sich überschlagender Wellen. 14*	685	491	378	139
440 **Läufer** → Baustein*	753	584	758	598
441 **Lebensbaum** → Kreuz 17*	804	38	52	18
442 **Leibung** → Laibung	438	441	467	417
443 **Lesepult*,** schräge Buchunterlage auf einem Ständer im → Chor, auf der Brüstung eines → Ambos* oder → Lettners* für die Verlesung des Evangeliums oder der Epistel oder als Notenpult (oft mehrseitig) für den Kirchenchor. → Adlerpult*	457	474	325	440
444 **Lettner*** (lat. lectionarium = Lesepult), Scheidewand zwischen dem Chor (für die Kleriker) und dem Mittelschiff (für die Laien). Seit dem 13. Jh. üblich. Der L. hat einen oder mehrere Durchgänge und eine über Treppen zugängliche Bühne (für die Sänger) mit einer Brüstung. Auf dieser steht das Lesepult, das der Anlage den Namen gab und von dem aus Epistel und Evangelium verlesen werden. Die meisten L. wurden nach dem Mittelalter zerstört, weil sie den Blick auf das Meßopfer verwehrten. 101*; 203*	679	444	30	619
445 **Leuchter*.**	452 1	472 1	486 1	431 1

1. *Kandelaber** (lat. candelabrum), Kerzenständer. Seit der Antike in zahlreichen Formen: als siebenarmiger L. (hebr. Menora, jüdischer Kultleuchter, in der christlichen Kirche als Symbol der Erfüllung des Alten Testaments); als achtarmiger L. (hebr. Chanukka = Tempelweihe, Symbol des Judentums; ein 9. Licht = Schames dient als Anzünder); mit einer menschlichen Gestalt als Kerzenträger; als Osterleuchter usw.;

E	F	S	I	
2	2	2	2	2. *Kronleuchter**, von der Decke herabhängend mit mehreren Lichtern. In Form einer Krone oder eines Rades *(Radleuchter)* mit Türmen und Toren als Symbol des himmlischen Jerusalem (Romanik), auch mit Figuren; als Schaft oder Kugel mit strahlenförmigen Armen (Gotik), später aus Glas (Renaissance, bes. in Venedig);
3	3	3	3	3. *Muttergottesleuchter,* Kronleuchter mit Marienstatue, ein Hirschgeweih bildet einen → Heiligenschein in Mandorla-Form;
4	4	4	4	4. *Leuchterweibchen** sind die weltliche Spielart von 3, wobei eine weibliche Halbfigur, oft mit Fischschwanz, die Muttergottes ersetzt. Bes. im 16. Jh.;
5	5	5	5	5. *Teneberleuchter** für die Karwoche; schmiedeeiserner Fuß mit dreieckigem oder dreiteiligem Aufsatz, im späten Mittelalter mit 12–15 Lichtern, je eines für Christus, die Apostel und manchmal die 3 Marien;
6	6	6	6	6. *Ewiges Licht,* Öl-Ampel, die ständig vor dem Allerheiligsten (Venerabile) christlicher Kirche und in Synagogen brennt;
7	7	7	7	7. *Blaker** (niederdeutsch blaken = rußen, glühen), Wandleuchter mit reflektierender Rückplatte;
8	8	8	8	8. *Apostelleuchter,* an den 12 Stellen, an denen katholische Kirchen bei ihrer Weihe gesalbt werden, sind zur Erinnerung an die 12 → Apostel 12 Kreuze und 12 Wandleuchter angebracht, die gelegentlich Apostelbildnisse tragen.
706	721	756	162	446 **Levitenstuhl** → Dreisitz*
193	195	433	588	447 **Lichtgaden,** Obergaden, der obere, durch die Hochschiffenster belichtete Wandabschnitt der → Basilika. Die niedriger gelegene Fensterzone der Seitenschiffe heißt Untergaden. 78*; 79*; 154*; 156*
460	462	489	444	448 **Lierne** → Gewölbe. 194*
324	352	339	373	449 **Lilie** → Fleur de lis*
463	459	744	442	450 **Lisene,** auch Lesene, senkrechter, pilasterähnlicher Mauerstreifen, aber ohne Basis und Kapitell, häufig durch Rundbogenfriese mit den benachbarten Lisenen verbunden (Romanik). Gliedernde und stützende Funktionen. Marmoûtier, 110*
464	526	492	512	451 **Litai** → Narthex*
465	465	494	624	452 **Loggia*,** 1. gleichbedeutend mit → Laube*; – 2. gleichbedeutend mit → Galerie; – 3. offene Bogenhalle, bes. in der ital. Renaissance; – 4. offener Raum im Obergeschoß, der innerhalb der Bauflucht (→ Flucht) liegt (im Unterschied zum vorspringenden → Balkon*).
617	124	481	595	453 **Lohstein** → Baustein 4
468	737	497	455	454 **Louis-quatorze*,** der frz. Barock (Klassik) zur Zeit des Sonnenkönigs Ludwig XIV., 1643–1715. 319 f.*
469	738	498	456	455 **Louis-quinze*,** der zur Regierungszeit König Ludwigs XV., 1723–74, in Frankreich herrschende Stil, Rokoko. 321 f.*
470	739	499	457	456 **Louis-seize*,** der Übergang vom Rokoko zum Klassizismus in Frankreich während der Regierungszeit Ludwigs XVI., aber auch schon der voraufgehenden 15 Jahre (»Louis XVI sous Louis XV«). 322 f.*. – In Deutschland → Zopfstil genannt, 327.
473	470			457 **Lüftlmalerei,** Fassadenmalerei am barocken Bürgerbau in Süddeutschland, Österreich, Schweiz.

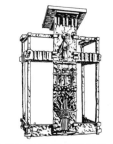

Lesepult. Meschede, St. Walburga, 1965

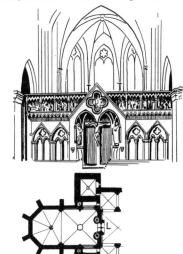

Lettner (L) vor dem Westchor des Naumburger Doms, um 1260

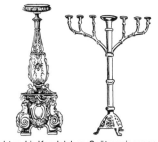

Leuchter. Li: Kandelaber. Spätrenaissance. Re: Siebenarmiger Leuchter, um 1300. Gotik

Leuchterweibchen mit Wappen, E. 16. Jh. Renaissance

Radleuchter, Detail, dahinter 2 Aufhängungsstangen. Hildesheim, Dom, um 1070

Teneberleuchter.
Wiedenbrück, 11. Jh.
Romanik

Blaker. Barock

Loggia. Lugnano in Teverino bei Rom. S. Maria
Assunta, 12./13. Jh.

Louis-quatorze. Boulle-Möbel

Louis-quinze. Rokoko-Tisch

Louis-seize. Fensterdekoration und Schreibtisch-
wange

	E	F	S	I
458 **Lukarne,** geschoßhoher Dacherker in der Hausflucht (→Zwerchhaus*), meist reich dekoriert. Bes. im Schloßbau der französischen Spätgotik und Renaissance. Amboise, 225*	472	469	496	
459 **Lünette** (frz. Möndchen), 1. halbkreisförmiges Bogenfeld über Türen und Fenstern, 324*; – 2. oberer gerundeter Abschluß eines Rechtecks; – 3. S. 407,11*	475	473	503	453
460 **Mäander,** Wellenband, nach dem vielfach gewundenen Fluß Maiandros in Kleinasien benannter Ornament-Fries. 14*; 31*	493	490	517	472
461 **Malerei-Techniken.** Die malerischen Techniken werden unterschieden: nach ihren Untergründen in Wandmalerei, →Sgraffito, Mosaik, →Glas-, Tafel-, →Faß-, Buchmalerei, nach den Lösungsmitteln, mit denen die Farbpigmente streichfähig gemacht werden, bzw. nach den Bindemitteln, mit denen die Farbpigmente untereinander und auf ihren Untergrund gebunden werden, in:	563	762	779	810
Aquarellmalerei (lat. aqua = Wasser), lasierende M. (läßt den Grund durchscheinen) mit wasserlöslichen Farben ohne Weiß. Bindemittel: Gummi arabicum. Am Bau für Fresko-Malerei (sh. dort);	1	1	1	1
Gouache-Malerei (ital. guazzo = Lache, Wasser), wasserlösliche Deckfarben (mit Weiß), mit Gummi gebunden;	2	2	2	2
Tempera-Malerei (lat. temperare = im Mittelalter Bez. für das Mischen von Farben und Bindemittel), gelöst in Wasser oder Öl oder Lack. Bindemittel: Eigelb, Honig, Leim, Feigenmilch usw. Bis zum 15. Jh. für fast alle mittelalterlichen Tafelbilder (auf Holztafeln, bes. Altartafeln), dann allmählich von Ölmalerei verdrängt;	3	3	3	3
Fresko-Malerei (ital. fresco = frisch), Malerei mit laugenechten Wasserfarben auf frischem Kalkputz, der beim Abbinden (= Trocknen bei gleichzeitiger Aufnahme von Kohlensäure aus der Luft) die Farben an den Grund bindet. Seit 1300; bes. im Barock als Deckenmalerei;	4	4	4	4
Al-secco-Malerei (ital. secco = trocken), Wasserfarben auf trockener Wand;	5	5	5	5
Ölmalerei, Farbpigmente in flüchtigen Ölen (Terpentinöl), Benzin usw. gelöst. Bindemittel: Lein-, Mohn-, Nußöl. Lasierend oder deckend aufgetragen. Trocknet durch Verdunsten des Lösungsmittels und Oxydation des Öls zu hygroskopischem Linoxyn. Seit 15. Jh., bes. für Tafelmalerei, zunächst nur auf Holz, später auf Leinen, auch Pappe, Kupfer, für Wandmalerei auf trockenen Putz. – Bei den modernen Binderfarben werden Kunstharze als Bindemittel verwendet;	6	6	6	6
Mischfarben-Technik, Kombination von Öl- und Tempera-Malerei;	7	7	7	7
Lackmalerei (Lack: indisch lakh = 100.000, gemeint ist die Vielzahl der Lackschildläuse, die Bäume zur Schellackabsonderung veranlassen), Lösung von harzigen Bindemitteln (Kolophonium, Kopal, Kunstharze) und Öl (bei Öllack) in flüchtigen Ölen (Terpentinöl) oder Ersatzstoffen. Trocknet ähnlich wie Ölfarbe. In China seit 1. Jahrtausend v. Chr., in Europa seit 17. Jh. nachgeahmt. Viele Techniken.	8	8	8	8

E	F	S	I	
478	478	506	459	**462** **Mandorla** →Heiligenschein; →Evangelisten*
480	479	507	460	**463** **Manierismus** (ital. manierismo = Künstelei), im weiteren Sinne die unecht empfundene Nachahmung eines Stils. Der M. steht meist am Ende einer Stilepoche, bedient sich mit Virtuosität deren formaler und technischer Mittel, jedoch ohne innere Bindung an deren geistige Grundhaltung. Im engen Sinn meint M. die bildende Kunst und Literatur der Zeit zwischen Spätrenaissance und Barock, etwa 1525–1620. 217; 219ff.*; 362ff.*
479	637	673	623	**464** **Mannloch,** Schlupfloch neben dem Burgtor. 296*; 298*
482	480	508	461	**465** **Mansarde** →Dachformen 6*
560	177	134	116	**466** **Mantelmauer,** Ringmauer d. Burg. 298*; 303 f.*
483	740	303	772	**467** **Manuel-Stil** →Emanuel-Stil
486	484	510	413	**468** **Marketerie** →Inkrustation
484	481	509	463	**469** **Marmor** (griech. marmareos = schimmernd; griech. marmaros = Stein), kristalliner Kalkstein, seit der Antike im Mittelmeerraum, im Norden erst seit der Renaissance häufiger in Baukunst und Plastik verwendet. In England wird für got. Säulen und Dienste gern der sog. Purbeck-M. verwendet, der aus Dorset stammt und eigentlich ein polierfähiger dunkelgrauer, brauner bis schwarzer Kalkstein ist. Der Barock imitiert den M. oft durch Stuck (stucco lustro →Bildhauerkunst IV) oder indem er Holz oder Stein mit Farben »marmoriert«. M. kommt in vielen europäischen Gebirgen und in Hunderten von Farbtönungen vor. Seit dem Klassizismus wird der weiße M. bevorzugt. Die moderne Plastik verwendet ihn nur noch selten. Berühmt wurden die griech. Sorten: *pentelischer* (bläulich) und *parischer* (blauweiß) M. sowie der ital. M. aus Carrara, den Michelangelo verwandte.
1 2	1 2	1 2	1 2	
203	210	189	204	**470** **Martersäule*,** Darstellung der Säule, an der Christus gegeißelt wurde, mit den Passionswerkzeugen. Oben auf der M. steht der Hahn (Matth. 26,34 und 69–75), davor manchmal auch der leidende, dornengekrönte Christus als →Erbärmdebild.
477	476	514	122	**471** **Maschikulis** (Pluraletantum, frz.), Gußöffnungen am Wehrgang einer Burg. 305; 296*; 298*
488	485	511	467	**472** **Maskaron,** Maske als Dekoration. 222*
794	671	806	845	**473** **Maßwerk,** Bauornament aus geometrischen Grundformen, besonders aus Kreis, →Paß, →Blatt, →Schneuß, Wabe und in deren Öffnungen einspringenden →Nasen. Ursprünglich als Lochformen im steinernen Bogenfeld über zwei, von einem gemeinsamen Bogen überfangenen Fenstern (»negatives« M., 163*) oder als Radfenster, 99*, schon seit der Spätromanik. Seit der Hochgotik aus gebogenen, bes. in der (engl.) Spätgotik auch geraden Profilsteinen. Diese sind gleichdick oder dünner als das Stabwerk (→Fenster) im unteren Fensterteil. M. dient auch der Gliederung von Rundfenstern, 197*, Rosenfenstern, 163*, Giebeln (Münster, 356*), Wimpergen (Köln, 165*), Brüstungen. *Blendmaßwerk* ist einer geschlossenen Wand vorgeblendet. Köln, 357*. *Schleierwerk* = freistehendes, offenes Maßwerk vor einer Wand oder Nische. 161* Englisches Maßwerk 192*; 196f.*; 202*

Hahn
(Matth. 26,34)

Essigschwamm
(Joh. 19,29)

Sturmlaterne
(Joh. 18,3)

Schweißtuch
der Veronika
(apokryph)

Seil
(Matth. 27,2)

Geißel
(Matth. 27,26)

Schwert mit Ohr
des Malchus
(Joh. 18,10)

Speer
(Joh. 19,34)

Schmerzensmann,
»Erbärmdebild«
(Matth. 27,29)

Martersäule. Billerbeck, 15. Jh. Postament barock

Mauerwerk.
1 Bruchstein, wild, mit Ortsteinen (Kanten)
2 lagerhaft mit Sockel- und Ortquadern

3 Polygonalmauerwerk, roh, verfüllt
4 leicht bearbeitet, verfüllt

	E	F	S	I

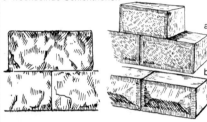

5 regelmäßig, geglättet, ohne Lücken
6 trapezförmig, versetzte Schichten

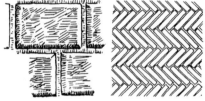

7 Quadermauerwerk, Läufer und Binder
8 wechselnde Schichthöhen

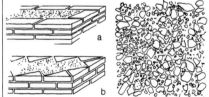

a
b

9 Rustikamauerwerk, Buckelquader
10a mit Kantenschlag; b Diamantquader

11 Polsterquader; – 12. Backsteinmauerwerk,
   fischgrätenartig (opus spicatum)

a
b

13a, b waagerechte Reihen als Schalung
14 Stampfmauerwerk, betonartig

15 Mischmauerwerk, Steinfachwerk
16 netzartige Verblendung, vgl. 17, 18

---

474 **Mastenkirche** → Stabkirche. 56* — E 747, F 291, S 451, I 185

475 **Mauerwerk*,** Konstruktion aus natürlichen oder künstlichen Steinen entweder ohne Bindemittel (Trocken-M.) oder mit Bindemittel aus Lehm (Lehm-M.) bzw. Kalk, Traß (Mörtel-M.). Die römisch-antiken Techniken werden unter der Bezeichnung Opus zusammengefaßt. — E 489, F 477, S 581, I 531

I *Naturstein-M.* = opus italicum — E 1, F 1, S 1, I 1

A *Bruchstein-M.* = opus antiquum (als Füll-M. = opus incertum, Abb. 18) — E 2, F 2, S 2, I 2
  a wild, Abb. 1
  b lagerhaft, Abb. 2
  c fischgrätenartig = opus spicatum, vgl. 58* und IIa

B *Feldstein-M.* — E 3, F 3, S 3, I 3

C *Haustein-M.* = opus siliceum: Zyklopen-M., Polygonal-M. — E 4, F 4, S 4, I 4
  a roh, mit kleinen Steinen verfüllt, Abb. 3 (also eigentlich Bruchstein, IAa, bzw. Feldstein, IB)
  b leicht bearbeitet, verfüllt, Abb. 4
  c regelmäßige Polygonalblöcke mit geglätteter Oberfläche, ohne Zwischenräume, in der Art von Entlastungsbögen um zentrale Steine angeordnet, Abb. 5
  d trapezförmig abgearbeitet, versetzte Schichten, Abb. 6

D *Quader-M.* = opus romanum — E 5, F 5, S 5, I 5
  a rechteckige Quader in waagerechten Läufer- und Binderschichten = opus quadratum, Abb. 7
  b gleichhohe Schichten = opus isodomum
  c wechselnde Schichthöhen = opus pseudoisodomum, opus vittatum, Abb. 8
  d Rustika-M. = opus rusticum, grob behauene Buckelquader (deren Ansichtsseite = Bosse, daher auch: Bossenwerk), Abb. 9
  e mit Kantenschlag, Abb. 10a
  f Diamantquader, Abb. 10b
  g Polsterquader, Kanten gerundet, Abb. 11

II *Backstein-M.* = opus latericium — E 6, F 6, S 6, I 6
  a in unterschiedlichen Verbänden, z. B. fischgrätenartig = opus spicatum, Abb. 12
  b in waagerechten Lagen oft als Schalung für Guß- und Stampf-M. (sh. III, IVc) = opus testaceum (seit M. 1. Jh. v. Chr.), Abb. 13
  c oder als dessen haltende Zwischenschichten (sh. IVd)

III *Stampf- oder Gußmauerwerk,* im aufgehenden M. immer nur als Füllwerk = opus emplectum hinter Verblendmauerwerk oder Vormauerung — E 7, F 7, S 7, I 7
  a betonartige Mischung von Steinsplittern und Mörtel = opus caementicium, Abb. 14
  b Gußwerk = opus fusile, Abb. 19

IV *Gemischte Materialien* = opus mixtum
  a aus verschiedenen Steinarten, z. B. Steinfachwerk = opus gallicum, Abb. 15 (stammt aus Afrika, in Italien und Gallien oft angewandt)
  b aus Füll-M. (sh. III) und Verblend-M., z. B. pyramidenförmigen, aber waagerecht liegenden Steinen, deren quadratische Fußflächen netz-

artige Muster ergeben = opus quasireticulatum, Abb. 16; opus reticulatum, Abb. 17, 18

c aus Backstein (als Schalung) und Füll-M., z. B. als opus testaceum (seit M. 1. Jh. v. Chr.), Abb. 13

d aus Backstein als haltende Zwischenschicht eines Füll-M.s, Abb. 17, 18, oder

e eines Guß-M.s, z. B. als Gewölberippen, Abb. 19.

→ Baustein*; 58*

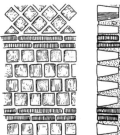
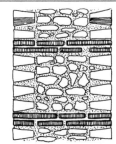

17 Opus reticulatum, Verblendsteine in Füllmauerwerk; waagerechte Backstein-Ausgleichsschichten (Schichtmauerwerk)
18 Schnitt

| 513 | 488 | 548 | 500 | **476** **M1aureske,** Ornament aus streng stilisierten Pflanzen, islamisch nach hellenistischen Vorbildern, seit der Renaissance wieder angewandt; 84*. Vgl. → Arabeske* |

| 492 | 489 | 515 | 471 | **477** **Mausoleum** → Grabmal. 27*; 35* |

| 494 | 492 | 519 | 473 | **478** **Medaillon*** (frz. große Medaille), Bild oder Relief in rundem oder elliptischem Rahmen. 223*˙ |

| 495 | 493 | 520 | | **479** **Megaron** (griech. das Geräumige), 1. Hauptraum des griechischen Wohnhauses mit Herd und Vorhalle. 342*; – 2. Thronsaal der kretisch-mykenischen Burg. 342*. – Das Megaron ist Vorform des griechischen Tempels. Steinzeitliche Herkunft (Ost- und Mitteleuropa). 13,1* |

19 Römisches Gewölbe aus Gußmauerwerk (opus fusile) zwischen Backsteinrippen

| 491 | 712 | 722 | 495 | **480** **Meisterzeichen*,** oft in einen Schild eingehauenes Zeichen, das den führenden Baumeister kennzeichnet und an einer gut sichtbaren Stelle des Bauwerks angebracht wird. Seit dem 14. Jh. |

498	756	521	474	**481** **Mensa** → Altar*
500	496	524	478	**482** **Metope** → Bauplastik. 16*
501	498	269	479	**483** **Mezzanin*** (ital.), -geschoß, ein niedriges Halb- oder Zwischengeschoß unterm Dach oder überm Erdgeschoß. Renaissance, Barock, Klassizismus.

Medaillon. Holzrelief, 1630. Barock

503	499	526	481	**484** **Mihrab,** Gebetsnische der Moschee. 89*
504	500	527	482	**485** **Minarett,** Gebetsturm der Moschee. 88*
505	297	450	179	**486** **Minoritenkirche,** Bettelordenskirche. 176*
507	501	530	483	**487** **Miserikordie** → Chorgestühl*
529	527	563	515	**488** **Mittelschiff,** der mittlere Raum eines mehrschiffigen → Langhauses.

| 509 | 503 | 535 | 758 | **489** **Model,** I. vertiefte Gußform; – II. 1. auch: Modul (lat. modulus = kleines Maß), der halbe untere Säulendurchmesser antiker Säulen als Einheit für die Maßverhältnisse der Säulenordnung (→ Interkolumnium*). Bei Teilung durch 30 ergeben sich die Minuten (Partes); – 2. Ausgangseinheit verschiedener → Proportionslehren*, z. B. Le Corbusiers »Modulor«, 388*; – 3. Durchmesser einer Münze oder einer Medaille. |

O: Meisterzeichen der Baumeisterfamilie Parler. – U: Prag, Veitsdom, Parlerbüste mit Meisterzeichen, um 1380. Gotik

| 716 | 793 | 745 | 439 | **490** **Monatsbilder** → Symbole 14* |
| 511 | 506 | 544 | 497 | **491** **Monopteros,** gedeckter Rundbau mit Säulenkranz, ohne Innenraum. Kein Tempel. 20*. → Gartenkunst (Gloriette*) |

514	509	525	501	**492** **Moschee,** 83 ff.*
515	513	549	503	**493** **Motte,** Turmhügelburg. 288; 298; 299*
518	741	304	773	**494** **Mozarabischer Stil,** 57; 87; 128*; Karte S. 129
519	69	551	504	**495** **Mudéjar** (aus arab. mudaggin = wohnen bleiben [der Araber unter den Christen]), spanischer Dekorationsstil aus maurischen, gotischen und (später) Renaissanceformen. 87*; Karte S. 89
506	514	553	493	**496** **Münster** (lat. monasterium = Kloster), süddeutsche Bez. für → Dom. M. hieß ursprünglich die ge-

Mezzanin (M), 1620. Spätrenaissance

Musen. Klio, Thalia, Terpsichore, Euterpe, Polyhymnia, Kalliope, Erato, Urania, Melpomene. Musensarkophag, Paris, Louvre

Narthex, Galiläa, Vorhalle einer Kirche. Tournus/ Frankreich, 11. Jh. Romanik

P

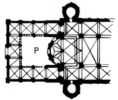

P

Narthex. Paradies P in der Art eines Atriums. Maria Laach, Klosterkirche. 12. Jh.

samte Klosteranlage, dann nur die Klosterkirche. Heute Name einer →Kathedrale oder städtischen Hauptkirche.

	E	F	S	I
497 **Muschelwerk,** Ornament der Spätrenaissance (St. Luzen, 222*), als Rocaille im frz. (320*), bes. im deutschen Rokoko stil- und namenbildend (248*).	673	678	712	680

498 **Musen*** (griech. musa), griech. Schutzgöttinnen der Künste und Wissenschaften. Athen verehrt ursprünglich nur eine Muse: Mnemosyne, die Göttin des Gedächtnisses. Später gibt es 9 Musen, die seit dem Hellenismus mit ihren →Attributen dargestellt werden: — 522 | 522 | 558 | 508

Erato (ernste Liebeslyrik): Kithara; *Euterpe* (Musik, Lyrik): Flöte; *Kalliope* (Epos): Buch und Rolle; *Klio* (Geschichte, Philosophie, Epos): Schriftrolle; *Melpomene* (Tragödie): tragische Maske; *Polyhymnia* (Lied): ohne Attribut; *Terpsichore* (Tanz): Lyra; *Thalia* (Komödie): komische Maske; *Urania* (Astronomie): Globus.

	E	F	S	I
499 **Mutulus,** Dielenkopf, Hängeplatte unter dem dorischen Geison. 16*	524	523	559	509
500 **Nagelkopf,** romanisches Ornament. 95*	525	772	183	546
501 **Naiskos,** Kulttempelchen. Didyma, 26*	526	524	560	510
502 **Naos,** 1. griech. Tempel, 2. dessen Cella. 13,3*	527	525	561	511
503 **Narthex*,** auch Galiläa, Paradies (griech. paradeisos = Park), 1. das Atrium der altchristl. und mittelalterl. →Basilika: von Säulenhallen umgebener Vorhof; – 2. Vorhalle der Kirche, oft reich mit Bauplastik geschmückt. Früher wurden hier die Leichen niedergesetzt und gesegnet, bevor sie in die Kirche gebracht wurden. Der Narthex wird im byzantinischen Kirchenbau »Litai« genannt. 48*	528	526	562	512
504 **Nase,** in die Öffnung eines (gotischen) Maßwerks vorspringende Spitze. 162*	240	237	642	513
505 **Neidkopf** →Bauplastik; 101*	41	771	127	465
506 **Neubarock** →Gründerzeit	531	530	566	517
507 **Neugotik,** Neogotik, der Gotik nachempfundene Baugestaltung, in England um 1720 beginnend, seit 1750 als »Rokoko-Gotik« = 1. Phase des Gothic Revival in Mode, seit dem späten 18. Jh. als Bestandteil des →Historismus in Europa verbreitet und vereinzelt bis in die jüngste Zeit fortlebend. 267 f.; 271 f.; 268*; 273*; 374 ff.*; →Second Pointed	533	531	568	519
508 **Neurenaissance,** Neorenaissance, Wiederaufnahme von Bau- und Möbelformen der Renaissance im letzten Drittel des 19. Jhs. →Historismus. 273*; 374 f.*	534	532	569	520
509 **Niello** →Inkrustation	535	539	575	523
510 **Nimbus** →Heiligenschein*	536	540	576	524
511 **Nonnenchor,** Prieche, Nonnenempore im Frauenkloster oder Damenstift. Gernrode, 78*	538	183	207	222
512 **Nothelfer, die vierzehn,** Gruppe von 14 Heiligen, die seit dem 13. Jh. als bes. Fürbitter bei Gott gelten. Mittelpunkt ihrer Verehrung ist die barocke Wallfahrtskirche Vierzehnheiligen (Gnadenaltar, 261*, mit figürlichen Darstellungen). Meist werden folgende Heilige als N. mit ihren →Attributen dargestellt: *Erasmus* (Winde), *Eustachius* (Hirsch), *Georg* (Drache), *Katharina* (Rad), *Cyriak* (Teufel), *Christophorus* (Jesuskind), *Dionysius* (abgeschlagener Kopf), *Achatius*	343	85	96	90

E	F	S	I	
				(Dornenkrone oder Kreuz), *Vitus* (Hahn, Kessel), *Blasius* (gekreuzte Kerzen), *Barbara* (Turm), *Ägidius* (Hirschkuh), *Margarete* (Drachen an der Kette), *Pantaleon* (Nägel oder Hände aufs Haupt genagelt).
539	543	578	526	[513] **Nymphäum** → Brunnen. 292*
540	544	579	527	[514] **Obelisk*** (griech. Bratspießchen), hoher rechteckiger Steinpfeiler, verjüngt sich nach oben und endet in einer Pyramidenspitze. Ägyptisches Kultsymbol, von der Renaissance kleinformatig als Baudekoration verwendet, am häufigsten mit → Voluten zusammen als Schweifwerk am Dachgiebel, 232*
194	196	434	589	[515] **Obergaden,** 1. → Lichtgaden; – 2. vorkragendes hölzernes Obergeschoß eines Wehrturms. 300 f.; Hagenwil, 300*
542	546	586	528	[516] **Ochsenauge** (»œil-de-bœuf«), kreis- oder ellipsenförmiges → Fenster*, bes. des Barock.
543	548	585	529	[517] **Ogive,** Spitzbogen; im Französischen auch für Rippe; im Englischen für kielbogenförmige Spitzbögen (z. B. beim → Blatt) und konvex-konkave Leistenprofile; – *ogiv, ogival,* spitzbogig, in der Form einer Ogive. »Architecture ogivale« = Architektur der (bes. frz.) Gotik.
71	145	584	547	[518] **Ohrmuschelstil*,** Ornamentik des niederländisch-deutschen Manierismus. 222*
541	545	583	549	[519] **Oktogon** (griech. Achteck), Bauwerk, das über einem regelmäßigen Achteck errichtet ist. Altorient.-antikes Symbol für die Vollendung des Kosmos (Athen, Turm der Winde, 345*; Spalato, Mausoleum, 46*; Albenga, Baptisterium, 46*; Aachen, Pfalzkapelle, 69*; Castel del Monte, 301*).
546	550	587	532	[520] **Opisthodomos** (griech.: Hinterhaus), beim griechischen Tempel der Raum hinter der → Cella. 13,4*, → Adyton 3; 13,9*
206	214	193	208	[521] **Optische Ergänzung*,** Eigenart des → Rokoko, bei der paarige Kunstwerke (z. B. Seitenaltäre) nicht – wie etwa noch im Barock – in sich symmetrisch sind, sondern erst miteinander eine Symmetrie ergeben. Die Symmetrieachse verläuft also außerhalb des Einzelstücks und fällt mit der Achse des Gesamtraumes zusammen.
547	33	588	533	[522] **Opus** → Mauerwerk*
548	551	468	48	[523] **Orangerie** → Gartenkunst
549	552	589	534	[524] **Orans, Orant*,** 1. in der altchristlichen Kunst eine Gestalt mit langem Gewand und erhobenen Händen als Verkörperung des Gebets; – 2. → Adorant.
550	553	590	535	[525] **Oratorium*** (lat. Betraum), 1. der Mönchs- bzw. Priester-Chor in Kloster- und Stiftskirchen; – 2. Bez. für die Bettelordenskirche, 176*; – 3. private oder klösterliche Hauskapelle; – 4. vergitterte oder verglaste Loge mit Blick zum Altar für weltliche oder geistliche Würdenträger, bes. in Barockkirchen; – 5. Orgelbühne.
551	554	591	536	[526] **Orchestra,** Spielfläche des antiken Theaters. 36*
552	562	143	635	[527] **Orgelprospekt*,** Schauseite der Orgel. In der Gotik ähnlich dem Flügelaltar oft mit Gesprenge (→ Altar b*) und bemalten Flügeltafeln versehen, im Barock zu gewaltigen Ausmaßen gesteigert, mit marmoriertem (→ Marmor) Holzgehäuse, Schmiedeeisen, Zimbelstern (= sternförmiges, drehbares Glockenspielwerk) und Figurenschmuck ausgestattet. Die

Narthex. Paradies-Portal. Paderborn, Dom, 12./13. Jh.

Li: Obelisk. – Re: Obelisk als Bekrönung einer Balustrade über dem Kranzgesims. Venedig, Bibliothek S. Marco, 1553, Sansovino

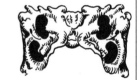

Ohrmuschelstil

Optische Ergänzung. Birnau, Seitenaltäre der Wallfahrtskirche, um 1750

Li: Orantin. Rom, Katakomben, 2. Jh.
Re: Oratorium. Süddeutsch, um 1750. Rokoko

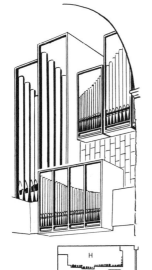

Orgelprospekt. O: Ansicht. – U: Grundriß.
H Hauptorgel; S Spieltisch; R Rückpositiv.
Essen, Münster, 1963

Palladio-Motiv.
O: Wandöffnung aus »Trattato de architettura«,
1537, Sebastiano Serlio. –
U: Vicenza, Basilika, 1546, Andrea Palladio. Vgl.
auch →Syrischer Architrav*

überreiche Ornamentik, Putten u. ä. des Rokoko lösen die architektonische Klarheit auf. Heute setzt sich der »offene« O. durch, der allein durch die harmonische Anordnung der Pfeifen wirkt.

528 Orientierung, auch Ostung, Ausrichtung der Längsachse christlicher Kirchen von W nach O, so daß →Chor und →Altar nach O (d. h. zum hl. Land im Orient bzw. zur aufgehenden Sonne) weisen. Bei Bestattungen in der Kirche (Grablege) zeigen Füße und Gesicht des Toten gewöhnlich nach O. Auch nichtchristliche Kultbauten werden oft »orientiert« (griech. Tempel; Moschee, 83 ff.*). →Synagoge | 555 | 564 | 598 | 544

529 Ornament (lat. ornare = schmücken), Verzierungsmotiv, schmückende Einzelform. Die Gesamtheit aller Schmuckformen an einem zusammenhängenden Kunstobjekt, eines Raumes, einer Fassade heißt →*Dekoration,* die Summe aller Ornamente innerhalb eines bestimmten Kunstkreises *Ornamentik,* z. B. Renaissance-Ornamentik. Das O. dient zum Schmuck = *schmückendes O.* (z. B. Rocaille, Maskaron) oder zur Gliederung = *gliederndes O.* (z. B. Lisene, Maßwerk). Die Übergänge fließen; denn ein schmückender Fries kann zugleich die Fläche gliedern. Hauptformen sind: 1. *geometrisches O.,* mit Zirkel und Lineal konstruiert, z. B. Zackenfries, Mäander; – 2. *vegetabilisches* oder *pflanzliches O.,* z. B. Knospenkapitell, Akanthusblatt; – 3. *Tier-O.,* z. B. Bukranionfries; – 4. *O. aus menschlichen Formen,* z. B. Figurenkapitell. | 556 | 565 | 599 | 548

	E	F	S	I
	1	1	1	1
	2	2	2	2
	3	3	3	3
	4	4	4	4
	5	5	5	5
	6	6	6	6
	7	7	7	7
	8	8	8	8

530 Ortrippe, Rippe, die zu beiden Seiten dem Verlauf des Gewölbegurtes bzw. der Scheidarkade folgt oder als Schildrippe den Schildbogen markiert. 159* | 113 | 537 | 573 | 229

531 Palas, Herrenhaus der Burg. 298*; 302 f.* | 379 | 466 | 708 | 666

532 Palisade (lat.-frz.), Schutzwand aus Pfählen. | 566 | 571 | 604 | 555

533 Palladianismus, auf den ital. Baumeister Andrea Palladio (1508–80) zurückgehende Architektur der Spätrenaissance und des Barock. Schließt sich bes. eng an die röm. Antike an, reduziert darum die Fassadendekoration und sucht klare, strenge Proportionen. Zu seinen Eigenarten gehören u. a. →Kolossalordnung* und →Palladio-Motiv. Der P. beherrscht seit A. 17. Jh. die engl. Baukunst und übt seit etwa 1650 starke Einflüsse auf Frankreich und das übrige Europa aus. 262 f.*; 331 ff.*; 371* | 567 | 572 | 605 | 556

534 Palladio-Motiv*, auch Venezianisches Fenster, in England – weil auf Serlios »Architettura« zurückgehend – Serliomotiv oder Serliana genannte Wandöffnung, bei der eine auf Säulen oder Pfeilern stehende Bogenöffnung von 2 schmal-rechteckigen Öffnungen flankiert wird, deren Gebälk in Höhe des Bogenkämpfers verläuft. Von Palladio und seinen Nachfolgern oft verwendet. Vicenza, 360*; Tomar, 231* | 711 | 90 | 550 | 731

535 Palmesel*, Fahrgestell mit einem hölzernen Esel, auf dem eine lebensgroße Christusfigur mit segnender Gebärde sitzt. Wird seit dem Mittelalter in der Palmsonntagsprozession mitgeführt zur Erinnerung an Christi Einzug in Jerusalem (Matthäus, 21,1–11). | 569 | 24 | 84 | 80

536 Palmette, Pflanzenornament aus gefächerten palmenähnlichen Blättern. Zusammen mit Lotosblüten = Anthemion. Antike und abhängige Stile. 14* | 570 | 573 | 606 | 557

E	F	S	I	
573	575	607	559	**537 Pantokrator** (griech. Allmächtiger), Christus als Weltherrscher, in der Linken das Buch des Lebens, die Rechte erhoben. Seit dem 4. Jh. ein bedeutendes Thema der christlichen Kunst, bes. häufig in der Kalotte der →Apsis und inmitten der →Evangelisten* oder deren Symbole als Maestas Domini = Herrlichkeit des Herrn dargestellt.
574	577	608	560	**538 Paradies** →Narthex*
672	354	711	306	**539 Paradiesesflüsse*,** Euphrat, Tigris, Gihon und Physon (I. Moses 2,10ff.), in der frühchristlichen Kunst als Bäche, im Mittelalter als Männer mit Gefäßen dargestellt, denen Wasser entströmt.
575	578	609	561	**540 Paraskenion,** Seitenrisalit der antiken Bühne. 36*
576	579	617	562	**541 Park** →Gartenkunst*
577	581	615	563	**542 Parlatorium,** Sprechraum im Zisterzienser- →Kloster.
578	583	616	564	**543 Parodos,** Mz. Parodoi, seitlicher Zugang zum antiken Theater. 36*
384	585	619	591	**544 Parterre,** 1. Erdgeschoß; – 2. →Gartenkunst 1*
329	464	493	446	**545 Paß,** Kreisteil des gotischen →Maßwerks; nach der Anzahl der zusammengehörigen, durch →Nasen getrennten Kreisbögen Drei-, Vier- bis Vielpaß. 162*
203	210	189	204	**546 Passionssäule** →Martersäule*
427	437	462	787	**547 Passionswerkzeuge,** die Leidenswerkzeuge, die bei der Passion Christi angewendet wurden: Nägel, Ruten, Geißel, Dornenkrone, Lanze, Essigschwamm auf einem Rohrstock usw., bis zu 30 verschiedene Teile, darunter auch solche, die nur zum Randgeschehen gehören, wie Zange, Schweißtuch, Würfel. Sie werden seit dem Mittelalter oft als Symbole des Leidens Christi dargestellt, so auf dem →Fastentuch* und der →Martersäule*.
744	252	838	884	**548 Passionszyklus** →Kreuzweg*
583	587	622	565	**549 Pastas,** schmale Halle zur Erschließung der Haupträume mancher antiken Wohnhäuser, öffnet sich zum Hof mit Säulen- oder Pfeilerstellungen. Pastashaus: Olynth, 342*; Prostashaus mit Pastas: Priene, 342*.
584		623	566	**550 Pastophorien,** im frühchristlichen und byzantinischen Kirchenbau die Räume am Ostende der Seitenschiffe: Prothesis (N = Sakristei) und Diakonikon (S = für Diakone und Geräte), ergeben zusammen mit dem Chor oft einen Zellenquerbau. 66*
586	588	624	567	**551 Patina,** auch Edelrost, die äußere Schicht auf Kupfer und Bronze, die mit der Zeit durch Oxidation entsteht, aber auch oft künstlich erzeugt oder imitiert wird. Ihre grüne, braune oder schwarze Farbe gilt als Zeichen ehrwürdigen Alters.
587 1 2	589 1 2	601 1 2	550 1 2	**552 Pavillon*,** 1. *Gartenpavillon* = freistehender, kleinerer Bau, ganz oder teilweise offen (→Gartenkunst 1); – 2. *Eckpavillon* = Eckrisalit (→Risalit*) eines Barockschlosses mit eigenem Dach.
476	122	514	111	**553 Pechnase,** Gußerker der mittelalterlichen Burg. 297*; 305
591	590	630	572	**554 Pelikan** →Symbole 10*
593	591	628	575	**555 Pendentif** →Kuppel*
594	592			**556 Pergola** →Laube
	593	633	579	**557 Periakten,** Drehkulissen des antiken Theaters. 36*

Palmesel, E. 15. Jh. Bregenz, Vorarlberger Landesmuseum

Paradiesfluß Gihon als Träger eines Messing-Taufbeckens. Hildesheim, Dom, um 1240

Pavillon. Herrenhausen bei Hannover, Schloßpark, 1699. Barock

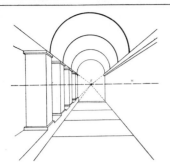

Perspektive. Alle in die Ferne gerichteten, in der Natur parallelen Linien laufen auf dem H Horizont im F Fluchtpunkt zusammen.

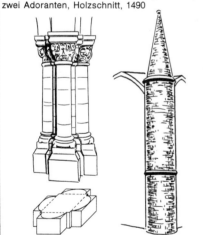

Li: Umgekehrte Perspektive bei Tischplatte und Fußbank. Buchmalerei, um 1230
Re: Bedeutungsperspektive. St. Augustinus und zwei Adoranten, Holzschnitt, 1490

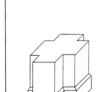

Li: (Bündel-)Pfeiler mit Halbsäulenvorlagen. Willebadessen, um 1200. Romanik.
Re: Gemauerter Rundpfeiler. Montpellier, Vorhalle der Kathedrale

Li: Kreuzpfeiler, Romanik. – Re: Gotische Bündelpfeiler

	E	F	S	I
558 **Peribolos,** Temenos, Altis, ummauerter griech. Tempel-, Kultbezirk. 12	595	594	634	580
559 **Peridromos,** Bodenfläche zwischen Cella und Säulenkranz des antiken Tempels. 13, Abb. 8a	596	595	635	581
560 **Peripteros,** Tempel, dessen Cella von einem Säulenkranz umgeben ist. 13,7 bis 9*	598	596	638	583
561 **Peristyl,** Peristylium, Peristylion, auch: Cavaedium; 1. Säulenhalle, die den Hof eines Wohnhauses (346*) oder eines Tempels umgibt; – 2. das Atrium der frühchristlichen und ma'lichen Basilika. → Narthex*	599	597	639	584
562 **Perlstab,** Astragal (griech. astragalos = Sprungbein; auch: Würfel aus Lammfußknöchlein), antikes Ornament aus Perlen und Scheibchen. 14*	92	76	87	354
563 **Perpendicular style** (engl. von lat. perpendiculum = Richtlot), Sonderform der engl. Hoch- und Spätgotik, beginnend E. 1. Drittel 14. Jh. und um 1500 im Tudor style aufgehend, der die Schlußphase der engl. Gotik bildet. Der Name bezieht sich auf die vorherrschend senkrechten Linien des Stabwerks, mit dem die breiten, hohen Fenster und Wände gegliedert sind. Typisch auch das Fächergewölbe. 188 ff.*	600	742	306	774
564 **Perspektive*** (lat. perspicere = hindurchschauen), die Darstellung des dreidimensionalen Raums (Länge – Breite – Tiefe) auf der zweidimensionalen Mal- oder Zeichenfläche (Länge – Breite). Die der Fläche fehlende Tiefe wird perspektivisch vorgetäuscht, indem gleichgroße Gegenstände mit zunehmender Entfernung in demselben Maße kleiner dargestellt werden, wie sie auch dem Auge im wirklichen Raum kleiner erscheinen (= perspektivische Verkürzung). Die mathematisch konstruierbare P. wird erst in der Frührenaissance erfunden. Der Barock bedient sich ihrer, um in virtuoser Weise architektonische Wandgliederungen und insbes. scheinbar ins Unendliche hinein geöffnete Decken vorzutäuschen (=Scheinarchitektur). Mit der wachsenden Bedeutung der Farbe seit dem Impressionismus hat die P. in der Gegenwart an Bedeutung verloren.	602	599	640	634
Bei der *umgekehrten Perspektive**, die in der frühchristlichen und mittelalterlichen Malerei häufig auftritt, verkürzen sich die Gegenstände nicht vom Betrachter in Richtung zum Hintergrund, sondern von der Sicht der Hauptfigur des Bildes her in der Richtung auf den Betrachter perspektivisch. Diese einander scheinbar widersprechenden Formen der P. sind weniger mathematisch als geistesgeschichtlich zu verstehen: Frühchristentum und Mittelalter sehen in dem verehrten – und deshalb dargestellten – Gegenstand ein Gleichnis der göttlichen Ordnung, die zugleich Ausgangspunkt der (auch perspektivischen) Ordnung der Welt ist. Dadurch erscheinen auch Figuren des Vordergrundes im Falle geringerer Bedeutung kleiner als die des Mittel- oder Hintergrundes (»Bedeutungsperspektive*«). Erst die Renaissance setzt den betrachtenden Menschen als Maß aller Dinge.	1	1	1	1
565 **Pfalz** (lat. palatium), Residenz von Kaisern, Königen und Bischöfen im Mittelalter. 286; 294 f.*	565	569	603	667
566 **Pfau** → Symbole 11*	588	576	626	568
567 **Pfeiler*** (lat. pila), senkrechte Stütze mit rechteckigem oder polygonalem Querschnitt. Er kann wie	607	613	648	602

E	F	S	I	
1	1	1	1	eine →Säule in Basis (Fuß), Schaft, →Kapitell und/oder →Kämpfer gegliedert sein, kann freistehen = *Freipfeiler* oder aus der Wand heraustreten = *Wandpfeiler* (→Pilaster).
2	2	2	2	
3	3	3	3	Die *Rundpfeiler** – bes. in spätgot. Hallenkirchen – haben kreisförmigen Querschnitt und sind grundsätzlich dasselbe wie Säulen, auch ihre fehlende →Entasis (Schwellung) ist vielen Säulen eigen. Sie sind aber oft entweder übermäßig schlank oder stark gedrückt.
4	4		4	*Kreuzpfeiler** bestehen aus einem quadratischen Pfeilerkern und je einer rechteckigen Vorlage an jeder
5	5	5	5	Seite. Um *Bündelpfeiler** sind verschieden starke gerundete oder gekehlte Voll-, Halb- oder Dreiviertelsäulen gruppiert, die sich ins Gewölbe oder in Arkaden hinein als Rippen oder Gurte fortsetzen und entspr. ihrem kleineren oder größeren Querschnitt
6,7	6,7	6,7	6,7	*junge* oder *alte* →*Dienste* heißen. 159*. →Kantoniert*

Pilaster. a Basis mit Sockel; b kannelierter Schaft; c Kapitell; d Gebälk. Barock

E	F	S	I	
603	600	330	296	**568 Phönix** →Symbole 12*
604	325	677	590	**569 Piano nobile** →Beletage
589	603	629	593	**570 Piedestal** →Postament
605	612	650	480	**571 Pilaster*,** Wandpfeiler, der nur wenig aus der Wand hervortritt. Wie eine →Säule in Basis (Fuß), Schaft, →Kapitell und/oder →Kämpfer gegliedert und gelegentlich kanneliert (→Kannelierung*) oder ornamentiert. Zwecke: Mauerverstärkung, Wandgliederung, Gebälkträger, Portal- und Fensterrahmung.
608	615	652	554	**572 Piloten,** Einz. Pilote; Stützen, die anstelle eines Erdgeschosses ein Bauwerk tragen. Poissy, 388*
523	621	778	744	**573 Pilzdecke,** von Pilzsäulen (Turin, 387*) getragene Stahlbetondecke ohne Unterzüge
609	631	653	601	**574 Pinienzapfen*,** bekrönendes, schmückendes Bauglied, antikes Fruchtbarkeitssymbol.
612	618	657	609	**575 Piscina*** (lat. Fischbecken), 1. Schwimmbecken in röm. Thermen; – 2. das Taufbecken im →Baptisterium*; – 3. liturgisches Wasserbecken, meist in Form einer Nische in der südlichen Chorwand, mit Ablauf in eine Sickergrube (Sacrarium) für das Wasser, das zum Waschen der Hände des Priesters und der heiligen Gefäße gebraucht wurde und das nach einer kirchlichen Vorschrift nicht in eine Kloake gelangen darf.

Pinienzapfen

Piscina. Nevers, Kathedrale, 15. Jh.

E	F	S	I	
701	622	658	717	**576 Plastik** →Bildhauerkunst*
614	744	659	776	**577 Platero-Stil** (span. platero = Silberschmied), span. Dekorationsstil der Spätgotik und Frührenaissance. 180*
344	375	371	333	**578 Plattenfries,** Ornament vorwiegend der englischen Romanik. 130,9*
615	624	663	614	**579 Plinthe*** (griech. plinthos = Ziegel), rechteckige oder quadratische Fußplatte unter →Säule, →Pfeiler, →Postament, Statue.
245	570	664	570	**580 Podest,** 1. Treppenabsatz; – 2. auch für →Estrade
164	607	748	119	**581 Polsterquader** →Mauerwerk IDg, Abb. 11
616	630	666	617	**582 Polyptychon*** (griech. polys = viel; ptyx, Genitiv ptychos = Falte; polyptychos = faltenreich), Flügelaltar (→Altar*) oder Gemälde mit mehr als 2 Flügeln. →Triptychon*
76	632	667	618	**583 Ponderation** (lat.), bei Statuen die ausgeglichene Verteilung des Körpergewichts auf die Beine. Sonderformen: →Kontrapost*; →Gotischer Schwung*

Plinthe (P) unter der Basis eines romanischen Bündelpfeilers

Polyptychon, 9teilig

Portal. Romanik, 11./12. Jh.

Gotik, 13. Jh.

Renaissance, 16. Jh.

Spätbarock, 1750

Klassizismus, um 1800

Portikus. Wörlitz, Schloß, um 1770. Klassizismus

Priependach. M Mönch (lat. imbrex, Mz. imbrices); N Nonne (lat. tegula, Mz. tegulae)

Profilbildung durch Säulen, Nischen u.a. im Portalbereich. Langres/Frankreich, Kathedrale, 18. Jh.

	E	F	S	I
584 **Portal***, künstlerisch gestalteter Eingang. Vorbild des abendländischen P.s ist der römische →Triumphbogen*. Hauptteile am P.: 1. *Türsturz*; – 2. *Bogenfeld* = Tympanon; – 3. *Türpfeiler*; – 4. *Türpfosten*; – 5. *Gewände*; – 6. *Bogenlaibung*; – 7. *Giebel*; – 8. *Portalrahmung*, z.B. mit Säulen, Pfeilern, Pilastern, Figuren.	619 1 2,3,4 5,6,7 8	633 1 2,3,4 5,6,7 8	668 1 2,3,4 5,6,7 8	622 1 2,3,4 5,6,7 8
585 **Portatile** →Altar c*	618	84	26	24
586 **Portikus***, Vorbau an der Haupteingangsseite, von Säulen oder von Pfeilern getragen, häufig mit Dreiecksgiebel. Antike, Renaissance bis Klassizismus.	621	636	670	625
587 **Postament**, Piedestal, Sockel eines Stützgliedes oder einer Statue; →Baluster*	589	603	629	593
588 **Poterne**, Ausfallpforte einer Burg. 298*	623	637	673	623
589 **Praecinct** (lat.; griech. Diazoma), Gürtelgang des antiken Theaters. 36*	624	269	243	626
590 **Predella**, Altarstaffel auf der Mensa als Unterbau für ein Retabel oder für den Schrein eines Flügelaltars. →Altar*	625	640	675	627
591 **Predigerkirche**, 1. Kirche der Reform- und Bettelorden. 151; 176*; – 2. evangelischer Kirchentyp. Dresden, 257*; Warschau, 271*; Frankfurt, 272*	346	296	450	180
592 **Presbyterium** (griech. presbyterion = Ältestenrat), Priesterraum einer Kirche beim Hauptaltar. →Bema*; →Oratorium 1	626	641	676	628
593 **Prieche**, Nonnenempore eines Frauenklosters.	538	183	207	222
594 **Priependach***, auch Mönch-und-Nonnen-Dach, bes. in S-Europa übliche Anordnung halbrunder Dachziegel. Die unteren Ziegel heißen »Nonnen«, sind breit und liegen eng, die Fuge wird von einem schmaleren »Mönch« bedeckt. Mönch und Nonne in einem Stück gebacken ergeben die *Klosterpfanne*.	730	779	782	824
595 **Profil***, die vor- oder zurückspringenden Teile eines Baugliedes, die im Querschnitt (z.B. Rippen-P.) oder im Grundriß sichtbar werden (z.B. Fenster- oder Portalrahmung mit Sockel, Säule, Pilaster, Stab, Hohlkehle).	628	642	632	630
596 **Pronaos**, offene Vorhalle, Vorraum der Cella = Naos des griechischen Tempels. 13,3*	632	644	679	631
597 **Proportionslehre***, Summe der Gesetze, nach denen die Verhältnisse der Teile eines Kunstwerkes	778	697	681	663

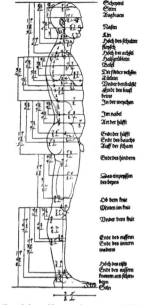

E	F	S	I	
1	1	1	1	untereinander als harmonisch gelten. Von relativer Bedeutung, da sich die Gültigkeit solcher Gesetze mit dem Zeitgeschmack ändert. Von bes. Wichtigkeit sind: 1. der *Kanon* (griech. Richtmaß) für die Proportionen der menschlichen Gestalt. Maßeinheit ist meist der Kopf im Verhältnis zum Körper (1:7 bis 1:10). →By-
2	2	2	2	zantinische Kunst*; – 2. der *Goldene Schnitt**, Teilung einer Strecke C (= Summa) in einen kleineren Teil A (= Minor) und einen größeren Teil B (= Major), so daß sich A:B = B:C verhält. Als Faustregel gelten die Werte der Laméschen Reihe: 2:3 = 3:5 = 5:8 = 8:13 usw. Er wird in der Kunst weit seltener angewen-
3	3	3	3	det als allg. angenommen wird; – 3. die *Quadratur*, das Quadrat als Maßeinheit. →Gebundenes System*;
4	4	4	4	– 4. die *Triangulation**, Verwendung des gleichseitigen Dreiecks zur Festlegung konstruktiv wichtiger Punkte, vermutlich schon in der Gotik, sicher aber in Renaissance und Barock (»borrominische Dreiecke«, vgl.
5	5	5	5	Rom, St. Ivo, 255*); – 5. *Harmonische Proportion*, nach Pythagoras u.a., Übertragung der Schwingungsverhältnisse musikalischer Intervalle auf Maßverhältnisse der Architektur, z.B. Oktave = 1:2, Quinte = 2:3, Quart = 3:4 usw. In der Frührenaissance (Alberti) als Moduln für die Schönheit römischer Kunst und der Sphärenharmonie gehalten, von Palladio
6	6	6	6	(310) weiterentwickelt; – 6. *Modulor*. 388*.

Proportionslehre. Kanon des menschlichen Körpers nach Dürer, 1528

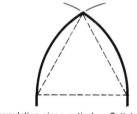

Triangulation eines gotischen Spitzbogens

E	F	S	I	
633	645	680	632	[598] **Propyläen,** Propylon (griech. propylaion = Vortor), Torbau vor einem abgeschlossenen griech. Tempelbezirk (Temenos). Am bekanntesten die P. der Akropolis*, der »Götterburg« von Athen.
634	646	682	633	[599] **Proskenion** (griech.; lat. proscenium), antike Theaterbühne. 36*
635	647	683	636	[600] **Prostylos,** (Anten-)Tempel mit Säulenvorhalle an der Frontseite. 13,5*
636	648	684	637	[601] **Pseudobasilika,** Hallenkirche mit basilikal überhöhtem Mittelschiff, das aber keine eigene Belichtung hat; basilikale oder Einheits-Dachbildung. Ingolstadt, 154*
637	649	743	638	[602] **Pseudoperipteros,** Tempelform (vor allem der röm. Antike), bei der eine Ringhalle durch Säulen oder Halbsäulen an den Wänden der Cella ersetzt wird. Nîmes, 33*. Pseudodipteros: Magnesia, 24*
639	650	685	639	[603] **Pteron,** Pteroma, Mz. Ptera (griech.) →Peridromos und die gedeckte Halle darüber. 13*
641	651	691	646	[604] **Purismus,** das engherzige Bestreben nach absoluter Stilreinheit. Richtete bes. im 19. Jh. große Schäden an, als z.B. in got. Kirchen zahlreiche kostbare Ausstattungsstücke aus späteren Stilepochen zerstört und durch Werke der →Neugotik ersetzt wurden. Heute maßvoll oder gar verpönt.
643	652	36	647	[605] **Putte,** Putto →Bauplastik*
644	653	651	604	[606] **Pylon*** (griech. Portal, Mz. Pylonen), 1. Tempeltoranlage mit Flankentürmen; – 2. wuchtiger Pfosten zu beiden Seiten eines Tores; – 3. Tragepfeiler oder -mast einer Hängebrücke. Conway Castle, 330*.
447	654	694	648	[607] **Qibla,** Gebetsrichtung nach Mekka. 88 f.
735	606	747	599	[608] **Quader** → Mauerwerk ID, Abb. 7–11
7	619	754	404	[609] **Quadratischer Schematismus** →Gebundenes System*
645	655	222	650	[610] **Quadratur** →Proportionslehre

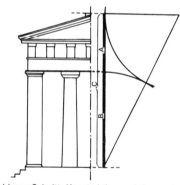

Goldener Schnitt. Konstruktion und Anwendung beim Verhältnis der Säulen zur Gesamthöhe eines griechisch-dorischen Tempels. A Minor; B Major; C Summa

Propyläen. Athen, Akropolis, 436–32 v. Chr., Mnesikles

	E	F	S	I

Pylonen. Corvey, Eingang zum Schloßgarten, A. 18. Jh. Barock

Quadriga. Griechisches Münzrelief

611 **Quadriga*** (lat. quadrigae = Viergespann), von vier nebeneinander gespannten Pferden gezogener, nach hinten offener Streitwagen der Griechen. In Rom als Renn- und Triumphwagen verwendet. Seit dem 4. Jh. v. Chr. (Mausoleum von Halikarnassos) als dekorative Bekrönung auf Bauwerken. — 646 656 224 652

612 **Quattrocento**, Kunst des 15. Jhs. in Italien — 649 659 692 655

613 **Queen Anne style**, englischer Stil zu den Regierungszeiten des Königs Wilhelm von Oranien, 1689–1702, und der Königin Anne, 1702–14. — 650 660 310 779

614 **Quergurt** → Gewölbe, Abb. 2b,c — 661 46 796 66

615 **Querhaus***, Transept, ein- oder mehrschiffiger Bauteil, der quer zum Langhaus verläuft. In der deutschen (uneinheitlich definierten und nur selten konsequent gebrauchten) Terminologie Querschiff genannt, wenn seine Höhe einheitlich der des Mittelschiffs entspricht (nach anderen bei gleichem Querschnitt, nach anderen bei gleicher Breite wie das Mittelschiff, nach anderen bei Einschiffigkeit des Q.es.). Bei doppelchörigen Anlagen bes. der ottonischen Zeit kommt ein 2. Q. im Westen vor (Hildesheim, 79*), in engl. Großkirchen (Salisbury, 206*), aber auch in Cluny III (116*) liegt es östlich der Vierung. — 796 791 219 851

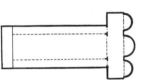  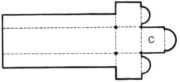

Querhaus. Abb. 1. Durchgehendes (römisches) Querhaus, unmittelbar anschließende Apsiden. Frühchristliche Basilika

Abb. 2. Zellenquerbau. Seitliche Erweiterungen des Mittelschiffs durch weitgehend isolierte Nebenräume

Abb. 3. Durchdringung von Lang- und Querhaus, Bildung einer ausgeschiedenen Vierung, eines C Chorquadrats und zweier Querhausarme

Li: Kopfreliquiar, Bronze. Fischbeck, Stiftskirche, um 1200. – Re: Armreliquiar, E. 15. Jh.

616 **Querriegel**, das gestaffelte Querhaus einiger romanischer Kirchen, bes. der Auvergne. 118*, 121* — 72 218

617 **Quersaal**, Querraum, ein Saal, dessen Querachse länger als die Hauptachse ist, z. B. in Pfalz, 294*; Palas, 302*; Moschee, 84*. — 801 692

618 **Radialkapellen** → Chor* — 652 164 147 147

619 **Rähm**, Rahmenholz → Fachwerk* — 396 463 812 854

620 **Rautenfries**, romanisches Ornament. 95* — 471 468 366 330

621 **Refektorium**, Speisesaal eines → Klosters. — 657 664 701 661

622 **Régence**, Stilphase des französischen Barock. 321* — 658 666 308 778

623 **Regency**, Stilphase der englischen Architektur zwischen dem Georgian und Victorian style von 1790–1830, im zeitlichen Umkreis der Regentschaft des Prince of Wales (später George IV.) von 1811–20. — 659 667 309 662

624 **Regula**, Mz. Regulae, Teil des dor. Gebälks. 16* — 660 347 700 664

625 **Relief** → Bauplastik* — 662 668 705 674

626 **Reliquiar*** (lat. reliquia = Rest), Behälter, in dem Überreste des Leichnams eines Heiligen oder von Gegenständen aus seinem Leben bzw. Martyrium aufbewahrt werden. Hauptform ist der *Reliquienschrein,* — 663 669 704 665 / 1 1 1 1

Reliquienschrein, um 1200. Romanik

dessen klar gegliederte Felder oft mit getriebenen Gold- oder Silberfiguren, Email und Edelsteinen reich geschmückt sind (bes. 12.–15. Jh.). Figurierte R.e sind das Büsten-, Kopf-, Fuß-, Arm-, Handreliquiar, jeweils der Form des Körperteils nachgebildet, von dem der Inhalt stammt. Auch in Form einer Tasche (Burse) oder Kuppelkirche (Kuppel-R.). *Staurothek* (griech. Kreuzbehälter) nennt man den Behälter einer Relique vom Kreuze Christi.

E	F	S	I	
2	2	2	2	
657	664	701	660	627 **Remter,** Speisesaal des Deutschordensritter-Klosters. 305*
666	675	709	668	628 **Retabel,** Aufsatz auf oder hinter der Mensa des → Altars.
667	60	710	669	629 **Retrochor,** engl. retro-choir, retro-quire, der Umgang hinter dem Hochaltar englischer Großkirchen der Gotik. 206*
532	51	567	518	630 **Revolutionsarchitektur,** revolutionärer Klassizismus. 372 f.*
272	795	266	134	631 **Rhythmische Travée** → Gewölbe 3
654	796	811	853	632 **Riegel** → Fachwerk*
399	351	156	606	633 **Riese,** Ryse, Helm der → Fiale. Reims, 161*
295	309	554	197	634 **Ringmauer,** Bering, Zingel, 303 f.; 298*
669	533	571	229	635 **Rippe,** Ogive, stabartiges, unterschiedlich profiliertes Konstruktionselement des Skelettbaus, z. B. zur Verstärkung von Flachdecken (281*) oder → Gewölben*; auch nichttragend (Spätgotik).
631	86	707	91	636 **Risalit*,** in seiner ganzen Höhe einschl. Dach aus der Bauflucht (→ Flucht) vorspringender Gebäudeteil. Nach der Stellung zur Mittelachse Mittel-, Seiten-, Eckrisalit. Bes. in Renaissance und Barock (→ Pavillon) als Fassadengliederung beliebt.
673	678	712	679	637 **Rocaille,** muschelartiges unsymmetrisches Ornament des Spätbarock. 248*
674	679	713	682	638 **Rokoko,** die letzte Stilphase des Barock, Name von → Rocaille abgeleitet. 253*; 321*
675	680	714	545	639 **Roland*,** Rolandsäule, vom 14. bis 18. Jh. etwa zwischen Weser und Prag, südlich bis Dubrovnik verbreitete Bildsäule aus Holz oder Stein auf dem städtischen Hauptplatz. Stellt einen Ritter, im Barock einen röm. Krieger mit aufrecht gehaltenem Schwert dar. Vermutlich Symbol der städtischen Gerechtsame.
101	108	374	334	640 **Rollenfries,** romanisches (normanisches) Ornament. 130*
700	313	46	891	641 **Rollwerk** → Beschlagwerk. 222*
678	681	715	683	642 **Romantik,** die geistige Haltung in den germanischen Ländern in der 1. Hälfte des 19. Jhs., die dem rational gerichteten Klassizismus eine oft schwärmerische Natur- und Gefühlsbetonung entgegensetzt. Sie bringt keinen eigenen umfassenden Kunststil zustande. Ihre Begeisterung für die Geschichte versucht ohne Glück, vergangene Architektur-Stile neu zu beleben (→ Historismus*).
677	559	596	542	643 **Römische Ordnung,** Säulenordnung(en) der röm. Antike. 32*
681	682	717	685	644 **Rosette*,** stilisiertes Blütenornament, z. B. in Fries oder Kassette.
682	684	719	686	645 **Rotunde** (lat. rund), Zentralbau mit kreisförmigem Grundriß (Rom, 45*), oft als Teil eines größeren Bauwerks, z. B. als → Chorscheitelrotunde.
103	371	358	322	646 **Rundbogenfries,** romanisches Ornament. 95*

E   M   E

Risalit. E Eckrisalit; M Mittelrisalit mit → Frontispiz

Roland. Halberstadt, Rathaus, 14. Jh. Gotik

Li: Rosette. – Re: Wirbelrosette

Fächerrosetten an einem Fachwerkbau. Höxter, 16. Jh. Renaissance

E F S I

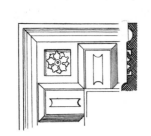

Rosette unter einer Gesimsplatte

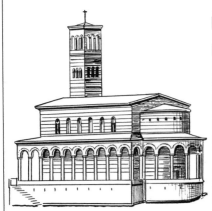

Rundbogenstil. Sakrow bei Potsdam, Heilandskirche, 1841–44, L. Persius

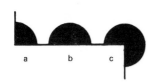

a   b   c

Rundstab. a Viertelstab; b Halbrundstab; c Dreiviertelstab

Sakramentshaus als Wandnische, 14. Jh. Gotik

	E	F	S	I
647 Rundbogenstil*, Erscheinungsform des deutschen →Historismus mit byzantinischen Bauformen und Elementen der ital. Romanik und Renaissance. Ursprünge bei K. F. Schinkel, L. Persius (Berlin); bes. verbreitet in München (Ludwigskirche, F. v. Gärtner; Bahnhof, F. Bürklein), Karlsruhe (H. Hübsch, F. Eisenlohr), Hannover (C. W. Hase). Nachwirkungen bis zum Stuttgarter Bahnhof, 1912–31, P. Bonatz. Vgl. 273	684	685	723	687
648 Rundkirche, Kirchenbau über kreisrundem oder polygonalem Grundriß. →Rotunde; →Zentralbau	189	303	457	178
649 Rundstab*, Zierstab, dessen Querschnitt einen Viertel-, Halb- oder Dreiviertelkreis (*Viertel-, Halbrund-, Dreiviertelstab*) bildet.	676 1,2 3	510 1,2 3	103 1,2 3	487 1,2 3
650 Rustika (lat. rusticus = bäurisch), →Mauerwerk IDd-f, Abb. 9–11	686	686	724	120
651 Rüstlöcher, im Mauerwerk ausgesparte viereckige Löcher für die Befestigung der Hölzer eines Baugerüsts.	642	119	518	118
652 Saalkirche, einschiffige Kirche. 155*	392	304	454	176
653 Sägezahnfries, Spitzzahnfries, romanisch-normannisches Ornament. 95*	695	262	352	326
654 Sakramentshaus*, steinernes Gehäuse zur Aufbewahrung der geweihten Hostie, meist auf der →Evangelienseite neben dem Altar. Vergitterte Nische oder – in der Gotik – freistehendes zierliches Gebäude auf einem Sockel, mit reichem Gesprenge, bis 28 m hoch (Ulm). Das Tridentinum, 1545–63, ordnet die Unterbringung der Hostie im →Tabernakel auf dem Altar an und macht das S. überflüssig. Das 2. Vaticanum, 1962–65, läßt seinen Gebrauch wieder zu.	687	251	63	275
655 Sakristei, Raum zur Aufbewahrung der liturgischen Geräte und Gewänder, zugleich Ankleideraum für Geistliche und Ministranten, mit Zugang zum Chor; hervorgegangen aus den →Pastophorien.	688	687	726	689
656 Sala terrena, (offener) Gartensaal eines Schlosses.	691	690	729	694
657 Sarkophag →Grabmal 3*	694	694	736	698
658 Säule*, stützendes Bauglied mit rundem, polygonalem oder profiliertem (Schaft-)Querschnitt. Ursprünglich trägt die S. ein →Gebälk, seit röm. Zeit auch Mauern über Bögen und wird auch dekorativ ohne tragende Funktion angebracht. Sie kann frei stehen oder als Wand-S. bzw. Pfeilervorlage nur teilweise hervortreten (Viertel-, Halb-, Dreiviertelsäule). Bei großer Höhe, aber kleinem Querschnitt heißt sie →Dienst.	202	209	187	202

Hauptbestandteile sind Basis (Fuß), Schaft und Kapitell, zwingend notwendig ist nur der Schaft. Er kann sich nach oben oder nach unten verjüngen, eine →Entasis haben oder gleichbleibend dick sein. Auf seine Formen oder Gruppierungen beziehen sich die meisten S.-Namen:

1 Monolithische S., aus einem Stück
2 Trommel-S., aus trommelförmigen Teilen
3 Kretische S., nach unten verjüngt
4 Kannelierte S., mit senkrechten Hohlkehlen (→Kannelierung*)
5 Gewirtelte S., mit einem oder mehreren Schaftringen, 98*
6 Gewundene S., spiralig gekrümmt, 247*

7 Knoten-S., 98*

8 Schlangen-S., 98*

9 Bestien-S., 98*

10 Kandelaber-S. (und andere S. der Renaissance:) 220*

11 Gekuppelte S.n → Gekuppelt*

12 Bündelsäule, oft fälschlich für Bündel-→ Pfeiler, rundständig gruppierte Säulenbündel, z. B. Early English, 199*

Säulenordnungen: dorisch, 16*; ionisch, 17*; korinthisch, 17*; römisch, 32*.

Rundpfeiler → Pfeiler*

E	F	S	I	
697	696	738	702	659 **Scamillus***, 1. Einschnitt unterhalb des Säulenhalses. 16*; – 2. keilförmiges Ausgleichselement zwischen dem leichten Gefälle des Stylobats und der waagerechten Standfläche der Säule.
349	377	737	705	660 **Scenae frons**, Rückwand der römischen Theaterbühne. 36*
173	254	353	335	661 **Schachbrettfries**, romanisches Ornament. 95*; 108*
34	89	65		662 **Schaftring** → Wirtel*
793	789	113	837	663 **Schalenturm**, zur Burgseite offener Mauerturm. 301; 296*; 298*
286	282	277	842	664 **Scharwachtturm***, Pfefferbüchse, Tourelle, erkerartiges Türmchen einer Wehrmauer. Belém, 300*
260	105	369	340	665 **Scheibenfries**, roman. Ornament. 95*
581	44	59	62	666 **Scheidbogen**, Bogen zwischen Mittel- und Seitenschiff oder zwischen benachbarten Seitenschiffen.
582	520	557	506	667 **Scheidmauer**, Mauer über → Scheidbögen oder Architrav des basilikalen Mittelschiffs. 159*
419	52	68	54	668 **Scheinarchitektur**, durch Malerei oder Relief vorgetäuschte Architekturteile an Wänden oder Decken, die den Innenraum meist illusionistisch erweitern. Bes. pompejanische Architektur und Barock. 248*; → Grisaille; → Lüftlmalerei
				669 **Scheitelkapelle** → Lady Chapel; → Chorscheitelrotunde
21		45	128	670 **Schichtenwechsel**, Wechsel von verschiedenfarbigen Steinschichten (Hildesheim, 79*; Siena, 169*) oder von Mauerschichten aus unregelmäßigen und regelmäßigen Steinen (→ Mauerwerk IVd, Abb. 17 und 18).
722	497	727	690	671 **Schießscharte**, schmale Wehrmaueröffnung, deren Gewändenische an der Innenseite den weitgewinkelten Einsatz von Hand-Schußwaffen erlaubt. 305 f.; 297*
834	47	58	63	672 **Schildbogen**, der Bogen, der sich bei der Verschneidung von Gewölbe- und Wandfläche bildet, begrenzt das → Joch seitlich und ist häufig durch einen Längsgurt oder eine Schildrippe markiert, 159*
762	766	334	746	673 **Schildhalter** → Wappen*
310	517	613	507	674 **Schildmauer**, Stirnmauer; 1. Mauer unter dem → Schildbogen; – 2. verstärkte Mauer einer Burg. 298*; Scharfeneck, 303*. *Vorgeschildet* ist eine Mauer, hinter der sich kein umbauter Raum befindet, vgl. London, St. Paul's, 260*,
338	536	572	229	675 **Schildrippe**, Ortrippe, die dem Verlauf des Schildbogens über der Schildmauer folgt. 159*
108	676			676 **Schleierwerk**, → Maßwerk, das einer Wand freistehend vorgeblendet ist. 161*

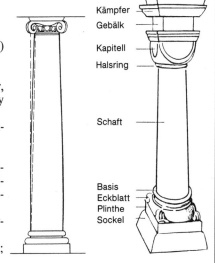

Säule. Li: Entasis. Die äußere gestrichelte Linie gibt die Richtung der Schwellung, die innere die Gerade zwischen Fuß und Hals der Säule an. Re: Bestandteile einer romanischen Säule

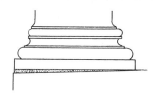

Scamillus als keilförmiges Ausgleichselement zwischen Stylobat und Plinthe. Nach H. Koepf

Scharwachtturm. Belém/Portugal, nach 1490

Schlußstein mit Ansatzstücken für die Gewölberippen. Gotik

	E	F	S	I

Schlußstein als Knauf. Hildesheim, St. Michael, Kreuzgang, um 1250. Übergangsstil

Abhängling zwischen 8 Knäufen. Albi/Frankreich, Kathedrale, 15. Jh. Spätgotik

Schwibbogen

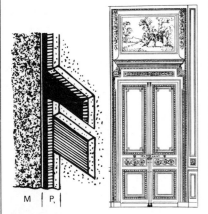

Li: Sgraffito. M Mauerwerk; P drei farbige Putzschichten
Re: Sopraporte. Versailles, 1768

| 677 | **Schloß,** 288 ff.* | 564 | 168 | 602 | 156 |

678 **Schlußstein***, 1. der im Scheitel eines Bogens oder Knotenpunkts von Rippen sitzende Stein, auch als *Knauf* ausgebildet; – 2. *Abhängling**, Hängeknauf, spätgotische Form des S.s: herabhängender Knauf. | 114 | 198 | 181 | 732 | 1,2 | 1,2 | 1,2 | 1,2

| 679 | **Schmerzensmann** → Erbärmdebild, → Martersäule* | 481 | 425 | 255 | 272 |

680 **Schmiedekunst,** kunsthandwerkliche Verarbeitung von Eisen, aus Mittelalter und Renaissance bes. als Tür- und Truhenbeschläge, Standleuchter, Kaminböcke, Laternen, Gitter erhalten. Die Waffenschmiedekunst wendet zur Verzierung auch das → Gravieren und Ätzen an. Hauptleistungen der sakralen S. sind die barocken Chorgitter (Doxale → Chor) des 17. und 18. Jhs. | 724 | 345 | 74 | 72

| 681 | **Schmiege** → Fase* | 163 | 160 | 169 | 742 |
| 682 | **Schnabelkopffries,** englisch-normannisches Ornament. 130* | 93 | 367 | 370 | 338 |

683 **Schneuß,** Fischblase, Element des got. Maßwerks, einer Fischblase ähnlich (seit 14. Jh., 162*) oder flammenartig gelängt (→ Flamboyant). Beauvais, 172* | 812 | 821 | 833 | 879

684	**Schule von Fontainebleau,** 312	337	287	280	718
685	**Schuppenfries,** romanisches Ornament. 95*	696	372	363	336
686	**Schweifwerk** → Beschlagwerk. 232*	700	663	333	294
687	**Schwelle** → Fachwerk*	718	710	627	743

688 **Schwibbogen*,** 1. der got. Strebebogen (→ Strebewerk*); – 2. großer Stützbogen zwischen zwei Gebäuden* oder Innenmauern (Florenz, 134*) | 327 | 42 | 60 | 65

| 689 | **Sechspaß** → Paß. 162* | 404 | 422 | 432 | 847 |

690 **Second Pointed,** Middle Pointed style, viktorianische Bezeichnungen für den etwa 1250–1330 herrschenden engl. »Spitzbogenstil«. – Er wird in der historisierenden Viktorianische → Neugotik zwischen 1840 und 1870 wiederbelebt als Folge der Schriften von A. Pugin, 1812–52. In der vorangehenden (seit 1820) und nachfolgenden Phase (bis E. 19. Jh.) wird bes. der Perpendicular style nachgeahmt. | 705 | 705 | 740 | 719

| 691 | **Seicento,** Kunst des 17. Jhs. in Italien | 708 | 707 | 741 | 724 |

692 **Seitenschiff,** Abseite, Raumteil, der parallel zum Mittelschiff verläuft und zu diesem (und evtl. weiteren, benachbarten S.en) geöffnet ist. | 14 | 529 | 564 | 516

693 **Sekos,** griech. Tempelkammer, Heroen oder Halbgöttern geweiht. Ägypten: Barkenkammer.

| 694 | **Seraph** → Engel 4* | 710 | 708 | 742 | 730 |

695 **Sgraffito*** (ital. sgraffiare = kratzen), Kratzputz, wetterbeständige Wandmalerei, bei der verschiedenfarbige, übereinander liegende Edelputzschichten so tief herausgekratzt werden, bis die gewünschte Farbe sichtbar wird. In der ital. Renaissance wird schwarzer, grauer oder roter Putz weiß übertüncht, die Zeichnung aus der frischen Tünche herausgekratzt. | 712 | 711 | 285 | 384

696	**Silberschmiedekunst** → Goldschmiedekunst	719	63	660	73
697	**Sima,** Traufgesims am antiken Gebälk. 14*, 16 f.*	720	227	204	735
698	**Sims** → Gesims*	517	228	205	219

699 **Skelettbau,** Bauweise aus einem Gerippe von Holz (→ Fachwerk*), Stein (z. B. → Strebewerk*), Stahl oder Stahlbeton über einem Rastersystem. Das Skelett übernimmt alle Tragfunktionen, seine Form wird deshalb von den statischen Kräften bestimmt. Es kann – wie das got. Strebewerk – außen sichtbar bleiben | 721 | 222 | 199 |

E	F	S	I	
				oder durch eine selbsttragende bzw. eine Vorhang-Fassade verdeckt werden. Der S. bezweckt u. a. ökonomischen Materialeinsatz durch weitestgehende rationelle Ausnutzung der statischen Gesetze. 281*
702	699	281	710	**700** **Skulptur** → Bildhauerkunst*
244	715	851	896	**701** **Sockel** (lat. socculus = kleiner Schuh), 1. unterer Mauerteil, oft durch ein Sockelgesims (→ Gesims 1*) abgesetzt; – 2. Unterbau von → Säule*, → Pfeiler, Skulptur.
717	35	532	248	**702** **Sohlbank**, Fensterbank; → Fenster*
357	623	759	22	**703** **Söller** → Balkon
580	404	415	382	**704** **Sondergotik**, deutsche, 151 f.; katalanische, 180*
728	264	762	747	**705** **Sopraporte*** (ital. über der Tür), auch Supraporte, bemaltes oder reliefiertes Feld über einer Tür. Barock, Rokoko, Klassizismus. 324*
729	286	260	574	**706** **Spandrille** → Zwickel*
732	323	274	700	**707** **Spindeltreppe** → Wendeltreppe*; → Turm 2*
731	719	286	750	**708** **Spira**, Teil der ionischen Säulenbasis. 17; 15*
545	374	383	324	**709** **Spitzbogenfries**, gotisches Ornament. 166*
695	262	352	326	**710** **Spitzzahnfries**, Sägezahnfries, romanisches Ornament. 95*
734	673	287	753	**711** **Spolie**, wiederverwendetes Bauteil aus älterem Gebäude, bes. in frühchristlicher Zeit übliches Verfahren. Aachen: Säulen des Domes aus Ravenna, 69*
747	299	452	185	**712** **Stabkirche***, skandinavische Holzkirche, vermutlich eine Nachform der nordischen Königshalle.
1	1	1	1	Nach der Bauweise der Wände aus senkrechten, mastenähnlichen Pfosten und Planken auch *Mastenkirche* genannt. Stufige Dächer. 56*, 138* f.
520	494	505	846	**713** **Stabwerk** → Fenster I, 6
	110	104		**714** **Staffelbasilika** → Staffelung 3. 154*
738	182	209	221	**715** **Staffelchor** → Staffelung 1; → Chor*
231	609	389	349	**716** **Staffelgiebel** → Staffelung 2; → Giebel*
				717 **Staffelhalle** → Staffelung 3. 119*; 173*
739	283	276	383	**718** **Staffelung**, abgetreppte Anordnung von Baukörpern und Bauelementen. Sie wird sichtbar 1. im Grundriß, z. B. beim Staffelchor (→ Chor*; 108*; 112*) 2. im Aufriß, z. B. beim Staffelgiebel (→ Giebel*) 3. im Gebäudequerschnitt, z. B. der – Basilika, 154* – Staffelhalle (Poitiers, 119*; Erfurt, 154*) – Pseudobasilika = Hallenkirche mit ausgebildeten, aber unbelichteten Hochschiffwänden (Ingolstadt, 154*) – Staffelbasilika mit mindestens 5 Schiffen, deren Deckenhöhen zum Mittelschiff hin ansteigen (Mailand, 154*) 4. im Querschnitt von Bauteilen, z. B. – → Archivolte*; Arkade, 193* – Gurt, 159*
743	720	755	756	**719** **Stalle**, Einzelsitz des → Chorgestühls*
745	723	288	759	**720** **Standbild**, frei stehende Skulptur. → Bauplastik
756	507	545	745	**721** **Ständer** → Fachwerk*
737	333	324	291	**722** **Stapelfassade**, Fassade mit übermäßiger Häufung unterschiedlicher Dekorationselemente, vor allem des Manierismus, des bürgerlichen Barock (Brüssel, 370*) und der Gründerzeit
745	723	288	759	**723** **Statue** → Bauplastik
746	724	289	760	**724** **Staurothek** → Reliquiar

Norwegische Stabkirche. Borgund, 1150. Großer, entwickelter Typ: Mittelschiff mit Umgang, basilikale Staffelung; Grundrahmen; Stabilisierung zwischen den Masten durch Andreaskreuze und Bogenscheiben, gegen die Außenwände durch Bogenscheiben. Äußerer Laubengang, Wimperge, Dachreiter, Turm, Apsistürmchen stammen aus gotischer Zeit. – Grundriß und innen 56*. Sh. auch 138 f.*

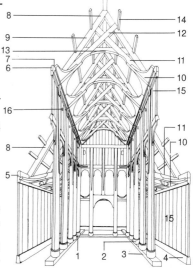

1 Ecksäule, -mast
2 Innensäule, -mast
3 Säulenschwelle
4 Wandschwelle
5, 6 Dachfuß
7 Sparrenfuß
8. 9 Dachsparren
10 Bogenscheibe, Bogenstrebe
11 Strebebalken, bilden im Hauptdach das

12 Andreaskreuz (bei Borgund-Typ auch zwischen den Masten, 138*)
13 Hahnenbalken
14 Pfette
15 Stabplanken
16 Lichtloch

Stabkirche, Stabilisierung, Kaupanger/Norwegen. E. 12. Jh. Nach Roar Hauglid

	E	F	S	I

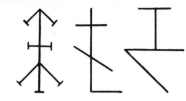

Steinmetzzeichen. Gotik

Grabstele, um 460 v. Chr.
Griechische Antike

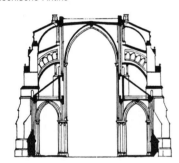

Strebewerk. Chartres, 13. Jh. Gotik

Stützenwechsel. P Pfeiler; S Säule.
O: Jambischer (rheinischer) Stützenwechsel.
U: Daktylischer (niedersächsischer)
Stützenwechsel

Aspis

	E	F	S	I
725 **Steinguß** → Bildhauerkunst II	153	702	537	713
726 **Steinmetzzeichen***, vom 12. bis 18. Jh. bes. in den → Bauhütten übliche Marke, mit der die Steinmetzen die von ihnen behauenen Steine als ihre persönliche Arbeit kennzeichnen.	491	483	720	496
727 **Steinplastik** → Bildhauerkunst II*	751	701	772	715
728 **Stele*** (griech. Säule), Inschriftentafel, Grabdenkmal (mit dem Bild des Toten) oder Weihegeschenk in Form einer aufrecht stehenden Steinplatte. Bes. griechische Antike.	748	726	290	761
729 **Stereobat**, Stereobates, Fundament und Stufenunterbau (Krepis) des griech. Tempels. 15*, 16	749	727	291	764
730 **Stichkappe** → Gewölbe 1. 246*	474	473	503	454
731 **Stifterbild**, meist als → Adorant dargestelltes Bildnis des Stifters (lat. Donator = Geber) eines kirchlichen Bauwerks oder Ausstattungsstückes, als Skulptur oft mit dem Modell der gestifteten Kirche, auf den Seitenflügeln gotischer Flügelaltäre und in Kirchenfenstern häufig mit den persönlichen Schutzpatronen dargestellt. → Epitaph*; 223*	266	274	248	656
732 **Stiftskirche**, 1. Kirche einer geistlichen Anstalt, deren Insassen Weltgeistliche (keine Mönche) sind und zusammen das Stifts- oder Kollegiatskapitel bilden; – 2. auch Bezeichnung für Klosterkirche.	198	205	184	200
733 **Stirnziegel**, Antefix, -a, bei antiken Tempeln ein Dachziegel, dessen senkrecht aufgebogene Ansichtsfläche den Stoß der Flachziegel verdeckt. 14*; 16*; 17*; → Keramik*	36	27	40	36
734 **Stoa**, griech.-hellenistische Säulenhalle, 1- bis 2geschossig, mit geschlossener Rückwand. 343*	750	728	313	783
735 **Strebe** → Fachwerk*	118	327	798	645
736 **Strebewerk***, Skelettbauweise, die bes. für den got. Sakralbau typisch ist.	133	224	201	214
1. Inneres St.: *Gewölberippen* sind zwischen den *Diensten* von *Pfeilern* verspannt, in die die Last des Gewölbes abfließt. Tragende Mauern sind entbehrlich.				
2. Äußeres St.: *Strebepfeiler* steigen bei Saal- und Hallenkirche direkt an den Außenmauern empor (Marburg, 168*), bei Basiliken stehen sie als Kranz in der Richtung der Seitenschiffwände, die sie überragen	1	1	1	1
und über deren Dächer hinweg sie durch *Strebebögen* (Schwibbögen) mit dem Hochschiff an solchen Stellen verbunden sind, die in der Flucht der Quergurte liegen und statisch besonders zu sichern sind. Durch die Auflast der → Fialen zusätzlich beschwert, kompensiert ihr Gewicht den Seitenschub von Dach und Gewölbe. 154 f.*	2	2	2	2
737 **Strotere**, 1. Steinbalken des griech. Tempelgebälks. 19*; 14*. – 2. Dachziegel des griech. Tempels. 14*	754	729	763	786
738 **Stuck** → Bildhauerkunst IV	755	748	316	791
739 **Sturz**, oberer waagerechter Abschlußbalken einer Tür (→ Portal*), eines → Fensters*, → Kamins, Schulterbogens (Sturzbogen) → Bogen*	462	463	244	55
740 **Stützenwechsel***, Wechsel von → Pfeiler P und → Säule S im Mittelschiff roman. → Basiliken, entweder in der Abfolge P-S-P-S oder P-S-S-P. 77*; 79*	22	18	27	25
741 **Style flamboyant** → Flamboyant. 172*	322	350	336	300
742 **Style Plantagenet**, 151	613	743	307	775
743 **Style rayonnant** (frz. strahlend), Sonderform des hochgotischen → Maßwerks. 163*; 197*	656	745	418	777

757	747	293	782	[744] **Stylobat, -es,** oberste Stufe des →Stereobats (Unterbau des antiken Tempels). Auf ihm stehen die Säulen. 15*
758	381	392	793	[745] **Stylos,** Säulenschaft des antiken Tempels.
759	749	764	794	[746] **Sudatorium,** Schwitzraum der römischen →Therme
760	750	765	795	[747] **Suppedaneum,** Fußstütze am →Kreuz*
728	264	762	747	[748] **Supraporte** →So2raporte*
764	752	750	736	[749] **Symbole*, christliche,** Sinnbilder, die nicht wie die →Allegorien Abstraktes personifizieren, sondern dessen tieferen Sinn andeuten wollen. Sie sind meist ohne erkennbaren Zusammenhang mit dem Gemeinten und deshalb nur Eingeweihten verständlich. Bei mangelnder Überlieferung geht darum ihre Bedeutung verloren. Wichtige christliche Symbole sind:
1	1	1	1	1. *Agnus Dei* (lat. Lamm Gottes) für den Opfertod Christi, →Attribut*
2	2	2	2	2. *Aspis** (lat. Natter; unter den Füßen Christi) für die Sünde nach Psalm 90,13;
3	3	3	3	3. *A Ω** (Alpha und Omega, erster und letzter Buchstabe des griech. Alphabets) für die Unendlichkeit Gottes;
4	4	4	4	4. *Christusmonogramm**; →Kreuz 10;
5	5	5	5	5. *Dreieck mit Auge** für →Dreifaltigkeit*;
6	6	6	6	6. *Einhorn** für Keuschheit, Jungfräulichkeit Marias;
7	7	7	7	7. *Fisch** für Christus;
8	8	8	8	8. *Kreuz** für den Opfertod Christi;
9	9	9	9	9. *Kreuz, Herz, Anker** für Glaube, Liebe, Hoffnung;
10	10	10	10	10. *Pelikan** (nährt nach der Sage seine Jungen mit dem Fleisch seiner Brust) für die aufopfernde Liebe;
11	11	11	11	11. *Pfau** (nach der Sage unverweslich) für Auferstehung des Fleisches
12	12	12	12	12. *Phönix** (verbrennt und ersteht neu aus seiner Asche) für Tod und Auferstehung Christi;
13	13	13	13	13. →*Teufel**;
14	14	14	14	14. *Tierkreiszeichen als Monatsbilder**, oft zusammen mit ländlichen Arbeiten des betreffenden Monats;
15	15	15	15	15. →*Typologie**;
16	16	16	16	16. →*Evangelisten**.
765	753	751	737	[750] **Synagoge*** (zu griech. synagōgē = Versammlung), 1. der hebr. Name »Bet ha-Knesset« bedeutet ursprünglich Versammlungs-, Schulhaus, erst später wird die S. vorwiegend Bet- und Kulthaus. Auch moderne Bauten schließen wieder Klub- und Versammlungsräume ein. Die S. adaptiert in der Regel zeitgenössische Stilformen, z. B. die profane Basilika in röm. und byzantin. Zeit, auch außerhalb Palästinas; die älteste deutsche S. ist romanisch (Worms); die S.n in Regensburg, Krakau und Prag* (Altneuschul mit Fünfrippengewölbe, das die Kreuzform des Kreuzrippengewölbes umgeht) sind gotisch. Im 17. und 18. Jh. übernehmen polnische S.n die Formen des slawischen Holzkirchenbaus. Renaissance- und Barockformen zeigen italienische (Padua, Venedig) und französische S.n (Carpentras, Cavaillon in der Provence). Neugotische (in Budweis mit 2 Kirchtürmen!) und neubyzantinisch-maurische Bauten finden sich im 19. Jh.; nach dem 2. Weltkrieg wird in den USA und in Europa (Deutschland!) progressive Modernität gepflegt.

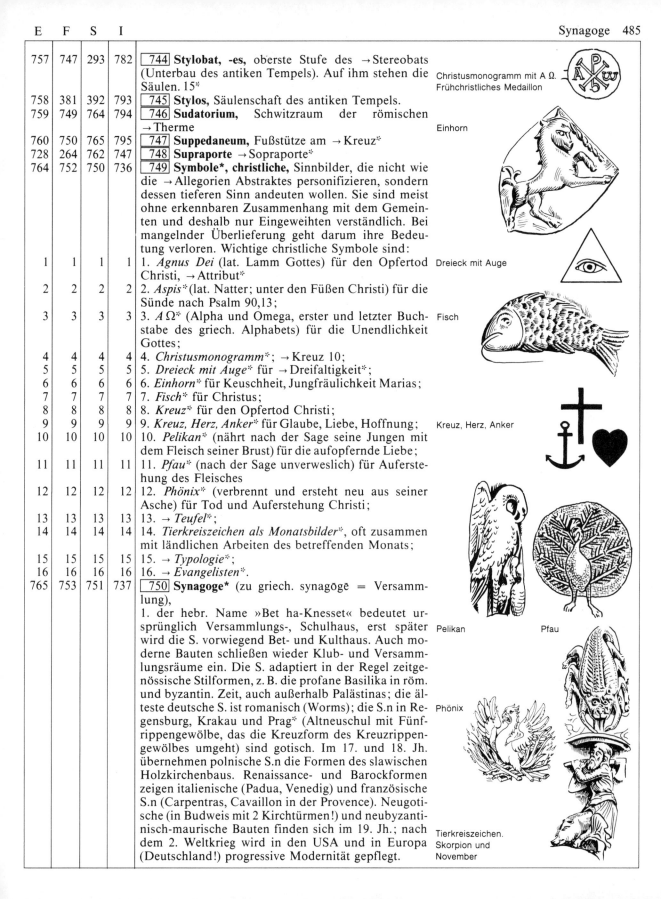

Christusmonogramm mit A Ω. Frühchristliches Medaillon

Einhorn

Dreieck mit Auge

Fisch

Kreuz, Herz, Anker

Pelikan   Pfau

Phönix

Tierkreiszeichen. Skorpion und November

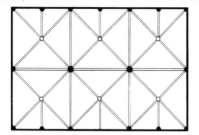

Synagoge. Prag, Altneuschul, System des 5-Rippen-Gewölbes, um 1270. (Nach Hilde Koch)

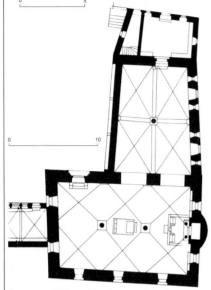

Synagoge. Worms, Kernbau romanisch.
V. o. n. u.: Vorhalle, Frauenschule, Männerschule

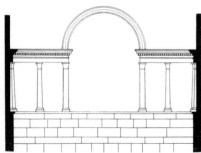

Syrischer Architrav

Teufel. Autun, Kapitellplastik der Kathedrale, 12. Jh. Romanik

Ein häufig vorkommender Typ besteht aus einer Halle mit Säulen an Längs- und Rückseite, die eine vergitterte, nur von außen zugängliche (Frauen-)Empore (Esrat-Naschim) tragen. Darunter oder davor befinden sich Sitzreihen an den Längsseiten. Vor der geosteten Vorderwand stehen auf einer Estrade die Heilige Lade (Aron ha-kodesch) mit den Thorarollen und dem Vorhang (Parochet), davor das Ewige Licht (Ner Tamid), seitlich davon 2 Menora-→Leuchter*. Vorlesepult (Almenor) und sein Tisch (Schulchan) haben ihren Platz in älteren S.n kioskartig in der Raummitte, seit dem Barock auch im Westen gegenüber der Heiligen Lade, seit der Emanzipationsbewegung (1810, Seesen/Harz) auch bei der Heiligen Lade. Die Frauenempore verschwindet zuerst in den USA.
2. Allegorie der Synagoge →Ecclesia und Synagoge*.

	E	F	S	I
751 **Syrischer Architrav***, dreiteiliger Architrav, dessen Mittelteil zu einer Archivolte aufgebogen ist. Ephesos, 33*. Vgl. →Palladio-Motiv*	766	54	70	57
752 **Tabernakel** (lat. tabernaculum = Hütte, Zelt), 1. →Ciborium 1; – 2. Schrein auf dem Altartisch zur Aufbewahrung der Hostien. →Altar*; – 3. das aus Säulen und Spitzdach bestehende Ziergehäuse (→Fiale) auf dem gotischen Strebepfeiler.	767	755	767	798
753 **Tablinum** (von lat. tabula = Tisch), Speiseraum, später Empfangsraum des römischen Wohnhauses. 346*	768	757	769	799
754 **Taenia** (griech.-lat. Kopfbinde), Leiste am Architrav der dorischen Ordnung. 16*	769	767	786	800
755 **Täfelwerk,** auch Täfelung, Getäfel, Holzverkleidung von Decken und Wänden, bes. im N-Europa des 15. bis 18. Jhs., oft mit reichem Schnitzwerk. 219*; →Boiserie. →Kassette	572	113	262	678
756 **Tambour** →Kuppel*	279	759	774	803
757 **Taufkirche** →Baptisterium*	83	97	445	107
758 **Taufries,** romanisches Ornament. 95*	135	783	361	321
759 **Taufstein,** Taufbecken (in N-Deutschland: Fünte), seit 11. Jh. Stein-, Bronze- oder Holzbecken mit Taufwasser, welches das frühchristliche →Baptisterium* ablöst. Meist mit biblischen und apotropäischen Themen verziert, die mit Taufe und Wasser zusammenhängen (Taufe Christi, →Paradiesesflüsse*, 101*)	336	359	646	314
760 **Tauschierung** →Inkrustation	426	436	88	12
761 **Tektonik** (griech. tektonikē = Baukunst), die Lehre von der Zusammenfügung starrer Bauteile = Baukonstruktionslehre.	770	763	780	825
762 **Tempera-Malerei** →Malerei-Techniken	261	266	655	813
763 **Tepidarium** (lat. tepidus = lauwarm), Warmluftraum, darin Bassin mit lauwarmem Wasser. →Thermen	774	769	787	818
764 **Tetramorph** →Evangelisten	775	773	790	822
765 **Teufel***, die von Gott abgefallenen Engel (Off. 12,7) und ihr Anführer Luzifer (= Lichtträger; Jesaias 14,12). Ihre symbolischen und allegorischen Darstellungen sind i.a.: *tierisch:* Schlange, Aspis, Basilisk, Drache, Löwe (seit urchristlicher Zeit); *menschlich:* dunkler Engel (seit dem frühen Mittelalter), schöne Verführerin; *fratzenhaft:* spitzohrig, gehörnt, mit Bocksfüßen und Schwanz, Fledermausflügeln und	256	268	242	255

E	F	S	I		
				Fell, schwarz, rot oder grün, bewaffnet mit Dreizack oder Haken. Seit 12. Jh., von Frankreich ausgehend, häufiges Motiv der Hüttenplastik. (→ Bauplastik)	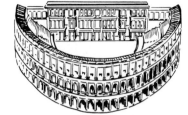
776	774	777	808	766 **Theater, antikes.** 1. *Griechisches Theater,* 36*; – 2. Hellenistisches Theater, 26*; – 3. *Römisches Theater*, 36*; – 4. das elliptische *Amphitheater* ist eine rein röm. Form. Colosseum, 36*	
1,3	1,3	1,3	1,3		
4	4	4	4		
777	409	162	827	767 **Theatron,** Koilon (griech.), Cavea (röm.), ansteigende Sitzreihen des antiken Theaters. 36*	Rom, Marcellus-Theater, 13 v. Chr., Rekonstruktion. Freistehende Anlage, Sitzstufen durch Treppen und Umgänge unterbaut
779	775	789	819	768 **Thermen*,** römische, oft monumentale Badanlage, → hypokaustisch durch hohle Wände oder Hohlziegel im Fußboden zentral beheizt. Wichtigste Räume: 1. Apodyterium = Umkleideraum; 2. Frigidarium = kaltes Bad; 3. Tepidarium = Warmluftraum; 4. Caldarium = Heißluftraum mit Warmwasserbecken; 5. Laconicum oder Sudatorium = Dampfschwitzbad. Trier, 340*	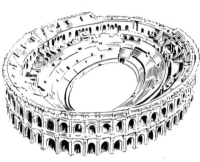
780	776	791	828	769 **Tholos** (griech. Kuppeldach, Mz.: Tholoi), Rundbau mit Säulenkranz und Innenraum. 20*	
784	777	788	829	770 **Tierceron,** Nebenrippe (Rippe 2. Grades) am Rippen- → Gewölbe. 194*	
99	834	825	343	771 **Tierfries,** 31*; 95*; 130*	Nîmes/Südfrankreich, römisches Amphitheater, 2. Jh. Heutiger Zustand
716	714	746	722	772 **Tierkreiszeichen** → Symbole 14*	
342	781	795	834	773 **Tonsur** (lat. Schur), Brunnenkapelle, oft an der Westseite des Kreuzgangs eines → Klosters, gegenüber dem Refektorium. Hier wurde bei der Klerikerweihe die »Tonsur« vorgenommen, d.h. Haupt- und Barthaar geschoren.	0 100
788	784	805	843	774 **Torso** (ital. Strunk, Rumpf, Mz. Torsi), unvollendete oder unvollständig erhaltene Statue.	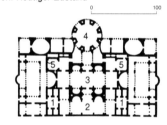
250	635	687	621	775 **Torturm,** → Turm* über einem befestigten Tor. 301; 296*	
790	782	799	835	776 **Torus,** Wulst der → Attischen Basis. 15*	
212	219	522	476	777 **Tragstein** → Konsole*	
795	790	809	850	778 **Transenna,** Mz. Transennen, Fensterabschluß aus dünn geschliffenem oder durchbrochenem Marmor, Alabaster, Stein, Holz. 40*. → Celosia; 86*	Rom, Caracalla-Thermen, um 200
796	791	217	851	779 **Transept** → Querhaus*	
797	733	637	582	780 **Transitional,** Transition (engl.), Übergangszeit zwischen zwei Stilen oder Stilphasen. Tabelle 192	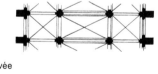
284	190	204	388	781 **Traufgesims,** Gesims unter der Traufe. → Sima 16*	
278	141	413	388	782 **Traufleiste,** gebogene oder gewinkelte Leiste, die oft in Konsölchen endet, über Arkaden und Türen, besonders der engl. Gotik. 202*	Travée
90	794	810	855	783 **Travée*,** → Joch, im Unterschied zu diesem aber auch die gesamte Einheit aus einem Gewölbefeld des Mittelschiffs mit den derselben Querachse zugehörigen Seitenschiffsjochen, den zugehörigen Stützen und ggf. dem zugehörigen äußeren Strebewerk.	Treppe 1. einläufig
					2. zweiläufig
803	797	813	856	784 **Trecento,** Kunst des 14. Jhs. in Italien.	
741	322	273	699	785 **Treppe***	
1	1	1	1	*Treppenlauf* = ununterbrochene Stufenfolge zwischen (unterster) Antrittsstufe und (oberster) Austrittsstufe;	3. zweiläufig-gegenläufig
2	2	2	2	*Treppenarm* = Treppenlauf, der in eine andere Richtung als ein zweiter Treppenlauf führt (gebrochene T.), mit diesem aber einen gemeinsamen	
3	3	3	3	*Treppenabsatz* = Podest hat. Jeder Arm kann wieder mehrere Läufe und Richtungen haben. Zwei- oder mehrarmig heißt eine Treppenanlage, die a) nicht mit	

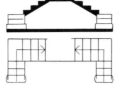

4. dreiläufig, gegensinnige (Links-rechts-) Wendungen

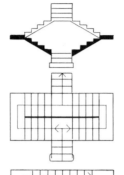

7. vierläufig mit 2 Armen; gemeinsamer Austritt

8. sechsläufig mit 2 Armen; gemeinsamer An- und Austritt

5. dreiläufig, gleichsinnige (Rechts-rechts-) Wendungen

6. dreiläufig mit 2 Armen; gemeinsamer Antritt

9. dreiläufig mit 2 Armen; gemeinsamer Antritt, sog. »Kaisertreppe« (Nach Hans Koepf)

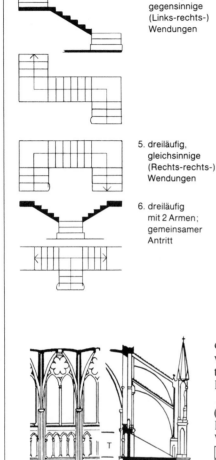

Triforium (T), Aufriß und Schnitt. Reims, Kathedrale, 13. Jh. (Kastentriforium)

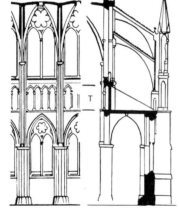

Triptychon. Russisches Klappaltärchen

demselben Treppenlauf beginnt oder endet oder b) von einem gemeinsamen Podest aus sich in 2 Läufe teilt, die in unterschiedliche, z.B. entgegengesetzte Richtungen führen;

Treppenwangen begrenzen den Treppenlauf seitlich (Wand- und Lichtwange).   4 4 4 4

Barocke Treppensysteme 316 f.*; 326 f.*.
Wendeltreppe → Turm 2*. → Freitreppe

786 **Triangulation** → Proportionslehre*   807 800 814 857

787 **Tribuna,** → Apsis der römischen Markt- oder   43 801 815 858
Gerichtsbasilika.

788 **Triforium*** (lat. dreifach geöffnet), seit dem 11.   808 803 818 861
Jh. in der normann.-engl. Baukunst emporenähnliche Öffnung (Peterborough, 130*), bes. aber in der Gotik kastenförmiger Laufgang innerhalb der Mauerstärke (im Ggs. zur → Empore) unter den Fenstern des Mittelschiffs, → Chors und Querschiffs, oft in dreifacher Bogenstellung geöffnet (Amiens, 155*). Weniger von praktischer als von flächengliedernder Bedeutung, gelegentlich in der Außenmauer in der Form der Bogenöffnungen hinterfenstert (Köln, 154*). Das *Blendtriforium* besteht aus Blend→arkaden ohne Gang.   1 1 1 1

789 **Triglyph, -e** (griech. Dreischlitz), Bauglied am   809 804 820 863
dorischen Gebälk mit 2 mittleren und 2 »halben« seitlichen Einkerbungen (Glyphen) und Deckplatte (lat. capitula = Kapitellchen). 16*

790 **Trikonchos,** Dreikonchenanlage → Chor 4*   806 293 453 790

791 **Trinität** → Dreifaltigkeit*; → Gnadenstuhl*   810 807 823 865

792 **Triptychon*** (griech.), Bild aus drei miteinander   811 808 824 867
verbundenen Teilen, insbes. der mittelalterliche Flügel-→altar* mit feststehendem Mittelteil und beweglichen Flügeln. → Polyptychon*

Rom, Titusbogen zur Erinnerung an den Sieg über die Juden, 70 n. Chr. Eintorig; Säulen mit Kompositkapitellen tragen das Gebälk und die Attika, die von einer Quadriga bekrönt ist. Die Reliefs der Durchgangsleibung zeigen Szenen des Palästina-Feldzuges

Rom, Konstantinsbogen zur Erinnerung an den Sieg über Maxentius an der Milvischen Brücke, 312 n. Chr. Dreitorig; Reliefs z. T. von einem älteren Trajansbogen

813	43	57	61	793 **Triumphbogen***

793 **Triumphbogen***

I Seit 2. Jh. v. Chr. zu Ehren eines Menschen oder historischen Ereignisses.

  1 Eintorig (= Frühform): Halbtonne zwischen 2 breiten Pfeilern, darüber Attika mit Widmungstafel, darauf Standbild oder Quadriga des Geehrten (Rom, Titusbogen*);

  2 in augusteischer Zeit Gliederung durch Säulen, Pilaster, Gebälk, Ädikulen, Verdachungen usw.;

  3 dreitorig mit höherer Mittelöffnung zwischen 2 niedrigeren Seitenöffnungen (Rom, Konstantinsbogen*);

  4 Sonderformen: zweitoriger T. und vierseitiger Torbau mit allseitigen Öffnungen zwischen 4 Pfeilern (griech. Tetrapylon; lat. Quadrifrons = Vierstirn; Beispiele in Tebessa und Tripolis);

  5 seit Renaissance bis 19. Jh.* wieder nach römischen Vorbildern gebaut. 322*; 324*

II Der Bogen, der das Mittelschiff einer mittelalterlichen Kirche vom Querschiff oder Chor trennt. Er wird manchmal durch ein Triumphkreuz betont, das im Bogenscheitel hängt oder auf einem Triumphbalken steht, der zwischen die Bogenkämpfer gespannt ist. Dem Kruzifix sind oft Maria (auf der Nordseite) und Johannes (auf der Südseite) beigestellt.

Paris, Arc-de-Triomphe de l'Etoile, 1806–36, Chalgrin. Nach dem Vorbild des Titusbogens, jedoch als Tetrapylon (griech. auf 4 Pfeilern) = Quadrifrons (lat. mit 4 Front-, Stirnseiten) und monumental gestaltet (50 × 45 m)

814	810	828	868	794 **Trochilus,** Hohlkehle der → Attischen Basis.15*
736	811	826	870	795 **Trompe** → Kuppel*, 41*, 85*
815	813	825	869	796 **Trophäen*,** verschiedene Waffen, die in Nachahmung griechischer Siegesdenkmäler (Tropaion) dekorativ um einen Brustpanzer, Helm oder Schild angeordnet sind. Seit der Renaissance. 320*

Berlin, Brandenburger Tor, 1788–91, Langhans. Bedeutendstes Werk des deutschen »graecisierenden Klassizismus«, von der frz. Revolutionsarchitektur beeinflußt

	E	F	S	I

Trophäen

Tugenden und Laster. Li: Demut mit der Taube. – Re: Hochmut stürzt vom hohen Roß. Paris, Notre-Dame, W-Portal, 13. Jh.

Li: Treppenturm im Innenhof eines Renaissance-Schlosses. – Re: Wendeltreppe mit Spindel.

Li: Rathausturm. Brüssel, 1449. Gotik. – Re: Geschlechtertürme. San Gimignano/Toskana, 13./14. Jh.

Brückentorturm. Prag, 1390. Gotik

797 **Tudor style,** letzte Phase der englischen Gotik, 1485–1550. 188 ff.* — E 817, F 746, S 311, I 780

798 **Tugenden und Laster*,** Allegorien vor allem der 3 theologischen (Glaube = Fides; Liebe = Caritas; Hoffnung = Spes) und 4 Kardinal-Tugenden (Klugheit = Prudentia; Mäßigkeit = Temperantia; Tapferkeit oder Stärke = Fortitudo; Gerechtigkeit = Justitia) in Form weiblicher Gestalten mit entsprechenden →Attributen. Ihnen stehen oft die Laster (Frauen- und Männergestalten) mit entsprechenden Handlungen aus dem Leben gegenüber. Bes. an mittelalterlichen frz. Kirchenportalen. — E 829, F 820, S 843, I 885

799 **Tumba** →Grabmal* — E 787, F 780, S 829, I 833

800 **Tumulus,** Grabhügel mit kreisförmigem Grundriß, bes. in der mykenischen, pergamenischen, etruskischen, römischen Kultur. Augustus-Mausoleum, 35* — E 818, F 818, S 830, I 872

801 **Turm*.** Wichtige Formen sind: — E 791, F 785, S 800, I 836

1. *Kirchturm,* im Frühchristentum oft als frei neben der Kirche stehender, nicht sehr hoher *Campanile* (ital. Campana = Glocke). Im 5. Jh. erste Fassadentürme in Syrien (49*); in Nordeuropa Westturm seit dem 9. Jh. Die französische und deutsche Romanik (100*) zieht Vieltürmigkeit vor, die Gotik (167*; 204*) reduziert die Anzahl auf 1–2 Türme. Die Fassadentürme in Renaissance (221*) und Barock (244*) greifen bei durchaus eigener Dekoration doch oft auf gotische Turmvorstellungen zurück. — E 1 2, F 1 2, S 1 2, I 1 2

2. *Treppenturm*,* auch Wendelstein, T. mit →Wendeltreppe, in der Romanik auch mit stufenlosem Lauf (»Eselsturm«). Flankiert den Außenbau romanischer und gotischer Kirchen oft in symmetrisch-paariger Anordnung (Flankentürme; Hildesheim, 79*). — E 3, F 3, S 3, I 3

3. *Wehrturm* in einer Burg- oder Stadtmauer (301); der befestigte Turm einer Kirchenburg (143*). — E 4, F 4, S 4, I 4

4. *Wohnturm* einer Burg (Bergfried, Belfried, Donjon; 298 f., 300*); städtischer Wohnturm = Geschlechterturm*, z. B. der toskanischen Adelsfamilien (sh. auch Regensburg, 353*). — E 5, F 5, S 5, I 5

5. Der *Repräsentationsturm** findet sich bes. an Rathäusern und als Brückentorturm mittelalterlicher und Renaissance-Städte, oft als Waffenkammer benutzt. — E 6, F 6, S 6, I 6

802 **Türpfeiler** →Portal 3* — E 816, F 814, S 618, I 498

803 **Tympanon,** 1. Giebelfeld des antiken Tempels; – 2. Bogenfeld am romanischen und gotischen →Portal*. →Evangelisten* — E 820, F 815, S 792, I 830

804 **Typologie*** (griech. Vorbild, Beispiel), Lehre von der Übereinstimmung des Alten und Neuen Testaments (»Concordia veteris et novi testamenti«). Danach sind die Ereignisse des Alten Testaments prophetische Hinweise auf das Neue Testament. Die bildende Kunst stellt daher z. B. gern die 12 Propheten den 12 Aposteln, Elias im feurigen Wagen der Himmelfahrt Christi gegenüber. — E 821, F 817, S 793, I 831

805 **Überstaben, Überschneidung,** Profildurchdringung bes. bei der Eckenbildung von hoch- und spätgotischen Portalen und Fenstern. 161* — E 434, F 317, S 465, I 416

806 **Unechtes Gewölbe*,** aus vorkragenden Steinschichten errichtetes Gewölbe. — E 638, F 338, S 328, I 889

807 **Ungemach,** Folterkäfig. 302 — E 789, F 159, S 130, I 127

808 **Utlucht** →Auslucht* — E 91, F 87, S 528, I 92

E	F	S	I	
590	379	204	672	809 **Verdachung,** Dreieck-, Segment-, gesprengter, verkröpfter oder Voluten-Giebel (→Giebel*) bzw. Kragplatte über Fenster oder Tür.
32	674	706	676	810 **Verkröpfung** →Gesims*; 247*. Die Verkröpfung aus der Waagerechten in die Senkrechte nennt man Aufkröpfung.
280	567	516	723	811 **Verlies,** Burggefängnis. 300; 296*
826	822	836	881	812 **Vestibül** (lat. vestibulum), Eingangshalle und Vorraum eines Hauses, auch Wachtraum. 346*
521	629	665	616	813 **Vielpaß** →Paß. 162*
648	658	223	651	814 **Vierblatt** →Blatt. 162*
648	657	225	653	815 **Vierpaß** →Paß. 162*
647	511	104	486	816 **Viertelstab** →Rundstab*
229	239	466	239	817 **Vierung,** quadratischer oder rechteckiger Raum im Kreuzungsbereich von Mittel- und Querschiff. Die V. wird in der Romanik zur Maßeinheit des →Gebundenen Systems*. *Ausgeschiedene Vierung* heißt sie,
1	1	1	1	wenn sie bei quadratischem Grundriß durch *Vierungs-*
2	2	2	2	*bögen* auf *Vierungspfeilern* gegen Langhaus, Quer-
3	3	3	3	schiffsarme und Chorhaus abgegrenzt ist, die gleiche Höhen haben müssen (seit 9. Jh.; 67, 22*). Ältestes erhaltenes Beispiel: Hildesheim, St. Michael, 1010–33
4	4	4	4	(79*). Die Bögen der *abgeschnürten Vierung* haben ungleiche Scheitelhöhe und/oder stehen auf Mauerzungen, die von den Vierungspfeilern ausgehen und die Durchgänge wesentlich verengen. Die V. kann äußer-
5	5	5	5	lich durch den *Vierungsturm,* einen →Dachreiter* oder eine Vierungskuppel betont sein. 92*, 97*
827	321	312	781	818 **Viktorianischer Stil,** nach der Königin Victoria, 1837–1903, benannte Epoche der englischen Baukunst; etwa 1840–1910.
831	827	845	890	819 **Volute*** (lat. volutum = das Gerollte), schneckenförmig eingerolltes Bauglied. Merkmal des ionischen Kapitells (15*) und des röm.-korinth. Konsolgesimses (32*). In Renaissance und Barock zur Vermittlung zwischen senkrechten und waagerechten Bauteilen angewandt. →Giebel, Abb. 3
311	117		754	820 **Vorgeschildet** →Schildmauer. Birnau 253*
629	586	610	789	821 **Vorlage,** Pfeilern, Säulen oder der Wand vorgelegtes Bauglied wie →Dienst*, →Lisene, →Pilaster*.
165	165	735	146	822 **Votivkapelle** →Kapelle. 198*
832	331	226	807	823 **Votivtafel*,** Votivbild (lat. votum = Gelübde), Tafel, die auf Grund eines Gelübdes (»ex voto«) oder als Dank für die Erhörung eines Gebets an einem Wallfahrtsort oder an der Stelle aufgehängt wird, an der das betreffende Ereignis geschah. Mit Text, oft auch Heiligenfiguren oder einer Darstellung des Ereignisses bemalt. Votivgaben sind Gegenstände, die mit einer bestimmten Gebetsmeinung oder -erhörung zusammenhängen, z.B. Krücken, Schiffsmodelle, Plastiken von Körpergliedern usw.
606	292			824 **Wandpfeilerkirche*,** 250*–252*. Abb. sh. S. 492
835	761	775	50	825 **Wandteppich,** 1. *gewebt* = rechtwinklige Kreu-
1	1	1	1	zung von Kett- und Schußfäden (z.B. Jacquard-Teppi-
2	2	2	2	che); – 2. *gewirkt* = bunte Schußfäden werden mit Nadel oder Spule in die Kette eingeflochten, bes. für
3	3	3	3	Bildteppiche (Gobelins); – 3. *geknüpft* = die Kettfäden werden mit kurzen bunten Fäden verknüpft (Orientteppich).
296	443	480	261	826 **Wange,** 1. →Chorgestühl*; – 2. →Gewölbe*

Typologie. Abrahams Opfer (li) und Moses mit der ehernen Schlange (re) als prophetische Hinweise auf den Opfertod Christi (Mitte). Biblia pauperum, Holzschnitt, 1477, H. Sporer

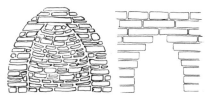

Unechtes Gewölbe. Li: Kragkuppel. Re: Kraggewölbe

Volute   »Marterl« mit Votivtafel, süddeutsch

re. li.

Wappen. Heraldisch rechts und links

Englisches Staatswappen; K Krone; Z Zimier; S Schildhalter; D Devise

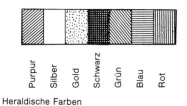

Purpur | Silber | Gold | Schwarz | Grün | Blau | Rot

Heraldische Farben

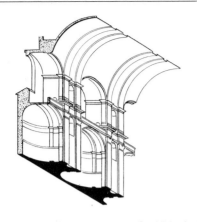

Wandpfeilerkirche. Li: München, St. Michael, 1582–90, W. Miller (Langhaus), F. Sustris (Chor). Bedeutendster deutscher frühbarocker Nachfolgebau von Il Gesù, 218*, 230*. Tonnengewölbter Mittelraum mit mächtigen Wandpfeilern (Wandzungen), deren Stirnwände durch Pilaster und Nischen gegliedert sind. Zwischen den Pfeilern halbrund schließende Kapellen mit Quertonnen, darüber Emporen, deren Quertonnen sich mit dem Längstonnengewölbe des Mittelschiffs verschneiden. Vgl. 232*

Rheinau/Schweiz, 1704–11, M. Beer. Vorarlberger Bauschule (252*), Weiterbildung des Schemas von Il Gesù. Die Wandpfeiler sind im Untergeschoß durch gangartige Seitenschiffe unter zurückversetzten, brückenartig schmalen Emporen zu Freipfeilern geworden. Die Scheidbögen sind so hoch ins Gewölbe gestreckt, daß sie nur durch Stichkappen mit den Tonnen verschnitten werden können. Nach P. Meyer

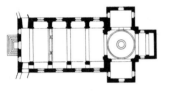

Vereinfachung des Wandpfeilerkirchen-Systems von Il Gesù (230*). Seedorf/Schweiz, 1696–99, C. Moosbrugger.

Wappenscheibe. Bern, 1600

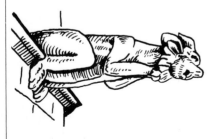

Wasserspeier. Bordeaux, Kathedrale. Gotik

	E	F	S	I
827 **Wappen***, Abzeichen in Form eines mittelalterlichen Schildes, oft mit Helm. Die Lehre von der Wappenkunst (= Heroldskunst) heißt *Heraldik*. Rechts und links gelten vom Träger des Schildes, nicht vom Beschauer aus.	196	59	114	763
	1	1	1	1
1. *Heraldische Farben** werden in nichtfarbigen Abbildungen durch Schraffuren gekennzeichnet.	2	2	2	2
2. *Wappenbilder* sind a) Heroldsbilder, das sind farbige Muster, b) gemeine Figuren, d. h. Gegenstände oder Lebewesen. *Redende W.* stellen den Namen des	3	3	3	3
Wappenträgers bildlich in Form eines Rebus dar.	4	4	4	4
Nebenstücke sind Amts- und Würdezeichen (Krone, Bischofsstab usw.). *Prachtstücke* sind *Schildhalter*	5	5	5	5
(→ Wilde Männer; seit 15. Jh.), Wappenmantel (seit	6, 7	6, 7	6, 7	6, 7
17. Jh.), *Wahlspruch = Devise.* → Trophäen.	8	8	8	8
828 **Wappenscheibe***, Scheibe in Glasmalerei mit dem Wappen einer Person oder Personengruppe als Stiftung an ein öffentliches Gebäude, mit einer Geldspende (»Bauschilling«) verbunden. Bes. in der Schweiz im 15. und 16. Jh.	400	825		882
829 **Wassernase** → Gesims	277	172	839	376
830 **Wasserspeier***, vom Dach vorspringende Regenablaufrinne, die das Mauerwerk vor Nässe schützt. Am antiken Tempel als Löwenkopf (14*), in der Gotik als skurrile Figuren (Tiere, Menschen, Fabelwesen), deren Symbolwerte heute oft nicht mehr zu deuten sind. 161*	360	389	400	262
831 **Wehrgang**, Letze, Hurde, Mordgang, Verteidigungsgang auf einer Wehrmauer. 303 f.; 297 f.*	836	175	8	131
832 **Wehrkirche**, 143*	339	301	456	184
833 **Weicher Stil***, Entwicklungsphase der spätgot. Bildhauerkunst und Malerei, etwa 1380–1430. Charakteristisch sind die ergreifenden → Erbärmdebilder, bes. aber die sogen. »Schönen Madonnen« mit den weichgeschwungenen Gewandfalten und Faltenkaskaden und ihrer anmutig-lieblichen, unfeierlichen Mutter-Kind-Idyllik. Der W. S. wirkt auch auf die zur gleichen Zeit aufkommenden ersten Holzschnitte ein.	726	730	847	893

E	F	S	I	
838	95	384	293	834 **Wellenband**, griechisches, 14*, und römisches Mäander-Ornament 31*.
130	272	783	823	835 **Welsche Haube** → Dachformen 10*
627	706	678	629	836 **Welt*, Fürst der,** → Allegorie der bösen Weltlust in Gestalt eines jungen Elegants, der als Verführer der Törichten Jungfrauen am Gewände der → Brauttür der Gestalt Christi gegenübersteht, welcher die Klugen Jungfrauen anführt.
190	787	802	841	837 **Wendelstein** → Turm 2*
732	323	274	700	838 **Wendeltreppe**, um einen senkrechten Schaft (=
1	1	1	1	*(Spindel)* oder ein Treppenloch (= Lichtspindel, offene Spindel) sich windende Treppe, bes. in Spätgotik und Renaissance zu hoher Kunst entwickelt. → Turm 2*
839	831		649	839 **Westfälisches Quadrat**, annähernd quadratischer Langhaus-Grundriß zahlreicher westfälischer Hallenkirchen. Soest, 157*
840	487	39	894	840 **Westwerk**, selbständiger Vorbau im W einiger karolingischer, ottonischer und romanischer Basiliken. Sein mächtiger, manchmal von 2 Treppentürmen flankierter Mittelturm dient im Untergeschoß als Tauf- und Pfarrkirche. Vom Obergeschoß (mit Michaelsaltar) aus, das zum Langhaus geöffnet ist und Durchblick auf den Altar der Basilika gewährt, wohnen Herrscher und Gefolge dem Gottesdienst bei. Das W. repräsentiert vermutlich das »imperium mundi« (= weltliche Herrschaft) der mittelalterlichen Kaiser. 71*
3	247	504	748	841 **Widerlager**, Lagerung von → Bogen*, Gewölbe und Brücke(-nbogen) zur Kompensation von Druck und Seitenschub.
842	695	438	725	842 **Wilde Männer***, im 15. und 16. Jh. bes. als Schildhalter beim → Wappen auftretende nackte, behaarte Männer mit Laubkränzen um Kopf und Hüfte, oft mit Keulen bewehrt. In S-Deutschland und der Schweiz häufig auf Hausfassaden, Wirtshausschildern oder als plastische Torbekrönung. Gegenstück: Wilde Frau.
373	382	393	370	843 **Wimperg, -e**, 1. Ziergiebel über got. → Fenstern und → Portalen, oft von → Fialen flankiert, mit vorgeblendetem oder durchbrochenem → Maßwerk gefüllt, mit → Krabben und → Kreuzblume besetzt, verstärkt den Höhendrang der Gotik. 161* – 2. zahnartiger Aufsatz der Brüstungsmauer einer Zinne. 296*; 303
689	806	841	100	844 **Windeisen** → Glasmalerei*
841	683	718	684	845 **Wirbelrosette** → Rosette*
34	89	65	31	846 **Wirtel***, Schaftring, Bund, meist als Zungenstein (in die Mauer eingebunden) zwischen getrennten Schaftteilen. Konstruktive und dekorative Bedeutung. Bes. Spätromanik und Frühgotik.
444	276	155	839	847 **Wohnturm**, Donjon, 298 f.; 300*
173	254	356	335	848 **Würfelfries**, Schachbrettfries, romanisches Ornament. 95*; 108*
742	832	848	895	849 **Yeseria**, Stuckdekoration islamischer Herkunft als Sgraffito (87*) oder in der Form von Stalaktiten. Manchmal bemalt.
849	833	850	339	850 **Zackenfries**, Zickzackfries, normannisch-romanisches Ornament. 95*; 130*
424	259	368	325	851 **Zahnfries** → Deutsches Band. 95*
423	259	403	801	852 **Zahnschnitt**, 1. (griech. Geisipodes), die Balkenköpfe des archaischen Holzbaus imitierender Fries

Li: Fürst der Welt. Straßburg, rechtes Westportal, nach 1277

Re: Weicher Stil. Schöne Madonna, südostdeutsch, um 1415

Wilde Männer als Schildhalter. Basel. Renaissance

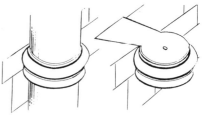

Wirtel. Schaftring als Zungenstein zwischen getrennten Schaftteilen

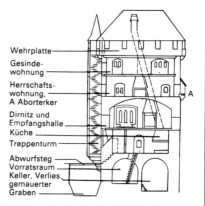

Wehrplatte
Gesindewohnung
Herrschaftswohnung,
A Aborterker
Dirnitz und
Empfangshalle
Küche
Treppenturm
Abwurfsteg
Vorratsraum
Keller, Verlies
gemauerter
Graben

Wohnturm, System (nach de Caboga)
Re: Außenseite, li: Innenhofseite

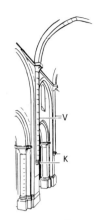

Zisterzienserbaukunst. Die V Pfeilervorlagen enden in K Konsolen, werden also nicht bis zum Boden geführt

Zwerchhäuser und Zwerchgiebel. Renaissance

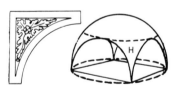

Zwickel. Li: Spandrille. – Re: Hängekuppel mit H Hängezwickel

Bogenzwickel mit plastischem Schmuck, 13. Jh. Gotik

der ionischen, korinthischen (17*) und römischen Säulenordnung, 32*; – 2. → Deutsches Band. 95*

		E	F	S	I
853	**Zangenfries,** Ornament am Theoderich-Grabmal, Ravenna, 57*.	502	617	377	337
854	**Zellenquerbau** → Querhaus; → Pastophorien	707			240
855	**Zentralbau,** Bauwerk, das sich von einem architektonisch betonten Mittelraum mit rundem, elliptischem, quadratischem, polygonalem, kreuzförmigem, Vier- oder Vielkonchen-Grundriß aus gleichmäßig nach allen Seiten fortentwickelt. Dem Wesen seiner Raumbildung entspricht die Kuppel, auch über den Nebenräumen (Kreuzkuppelkirche, 47*). Auch Annexbauten sind häufig. In der Antike als → Grabmal und Rundtempel verbreitet. Frühchristentum und Mittelalter entscheiden sich für den Langbau, neben dem der Z. vorwiegend als → Baptisterium*, Grabkirche oder Pfalzkapelle auftritt. Die → Byzantinische Kunst baut dagegen auch zentrale Gemeindekirchen. Bes. Renaissance, Barock und Klassizismus drängen zum Z., oft mit angebautem Langhaus. In der modernen Architektur lebt der Z. vor allem für Versammlungsstätten auf (Kirche, 284 f.*; Sportanlage, 341*)	161	620	719	232
856	**Zickzackfries,** Zackenfries, normannisch-roman. Ornament. 95*; 130*	849	833	850	339
857	**Zingel,** Bering, Ringmauer der mittelalterlichen Burg. 303; 298*	671	309	554	197
858	**Zinne,** Brustwehr einer Wehrmauer und deren schild- oder zahnförmiger Aufsatz = Wimperge. Nach deren Formen: Breit-, Dach-, Karniesbogen-, Schwalbenschwanz- (= Kerb-, Ghibellinen-, Skaliger-), Rundbogen-, Stufen-Z. 296*. – Schild-Z.: Belém, 300*	516	495	21	477
859	**Zinnenfries,** Fries in Zinnenform. 200*; Fyfield, 203*	89	364	354	341
860	**Ziselieren** → Goldschmiedekunst	170	194	177	171
861	**Zisterzienserbaukunst*,** 140*	191	50	66	53
862	**Zopfstil,** deutsche Bezeichnung für den Louis XVI-Stil. 327	851	835	853	897
863	**Zophoros** (griech. Figurenträger), figurengeschmückter Fries der attisch-ionischen und korinthischen Ordnung. 17*	850	834	852	898
864	**Zwerchdach,** Querdach, quer zum Hauptfirst verlaufendes Dach, z.B. beim → Zwerchhaus*. → Dachformen 13*	802	778	781	826
865	**Zwerchgiebel,** der → Giebel des → Zwerchhauses*. Er soll zwischen der langen Horizontalen des Dachs und vertikalen Formen ausgleichen.	800	611	428	351
866	**Zwerchhaus*** (zwerch = quer), geschoßhohes Dachhäuschen in der Hausflucht und unter einem → Zwerchdach.	268	611	766	3
867	**Zwerggalerie** → Arkade. 101*; Köln, 102*	281	385	396	449
868	**Zwickel*,** 1. die dreieckige, meist auf einer Spitze stehende Fläche zwischen zwei divergierenden Bogenlinien (= *Bogenzwickel*) oder zwischen Bogen und rechtwinkliger Einfassung (= *Spandrille**); – 2. *Hängezwickel* bzw. *Pendentifs* → Kuppel*.	729 / 1 / 2 / 3,4	286 / 1 / 2 / 3,4	261 / 1 / 2 / 3,4	571 / 1 / 2 / 3,4
869	**Zwinger,** bei mittelalterlichen Burgen und Städten das Terrain zwischen äußerem und innerem Mauerring. 303 f.; 298*. Seit Barock auch als Vergnügungs- oder Festplatz umgebaut (Dresden, 328*).	837	460	621	105

ENGLISCH

733 Splay 288
734 Spolia 711
735 Square stone 608
736 Squinch 795
737 Stacked façade 722
738 Staggered choir 715
739 Staggering 718
740 Stained glass 293
  1 pot-metal
  2 flashed
  3 silver stain
  4 cames
  5 saddle bar
  6 stanchion
  7 lead clasp
  8 thick pressed glass
741 Staircase, stairway 785
  1 flight
  2 arm
  3 landing
  4 stringer
742 Stalactite work, yeseria 849
743 Stall 719
744 Stations of the Cross 420
  548
745 Statue 720 723
746 Staurotheca 724
747 Stave church 712
  1 stave church
748 Stele 728
749 Stereobate 729
750 Stoa 734
751 Stone-sculpture 727
752 Strapwork 86
753 Stretcher 440
754 Strotere 737
755 Stucco 738
756 Stud 721
757 Stylobate 744
758 Stylos 745
759 Sudatorium 746
760 Suppedaneum 747
761 Support 57
762 Supporters 673
763 Swag 243
764 Symbols, Christian 749
  1 Agnus Dei
  2 asp
  3 alpha and omega
  4 monogram of Christ
  5 triangle enclosing an eye
  6 unicorn
  7 fish
  8 cross
  9 cross, heart, anchor
  10 pelican
  11 peacock
  12 phoenix
  13 devil
  14 signs of the zodiac
  15 typology
  16 evangelists

765 Synagogue 750
766 Syrian architrave 751

767 Tabernacle 9 752
768 Tablinum 753
769 Taenia 754
770 Tectonics 761
771 Telamon 52
772 Tempera-painting 762
773 Temple in antis 32
774 Tepidarium 763
775 Tetramorph 764
776 Theatre, ancient 766
  1 Greek theatre
  2 Roman theatre
  3 amphitheatre
777 Theatron 767
778 Theory of proportion 597
  1 canon
  2 golden section
  3 quadrature
  4 triangulation
  5 harmonic
  6 Modulor
779 Thermae 768
780 Tholus 769
781 Three-mouchette wheel 194
782 Three-quarter column 196
783 Three-quarter round 197
784 Tierceron 770
785 Tiled stove 359
786 Timber framing, half-timber
  construction 232
  1 sill, sole plate
  2 stud
  3 head, bresummer, lintel
  4 rail
  5 brace
  6 panel
  7 beam
  8 beam-head, beam-end
  9 bracket
787 Tomb 304
  1 sepulcral slab
  2 tomb
  3 sarcophagus
  4 epitaph, memorial tablet
  5 cenotaph
788 Torso 774
789 Torture cage 807
790 Torus 776
791 Tower 801
  1 church tower
  2 campanile
  3 stair-tower, stair turret
  4 tower, peel-tower
  5 keep, donjon, tower-house
  6 representative tower
792 Tower-house 847
793 Tower with open gorge,
  semicircular tower 663

794 Tracery 473
795 Transenna 778
796 Transept 615
797 Transitional, transition 780
798 Transom (1); impost (2);
  dosseret (3) 364
799 Transverse arch 312
800 Transverse gable, gablet 865
801 Transverse hall 617
802 Transverse roof 864
803 Trecento 784
804 Tree cross 441
805 Trefoil 189 192
806 Trefoiled apse 191
807 Triangulation 786
808 Triforium 788
  1 blind triforium
809 Triglyph 789
810 Trinity 190
811 Triptych 792
812 Triskele 683
813 Triumphal arch 793
814 Trochilus 794
815 Trophy 796
816 Trumeau 802
817 Tudor style 797
818 Tumulus 800
819 Two-storeyed church 182
820 Tympanum 803
821 Typology 804

822 Undercroft 423
823 Unicorn 205

824 Vanishing point 255
825 Vaulting 289
  1 barrel, tunnel vault
  2 cap
  3 hip cap
  4 lunette
  5 groined vault
  6 groin
  7 ribbed rib vault
  8 rib
  9 bay formation
  10 transverse arch
  11 bay
  12 double bay
  13 cambered
  14 domical vault
  15 ornamental vaulting
  16 star-vaulting
  17 net-vaulting
  18 fan-vaulting
  19 cell-vaulting
  20 flying ribs
  21 cloistered vault
  22 trough vault
  23 cove
  24 cupola, dome

826 Vestibule 812
827 Victorian style 818
828 Virgins, Wise and Foolish 357
829 Virtues and vices 798
830 Visual art 90
831 Volute 819
832 Votive tablet 823

833 Wainscot 432
834 Wall arch 672
835 Wall hanging 825
  1 woven
  2 tapestry work
  3 knotted
836 Wall walk, allure, rampart walk
  831
837 Ward 869
838 Wave pattern 834
839 Westphalian quadrat 839
840 Westwork 840
841 Whorl 845
842 Wild men 842
843 Window 241
  1 jamb, reveal
  2 splay
  3 sill
  4 lintel
  5 profile
  6 mullion
  7 tracery
  8 pediment
  9 window cross
  10 round arched
  11 coupled
  12 two-light
  13 three-light
  14 relieving arch
  15 circular, oculus
  16 quatrefoil, trefoil, key-hole
  17 œil de bœuf
  18 wheel
  19 rose
  20 lancet
  21 traceried
  22 pediment
  23 segmental pediment
  24 blind window
844 Wing pavilion 636
845 Women's appartments (2)
  174
846 Women's appartments, bower
  388
847 Wood-carving 334

848 Yeseria 849

849 Zigzag, chevron 856
850 Zoophorus 863
851 Zopfstil 862

FRANZÖSISCH

SPANISCH

480 Lado (1); témpano, costado (2) 826
481 Ladrillo ligero 453
482 Ladronera, buharda, matacán 313
483 Lágrimas 314
484 Lambrequín 431
485 Lambris 432
486 Lámpara 445
  1 candelabro
  2 candelero suspendido en forma de aro
  3 candelero de la Virgen
  4 candelero de figura femenina
  5 candelero de tinieblas
  6 Luminaria
  7 candelabro mural
  8 candeleros de los apóstoles
487 Lectorium 444
488 Letrina 4
489 Ligadura, conbado 448
490 Linterna 156 436
491 Lirio 449
492 Litai 451
493 Lóbulo 545
494 Loggia 452
495 Long-and-short-work 435
496 Lucarna, lumbrera 458
497 Luis XIV 454
498 Luis XV 455
499 Luis XVI 456
500 Lumbrera 458
501 Lumbrera de tejado 155
502 Luminaria 228
503 Luneto 459 730

504 Machón 841
505 Mainel 713
506 Mandorla 462
507 Manierismo 463
508 Mansarda 465
509 Mármol 469
  1 pentélico
  2 párico
510 Marquetería 468
511 Mascarón 472
512 Mascarón de figuras condrales
513 Mascarón foliculo, mascarón fitomórfico 98
514 Matacán 313 471 553
515 Mausoleo 477
516 Mazmorra 811
517 Meandro 460
518 Mechinal, agujero 651
519 Medallón 478
520 Megarón 479
521 Mensa, mesa 481
522 Ménsula 406
  1 ménsula de madera
523 Ménsula de madera 397
524 Metope 482
525 Mezquita 492
526 Mihrab 484
527 Minarete, alminar 485
528 Mirador 60 138
529 Mirador 221
  1 mirador
530 Misericordia 487   73
531 Misericordia, las 7 obras de la

532 Mocheta 702
533 Modernismo, Modernismo catalán, Art Nouveau 356
534 Modillón (2) 66
535 Módulo 489
536 Mola 493
537 Moldeo en piedra 725
538 Moldura cóncavoconvexa, sinuosa 376
  1 gola reversa cimacio invertido
  2 gola recta cimacio
  3 talón reverso
  4 talón recto
539 Moldura de forma de pera 93
540 Moldura de ovas 204
541 Moldura sinuosa 376
542 Monasterio 5
543 Monasterio 396
  1 claustro
  2 pozo
  3 iglesia
  4 sala capitular
  5 refectorio
  6 parlatorio
  7 dormitorio
  8 celdas
544 Monóptero 491
545 Montante, poste. puntal 721
546 Monumento conmemorativo 163
547 Monumento sepulcral 304
  1 lápida sepulcral
  2 tumba
  3 sarcófago
  4 epitafio
  5 cenotafio
548 Morisco 476
549 Mota, muela, mola 493
550 Motivo Palladiano 534
551 Mudéjar 495
552 Muela 493
553 Münster 496
554 Muralla, muro circular, cinto 857
555 Muro circular 857
556 Muro-cortina 153
557 Muro de separación 667
558 Musas 498
559 Mútulo 499

560 Naídion, naidia 501
561 Naos 502
562 Nártex 503
563 Nave central 434 488
564 Nave lateral 692
565 Nave transversal 615
566 Neobarroco 506
567 Neoclasicismo 630
568 Neogótico 507
569 Neorrenacimiento 508
570 Nervadura de faja 70
571 Nervio 635
572 Nervio del arco formero 675
573 Nervio fajón 530
574 Nicho ciego 104
575 Niel 509
576 Nimbo 510

577 Nimbo con cruz 419
578 Ninfeo 513

579 Obelisco 514
580 Obra cosmatesca 151
581 Obra de albañilería, obra de fábrica 475
  1 obra de piedra
  2 obra de mampostería
  3 obra de piedra en bruto
  4 obra de piedra tallada, obra de sillar
  5 sillería, aparejo pequeño
  6 enladrillado
  7 hormigón
582 Ochavo 235
583 Octógono 519
584 Ohrmuschelstil, estilo oreja 518
585 Ojiva 517
586 Ojo de buey 516
587 Opistodomos 520
588 Opus, aparejo 522
589 Orante 524
590 Oratorio 525
591 Orchestra, orchesta 526
592 Orden colosal 401
593 Orden corintio 409
594 Orden dórico 183
595 Orden jónico 350
596 Orden romano 643
597 Orden sinuoso 290
598 Orientación 528
599 Ornamento 529
  1 decoración
  2 ornamentación
  3 ornamento adornante
  4 ornamento divisorio
  5 ornamento geométrico
  6 ornamento vegetal
  7 ornamento animal
  8 ornamento con formas humanas
600 Osario 375

601 Pabellón 552
  1 pabellón de jardín, glorieta
  2 pabellón de esquina
602 Palacio 677
603 Palacio imperial 565
604 Palizada 532
605 Palladismo 533
606 Palmeta 536
607 Pantocrátor 537
608 Paraíso 538
609 Parascenio, parascaenium 540
610 Parastas 821
611 Pareadas, geminadas 281
612 Pared de frente (1) 674
613 Pared frontal, de frente (1); camisa (2) 674
614 Paredón 466
615 Parlatorio 542
616 Párodos 543
617 Parque 541
618 Parteluz de puerta 802
619 Parterre 544
620 Paseador 831

621 Paso de ronda 869
622 Pastas 549
623 Pastoforio 550
624 Pátina 551
625 Patio de honor 152
626 Pavo real 566
627 Peana, umbral 687
628 Pechina 555
629 Pedestal 587
630 Pelicano 554
631 Peraltada 276
632 Perfil 595
633 Periaktos, periaktoi 557
634 Períbolo 558
635 Perídromos 559
636 Período de los fundadores 310
637 Período transitorio 780
638 Períptero 560
639 Peristilo, peristilio, peristilum 561
640 Perspectiva 564
  1 perspectiva invertida
641 Pez 246
642 Pico 504
643 Piedra de construcción 78
  1 piedra de cantera
  2 piedra en bruto
  3 piedra tallada
  4 sillar
  5 ladrillo
  6 piedra perfilada
  7 ladrillo ligero
  8 tizón
  9 soga
644 Piedra perfilada 257
645 Piedra tallada 321
646 Pila bautismal 759
647 Pila bautismal (2) 575
648 Pilar 567
  1 pilar aislado
  2 pilar mural, pilastra
  3 pilar redondo
  4 –
  5 pilar fasciculado
  6 columna adosada de fuste delgado
  7 columna adosada de fuste grueso
649 Pilar de tres cuartos de caña 196
650 Pilastra 571
651 Pilón 606
652 Pilotes, Sing. pilote 572
653 Piña 574
654 Pintura a la guaza 303
655 Pintura al temple 762
656 Pintura de talla en madera 237
657 Piscina (1,3); pila bautismal (2) 575
658 Plástica 576
659 Plateresco 577
660 Platería 696
661 Pliegues 234
662 Pliegues 188
  1 estudio de pliegues
663 Plinto 579
664 Podio 580
665 Polilóbulo 813
666 Políptico 582

ITALIENISCH

610 Pisside (2) [144]
611 Pittura a secco [21]
612 Pittura su vetro [293]
   1 colorazione a corpo del vetro
   2 vetro con colorazione sovrapposta
   3 grisaille
   4 legatura a piombo
   5 barra trasversale di controventatura
   6 barretta longitudinale di controventatura
   7 filo di piombo di ancoraggio della vetrata all'armatura
   8 vetrocemento
613 Plastica [576]
614 Plinto [579]
615 Podio, pedana, palco rialzato [225]
616 Polilobo [813]
617 Polittico [582]
618 Ponderazione [583]
619 Pontile, ambone [444]
620 Porta della sposa [113]
621 Porta fortificata [775]
622 Portale [584]
   1 architrave della porta
   2 timpano
   3 montante del portale
   4 stipite
   5 strombatura, sguincio, stipite
   6 intradosso, imbotte
   7 frontone
   8 mostra della porta
623 Porta segreta [464] [588]
624 Portico (1); galleria (2); loggia (3); loggiato (4) [452]
625 Portico, pronao [586]
626 Precinto [589]
627 Predella [590]
628 Presbiterio [592]
629 Principe del mondo [836]
630 Profilo [595]
631 Pronao [596]
632 Propilei [598]
633 Proscenio [599]
634 Prospettiva [564]
   1 prospettiva inversa
635 Prospetto dell'organo [527]
636 Prostilo [600]
637 Pseudobasilica [601]
638 Pseudoperiptero [602]
639 Pteron [603]
640 Pulpito (4) [82]
641 Pulpito, pergamo [369]
   1 altare-pulpito
   2 piede, base
   3 parapetto
   4 baldacchino del pulpito
   5 pulpito a nave
   6 pulpito esterno
642 Pulvino [274]
643 Pulvino (2) [364]
644 Punto di fuga [255]
645 Puntone, saettone [735]
646 Purismo [604]
647 Putto [605]

648 Qibla [607]
649 Quadrato di Westfalia [839]
650 Quadratura, modulo quadrato [610]
651 Quadrifoglio [814]
652 Quadriga [611]
653 Quadrilobo [815]
654 Quadrone [608]
655 Quattrocento [612]

656 Raffigurazione del donatore [731]
657 Raggiera [58]
658 Recinto [869]
659 Recinto del coro [141]
660 Refettorio [627]
661 Refettorio, cenacolo [621]
662 Regency [623]
663 Regola delle proporzioni [597]
   1 canone
   2 sezione aurea
   3 quadratura, modulo quadrato
   4 triangulazione
   5 proporzione armonica
   6 Modulor
664 Regula [624]
665 Reliquiario [626]
   1 scrigno porta-reliquie
   2 stauroteca
666 Residenza del castellano [531]
667 Residenza imperiale [565]
668 Retablo [628]
669 Retro-choir [629]
670 Ricamo [114]
671 Ricciolo [641]
672 Ricopertura [809]
673 Riforma di Hirsau [330]
674 Rilievo [625]
675 Ripiegatura [810]
676 Risalto, ripiegatura [810]
677 Rivestimento di pareti [432]
678 Rivestimento ligneo, boiserie [755]
679 Rocaille [637]
680 Rocaille, voluta rococò [497]
681 Rocca, castello fortificato [120]
682 Rococò [638]
683 Romanticismo [642]
684 Rosetta roteante [845]
685 Rosone [644]
686 Rotonda [645]
687 Rundbogenstil [647]

688 Sacello [370]
689 Sacrestia [655]
690 Saettiera [671]
691 Saettone [735]
692 Sala del capitolo [373]
693 Sala residenziale del castello (1); gineceo (2) [174]
694 Sala terrena [656]
695 Santi [322]
696 Santo Sepolcro [324]
697 Saracinesca [233]
698 Sarcofago [657]
699 Scala [785]
   1 svolgimento della scala
   2 svincolo della scala

3 pianerottolo
4 pareti della scala
700 Scala a chiocciola [838]
   1 perno
701 Scalinata, scalea [259]
702 Scamillus [659]
703 Scanalatura [366]
704 Scantonare [2]
705 Scenae frons [660]
706 Schienale [186]
707 Scompartimento [231]
708 Scozia [332]
709 Scudo [827]
710 Scultura [91]
   1 fusione in bronzo
   2 fusione a cera perduta
   3 fusione a staffa
   4 scultura in pietra
   5 scultura a stampo
   6 scultura lignea
   7 stucco
   8 stucco a finto marmo
   9 stucco lustro
711 Sculture apotropaiche [38]
712 Scultura architettonica [77]
   1 acroterio, fastigio
   2 Atlante, telamone
   3 cariatide
   4 kore
   5 erma
   6 amorino, cupido
   7 erote, amorino
   8 putto
   9 maschera apotropaica
   10 scultura delle cattedrali gotiche
   11 rilievo
   12 rilievo abbassato
   13 bassorilievo
   14 mezzorilievo
   15 altorilievo
   16 rilievo di metopa
   17 rilievo del timpano
713 Scultura a stampo [725]
714 Scultura delle cattedrali gotiche [339]
715 Scultura in pietra [727]
716 Scultura lignea [334]
717 Scultura, plastica [576]
718 Scuola di Fontainebleau [684]
719 Second Pointed [690]
720 Seggio triplo [195]
721 Seggio vescovile [94]
722 Segno dello zodiaco [772]
723 Segreta [811]
724 Seicento [691]
725 Selvaggi, tenenti, spiriti silvani [842]
726 Semicolonna [316]
727 Semicolonna in un piliere [171]
   1 semicolonna maggiore di un piliere
   2 aletta del piliere
728 Sentinella [664]
729 Sepolcro [304]
   1 lastra tombale, pietra sepolcrale
   2 tomba
   3 sarcofago
   4 epitaffio
   5 chenotafio

730 Serafino [694]
731 Serliana [534]
732 Serraglia, chiave d'arco, chiave di volta [678]
   1 pomolo
   2 chiave di volta pendente
733 Sezione aurea [298]
734 Sguincio [288]
735 Sima [697]
736 Simboli cristiani [749]
   1 Agnus Dei
   2 aspide
   3 alfa e omega
   4 crismòn, monogramma di Cristo
   5 triangolo con l'occhio
   6 unicorno, liocorno
   7 pesce
   8 croce
   9 croce, cuore, ancora
   10 pellicano
   11 pavone
   12 fenice
   13 diavolo
   14 segni dello zodiaco
   15 tipologia
   16 Evangelisti
737 Sinagoga [750]
738 Sistema hippodamico, ippodamico [329]
739 Slancio gotico [302]
740 Smussatura [235]
741 Smussatura, scantonare [2]
742 Smusso, smussatura [235]
743 Soglia [687]
744 Solaio su pilastri a fungo [573]
745 Sopporto [721]
746 Sostegni, tenenti [673]
747 Sovrapporta [705]
748 Spalla, piedritto [841]
749 Spiovente, pendenza [6]
750 Spira [708]
751 Spiriti silvani [842]
752 Spirone unghie d'angolo [202]
753 Spoglie [711]
754 Sporgente [820]
755 Sporto [59] [504]
756 Stallo [719]
757 Stalli del coro [137]
   1 stallo
   2 bracciolo di stallo del coro
   3 dorsale, schienale
   4 misericordia
   5 divisorio degli stalli
   6 drôlerie, capriccio
758 Stampo (I); modulo (II) [489]
759 Statua [720] [723]
760 Stauroteca [724]
761 Stele [728]
762 Stemma funerario [265]
   1 scudo tombale
763 Stemma, scudo [827]
   1 araldica
   2 colori araldici
   3 figura di stemma
   4 stemma parlante
   5 attributo araldico
   6 elemento secondario dello stemma
   7 sostegno, tenente

8 divisa, motto
764 Stereobato 729
765 Stile Biedermeier 89
766 Stile decorated, gotico
   raggiante 160
767 Stile dei Gesuiti 354
768 Stile desornamentado 165
769 Stile gregoriano 283
770 Stile Herrera 328
771 Stile Isabelliano 351
772 Stile Manuel 207
773 Stile mozarabico 494
774 Stile perpendicolare 563
775 Stile Plantagenet 742
776 Stile plateresco 577
777 Stile raggiante 743
778 Stile Reggenza 622
779 Stile Regina Anna 613
780 Stile Tudor 797
781 Stile Vittoriano 818
782 Stilobate 744
783 Stoà 734
784 Storicismo 331
785 Strombatura, sguincio 288
   1 intradosso
786 Strotere 737
787 Strumenti della passione 547
788 Struttura ad absidi doppie
   181
789 Struttura addossata 821
790 Struttura triconca 191
791 Stucco 738
792 Stufa di ceramica 359
793 Stylos 745
794 Sudatorium 746
795 Suppedaneo 747

796 Tabernacolo 9
797 Tabernacolo a colonne (1)
   144
798 Tabernacolo, ciborio 752
799 Tablino 753
800 Taenia 754
801 Taglio a dentelli 852
802 Taglio a dentelli, fregio a
   dentelli 166
803 Tamburo 756
804 Tappezzeria (2) 188
805 Tarsia 346
806 Tavolato 110

807 Tavoletta votiva 823
808 Teatro antico 766
   1 teatro greco
   2 teatro romano
   3 anfiteatro
809 Tecnica della costruzione 761
810 Tecniche pittoriche 461
   1 acquerello
   2 guazzo
   3 tempera
   4 affresco
   5 pittura a secco
   6 pittura a olio
   7 tecnica mista
   8 pittura a lacca
811 Tegurio (1) 144
812 Telamone 52
813 Tempera 762
814 Tempio in antis 32
815 Tempio in antis doppio 180
816 Tempio ipetrale, hypetrale
   340
817 Tenenti 673 842
818 Tepidarium 763
819 Terme 768
820 Terrazzino d'ingresso 80
821 Teste della trave (2) 66
822 Tetramorfo 764
823 Tetto a bulbi sovrapposti 835
824 Tetto a coppi 594
825 Tettonica, tecnica della
   costruzione 761
826 Tetto trasversale 864
827 Theatron 767
828 Tholos 769
829 Tierceron 770
830 Timpano 803
831 Tipologia 804
832 Tipologie di chiese 393
833 Tomba 799
834 Tonsura 773
835 Toro 776
836 Torre 801
   1 campanile
   2 campanile
   3 torretta con scala a
      chiocciola
   4 torre di difesa
   5 torre d'abitazione
   6 torre di rappresentanza
837 Torre aperta alla gola 663

838 Torre campanaria comunale
   84
839 Torre d'abitazione 847
840 Torre laterale 250
841 Torretta con scala a chiocciola
   837
842 Torreta, guardiola, garitta,
   sentinella 664
843 Torso 774
844 Trabeazione, pulvino 274
845 Traforo 473
846 Traforo ad asta 713
847 Traforo a sei lobi 689
848 Traforo a tripla vescica di
   pesce 194
849 Traforo cieco 103
850 Transenna 778
851 Transetto 615
852 Transetto reticolato 854
853 Traversa 632
854 Travicello 159 619
855 Travone 783
856 Trecento 784
857 Triangolazione 786
858 Tribuna 787
859 Tribuna dell'organo (5) 525
860 Trifoglio 189
861 Triforio 788
   1 triforio cieco
862 Triforio cieco 105
863 Triglifo 789
864 Trilobo 192
865 Trinità 190
866 Triquetro 193
867 Trittico 792
868 Trochilo 794
869 Trofeo 796
870 Tromba 795
871 Trono della Trinità 296
872 Tumulo 800

873 Unghia 374
874 Unicorno, liocorno 205

875 Vasca battesimale (2) 575
876 Vela della volta (2) 826
877 Vergini savie e stolte 357
878 Verone, bovindo 138
879 Vescica di pesce 683

880 Vessillo crociato 417
881 Vestibolo 812
882 Vetrata stemmata 828
883 Vetro a occhi 516
884 Via Crucis 420
885 Virtù e vizi 798
886 Volta 289
   1 volta a botte
   2 unghia
   3 vela
   4 lunettone
   5 volta a crociera, a spigoli
      vivi
   6 nervatura, ogiva di volta
   7 volta a crociera, a costoloni
   8 costolone diagonale
   9 formazione delle campate
   10 arcone trasversale
   11 campata
   12 campata ritmata
   13 arrotondata
   14 volta domicale
   15 volta cellulare
   16 volta alveolata, v. a stella
   17 volta reticolare
   18 volta a ventaglio
   19 volta a ombrello
   20 intreccio
   21 volta a padiglione
   22 volta a botte con teste a
      padiglione
   23 volta a schifo
   24 cupola
887 Volta ad anfora 28
888 Volta domicale 177
889 Volta fittizia 806
890 Voluta 819
891 Voluta, ricciolo 641
892 Voluta rococò 497

893 Weicher Stil 833
894 Westwerk 840

895 Yeseria 849

896 Zoccolo 701
897 Zopfstil 862
898 Zorphoros 863

PERSONEN-REGISTER

1000	900	800	700	600	500	400	300

PROTOGEOMETR. ZEIT 1100–900	GEOMETRISCHER STIL 900–700	ARCHAISCHER STIL 700–500	KLASSISCHE ZEIT 500–330	

GRIECHENLAND ▲
ROM ▼

RÖMISCHE FRÜHZEIT · LATINER · SABINER	ETRUSKER 6.–4. JH.	REPUBLIK 500 – 27

450	500	550	600	650	700	750

I	RÖMISCH-FRÜHCHRISTLICHE NACHFOLGE · BYZANTINISCH

Ravennatische Baukunst 402 – 8. Jahrhundert

Weström. 402 – 476	Ostgotisch 476 – 540	Byzantinisch 540 – 8. Jh.

F	MEROWINGISCH 480 – 750

S	VERSCHMELZUNG RÖM.-BYZANTINISCHER, IBERISCHER, KELTISCHER UND VANDALISCHER MIT WESTGOTISCHER KUNST SEIT ANFANG 5. JH.	Islamisch

D	MEROWINGISCH 480 – 750

E	RÖMISCHE NACHFOLGE DÄNISCH

950	1000	1050	1100	1150	1200	1250

I	VORROMANIK	ROMANIK 1060 – 1250

F	VORROM.	ROMANIK 1000 – 1150		Frühgot. 1135 – 1200	Hochgotik 1190 – 1270

Capetinger seit 987 · Frühromanik 1000 – 1080 · Hochromanik 1080 – 1150

S	ARTE PRE-ROMANICO	ROMANIK 1000 – 1200	Früh- u. Hochgotik 1200 – 1420

noch: Islamisch bis 1492 · noch: Mudéjar bis 16. Jh.

D	OTTONISCH	ROMANIK 1020 – 1250	Frühgot. 1235–50

Salisch 1040 – 1140 · Staufisch 1140 – 1250

E	SAXON	ROMANIK (NORMAN) 1066 – 1200	Early English 1175/1200 – 1307

Italien: Quattrocento   Cinquecento   Seicento

1400	1450	1500	1550	1600	1650

I	GOTIK	RENAISSANCE 1420 – 1600	BAROCK

Frührenaissance 1420 – 1500 · Hochrenaiss. 1500 – 25 · Spätrenaissance u. Manierismus 1525 – 1570/1600 · Frühbarock 1570 – 1630 · Hochbarock 1630 – 1700

F	SPÄTGOTIK	RENAISSANCE 1490 – 1610	KLASSIK 1490 – 1790

Frührenaissance 1490 – 1540 · Hochrenaissance 1540 – 1590 · Manierism. 1590 – 1610 · Louis XIII 1610 – 1643 · Louis XIV 1643 – 1715

S	SPÄTGOTIK	RENAISSANCE 1500 – 1600	BAROCK

Platero 1485 – 1550 · Desornamentado 1550 – 1600

D	SONDERGOTIK	RENAISSANCE 1520 – 1660	BA

Frührenaissance 1520 – 1560 · Hochrenaiss. u. Manierismus 1550 – 1620 · Knorpelstil 1600 – 1660

E	TUDOR	ELIZABETHAN 1550 – 1610	JACOBEAN 1610 –40	PALLADIANISMUS 1620–1820